DICTIONNAIRE
DES MOTS CROISÉS

Nouvelle édition

Les Éditions Goélette inc.

À Micheline Reid,

en reconnaissance de sa contribution
à l'élaboration de ce dictionnaire, unique en son genre,
destiné aux cruciverbistes et autres amateurs
de jeux de lettres.

2006, Les Éditions Goélette inc.
© Tous droits réservés

Dépôt légal, 1e trimestre 2006
Bibliothèque nationale du Québec
Bibliothèque nationale du Canada

ISBN 2-922983-91-9

LES ÉDITIONS GOÉLETTE INC.
600, boul. Roland-Therrien
Longueuil (Québec)
J4H 3V9

Téléphone : (450) 646-0060
Télécopieur : (450) 646-2070

Données de catalogages avant publications (Canada)
Brouillard, Jacques, 1942-2003
Dictionnaire des mots croisés
Nouvelle édition

Publ. antérieurement sous le titre : Recueil de définitions.
ISBN 2-922983-00-5

Ce *Dictionnaire des Mots croisés* est le fruit de plusieurs années de recherche. En plus de consulter des cruciverbistes avertis, les auteurs se sont intéressés aux mots croisés et autres jeux de lettres des Éditions Goélette, bien sûr, mais aussi d'un grand nombre d'autres publications.

C'est ainsi qu'ils ont conçu un ouvrage de référence qui saura combler tous les amateurs. Ce livre s'adresse aux champions comme à tous ceux et celles qui veulent s'initier aux mots croisés et réussir à en vaincre les difficultés.

Y a-t-il plus beaux loisirs que les mots croisés? Voilà une activité qui est source de satisfaction et de valorisation personnelle. Aux débutants, ce dictionnaire apporte le succès à coup sûr; aux cruciverbistes aguerris, la satisfaction d'une performance accrue.

Bonne détente!

Les Éditions Goélette

Direction
Alain Delorme • président

Conception
Micheline Reid
Paul Lacasse

Coordination
Esther Tremblay

Rédaction
Jacques Brouillard

Infographie
Jacques Lacoursière
Dominique Roy

**Graphisme
de la page couverture**
Jacques Lacoursière

Mise à jour (recherche)
Isabelle Sauriol

Relecture
Esther Tremblay

Informatique
Paul Lacasse

QUELQUES NOTES D'UTILISATION

LES ADJECTIFS ET LES NOMS

Les adjectifs sont le plus souvent donnés au masculin singulier.

Exemple : La définition est Discrète.
Vous devez chercher Discret (p. 253).
Vous devrez choisir entre MUET • RETENU • RÉTICENT.
Votre réponse sera donc ou MUETTE ou RETENUE ou RÉTICENTE.

La même règle s'applique aux noms dont le féminin dérive du masculin.

Exemple : La définition est Gérante.
Vous cherchez Gérant (p. 387).
Votre réponse ne sera pas TENANCIER, mais TENANCIÈRE.

Il y a par contre quelques mots qui, en raison du contexte, sont donnés au pluriel.

Exemple : Habitants (p. 407) au sens de GENS.

LES VERBES

Les verbes sont toujours donnés à l'infinitif.

Exemple : La définition est Chantons de façon assourdissante.
Vous cherchez Chanter de façon assourdissante (p. 147).
Votre réponse ne sera pas BRAILLER, mais BRAILLONS.

A

... Angeles	LOS
... Culpa	MEA
... Lupin	ARSÈNE
...-Herzégovine	BOSNIE
...-mélo	MÉLI
3,1416	PI
À aucun moment	JAMAIS
À cause de	BECAUSE
A cœur ouvert	LIBREMENT
À côté de	AUPRÈS
À de nombreuses reprises	SOUVENT
À demi	SEMI
À deux places	BIPLACE
À deux voix	DUO
À foison	AMPLEMENT
À gogo	BEAUCOUP
A haute voix	HAUTEMENT
À la fin de la messe	ITE
À la fin d'une période	TARD
À la fin	FINALEMENT
A la fois moqueur et malicieux	NARQUOIS
À la mode	BRANCHÉ • IN
À la suite de	DERRIÈRE
À l'écart	RETIRÉ
À l'époque de	SOUS
À l'intérieur de	DANS
À l'occasion	PARFOIS
À moi	MIEN
À mots couverts	ALLUSIF
À partir de	DEPUIS
À peu près semblable	SIMILAIRE
À peu près	PRESQUE
A peu près	VAGUEMENT
À présent	MAINTENANT
À profusion	BEAUCOUP
À quel degré	COMBIEN
À quel point	COMBIEN
À quel prix	COMBIEN

A qui on a redonné un
   sentiment de sécurité . . . . RASSURE

À raison (À bon ...) . . . . ESCIENT

A rapport au nez . . . . NASAL

À ras, tout près . . . . RASIBUS

A Rome, charge de questeur . . . . QUESTURE

A skis, descendre en virages courts . . . . GODILLER

À souhait . . . . BEAUCOUP

À toi . . . . TIEN

À tort (À mauvais ...) . . . . ESCIENT

À trois places . . . . TRIPLACE

A trois plans . . . . TRIPLAN

À un niveau supérieur . . . . DESSUS

Abaissement progressif du son . . . . FONDU

Abaisser le niveau . . . . DÉRASER

Abaisser . . . . HUMILIER • PENCHER

Abajoue . . . . BAJOUE

Abandon de la foi . . . . APOSTASIE

Abandon . . . . ABDICATION • CAPITULATION
DÉFECTION • DÉMISSION •DÉSERTION
LACHAGE • LARGAGE • PLAQUAGE
RECULADE • REJET

Abandon, solitude . . . . VIDUITÉ

Abandonné . . . . DELAISSÉ • SEUL • VACANT • VIDE

Abandonner . . . . ABJURER • CONFIER • DÉLAISSER
DÉSERTER • ÉVACUER • FLANCHER
LAISSER • LARGUER • NÉGLIGER
OUBLIER • RENIER • RENONCER
RÉPUDIER • SACRIFIE

Abandonner l'état ecclésiastique . . . . DÉFROQUER

Abandonner une voie
   pour une autre . . . . BIFURQUER

Abasourdi . . . . AHURI • COI • CONSTERNE
ÉBAHI • HÉBÉTÉ • SIDÉRÉ • STUPÉFAIT

Abasourdir . . . . AHURIR • ÉBAHIR • SIDÉRER

Abattage . . . . BOUCHERIE

Abattement . . . . ACCABLEMENT • DÉCOURAGEMENT
LANGUEUR • PROSTRATION • TORPEUR

Abatteur . . . . BUCHERON

Abattre . . . . AFFAIBLIR • ASSOMMER
ATTERRER • DÉMORALISER • DÉPRIMER
DESCENDRE • FAUCHER • TERRASSER

Abattu	CADUC • MORNE
Abbé de Fleury	ABBON
Abbé	PRÊTRE • CURÉ
Abc	ALPHABET
Abcès des gencives	PARULIE
Abdiquer	RENONCER
Abdominal	VENTRAL
Abécédaire	ALPHABET
Abeilles	RUCHÉE
Aber	RIA
Aberrant	INSENSÉ • ABSURDE
Aberration	ABSURDITÉ
Abêtir	ABRUTIR • BÊTIFIER
	CRÉTINISER • GATIFIER
Abhorrer	ABOMINER • DÉTESTER
	EXÉCRER • HAÏR
Abîmé	DÉLABRÉ
Abîme	PRÉCIPICE • GOUFFRE • ABYSSE
Abîmer	AMOCHER • BLESSER • ENDOMMAGER
Abject	IGNOBLE • INFÂME • VIL
Abject, trouble	FANGEUX
Abjection	BASSESSE • FANGE
	INFAMIE • INDIGNITÉ
Abjurer	RENIER
Ablation	EXÉRÈSE
Ableret	ABLIER
Ablier	ABLERET
Ablution	BAIN • LOTION • LAVEMENT
Aboiement	ABOI
Abolir	ABROGER • INVALIDER • PROSCRIRE
Abolition	ABROGATION
Abominable	AFFREUSE • ATROCE • HORRIBLE
Abominations	HORREURS
Abominer	ABHORRER • EXÉCRER
Abondamment	COPIEUSEMENT • GRASSEMENT
	LARGEMENT
Abondance de biens	OPULENCE • RICHESSE
Abondance	AMPLEUR • FOISON
Abondant	AMPLE • DENSE • FRUCTUEUX
	NOMBREUX • PLANTUREUX

Abondant en pluie	PLUVIEUX
Abondante sécrétion d'urine	DIURESE
Abondante	NOMBREUSE • PLANTUREUSE
Abonder	FOISONNER • REGORGER
Abonnement	FORFAIT
Abonner de nouveau	RÉABONNER
Abord	ACCÈS • ENTOUR
Abordable	ACCESSIBLE
Aborder sur la Lune	ALUNIR
Aborder	ACCOSTER • APPROCHER • ARRIVER
Abords	ALENTOURS • APPROCHES
Abouter	ABOUCHER • AJOINTER • ENTER
Abouti	RÉUSSI
Aboutir	DEBOUCHER
Aboutissement	CONCLUSION • DÉNOUEMENT • ISSUE
Aboyer	JAPPER
Aboyeur	CLABAUD
Abracadabrant	FANTASQUE
Abrasif	ÉMERI
Abréaction	CATHARSIS
Abrégé d'un ouvrage historique	EPITOME
Abrégé	SYNTHÈSE • RÉSUMÉ • TRONQUE
Abréger	CONDENSER • ÉCOURTER
	RACCOURCIR • RESSERRER • RÉSUMER
Abreuvoir	AUGE
Abréviation d'adolescent (fam.)	ADO
Abréviation de phonographe	PHONO
Abréviation familière d'aspirant	ASPI
Abréviation	ACRONYME
Abri de glace	IGLOO • IGLOU
Abri de neige	IGLOO • IGLOU
Abri de paille	HUTTE
Abri de toile goudronnée	TAUD
Abri enterré d'un fort	CASEMATE
Abri militaire	CAGNA
Abri orientable blindé	TOURELLE
Abri portatif démontable	TENTE
Abri pour chien	NICHE
Abri pour essaim d'abeilles	RUCHE
Abri pour les chasseurs de gibier d'eau	GABION
Abri pour les navires	PORT

Abri pour porcs . . . . SOUE
Abri pour une sentinelle . . . . GUÉRITE
Abri protégé contre les obus . . . . CASEMATE
Abri . . . . ASILE • COUVERT • HANGAR
REFUGE • RETRAITE
Abri, maison . . . . CAGNA
Abrité . . . . HÉBERGÉ
Abriter . . . . HÉBERGER • GARER
Abrogation . . . . ABOLITION • ANNULATION
CASSATION • RESCISION
Abrupt . . . . BRUTAL • ESCARPÉ • RAIDE
Abrutie . . . . BOURRIQUE
Abrutir . . . . ABÊTIR • BÊTIFIER
CRÉTINISER • ÉTOURDIR
Abrutissement . . . . HÉBÉTUDE
Abscons . . . . ABSTRAIT • ABSTRUS
Absence de ce qui serait nécessaire . . . . DÉFAUT
Absence de communication verbale . . . . MUTISME
Absence de culpabilité . . . . INNOCENCE
Absence de générosité . . . . PETITESSE
Absence de graisse . . . . MAIGREUR
Absence de loi . . . . ANOMIE
Absence de noblesse . . . . ROTURE
Absence de punition . . . . IMPUNITÉ
Absence de salive . . . . ASIALIE
Absence de saveur . . . . FADEUR
Absence d'organisation naturelle . . . . ANOMIE
Absence d'urine dans la vessie . . . . ANURIE
Absence . . . . ABSTENTION • OMISSION
Absent . . . . DISTRAIT • PARTI
Absolu . . . . COMPLET • ENTIER
ESSENTIEL • PUR • TOTAL
Absolu dans ses goûts . . . . EXCLUSIF
Absolu, de parti pris . . . . EXCLUSIF
Absolution . . . . PARDON
Absorbé . . . . PERDU
Absorber . . . . ASPIRER • AVALER • BOIRE • ÉPONGER
INGÉRER • PRENDRE • SUCER
Absorber par les voies respiratoires . . . . INHALER
Absoudre . . . . PARDONNER
Abstention . . . . NEUTRALITÉ

Abstinence des plaisirs sexuels	CONTINENCE
Abstinence	PRIVATION • JEÛNE
Abstraction	IDEALITE
Abstrait	IRRÉEL
Absurde	ABERRANT • ALOGIQUE • INEPTE • INSANE
	INSENSÉ • RIDICULE • SAUGRENU
Absurdité	ILLOGISME • SOTTISE
Abuser	ACCROIRE • BLUFFER • DUPER • MÉSUSER
Abusif	INJUSTE
Abyssinien	ABYSSIN
Acabit	CALIBRE
Académie	ÉCOLE • INSTITUT
Acadien	CAJUN
Acariâtre	AIGRE • ATRABILAIRE • COLERIQUE
	DÉSAGRÉABLE • •GRINCHEUX • REVÊCHE
Acarien parasite du chien, des ruminants	TIQUE
Acarien, parasite extérieur des volailles	ARGAS
Accablant	LOURD
Accablé	ATTERRÉ • DECOURAGE • OPPRESSÉ
Accablement	PROSTRATION
Accabler	ABREUVER • ALOURDIR • ASSOMMER
	ATTERRER • COMBLER • CRIBLER • ÉPUISER
Accabler de dettes	OBÉRER
Accabler de fatigue	VANNER • HARASSER
Accabler de reproches	INCENDIER
Accabler d'injures	AGONIR
Accalmie	CALME
Accaparant, prenant	EXIGEANT
Accaparé	AFFAIRÉ
Accaparer	ABSORBER
Accélérateur	ACTIVEUR
Accélération d'un coureur	SPRINT
Accélérer	PRÉCIPITER
Accentué	PRONONCÉ • SOUTENU
Accentuer	SOULIGNER
Acceptable	ADMISSIBLE • PASSABLE • POTABLE
	RAISONNABLE • RECEVABLE
Acceptation	ASSENTIMENT
Accepter que quelque chose se fasse	CONSENTIR

Accepter un défi	TOPER
Accepter	ACCUEILLIR • APPROUVER
Accepteur	ABONNE
Accès de toux	QUINTE
Accès d'ivresse	CUITE
Accès passager	BOUFFÉE
Accès	ABORD • APPROCHE
Accessibilité	ATTEINTE
Accessible	OUVERT
Accession	AVÈNEMENT
Accessoire de gymnastique	ESPALIER
Accessoire d'usage domestique	USTENSILE
Accessoire portatif pour protéger de la pluie	PARAPLUIE
Accessoire	ANNEXE • SECONDAIRE
Accident fâcheux	ESCLANDRE
Accident	CAS
Accidenté	BLESSÉ
Accidentel	CASUEL • FORTUIT • IMPRÉVU
Accidentelle	CASUELLE
Acclamation en l'honneur de quelqu'un	VIVAT
Acclamation religieuse	HOSANNA
Acclamation	HURRAH • OVATION
Acclamer	APPLAUDIR • OVATIONNER
Acclimatation	ADAPTATION
Accointance	COMPLICITÉ
Accommodant	CONCILIANT • TRAITABLE
Accommodé avec une sauce	CUISINÉ
Accommoder	APPRÊTER
Accompagnateur	CONVOYEUR
Accompagné d'algidité	ALGIDE
Accompagné de persil haché	PERSILLÉ
Accompagné	SUIVI
Accompagnement	CONDUITE • GARNITURE
Accompagner	ASSISTER • CONDUIRE • ESCORTER FLANQUER • MENER • SUIVRE
Accompagner, guider	CORNAQUER
Accompli	RÉVOLU
Accompli à la hâte	PRECIPITE
Accomplir	COMMETTRE • CONSOMMER • EFFECTUER EXÉCUTER • FINIR • RÉALISER • RÉUSSIR

Accomplir le coït . . . . COÏTER
Accomplir rapidement . . . . EXPÉDIER
Accomplissement . . . . RÉALISATION • COURONNEMENT
Accord . . . . ACCEPTATION • ADHÉSION
ASSENTIMENT • COMMUNION
CONCERT • CONCORDE
CONVENTION • ENTENTE • MARCHÉ
PACTE • TRAITÉ • UNISSON
Accord complet des suffrages . . . . UNANIMITÉ
Accord de crédit réciproque . . . . SWAP
Accord de tous . . . . UNANIMITÉ
Accord exécuté sur un instrument . . . . ARPÈGE
Accord musical . . . . ARPÈGE
Accord signé en 1947 à Genève . . . . GATT
Accorder . . . . ALLOUER • CADENCER
CONCÉDER • CONCILIER • DÉCERNER
DÉPARTIR • DISPENSER • DONNER
EXAUCER • IMPARTIR
Accorder sa confiance (Se) . . . . FIER
Accorder un titre de noblesse . . . . ANOBLIR
Accorder, autoriser . . . . CONSENTIR
Accostage . . . . ABORDAGE
Accoster . . . . ABORDER • APPROCHER • ARRÊTER
Accoter . . . . ÉTAYER
Accotoir . . . . APPUI
Accouchement laborieux . . . . DYSTOCIE
Accouchement normal . . . . EUTOCIE
Accoucher avant terme . . . . AVORTER
Accoucher . . . . DELIVRER
Accoudoir . . . . ACCOTOIR
Accouplement . . . . CROISEMENT • COÏT
Accoupler . . . . ASSORTIR • APPARIER
Accourir . . . . AFFLUER
Accoutré . . . . AFFUBLÉ • DÉGUISÉ
Accoutrement . . . . COSTUME • HARNAIS
Accoutrement . . . . FAGOTAGE
Accoutrer . . . . ATTIFER • DÉGUISER • FRINGUER
HARNACHER • VÊTIR
Accoutumer . . . . ACCLIMATER • HABITUER
Accréditer . . . . AUTORISER
Accroc . . . . CONTRETEMPS • ANICROCHE

Accrochage	ALGARADE • COLLISION ESCARMOUCHE • HEURT
Accroché	PENDU
Accroche publicitaire destinée à intriguer	AGUICHE
Accroche-cœur	GUICHE
Accrocher	APPENDRE • CROCHER • PENDRE
Accrocheur	RACOLEUR
Accrocheuse	RACOLEUSE
Accroissement	GRADATION
Accroître	AMPLIFIER • AGRANDIR SEPTUPLER • SEXTUPLER
Accueil	RÉCEPTION
Accueillant	ACCESSIBLE • CONVIVIAL HOSPITALIER
Accueillir avec ferveur	AGRÉER
Accueillir par des cris d'hostilité	HUER
Accueillir	CONTENIR
Accumulateur	ACCU
Accumulation de débris entraînés, et abandonnés par les glaciers	MORAINE
Accumulation de neige et de glace	GLACIER
Accumulation excessive d'urée dans le sang	URÉMIE
Accumuler	AMASSER • ENTASSER
Accusation	CHARGE
Accusé	PRÉVENU
Accuser	DÉNONCER • INCULPER • INCRIMINER
Acerbe	ACARIÂTRE • ACÉRÉ
Acéré	INCISIF
Acérée	INCISIVE
Acétate de cuivre	VERDET
Acétone	CÉTONE
Acharnement	OBSTINATION
Achat	EMPLETTE
Acheminer	AMENER
Acheter	ACQUÉRIR
Acheteur	CLIENT • PRENEUR
Achevé	ACCOMPLI • RÉVOLU
Achèvement minutieux	FINITION
Achèvement	COURONNEMENT • PERFECTION

Achever	ACCOMPLIR • COMPLÉTER FINIR • TERMINER
Achopper	BUTER • TRÉBUCHER
Acide aminé naturel aliphatique	ALANINE
Acide aminé	VALINE
Acide désoxyribonucléique	ADN
Acide ribonucléique	ARN
Acide sulfurique fumant	OLÉUM
Acide sulfurique	VITRIOL
Acidité	AIGREUR
Acidose	ALCALOSE
Acidulée	SURETTE
Acier au nickel, de dilatation très faible	INVAR
Acier inoxydable	INOX
Acier très fin	DAMAS
Acompte, somme à imputer sur une créance	AVALOIR
Aconit des montagnes	NAPEL
À-coup	SACCADE
Acquéreur	ACHETEUR • CLIENT • PRENEUR
Acquérir des connaissances	APPRENDRE
Acquérir	ACHETER • CONTRACTER
Acquiescement	PERMISSION
Acquiescer	SOUSCRIRE
Acquisition	ACHAT • EMPLETTE
Acquit	REÇU
Acquités de ses pêchés	ABSOUS
Acquittement	AMNISTIE • PAIEMENT
Acquitter	RÉGLER
Acquitter un compte	SOLDER
Acrimonie	ÂCRETÉ • AIGREUR • AMERTUME
Acrobate	BATELEUR • SAUTEUR • VOLTIGEUR
Acrobatie	CASCADE
Acronyme	SIGLE
Acte contraire à la justice	INJUSTICE
Acte de générosité	BIENFAIT
Acte de pensée	NOÈSE
Acte de violence	VIOL
Acte de volonté	VOLITION
Acte déloyal	DÉLOYAUTÉ
Acte d'intimidation	SEMONCE

Acte dressé par un huissier de justice . . . . PROTÊT
Acte juridique par lequel
    on annule des jugements . . . . CASSATION
Acte législatif émanant du roi . . . . ÉDIT
Acte notarié . . . . BREVET
Acte par lequel on pense . . . . NOÈSE
Acte rituel . . . . SACREMENT
Acte . . . . ACTION • CITATION
                                    DIPLÔME • GESTE
Acteur américain d'origine britannique . . . . GRANT
Acteur américain mort en 1982 . . . . FONDA
Acteur américain né en 1901 . . . . GABLE
Acteur américain né en 1924 . . . . BRANDO
Acteur britannique mort en 1989 . . . . BURTON
Acteur comique . . . . BOUFFON
Acteur et metteur en scène
    de théâtre français . . . . VILAR
Acteur français d'origine suisse né en 1895 . . . . SIMON
Acteur français mort en 1946 . . . . RAIMU
Acteur français mort en 1976 . . . . GABIN
Acteur français mort en 1989 . . . . BLIER • VANEL
Acteur français né en 1880 . . . . BAUR
Acteur français né en 1925 . . . . PICCOLI
Acteur français né en 1935 . . . . DELON
Acteur français prénommé Philippe . . . . NOIRET
Acteur italien mort en 1967 . . . . TOTO
Acteur jouant des farces grossières . . . . HISTRION
Acteur qui interprète des tragédies . . . . TRAGÉDIEN
Acteur qui joue spécialement
    les rôles tragiques . . . . TRAGÉDIEN
Acteur sans talent . . . . RINGARD
Acteur . . . . CABOTIN • COMÉDIEN
Actif . . . . ALLANT • EFFICACE
                                    MILITANT • REMUANT
Actif, vif . . . . ALLANT
Actinium . . . . AC
Action . . . . ANIMATION • ENTREPRISE • GESTE
Action bienfaisante . . . . BIENFAIT
Action d'abattre . . . . ABATTAGE
Action d'accompagner . . . . ESCORTE
Action d'aérer . . . . AÉRATION

Action d'affranchir au moyen d'un timbre	TIMBRAGE
Action d'agrafer	AGRAFAGE
Action d'aiguiser	AFFUTAGE
Action d'ajouter de nouveau	RAJOUT
Action d'ajouter	ADDITION
Action d'aléser	ALÉSAGE
Action d'allumer	ALLUMAGE
Action d'amorcer	AMORÇAGE
Action d'ancrer à un point fixe	ANCRAGE
Action d'apprêter avec de l'empois	EMPESAGE
Action d'armer une personne ou une troupe	ARMEMENT
Action d'arrimer	ARRIMAGE
Action d'arriver	ARRIVEE
Action d'arriver à l'improviste	SURVENUE
Action d'arriver à un lieu	ABORD
Action d'arroser	ARROSAGE
Action d'aspirer un liquide dans la bouche	SUCCION
Action d'atteindre quelque chose, quelqu'un	ATTEINTE
Action d'attirer des gens	RACOLAGE
Action de bâcher	BÂCHAGE
Action de baiser ce qui est sacré	BAISEMENT
Action de balayer	BALAYAGE
Action de barrer un chèque	BARREMENT
Action de battre la mesure	BATTUE
Action de bercer dans un berceau ou dans ses bras	BERCEMENT
Action de biffer	RATURAGE
Action de blinder	BLINDAGE
Action de boiser	BOISEMENT
Action de boucaner	BOUCANAGE
Action de boucher	BOUCHAGE
Action de brasser la crème pour obtenir du beurre	BARATTAGE
Action de bricoler	BRICOLAGE
Action de bronzer, de brunir	BRONZAGE
Action de brosser	BROSSAGE
Action de brûler les morts	CREMATION
Action de camper	CAMPEMENT
Action de casser	CASSAGE
Action de céder	CESSION
Action de changer une chose contre une autre	CHANGE

Action de chiffrer .... CHIFFRAGE
Action de ciller .... CILLEMENT
Action de cirer .... CIRAGE
Action de condamner .... IMPROBATION
Action de conférer un grade universitaire .... COLLATION
Action de contraindre .... CŒRCITION
Action de coudre les bords d'un tissu .... SURFILAGE
Action de couler .... FLUX
Action de couvrir d'une bâche .... BÂCHAGE
Action de créer des bruits .... BRUITAGE
Action de creuser en spirale
    les parois d'un écrou .... TARAUDAGE
Action de creuser intérieurement .... EVIDAGE
Action de creuser une mine .... MINAGE
Action de cumuler .... CUMUL
Action de curer .... CURAGE
Action de débarasser des aspérités .... EBARBAGE
Action de débrayer .... DÉBRAYAGE
Action de déceler la présence .... DETECTION
Action de décoder .... DÉCODAGE
Action de décoller .... ENVOL
Action de dénier .... DÉNI
Action de détourner de sa direction .... DEVIATION
Action de détruire par le feu .... AUTODAFÉ
Action de dicter .... DICTÉE
Action de diluer .... DILUTION
Action de diriger un aéronef .... PILOTAGE
Action de diriger un navire en mer .... PILOTAGE
Action de diriger une embarcation .... GOUVERNE
Action de diviser .... DIVISION
Action de dompter .... DOMPTAGE
Action de donner une certaine forme .... FORMATION
Action de donner .... DATION
Action de draguer .... DRAGAGE
Action de draper .... DRAPEMENT
Action de façonner au tour .... TOURNAGE
Action de faire cuire à la broche ou au four .... ROTISSAGE
Action de faire paître le bétail .... PACAGE
Action de faire perdre sa fraîcheur .... FANAGE
Action de faire sécher à la fumée .... BOUCANAGE
Action de faire sécher .... SÉCHAGE

Action de faire tomber	ABATAGE • ABATTAGE
Action de faire tremper	TREMPAGE
Action de faire un travail de façon peu soigneuse	BÂCLAGE
Action de fermer au moyen d'une barre	BARRER
Action de ferrer un cheval	FERRAGE • FERRURE
Action de fignoler	FIGNOLAGE
Action de fixer avec une cale	CALAGE
Action de fixer	FIXATION
Action de flâner	FLÂNERIE
Action de froisser	FROISSEMENT
Action de frôler	FRÔLEMENT
Action de gâcher	GACHAGE
Action de gamin	GAMINERIE
Action de garnir d'arbres un terrain	BOISEMENT
Action de gerber	GERBAGE
Action de glacer	GLAÇAGE
Action de glaner	GLANAGE
Action de graisser la semelle des skis	FARTAGE
Action de graver au burin	BURINAGE
Action de grener les parties ombrées d'une gravure	GRENURE
Action de guider	CONDUITE
Action de lacer	LAÇAGE • LACEMENT
Action de lâcher	LACHAGE • LARGAGE
Action de lancer	JET
Action de lécher	LÈCHEMENT
Action de lessiver	LESSIVAGE
Action de lester	LESTAGE
Action de lier avec de la ficelle	FICELAGE
Action de mâcher	MACHEMENT
Action de marquer le bétail au fer rouge	FERRADE
Action de médire	MEDISANCE
Action de mélanger avec un liquide	DELAYAGE
Action de ménager	ÉPARGNE
Action de mettre bas en parlant des vaches	VELAGE
Action de mettre dans un sens opposé	INVERSION
Action de mettre du bois en fagots	FAGOTAGE
Action de mettre en morceaux, de briser	CASSEMENT
Action de mettre en pile	EMPILAGE
Action de mettre un enjeu supérieur	RELANCE

Action de mettre une capsule à une bouteille	CAPSULAGE
Action de monter de nouveau	REMONTEE
Action de monter la garde	VEILLE
Action de monter	ASCENSION
Action de mordre	MORSURE
Action de moudre des grains	MOUTURE
Action de mouvoir	MOTION
Action de multiplier les végétaux par boutures	BOUTURAGE
Action de nager	NATATION
Action de nettoyer	NETTOYAGE
Action de nier	NÉGATION
Action de noter	NOTATION
Action de nouer	NOUEMENT
Action de palper	PALPATION
Action de parler beaucoup	BABILLAGE
Action de parquer	PARCAGE
Action de passer sa langue sur quelque chose	LECHAGE
Action de patiner	PATINAGE
Action de paver avec des carreaux	CARRELAGE
Action de paver	PAVAGE
Action de pendre	PENDAISON
Action de pépier	PEPIEMENT
Action de perforer	PERFORAGE
Action de peser	PESEE
Action de pianoter	PIANOTAGE
Action de piller	RAFLE
Action de piqueter, de tacheter	PIQUETAGE
Action de planer quelque chose	PLANAGE
Action de plaquer un adversaire	PLAQUAGE
Action de plier	PLIAGE • PLIEMENT
Action de plumer un oiseau	PLUMAISON
Action de pondre	PONTE
Action de poursuivre le gibier	CHASSE
Action de poursuivre les animaux pour les capturer ou les tuer	CHASSE
Action de pousser en faisant reculer	REPOUSSE
Action de prendre par violence	RAPINE
Action de progresser	AVANCEMENT
Action de purifier certaines matières premières	RAFFINAGE
Action de quitter le sol	DÉCOLLAGE

Action de raboter . . . . RABOTAGE

Action de racoler . . . . RACOLAGE

Action de racommoder en mettant des pièces . . . . RAPIEÇAGE

Action de ramasser les épis de blé,
    après la moisson . . . . GLANAGE

Action de ramer . . . . NAGE

Action de ramper . . . . RAMPEMENT • REPTATION

Action de râper . . . . RÂPAGE

Action de ratisser . . . . RATISSAGE

Action de raturer . . . . RATURAGE

Action de rayer . . . . RAYAGE

Action de réaliser un isolement . . . . ISOLATION

Action de recouvrir de gomme . . . . GOMMAGE

Action de recueillir . . . . RAMASSAGE

Action de récurer le tuyau d'une cheminée . . . . RAMONAGE

Action de récurer . . . . RÉCURAGE

Action de refondre, de donner une nouvelle forme . . . . . . REFONTE

Action de rejeter au dehors . . . . EJECTION

Action de remblayer . . . . REMBLAI

Action de remettre à neuf . . . . RÉFECTION

Action de remettre au feu . . . . RECUIT

Action de remettre en mouvement . . . . DEBLOCAGE

Action de rendre chaud . . . . CHAUFFAGE

Action de rendre étanche un navire . . . . CALFATAGE

Action de rendre la pareille pour un mal reçu . . . . REVANCHE

Action de renouveler l'air . . . . AÉRATION

Action de répondre avec vivacité . . . . RETORSION

Action de réprimer . . . . RÉPRESSION

Action de resquiller . . . . RESQUILLE

Action de retenir . . . . DETENTION

Action de retirer . . . . LEVÉE

Action de retomber dans la même faute . . . . RECIDIVE

Action de retourner la terre . . . . LABOURAGE

Action de revêtir de gazon . . . . GAZONNAGE

Action de rincer . . . . RINÇAGE

Action de rogner . . . . ROGNAGE

Action de rompre par excès de tension . . . . CREVAISON

Action de sabler . . . . SABLAGE

Action de s'affranchir . . . . ÉMANCIPATION

Action de sasser . . . . SASSEMENT

Action de satiner . . . . SATINAGE

Action de se déprendre	DÉPRISE
Action de se donner la mort	SUICIDE
Action de se fâcher, se disputer	FACHERIE
Action de se laver	ABLUTION
Action de se produire en public	PRESTATION
Action de se produire par intermittence	CLIGNOTEMENT
Action de se ressaisir	SURSAUT
Action de se retirer	RÉCESSION
Action de s'échapper	SORTIE
Action de sécher	SÉCHAGE
Action de s'élever de terre	BOND
Action de serrer	SERREMENT
Action de s'immiscer	IMMIXTION
Action de sortir de l'eau	EMERSION
Action de sortir une marchandise de son emballage	DEBALLAGE
Action de soulever un corps à l'aide d'un levier	PESEE
Action de sucer	SUCCION
Action de surfiler	SURFIL
Action de tailler	COUPE
Action de tanner les peaux	TANNAGE
Action de tasser un adversaire	TASSAGE
Action de tâter, de palper	MANIEMENT
Action de tendre des lanières de canne	CANNAGE
Action de téter	TÉTÉE
Action de tirer à l'aide d'un cordage	HALAGE
Action de tirer avec une arme à feu	DECHARGE
Action de tirer du néant	CRÉATION
Action de tirer	TRACTION
Action de tondre les draps	TONTURE
Action de tracer	TRACEMENT
Action de traire	MULSION
Action de transgresser une loi	INFRACTION • VIOL
Action de transporter dans une charrette	CHARRIAGE
Action de tremper	TREMPAGE
Action de tricoter	TRICOTAGE
Action de tuer un animal de boucherie	ABATAGE • ABATTAGE
Action de veiller un malade	VEILLÉE
Action de vendre à vil prix	BRADAGE
Action de verser de l'argent	VERSEMENT

Action de virer de bord	VIREMENT
Action de viser	MIRE
Action de voyager par plaisir	TOURISME
Action d'éclat	PROUESSE
Action d'égaliser le niveau d'une surface	NIVELAGE
Action d'égrener	ÉGRENAGE
Action d'élever	ÉLEVAGE
Action d'émonder	ÉMONDAGE
Action d'empêcher, de retenir	BLOCAGE
Action d'enduire de laque	LAQUAGE
Action d'enflammer	ALLUMAGE
Action d'enlever les terres pour niveler	DÉBLAI
Action d'entendre	AUDITION
Action d'errer	ERRANCE
Action d'établir une taxe	TAXATION
Action d'étendre du linge	ÉTENDAGE
Action d'étendre en versant	EPANDAGE
Action d'étendre la jambe pour franchir	ENJAMBEE
Action d'étendre pour faire sécher	ÉTENDAGE
Action d'étêter	ÉTÊTAGE
Action d'évaluer une quantité	COMPTE
Action d'expédier à la hâte un travail	BÂCLAGE
Action d'exprimer de manière confuse	DELAYAGE
Action d'imprégner une étoffe avec de l'alun	ALUNAGE
Action d'imprimer des dessins en creux et reliefs	GAUFRAGE
Action d'infuser quelque chose dans un liquide	INFUSION
Action d'introduire par la bouche	INGESTION
Action d'offrir quelque chose à Dieu	OBLATION
Action d'ôter les éléments de soutènement en bois	DEBOISAGE
Action dramatique représentée en pantomime	MIMODRAME
Action d'une pièce de théâtre	SCÉNARIO
Action d'user avec les dents	RONGEMENT
Action d'user par frottement une pièce	RODAGE
Action d'user par frottement	ABRASION
Action d'usiner	USINAGE
Action d'usurper	USURPATION
Action mauvaise	MÉFAIT
Action pleine de ruse	ROUERIE

Action, manière de découper . . . . DÉCOUPAGE
Actionner un klaxon . . . . KLAXONNER
Actionner . . . . INTENTER • MOUVOIR
Actions pour guérir les malades . . . . SOINS
Activer . . . . ACCÉLÉRER • AVIVER • HÂTER
Activité . . . . ANIMATION • OCCUPATION • ŒUVRE
Activité bancaire . . . . FINANCE
Activité commerciale . . . . NÉGOCE
Activité de l'écrivain . . . . LITTÉRATURE
Activité de l'esprit . . . . PENSÉE
Activité de styliste . . . . STYLISME
Activité désordonnée . . . . CIRQUE
Activité fructueuse . . . . PROSPÉRITÉ
Activité physique . . . . SPORT
Activité professionnelle . . . . FONCTION • TRAVAIL
Activité temporaire dans une entreprise . . . . STAGE
Activités pénibles . . . . GALERES
Actrice américaine morte en 1962 . . . . MONROE
Actrice française née en 1898 . . . . ARLETTY
Actrice française née en 1934 . . . . BARDOT
Actrice italienne née en 1934 . . . . LOREN
Actrice . . . . COMÉDIENNE
Actuel . . . . CONTEMPORAIN • EXISTANT
Actuellement . . . . MAINTENANT
Acuminé . . . . POINTU
Adage . . . . DICTON • PROVERBE
Adaptation . . . . TRADUCTION
Adapté . . . . APPROPRIÉ • ASSORTI • CONFORME
Adapter de nouveau . . . . READAPTER
Adapter parfaitement . . . . AJUSTER
Adapter un phénomène
    à la masse . . . . MASSIFIER
Adapter . . . . ACCOMMODER • APPLIQUER
                                                        MODULER
Additif . . . . ADJUVANT
Addition ou changement
    dans un testament . . . . CODICILLE
Addition . . . . AJOUT • COMPLÉMENT
                                                FACTURE • NOTE
Additionné de carbonate . . . . CARBONATÉ
Additionné de résine . . . . RÉSINÉ

Additionner d'alcool	VINER
Additionner de rhum	RHUMER
Additionner	AJOUTER • TOTALISER
Adepte du manichéisme	MANICHÉEN
Adepte du nihilisme	NIHILISTE
Adepte du sikhisme	SIKH
Adepte du taoïsme	TAOÏSTE
Adepte d'un mouvement des années 1970	HIPPIE
Adepte d'une secte religieuse du Moyen Âge	CATHARE
Adepte fanatique de Mahomet	SÉIDE
Adepte	ADHÉRENT • DISCIPLE INITIÉ • PARTISAN
Adéquat	APPROPRIÉ • CONGRU • CONGRUENT
Adhérant	GOMMANT
Adhérence	COHÉSION • CONTACT
Adhérent	AFFILIÉ • MEMBRE • PARTISAN
Adhérer	ENTRER • SOUSCRIRE
Adhésif	AGGLUTINANT • COLLANT
Adhésion	SUFFRAGE
Adieu	BONSOIR • BONJOUR • BYE
Adipeux	GRAISSEUX
Adiposité	ADIPOSE
Adjacent	ATTENANT • CONTIGU • VOISIN
Adjectif démonstratif	CE • CES • CET
Adjectif indéfini	TOUS • TOUT • TOUTES
Adjectif interrogatif	QUEL
Adjectif numéral	DIX • DOUZE • HUIT • QUATRE SIX • TRENTE • TROIS • UN • VINGT
Adjectif possessif	LEUR • MES • MIEN • MON NOS • NOTRE • SES • SIEN SON • TA • TES • TON • VOTRE
Adjoindre	ACCOLER
Adjoint	AIDE • ASSOCIÉ • SECOND
Adjuger	ACCORDER
Adjuration	PRIÈRE
Adjurer	CONJURER • IMPLORER INVOQUER • SUPPLIER
Admettre dans une association	AFFILIER

Admettre	APPROUVER • AVOUER CONFESSER • CROIRE
Administrateur	GÉRANT
Administrateur et résistant français né en 1899	MOULIN
Administrateur	INJECTEUR
Administration chargée de percevoir les impôts	FISC
Administration municipale	MAIRIE
Administration	GESTION • QUESTURE • RÉGIE
Administrer	DIRIGER • GÉRER
Administrer en commun une entreprise	COGÉRER
Administrer le baptême à	BAPTISER
Admirateur de Wagner	WAGNÉRIEN
Admirateur enthousiaste	FAN
Admirer	CONTEMPLER
Admis à un examen, à un concours	REÇU
Admis dans une association	AFFILIÉ
Admis	AGRÉÉ
Admissible	LÉGITIME • PLAUSIBLE RECEVABLE • VALABLE
Admission	ADOPTION
Admonestation	GRONDERIE • RÉPRIMANDE
Admonester	TANCER
Ado	ADOLESCENT • TEENAGER
Adolescent	ÉPHÈBE • TEENAGER
Adonné à la luxure	LUXURIEUX
Adopter	ACCUEILLIR • ADHÉRER • OPTER
Adopter par préférence	CHOISIR
Adorateur des animaux	ZOOLATRE
Adorateur	AMOUREUX
Adorer	IDOLATRER • RAFFOLER
Adoucir	APAISER • ATTÉNUER • LÉNIFIER MITIGER • RADOUCIR • SUCRER
Adoucir à l'aide d'un calmant	LÉNIFIER
Adoucir dans son expression	ÉDULCORER
Adoucir une douleur morale en consolant	PANSER
Adoucir	VELOUTER
Adoucissant	PALLIATIF
Adoucissement de la température	REDOUX
Adoucissement	BAUME

Adresse	ALLOCUTION • APTITUDE ART • HABILETÉ
Adresse des doigts	DOIGTÉ
Adresse manuelle	DEXTÉRITÉ
Adresse, habileté	DEXTÉRITÉ
Adresser une semonce à un navire	SEMONCER
Adresser	DÉDIER
Adroit	HABILE
Adroit, habile	INGÉNIEUX
Adroitement	SAVAMMENT
Adulateur	COURTISAN • LAUDATEUR
Aduler	RAFFOLER
Adulte attiré sexuellement par les enfants	PEDOPHILE
Advenir	ÉCHOIR • SURVENIR
Advenu	ÉCHU
Adverbe de lieu	EN • HORS • ICI • LÀ
Adverbe de temps	ALORS • ENCORE • ICI
Adverbe interrogatif	OÙ
Adverbe marquant la fin d'une attente	ENFIN
Adversaire	ANTAGONISTE • COMPÉTITEUR ENNEMI • OPPOSANT • RIVAL
Adversaire	DEBATTEUR
Adverse	CONTRAIRE • HOSTILE
Adversité	ACCIDENT • INFORTUNE • MALHEUR
Aérer	VENTILER
Aérien	ÉTHÉRÉ
Aéromoteur	EOLIENNE
Aéronef sans moteur	PLANEUR
Aéronef	AVION • HÉLICOPTÈRE
Aéroport de Tokyo	NARITA
Aéroport du Japon	ITAMI
Aéroport important d'Europe	ORLY
Aéroport pour hélicoptères	HÉLIPORT
Aérosol	ATOMISEUR
Aethuse	ÉTHUSE • CIGUË
Affabilité	AMABILITÉ • AMÉNITÉ • DOUCEUR
Affable	AGRÉABLE • AIMABLE • AVENANT CIVIL • COURTOIS • LIANT • OBLIGEANT
Affaiblir énormément	ÉPUISER

Affaiblir	ALANGUIR • AMOINDRIR AMOLLIR • ANÉMIER • MINER • USER
Affaiblir, amollir	AVEULIR
Affaiblissement	ANÉMIE • LANGUEUR
Affaiblissement du sens de l'ouïe	SURDITÉ
Affaiblissement produit par la vieillesse	SÉNILITÉ
Affaire compliquée	DÉMÊLÉ
Affaire d'honneur	DUEL
Affaire malhonnête	SCANDALE
Affairement	BOUGEOTTE
Affaires	EFFETS
Affaissement	BAISSE • ÉBOULEMENT • ÉBOULIS
Affaissement	CUVETTE
Affamé	CREVARD • FAMÉLIQUE
Affectation de vertu	PRUDERIE
Affectation	APPRÊT • EMPHASE PRÉCIOSITÉ • SNOBISME
Affecté	APPRÊTÉ • CONTRAINT • ÉMU POSEUR • PRÉCIEUX • SNOBINARD
Affecté d'une hypertrophie de la glande thyroïde	GOITREUX
Affecté, maniéré	AFFÉTÉ
Affectée	PRÉCIEUSE
Affecter	ASSIGNER • SIMULER
Affecter à un autre poste	MUTER
Affecter de parler latin	LATINISER
Affecter la bravoure	CRÂNER
Affectif	ÉMOTIF
Affection articulaire	ARTHRITE
Affection causée par un virus du groupe des herpès	ZONA
Affection contagieuse de la peau	GALE • IMPÉTIGO
Affection cutanée	ECZÉMA • HERPÈS • ROSÉOLE
Affection de la peau	DARTRE • LUPUS
Affection de la région lombaire	LUMBAGO
Affection d'origine virale	HERPÈS
Affection du foie	HÉPATITE
Affection entre deux personnes	AMITIÉ
Affection intestinale chronique	SPRUE
Affection	AMITIÉ • AMOUR MALADIE • TENDRESSE

Affectionner	AIMER • CHÉRIR
Affections causées et entretenues par les vers	VERMINEUX
Affective	ÉMOTIVE
Affectueuse	FRATERNELLE
Affectueux	AIMANT • CÂLIN • FRATERNEL
Affectueux, gentil	AMITIEUX
Affermir	CONSOLIDER
Affichage	AGUICHE
Affiche	ANNONCE • ÉCRITEAU PANCARTE • PLACARD
Affiche décorative	POSTER
Afficher	ARBORER • PLACARDER • PROFESSER
Affilage	AFFUTAGE
Affiler	AIGUISER • AFFÛTER
Affiliation	ADHÉSION • ADMISSION
Affinage	RAFFINAGE
Affiner	CIVILISER • RAFFINER
Affinité	ANALOGIE • PARENTÉ
Affirmatif	CATÉGORIQUE
Affirmation solennelle	SERMENT
Affirmation	DÉCLARATION
Affirmé	ATTESTÉ
Affirmer avec vigueur	PARIER
Affirmer par serment	JURER
Affirmer	ATTESTER • CERTIFIER • DÉCLARER RÉTENDRE • PROCLAMER
Affliction	CHAGRIN • DÉTRESSE • DEUIL DOULEUR • ÉPREUVE • MAL • TRISTESSE
Affligé	ABATTU • CONTRISTÉ • DÉSOLÉ • TRISTE
Affligeant	DESOLANT • FÂCHANT
Affliger	ATTRISTER • CONSTERNER DÉSOLER • FÂCHER • PEINER
Affliger profondément	ASSOMMER
Affluent de la Dordogne	ISLE
Affluent de la Lena	ALDAN
Affluent de la Seine	AUBE • EPTE • ERDRE EURE • INDRE • LOING
Affluent de l'Aisne	AIRE
Affluent de l'Eure	ITON
Affluent de l'Isère	ARLY

Affluent du Danube	PRUT • PROUT
Affluent du Mississipi	ARKANSAS
Affluent du Pô	ADDA
Affluent du Rhin	LAUTER
Affluent du Rhône	GARD
Affluent du Tibre	ALLIA
Affluent prenant sa source dans les Pyrénées	NIVE
Afflux	FLOT
Affolant	AGUICHANT
Affolé	ÉPERDU
Affolement	PEUR
Affoler	ALARMER
Affranchi	ESCLAVE • LIBRE
Affranchissement	LIBÉRATION • TIMBRAGE
Affres	TOURMENT
Affréter	NOLISER
Affreuse	HIDEUSE
Affreux	ATROCE • HIDEUX • LAID
Affriander	APPÂTER
Affriolant	AGUICHANT
Affront	INJURE • INSULTE OFFENSE • OUTRAGE
Affrontement	LUTTE
Affronter	BRAVER • DECOUDRE
Affublement	ACCOUTREMENT
Affubler	ACCOUTRER • SURNOMMER
Affûter	AFFILER • AIGUISER • MEULER
African National Congress	ANC
Afrique-Équatoriale française	AEF
Agaçant	ÉNERVANT • IRRITANT
Agaçant	ENRAGEANT
Agacé	ÉNERVÉ • EXASPÉRÉ
Agacement	NERVOSITÉ
Agacer	ASTICOTER • BISQUER • CRISPER HORRIPILER • IRRITER
Agapes	BANQUET • FESTIN • GUEULETON
Agar-agar	GÉLOSE
Agate semi-transparente	ONYX
Agate	ONYX
Agave d'Amérique	PITE

Agave du Mexique . . . . SISAL
Âge d'à peu près trente ans . . . . TRENTAINE
Âge . . . . ÈRE
Âgé . . . . VIEIL • VIEUX
Agencé . . . . ORGANISÉ
Agence centrale de renseignements . . . . CIA
Agence de presse américaine . . . . UPI
Agence de presse soviétique . . . . TASS
Agence . . . . SUCCURSALE
Agencement de plis souples . . . . DRAPÉ
Agencement . . . . COMPOSITION
COORDINATION • ORDRE
Agencer . . . . ACCOMMODER • AMÉNAGER
DISTRIBUER • ORDONNER • ORGANISER
Agenda . . . . ALMANACH • CAHIER • CALEPIN
CARNET • MÉMENTO
Agenouillé . . . . PROSTERNÉ
Agent de la douane . . . . DOUANIER
Agent de police . . . . COGNE • FLIC
Agent de police, en Italie . . . . SBIRE
Agent diplomatique du Saint-Siège . . . . NONCE
Agent officiel d'un État . . . . CONSUL
Agent secret . . . . ESPION
Agent secret de Louis XV . . . . ÉON
Agent subalterne . . . . COMMIS
Agent . . . . ASSUREUR • COURTIER • ÉMISSAIRE
Agglomérat . . . . AGREGAT
Agglomération centrale d'une commune . . . . BOURG
Agglomération d'abris de fortune . . . . BIDONVILLE
Agglomération rurale . . . . VILLAGE
Aggloméré . . . . BRIQUE
Agglomérer . . . . ASSEMBLER
Agglutiner . . . . COLLER
Aggraver . . . . EMPIRER
Agile . . . . ALLÈGRE • DISPOS • LÉGER
LESTE • SOUPLE • VIF
Agile, rapide . . . . VÉLOCE
Agilité . . . . LÉGÈRETÉ • PRESTESSE • VIVACITÉ
Agir avec lenteur . . . . LAMBINER
Agir cérémonieusement . . . . OFFICIER
Agir en cabotin . . . . CABOTINER

Agir en faveur d'une cause . . . . MILITER
Agir sans violence . . . . MILITER
Agir . . . . ŒUVRER
Agissante . . . . ACTIVE
Agissements secrets et artificieux . . . . MENÉES
Agitateur . . . . TRUBLION
Agitateur, révolté . . . . INSURGÉ
Agitation . . . . AFFOLEMENT • ANIMATION
ÉMEUTE • ÉMOI
Agitation bruyante . . . . CHAHUT
Agitation due au déferlement . . . . RESSAC
Agitation légère de l'eau,
    produisant un petit bruit . . . . CLAPOTAGE
Agité et rapide . . . . TRÉPIDANT
Agité . . . . ANIMÉ • ÉPERDU • NERVEUX
ORAGEUX • TOURMENTÉ • TURBULENT
Agitée . . . . NERVEUSE • ORAGEUSE
Agiter doucement . . . . BERCER
Agiter d'un tremblement . . . . TRÉMULER
Agiter . . . . BALLOTTER • BRANDIR • CAHOTER
ÉBRANLER • SECOUER • TOUILLER
Agiter, osciller . . . . BRIMBALER
Agmydalus . . . . AMANDIER
Agneau pascal . . . . PÂQUE
Agneau . . . . MOUTON
Agnostique . . . . INCROYANT
Agonisant . . . . EXPIRANT • MORIBOND
MOURANT
Agrafe chirurgicale . . . . CLIP
Agrafe destinée à tenir un sac fermé . . . . FERMOIR
Agrafe . . . . CROCHET
Agrandir . . . . ACCROÎTRE • AUGMENTER
DILATER • ÉLARGIR
Agréable . . . . CHARMANT • GENTIL • PLAISANT
RIANT • SOURIANT • SUAVE
Agréable à toucher . . . . DOUCE
Agréable oisiveté . . . . FARNIENTE
Agréable, avenant . . . . AMÈNE
Agréer . . . . ACCEPTER • DAIGNER
Agréger . . . . ASSOCIER
Agrément . . . . PLAISIR

Agrémenter	DÉCORER • ORNER • PARER
Agrès	GREEMENT
Agresser	ASSAILLIR
Agresseur	OFFENSEUR
Agressif	HARGNEUX • INAMICAL • OFFENSIF
Agression	ATTENTAT
Agricole	RURAL
Agriculteur	FERMIER • MARAICHER • PAYSAN
Agrume plus petit que l'orange	MANDARINE
Agrume	TANGERINE
Aguichant	AFFRIOLANT • AGUICHANT PROVOCANT
Aguicher	ALLUMER
Ahuri	ABRUTI • EFFARÉ • HÉBÉTÉ
Ahurir	ÉTONNER
Ahurissant	EFFARANT
Aiche	ÈCHE • ESCHE
Aidant	SOIGNANT
Aide financière	SUBSIDE
Aide mutuelle	ENTRAIDE
Aide	ADJOINT • ALLOCATION • APPRENTI
Aide-mémoire	MÉMENTO
Aider	ASSISTER • ÉPAULER
Aïe	OUILLE
Aïeul	ANCÊTRE
Aïeuls	AIEUX
Aigle d'Australie	URAÈTE
Aigle de très grande envergure	URAÈTE
Aigle pêcheur	BALBUZARD
Aiglefin	CABILLAUD
Aigre	ACIDE • GRINÇANT • SURI
Aigre-de-cèdre	ORANGEADE
Aigrefin	FRICOTEUR
Aigrelet	ACIDULÉ • SURET
Aigreur	ACRIMONIE • AMERTUME DÉPIT • RANCŒUR
Aigri	TOURNÉ
Aigrir	SURIR
Aigu	GRINÇANT • POINTU
Aiguille	ÉPINE

Aiguille des secondes . . . . TROTTEUSE
Aiguille d'un cadran . . . . INDEX
Aiguillonner . . . . PIQUER
Aiguisage . . . . AFFUTAGE
Aiguiser . . . . AFFILER • AFFÛTER
Aiguisoir . . . . AFFILOIR
Aile . . . . FLANC
Ailloli . . . . AÏOLI
Aimable et gracieux . . . . ACCORT
Aimable . . . . ADORABLE • AFFABLE • AGRÉABLE
AMÈNE • COURTOIS
ENJOUÉ • GENTIL
Aimé . . . . CHER
Aimer . . . . ADORER • CHÉRIR
Aimer avec passion . . . . IDOLATRER
Aimer passionnément . . . . ADORER
Aimer tendrement . . . . CHÉRIR
Ainsi soit-il . . . . AMEN
Ainsi . . . . COMME • PARTANT • TEL
Aïoli . . . . AILLOLI
Air . . . . APPARENCE • ASPECT
CHANSON • MINE
Air exhalé . . . . SOUFFLE
Air que l'on sonne pour lancer le cerf . . . . FANFARE
Air qui se glisse par les ouvertures . . . . COULIS
Air très vif à deux temps . . . . RIGODON
Airelle . . . . BLEUET
Aisance de la parole . . . . VOLUBILITÉ
Aisance . . . . AGILITÉ • COMMODITE
Aisé . . . . COULANT • FACILE
Aise . . . . CONFORT
Aisé, bien installé . . . . BOURGEOIS
Ajournement . . . . ATERMOIEMENT • SURSIS
Ajourner . . . . RETARDER
Ajout . . . . ADDITION
Ajouté . . . . JOINT
Ajouter du tanin . . . . TANISER
Ajouter un affixe . . . . SUFFIXER
Ajouter . . . . ACCOLER • ADDITIONNER
Ajustage . . . . RODAGE
Ajusté . . . . COLLANT

Ajuster un vêtement à la taille	CINTRER
Ajuster	ADAPTER • AGENCER • CENTRER ÉGALISER • EMBOÎTER • SERRER
Alâ al-Din	ALADIN
Alaise	ALÈSE
Alangui	INDOLENT • LANGUIDE
Alanguir	AMOLLIR
Alarmant	AFFOLANT
Alarme	ALERTE • ANTIVOL • ÉVEIL
Alarmer	ÉPEURER • INQUIETER
Album	CAHIER • REGISTRE
Alcaloïde contenu dans le poivre noir	PIPERIN
Alcaloïde de café	CAFEINE
Alcaloïde de la feuille de thé	THÉINE
Alcaloïde de la fève de Calabar	ÉSÉRINE
Alcaloïde de l'opium employé comme antitussif	NARCOTINE
Alcaloïde de l'opium	NARCÉINE
Alcaloïde dérivé de la morphine	CODÉINE
Alcaloïde du poivrier	PIPERIN
Alcaloïde du tabac	NICOTINE
Alcaloïde extrait de l'écorce de yohimbehe	YOHIMBINE
Alcaloïde extrait de l'ipéca	ÉMÉTINE
Alcaloïde extrait de l'opium	CODÉINE
Alcaloïde extrait du coca	COCAÏNE
Alcaloïde extrait du peyotl	MESCALINE • MÉSON
Alcaloïde toxique	ÉSÉRINE
Alcaloïde toxique contenu dans l'opium	THEBAÏNE
Alcaloïde toxique de certains champignons	MUSCARINE
Alcaloïde utilisé comme vomitif	ÉMÉTINE
Alcalose	ACIDOSE
Alchimie	MAGIE
Alcool de canne à sucre	RHUM
Alcool de grains à base de maïs	BOURBON
Alcool de masse moléculaire élevée	STÉROL
Alcool fait d'eau et de miel	HYDROMEL
Alcool sucré incolore et inodore	GLYCERINE
Alcool	DIGESTIF • DRINK • GIN • GNIOLE KIRSCH • KUMMEL • KVAS • NIOLE
Alcooliques Anonymes	AA

Alcooliser	RHUMER
Alcoolisme	BOISSON
Aléatoire	HASARDEUX • INCERTAIN
Alentour	AUTOUR • ENTOUR
Alentours	APPROCHES • ENVIRONS • PARAGES
Alérion	AIGLON
Alerte	ALARME • ALLÈGRE • ÉVEIL • GAILLARD
Alerter	AMEUTER
Alèse	ALAISE
Aléser une seconde fois	RÉALÉSER
Alevin	NOURRAIN
Algérianiser	ARABISER
Algue appelée laitue de mer	ULVE
Algue bleue microscopique	NOSTOC
Algue brune	FUCUS
Algue marine	GOÉMON
Algue rouge gélatineuse	NÉMALE
Algue verte marine	ULVE
Algues marines	VARECH
Aliénation	DÉMENCE
Aliéné	DÉMENT • FOL • FOU
Aliénée	FOLLE
Aliéner	INFEODER
Alignement de colonnes	COLONNADE
Alignement	RANGÉE
Aligner	RANGER
Aliment de saveur douce	SUCRE
Aliment fait de farine	PAIN
Aliment frit	FRITURE
Aliment liquide	BROUET
Aliment mariné	MARINADE
Aliment naturel des jeunes mammifères	LAIT
Aliment préparé conformément aux lois hébraïques	CASHER
Aliment qui contient du lait	LAITAGE
Aliment tiré du lait	LAITAGE
Aliment	DENRÉE • NOURRITURE • VIVRE
Alimentation	ARRIVEE • NUTRITION
Alimenté	NOURRI
Alimenter de force	GAVER
Alimenter	NOURRIR • SUSTENTER

Aliter	COUCHER
Alizé qui souffle sur le Sahara	HARMATTAN
Allaiter	NOURRIR
Alléchant	ATTIRANT • RAGOÛTANT • TENTANT
Allécher	APPÂTER • ATTIRER
Allée carrossable bordée d'arbres	DRÈVE
Allée d'arbres taillés	CHARMILLE
Allée	AVENUE
Allée, haie de charmes	CHARMILLE
Allégation	PRÉTEXTE
Allégé	ÉCRÉMÉ
Allègement	DECHARGE • SEDATION
Alléger	CALMER • DÉLESTER ÉLÉGIR • SOULAGER
Allégorie	METAPHORE
Allègre	GAILLARD • VIF
Allégresse	JOIE • LIESSE
Allégresse, enjouement	ALACRITÉ
Alléguer comme prétexte	PRETEXTER
Alléguer	ARGUER
Allemand	BOCHE • FRITZ • GERMAIN • TEUTON
Allemande	TEUTONNE
Aller à toute vitesse	GAZER
Aller au hasard	VAGUER
Aller bien	BICHER
Aller de travers	ZIGZAGUER
Aller d'un côté et de l'autre	FLUCTUER
Aller d'un lieu à l'autre	PARCOURIR
Aller en arrière	CULER
Aller en s'écartant	DIVERGER
Aller en skis	SKIER
Aller l'amble	AMBLER
Aller rapidement	TROTTER
Aller retrouver quelqu'un	REJOINDRE
Aller vite	FILOCHER
Aller	CHEMINER • MARCHER • SEOIR • VENIR
Allez, en latin	ITE
Alliage	AMALGAME • MÉLANGE
Alliage à base de cuivre	AIRAIN
Alliage à haute teneur en cobalt	STELLITE

Alliage d'aluminium et de silicium affiné . . . . ALPAX
Alliage de cuivre et de nickel . . . . MONEL
Alliage de cuivre et de zinc . . . . LAITON • TOMBAC
Alliage de fer et de carbone . . . . ACIER • FONTE
Alliage de fer et de nickel . . . . PLATINITE
Alliage de fer . . . . INVAR
Alliance . . . . ACCORD • ANNEAU • BAGUE
COALITION • HYMENEE
LIGUE • MARIAGE
Allié avec de l'iridium . . . . IRIDIÉ
Allié . . . . PARTENAIRE
Allier . . . . CONCILIER • LIGUER
Allocation versée aux
demandeurs d'emploi . . . . CHÔMAGE
Allocation . . . . PENSION
Allochtone . . . . ALLOGENE
Allocution . . . . CAUSERIE • DISCOURS
PENSION • SPEECH
Allongé . . . . ÉTENDU • OBLONG
Allonge . . . . RALLONGE
Allongement accidentel d'un muscle . . . . ÉLONGATION
Allonger . . . . EFFILER • ÉLONGER
ÉTIRER • PROLONGER • TIRER
Allotissement . . . . GROUPAGE
Allouer . . . . DONNER
Allumer . . . . AGUICHER • EMBRASER
PROVOQUER
Allure de certains quadrupèdes . . . . TROT
Allure défectueuse d'un cheval . . . . AUBIN
Allure du cheval . . . . GALOP • TROT
Allure d'un quadrupède . . . . AMBLE
Allure d'une personne . . . . GUEULE
Allure élégante . . . . CHIC
Allure . . . . AIR • ASPECT • LANCEE
MINE • TOURNURE
Allure, rythme . . . . TEMPO
Allure, train . . . . ERRE
Almanach . . . . CALENDRIER
Almandin . . . . GRENAT
Alors . . . . LORS
Alouette des bois . . . . LULU

Alouette vivant sur les
hauts plateaux d'Afrique . . . . SIRLI
Alourdissant . . . . BOURRATIF
Alpage . . . . ALPE
Alpe . . . . ALPAGE
Alphabet à l'usage des aveugles . . . . BRAILLE
Alpin . . . . ALPESTRE
Alpinisme . . . . ESCALADE
Alpiniste . . . . VARAPPEUR
Altération de la voix quand elle mue . . . . MUANCE
Altercation . . . . DISPUTE
Altéré . . . . AFFAMÉ • TOURNÉ
Altérer . . . . AIGRIR • DÉCOMPOSER
FALSIFIER • FAUSSER • GÂTER
Altérer dans sa pureté . . . . FRELATER
Altérer la couleur de . . . . DÉCOLORER
Altérer la voix . . . . ENROUER
Alternance . . . . ALTERNAT
Alternateur . . . . DYNAMO
Alternative . . . . CHOIX • OPTION
Altier . . . . FIER
Altitude . . . . HAUTEUR
Aluminage . . . . ALUNAGE
Aluminium . . . . AL
Alunir . . . . ATTERRIR
Alysson . . . . ALYSSE
Amabilité pleine de charme . . . . AMÉNITÉ
Amabilité . . . . AFFABILITÉ • GALANTERIE
Amadouer . . . . APAISER • APPRIVOISER • CÂLINER
Amaigri par le manque
de nourriture . . . . FAMÉLIQUE
Amaigri . . . . DÉCHARNÉ • HÂVE
Amaigrir . . . . AMINCIR • ÉMACIER
Amalgame d'étain . . . . TAIN
Amalgame métallique . . . . TAIN
Amalgamer . . . . ASSIMILER • CONFONDRE
INCORPORER • MÊLER
Amande de coco . . . . COPRA • COPRAH
Amanite . . . . ORONGE
Amant entretenu . . . . GIGOLO
Amant . . . . AMOUREUX • CELADON

Amant, amoureux	JULES
Amarrage fait sur deux cordages	ÉTRIVE
Amarrage	FIXATION
Amarre	CORDAGE
Amarrer	ELINGUER
Amas chaotique de glace	SÉRAC
Amas confus	FATRAS
Amas de cellulose	CAL
Amas de fils tirés d'une vieille toile	CHARPIE
Amas de glace résultant de l'action du vent	BOUSCUEIL
Amas de matière pulvérulente ou coagulée	GRUMEAU
Amas de neige entassée par le vent	CONGÈRE
Amas de papiers	LIASSE
Amas de petites pierres	ROCAILLE
Amas de plusieurs furoncles	ANTHRAX
Amas de poils	BOURRE
Amas de pus	ABCÈS
Amas de sable et de gravier	JAR • JARD
Amas de sporanges sous la feuille d'une fougère	SORE
Amas de tripes	TRIPAILLE
Amas de vapeur d'eau condensée	NUAGE
Amas d'étoiles	NÉBULEUSE
Amas d'objets divers sans grand intérêt	FOURBI
Amas d'ossements	OSSUAIRE
Amas graisseux dans les tissus	CAPITON
Amas serré de bulles	MOUSSE
Amas	MASSE • MONCEAU • RAMASSIS
Amasser	ACCUMULER
Amateur de courses de chevaux	TURFISTE
Amateur de jeu de boules	BOULOMANE
Amateur de musique	MÉLOMANE
Amateur	CONNAISSEUR
Amatir	DÉPOLIR
Amazone	CAVALIERE
Ambassadeur	ÉMISSAIRE
Ambassadeur du Saint-Siège	LÉGAT
Ambiance vaporeuse qui baigne les formes	SFUMATO
Ambiance, atmosphère	CLIMAT
Ambition	VISÉE • PRÉTENTION
Ambitionner	ASPIRER • BRIGUER
	CONVOITER • DÉSIRER • VISER

Ambon	JUBÉ
Ambré	DORÉ • JAUNE
Ambre jaune	SUCCIN
Âme	ESPRIT
Amélioration	RÉFORME
Amélioré	ENRICHI
Améliorer	BONIFIER • FERTILISER
	PERFECTIONNER • REMODELER
Aménager	ARRANGER
Amender	ABONNIR • RÉVISER
Amender avec de la glaise	GLAISER
Amender de nouveau les terres	RAMENDER
Amender un terrain en y répandant de la marne	MARNER
Amender une terre avec du compost	COMPOSTER
Amène	AFFABLE
Amener	APPORTER • ATTIRER • CONVERTIR
Amener à reconnaître la vérité	CONVAINCRE
Amener à sa fin	CONCLURE
Amener avec soi	ENTRAÎNER
Aménité	AMABILITÉ
Amer	AIGRI
Américain des États-Unis	AMERLO • AMERLOT
	GRINGO • RICAIN • YANKEE
Américain	RICAIN
Américium	AM
Amérindien	INDIEN
Amertume	ÂCRETÉ • ACRIMONIE • DÉPIT
	RESSENTIMENT • TRISTESSE
Amertume, méchanceté	FIEL
Âmes des morts, dans la religion romaine	MÂNES
Ameublement	MEUBLE
Ameuter de nouveau	RAMEUTER
Ami	ALLIÉ • CONFIDENT • COPAIN
	MEC • POTE
Amiante	ASBESTE
Amibe	AMIBIEN
Amical	FRATERNEL
Amicale	FRATERNELLE

Amidon contenu dans certaines racines	FÉCULE
Amidonnage	EMPESAGE
Amidonné	EMPESÉ
Amidonner	EMPESER
Amie	COMPAGNE • MIE
Amincir	AMENUISER • DOLER
Amincir par l'usage	ÉLIMER
Aminoacide	AMINE
Amitié	INTIMITÉ
Ammodyte	EQUILLE
Amnistie	ABSOLUTION • PARDON
Amnistier	PARDONNER
Amoché	ABÎMÉ
Amocher	ABÎMER
Amoindrir	ATTÉNUER • DIMINUER
Amolli	MOLLI
Amollir	ATTENDRIR • AVACHIR
	MOLLIR • RAMOLLIR
Amoncellement	AMAS • MONCEAU
	MONTAGNE • PILE • TAS
Amoral	IMMORAL
Amorce	APPÂT
Amorcer	APPÂTER • ATTIRER • COMMENCER
	ÉCHER • ENGRENER • ESCHER
Amorphe	ATONE • PASSIF
Amour de la lutte	PUGNACITÉ
Amour excessif de soi	ÉGOÏSME
Amour immodéré des richesses	CUPIDITÉ
Amour pour les animaux	ZOOPHILIE
Amour pur	DILECTION
Amour tendre et naïf	IDYLLE
Amour tendre et spirituel	DILECTION
Amour très vif	ADORATION
Amour	PASSION
Amourette	FLIRT • IDYLLE
Amoureux	AMANT • ÉPRIS
	SOUPIRANT • TOURTEREAU
Amour-propre	ORGUEIL
Amovible	MOBILE
Amphibien à peau verruqueuse	CRAPAUD
Amphibien à queue aplatie	TRITON

Amphigourique	FUMEUX
Amphithéâtre d'une université	AULA
Amphithéâtre sportif	ARÉNA
Ample cape	MANTE
Ample	LARGE • SPACIEUX SPACIEUSE • VASTE
Amplement	BEAUCOUP • LARGEMENT
Ampleur	VOLUME
Amplificateur (fam.)	AMPLI
Amplificateur de haute fréquence	TUNER
Amplificateur de micro-ondes	MASER
Amplificateur quantique de radiations lumineuses	LASER
Amplification	RAJOUT
Amplifier	ACCROÎTRE • AUGMENTER EXAGÉRER • GROSSIR OUTRER • RENCHÉRIR
Ampoule	LAMPE
Amputation	ABLATION
Amputé	MUTILÉ
Amputer	ENLEVER • MUTILER • RÉSÉQUER
Amulette d'Afrique	GRIGRI
Amulette	FÉTICHE • TALISMAN
Amusant	DRÔLE • PLAISANT • RIGOLO
Amusant, grotesque	BOUFFON
Amusante	SPIRITUELLE
Amusé	EBAUDI
Amusement	BADINAGE • JEU
Amuser	DIVERTIR • RÉCRÉER
An	ANNÉE
Anaconda	BOA • EUNECTE
Analogie	COMPARAISON • EXEGESE • PARENTÉ
Analogue	HOMOLOGUE • SIMILAIRE
Analyse	ESSAI • ÉTUDE • EXAMEN • EXPOSÉ
Analyser	DISSEQUE • RÉTUDIER
Anaphylaxie	ALLERGIE
Anarchique	CHAOTIQUE • SAUVAGE
Anarchiste	ANAR • SUBVERSIF
Anatife	BERNACHE • BERNACLE
Ancestral	PATRIARCAL
Ancêtre de la clarinette	CHALUMEAU

Ancêtre du violoncelle	GAMBE
Ancêtre	AÏEUL • AÎNÉ
Ancêtres	AIEUX
Ancien amphithéâtre romain	ARÈNE
Ancien bateau de guerre	GABARE
Ancien combattant	VÉTÉRAN
Ancien comté du Saint Empire, rattaché à la France	SALM
Ancien do	UT
Ancien émirat de l'Arabie	ASIR
Ancien État de l'Allemagne du Nord	PRUSSE
Ancien État de l'Allemagne	BERG
Ancien État situé dans le sud-ouest de l'Iran actuel	ÉLAM
Ancien fort situé sur la rivière San Antonio	ALAMO
Ancien instrument à vent	BOMBARDE
Ancien instrument de musique	LUTH
Ancien instrument de musique analogue au luth	MANDORE
Ancien juron familier	TUDIEU
Ancien mortier de marine	PIERRIER
Ancien navire de commerce	SENAU
Ancien navire de guerre	FREGATE
Ancien nom de la Thaïlande	SIAM
Ancien nom de l'Iran	PERSE
Ancien nom de l'oxyde d'uranium	URANE
Ancien nom de Tokyo	EDO
Ancien nom d'une partie de l'Asie Mineure	IONIE
Ancien oui	OC • OÏL
Ancien poids de huit onces	MARC
Ancien port d'Éthiopie	ADULIS
Ancien Premier ministre de l'Ontario	RAE
Ancien président des États-Unis	NIXON
Ancien prêtre	DRUIDE
Ancien sabre de cavalerie	LATTE
Ancien serviteur	DIACRE
Ancien signe de notation musicale	NEUME
Ancien souverain égyptien	PHARAON
Ancien territoire espagnol, rétrocédé au Maroc en 1969	IFNI
Ancien vêtement d'homme	CHAUSSE

Ancien	ANTIQUE • ELOIGNE • EX OBSOLÈTE • PÉRIMÉ • VIEUX
Ancienne arme à feu	ESCOPETTE
Ancienne arme de jet	DARD
Ancienne arme franque	ANGON
Ancienne auge glaciaire envahie par la mer	FJORD
Ancienne bannière des rois de France	ORIFLAMME
Ancienne capitale d'Arménie	ANI
Ancienne capitale de la Numidie	CIRTA
Ancienne capitale de l'Orléanais	ORLÉANS
Ancienne capitale des ducs d'Auvergne	RIOM
Ancienne capitale du Maroc	FÈS
Ancienne capitale du Népal	PATAN
Ancienne capitale du Nigeria	LAGOS
Ancienne cité de la Méditerranée	OUGARIT • UGARIT
Ancienne cité grecque d'Arcadie	TÉGÉE
Ancienne coiffure	CORNETTE
Ancienne coiffure militaire rigide	SHAKO
Ancienne contrée de l'Asie Mineure	ÉOLIDE • ÉOLIE
Ancienne contrée du sud-est du Péloponnèse	LACONIE
Ancienne danse à rythme binaire	GAVOTTE
Ancienne danse à trois temps	MENUET
Ancienne danse espagnole	CHACONE
Ancienne danse italienne	FORLANE
Ancienne langue germanique	NORROIS
Ancienne mesure agraire	ACRE • ARPENT
Ancienne mesure de capacité pour les grains	BOISSEAU
Ancienne mesure de capacité	QUARTE • VELTE
Ancienne mesure de longueur	AUNE • EMPAN • MILLE POUCE • TOISE
Ancienne mesure itinéraire	LIEUE
Ancienne mesure valant huit pintes	SETIER
Ancienne monnaie allemande d'argent	THALER
Ancienne monnaie allemande et autrichienne	KREUTZER
Ancienne monnaie anglaise	GUINÉE
Ancienne monnaie chinoise	TAEL
Ancienne monnaie d'argent espagnole	DOURO
Ancienne monnaie de compte	LIVRE
Ancienne monnaie d'or arabe	DINAR

Ancienne monnaie d'or battue en Espagne . . . . PISTOLE
Ancienne monnaie d'or de la Perse . . . . TOMAN
Ancienne monnaie espagnole . . . . RÉAL
Ancienne monnaie française . . . . LIARD • LOUIS • OBOLE
Ancienne monnaie napolitaine . . . . CARLIN
Ancienne monnaie . . . . DENIER • ÉCU • ESTERLIN
Ancienne pièce de cinq francs . . . . THUNE • TUNE
Ancienne province de France . . . . AUNIS
Ancienne province de la Chine . . . . REHE
Ancienne province du Portugal central . . . . BEIRA
Ancienne région de la Nouvelle-France . . . . ACADIE
Ancienne unité de dose
    absorbée de rayonnements . . . . RAD
Ancienne unité de mesure d'accélération . . . . GAL
Ancienne unité de mesure
    de force du système C.G.S. . . . . DYNE
Ancienne unité de mesure
    d'intensité lumineuse . . . . BOUGIE
Ancienne unité de mesure . . . . CURIE • MUID
Ancienne unité d'éclairement . . . . PHOT
Ancienne unité monétaire du Pérou . . . . INTI
Ancienne ville d'Afrique du Nord . . . . UTIQUE
Ancienne ville d'Asie Mineure . . . . NICÉE
Ancienne ville de la Palestine . . . . SILO
Ancienne ville de Palestine . . . . PELLA
Ancienne voiture découverte à quatre roues . . . . VICTORIA
Ancienne voiture publique . . . . DILIGENCE
Ancienne . . . . VIEILLE
Anciennement . . . . AUTREFOIS
Anciennes lunettes rondes . . . . BESICLES
Ancre . . . . GRAPPIN
Andouille . . . . SAUCISSE
Âne sauvage . . . . ONAGRE
Âne . . . . BARDOT
Âne . . . . BAUDET • GRISON
Anéantir . . . . ABOLIR • ANNIHILER
                                    BRISER • DÉTRUIRE • NÉANTISER
                                        PULVÉRISER • RAVAGER
Anéantissement . . . . DESTRUCTION
Anecdote . . . . HISTOIRE
Anémier . . . . ÉPUISER • ÉTIOLER

Anémone de mer .... ACTINIE
Ânerie .... BALOURDISE • SOTTISE
Anesse .... BOURRIQUE
Anesthésier .... ENDORMIR
Aneth .... FENOUIL
Aneurine .... THIAMINE
Anfractuosité .... CAVITÉ
Ange déchu qui habite l'enfer .... DÉMON
Ange .... SÉRAPHIN
Angéite .... PHLEBITE
Angine de poitrine .... ANGOR
Angle aigu que forme la jonction
   entre branche et rameau .... AISSELLE
Angle d'une pièce .... COIN
Angle géodésique .... AZIMUT
Angle interne de l'œil .... LARMIER
Angle saillant d'un objet .... COUDE
Angle .... COUDE
Angoissant .... STRESSANT
Angoissé .... CRAINTIF • TOURMENTÉ
Angoisse .... AFFRES • ANXIÉTÉ
                            DÉSARROI • PEUR • TRAC
Angoissée .... CRAINTIVE
Angoisser .... STRESSER
Anguille de sable .... LANÇON
Anhélation .... DYSPNEE
Anicroche .... ACCROC • COMPLICATION
Animal aquatique à respiration
   branchiale .... POISSON
Animal considéré comme ancêtre mythique .... TOTEM
Animal crustacé .... BALANE
Animal de l'embranchement des
   cœlentérés .... TUBULAIRE
Animal de l'espèce bovine .... BŒUF
Animal de sexe femelle .... FEMELLE
Animal des eaux douces ou salées .... AMIBE
Animal des fonds marins .... OURSIN
Animal des mers chaudes .... CORAIL
Animal fabuleux .... DRAGON
Animal fabuleux avec une corne
   au milieu du front .... LICORNE

Animal fabuleux qui crache du feu	DRAGON
Animal fantastique	DAHU • MONSTRE
Animal mâle destiné à la reproduction	GÉNITEUR
Animal marin couvert de piquants mobiles	OURSIN
Animal marin de belle couleur	ACTINIE
Animal marin de consistance gélatineuse	MÉDUSE
Animal marin	ACTINIE • MÉDUSE
Animal minuscule	CIRON
Animal que l'on chasse	GIBIER
Animal qui se nourrit d'aliments divers	OMNIVORE
Animal qui se nourrit de proies	PRÉDATEUR
Animal	BESTIAL • BÊTE • BRUTAL • SENSUEL
Animation	ACTIVITÉ • AGITATION • ENTRAIN
Animaux pris à la chasse	GIBIER
Animé	VIVANT
Animer	AVIVER • MOUVOIR
Animer d'un souffle	INSPIRER
Animosité	INIMITIÉ
Anis	BADIANE
Annales	MÉMOIRES
Annaliste	HISTORIEN
Anneau	BAGUE • BOUCLE • CERCLE
Anneau de cordage	ERSE
Anneau de papier autocollant	ŒILLET
Anneau double	POUCETTES
Anneau d'une chaîne	CHAÎNON • MAILLON
Anneau métallique dont on entoure une pièce	FRETTE
Anneau qui se porte au bras, au poignet	BRACELET
Année	AN
Annexe	SUCCURSALE
Annexer	ATTACHER • JOINDRE
Annihiler	ANÉANTIR • SUPPRIMER
Anniversaire	FÊTE
Annonce	AFFICHE • DÉCLARATION INFORMATION • MESSAGE PUBLICITÉ • SIGNAL
Annonce de mariage affichée à la mairie	BANS
Annonce de mariage affichée à l'église	BANS

Annonce d'un événement futur	PROPHÉTIE
Annoncer	AFFICHER • CARILLONNER • DÉCLARER
Annoncer ce qui doit arriver	PRÉDIRE
Annoncer par des signes	PRÉSAGER
Annonceur	SPEAKER
Annonciateur	PRÉCURSEUR
Annotation	COMMENTAIRE • NOTE • REMARQUE
Annoter	GLOSER
Annuaire des téléphones	BOTTIN
Annuaire téléphonique	BOTTIN
Annuaire	ALMANACH
Annulable	RESOLUBLE
Annulation judiciaire d'un acte	RESCISION
Annulation	ABROGATION • CONTRAVIS DÉNONCIATION
Annuler	ABROGER • ANÉANTIR • ANNIHILER
Annuler, casser	RESCINDER
Anodin	BÉNIN
Anodine	BÉNIGNE
Anomalie caractérisée par la petitesse de la taille	NANISME
Anomalie chromosomique	TRISOMIE
Anomalie de fonctionnement	TROUBLE
Anomalie de la vision	PRESBYTIE
Anomalie de position d'un organe	ECTOPIE
Anomalie génétique	TRISOMIE
Anomalie	SINGULARITÉ
Anonymement	INCOGNITO
Anorak	PARKA
Anse	BAIE
Antagonisme	OPPOSITION
Antagoniste	ENNEMI • RIVAL
Antan	JADIS
Antarctique	AUSTRAL
Antérieur	ANTÉCÉDENT • PRÉCÉDENT
Antérieurement	AVANT
Antériorité dans le temps	PRIORITÉ
Anthropoïde	SIMIEN • SINGE
Anthropologue britannique	RIVERS
Anthropophage	CANNIBALE
Antibiotique	PÉNICILLINE

Anticipation	PRÉVISION
Anticipé	PRECONÇU • PRÉVU
Anticiper	PRÉVOIR
Anticonceptionnel	STERILET
Antidote	PANACEE
Antilope africaine	BUBALE
Antilope d'Afrique	GNOU
Antilope de la taille du daim	SAÏGA
Antilope du Sud	IMPALA
Antimilitarisme	PACIFISME
Antimoine	SB
Antinévralgique	CAFEINE
Antipathie	ANIMOSITÉ • AVERSION HAINE • HOSTILITÉ • INIMITIÉ
Antipathie	AVERSION
Antipyrétique	FÉBRIFUGE
Antique	ANCIEN • PATRIARCAL
Antisocial	ASOCIAL
Antithèse	CONTRASTE
Antithèse	ANTIPODE • ANTONYME
Antonyme de noblesse	PLÈBE
Antre	TANIÈRE
Anus	FONDEMENT
Anxiété	ANGOISSE
Anxieux	INQUIET
Aorte	ARTÈRE
Aoûtien	ESTIVANT
Apaisant	CALMANT • REPOSANT
Apaisé	RASSURE
Apaisement	CALME
Apaisement au moyen d'un sédatif	SEDATION
Apaiser	AMADOUER • ASSOUVIR • BERCER CALMER • CONSOLER • PACIFIER RASSÉRÉNER • SOULAGER
Apaiser en flattant	AMADOUER
Apaiser la soif de	DÉSALTÉRER
Apathie	ABOULIE • PARESSE PASSIVITE • VEULERIE
Apathique	FLEMMARD
Apercevoir	REMARQUER • REPÉRER
Aperçu	ESTIMATION • IDÉE

Apéritif	APÉRO • KIR
Apéritif anisé	PASTIS
Apeurant	ÉPEURANT
Apeurée	PEUREUSE
Apeurer	ÉPEURER
Aphasie	DYSPHASIE
Apitoiement	COMPASSION
Aplanir avec la doloire	DOLER
Aplanir l'un des côtés	ÉPANNER
Aplanir	ÉPANNER • NIVELER
	RABOTER • RÉGALER
Aplanissement	NIVELAGE
Aplati	ÉPATÉ • RAPLAPLA
Aplatir	RABATTRE
Aplatir, écraser	ÉCACHER
Aplomb	HARDIESSE • STABILITÉ
Apocryphe	CONTROUVE
Apogée	ACMÉ • PINACLE • SUMMUM
Apophyse du cubitus	OLÉCRANE
Apostropher	APPELER
Apôtre, frère de saint Pierre	ANDRÉ
Apparaître	PARAÎTRE • POINDRE
	SURGIR • SURVENIR
Apparat	FASTE • MONTRE • SOLENNITÉ
Apparaux	GREEMENT
Appareil	ENGIN • OUTIL
Appareil à jauger	JAUGEUR
Appareil à tamiser	TAMISEUSE
Appareil assurant la réception	RÉCEPTEUR
Appareil automatique de sûreté	SOUPAPE
Appareil capable de s'élever dans les airs	AÉRONEF
Appareil cinématographique	CAMÉRA
Appareil cylindrique	TUBE
Appareil d'acrobatie	TRAPÈZE
Appareil de chauffage	CHEMINÉE • RADIATEUR
Appareil de cuisine destiné aux fritures	FRITEUSE
Appareil de cuisson portatif	RÉCHAUD
Appareil de détection sous-marine	ASDIC
Appareil de fermeture	SERRURE
Appareil de levage	BIGUE • CRIC • PALAN

	TREUIL • VÉRIN
Appareil de locomotion	AVION • CYCLE
Appareil de mesure de temps	HORLOGE
Appareil de navigation aérienne	HÉLICOPTÈRE
Appareil de photocomposition pour titres	TITREUSE
Appareil de prises de vues	CAMÉRA
Appareil de propulsion à pales	HÉLICE
Appareil de propulsion	HÉLICE
Appareil de prothèse dentaire	BRIDGE
Appareil de radiodiagnostic	SCANNER
Appareil de réfrigération	CONGÉLATEUR
Appareil de refroidissement	RADIATEUR
Appareil de serrage	ÉTAU
Appareil de télémétrie	TÉLÉMÈTRE
Appareil de traitement automatique de données	ORDINATEUR
Appareil d'éclairage fixé au mur	APPLIQUE
Appareil d'éclairage suspendu	LUSTRE
Appareil d'éclairage	LAMPADAIRE • LUMINAIRE
Appareil destiné à alimenter une machine	CHARGEUSE
Appareil destiné à amortir les sons	SOURDINE
Appareil d'optique	PROJECTEUR
Appareil électrique	MIXEUR
Appareil électroménager	ASPIRATEUR • CONGÉLATEUR
	HOTTE
Appareil électroménager pour faire les sauces	SAUCIER
Appareil électroménager servant à mélanger	BATTEUR
Appareil ménager	ASPIRATEUR • CAFETIÈRE
Appareil mobile de cuisson à l'air libre	BARBECUE
Appareil orthopédique	MINERVE
Appareil ou support pour faire sécher le linge	SECHOIR
Appareil permettant de communiquer à distance	TÉLÉGRAPHE
Appareil permettant le ralentissement d'une chute	PARACHUTE
Appareil photographique	POLAROÏD
Appareil portatif intégrant une caméra vidéo et un magnétoscope	CAMÉSCOPE
Appareil portatif servant à écouter de la musique	BALADEUR

Appareil pour enlever le givre	DÉGIVREUR
Appareil pour fabriquer de l'eau de Seltz	GAZOGÈNE
Appareil pour faire les sauces	SAUCIER
Appareil pour indiquer la direction des vents	GIROUETTE
Appareil pour injecter	INJECTEUR
Appareil pour la respiration artificielle	RESPIRATEUR
Appareil pour le transport vertical	ASCENSEUR
Appareil pour régler une combustion	BRULEUR
Appareil pour transvaser un liquide sans son dépôt	DECANTEUR
Appareil pouvant produire du feu	BRIQUET
Appareil qui permet de détecter la présence de quelque chose	DÉTECTEUR
Appareil qui permet d'obtenir une température constante	THERMOSTAT
Appareil qui sert à monter	ASCENSEUR
Appareil qui sert à pulvériser le soufre	SOUFREUSE
Appareil qui transforme les vibrations sonores	MICRO
Appareil sanitaire bas	BIDET
Appareil sanitaire servant à prendre un bain	BAIGNOIRE
Appareil sanitaire	LAVABO
Appareil servant à battre les sauces	FOUET
Appareil servant à broyer	MOULIN
Appareil servant à cuire les aliments	CUISINIÈRE
Appareil servant à déceler la présence d'un corps	DÉTECTEUR
Appareil servant à déterminer la profondeur de l'eau	SONDE
Appareil servant à écraser le raisin	FOULOIR
Appareil servant à égrener les céréales	BATTEUSE
Appareil servant à élargir certaines cavités du corps	SPECULUM
Appareil servant à évacuer un fluide	ÉJECTEUR
Appareil servant à la coupe du gazon	TONDEUSE
Appareil servant à la signalisation des voies ferrées	SÉMAPHORE
Appareil servant à l'aération	AÉRATEUR
Appareil servant à masser	MASSEUR
Appareil servant à mesurer la vitesse d'un navire	LOCH
Appareil servant à mesurer l'éclairement	LUXMÈTRE

Appareil servant à préparer des émulsions .... ÉMULSEUR
Appareil servant à remplacer un membre .... PROTHÈSE
Appareil transformant un combustible en gaz .... GAZOGÈNE
Appareil utilisant un gaz plus léger que l'air .... AEROSTAT
Appareil utilisé pour la transmission
   de l'information .... MODEM
Appareil utilisé pour transporter
   des matériaux .... ÉLÉVATEUR
Appareil utilisé pour
   transporter verticalement .... ÉLÉVATEUR
Appareil, chaudière .... ÉTUVEUSE
Appareiller .... ASSORTIR
Appareils utilisés en gymnastique .... AGRÈS
Apparence .... ASPECT • DEHORS • FORME
                    PRÉSENTATION • SEMBLANT
Apparence du corps .... MINE
Apparence d'une personne .... PERSONNALITÉ
Apparence extérieure .... FAÇADE
Apparence trompeuse d'une personne .... FAÇADE
Apparence trompeuse .... MIRAGE
Apparent .... SUPERFICIEL
Apparenté .... PARENT
Apparier .... ACCOUPLER • APPAREILLER
Apparition de feuilles sur les arbres .... FRONDAISON
Apparition de l'épi des céréales .... ÉPIAGE
Apparition de lésions cutanées .... ÉRUPTION
Apparition effrayante d'un mort .... SPECTRE
Apparition .... ÉCLOSION • REVENANT
Appartement à deux niveaux .... DUPLEX
Appartement des femmes,
   chez les peuples musulmans .... HAREM
Appartement sur trois niveaux .... TRIPLEX
Appartement .... LOGEMENT
Appartenir .... INCOMBER
Appartient à la nature .... NATUREL
Apparu .... PARU • VENU
Appât .... AICHE • AMORCE • ÈCHE
                    ESCHE • LEURRE • RATIERE
Appât articulé ayant l'aspect d'un poisson .... DEVON
Appât pour attirer le poisson .... BOËTTE
Appâter .... ALLÉCHER • AMORCER
                    ÉCHER • ESCHER

Appointements . . . . GAGES
Appointer . . . . AFFÛTER • ÉPOINTER • POINTER
Apport . . . . CONTRIBUTION
Apporter des retouches . . . . RETOUCHER
Apporter . . . . AMENER • PORTER
Apposer son parafe . . . . PARAFER
Apposer une affiche sur un support . . . . AFFICHER
Apposer . . . . APPLIQUER
Appréciation . . . . CALCUL • ESTIMATION
JUGEMENT • OPINION
Apprécier . . . . AIMER • COTER • DÉGUSTER
ESTIMER • ÉVALUER • JOUIR
JUGER • MESURER • PESER
Apprécier avec la main le poids d'un objet . . . . SOUPESER
Apprécier en touchant . . . . PALPER
Apprécier par un jugement de valeur . . . . JAUGER
Apprécier quelqu'un . . . . BLAIRER
Appréhendé par la perception . . . . PERÇU
Appréhender . . . . ALPAGUER • CRAINDRE
ÉPINGLER • REDOUTER
Appréhension . . . . CRAINTE • TROUILLE
Appréhension extrêmement vive . . . . TRANSE
Apprendre . . . . ANNONCER • ENSEIGNER
INCULQUER • SAVOIR
Apprenti . . . . NOVICE
Apprenti boulanger . . . . MITRON
Apprenti dans un atelier de peinture . . . . RAPIN
Apprentissage . . . . INITIATION • EXERCICE
Apprêt qui rend les étoffes plus lustrées . . . . CATI
Apprêt . . . . CORROI
Apprêté . . . . SNOBINARD
Apprêter au gratin . . . . GRATINER
Apprêter avec de l'empois . . . . EMPESER
Apprêter . . . . PRÉPARER
Appris de nouveau . . . . RAPPRIS
Appris . . . . ETUDIE
Apprivoiser . . . . DOMPTER
Approbation . . . . ADOPTION • ASSENTIMENT
CONCESSION
Approchant . . . . PROCHE • SIMILAIRE
Approche . . . . ACCÈS • IMMINENCE

Approcher	RAPPROCHER • VENIR
Approfondi dans le détail	FOUILLÉ
Approfondir	EXPLORER • MÛRIR
Appropriation	USURPATION
Approprié	ADÉQUAT • APTE • BON • CONFORME
	CONVENABLE • DIGNE • IDOINE • PERTINENT
Approuver	ADHÉRER • CAUTIONNER • PERMETTRE
Approvisionnement	FOURNITURE • PROVISION • STOCK
Approvisionner	FOURNIR
Approximatif	APPROCHÉ
Approximation	ITERATION
Approximativement	ENVIRON • PRESQUE
Appui	ASSISTANCE • BASE • SECOURS • SOUTIEN
Appui pour les bras	ACCOTOIR
Appuyé sur son séant	ASSIS
Appuyer	ASSEOIR • BASER • CORROBORER
	ÉTAYER • FROTTER • INSISTER
	PATRONNER • PRESSER
Appuyer d'un côté	ACCOTER
Appuyer en donnant sa caution	AVALISER
Appuyer en mettant le dos contre	ADOSSER
Appuyer sur une syllabe en chantant	PAUSER
Après le moment habituel	TARD
Après	PUIS
À-propos	PERTINENCE
Apte à comprendre	PERSPICACE
Apte à vivre	VIABLE
Apte	CAPABLE
Aptitude à percevoir des sensations	ESTHÉSIE
Aptitude à vivre d'un organisme	VIABILITÉ
Aptitude supérieure de l'esprit	GÉNIE
Aptitude	DON • HABILETÉ • HABILITE • TALENT
Aquanaute	OCÉANAUTE
Aquarelle	PEINTURE
Arabe nomade du désert	BÉDOUIN
Aracée	AROÏDÉE
Arachnide aptère minuscule	CIRON
Araignée à l'abdomen coloré	ÉPEIRE
Araignée du genre lycose	TARENTULE
Araignée très commune	ÉPEIRE
Araignée	ORBITÈLE

Arasement	NIVELAGE
Arbitre	JUGE • MÉDIATEUR
Arbitrer	JUGER
Arborer	HISSER
Arbre	BOULEAU • ÉRABLE • GENÉVRIER MARRONNIER • ORME • PÊCHER PIN • SAPIN • SAVONNIER
Arbre à bois clair	FRÊNE
Arbre à cire	CIRIER
Arbre à écorce blanche argentée	BOULEAU
Arbre à feuilles aiguës	HOUX
Arbre à feuilles persistantes	ACACIA • LAURIER
Arbre à fleurs blanches et à fruits acides	SUREAU
Arbre à fleurs odorantes originaire d'Asie	MÉLIA
Arbre à fleurs odorantes	TILLEUL
Arbre à fruits rouges	IF
Arbre à grandes feuilles	ACERACEE
Arbre à melon	PAPAYER
Arbre à thé	THÉIER
Arbre commun dans nos forêts	FRÊNE
Arbre cultivé pour ses baies sucrées	GOYAVIER
Arbre cultivé pour ses feuilles	THÉIER
Arbre d'Afrique tropicale	BAOBAB
Arbre d'Afrique utilisé en médecine	NÉRÉ
Arbre d'Amérique à bois dur	ACAJOU
Arbre d'Amérique dont le latex est très vénéneux	MANCENILLIER
Arbre d'Amérique qui produit le cacao	CACAOTIER
Arbre de futaie	TRONCHE
Arbre de grande taille produisant du latex	HÉVÉA
Arbre de grande taille	MAGNOLIA
Arbre de Judée	GAINIER
Arbre de la famille des conifères	MÉLÈZE
Arbre de la famille des ébénacées	ÉBÉNIER
Arbre de l'Amérique centrale	GAÏAC
Arbre de l'Asie tropicale	TECK
Arbre de Louisiane qui pousse dans l'eau	CIPRE
Arbre de Malaisie utilisé comme poison	UPAS
Arbre des forêts tempérées	HÊTRE
Arbre des pays tropicaux	FILAO
Arbre des régions équatoriales	ÉBÉNIER

Arbre des régions tempérées	TILLEUL
Arbre des régions tropicales	ACAJOU • BAOBAB
Arbre d'Europe	AULNE
Arbre dont le bois est très résistant	HICKORY
Arbre dont le fruit est comestible	OLIVIER
Arbre dont le fruit est la figue	FIGUIER
Arbre dont le fruit est l'amande	AMANDIER
Arbre dont les fruits fournissent le kapok	FROMAGER
Arbre dont on extrait une essence huileuse	CAJEPUT
Arbre d'ornement appelé aussi arbre de Judée	GAINIER
Arbre élevé au feuillage épais	PLATANE
Arbre équatorial	ANONE
Arbre étêté	TÊTEAU
Arbre exotique du Brésil	JABORANDI
Arbre forestier	HÊTRE
Arbre fruitier	CERISIER • POIRIER
Arbre nain cultivé en pot	BONSAÏ
Arbre ornemental	FUSAIN
Arbre producteur de gomme	GOMMIER
Arbre produisant des câpres	CÂPRIER
Arbre produisant la lime	LIMETTIER
Arbre produisant les papayes	PAPAYER
Arbre qui pousse au bord des rivières	SAULE
Arbre qui produit la caroube	CAROUBIER
Arbre qui produit la myrrhe	BALSAMIER • BAUMIER
Arbre qui produit le kapok	KAPOKIER
Arbre qui produit les goyaves	GOYAVIER
Arbre qui produit les marrons	MARRONNIER
Arbre qui produit les poires	POIRIER
Arbre résineux	PIN • SAPIN
Arbre résineux toujours vert	CYPRÈS
Arbre très répandu en Europe	CHARME
Arbre tropical	DRACÉNA • LITCHI • PALMIER
Arbre tropical produisant les clous de girofle	GIROFLIER
Arbre tropical riche en quinine	QUINQUINA
Arbre tropical très voisin de l'arbre à pain	JACQUIER
Arbre voisin du bouleau	AUNE
Arbre voisin du sapin	ÉPICÉA
Arbres produisant les agrumes	CITRUS
Arbrisseau à fleurs blanches	GAROU

Arbrisseau à fleurs décoratives . . . . OBIER
Arbrisseau à petits rameaux . . . . FRAGON
Arbrisseau aromatique originaire d'Asie . . . . CINNAMOME
Arbrisseau buissonnant . . . . SERINGAT
Arbrisseau cultivé pour ses superbes fleurs . . . . ROSIER
Arbrisseau d'Amérique du Sud . . . . IPÉCA
Arbrisseau de la famille des thyméléacées . . . . SAINBOIS
Arbrisseau des régions méditerranéennes . . . . CISTE
Arbrisseau des régions tropicales . . . . MANIOC
Arbrisseau du genre viorne . . . . OBIER
Arbrisseau épineux des régions tempérées . . . . GRENADIER
Arbrisseau épineux . . . . ACACIA
Arbrisseau grimpant . . . . GNÈTE
Arbrisseau méditerranéen . . . . HYSOPE
Arbrisseau muni de vrilles . . . . VIGNE
Arbrisseau ornemental . . . . HORTENSIA
Arbrisseau portant de belles fleurs . . . . ROSIER
Arbrisseau porteur de baies . . . . AIRELLE
Arbrisseau produisant de petites
   fleurs jaunes parfumées . . . . MIMOSA
Arbrisseau qui produit le café . . . . CAFÉIER
Arbrisseau qui produit le coton . . . . COTONNIER
Arbrisseau rampant . . . . LIERRE
Arbrisseau vivace épineux . . . . FRAGON
Arbrisseau vivant près de l'eau . . . . SAULE
Arbrisseau . . . . AIRELLE • ARBUSTE
Arbuste à feuilles épineuses . . . . GENÉVRIER
Arbuste à feuilles persistantes . . . . BUIS
Arbuste à fleurs odorantes . . . . AUBÉPINE
Arbuste à fruits noirs . . . . NERPRUN
Arbuste à huile toxique . . . . CROTON
Arbuste aromatique des collines du Midi . . . . ROMARIN
Arbuste aux feuilles coriaces . . . . HOUX
Arbuste aux fleurs très odorantes . . . . JASMIN
Arbuste aux fleurs très parfumées . . . . LILAS
Arbuste cultivé pour ses fleurs . . . . AZALÉE
Arbuste d'Arabie . . . . QAT
Arbuste des régions chaudes
   qui produit une résine aromatique . . . . BALSAMIER
Arbuste dont le bois a une odeur aromatique . . . . SANTAL
Arbuste dont le bois distillé donne le camphre . . . . . . CAMPHRIER

Arbuste dont le bois est utilisé
en parfumerie . . . . SANTAL

Arbuste dont le fruit contient
des grains de café . . . . CAFÉIER

Arbuste du Pérou . . . . COCA

Arbuste épineux qui produit les câpres . . . . CÂPRIER

Arbuste ornemental . . . . LILAS

Arbuste souvent épineux . . . . RONCE

Arbuste tropical . . . . CROTON

Arbuste . . . . GARDÉNIA • PHILODENDRON

Arbustre de la famille des magnoliacées . . . . BADIANE

Arbustre de la famille des rhamnacées . . . . . . BOURDAINE

Arc brisé gothique . . . . OGIVE

Arc lumineux entourant la Lune . . . . HALO

Arc . . . . ARBALETE

Arcade . . . . ARC

Archaïque . . . . ANTIQUE • DÉSUET • FÉODAL

Arche . . . . ARCADE

Archevêché . . . . DIOCESE

Archipel de Polynésie . . . . TONGA

Archipel des Philippines . . . . SULU

Archipel d'Océanie . . . . SAMOA

Archipel du Portugal . . . . AÇORES

Archipel portugais de l'Atlantique . . . . AÇORES

Architecte américain d'origine chinoise . . . . PEI

Architecte américain né en 1901 . . . . KAHN

Architecte belge . . . . HORTA

Architecte britannique né en 1685 . . . . KENT

Architecte espagnol
prénommé Enrique . . . . EGAS

Architecte et designer
américain né en 1907 . . . . EAMES

Architecte et designer
italien mort en 1979 . . . . PONTI

Architecte finlandais . . . . AALTO

Architecte français né en 1515 . . . . LESCOT

Architecte suédois né en 1654 . . . . TESSIN

Architecte . . . . BATISSEUR

Archives . . . . ANNALES

Ardent . . . . ENFLAMME • FERVENT • IGNÉ
PASSIONNÉ • PRESSANT • PROFOND

Ardeur	ALLANT • CHALEUR • ENTHOUSIASME ENTRAIN • FERVEUR • FOUGUE
Ardeur d'une personne qui va de l'avant	ALLANT
Ardeur, feu	FLAMME
Ardu	COTON • DIFFICILE • PÉNIBLE • TRAPU
Arécacée	LATANIER
Arène d'un cirque	RING
Aréquier	AREC
Arête	ANGLE • ASPÉRITÉ
Argent disponible	FONDS
Argent dû	COMPTE
Argent en caisse	ENCAISSE
Argent liquide	CASH
Argent recouvert d'or	VERMEIL
Argent	AG • AVOIR • BLÉ • FRIC • MÉTAL MONNAIE • OSEILLE • PÈZE POGNON • SOU
Argent, fortune	GALETTE
Argenté	GRIS • RICHE
Argentée	GRISE
Argentier	TRÉSORIER
Argile	GLAISE
Argile ocreuse	SIL
Argile rouge ou jaune	SIL
Argileux	GLAISEUX
Argon	AR
Argot consistant à inverser les syllabes de certains mots	VERLAN
Argot espagnol	CALO
Argot	JARGON
Argovie	AARGAU
Argumentateur	ERGOTEUR
Argumenter	ARGUER
Aride	DÉCHARNÉ • SEC
Armateur français né en 1480	ANGO
Armature de la selle	ARÇON
Armature de plomb d'un vitrail	PLOMBURE
Armature	BÂTI • CARCASSE
Arme à feu portative	ESCOPETTE
Arme à feu	COLT • REVOLVER

Arme blanche	HAST • SABRE
Arme courte composée d'une lame et d'un manche	POIGNARD
Armé de griffes	GRIFFU
Arme de jet	FLÈCHE • FRONDE
Arme de trait composée d'un arc tendu	ARBALETE
Arme destinée à projeter des flèches	SARBACANE
Arme d'hast	LANCE
Armé d'ongles longs et crochus	GRIFFU
Arme en forme de faux	FAUCHARD
Arme offensive	LANCE
Arme	ARC •ÉPÉE • FUSIL MITRAILLETTE • SABRE
Armée féodale	OST
Armée	OST • MILICE
Armer chevalier par l'adoubement, au Moyen Âge	ADOUBER
Armer de nouveau	RÉARMER
Armer	ÉQUIPER
Armoire	BAHUT
Armoise aromatique des Alpes	GÉNÉPI
Armor	ARVOR
Armure d'un homme d'armes	HARNAIS
Armure	BARDE • CUIRASSE
Arnaque	COMBINE
Arnaqueur	ESCROC • TRICHEUR
Arobe	ARROBE
Aromate	CINNAMOME
Aromatique	ODORANT
Aromatisé	PARFUME
Aromatiser avec de l'anis	ANISER
Aromatiser avec du safran	SAFRANER
Arôme	BOUQUET • FRAGRANCE PARFUM • ODEUR
Arpenter	MESURER
Arpète	MIDINETTE
Arqué	AQUILIN • BUSQUE COURBÉ • VOÛTÉ
Arquer	CAMBRER • VOÛTER
Arrachement du cuir chevelu	SCALP
Arrachement ou rupture des tissus	DIVULSION

Arracher	DÉRACINER • DÉTERRER
	EXTIRPER • ROMPRE
Arracher la peau du crâne	SCALPER
Arracher les cheveux	ÉPILER
Arracher les poils	ÉPILER
Arrangement	DISPOSITION • MONTAGE
Arrangement de plis	PLISSURE
Arrangement des marchandises arrimées	ARRIMAGE
Arrangement en forme de chaîne	GUIRLANDE
Arranger à son avantage	TRUQUER
Arranger d'une manière sommaire, fragile	REPLÂTRER
Arranger grossièrement	RETAPER
Arranger tant bien que mal	PATENTER
Arranger	ADAPTER • AGENCER • AMÉNAGER
	APPRÊTER • DISPOSER
	ORCHESTRER • PARER • RAFISTOLER
	REMANIER • REMÉDIER
Arranger, combiner	GOUPILLER
Arrêt	ARRETOIR • HALTE • PAUSE
	STATION • STOP
Arrêt dans le développement d'une faculté	ATROPHIE
Arrêt de la pluie	ACCALMIE
Arrêt du vent	ACCALMIE
Arrêt marqué des battements du cœur	SYNCOPE
Arrêt momentané d'une maladie	RÉMISSION
Arrêté	DÉCRET
Arrêter	ALPAGUER • APPRÉHENDER
	ATTRAPER • CESSER
	EMPÊCHER • STOPPER
Arrêter un navire en mer et contrôler sa cargaison	ARRAISONNER
Arrière	DERRIÈRE
Arrière d'un bateau	POUPE
Arrière d'un navire	POUPE
Arriéré	ATTARDÉ • DEMEURÉ
Arrière-faix	PLACENTA
Arrière-grand-parent	BISAÏEUL
Arrière-grand-père	BISAÏEUL

Arrière-train	POSTÉRIEUR
Arrimer	CHARGER
Arriser	ARISER
Arrivé à destination	RENDU
Arrivé à échéance	ÉCHU
Arrivé à maturité	MATURE
Arrivé par accident	ADVENU
Arrivé	RENDU • VENU
Arrivée	ACCESSION • AFFLUENCE APPARITION • APPROCHE AVÈNEMENT • ENTRÉE • VENUE
Arriver	ADVENIR • AFFLUER RÉUSSIR • SURVENIR
Arriver à destination	PARVENIR
Arriver à échéance	ÉCHOIR
Arriver avant	PRÉCÉDER
Arriviste	INTRIGANT • PARVENU
Arroche	BELLADONE
Arrogance	DÉDAIN • HAUTEUR • MORGUE
Arrogant	FENDANT • HAUTAIN • ROGUE
Arrondi à l'avant d'une selle	POMMEAU
Arrondi	BOMBÉ • ROND
Arrondir	COURBER
Arrondissement	CHEFFERIE
Arroser	ASPERGER • INONDER • MOUILLER
Arroser au moyen d'une douche	DOUCHER
Arroser en pluie fine	BASSINER
Arsenal	PANOPLIE • MUNITIONS
Arsenic	AS
Art architectural européen du xiie siècle	GOTHIQUE
Art d'apprêter les mets	CUISINE
Art de broder	BRODERIE
Art de combiner des sons	MUSIQUE
Art de coudre	COUTURE
Art de fabriquer des vases de terre	CÉRAMIQUE
Art de faire des statues	STATUAIRE
Art de gouverner un État	POLITIQUE
Art de la chasse à courre	VÉNERIE
Art de la guerre	MILICE
Art de lire	LECTURE
Art de monter les pierres précieuses	JOAILLERIE

Art de tirer à l'arc	ARCHERIE
Art des fauves	FAUVISME
Art du façonnage et de la cuisson des poteries	CÉRAMIQUE
Art du potier	CÉRAMIQUE
Art martial d'origine japonaise	KENDO
Art martial japonais	AÏKIDO
Art martial	TAEKWONDO
Art traditionnel du papier plié	ORIGAMI
Art	ADRESSE
Artère	AORTE • BOULEVARD RUE • VAISSEAU • VOIE
Arthropode à cinq paires de pattes	CRABE
Arthropode	LYCOSE
Article contracté	AU • DES • DU
Article de piètre qualité	CAMELOTE
Article espagnol	EL
Article indéfini	DES • UN • UNE
Article textile	ÉTOFFE
Article	LA • LE • LES
Articles en tôle	TÔLERIE
Articulation	JOINT • JOINTURE
Articulation	CHARNIERE
Articuler distinctement les sons	PRONONCER
Articuler	MODULER
Artifice	FARD • RUSE
Artifice de sorcier	SORTILÈGE
Artificiel	FEINT
Artificiel, faux	POSTICHE
Artisan de métaux précieux	ORFÈVRE
Artisan qui fait des vêtements sur mesure	TAILLEUR
Artisan qui répare des verrous	SERRURIER
Artisan qui taille les pierres précieuses	LAPIDAIRE
Artisan qui travaille l'ivoire	IVOIRIER
Artiste connu	VEDETTE
Artiste de variétés français né en 1922	DEVOS
Artiste dont l'œuvre est figurative	FIGURATIF
Artiste dramatique français	GOT
Artiste extrêmement doué	VIRTUOSE
Artiste qui exécute un solo	SOLISTE
Artiste qui exerce l'art de sculpter	SCULPTEUR
Artiste qui réalise des gravures	GRAVEUR

Artiste qui sculpte l'ivoire	IVOIRIER
Artiste sans talent	RINGARD
Artiste	COMÉDIEN
Artocarpe	JACQUIER
Arum	GOUET
Ascendance	ORIGINE • RACE
Ascendant	AUTORITÉ • EMPRISE
Ascension	MONTÉE • PROGRÈS
Ascensionner	GRAVIR
Ascète hindou	FAKIR
Ascète musulman	FAKIR
Ascète	ERMITE
Aseptiser	STÉRILISER
Asiatique	ASIATE
Asile	ABRI • CACHETTE • REFUGE • RETRAITE
Asile	HOSPICE
Aspect	ANGLE • APPARENCE • FORME
Aspect apparent	SURFACE
Aspect de l'expression littéraire	STYLE
Aspect du papier	ÉPAIR
Aspect du visage	FACIÈS
Aspect d'une personne	PÂLEUR
Aspect imposant	PRESTANCE
Aspect jaspé	JASPURE
Aspect veiné du bois	VEINURE
Aspect, qualité de la peau	CHAIR
Asperger	ARROSER
Aspérité	RUGOSITÉ
Asperseur	GICLEUR
Aspersion d'eau sur une partie du corps	AFFUSION
Aspersion	ARROSAGE
Aspersoir	GOUPILLON
Asphalter	BITUMER
Asphyxiant	SUFFOCANT
Asphyxie	GAZAGE
Aspirant	ASPI • CANDIDAT • PRÉTENDANT
Aspiration	AMBITION
Aspirer	ABSORBER • INHALER • SIPHONNER
Aspirer à	AMBITIONNER
Aspirer par le nez pour sentir	HUMER

Asple	ASPE
Assaillir	AGRESSER • ATTAQUER
Assainir	PURIFIER
Assaisonnement	CONDIMENT • ÉPICE
	ÉPURATION • NETTOYAGE • SEL
Assassin à gages	SPADASSIN
Assassin de profession	ESCARPE
Assassin	MEURTRIER • TUEUR
Assassinat	MEURTRE
Assassiner	TUER
Assaut donné d'un navire à un autre	ABORDAGE
Assaut	ABORDAGE • ATTAQUE • OFFENSIVE
Asseau	ASSETTE
Asséché	TARI
Assécher	ASSAINIR • DRAINER • ÉTANCHER • TARIR
Assemblage	AJUSTAGE • ASSOCIATION
	COMPOSITION • ENSEMBLE
	JONCTION • MONTAGE • MONTURE
Assemblage à l'aide d'entailles	ADENT
Assemblage bizarre de couleurs	BARIOLAGE
Assemblage de barreaux	GRILLE
Assemblage de branchages	FAGOT • FASCINE
Assemblage de brins tordus	TORTIS
Assemblage de couleurs très variées	BIGARRURE
Assemblage de deux cordages par entrelacement	EPISSURE
Assemblage de pièces formant la charpente d'un objet	ARMATURE
Assemblage de plusieurs gros fils	TORON
Assemblage disparate de couleurs	BARIOLAGE
Assemblage hétérogène d'éléments	AGREGAT
Assemblage naturel de poils	TOUFFE
Assemblage serré de petits objets	GRAPPE
Assemblée d'ecclésiastiques	SYNODE
Assemblée des évêques	CONCILE
Assemblée du peuple, dans l'Antiquité romaine	COMICES
Assemblée judiciaire du Moyen Âge	PLAID
Assemblée nombreuse	COHUE
Assemblée parlementaire	CHAMBRE
Assemblée politique dans certains pays d'Europe	DIÈTE

Assemblée représentative d'Espagne . . . . CORTÈS

Assemblée russe . . . . MIR

Assemblée . . . . PARLEMENT • RÉUNION

Assembler au moyen d'un fil . . . . COUDRE

Assembler bout à bout . . . . RABOUTER

Assembler des fils pour former une houppe . . . . HOUPPER

Assembler deux à deux . . . . COUPLER

Assembler deux bouts de câble . . . . ÉPISSER

Assembler en entrelaçant les torons . . . . ÉPISSER

Assembler par une enture . . . . ENTER

Assembler sur le composteur . . . . COMPOSTER

Assembler . . . . AGRAFER • COMBINER • EMBOÎTER
GROUPER • JOINDRE
RALLIER • RELIER • UNIR

Assertion . . . . AFFIRMATION

Asservi . . . . CAPTIF

Asservir . . . . MAÎTRISER • OPPRIMER • SOUMETTRE

Asservissement . . . . SERVITUDE

Assette . . . . ASSEAU

Assez amusant . . . . DRÔLET

Assez drôle . . . . DRÔLET

Assez . . . . PLUTÔT

Assiduité . . . . PRÉSENCE

Assiette creuse sans rebord . . . . ÉCUELLE

Assiettée . . . . ASSIETTE

Assigné . . . . CITÉ

Assigner . . . . AFFECTER • DESTINER • SOMMER

Assigner à résidence fermée . . . . INTERNER

Assigner devant un tribunal . . . . ATTRAIRE

Assimilation des aliments
dans l'organisme . . . . NUTRITION

Assimiler . . . . DIGÉRER • INTÉGRER

Assimiler à autre chose . . . . IDENTIFIER

Assise . . . . STRATE

Assise de pierre . . . . MARGELLE

Assistance . . . . APPUI • AUDIENCE • BIENFAISANCE
PROTECTION • RENFORT • SECOURS

Assistant . . . . ADJOINT • AIDANT • SECOND

Assister . . . . AIDER • ÉPAULER • SECONDER

Association . . . . CLAN • CLUB • COALITION • COTERIE
CORPORATION • LIAISON • UNION

Association biologique de deux orgnismes . . . . SYMBIOSE
Association de francs-maçons . . . . LOGE
Association de groupements en
   vue d'une action commune . . . . CARTEL
Association de malfaiteurs . . . . GANG
Association de marchands, au Moyen Âge . . . . HANSE
Association de plusieurs cristaux . . . . MACLE
Association de plusieurs systèmes . . . . SYNERGIE
Association pour alcooliques . . . . AA
Association privée à intérêt culturel . . . . GUILDE
Association secrète
   servant des intérêts privés . . . . MAFFIA • MAFIA
Association sportive . . . . CLUB
Associé . . . . ADJOINT • AGRÉGÉ
                     MEMBRE • PARTENAIRE
Associer . . . . ADJOINDRE • AGRÉGER • ASSORTIR
           JUMELER • MARIER • MÉLANGER
Assoiffé . . . . AFFAMÉ • ALTÉRÉ
Assombrir . . . . ENTÉNÉBRER • OBSCURCIR
Assomer . . . . BATONNER
Assommant . . . . TUANT
Assommé par un choc violent . . . . K-O
Assommé . . . . SONNÉ
Assommer . . . . ÉTOURDIR
Assommer, raser . . . . BARBER
Assorti . . . . APPROPRIÉ
Assortiment de petites entrées variées . . . . TAPAS
Assortiment d'outils . . . . OUTILLAGE
Assortiment . . . . LOT • BROCHETTE
Assortir par paire . . . . APPARIER
Assortir . . . . APPAREILLER
Assoupi . . . . SOMNOLENT
Assourdir . . . . ÉTOUFFER
Assouvi . . . . RASSASIÉ • REPU
Assouvir . . . . SATISFAIRE
Assujetti . . . . IMPOSÉ
Assujetti à la corvée . . . . CORVEABLE
Assujetti à l'impôt . . . . IMPOSABLE
Assujetti à . . . . PASSIBLE
Assujettir . . . . ASSERVIR • CONTRAINDRE
                          MAINTENIR

Assujettissement	CONTRAINTE • SUJÉTION
Assumer	ENDOSSER
Assurance	APLOMB • CONFIANCE
	SÉCURITÉ • SÛRETÉ
Assuré	CERTAIN • CONFIANT • ÉVIDENT
	GARANTI • POURVU • RÉSOLU
Assurer	AFFERMIR • AFFIRMER
	GARANTIR • PROMETTRE
Assurer un service de transport	DESSERVIR
Astate	AT
Asthénie	DÉBILITÉ
Asthme	DYSPNEE
Asticot	APPÂT • VER
Asticoter	EMBÊTER • HARCELER • TARABUSTER
Astiquer	FOURBIR
Astral	SIDÉRAL • STELLAIRE • ZODIACAL
Astre	COMÈTE • ÉTOILE • LUNE • SOLEIL
Astre qui gravite autour d'une planète	SATELLITE
Astreignant	PESANT • STRICT
Astreindre	CONTRAINDRE • OBLIGER • RÉDUIRE
Astreint	CONTRAINT
Astrologue	MAGE
Astronef	SPATIONEF
Astronome américain	BAADE
Astronome et mathématicien portugais	NONIUS
Astronome néerlandais mort en 1992	OORT
Astuce	RUSE • TRUC
Astucieuse	MALIGNE
Astucieusement	FINEMENT
Astucieux	MALIN • RUSÉ
Ataca	ATOCA
Atelier de photographe d'art	STUDIO
Atelier où l'on fabrique des pierres précieuses	TAILLERIE
Atelier où l'on scie le bois	SCIERIE
Atelier où l'on travaille les métaux	FORGE
Atelier	BOUTIQUE
Atermoiement	RETARD
Athlète qui pratique la lutte	LUTTEUSE
Athlète spécialisé dans un lancer	LANCEUR

Athlète spécialiste du plongeon ..... PLONGEUR
Athlète spécialiste du saut à la perche ..... PERCHISTE
Athlète ..... SKIEUR
Athlétique ..... GYMNIQUE
Atmosphère morale, conditions de la vie ..... CLIMAT
Atmosphère ..... AMBIANCE
Atmosphère, saison froide ..... FROIDURE
Atoca ..... ATACA
Atoll ..... ÎLE
Atome ..... ION • PARCELLE • PARTICULE
Atomiseur ..... AÉROSOL • SPRAY
Atonie ..... APATHIE
Atout ..... AVANTAGE
Atroce ..... ABOMINABLE • AFFREUX
Atrocité ..... HORREUR
Atrophié ..... ÉTIOLÉ
Attachant, captivant ..... FASCINANT
Attaché ..... ADHÉRENT • JOINT
Attache ..... AMARRE • ÉPINGLE
JOINTURE • LIEN
Attaché à ce qui est utile ..... UTILITAIRE
Attaché à un lieu ..... SÉDENTAIRE
Attaché au passé ..... PASSÉISTE
Attache du bras avec le thorax ..... ÉPAULE
Attache formée d'un crochet ..... AGRAFE
Attache pour les feuilles ..... TROMBONE
Attache pour tenir un collier fermé ..... FERMOIR
Attache profonde à un lieu ..... RACINE
Attache, agrafe ..... CLIP
Attachement à la monarchie ..... ROYALISME
Attachement aux valeurs juives ..... JUDAÏSME
Attachement excessif
    pour les animaux ..... ZOOPHILIE
Attachement ..... ADOPTION • AMOUR • TENDRESSE
Attacher à une charrue ..... ATTELER
Attacher à une voiture ..... ATTELER
Attacher avec des cordages ..... AMARRER
Attacher avec une agrafe ..... AGRAFER
Attacher deux à deux ..... COUPLER
Attacher solidement à un bateau ..... ARRIMER
Attacher solidement ..... LIGOTER • RIVER

Attacher	ADJOINDRE • AGRAFER AMARRER • ELINGUER • FICELER FIXER • JOINDRE • LACER • LIER NOUER • RELIER
Attaquable	FAILLIBLE
Attaque	AGRESSION • ASSAUT CRISE • OFFENSIVE
Attaqué par l'ergot	ERGOTÉ
Attaquer	ABORDER • ACCUSER •AGRESSER ASSAILLIR • COMBATTRE DÉNIGRER • DIFFAMER • FONCER
Attaquer avec des projectiles explosifs	BOMBARDER
Attaquer brusquement (Se)	RUER
Attaquer en justice	INTENTER
Attaquer en provoquant	FRONDER
Attaquer les bases	SAPER
Attaquer par la carie	CARIER
Attaquer sournoisement	TORPILLER
Attaquer, assaillir	INSULTER
Attardé	ARRIÉRÉ • DEMEURÉ
Attarder	RETARDER
Atteignable	EGALABLE
Atteindre également	REJAILLIR
Atteindre le rivage	ABORDER
Atteindre sa valeur maximale	PLAFONNER
Atteindre un plafond	PLAFONNER
Atteindre une hauteur plus grande	CULMINER
Atteindre	ACCOSTER • ÉGALER PARVENIR • TOUCHER • RATTRAPER
Atteint d'albinisme	ALBINOS
Atteint d'aliénation mentale	ALIÉNÉ
Atteint d'amblyopie	AMBLYOPE
Atteint d'anémie	ANÉMIQUE
Atteint de bégaiement	BÈGUE
Atteint de gâtisme	GÂTEUX
Atteint de jaunisse	ICTERIQUE
Atteint de la peste	PESTIFÉRÉ
Atteint de paludisme	IMPALUDÉ • PALUDÉEN
Atteint de rhume	ENRHUMÉ
Atteint d'ergot	ERGOTÉ
Atteint du tétanos	TETANIQUE

Atteinte à l'intégrité des personnes . . . . AGRESSION
Atteinte de la lèpre . . . . LÉPREUSE
Atteinte morale . . . . BLESSURE
Attenant . . . . ADJACENT • CONTIGU
Attendre . . . . ESPÉRER • POIREAUTER
Attendrir . . . . APITOYER
Attendrir, émouvoir . . . . APITOYER
Attendrissant . . . . ÉMOUVANT • TOUCHANT
Attendrissement . . . . COMPASSION • PITIÉ
Attentat . . . . CRIME
Attentif . . . . CONCENTRE • VIGILANT
Attention . . . . PRÉVENANCE
Attention, soin . . . . APPLICATION
Attentionné . . . . AIMABLE • EMPRESSÉ • PRÉVENANT
Attentions . . . . SOINS
Atténué . . . . MITIGÉ
Atténuer . . . . ADOUCIR • AFFAIBLIR • AMORTIR
ASSOUPLIR • ESTOMPER • PALLIER
Atterrer . . . . AFFLIGER
Atterrir . . . . ABOUTIR
Atterrissage forcé . . . . CRASH
Attestation . . . . CONFIRMATION
Attesté . . . . FACTUEL
Attestée . . . . FACTUELLE
Attester . . . . ASSURER • CERTIFIER
SIGNER • TÉMOIGNER
Attiédir . . . . TIÉDIR
Attifé . . . . AFFUBLÉ
Attifement . . . . ACCOUTREMENT
Attirail . . . . BAGAGE • BARDA • ÉQUIPAGE
Attirance . . . . GOÛT • TENTATION • VOCATION
Attirant . . . . ENGAGEANT
Attirer l'attention . . . . POLARISER
Attirer par quelque
espérance trompeuse . . . . LEURRER
Attirer vers soi . . . . TIRER
Attirer . . . . ALLÉCHER • FASCINER • RACOLER
Attirer, prendre à la pipée . . . . PIPER
Attiser . . . . AVIVER • RANIMER
Attitude cynique . . . . CYNISME
Attitude des droitiers en politique . . . . DROITISME

Attitude des partisans de la droite . . . . DROITISME
Attitude discriminatoire fondée sur le sexe . . . . SEXISME
Attitude du corps . . . . POSE • TENUE
Attitude d'une personne qui
    ne croit pas en Dieu . . . . ATHÉISME
Attitude ou doctrine de l'athée . . . . ATHÉISME
Attitude religieuse traditionnelle,
    en Afrique . . . . ANIMISME
Attitude . . . . ALLURE • MAINTIEN
Attouchement . . . . CONTACT
Attouchement tendre . . . . CARESSE
Attractif . . . . ATTIRANT
Attraction . . . . SPECTACLE
Attrait exercé sur quelqu'un . . . . CHARME
Attrait . . . . AGRÉMENT • GOÛT • PRESTIGE
Attraits . . . . APPAS
Attraper . . . . ACCROCHER • ATTEINDRE
                                    CONTRACTER • GOBER
                                    HAPPER • PIGER • SAISIR
Attraper lestement . . . . GRIPPER
Attrayant . . . . AGRÉABLE • PLAISANT
Attribué . . . . DÉVOLU
Attribuer à quelqu'un . . . . ASSIGNER
Attribuer une date . . . . DATER
Attribuer . . . . ADJUGER • ALLOUER • APPLIQUER
                                    CONFÉRER • DÉCERNER
                                    MPARTIR • IMPUTER
Attribut . . . . ADJECTIF • PRÉROGATIVE • QUALITÉ
Attribution . . . . OCTROI
Attristant . . . . FÂCHANT • NAVRANT
Attristé . . . . CONTRISTÉ • DÉSOLÉ • NAVRÉ
Attrister . . . . AFFLIGER • DÉSOLER
                                    ENDEUILLER • NAVRER • PEINER
Attrister, peiner . . . . CHAGRINER
Attroupement . . . . GROUPE
Attrouper dans une intention
    de soulèvement . . . . AMEUTER
Au bridge, la septième levée . . . . TRIC
Au Canada, bonnet surmonté d'un pompon . . . . TUQUE
Au Canada, salle de séjour . . . . VIVOIR
Au fond de soi-même (... Intérieur) . . . . FOR

Au football, un tir	SHOOT
Au golf	PAR
Au golf, coup joué sur le green	PUTT
Au goût très mauvais	IMBUVABLE
Au loin dans le temps ou l'espace	ELOIGNE
Au même endroit d'un texte	IBIDEM
Au moyen de	AVEC
Au plus haut point	FOLLEMENT
Au plus profond de ma conscience	FOR
Au revoir	ADIEU • BYE • CIAO • TCHAO
Au rugby, mêlée ouverte	MAUL
Au suprême degré	FIEFFE
Au tennis, balle de service que l'adversaire ne peut toucher	ACE
Au tennis, coup violent	SMASH
Aubaine	OCCASION • PROFIT
Aube	AURORE • COMMENCEMENT DÉBUT • MATIN
Auberge	HÔTEL • TAVERNE
Auberge, en Espagne	POSADA
Aubergine	MÉLONGINE
Aubergiste	HÔTELIER
Auburn	CHATAIN
Aucun	NUL • SANS • ZÉRO
Aucunement	NULLEMENT
Audace	BRAVOURE • COURAGE • CRAN • CULOT
Audace, effronterie	TOUPET
Audacieux	INTRÉPIDE • OSÉ • RISQUÉ
Au-dessous de	DEÇA
Audience	SÉANCE
Audit	AUDITEUR
Auditeur	AUDIT
Audition	OUÏE
Auditoire	ASSISTANCE • AUDIENCE • PUBLIC
Auge de pierre	MAYE
Auge	AUGET • CRÈCHE • MANGEOIRE
Augmentation	ACCROISSEMENT • HAUSSE
Augmentation du taux d'urée	URÉMIE
Augmenter la durée	ALLONGER
Augmenter la valeur de	ENRICHIR
Augmenter le volume de quelque chose	DILATER

Augmenter par degrés . . . . GRADUER
Augmenter sa vitesse . . . . SPRINTER
Augmenter . . . . ACCENTUER • ACCROÎTRE
AMPLIFIER • CENTUPLER • CROÎTRE
GROSSIR • MAJORER • MONTER
SEPTUPLER • SEXTUPLER
Augmenter, agrandir . . . . ARRONDIR
Augure . . . . PRÉSAGE • PROPHETE
Augurer . . . . PRÉSAGER
Aujourd'hui . . . . HUI
Aulne noire . . . . BOURDAINE
Aulne . . . . AUNE • VERGNE
Aulnée . . . . INULE
Aumône . . . . OBOLE • OFFRANDE
Auquel on a donné un profil précis . . . . PROFILE
Aura . . . . HALO
Auréole . . . . NIMBE
Auréoler . . . . COURONNER
Aurochs . . . . URE • URUS
Aurore . . . . AUBE • MATIN
Ausculter . . . . TÂTER
Aussi . . . . ALORS • AUTANT • ITOU
Aussitôt . . . . ILLICO • SITÔT
Austère . . . . ÂPRE • RIGIDE • SÉVÈRE
Austérité . . . . GRAVITÉ • RUSTICITE • SÉVÉRITÉ
Autant . . . . AUSSI • TANT
Auteur . . . . ÉCRIVAIN • INVENTEUR
Auteur de biographies . . . . BIOGRAPHE
Auteur de crime sexuel . . . . SADIQUE
Auteur de gags . . . . GAGMAN
Auteur de la théorie de la relativité . . . . EINSTEIN
Auteur de psaumes . . . . PSALMISTE
Auteur d'ouvrages juridiques . . . . JURISTE
Auteur dramatique américain
né en 1915 . . . . MILLER
Auteur dramatique britannique
né en 1693 . . . . LILLO
Auteur dramatique britannique
né en 1930 . . . . ARDEN
Auteur dramatique danois . . . . ABELL
Auteur dramatique français mort en 1928 . . . . . . CUREL

Auteur du troisième Évangile . . . . LUC
Auteur d'un faux . . . . FAUSSAIRE
Auteur d'un testament . . . . TESTATEUR
Auteur d'une chose . . . . ARTISAN
Auteur d'une parodie . . . . PARODISTE
Auteur-compositeur du
   Québec mort en 1988 . . . . LECLERC
Auteur-compositeur et chanteur belge . . . . BREL
Authentifier . . . . CERTIFIER
Authentique . . . . RÉEL • VÉRITABLE
Autistique . . . . AUTISTE • DÉRÉEL
Autobiographie . . . . MÉMOIRES
Autobus . . . . BUS
Autocar . . . . AUTOBUS • CAR
Autocar très confortable . . . . PULLMAN
Autochtone . . . . INDIGÈNE
Autoclave . . . . ÉTUVE
Autocollant . . . . ADHÉSIF
Autogestion . . . . COGESTION
Automate à l'aspect humain . . . . ROBOT
Automatique . . . . MACHINAL
Automatiser . . . . MÉCANISER
Automatisme . . . . RÉFLEXE
Automobile à quatre portes
   et quatre places . . . . BERLINE
Automobile à quatre roues motrices . . . . JEEP
Automobile tout terrain . . . . JEEP
Automobile . . . . AUTO • BAGNOLE • VOITURE
Automotrice . . . . AUTORAIL
Autonomiste . . . . SÉPARATISTE
Autopsier . . . . DISSEQUER
Autorisation officielle . . . . LICENCE
Autorisation spéciale . . . . DISPENSE
Autorisation . . . . PERMISSION
Autorisé . . . . OFFICIEL
Autorisée . . . . OFFICIELLE
Autoriser . . . . ADMETTRE • HABILITER
                          PERMETTRE • TOLÉRER
Autoritaire . . . . IMPÉRATIF • IMPERIEUX • STRICT
Autorité absolue . . . . EMPIRE
Autorité . . . . MAÎTRISE • POUVOIR

Auto-stoppeur	STOPPEUR
Autour de	ENVIRON
Autour	ALENTOUR
Autre nom de Jacob dans la Bible	ISRAËL
Autre nom de la ciboule	CIVE
Autre nom du hurleur	ALOUATE
Autre nom pour ableret	ABLIER
Autre part	AILLEURS
Autre	DIFFÉRENT
Autrefois	ANCIENNEMENT • ANTAN
	JADIS • PASSÉ
Autrefois (D')	ANTAN
Autrefois, fumer du pétun	PETUNER
Autrefois, fusée de guerre incendiaire	ROQUETTE
Autrement dit	ALIAS
Autrement nommé	ALIAS
Autrui	AUTRE
Aux cartes, couleur noire	TRÈFLE
Aux échecs, remettre en place une pièce déplacée par accident	ADOUBER
Aux environs de	AUTOUR
Aux environs	ALENTOUR
Aux quilles, tenir le pied à l'endroit marqué	PIETER
Auxiliaire	AIDE • ADJOINT
Avachi	FLASQUE • VEULE
Avaler	GOBER
Avaler de nouveau	RAVALER
Avaler un liquide en l'aspirant	HUMER
Avance	ACOMPTE • CRÉDIT • PRÊT
Avancé	PRÉCOCE • TARDIF
Avancée	RESSAUT • TARDIVE
Avancement	CIVILISATION
Avancer	ALLÉGUER • ALLER • DÉCALER
	MARCHER • PRÊTER
Avancer en faisant de petits sauts	SAUTILLER
Avancer lentement	RAMPER
Avancer sur l'eau	NAGER • VOGUER
Avances	PROPOSITION
Avanie	BRIMADE
Avant d'un bateau	PROUE
Avant d'un navire	PROUE

Avant les autres	UNES
Avant l'hameçon	AVANCEE
Avant placé entre un ailier et l'avant-centre	INTER
Avant terme	PRÉMATURÉ
Avant	AUPARAVANT
Avantage	ATOUT • BIEN • FRUIT INTÉRÊT • PLUS • PROFIT
Avantage dû à une fonction	PRÉROGATIVE
Avantage inespéré	AUBAINE
Avantage particulier accordé par quelqu'un	PRIVILEGE
Avantager	DOTER • FAVORISER • GRATIFIER
Avantageux	SEYANT
Avant-coureur	PRÉCURSEUR
Avant-goût	ÉCHANTILLON
Avant-midi	AM
Avant-propos	PRÉAMBULE • PRÉFACE
Avant-propos	EXORDE
Avant-toit	AUVENT
Avant-train d'une voiture à chevaux	ARMON
Avare	CHICHE • LADRE • PINGRE RADIN • RAPIAT • SÉRAPHIN
Avare particulièrement mesquin	PINGRE
Avarice mesquine	RADINERIE
Avarice sordide	LADRERIE
Avarié	GÂTÉ
Avarier	GÂTER
Avec aisance	AISÉMENT
Avec amertume	AMÈREMENT
Avec âpreté	ÂPREMENT
Avec assurance	FERMEMENT
Avec avidité	GOULUMENT
Avec calme et tranquillité	SAGEMENT
Avec calme, de façon tranquille	CALMEMENT
Avec entrain	GAIEMENT
Avec fierté	FIÈREMENT
Avec fruit	UTILEMENT
Avec gaieté	GAIEMENT
Avec lenteur	LENTO
Avec platitude	PLATEMENT
Avec pureté	PUREMENT

Avec qui on peut entrer en contact	JOIGNABLE
Avec raison	JUSTEMENT
Avec rudesse	RUDEMENT
Avec tristesse	AMÈREMENT
Avec un grand poids	PESAMMENT
Avec une énergie dure, cruelle	ÂPREMENT
Avec vivacité, rudesse	VERTEMENT
Avec volonté	FERMEMENT
Avec	PARMI
Aveline	NOISETTE
Aven	IGUE
Avenant	AIMABLE • CODICILLE • ENGAGEANT
Avènement	ACCESSION • VENUE
Avenir	AVENTURE • DESTIN
	FUTUR • LENDEMAIN
Aventure	INTRIGUE • PASSADE
Aventure intérieure	TRIP
Aventurier	RUFFIAN • RUFIAN • VAGABOND
Aventurier, pirate	CORSAIRE
Avenue	ALLÉE • DRÈVE • RUE
Avéré	ATTESTÉ
Avers	FACE
Averse	ONDÉE • PLUIE • SAUCÉE
Averse violente	ABAT
Aversion	ANTIPATHIE • DÉGOÛT
	HAINE • RÉPULSION
Averti	AVISÉ • SAGE
Avertir	ALERTER • AVISER • INFORMER
	KLAXONNER • PREFACER
	RENSEIGNER • SIGNALER
Avertissement	CONSEIL • LEÇON
Avertissement préalable	PRÉAVIS
Avertisseur	BRUITEUR • KLAXON
	IGNAL • TROMPE
Aveu d'une faute	CONFESSION
Aveuglement	ABERRATION • CÉCITÉ
Aveugler	ÉBLOUIR • OBNUBILER
Avide d'argent	CUPIDE
Avide	AVARE • CUPIDE • CURIEUX
	FRIAND • INTÉRESSÉ • PASSIONNÉ
	RAPACE • RAPIAT

Avide, insatiable	DÉVORANT
Avidité	CONVOITISE • CUPIDITÉ
	RAPACITÉ • SOIF
Avidité à manger	VORACITÉ
Avili	ABÂTARDI
Avilir	ABÂTARDIR • BAS • GALVAUDER
	HONTEUX • PROFANER • PROSTITUER
Avilissant	INFAMANT • INFÂME
Avilissante	HONTEUSE
Aviné	IVRE
Avion à décollage et à atterrissage courts	STOL
Avion à deux plans de sustentation	BIPLAN
Avion à trois moteurs	TRIMOTEUR
Avion à trois plans de sustension superposés	TRIPLAN
Avion d'un modèle ancien	COUCOU
Avion français	MIRAGE
Avion léger sans moteur	PLANEUR
Avion moyen-courrier européen	AIRBUS
Avion qui se pose sur l'eau	HYDRAVION
Avion rapide	JET
Avion-suicide	KAMIKAZE
Aviron	GODILLE • PAGAIE • RAME
Avis	CONSEIL • CONSULTATION
	DÉNONCIATION • NOTE • OPINION
Avis contraire au précédent	CONTRAVIS
Avis donné à l'avance	PRÉAVIS
Avis donné par un vote	SUFFRAGE
Avisé	AVERTI • CIRCONSPECT • SAGACE
Aviser	AVERTIR • INFORMER • NOTIFIER
Avitailler	ÉQUIPER
Avitaminose	SCORBUT
Avivant	ACTIVANT
Aviver	ACTIVER • ATTISER
Avocat	AVOUE
Avoine	CÉRÉALE
Avoir	DÉTENIR • OBTENIR
Avoir à la fois	CUMULER
Avoir à soi	POSSÉDER
Avoir chaud	SUER

B

B.D.	BÉDÉ
Baba	ÉBAHI • ÉTONNÉ POSTÉRIEUR • STUPÉFAIT
Babillage	BABIL
Babillard	BAVARD • JASEUR
Babiller	BAVARDER
Babine	LÈVRE
Babiole	BAGATELLE • BIBELOT BROUTILLE • HOCHET
Babouin	PAPION
Bac	CAISSE • CUVE • SEILLON
Baccalauréat	DIPLÔME
Bacille	MICROBE
Bâcler	BACHOTER • EXPÉDIER
Bactérie	BACILLE • GERME • MICROBE
Badaud	FLÂNEUR
Baderne	BARBON
Badiane	ANIS
Badigeonner	ENDUIRE
Badin	ENJOUÉ • FOLÂTRE • FOLICHON
Badiner	BLAGUER • FOLÂTRER • PLAISANTER RIGOLER • RIRE
Badinerie	BADINAGE • PLAISANTERIE
Baffe	BEIGNE • GIFLE
Bafouer	CONSPUER • MÉPRISER
Bafouiller	BALBUTIER • BREDOUILLER
Bagage	MALLE
Bagage de forme rectangulaire	VALISE
Bagarre	BASTON • BATAILLE • GRABUGE MÊLÉE • RIF • RIFFE • RIFIFI • RIXE
Bagarre à coups de poing	PUGILAT
Bagatelle	AMUSETTE • BRICOLE • RIEN • VÉTILLE
Bagnard	FORÇAT • TÔLARD
Bagnole	VOITURE
Bagou	JACTANCE • TCHATCHE
Bagout	VOLUBILITÉ
Bague	ANNEAU • JONC
Bague de métal	VIROLE

Baguenaude	FLÂNERIE
Baguette de bois ou de métal	VERGE
Baguette de bois supportant une tablette	LITEAU
Baguette mince et flexible	BADINE
Baguette mince et légère	BADINE
Baguette mince et souple qu'on tient à la main	BADINE
Baguette	BARRE • BÂTON • STICK • TRINGLE
Baguier	ÉCRIN
Baie bleue	BLEUET
Baie de la côte du Québec	UNGAVA
Baie des côtes de Honshû	ISE
Baie où se trouve Nagoya	ISE
Baie rouge de l'aubépine	CENELLE
Baie rouge orangé	SORBE
Baie rouge	ATACA • ATOCA
Baignade rapide	SAUCETTE
Baignade	BAIN
Baigner dans l'eau chaude	ÉTUVER
Bail	LOCATION • LOYER
Bailleresse	LOUEUSE
Bailleur	LOUEUR
Bâillonner	MUSELER
Bain de cendre et d'alun	MÉGIS
Bain de vapeur	ÉTUVE • SAUNA
Bain	BAIGNADE
Baise	COUCHERIE
Baise-en-ville	BAGAGES
Baiser rituel envers un objet sacré	BAISEMENT
Baiser	BISE • BISOU • CÂLIN • EMBRASSER
Baiser, caresse	MIMI
Baisse du niveau des eaux	DÉCRUE
Baisse périodique des eaux d'un cours d'eau	ÉTIAGE
Baisse	DÉCRUE • DISCRÉDIT
Baisser de nouveau	REBAISSER
Baisser	ABAISSER • CHUTER • DÉCROÎTRE FAIBLIR • PÉRICLITER
Bajoue	JOUE • ABAJOUE
Balade	RANDONNÉE

Balafon	MARIMBA
Balafre	COUPURE • TAILLADE
Balafrer	TAILLADER
Balai de branchages	HOUSSOIR
Balai de houx	HOUSSOIR
Balance à levier	PESON • ROMAINE
Balance	SOLDE
Balancement	ROULIS
Balancer doucement	BERCER • DODELINER
Balancer son corps (Se)	DANDINER
Balancer	BALLOTTER • BRANLER • COMPENSER
	HÉSITER • JETER • OSCILLER
	TORTILLER • VACILLER
Balancier	PENDULE
Balayer	EMPORTER
Balayette	BALAI
Balayeur	ESSUYEUR
Balbutier	BEGAYER • BREDOUILLER
Balcon	TERRASSE
Baldaquin	DAIS
Baleine blanche	BÉLOUGA
Baleine meurtrière	ORQUE
Baleine	JUBARTE
Balise	BOUÉE
Baliser	JALONNER
Balisier	CANNA
Baliveau qui a deux fois l'âge de la coupe	PÉROT
Baliverne	FACÉTIE • FARIBOLE • SORNETTE
Ballant	PENDANT
Balle d'arme à feu	BASTOS
Balle de fusil	BASTOS • PRUNEAU
Balle dure	ÉTEUF
Balle	BALLON
Ballerine	DANSEUSE
Ballet	DANSE
Ballon dirigeable rigide	ZEPPELIN
Ballon	DIRIGEABLE
Ballonner	GONFLER
Ballot	COLIS • BALLUCHON
Ballotter	AGITER • BALANCER • TIRAILLER

Balourd	CUISTRE • LOURDAUD • RUSTAUD
Balourdise	BOUFFONNERIE • GAUCHERIE
Balsamier	BAUMIER
Balustrade	RAMBARDE
Bambin	ENFANT • GOSSE • MARMOT
Banalité	PLATITUDE
Banc	SIÈGE
Banc d'algues	HERBIER
Banc de neige	CONGÈRE
Banc d'herbes sous l'eau	HERBIER
Bandage croisé	SPICA
Bandage que l'on fixe à la jante des roues	PNEU
Bande de chiens	MEUTE
Bande de fer	RAIL
Bande de gens acharnés	MEUTE
Bande de terre entre les pieds de vigne	CAVAILLON
Bande de tissu pour orner	FRANGE
Bande dessinée	BÉDÉ
Bande d'étoffe	CRAVATE • ÉCHARPE • JETÉ
Bande diminuée de largeur	COTICE
Bande étroite	COTICE
Bande étroite d'une matière textile	RUBAN
Bande formant bordure	LISÉRÉ
Bande large et plate	SANGLE
Bande organisée	GANG
Bande plate destinée à maintenir	SANGLE
Bande	GROUPE • HORDE RAMASSIS • TROUPE
Bandelette sacrée	INFULE
Banderole	DRAPEAU
Bandit	BRIGAND • CAGOULARD • DESPERADO GANGSTER • TRUAND • VOLEUR
Bandit, brigand	FORBAN
Bandoulière	BAUDRIER
Banian	FIGUIER
Banlieue de Buenos Aires	LANUS
Banlieue de Québec	LÉVIS
Banlieue de Vancouver	BURNABY
Banlieue nord-ouest de Montréal	LAVAL
Bannette	CORBILLON
Banni	PROSCRIT

Bannie	PROSCRITE
Bannir	EXILER • EXPULSER
Bannissement	BAN
Banque Nationale	BN
Banqueter	FESTOYER
Banquette	BANC
Baquet de bois de petites dimensions	SEILLON
Baquet en bois de sapin	SAPINE
Bar	BUVETTE • CAFÉ
Baragouin	JARGON
Baragouiner	JARGONNER
Baraque de chantier servant de bureau	GUÉRITE
Baraque	BOUTIQUE • CABANE • MASURE
Baraquement	BIDONVILLE • CASERNE
Baratin	BLABLABLA • BONIMENT
Baratineur	CHARLATAN • CRANEUR
Barbare	VANDALE
Barbarie	ATROCITÉ • FÉROCITÉ
Barbarisme	SOLECISME
Barbe au menton	BOUC
Barbe le long des joues	FAVORIS
Barbe naissante	DUVET
Barbecue	BRASERO
Barber, raser	BARBIFIER
Barbiche	BOUC
Barbier	COIFFEUR
Barboter	CHIPER
Barbouillage	BARIOLURE • GRAFFITI
Barbouiller de noir	MÂCHURER
Barbouiller	PEINTURER
Barbouilleur	PEINTRE
Bard	BRANCARD
Barda	ATTIRAIL
Bardeau	AISSEAU
Barder, blinder	CUIRASSER
Bardot	MULET
Baril à anchois	BARROT
Baril à battre le beurre	BARATTE
Baril	CAQUE • TONNEAU • TONNELET
Bariolage	BIGARRURE

Bariolé	BIGARRÉ
Barioler	MARBRER
Barman	SERVEUR
Barnache	BERNACLE
Baroque	ABRACADABRANT • ROCOCO
Baroudeur	FONCEUR
Barque égyptienne	CANGE
Barque qui servait sur le Nil	CANGE
Barque vénitienne	GONDOLE
Barrage par-dessus lequel l'eau s'écoule en nappe	REVERSOIR
Barrage	BATARDEAU • CENTRALE ÉCLUSE • OBSTACLE
Barre avec laquelle on ferme une porte	BÂCLE
Barre courbée munie d'un crochet	CINTRE
Barre de bois, de métal	BARREAU
Barre métallique de soutien	POUTRELLE
Barre servant à fermer une porte	ÉPAR • ÉPART
Barre soutenant la hotte d'une cheminée	SOUPENTE
Barre transversale d'une ancre	JAS
Barre	TIGE
Barreau	ÉCHELON
Barrer	BIFFER • FERMER RATURER • RAYER VERROUILLER
Barricader	
Barrière	CLÔTURE • DIGUE • OBSTACLE
Barrique où l'on empile les harengs salés	CAQUE
Barrot	BAU
Baryum	BA
Barzoï	LEVRIER
Bas	GRAVE
Bas, obséquieux	RAMPANT
Basané	BRONZÉ • FONCÉ NOIR • TANNÉ
Bascule	BALANÇOIRE
Basculer	CULBUTER
Base qui donne de la stabilité	ASSISE
Base sur laquelle repose un édifice	SOCLE
Base	FOND • PIED

Base, fondement	ASSISE • FONDATION
Basique	ALCALIN
Basket-ball	BASKET
Basophile	LEUCOCYTE
Bas-relief	MEDAILLON
Basse soumission	SERVILITÉ
Basse vallée d'un cours d'eau	ABER
Bassement	VILEMENT
Bassesse	SERVILITÉ • VENALITE • VULGARITÉ
Basset à jambes droites	BEAGLE
Basset à poil ras	TECKEL
Basset allemand, à pattes très courtes	TECKEL
Basset	BEAGLE
Bassin à eau bénite	BÉNITIER
Bassin abrité	DARSE
Bassin de natation	PISCINE
Bassin d'eau de mer	CLAIRE
Bassin d'un port méditerranéen	DARCE
Bassin en pierre ou en bois	AUGE
Bassin entouré de quais	DOCK
Bassin ornemental	VASQUE
Bassin où se garent les bateaux	GARE
Bassin où un liquide est mis en réserve	RESERVOIR
Bassin rempli d'eau	PISCINE
Bassin servant au baptême	FONTS
Bassin	BAC • CUVETTE • DARCE • DARSE DOCK • ÉTANG • PELVIS • TUB
Bataille	COMBAT • GRABUGE GUERRE • LUTTE • RIXE
Batailler	DISPUTER
Batailleur	AGRESSIF
Bataillon	RÉGIMENT
Bateau	BALISEUR • NAVIRE
Bateau à fond plat	CHALAND
Bateau à vapeur	STEAMER
Bateau à voiles	VOILIER
Bateau annexe à fond plat	PRAME
Bateau antillais à fond plat	GOMMIER
Bateau d'aviron monté en couple	SCULL
Bateau de Malaisie à balancier unique	PRAO

Bateau de pêche	PINASSE
Bateau de sport très long	SKIF • SKIFF
Bateau des douanes	PATACHE
Bateau muni de voiles	VOILIER
Bateau plat pour le transport des marchandises	CHALAND
Bateau plat	FLETTE
Bateau pour la pêche de la sardine	SARDINIER
Bateau pour la pêche du thon	THONIER
Bateau qui n'avance pas vite	BAILLE
Bateau s'élevant sur l'eau sous l'effet de la vitesse	DEJAUGER
Bateau-citerne	PINARDIER
Bateleur	PAILLASSE
Batelier qui conduit une gondole	GONDOLIER
Batelier	PASSEUR
Batellerie	BATELAGE
Bâti servant à pointer un canon	AFFÛT
Batifoler	BADINER • FOLÂTRER
Bâtiment de grandes dimensions	BÂTISSE
Bâtiment de guerre	CORVETTE • GALÈRE
Bâtiment d'une exploitation agricole	GRANGE
Bâtiment important	ÉDIFICE
Bâtiment militaire	CASERNE
Bâtiment où sont conservés des ossements humains	OSSUAIRE
Bâtiment pour abriter les moutons	BERGERIE
Bâtiment servant d'abri	ENTREPÔT
Bâtiment	IMMEUBLE
Bâtir en cintre	CINTRER
Bâtir	ÉDIFIER • ÉRIGER • FONDER
Bâtisse	BÂTIMENT • ÉDIFICE
Bâtisseur	FAISEUR • FONDATEUR • PIONNIER
Bâton	BARRE • BATTE • HAMPE
Bâton à grosse tête	MASSUE
Bâton d'alpiniste	PIOLET
Bâton de berger	HOULETTE
Bâton de commandement	SCEPTRE
Bâton en forme de crosse	PÉDUM
Bâton garni de fer	ÉPIEU
Bâton muni d'une mèche pour mettre le feu à la charge d'un canon	BOUTEFEU

Bâton pastoral d'évêque . . . . CROSSE
Bâtonnet de fard . . . . CRAYON
Bâtonnet de pomme de terre frit . . . . FRITE
Batracien . . . . CRAPAUD
Battage . . . . BARATTAGE • RÉCLAME
Battant . . . . FONCEUR • GAGNEUR • VANTAIL
Battante . . . . LUTTEUSE
Battement de la mesure dans le vers . . . . ICTUS
Battement d'un vaisseau sanguin . . . . POULS
Battement rapide de deux notes voisines . . . . TRILLE
Battement . . . . PULSATION
Batterie de tambour . . . . CHAMADE • DIANE
Batteur . . . . MOUSSOIR
Battoir étroit avec lequel
   on jour à la paume . . . . TRIQUET
Battre à coups de bâton . . . . FUSTIGER
Battre des mains . . . . APPLAUDIR
Battre en donnant des coups . . . . FESSER
Battre violemment . . . . ROSSER
Battre vivement . . . . FOUETTER
Battre . . . . BATONNER • COGNER
                                           FRAPPER • TAPER
Battu . . . . PERDANT
Batture . . . . ESTRAN
Baudet . . . . ÂNE
Baumier . . . . BALSAMIER
Bavard . . . . CAUSEUR • JACASSEUR • JASANT
                          LOQUACE • PARLANT • PHRASEUR
                          PROLIXE • VERBEUX • VOLUBILE
Bavard, communicatif . . . . CAUSANT
Bavardage . . . . CANCAN • CAQUET
                                        PAPOTAGE • RAGOT
Bavardage . . . . TCHATCHE
Bavardage, baratin . . . . JACTANCE
Bavarde . . . . CAUSEUSE
Bavarder . . . . BABILLER • CANCANER • CAUSER
                       COMMÉRER • JACASSER • JACTER
                                   JASER • PAPOTER
Baver sur . . . . CALOMNIER
Baver . . . . ÉCUMER • JUTER • SALIVER
Bavette . . . . BAVOIR

Bayer	BAILLER
Bazarder	FOURGUER
Bazooka	ARME
Béante	BÉE
Béat	HEUREUX
Béate	HEUREUSE
Béatitude	BONHEUR • EUPHORIE • FÉLICITÉ
Beau	BEL • JOLI • SEREIN • SUBLIME
Beau parleur	HABLEUR
Beau, bien fait	GIROND
Beaucoup	ABONDAMMENT • BÉSEF • BÉZEF ÉNORMÉMENT • MAINT • MOULT SALEMENT • TRÈS • TROP
Beaucoup, très	BIGREMENT
Beau-fils	GENDRE
Beau-frère	BEAUF
Beauté	JOLIESSE • PLASTIQUE
Beauté sensuelle	GLAMOUR
Bébé grassouillet	POUPARD
Bébé	BABY • BAMBIN • NOURRISSON
Bec de gaz	REVERBERE
Bec	BAISER • BOUCHE
Bêchage	LABOURAGE
Bêche à trois dents	TRIDENT
Bêche servant à retirer les coquillages du sable	PALOT
Bécosses	LATRINES
Bécot	BAISER
Bécoter	EMBRASSER
Becqueter	PICORER • PICOTER
Bedaine	ABDOMEN • VENTRE
Bedon	ABDOMEN • BEDAINE • PANSE • VENTRE
Bedonnant	OBÈSE
Bédouin	ARABE
Bée	BÉANTE
Beffroi	CAMPANILE
Béguer	BEGAYER
Bégueter	BÊLER
Béguin	FLIRT
Beigne	BEIGNET
Beignet	BEIGNE

Bel athlète	TARZAN
Bel homme fat et niais	BELLÂTRE
Belle plante volubile ou rampante	IPOMÉE
Belle, bien faite	GIRONDE
Belle-dame	BELLADONE
Belle-fille	BRU
Belluaire	DOMPTEUR
Bélouga	MARSOUIN
Bénéfice	AVANTAGE • BÉNEF • BONI
	CANONICAT • PROFIT
Bénéficiaire	PORTEUR
Bénéficier	PROFITER • AVOIR
Benêt	BÉTA • NIGAUD
Bénir	REMERCIER • SACRER
Benne	WAGONNET
Béotien	BARBARE • PHILISTIN
Béquille	TIN
Ber	BERCEAU
Berbère	MAURE
Berceau de verdure	CHARMILLE
Berceau	BER • BERCE
Bercement	BALANCEMENT
Bercer	BALANCER • BALLOTTER
Berceuse	BERÇANTE
Béret de velours	FALUCHE
Berge	RIVE
Berger	PASTEUR • PÂTRE
Berger d'Amérique du Sud	GAUCHO
Berk	POUAH
Berline	BENNE
Bermuda	SHORT
Bernache du Canada	OUTARDE
Bernache	OIE
Berner	DUPER • TROMPER
Béryllium	BE
Besace	GIBECIERE
Besogne	CORVÉE • LABEUR • TÂCHE
Besogner	BÛCHER • TRIMER
Besoin irrépressible de manger	BOULIMIE
Besoin	APPÉTIT • DÉSIR • NÉCESSITÉ
Besson	JUMEAU

Bestial	ANIMAL • BRUTAL
Bestialité	ZOOPHILIE
Bestiole	ANIMAL
Bête	ANIMAL • CON • OBTUS
Bêtifier	GATIFIER
Bêtise	ÂNERIE • BALOURDISE • BOURDE
	CONNERIE • INEPTIE • NIAISERIE • SOTTISE
Bêtise grossière	CRASSE
Bêtisier	SOTTISIER
Bétoire	PUISARD
Béton	CIMENT
Beugler	MEUGLER • MUGIR
Beurk!	BERK
Beuverie	BRINGUE • ORGIE
Bévue	BOURDE • GAFFE
Bévue, bêtise	BOULETTE
Bi	BISMUTH
Biais	BISEAU
Bibelot de style japonais	JAPONERIE
Bible	EVANGILE
Bibliographie d'une question	LITTÉRATURE
Bibliothèque itinérante	BIBLIOBUS
Bichon	BARBET
Bichonner	POMPONNER • SOIGNER • TOILETTER
Bicoque	CABANE • CLAPIER
Bicyclette	BÉCANE • TANDEM • VÉLO
Bidasse	GUS • GUSSE
Bide	BEDON • FLOP
Bidon d'essence	JERRYCAN
Bidon servant au transport du lait	BOILLE
Bidon	BEDON • BLUFF
Bidonnant	TORDANT
Bidonville, au Brésil	FAVELA
Bidule	GADGET • MACHIN • OBJET
Bielle	MANIVELLE
Bien adapté	CONGRUENT
Bien dont on jouit par usufruit	USUFRUIT
Bien fait	GALBÉ
Bien jeune	JEUNET
Bien	BEN
Bien, service créé	PRODUIT

Bien-aimée	DULCINÉE
Bien-être	AISES • BÉATITUDE • CONFORT
Bienfaisance	CHARITÉ
Bienfaisant	BÉNÉFIQUE • CHARITABLE • SALUTAIRE
Bienfait	BÉNÉDICTION • BIEN • FAVEUR
	GRÂCE • SERVICE
Bienfaiteur	MÉCÈNE
Bien-fondé	PERTINENCE • VALIDITE
Bienheureux et paisible	BÉAT
Biennal	BISANNUEL
Biens familiaux	PATRIMOINE
Biens qu'une femme apporte en se mariant	DOT
Bienséance	CONVENANCES • CORRECTION
	POLITESSE
Bienséant	CORRECT • DÉCENT • POLI • SÉANT
Bientôt	TANTÔT
Bienveillance	BONTÉ • CORDIALITÉ • FAVEUR
Bienveillant	BÉNÉVOLE • INDULGENT
Bienvenue	ACCUEIL
Bière anglaise	ALE • STOUT
Bière belge forte	GUEUSE
Bière belge	LAMBIC
Bière blonde	ALE
Bière brune	BRUNE • STOUT
Bière brune anglaise	PORTER
Bière d'ancienne Égypte à base d'orge fermentée	ZYTHON
Bière de qualité inférieure	BIBINE
Bière légère belge	FARO
Bière	ALE • CERCUEIL
Biffer	BARRER • RATURER • RAYER • SABRER
Biffure	RATURE
Bigamie	POLYGAMIE
Bigarade	ORANGE
Bigarré	BARIOLÉ
Bigarrer par bandes pour donner un aspect jaspé	JASPER
Bigarrer	BARIOLER • PANACHER
Bigarrure de ce qu'on a jaspé	JASPURE
Bigarrure d'une peau tavelée	TAVELURE

Bigarrure	BARIOLAGE • BARIOLURE
Bigler	LOUCHER
Bigleux	BIGLE • MIRAUD • MIRO
Bigot	TARTUFE
Bigre!	FICHTRE
Bigrement	TRÈS
Bijou	BOUCLE • JOUJOU • JOYAU
	PERLOUSE • TORQUE
Bijou contenant un portrait, un petit objet, etc.	MEDAILLON
Bijou de femme	BROCHE
Bijou en forme d'anneau	BRACELET
Bijou muni d'une épingle	BROCHE
Bijou qui entoure le cou	COLLIER
Bijouterie	JOAILLERIE
Bile des animaux de boucherie	FIEL
Bilieux	ATRABILAIRE
Bille de bois	BILLON • TRONCHE
Bille	BOULE
Billet d'avion non daté	OPEN
Billet de banque	FAFIOT
Billet de chemin de fer	COUPON
Billet de sortie	EXÉAT
Billet délivré à un usager	BULLETIN
Billet	MOT
Billevesée	FADAISE
Billot de bois	PLOT
Binage	LABOURAGE
Binard	FARDIER
Biner	SERFOUIR
Binette	FRIMOUSSE • TÊTE
Biniou	CORNEMUSE
Binocle	BESICLES
Biochimiste danois, prix Nobel en 1943	DAM
Biochimiste et écrivain américain d'origine russe	ASIMOV
Biologique	BIO
Biologiste américain mort en 1984	CORI
Biomasse	BIOSPHERE
Biotope	BIOSPHERE
Biquet	BICOT • CABRI

Biquette	CHÈVRE
Birbe	BARBON
Bisannuel	BIENNAL
Bisbille	CHICANE • FACHERIE
Biscornu	CORNU
Biscotte	CANAPE
Biscuit belge au sucre candi	SPÉCULOS • SPÉCULOOS
Biscuit belge sec très sucré	SPÉCULOOS
Biscuit léger en forme de bâtonnet	BRETZEL
Biscuit sec et croquant	CROQUET
Biscuitier	PATISSIER
Bise	BAISE • BÉCOT • BISOU
Biser	EMBRASSER
Bisexuel	BI
Bismuth	BI
Bison d'Europe	URE • URUS
Bisou	BAISE • BAISER • BÉCOT • BISE
Bisque	COULIS • POTAGE
Bisquer	RAGER
Bistouri	SCALPEL
Bistre	BRUNATRE
Bistro	BISTROT • BRASSERIE • CABARET
Bistrot	BISTRO
Bitume naturel	ASPHALTE
Bitume	GOUDRON
Bivouaquer	CANTONNER
Bizarre	ABRACADABRANT • BAROQUE
	BRAQUE • CHINOIS • DRÔLE
	ÉTRANGE • INSOLITE • SAUGRENU
Bizarre, un peu fou	ZINZIN
Bizarrerie	ANOMALIE
Blablabla	BONIMENT
Blafard	BLANC • BLÊME • PÂLE • TERNE
Blafard, blême	LIVIDE
Blague	ATTRAPE • BOBARD
	CANULAR • RIGOLADE
Blaguer	RAILLER • RIRE
Blagueur	FARCEUR • PLAISANTIN
Blair	NAZE
Blairer	PIFFER
Blâme	CENSURE • CONDAMNATION • CRITIQUE

Blâmer	CONDAMNER • DÉSAPPROUVER FUSTIGER • HONNIR
Blâmer sévèrement	VITUPÉRER
Blanc	BLÊME • LAITEUX
Blanc d'œuf cru	GLAIRE
Blanc-bec, gamin	MERDEUX
Blanchâtre	OPALIN
Blanche	LAITEUSE
Blanchi, marqué par l'âge	CHENU
Blanchir le linge en le passant au bleu	AZURER
Blanchir	BLÊMIR • DISCULPER • EXCUSER LESSIVER • RÉHABILITER
Blanchissage	COULAGE • LESSIVE
Blanchisserie	BUANDERIE
Blanchisseur	BUANDIER
Blanquette	CLAIRETTE
Blase	BLAIR
Blasé	LAS
Blaser	LASSER
Blasphémateur	JUREUR
Blasphème	IMPIÉTÉ • JUREMENT JURON • SACRILÈGE
Blasphémer	JURER • SACRER
Blé	FOIN • KAOLIANG
Blé de Guinée	KAOLIANG
Blé tendre	FROMENT
Bled	ENDROIT • PATELIN • VILLAGE
Blême	BLAFARD • FAIBLE • PÂLE • TERNE
Blêmir	BLANCHIR • PÂLIR • VERDIR
Bléser	ZEZAYER
Blésité	BLESEMENT
Blessant	AMER • CUISANT • OFFENSANT
Blessé	MUTILÉ
Blessé à coups de cornes	ENCORNÉ
Blesser sauvagement	ÉTRIPER
Blesser	LÉSER • MUTILER OFFENSER • SCANDALISER
Blessure faite par une pointe	PIQÛRE
Blessure longue faite au visage	BALAFRE
Blessure	CICATRICE • COUPURE • LÉSION MEURTRISSURE • MORSURE

Blette	BETTE
Bleu foncé	MARINE
Bleu	BIZUT • CONTUSION • HEMATOME
	SAIGNANT • SUÇON
Bleuâtre	BLEUTE
Bleuet	BLUET
Blinder	ENDURCIR
Blizzard	POUDRERIE
Bloc	MASSE • ROCHER
Bloc de bois	BILLOT
Bloc de ciment aggloméré	PARPAING
Bloc de glace de très grande taille	ICEBERG
Bloc de glace	SÉRAC
Bloc de matière minérale	ROCHE
Blocage	FIXATION
Bloc-notes	CAHIER • CALEPIN
Blond très clair	PLATINE
Blond	ARYEN • JAUNE
Blondasse	JAUNÂTRE
Blondel	CANDELA
Blondin	BLOND
Blondine	BLONDE
Blondinet	BLOND • BLONDIN
Blondinette	BLONDE
Blondir	JAUNIR
Bloqué	ENRAYÉ
Bloqué, immobilisé	COINCÉ
Bloquer	BARRER • COINCER • ENRAYER
	INHIBER • OBSTRUER • STOPPER
Blouse	CHEMISIER • CORSAGE
Blouse de travail	SARRAU
Blouson	VAREUSE
Bluff	FRIME • TROMPERIE
Bluffer	FRIMER • LEURRER
Blutoir	SAS • TAMIS
Boa constricteur	PYTHON
Bobard	BLAGUE • BONIMENT • CANARD
Bobine	ROULEAU
Bobiner	ENROULER • ENVIDER
Bobinette	LOQUET
Bobsleigh	BOB

Boësse	EBARBOIR
Boëtte	ÈCHE • ESCHE
Bœuf domestiqué d'Asie	GAYAL
Bœuf sauvage noir	AUROCHS
Bœuf semi-domestique	GAYAL
Bœuf	BOVIDE
Bof	BAH
Bogue	BUG
Boguet	BOGHEI
Bohémien d'Italie	ZINGARO
Bohémien	GITAN • TSIGANE • TZIGANE
Boire à coups de langue	LAPER
Boire à petits coups	SIROTER
Boire beaucoup	PINTER
Boire d'un trait	LAMPER
Boire ou manger avec grand plaisir	DÉGUSTER
Boire	AVALER • CUITER LICHER • SUCER • TÉTER
Bois	FORÊT
Bois constitué de petits arbres	TAILLIS
Bois de lit	CHÂLIT
Bois de pins	PINERAIE
Bois du cerf	RAMURE
Bois d'un arbre africain	SIPO
Bois d'un grain uni et d'une grande dureté	ÉBÈNE
Bois dur	TECK
Bois incomplètement réduit en charbons	BRAISE
Bois noir	ÉBÈNE
Bois rond	RONDIN
Bois sur pied endommagé par le feu	ARSIN
Bois utilisé en tabletterie	ÉBÈNE
Boiser	PLANTER
Boisson à base de jus de fruits	SORBET
Boisson à base d'eau gazeuse	SODA
Boisson à saveur exquise	NECTAR
Boisson alcoolique	CIDRE
Boisson alcoolisée à l'anis	PASTIS
Boisson alcoolisée forte	ALCOOL
Boisson alcoolisée servie avant les repas	APERITIF
Boisson alcoolisée	DRINK • SAKÉ • VIN
Boisson apéritive amère	BITTER

Boisson au pastis et au sirop
de menthe . . . . PERROQUET
Boisson composée de vin rouge
et de fruits . . . . SANGRIA
Boisson dans laquelle on a
mis trop d'eau . . . . LAVASSE
Boisson d'origine espagnole . . . . SANGRIA
Boisson enivrante tirée du kava . . . . KAVA
Boisson faite de rhum, jus
de citron et cannelle . . . . PUNCH
Boisson faite d'eau-de-vie . . . . GROG
Boisson faite d'orge fermenté . . . . KVAS
Boisson gazéifiée . . . . COCA • COCA-COLA
Boisson gazeuse . . . . ORANGEADE
Boisson grecque . . . . OUZO
Boisson japonaise . . . . SAKÉ
Boisson normande . . . . HALBI
Boisson obtenue de
la fermentation de raisins . . . . VIN
Boisson parfumée à l'anis . . . . OUZO
Boisson réconfortante . . . . GROG
Boisson sucrée alcoolisée . . . . LIQUEUR
Boisson . . . . APÉRO • BIÈRE • CIDRE • HYDROMEL
KIRSCH • LIMONADE • THÉ • TISANE
Boîtage . . . . CANNAGE
Boîte de nuit . . . . CABARET
Boîte destinée à contenir un objet . . . . ÉTUI
Boîte osseuse . . . . CRÂNE
Boîte où l'on abrite
une source de lumière . . . . LANTERNE
Boîte servant à l'emballage
des marchandises . . . . CAISSE
Boîte . . . . BOÎTIER • CABARET • POUDRIER
Boiter légèrement . . . . BOITILLER
Boiteux . . . . ÉCLOPÉ
Boîtier . . . . COFFRE
Boitiller . . . . BOITER
Bol . . . . JATTE
Bolet . . . . CÈPE
Bombance . . . . RIBOTE
Bombardement . . . . CANONNADE

Bombarder	LANCER
Bombarder un objectif	PILONNER
Bombe	DYNAMITE
Bombé	PROÉMINENT • RENFLÉ
Bomber le torse (Se)	CAMBRER
Bomber	GONFLER
Bomber, cambrer	CINTRER
Bon	APTE • BÉNÉFIQUE • DOUÉ
	MANGEABLE • OPPORTUN
Bon à	APTE
Bon chic bon genre	BCBG
Bon chien	TOUTOU
Bon état physiologique	SANTÉ
Bon jugement	SAGESSE
Bonasse	BÉNIN
Bonbon au caramel	CARAMEL
Bonbon au chocolat	PRALINE
Bonbon fixé à une tige de bois	SUCETTE
Bonbon	BERLINGOT • FRIANDISE
	PASTILLE • SUÇON
Bonbonne entourée d'osier	TOURIE
Bond	BOOM • CABRIOLE
	RICOCHET • SAUT
Bond vif	GAMBADE
Bondieusard	BIGOT
Bondir	SAUTER
Bonheur	BÉNÉDICTION • HEUR • SUCCÈS
Bonheur parfait	BÉATITUDE
Bonhomme	QUIDAM
Boni	GUELTE
Bonichon	TUQUE
Bonification	BONI
Bonifier	ABONNIR • FERTILISER
Boniment	BARATIN • BLABLABLA
Boni-menteur	SALADIER
Bonjour	CIAO • SALUT
Bonne action	BIENFAIT
Bonne chère	BANQUET
Bonne d'enfant	NURSE
Bonne disposition de l'humeur	GAIETÉ
Bonne foi	SINCÉRITÉ

Bonne fortune	HEUR
Bonne	BONNICHE • SERVANTE
Bonnement	BÊTEMENT
Bonnet d'enfant noué sous le menton	BÉGUIN
Bonnet plat	BARRETTE
Bonneterie	JERSEY
Bonsoir	SALUT
Bonté naturelle	BONHOMIE
Bonté	BIENFAISANCE • CŒUR
Bonus	PRIME
Bonze	PONTIFE
Borasse	RÔNIER
Borate hydraté de sodium	BORAX
Borax	TINCAL
Bord d'un cours d'eau	BERGE
Bord d'une étoffe	LISIÈRE
Bord extérieur du disque d'un astre	LIMBE
Bord taillé obliquement	BISEAU
Bord	BORDURE • EXTRÉMITÉ MARGE • ORÉE • POURTOUR
Bordel	LUPANAR
Border de nouveau	REBORDER
Border d'un liseré	LISÉRER
Border	LONGER
Bordure	BORD • CONTOUR • LISIÈRE MARGE • OURLET • REBORD
Bordure d'arbustes	HAIE
Bordure du bois	ORÉE
Bordure entourant une glace	CADRE
Bordure étroite	ORLE
Boréal	ARCTIQUE
Borgne	MALFAME
Borne d'incendie	HYDRANT
Borne	FRONTIÈRE • LIMITE • TERME
Borné	MESQUIN • OBTUS • PRIMAIRE • SOT
Borné, étriqué	RÉTRÉCI
Borner	LIMITER
Bornes	CONFINS
Bosquet	MASSIF
Bosse	ASPÉRITÉ
Bosseler	CABOSSER

Bosseler, cabosser . . . . BOSSUER
Bosser, bûcher . . . . BOULONNER
Bossuer . . . . BOSSELER • CABOSSER
Botte de céréales coupées . . . . GERBE
Botteleur . . . . LIEUR
Bottes courtes . . . . BOOTS
Bottin . . . . ANNUAIRE
Bottine . . . . BOTTILLON
Bouc émissaire . . . . LAMPISTE
Boucan . . . . RAMDAM • TINTAMARRE
Boucaner . . . . FUMER
Boucanier . . . . PIRATE
Bouchage . . . . CAPSULAGE
Bouche de volcan . . . . CRATÈRE
Bouche des animaux . . . . GUEULE
Bouche . . . . BEC
Bouchée . . . . BECQUEE • LIPPÉE
Boucher . . . . CALFEUTRER • ENGORGER
OBSTRUER
Boucher avec de la maçonnerie . . . . MURER
Boucher avec du lut . . . . LUTER
Boucher avec du mastic . . . . MASTIQUER
Boucherie . . . . CARNAGE • ÉTAL • HÉCATOMBE
Bouchon . . . . ENCOMBREMENT • FLOTTEUR
TAMPON
Bouchonner . . . . PANSER
Boucle . . . . ANNEAU • MAILLE • NŒUD
Bouclé . . . . ANNELÉ
Boucler . . . . ANNELER • FERMER
FRISER • FRISOTTER
Boucler de nouveau . . . . REFERMER
Boucles . . . . ŒILS
Bouclier . . . . ÉCRAN • ÉCU • ÉGIDE
Bouclier de Zeus . . . . ÉGIDE
Bouclier romain . . . . SCUTUM
Bouder . . . . IGNORER
Boudeur . . . . RENFROGNE
Boudoir . . . . SALON
Boue épaisse . . . . FANGE
Boue noire épaisse . . . . BOURBE
Boue . . . . GADOUE • VASE

Bouée, pièce conçue pour flotter	FLOTTEUR
Boueuse	TERREUSE
Boueux	ÉBOUEUR • TERREUX
Boueux, vaseux	FANGEUX
Bouffe	NOURRITURE
Bouffée de cigarette	TAFFE
Bouffer	BECTER
Bouffetance	BECTANCE
Bouffi	BOURSOUFLÉ • ENFLÉ • JOUFFLU
Bouffon de comédie	BALADIN
Bouffon des comédies vénitiennes	ZANI • ZANNI
Bouffon	PASQUIN • PITRE
Bouffonnerie	DRÔLERIE
Bouffonnerie	CLOWNERIE
Bouge	CLAPIER
Bouger	CALFEUTRER • DÉRANGER • RÉAGIR REMUER • SWINGUER
Bougie	CANDELA • CHANDELLE
Bougon	BOURRU • GROGNON • GRONDEUR
Bougonner	GROGNER • GROMMELER GRONDER ROGNONNER • RONCHONNER
Bougre!	FICHTRE
Bougrement	BIGREMENT
Bouillant	ARDENT • IMPATIENT
Bouillasse	GADOUE
Bouille	BILLE • BINETTE • FIGURE • TÊTE
Bouillie de farine de maïs	MILLAS
Bouillie épaisse	MAGMA
Bouillie épaisse de flocons d'avoine	PORRIDGE
Bouillie médicamenteuse	CATAPLASME
Bouilloire russe	SAMOVAR
Bouillon épaissi avec des légumes	SOUPE
Bouillon	POTAGE
Bouillon, potage	BROUET
Bouillonnement	ÉBULLITION
Boulanger	FOURNIER
Boulangerie	BOULANGE
Boule de métal	BOULET • BULLE
Boule formée de fils	PELOTE

Boule	SPHÈRE
Boule, sphère	GLOBE
Bouleau à écorce foncée	MERISIER
Bouledogue	DOGUE
Boulette à base de semoule	GNOCCHI
Boulette de morue	ACRA
Boulette faite d'une pâte de farine et de poisson	ACRA
Bouleversant	POIGNANT
Bouleversant, poignant	ÉMOUVANT
Bouleversé	ÉMU
Bouleversement	SÉISME • SUBVERSION
Bouleverser	BOUSCULER • CHOQUER DÉRÉGLER • RÉVULSER
Boulier	ABAQUE
Bouliste	BOULOMANE
Boulon	ÉCROU • VIS
Boulot	EMPLOI • JOB • MÉTIER • TRAVAIL
Boulotte	RONDELETTE
Bouquet	GERBE • SALICOQUE
Bouquin	BOUC • LIVRE
Bouquiner	LIRE
Bourbeux	BOUEUX
Bourbier où le sanglier se vautre	SOUILLE
Bourdaine	AULNE
Bourde	ÂNERIE • CONNERIE • ERREUR
Bourdon	CLOCHE
Bourdonnement	CORNEMENT • MURMURE
Bourdonner	RONRONNER • VROMBIR
Bourgeon	BOUTON • GERME
Bourgeon de la chicorée de Bruxelles	ENDIVE
Bourgeon naissant de l'arbre	POUSSE
Bourgeon secondaire de certaines plantes	CAÏEU
Bourgeon	MAILLETON
Bourgeonné	FLEURI
Bourgeonner	FLEURIR
Bourgogne rouge	POMMARD
Bourgogne	ALIGOTE
Bourlinguer	MIGRER • VOYAGER
Bourrade	POUSSÉE • RAMPONEAU

Bourrant	BOURRATIF
Bourrasque	RAFALE • TEMPÊTE
Bourré	BEURRÉ • BONDÉ • FARCI
	PLEIN • REMPLI
Bourre de soie ou de laine	CAPITON
Bourre de soie	LASSIS
Bourre	BEURRE • BONDE • BOURRETTE
Bourreau	TORTIONNAIRE
Bourrer	FARCIR • GAVER • REMPLIR
	REMBOURRER • TASSER
Bourrique	ÂNE
Bourse	RÉTICULE • SCROTUM
Boursicotage	AGIOTAGE
Boursicoter	SPÉCULER
Boursouflé	AMPOULÉ • BOUFFI
Boursoufler	ENFLER
Boursouflure	BALLONNEMENT
Bousculade	POUSSÉE
Bousculer	POUSSER
Bousculer, malmener	SABOULER
Bouse	FIENTE
Bousillage	GACHAGE
Bousiller	ABÎMER • SALOPER
Boustifaille	BECTANCE
Bout de cigare	MÉGOT
Bout de cigarette	MÉGOT
Bout de cordage capelé à un mât	PANTOIRE
Bout de filin muni d'un croc	VÉRINE
Bout de la mamelle, chez les animaux	TETTE
Bout du sein	MAMELON
Bout	ENTAME • EXTRÉMITÉ
Boute-en-train	RIGOLARD
Boutefeu	BRULEUR
Bouteille à col long	FIASQUE
Bouteille de champagne de 3,20 litres	JEROBOAM
Bouteille garnie de paille	FIASQUE
Bouteille isolante	THERMOS
Bouteille mince et allongée	QUILLE
Bouteille	BIDON • CARAFE • FIOLE
Boutique	ATELIER • BANNETON
	COMMERCE • MAGASIN

Boutiquier	ÉPICIER
Bouton à fleur du câprier	CÂPRE
Bouton des arbres qui donne les tiges, feuilles...	BOURGEON
Bouton des fleurs du giroflier	GIROFLE
Bouton	PUSTULE • TOUCHE
Bouture de l'année	MAILLETON
Bouverie	ÉTABLE
Bouvillon	BOVIDE
Bovidé sauvage	BISON
Box	LOGETTE
Boxeur célèbre	ALI
Boyau d'un animal	TRIPE
Boyau	INTESTIN
Boy-scout	SCOUT
Bracelet en mailles de métal aplaties	GOURMETTE
Braconnage	CHASSE
Bradype	AÏ
Braillard	CRIARD • GUEULARD • HURLEUR
Braillement	BELEMENT
Brailler	BRAIRE • PLEURER
Brailleur	BRAILLARD
Braisière	BRASERO
Bramer	CRIER • RAIRE • RALLER • RÉER
Bran	SCIURE
Brancard destiné à transporter des malades	CIVIÈRE
Branchage	RAMURE
Branché	IN
Branche à fruits	VINÉE
Branche de la microbiologie	VIROLOGIE
Branche de l'Oubangui	UÉLÉ
Branche des sciences naturelles qui étudie les animaux	ZOOLOGIE
Branche mère de l'Oubangui	OUELLÉ
Branche	SPÉCIALITÉ
Brancher	CONNECTER
Branchies des poissons	OUÏES
Brande	LANDE
Branlant	BOITEUX
Branlante	BOITEUSE

Branler	GLANDER
Braquer	CABRER • POINTER
Bras de mer	DÉTROIT • MANCHE
Bras méridional du delta du Rhin	WAAL
Bras secondaire du Mississippi dans la Louisiane	BAYOU
Bras	BIELLE
Brasier	FEU
Brasiller	ÉTINCELER
Brassé	PÉTRI
Brasser	PÉTRIR • REMUER SECOUER • TOUILLER
Bravache	RODOMONT
Bravade	DÉFI
Brave	HARDI • HÉROS • INTRÉPIDE PREUX • VALEUREUX
Brave, énergique	COURAGEUX
Braver	AFFRONTER • DÉFIER
Bravo	ACCLAMATION • VIVAT
Bravoure	AUDACE • COURAGE • HARDIESSE HÉROÏSME • VAILLANCE
Brebis de deux ans qui n'a pas encore porté	VACIVE
Brèche	PERCÉE • TROUÉE
Bredouiller	ÂNONNER • BALBUTIER • CHEVROTER MARMONNER • MARMOTTER
Bref	COURT • INSTANTANÉ • SUCCINCT
Bretteler	BRETTER
Breuvage des dieux	NECTAR
Breuvage divin	NECTAR
Breuvage fait de jus d'orange, de sucre et d'eau	ORANGEADE
Breuvage	BOISSON • THÉ
Brève manifestation inachevée	ÉBAUCHE
Brève maxime extraite d'un livre sacré	VERSET
Bric-à-brac	FATRAS
Bricole	GADGET
Bride	LICOL • RÊNE
Brider	FICELER • REFRÉNER
Brièveté	LACONISME

Brigade	ESCOUADE
Brigand	BANDIT • LARRON
	MALFAITEUR • VOLEUR
Brillance	LUMINANCE • LUMINOSITÉ
Brillant	CHATOYANT • LUISANT • LUMINEUX
	RELUISANT • SATINÉ
Brillant, éclatant	CORUSCANT
Brillante	LUMINEUSE
Briller	ÉTINCELER • EXCELLER
	LUIRE • MIROITER
	PÉTILLER • RELUIRE • RUTILER
Briller avec éclat	RESPLENDIR
Briller comme l'éclair, d'un éclat très vif	FULGURER
Briller d'un vif éclat	RUTILER
Brimade	VEXATION
Brimborion	BABIOLE
Brimer	BERNER
Brin	ATOME • DOIGT • FÉTU • PEU
Brin de paille	FÉTU
Brin long et fin	FIL
Bringandage sur mer	PIRATERIE
Bringuebaler	BRIMBALER
Brinquebaler	CAHOTER
Brioche	DANOISE
Briquet	FUSIL
Bris	FRACTURE
Brisant	ÉCUEIL • RÉCIF
Brise légère	ZÉPHYR
Brisement	RUPTURE
Briser avec violence	FRACASSER
Briser les mottes de terre après le labour	ÉMOTTER
Briser	CASSER • ÉCLATER • ROMPRE
Brise-vent	ABRIVENT
Brisure	CASSURE
Brocante	REGRAT
Brocanteur	CHINEUR • FRIPIER
Brocart	SAMIT
Brocatelle	BROCART
Brochet adulte	BÉCARD

Brochette . . . . HÂTELET
Brochure . . . . IMPRIME • LIVRET
Brochure gratuite . . . . TRACT
Brochure publicitaire . . . . DÉPLIANT
Brodequin . . . . BOTTILLON • BOTTINE
Broderie en forme de dent . . . . FESTON
Brome . . . . BR
Broncher . . . . MOUFTER
Bronzage . . . . HÂLE
Bronze . . . . AIRAIN
Bronzé . . . . BASANÉ
Bronzer . . . . BRUNIR • HÂLER • TANNER
Brosse à l'usage des orfèvres . . . . SAIE
Brosse métallique de ramoneur . . . . HÉRISSON
Brosse . . . . ETRILLE
Brosser . . . . ÉTRILLER
Brouetter . . . . CHARROYER
Brouhaha . . . . RUMEUR • TUMULTE
Brouillard épais . . . . FRIMAS • MÉLASSE • SMOG
Brouillard léger . . . . BRUME
Brouillard . . . . BOUCANE • BRUME • VAPEUR
Brouillé . . . . DÉSUNI
Brouille . . . . FACHERIE • FROID
Brouille, dispute . . . . ORAGE
Brouiller . . . . CONFONDRE • TROUBLER
Broussaille . . . . BUISSON
Brousse épaisse d'Australie . . . . SCRUB
Broussin . . . . LOUPE
Brouter . . . . MANGER • PACAGER • PAÎTRE
Broutille . . . . BABIOLE • FRIVOLITE
Broyer les aliments avec les dents . . . . MASTIQUER
Broyer . . . . CASSER • ÉCRASER • EGRUGER
MEULER • MOUDRE
PILER • TRITURER
Broyeur de noir . . . . PESSIMISTE
Bruant d'Europe . . . . ORTOLAN
Bruiner . . . . CRACHINER • PLEUVINER • PLUVINER
Bruisser . . . . BRUIRE
Bruit . . . . CASSEMENT • ÉCHO • SON
Bruit assourdissant . . . . TONNERRE
Bruit assourdissant, vacarme . . . . CHARIVARI

Bruit confus de personnes
qui protestent . . . . RUMEUR
Bruit confus qui s'élève d'une foule . . . . BROUHAHA
Bruit confus . . . . TAPAGE
Bruit de ce qui tombe . . . . BOUM
Bruit de chute . . . . FLOP
Bruit de gaz stomacaux . . . . ROT
Bruit de pet . . . . PROUT
Bruit de voix qui chuchotent . . . . CHUCHOTIS
Bruit d'enfer . . . . SABBAT
Bruit discordant . . . . CHARIVARI
Bruit produit par à-coups . . . . HOQUET
Bruit provoqué par le
froissement d'une étoffe . . . . FROUFROUS
Bruit que produisent certains insectes . . . . . . STRIDULATION
Bruit qui accompagne la foudre . . . . TONNERRE
Bruit rauque de la respiration . . . . RÂLE
Bruit sec d'un déclic CLIC
Bruit sec et régulier d'un
mouvement d'horlogerie . . . . TICTAC
Bruit sec . . . . DÉCLIC • TAC
Bruit sonore . . . . BOUM
Bruit sourd et continu . . . . RONRON
Bruit violent . . . . BANG • FRACAS
Bruit, tapage . . . . PÉTARD
Brûlant . . . . ARDENT • CHAUD • TORRIDE
Brûlé, carbonisé . . . . CALCINÉ
Brûle-gueule . . . . BOUFFARDE
Brûler . . . . CALCINER • CUIRE • EMBRASER
FLAMBER • GRILLER
Brûler légèrement . . . . CRAMER
Brûler superficiellement . . . . ROUSSIR
Brume . . . . BOUCANE • BROUILLARD • VAPEUR
Brumisateur . . . . ATOMISEUR
Brun . . . . MARRON
Brun clair proche du jaune . . . . BEIGE
Brun jaunâtre . . . . BISTRE
Bruni . . . . BRONZÉ • HÂLÉ
Brunir . . . . HÂLER • BRONZER
Brusque accès de gaieté . . . . HILARITÉ
Brusque . . . . PRECIPITE • SEC • SUBIT • VIOLENT

Brusquement	SECHEMENT
Brusquer	HÂTER • PRÉCIPITER
Brusquerie	RUDESSE
Brut	NATUREL
Brutal	BARBARE • BESTIAL • CRU
	DUR • VIOLENT
Brutalement	CRÛMENT • RUDEMENT
	ECHEMENT • VERTEMENT
Brutaliser	VIOLENTER • MALMENER
	MOLESTER
Brutalité	VIOLENCE • RUDESSE
Bruyant	TONITRUANT • SONORE
Buanderie	LAVOIR
Buccal	ORAL
Bûcher	BOSSER • MARNER
	PIOCHER • TRAVAILLER
Bûcheur	ABATTEUR • TRAVAILLEUR
Bucolique	ÉGLOGUE • PASTORAL
Buffet rustique	BAHUT
Buffet	BAHUT • CABINET • DRESSOIR
Buffle d'Asie	KARBAU • KERABEAU
Buffle sauvage de la Malaisie	GAUR
Bug	BOGUE
Buggy	BOGHEI
Bugne	BEIGNET
Buisson	RONCIER • TAILLIS
Bulles d'un liquide en ébullition	BOUILLON
Bulletin	CARNET • RECUEIL
Bureau des questeurs d'une assemblée	QUESTURE
Bureau d'un trésorier-payeur	PAIERIE
Bureau	AGENCE
Burelle	BURÈLE
Burin étroit	BÉDANE
Burin	TREPAN
Buriner	GRAVER
Burlesque	BOUFFE • UBUESQUE
Bus	AUTOBUS
Buse d'aérage	CANAR
Busqué	AQUILIN
Buste d'une statue entière	TORSE

But .... FIN • GOAL
But à atteindre .... OBJECTIF
But auquel tend chaque chose .... FINALITÉ
But que l'on vise .... CIBLE • CLEF
Butée d'un pont .... CULÉE
Buter .... ACHOPPER
Butin .... PROIE
Butoir de pare-chocs .... BANANE
Butor .... MALOTRU • MUFLE • RUSTRE
Butte .... COLLINE • DUNE • ÉMINENCE
MONTICULE • TERTRE
Buvable .... POTABLE

C

Cabaler	INTRIGUER
Cabane à lapins	CLAPIER
Cabane	BARAQUE • BICOQUE
	CAMBUSE • CASE • HUTTE
Cabane, chaumine	CHAUMIÈRE
Cabanon	CACHOT
Cabaret installé au sous-sol	CUEVA
Cabaret mal famé	BOUSIN • CABOULOT
Cabaret mal fréquenté	BOUIBOUI
Cabestan horizontal pour lever l'ancre	GUINDEAU
Cabestan volant	VINDAS
Cabine où l'électeur vote	ISOLOIR
Cabine	COCKPIT
Cabinet d'aisances	TOILETTES
Câble de remorque	REMORQUE
Câble qui maintient un mât	ÉTAI
Câble servant à maintenir	HAUBAN • LIURE
Câble	CORDAGE • CORDE
	DROSSE • FILIN
Câbler	TORDRE
Cabochard	ENTÊTÉ • TÊTU
Caboche	TÊTE
Cabosser	BOSSELER
Cabot	CHIEN • CLEBS
Cabotin	BIGOT • CABOT
Cabri	CHÈVRE
Cabriole	CULBUTE
Cabriolet à deux chevaux	TANDEM
Cabriolet découvert à deux roues	BOGHEI
Cacaoyer	CACAOTIER
Cacatoès gris	ROSALBIN
Cache	CACHETTE
Caché	INAVOUÉ • OCCULTE
	RECOUVERT • SECRET • TAPI • TU
Cachectique	ÉTIQUE
Cacher	CAMOUFLER • CELER • ÉCLIPSER
	ENTERRER • MUSSER
	OCCULTER • PALLIER • TAIRE

Cacher, masquer	RECOUVRIR
Cache-sexe	STRING
Cachet authentique	VISA
Cachet	SCEAU • TIMBRE
Cacheter	SCELLER
Cachette	CACHE • PLANQUE • REPAIRE
Cachot où l'on enfermait les fous jugés dangereux	CABANON
Cachot	CELLULE • GEÔLE • OUBLIETTE OUBLIETTES • PRISON
Cacolet	BAT
Cactus à rameaux aplatis	NOPAL
Cadavre desséché	MOMIE
Cadavre	CORPS • DÉPOUILLE MACCHABEE • MORT
Cadeau	DON • ÉTRENNE • RÉCOMPENSE
Cadeau, offrande	HOMMAGE
Cadenas	LOQUET
Cadenasser	VERROUILLER
Cadence	RYTHME
Cadencer	RYTHMER
Cadenette	NATTE • TRESSE
Cadet	JUNIOR • PUÎNÉ
Cadmium	CD
Cadre	BORDURE
Cadrer	CENTRER • COÏNCIDER CONCORDER
Cadreur	CAMERAMAN
Caesium	CS
Cafard	DÉPRIME • ENNUI MÉLANCOLIE • SPLEEN
Café décaféiné	DÉCA
Café fait à la vapeur	EXPRESS
Café mêlé d'eau-de-vie	GLORIA
Café	BISTRO • BISTROT • BUVETTE CABARET • CAOUA • MOKA
Café-concert	BOUIBOUI
Caféine contenue dans le thé	THÉINE
Café-restaurant, dans une gare	BUFFET
Cafétéria	BUVETTE
Cafetier	TAVERNIER

Cafetière	PERCOLATEUR
Cafouiller	MERDOYER
Cafre	ZOULOU
Cage où l'on enferme les oiseaux	VOLIÈRE
Cage vitrée au-dessus d'un escalier	LANTERNEAU
Cage	TOURNETTE
Cageot	CAISSE
Caget	CASERET • CASERETTE
Cagette	CAGEOT
Cagnotte	CASSETTE
Cagoterie	BIGOTERIE
Cahier de copies	FARDE
Cahoter	TRESSAUTER
Caïeu	BOURGEON
Caillasse	ROCAILLE
Caille	CAILLETTE
Cailler avec de la présure	PRÉSURER
Cailler	FIGER
Caillot de sang	EMBOLIE
Caillot	GRUMEAU
Caillou usé	GALET
Caillou	PIERRE
Caillouteux	PIERREUX
Cailloux, pierraille	CAILLASSE
Caisse trouée pour conserver le poisson dans l'eau	BANNETON
Caisse	CAGEOT
Caissier	TRÉSORIER
Cajoler	CÂLINER • DORLOTER • MITONNER
Cajolerie	GÂTERIE
Cake	GÂTEAU
Cal	DURILLON
Calamité	MALHEUR
Calancher	CLAMSER
Calandre	CHARANÇON
Calandrer	MOIRER
Calanque	FJORD
Calcaire	CALCIUM • CRAIE • TARTREUX
Calcaire dur	LIAIS
Calcaire métamorphique à veines serpentines	CIPOLIN

Calciner	CONSUMER
Calcite	CALCIUM
Calcium	CA
Calcul	COMPTE
Calculé	INTÉRESSÉ • PRÉMÉDITÉ • RAISONNÉ
Calculer	ÉVALUER • PRÉMÉDITER • SUPPUTER
Calé	FERRÉ • FORT • INSTRUIT
Cale d'un navire	SOUTE
Cale en forme de V	VÉ
Caleçon	SLIP
Calendos	CAMEMBERT
Calendrier liturgique	ORDO
Calendrier	ALMANACH • TIMING
Calepin	CARNET
Caler de nouveau	RECALER
Caler	SIPHONNER
Calibre	ÉTALON • FORMAT • GROSSEUR
Calibre permettant de profiler une construction	CERCE
Calibre	DIAMETRE
Calibrer	ALÉSER • TRIER
Calibrer, fraiser	ALÉSER
Calibreuse	ALESEUSE
Calife	ÉMIR
Californium	CF
Câliner	CAJOLER
Câlinerie	MAMOURS
Callosité	DURILLON
Calmant	PALLIATIF • RELAXANT • SÉDATIF
Calmar	CALAMAR
Calme et détendu	COOL
Calme et sérieux	POSÉ
Calme passager de la mer	ACCALMIE
Calme plat de la mer	BONACE
Calme	DÉTENDU • PAISIBLE • PAIX PATIENT • PLACIDITÉ • QUIET QUIETUDE • SEREIN • SÉRÉNITÉ
Calmé	RASSERENE
Calme, paix	SILENCE
Calmement	POSEMENT

Calmer	AMORTIR • APAISER • ASSAGIR CONSOLER • MATER • PACIFIER RADOUCIR • REMÉDIER • SOULAGER
Calmer, apaiser	DULCIFIER
Calomnie	MEDISANCE
Calomnier	BAVER • DÉCRIER • DÉNIGRER DIFFAMER • NOIRCIR
Calotin	BIGOT
Calotte qu'on portait en Afrique du Nord	FEZ
Calquer	PLAGIER
Calumet	PIPE
Calvados	CALVA
Calvaire	SUPPLICE
Calvitie circulaire	TONSURE
Camaïeu	CAMÉE
Camarade	COLLÈGUE • COMPAGNE COMPAGNON • COPAIN • POTE
Camarade, amie	COPINE
Camaraderie	AMITIÉ • FRATERNITÉ
Camard	CAMUS
Camarilla	LOBBY
Cambodgien	KHMER
Cambriolage	VOL
Cambrioler	VOLER
Cambrioleur	CASSEUR
Cambrure	CONVEXITÉ
Cambuse	CHAMBRE • GOURBI
Came	DROGUE
Camé	DROGUÉ
Camelote	BABIOLE • PACOTILLE • TOC
Caméra vidéo portative avec magnétoscope	CAMÉSCOPE
Caméraman	CADREUR
Camionnage	ROULAGE
Camionneur	ROUTIER
Camoufler	CACHER • MAQUILLER • PLANQUER
Camouflet	AFFRONT • SOUFFLET
Camp allemand pendant la Seconde Guerre mondiale	OFLAG
Camp de concentration dans l'ex U.R.S.S.	GOULAG

Camp	PARTI
Campagnard	RURAL
Campement de plein air	BIVOUAC
Campement léger et provisoire en plein air	BIVOUAC
Campement	CAMPING
Camus	CAMARDE
Canadian National Railways	CNR
Canadien National	CN
Canaille	ARSOUILLE • CRAPULE FRIPOUILLE • RACAILLE • VERMINE
Canal	ÉGOUT • ÉTIER • FOSSÉ
Canal creusé pour faire passer un bateau	CHENAL
Canal de dérivation	BIEF
Canal d'irrigation, en Afrique	SEGUIA
Canal excréteur	URÈTRE
Canal fixé au bord inférieur des toits	GOUTTIÈRE
Canal qui conduit l'urine du rein à la vessie	URETÈRE
Canalisation de gaz	FEEDER
Canaliser	CAPTER • CONCENTRER
Canapé	SOFA
Canard	EIDER
Canard de petite taille	CACAOUI
Canard mâle	MALARD
Canard marin	EIDER
Canard sauvage à plumage noir	MORILLON
Canard sauvage	CACAOUI • PILET • SARCELLE
Canarder	BOMBARDER
Canasson	BOURRIN • ROSSE
Cancan	COMMERAGE • POTIN RACONTAR • RAGOT
Cancaner	POTINER
Cancaner	JABOTER
Cancérigène	ONCOGÈNE
Cancérologie	ONCOLOGIE
Candeur	INGENUITE • INNOCENCE NAÏVETÉ • PURETÉ
Candidat	ASPIRANT • POSTULANT
Candide	CRÉDULE • INGÉNU • NAÏF

Canette	CANE
Canevas	SCHÉMA
Canevas d'une pièce	SCÉNARIO
Canidé	COYOTE
Cannaie	CANIER
Canne à pêche	GAULE
Canne faite d'une tige de rotang	JONC
Canne souple	STICK
Canneberge	ATACA
Cannelure	RAINURE
Canner	JONCER
Cannier	CANNEUR
Canoë	CANOT • KAYAK
Canon court	OBUSIER
Canon	FAUCON
Canonique	ORTHODOXE
Canonner	BOMBARDER
Cantal	FOURME
Cantaloup	MELON
Cantatrice célèbre	DIVA
Cantatrice de renom	DIVA
Cantine	MESS
Cantique	HYMNE • PSAUME
Canton de Suisse centrale	ENSOR • URI
Canton suisse, dans la vallée du Rhône	VALAIS
Cantonné	CAMPÉ
Cantonner	CAMPER
Cantons-de-l'Est	ESTRIE
Caoutchouc synthétique très résistant	NEOPRENE
Caoutchouc	FICUS
Cap au sud-est de l'Espagne	PALOS
Cap dans le Massachusetts	COD
Cap de Grande-Bretagne	RAZ
Cap d'Espagne	NAO
Cap du Portugal	ROCA
Capable	APTE • COMPÉTENT • HABILE
Capable de se dresser	ÉRECTILE
Capable de s'élever	VOLANT
Capable de tracter	TRACTEUR
Capacié légale	HABILITE
Capacité d'action	POTENTIEL

Capacité d'engendrer . . . . VIRILITÉ
Capacité que doit avoir
   un récipient déterminé . . . . JAUGE
Capacité . . . . APTITUDE • CALIBRE • CONTENANCE
                        CUBAGE • FACULTÉ • HABILETÉ • TALENT
Cape de femme . . . . MANTELET
Cape . . . . PÈLERINE
Capharnaüm . . . . FOURBI
Capitaine . . . . LOUVETIER
Capital . . . . CENTRAL • PRIMORDIAL
Capital de financement . . . . FONDS
Capitale de la Bulgarie . . . . SOFIA
Capitale de la Corée du Sud . . . . SÉOUL
Capitale de la dynastie
   shogunale des Tokugawa . . . . EDO
Capitale de la Géorgie . . . . ATLANTA
Capitale de la Grande-Bretagne . . . . LONDRES
Capitale de la Jordanie . . . . AMMAN
Capitale de la Lettonie . . . . RIGA
Capitale de la Libye . . . . TRIPOLI
Capitale de la Norvège . . . . OSLO
Capitale de la République tchèque . . . . PRAGUE
Capitale de la Saskatchewan . . . . REGINA
Capitale de la Syrie . . . . DAMAS
Capitale de la Tunisie . . . . TUNIS
Capitale de l'Algérie . . . . ALGER
Capitale de l'Arabie saoudite . . . . RIAD
Capitale de l'Arménie . . . . EREVAN • ERIVAN
Capitale de l'Australie-Méridionale . . . . ADÉLAÏDE
Capitale de l'Autriche . . . . VIENNE
Capitale de l'Équateur . . . . QUITO
Capitale de l'Espagne . . . . MADRID
Capitale de l'Iran . . . . TÉHÉRAN
Capitale de l'Oregon . . . . SALEM
Capitale de l'Ukraine . . . . KIEV
Capitale des Bahamas . . . . NASSAU
Capitale des Samoa occidentales . . . . APIA
Capitale du Brésil . . . . BRASILIA
Capitale du Chili . . . . SANTIAGO
Capitale du Colorado . . . . DENVER
Capitale du Ghana . . . . ACCRA

Capitale du Maroc	RABAT
Capitale du Massachusetts	BOSTON
Capitale du Mexique	MEXICO
Capitale du Montana	HELENA
Capitale du Pérou	LIMA
Capitale du Portugal	LISBONNE
Capitale du Sénégal	DAKAR
Capitale du Texas	AUSTIN
Capitale du Togo	LOMÉ
Capitale du Yémen	SANAA
Capitale	MAJUSCULE
Capitaliser	AMASSER
Capiteux	ENIVRANT
Capitonné	MATELASSE
Capitonner	REMBOURRER
Capituler	RENONCER
Caplan	CAPELAN
Capon	COUARD
Caporal	BRIGADIER • CABOT
Capote	CONDOM
Capoter	BASCULER • CULBUTER
Caprice extravagant	LUBIE
Caprice	CHINOISERIE • FANTAISIE • FRASQUE FOUCADE • PASSADE • TOCADE
Caprice, fantaisie	VERTIGO
Caprice, manie	TOQUADE
Capricieuse	CHOCHOTTE
Capricieux	QUINTEUX • SAUTILLANT
Capsule de gélatine dure	GÉLULE
Capsule utilisée comme condiment	MACIS
Capsule	CACHET
Capter	CAPTIVER
Capteur	SENSEUR
Captieux	INSIDIEUX
Captif	PRISONNIER
Captiver	ENSORCELER • ENVOÛTER INTÉRESSER
Capture	BUTIN • PRISE
Capturé	SEQUESTRE
Capuchon percé à l'endroit des yeux	CAGOULE
Capucin	SAÏ • SAJOU

Capucin	SAPAJOU
Caquet	BABIL
Caqueter	BAVARDER • JACASSER
Carabine d'origine anglaise	RIFLE
Caractère acide d'un corps	ACIDITÉ
Caractère aigu	ACUITÉ
Caractère basique excessif du plasma sanguin	ALCALOSE
Caractère de ce qui a de l'importance	GRAVITÉ
Caractère de ce qui a trois lobes	TRILOBE
Caractère de ce qui a un but	FINALITÉ
Caractère de ce qui est anonyme	ANONYMAT
Caractère de ce qui est âpre	ÂPRETÉ
Caractère de ce qui est blanc	BLANCHEUR
Caractère de ce qui est contenu dans un être	IMMANENCE
Caractère de ce qui est de trois couleurs	TRICOLORE
Caractère de ce qui est double	DUALITÉ • DUPLICITE
Caractère de ce qui est exotique	EXOTISME
Caractère de ce qui est fugace	FUGACITÉ
Caractère de ce qui est humide	HUMIDITE
Caractère de ce qui est imminent	IMMINENCE
Caractère de ce qui est infini	INFINITE
Caractère de ce qui est irréel	IRRÉALITÉ
Caractère de ce qui est léger et sans importance	FRIVOLITE
Caractère de ce qui est liquide	LIQUIDITE
Caractère de ce qui est mixte	MIXITÉ
Caractère de ce qui est net	NETTETÉ
Caractère de ce qui est nettement intelligible	CLARTÉ
Caractère de ce qui est normal	NORMALITE
Caractère de ce qui est rustique	RUSTICITE
Caractère de ce qui est rutilant	RUTILANCE
Caractère de ce qui est saint	SAINTETÉ
Caractère de ce qui est salubre	SALUBRITÉ
Caractère de ce qui est sapide	SAPIDITÉ
Caractère de ce qui est souple	SOUPLESSE
Caractère de ce qui est ténu	TENUITE
Caractère de ce qui est toxique	TOXICITÉ

Caractère de ce qui est unique ... UNICITÉ
Caractère de ce qui est univoque ... UNIVOCITE
Caractère de ce qui est valide ... VALIDITE
Caractère de ce qui s'écarte
d'une norme ... DÉVIANCE
Caractère de celui qui n'agit pas ... PASSIVITE
Caractère de deux objets
de pensée identiques ... IDENTITÉ
Caractère de la personne qui lésine ... LÉSINERIE
Caractère de la sensation auditive ... TONIE
Caractère de l'ancien alphabet ... RUNE
Caractère du béotien ... BÉOTISME
Caractère d'une chose désuète ... DÉSUÉTUDE
Caractère d'une odeur fétide ... FÉTIDITÉ
Caractère d'une personne pudique ... PUDICITE
Caractère encore vivant ... PRÉSENCE
Caractère érotique ... ÉROTISME
Caractère global ... GLOBALITÉ
Caractère incliné vers la droite ... ITALIQUE
Caractère maussade ... MOROSITÉ
Caractère mixte ... MIXITÉ
Caractère obscur ... OPACITÉ
Caractère particulier ... PROPRIÉTÉ
Caractère peu sérieux ... PUÉRILITÉ
Caractère toxique ... TOXICITÉ
Caractère unanime d'une action ... UNANIMITÉ
Caractère viable de quelque chose ... VIABILITÉ
Caractérisé par des sensations de froid ... ALGIDE
Caractérisé par la pluie ... PLUVIEUX
Caractérisé par la présence d'aphtes ... APHTEUX
Caractérisé par l'absence d'interdictions ... PERMISSIF
Caractériser ... DISTINGUER
Caractéristique ... TYPIQUE
Carafe en verre épais ... SIPHON
Carambolage ... CHOC
Carambouille ... ARNAQUE
Caramel coloré ... ROUDOUDOU
Carapace ... COQUILLE • CUIRASSE • ÉCAILLE
Caravane ... CONVOI
Caravanier ... CAMPEUR
Caravaning ... CAMPING

Carbonate de plomb	CÉRUSE
Carbonate de sodium	SOUDE
Carbonate naturel de calcium	DOLOMITE
Carbonate naturel hydraté de sodium cristallisé	NATRON
Carbone pur cristallisé	GRAPHITE
Carboné	CARBURE
Carboniser	CALCINER
Carburant d'aviation	KÉROSÈNE
Carbure d'hydrogène	BENZÈNE
Carcailler	MARGOTER
Carcasse	OS
Cardère	CHARDON
Cardigan	VESTE
Carénage	RADOUB
Carence	ABSENCE • DÉFAUT MANQUE • PÉNURIE
Caresse câline, parfois hypocrite	CHATTERIE
Caresse légère	ATTOUCHEMENT
Caresse	CÂLIN
Caresse, câlinerie doucereuse	CHATTERIE
Caresser	CAJOLER • CÂLINER DORLOTER • FLATTER • LÉCHER MIGNOTER • PELOTER
Cargaison d'un navire	FRET
Cargaison	CHARGE
Cargo	LINER • NAVIRE
Cariatide	ATLANTE
Caribou	RENNE
Carica papaya	PAPAYER
Caricature	PARODIE
Caricaturer	CONTREFAIRE • PARODIER
Carié	GÂTÉ
Carillon	SONNETTE
Carillonner	SONNER
Carnage	BOUCHERIE • HÉCATOMBE • TUERIE
Carnaval célèbre	RIO
Carnet	AGENDA • BULLETIN CALEPIN • LIVRET
Carnet de notes	MANIFOLD
Carnivore aux pattes palmées	LOUTRE

Carotte sauvage	PANAIS
Carpette	TAPIS
Carré	SQUARE
Carreau	CASE
Carrefour	CROISÉE • FOURCHE
Carrelage	DALLAGE
Carreler	DALLER • PAVER
Carrelet	ABLERET
Carreleur	PAVEUR
Carrément	LIBREMENT
Carrière de sable	SABLIÈRE
Carrossier	VOITURIER
Carrousel	FANTASIA • MANÈGE
Carte à jouer	AS • JOKER • TAROT
Carte d'invitation	CARTON
Carte du ciel	HOROSCOPE
Carte forte faite de pâte de papier	CARTON
Carte	VALET
Cartes servant à la divination	TAROT
Cartouche de cigarettes	FARDE
Cas où naissent des jumeaux	GEMELLITE
Cas où un fait se produit	FOIS
Cas urgent	URGENCE
Casanier	SÉDENTAIRE
Casaque de guerre des Gaulois	SAYON
Casaque de guerre	SAYON
Caser	INSTALLER • METTRE PLACER • RANGER
Caser de nouveau quelque chose qui a été déplacé	RECASER
Caserette	CASERET
Cash-flow	LIQUIDITÉ
Casque en métal	ARMET
Casquer	COIFFER
Cassable	CASSANT
Cassant	COUPANT • FRAGILE
Cassant, dur	TRANCHANT
Cassation	ABOLITION
Casse	EFFRACTION
Casse-cou	IMPRUDENT
Casse-pieds	IMPORTUN • GÊNEUR

Casser	BRISER • INVALIDER
	RÉVOQUER • ROMPRE
Casserole allant au feu	POÊLON
Casserole pour faire sauter les aliments	SAUTEUSE
Casserole	FAITOUT • POÊLON
Cassier	SÉNÉ
Cassius Clay	ALI
Cassoulet	RAGOÛT
Cassure	BRISURE • FAILLE • FÊLURE
	FISSURE • RUPTURE
Castagne	BASTON
Caste	CLASSE
Castel	CHÂTEAU
Castor	BIÈVRE
Castrat	HONGRE
Castrer un jeune coq	CHAPONNER
Castrer	STÉRILISER
Casuarina	FILAO
Cataclysme	DÉLUGE • FLÉAU
Catalogue explicatif	LIVRET
Catalogue	RÉPERTOIRE
Cataloguer	CLASSER • RÉPERTORIER
Cataplasme	EMPLÂTRE
Catapulte servant à lancer des projectiles	ONAGRE
Catapulte	BALISTE
Catapulter	PROPULSER
Catastrophe	CALAMITÉ • DÉSASTRE
	DRAME • FLÉAU • SINISTRE
Catcheur	LUTTEUR
Catéchisme	CATECHESE • EVANGILE
Catégorie	CLASSE • ESPÈCE
	GROUPE • ORDRE
Catégorie de personnes détestables	ENGEANCE
Catégorie d'impôt	CEDULE
Catégorie, classe sociale	COUCHE
Catégoriel	SECTORIEL
Catégorique	FORMEL
Catégoriquement	CARRÉMENT
Cathéter	CANULE
Cauchemar	RÊVE

Causant	PARLANT
Causante	CAUSEUSE
Causatif	CAUSAL
Cause d'une action	MOTEUR
Causé par des germes pathogènes	SEPTIQUE
Cause	MOTIF • SOURCE
Causer de la lassitude physique ou intellectuelle	FATIGUER
Causer de l'inquiétude	TARABUSTER
Causer de nouveau	RECAUSER
Causer la perte de la fortune de quelqu'un	RUINER
Causer un tort	NUIRE
Causer une douleur profonde	DECHIRER
Causer une enflure anormale	TUMÉFIER
Causer	CONVERSER • DÉCLENCHER DISSERTER • JASER OCCASIONNER • PARLER
Causer, discuter	DEVISER
Causerie	ALLOCUTION • CONFÉRENCE DISCOURS
Causette	CAUSERIE
Causeur	DISCUTEUR • PARLEUR
Causticité	ACIDITÉ
Caustique	ACERBE • ACIDE
Caustique, stimulant	DÉCAPANT
Caution	AVAL • GAGE • GARANTIE RÉPONDANT • SÛRETÉ
Caution morale	PARRAIN
Cautionnement	CAUTION
Cautionner	GARANTIR • PARRAINER
Cautionner, soutenir	AVALISER
Cavalcade	COURSE
Cavaler	COURIR • PÉDALER
Cavalier allemand	REÎTRE
Cavalier armé d'une lance	LANCIER
Cavalier de l'armée hongroise	HUSSARD
Cavalier de l'armée russe	COSAQUE
Cavalier d'un corps de cavalerie de l'armée russe	COSAQUE
Cavalier qui bat les timbales	TIMBALIER

Cavalier	INELEGANT • JOCKEY
Cavalière en jupe longue	AMAZONE
Cave	CELLIER • ENJEU
Caveau souterrain servant de sépulture	CRYPTE
Caverne	ANTRE
Caverneux	SÉPULCRAL
Cavité de forme irrégulière à la surface d'un organe	CRYPTE
Cavité de l'organisme	POCHE
Cavité des rayons des nids d'abeilles	ALVÉOLE
Cavité intercellulaire des végétaux	MÉAT
Cavité intérieure d'une roche	GÉODE
Cavité irrégulière de certains os	SINUS
Cavité naturelle creusée dans la roche	CAVERNE
Cavité naturelle	GROTTE
Cavité osseuse	ORBITE
Cavité pathologique	KYSTE
Cavité située sous l'épaule	AISSELLE
Cavité souterraine ayant servi de sépulture	CATACOMBE
Cavité	TROU
Ce que les bras peuvent contenir	BRASSÉE
Ce qui avance, forme saillie	AVANCEE
Ce qui cause un grand plaisir	RÉGAL
Ce qui constitue l'essence d'un genre	ENTITÉ
Ce qui contient	CONTENANT
Ce qui donne une impression de douceur	VELOURS
Ce qui entrave la liberté	CARCAN
Ce qui est doux au toucher	VELOURS
Ce qui est pensé, en phénoménologie	NOÈME
Ce qui fait qu'un être est lui-même et non un autre	IPSÉITE
Ce qui forme une bordure	FRANGE
Ce qui n'est pas dit	NON-DIT
Ce qui n'existe pas	NÉANT
Ce qui permet de recharger	RECHARGE
Ce qui ralentit	FREIN
Ce qui reste caché dans un discours	NON-DIT
Ce qui reste d'un fruit	TROGNON
Ce qui reste d'un saint	RELIQUE
Ce qui sert à habiller un bébé	LAYETTE
Ce qui sert d'excuse	ALIBI

Ce qui soutient	CHARPENTE
Ce qui véhicule, transmet	VECTEUR
Ce qu'il y a de plus distingué	ÉLITE
Ce qu'il y a de plus secret	TRÉFONDS
Ce qu'on enlève avec la râpe	RAPURE
Ce qu'on fait ou dit en plaisantant	BADINERIE
Ce qu'on implante dans le tissu cellulaire sous-cutané	IMPLANT
Ce qu'on prend aux ennemis	BUTIN
Ceci	ÇA
Cécidie	GALLE
Cécité psychique	AGNOSIE
Cédé pour de l'argent	VENDU
Céder une chose à un prix dérisoire	FOURGUER
Céder	PLIER • ALIÉNER
Céder, s'incliner	BASTER
Cégep	COLLÈGE
Ceindre	CEINTURER
Ceinturage	FICELAGE
Ceinture de crin portée par pénitence	CILICE
Ceinture de cuir très solide	CEINTURON
Ceinture japonaise	OBI
Ceinture portée sur le kimono	OBI
Ceinture	ENCEINTE • POURTOUR
Cela	ÇA
Célébration	FESTIVITE
Célèbre vedette de cinéma	STAR
Célèbre	FAMEUX • ILLUSTRE • RÉPUTÉ
Célébrer	FÊTER • MAGNIFIER
Célébrer le culte	OFFICIER
Célébrité	GLOIRE • NOTORIÉTÉ • POPULARITÉ RENOM • RENOMMÉE • SOMMITÉ
Celer	TAIRE
Célérité	RAPIDITÉ • VITESSE
Céleste	ANGÉLIQUE • ASTRAL • DIVIN
Celle qui crée	CRÉATRICE
Celle qui fait les finitions	PAREUSE
Celle qui met les céréales en javelles	JAVELEUSE
Celle-ci	ICELLE
Cellier	CHAI

Cellule créée par l'abeille	ALVÉOLE
Cellule du sang	GLOBULE
Cellule du système nerveux	NEURONE
Cellule grillagée pour le stockage des épis de maïs	CRIB
Cellule obscure	CACHOT
Cellule reproductrice	GAMÈTE
Cellule sanguine sans noyau	PLAQUETTE
Cellule	COMITÉ • SECTION
Celte	GAELIQUE
Celui dont on est la marraine	FILLEUL
Celui qui a commis un viol	VIOLEUR
Celui qui a la charge du service des vins	SOMMELIER
Celui qui annonce la venue de quelqu'un	HÉRAUT
Celui qui cherche à se marier	ÉPOUSEUR
Celui qui combat les taureaux dans l'arène	TOREADOR
Celui qui combat les taureaux	TORERO
Celui qui décèle, qui détecte	DÉTECTEUR
Celui qui enseigne aux enfants	PÉDANT
Celui qui est ordonné prêtre	ORDINAND
Celui qui fabrique des bottes	BOTTIER
Celui qui fait la cour à une femme	SOUPIRANT
Celui qui fait une offense	OFFENSEUR
Celui qui fraude	FRAUDEUR
Celui qui habite un pays autre que celui d'origine	RESIDENT
Celui qui joue contre quelqu'un	JOUTEUR
Celui qui partait en croisade	CROISÉ
Celui qui pose, surveille et entretien les balises	BALISEUR
Celui qui pratique la boxe	BOXEUR
Celui qui pratique le tir à l'arc	ARCHER
Celui qui prête serment	JUREUR
Celui qui reçoit l'enseignement d'un maître	DISCIPLE
Celui qui réduit une substance en grains	GRAINEUR
Celui qui régimbe	REGIMBEUR
Celui qui rend légèrement grenue une surface lisse	GRAINEUR
Celui qui sacrifie sa vie pour une cause	KAMIKAZE
Celui qui s'adonne à la pédérastie	PEDERASTE

Celui qui se distingue par ses exploits . . . . HÉROS
Celui qui sème le trouble . . . . TRUBLION
Celui qui sonne le cor . . . . SONNEUR
Celui qui sonne les cloches . . . . SONNEUR
Celui qui tient le timon . . . . TIMONIER
Celui qui travaille à la cire . . . . CIRIER
Celui qui vend ou fabrique des armes . . . . ARMURIER
Celui, celle qui a l'âge de l'adolescence . . . . ADOLESCENT
Celui-ci . . . . ICELUI
Cendre de charbon . . . . FRAISIL
Cendres . . . . POUSSIÈRE • RESTES
Cendreux . . . . GRISATRE
Cénotaphe . . . . MAUSOLÉE
Censé . . . . PRÉSUMÉ
Censure . . . . BLÂME • BOYCOTT
Censurer . . . . BLÂMER • EXPURGER
Cent environ . . . . CENTAINE
Centaine . . . . CENT
Centaurée à fleurs mauves . . . . JACÉE
Centenaire . . . . SÉCULAIRE • SIÈCLE
Centième partie de l'are . . . . CENTIARE
Centième partie de plusieurs
    unités monétaires . . . . CENT
Centimètre . . . . CM
Central Intelligence Agency . . . . CIA
Centrale des Syndicats Nationaux . . . . CSN
Centralisation . . . . ACCAPAREMENT • MONOPOLE
Centraliser . . . . ACCAPARER • CONCENTRER
Centraliser, concentrer . . . . CANALISER
Centre . . . . CŒUR • MILIEU
Centre d'Aide par le Travail . . . . CAT
Centre d'assistance pour
    vieillards, malades, etc. . . . . HOSPICE
Centre de direction . . . . CERVEAU
Centre Hospitalier Universitaire . . . . CHU
Centre sportif . . . . PALESTRE
Cépage à raisins noirs . . . . MERLOT
Cépage blanc de Bourgogne . . . . ALIGOTE
Cépage blanc de la Gironde . . . . SÉMILLON
Cépage blanc du Bas-Languedoc . . . . PICARDAN
Cépage blanc du Bordelais . . . . SÉMILLON

Cépage blanc du Midi	CLAIRETTE
Cépage blanc	RIESLING
Cépage cultivé notamment en Bourgogne	PINOT
Cépage de la Côte-d'Or	GAMAY
Cépage du Languedoc	ARAMON • PICPOUL
Cépage français réputé	PINOT
Cépage rouge	MERLOT
Cependant	MAIS • POURTANT • TOUTEFOIS
Céphalée	MIGRAINE
Céphalopode	PIEUVRE
Céramique	FAÏENCE • POTERIE
Cérat	CIRE • ROSAT
Cercle annuel	CERNE
Cercle de bois tendu d'une peau	TAMBOURIN
Cercle de bois	CERCE
Cercle en bois servant à monter les tamis	CERCE
Cercle qui entoure le mamelon du sein	ARÉOLE
Cercle	CLUB
Cercles concentriques sur la coupe d'un arbre	CERNE
Cercueil	BIÈRE
Céréale à épis	MAÏS
Céréale cultivée dans le Sahel	FONIO
Céréale germée	MALT
Céréale surtout cultivée en Asie	RIZ
Céréale	AVOINE • BLÉ • MIL ORGE • SARRASIN • SEIGLE
Céréales des régions chaudes	RIZ
Céréalier	VRAQUIER
Cérémonial somptueux	POMPE
Cérémonial	DECORUM • LITURGIE • PROTOCOLE
Cérémonie	FÊTE • GALA • RITE
Cérémonie de prise d'habit à l'entrée du noviciat	VETURE
Cérémonie funèbre	OBSEQUES
Cérémonieuse	SOLENNELLE
Cérémonieux	SOLENNEL
Cerf de Virginie	CHEVREUIL
Cerise à longue queue	GUIGNE
Cerise à queue courte	GRIOTTE

Cerise d'une variété acide . . . . MARASQUE
Cerisier sauvage . . . . MERISIER
Cérium . . . . CE
Cerner . . . . ASSIÉGER • CIRCONSCRIRE
Certain . . . . AVÉRÉ • CONVAINCU • ÉVIDENT
FORMEL • POSITIF • RÉEL • SÛR • VRAI
Certaine . . . . POSITIVE
Certainement . . . . CERTES • SÛREMENT
Certes . . . . OUI
Certificat . . . . ACTE
Certifié . . . . ATTESTÉ • AUTHENTIQUE
Certifier conforme à l'original . . . . VIDIMER
Certifier . . . . AFFIRMER • ASSURER • ATTESTER
CONFIRMER • GARANTIR
Certitude . . . . ASSURANCE • CONVICTION
ÉVIDENCE • VÉRITÉ
Cervoise . . . . BIÈRE
Cessation de toute activité . . . . INACTION
Cessation du travail . . . . GRÈVE
Cessation du travail ordinaire . . . . VACANCES
Cessation volontaire des relations
de tous ordres . . . . BOYCOTT
Cesse le travail . . . . DEBRAYE
Cesser . . . . SUSPENDRE
Cesser d'allaiter . . . . SEVRER
Cesser de couler . . . . TARIR
Cesser d'être soûl . . . . DESSOÛLER
Cesser le travail . . . . CHÔMER
Cession . . . . ABANDON • CAPITULATION
DONATION
C'est-à-dire . . . . SOIT • IE
Cétacé carnivore blanc voisin
des dauphins . . . . BELUGA
Cétacé de l'Atlantique nord . . . . ÉPAULARD
Cétacé de très grande taille . . . . BALEINE
Cétacé proche du narval . . . . BÉLOUGA
Cétone à odeur de violette . . . . IONONE
Cétone de la racine d'iris . . . . IRONE
Ceux-ci . . . . ICEUX
Ch.-l. D'arr. De la Corrèze . . . . USSEL
Ch.-l. D'arr. De la Drôme . . . . DIE • NYONS

Ch.-l. D'arr. De la Haute-Corse . . . . CALVI
Ch.-l. D'arr. De la Haute-Garonne . . . . MURET
Ch.-l. D'arr. De la Haute-Loire . . . . BRIOUDE
Ch.-l. D'arr. De la Loire . . . . ROANNE
Ch.-l. D'arr. De la Marne . . . . REIMS
Ch.-l. D'arr. De la Meuse . . . . VERDUN
Ch.-l. D'arr. De la Sarthe . . . . MAMERS
Ch.-l. D'arr. De la Seine-Maritime . . . . DIEPPE
Ch.-l. D'arr. De l'Ain . . . . GEX
Ch.-l. D'arr. De l'Hérault . . . . LODÈVE
Ch.-l. D'arr. De Lot-et-Garonne . . . . NÉRAC
Ch.-l. D'arr. De Maine-et-Loire . . . . SAUMUR • SEGRÉ
Ch.-l. D'arr. De Meurthe-et-Moselle . . . . BRIEY • TOUL
Ch.-l. D'arr. De Saône-et-Loire . . . . AUTUN
Ch.-l. D'arr. De Seine-et-Marne . . . . MEAUX
Ch.-l. D'arr. Des Ardennes . . . . RETHEL • SEDAN
Ch.-l. D'arr. Des Bouches-du-Rhône . . . . ARLES
Ch.-l. D'arr. Des Côtes-d'Armor . . . . DINAN
Ch.-l. D'arr. Des Landes . . . . DAX
Ch.-l. D'arr. Des Pyrénées-Orientales . . . . CÉRET
Ch.-l. D'arr. d'Eure-et-Loir . . . . DREUX
Ch.-l. D'arr. d'Ille-et-Vilaine . . . . REDON
Ch.-l. D'arr. Du Calvados . . . . VIRE
Ch.-l. D'arr. Du Finistère . . . . BREST
Ch.-l. D'arr. Du Gard . . . . ALÈS
Ch.-l. D'arr. Du Jura . . . . DOLE
Ch.-l. D'arr. Du Nord, sur la Scarpe . . . . DOUAI
Ch.-l. D'arr. Du Pas-de-Calais . . . . CALAIS
Ch.-l. D'arr. Du Puy-de-Dôme . . . . ISSOIRE • RIOM
Ch.-l. D'arr. Du Tarn . . . . CASTRES
Ch.-l. De c. De la Charente . . . . MANSLE
Ch.-l. De c. De la Charente-Maritime . . . . BURIE • MATHA
                                                                       PONS • ROYAN • SAUJON
Ch.-l. De c. De la Corrèze . . . . NAVES
Ch.-l. De c. De la Corse-du-Sud . . . . FIGARI • OLMETO • PIANA
Ch.-l. De c. De la Côte-d'Or . . . . SEURRE
Ch.-l. De c. De la Dordogne . . . BUGUE • THENON • VÉLINES • VERGT
Ch.-l. De c. De la Gironde . . . . BOURG • BRÈDE • CRÉON
Ch.-l. De c. De la Haute-Corse . . . . . BORGO • BRANDO • VENACO
Ch.-l. De c. De la Haute-Garonne . . . ASPET • LANTA • REVEL • RIEUX
Ch.-l. De c. De la Haute-Loire . . . . AUZON • LANGEAC • TENCE

Ch.-l. De c. De la Haute-Saône . . . . PESMES
Ch.-l. De c. De la Haute-Savoie . . . . . BOËGE • SAMŒNS • THÔNES
Ch.-l. De c. De la Haute-Vienne . . . . CHALUS • NIEUL
Ch.-l. De c. De la Loire . . . . BOËN • FEURS
Ch.-l. De c. De la Loire-Atlantique . . . . BLAIN • LEGÉ • REZÉ
RIAILLE • ROUGE • VERTOU
Ch.-l. De c. De la Manche . . . . PERCY • PÉRIERS
Ch.-l. De c. De la Marne . . . . AY • VERTUS
Ch.-l. De c. De la Mayenne . . . . BAIS • CRAON • ERNÉE
ÉVRON • LOIRON
Ch.-l. De c. De la Meuse . . . . ÉTAIN
Ch.-l. De c. De la Moselle . . . . DIEUZE • VERNY
Ch.-l. De c. De la Sarthe . . . . MAYET • TUFFE
Ch.-l. De c. De la Savoie . . . . UGINE
Ch.-l. De c. De la Seine-Maritime . . . . BOOS • CLÈRES
ELBEUF • TÔTES
Ch.-l. De c. De la Somme . . . . AULT • BOVES • HAM
NESLE • ROYE • RUE
Ch.-l. De c. De la Vendée . . . . LUÇON
Ch.-l. De c. De la Vienne . . . . COUHÉ
Ch.-l. De c. De l'Ain . . . . LAGNIEU • VIRIAT
Ch.-l. De c. De l'Aisne . . . . BRAINE • CRAONNE • MARLE
Ch.-l. De c. De l'Allier . . . . CUSSET
Ch.-l. De c. De l'Ardèche . . . . VANS
Ch.-l. De c. De l'Aveyron . . . . AUBIN
Ch.-l. De c. De l'Essonne . . . . ORSAY • YERRES
Ch.-l. De c. De l'Eure . . . . BRIONNE • GISORS • VERNON
Ch.-l. De c. De l'Hérault . . . . . . AGDE • ANIANE • LUNEL • SÈTE
Ch.-l. De c. De l'Indre . . . . VATAN
Ch.-l. De c. De l'Isère . . . . DOMÈNE • MENS • TOUVET
TULLINS • VINAY • VOIRON
Ch.-l. De c. De Loir-et-Cher . . . . . DROUÉ • MER • MORÉE • VINEUIL
Ch.-l. De c. De l'Oise . . . . AUNEUIL • CREIL • MÉRU • NOYON
Ch.-l. De c. De l'Orne . . . . BRIOUZE • FLERS
GACE • MESSEI • SÉES • TRUN
Ch.-l. De c. De l'ouest du Rhône . . . . TARARE
Ch.-l. De c. De l'Yonne . . . . TOUCY
Ch.-l. De c. De Maine-et-Loire . . . . CANDÉ • TIERCÉ
Ch.-l. De c. De Saône-et-Loire . . . . CLUNY • ÉPINAC
Ch.-l. De c. De Seine-et-Marne . . . . NANGIS • REBAIS • TORCY
Ch.-l. De c. De Seine-Maritime . . . . AUMALE

Ch.-l. De c. De Tarn-et-Garonne . . . . LAVIT
Ch.-l. De c. De Vaucluse . . . . SAULT
Ch.-l. De c. Des Alpes-de-Haute-Provence . . . . ALLOS • ANNOT
RIEZ • SEYNE
Ch.-l. De c. Des Alpes-Maritimes . . . . . CANNES • CARROS • LEVENS
MENTON • TENDE • VENCE
Ch.-l. De c. Des Ardennes . . . . FLIZE • GIVET • REVIN
Ch.-l. De c. Des Bouches-du-Rhône . . . . ORGON • TRETS
Ch.-l. De c. Des Côtes-d'Armor . . . . ÉVRAN
Ch.-l. De c. Des Deux-Sèvres . . . . MELLE
Ch.-l. De c. Des Hautes-Pyrénées . . . . ARREAU • OSSUN
Ch.-l. De c. Des Hauts-de-Seine . . . . VANVES
Ch.-l. De c. Des Landes . . . . AMOU • TARTAS
Ch.-l. De c. Des Pyrénées-Atlantiques . . . . ANGLET • LAGOR
Ch.-l. De c. Des Pyrénées-Orientales . . . . THUIR • VINÇA
Ch.-l. De c. Des Vosges . . . . VITTEL
Ch.-l. De c. Des Yvelines . . . . MEULAN
Ch.-l. De c. d'Eure-et-Loir . . . . ANET • AUNEAU
BROU • LUCE • VOVES
Ch.-l. De c. d'Ille-et-Vilaine . . . . BRUZ • VITRÉ
Ch.-l. De c. d'Indre-et-Loire . . . . BLÉRÉ
Ch.-l. De c. Du Bas-Rhin . . . . BARR • ERSTEIN
SAALES • SELTZ • VILLÉ
Ch.-l. De c. Du Calvados . . . . ORBEC • VASSY
Ch.-l. De c. Du Cantal . . . . CONDAT • MAURS
MURAT • SALERS
Ch.-l. De c. Du centre de la Creuse . . . . AHUN
Ch.-l. De c. Du Cher . . . . LÉRÉ • LEVET
Ch.-l. De c. Du Doubs . . . . LEVIER • ORNANS
Ch.-l. De c. Du Finistère . . . . BRIEC • FAOU • TAULÉ
Ch.-l. De c. Du Gard . . . . SAUVE • UZÈS
Ch.-l. De c. Du Loiret . . . . INGRÉ • OLIVET
Ch.-l. De c. Du Loiret, sur la Loire . . . . GIEN
Ch.-l. De c. Du Morbihan . . . . AURAY • BELZ
ELVEN • GOURIN
Ch.-l. De c. Du Nord . . . . DENAIN • TRÉLON
Ch.-l. De c. Du Nord, banlieue de Lille . . . . LOMME
Ch.-l. De c. Du Pas-de-Calais . . . . AVION • CARVIN • DIVION
FRUGES • LIÉVIN • SAMER • VIMY
Ch.-l. De c. Du Puy-de-Dôme . . . . ROYAT • TAUVES
Ch.-l. De c. Du Rhône . . . . ANSE

Chacune des parties de la
corolle d'une fleur . . . . PÉTALE
Chacune des parties d'un tout divisé . . . . DIVISION
Chacune des parties
d'une feuille de papier pliée . . . . FEUILLET
Chacune des pièces du calice de la fleur . . . . SÉPALE
Chagrin profond . . . . DÉSESPOIR
Chagrin . . . . AMERTUME • SOUCIEUX
Chagrinant . . . . ENNUYANT
Chagrine . . . . SOUCIEUSE
Chagriner . . . . ATTRISTER • DÉPITER • PEINER
Chahut . . . . SABBAT • TUMULTE • VACARME
Chaîne d'arpenteur de
dix mètres de longueur . . . . DÉCAMÈTRE
Chaîne de montagnes de France . . . . JURA
Chaîne de montagnes de Russie . . . . OURAL
Chaîne de montagnes . . . . SIERRA
Chaîne des Alpes françaises du Sud . . . . LURE
Chaîne servant à touer . . . . TOUÉE
Chaîne . . . . AMARRE • COLLIER
Chaînes . . . . FERS
Chaînon . . . . CHAÎNE • MAILLON
Chair comestible de gros gibier . . . . VENAISON
Chair de grand gibier . . . . VENAISON
Chair des animaux qui sert à la nourriture . . . . VIANDE
Chair des mammifères . . . . VIANDE
Chair des oiseaux de basse-cour . . . . VOLAILLE
Chair du porc sauvage . . . . SANGLIER
Chair sur la croupe d'un animal
de boucherie . . . . CIMIER
Chaise à bascule . . . . BERÇANTE
Chaise longue pliante en toile . . . . TRANSAT
Chaise . . . . SIÈGE
Chaland à fond plat . . . . ACCON • ACON
Chaland ponté . . . . PONTON
Chaleur . . . . CHAUD • CORDIALITÉ
Chaleureux . . . . AMICAL • CORDIAL
Challenge . . . . DÉFI
Chaloupe . . . . CANOT
Chalumeau . . . . PIPE • PIPEAU
Chamaillerie . . . . BISBILLE

Chamarré . . . . BIGARRÉ
Chamarrer . . . . DORER
Chambarder . . . . DÉRANGER
Chambre chauffée . . . . POÊLE
Chambre frigorifique . . . . FRIGO
Chambre . . . . PARLEMENT • PIAULE
PIÈCE • TAULE • TURNE
Chambrette . . . . CELLULE
Chamois des Pyrénées . . . . ISARD
Champ d'action . . . . HORIZON • SPHÈRE
Champ de glace éternelle . . . . GLACIER
Champ de lin . . . . LINIÈRE
Champ où poussent les fougères . . . . FOUGERAIE
Champ planté de rosiers . . . . ROSERAIE
Champ, sol cultivé . . . . GLÈBE
Champagne . . . . VINTAGE
Champêtre . . . . AGRESTE • AGRICOLE • PASTORAL
Champêtre, rustique . . . . AGRESTE
Champignon à lames . . . . AMANITE • COPRIN
Champignon à lames,
    à pied coriace . . . . SOUCHETTE
Champignon charnu . . . . BOLET
Champignon comestible
    à chapeau épais . . . . FISTULINE
Champignon comestible . . . . AGARIC • GIROLLE • HELVELLE
MORILLE • PLEUROTE
Champignon des bois . . . . HELVELLE
Champignon des bois, à lames roses . . . . ENTOLOME
Champignon jaune . . . . COPRIN
Champignon jaune-orangé . . . . GIROLLE
Champignon microscopique . . . . LEVURE
Champignon pestilentiel en
    forme de phallus . . . . PHALLUS
Champignon siphomycète . . . . MUCOR
Champignon souterrain comestible . . . . TRUFFE
Champignon très commun
    dans les forêts . . . . AMANITE
Champignon . . . . BOLET • CÈPE • FONGUS
ORONGE • PLEUROTE • STOMATITE
Champs . . . . CAMPAGNE
Chançard . . . . VEINARD

Chance	ATOUT • AUBAINE • BARAKA FORTUNE • VEINE
Chancelant	BOITEUX • BRANLANT HÉSITANT • VACILLANT
Chancelante	BOITEUSE
Chanceler	FLAGEOLER • TITUBER • VACILLER
Chanceuse	HEUREUSE
Chanceux	HEUREUX • VEINARD
Chancre	CARIE
Chandail	TRICOT
Chandelier garni de pointes	HERSE
Chandelier sans pied	BOUGEOIR
Chandelle	BOUGIE • CIERGE
Changeant	INCONSTANT • INÉGAL • MOBILE MOUVANT • VARIABLE • VERSATILE
Changeante	CAPRICIEUSE
Changement de pâturage	REMUE
Changement d'opinion	PALINODIE
Changement en mieux	AMÉLIORATION
Changement profond	RÉFORME
Changement	CONVERSION • ÉVASION MUE • VARIÉTÉ
Changer (une peine) en une peine moindre	COMMUER
Changer d'avis (Se)	RAVISER
Changer de direction	BIFURQUER
Changer de peau	MUER
Changer de place réciproquement	PERMUTER
Changer de plumage	MUER
Changer de route	VOLTER
Changer de ton	DÉCHANTER
Changer en pierre	PÉTRIFIER
Changer l'affectation	DÉSAFFECTER
Changer l'itinéraire	DÉTOURNER
Changer	ALTERNER • AMENDER • DÉCALER ÉVOLUER • FLUCTUER • INNOVER MODIFIER • VARIER
Chanoinie	CANONICAT
Chanson	BALLADE • MÉLODIE
Chanson populaire du Portugal	FADO
Chanson populaire	GOUALANTE • LIED

Chant	CHANSON • HYMNE
Chant d'action de grâces	CANTIQUE
Chant d'allégresse	ALLÉLUIA
Chant de joie	ALLÉLUIA
Chant d'église à plusieurs voix	MOTET
Chant d'église	MOTET
Chant d'entrée de la messe	INTROÏT
Chant des oiseaux dans les arbres	RAMAGE
Chant d'oiseau	TRILLE
Chant exécuté avant la messe	INTROÏT
Chant funèbre	NÉNIES
Chant liturgique	PSAUME
Chant mélancolique	LAMENTO
Chant monotone, mélancolique	CANTILÈNE
Chant populaire espagnol	JOTA
Chant portugais	FADO
Chant religieux	CANTIQUE • CREDO
Chant religieux des Noirs d'Amérique du Nord	GOSPEL
Chantage	MENACE
Chanter à la manière des Tyroliens	IODLER • IOULER • JODLER
Chanter à mi-voix	FREDONNER
Chanter de façon assourdissante	BRAILLER
Chanter de nouveau	RECHANTER
Chanter en nommant les notes	SOLFIER
Chanter hors du ton	DETONNER
Chanter ou jouer avec swing	SWINGUER
Chanterelle	APPEAU
Chanteur belge prénommé Jacques	BREL
Chanteur belge	ADAMO
Chanteur de charme français mort en 1983	ROSSI
Chanteur français mort en 1993	FERRÉ
Chanteur français né en 1913	TRENET
Chanteur que l'on émasculait dès l'enfance	CASTRAT
Chanteur qui exécute une partie de solo	SOLISTE
Chanteuse de café-concert	DIVETTE
Chanteuse d'opérette	DIVETTE
Chanteuse française morte en 1963	PIAF
Chanteuse japonaise	GEISHA
Chantonner	CHANTER • FREDONNER
Chantourné	VIOLONE

Chantre de psaumes	PSALMISTE
Chanvre indien dont on fume ou mâche les feuilles	HACHISCH
Chanvre indien	HASCHISCH • MARIHUANA
Chaos	ANARCHIE • DÉSORDRE
Chapardage	MARAUDAGE
Chaparder	CHIPER • MARAUDER
Chapeau	BITOS • GALURIN • MELON
Chapeau à larges bords	PÉTASE • SOMBRERO
Chapeau claque	GIBUS
Chapeau en toile	BOB
Chapeau haut de forme	GIBUS
Chapeau haut de forme, évasé et à larges bords	BOLIVAR
Chapeau imperméable	SUROÎT
Chapeau mexicain à larges bords	SOMBRERO
Chapeau souple	PANAMA
Chapeauter	COIFFER
Chapelet composé de quinze dizaines	ROSAIRE
Chapelet d'oignons	GLANE
Chapelet	GUIRLANDE • NEUVAINE
Chapelle souterraine	CRYPTE
Chapelle	ORATOIRE
Chapelure	PANURE
Chapiteau en forme de cloche renversée	CAMPANE
Chapitre du Coran	SOURATE
Chapitrer	SERMONNER
Chapon	COQ • POULET
Chaque foliole du calice d'une fleur	SÉPALE
Chaque partie d'un fruit sec qui s'ouvre	VALVE
Chaque	CHACUN
Char d'assaut	TANK
Char de l'armée allemande	PANZER
Charabia	JARGON • PATAQUES
Charade	DEVINETTE
Charançon dont la larve attaque certaines légumineuses	APION
Charbon à demi consumé	FLAMBARD
Charbon friable	FUSAIN
Charbon	HOUILLE
Charbonnée	CARBONADE

Charbonnier . . . . CARGO • HOUILLER • VRAQUIER
Charcuter . . . . DÉCOUPER
Charcuterie à base
   de boyaux de porc . . . . ANDOUILLE
Charcuterie à base de
   viandes blanches désossées . . . . GALANTINE
Charcuterie cuite cylindrique . . . . ROULADE
Charcuterie italienne . . . . COPPA
Charcuterie . . . . RILLETTES
Charge de duumvir, magistrat romain . . . . DUUMVIRAT
Charge de poudre à canon . . . . GARGOUSSE
Charge d'explosifs . . . . PÉTARD
Chargé légèrement d'eau . . . . HUMIDE
Charge qui grève un bien immobilier . . . . SERVITUDE
Charge très pesante . . . . FAIX
Charge . . . . ASSAUT • ATTAQUE • DYNAMITE
                                   MISSION • OFFICE • POIDS
Chargé . . . . PRÉPOSÉ • REMPLI
Charge, fardeau . . . . FAIX
Chargement comprimé d'un navire . . . . ESTIVE
Chargement encombrant . . . . BARDA
Chargement . . . . ACCONAGE • ACONAGE
                                   CONTENU
Charger . . . . ALOURDIR • FONCER • REMPLIR
Charger de dettes . . . . ENDETTER
Charger en remplissant . . . . LESTER
Charger un navire . . . . LESTER
Chargeur . . . . ARRIMEUR
Chargeuse . . . . LOADER
Chariot . . . . BENNE • CHAR
Chariot bas . . . . CAMION
Chariot muni de roues très basses . . . . FARDIER
Charitable . . . . HOSPITALIER
Charité . . . . AUMÔNE • BIENFAISANCE
Charlatan . . . . SALADIER
Charmant . . . . ADORABLE • AGRÉABLE • BEAU
                                   BEL • COQUET • DIVIN
                                   GRACIEUX • JOLI • MIGNON
Charmant . . . . EXQUIS
Charmante . . . . GRACIEUSE • MIGNONNE
Charme . . . . AGRÉMENT • ATTRAIT
                                   DÉLICE • GRÂCE

Charme sophistiqué	GLAMOUR
Charmer	CAPTIVER • COURTISER
	DÉLECTER • ENCHANTER
	FASCINER • PLAIRE • SÉDUIRE
Charmes physiques d'une femme	APPAS
Charmeur	DAMOISEAU • SÉDUCTEUR
Charnel	SENSUEL
Charnelle	MATÉRIELLE
Charnier	NECROPOLE
Charnière	AXE
Charnu	PULPEUX
Charpente apparente d'un mur	COLOMBAGE
Charpente qui supporte un navire en construction	BER
Charpente	ARMATURE • BÂTI • CARCASSE OSSATURE • SQUELETTE• STRUCTURE
Charpentier	MENUISIER
Charrette	CARRIOLE
Charrette campagnarde	CARRIOLE
Charrier	EMPORTER • GAUSSER • PLAISANTER
Charroi	CHARRIAGE
Charroyer	CHARRIER
Charrue à trois socs	TRISOC
Charrue simple sans avant-train	ARAIRE
Charrue vigneronne	FOSSOIR
Charte	CHARTRE
Chartériser	NOLISER
Chartre	CHARTE
Chas	ŒIL
Chas (pl.)	ŒILS
Chasse pratiquée avec des oiseaux de proie	VOLERIE
Chasse	BATTUE
Chasse-marée	GALIOTE
Chasser	BANNIR • CANARDER DEJUCHER • DISSIPER • ÉLOIGNER ÉVINCER • EXCLURE • EXPULSER REMERCIER • SACQUER
Chasser ou pêcher sans respecter la loi	BRACONNER

Chasser sans permis en temps ou en lieux interdits	BRACONNER
Chasseur professionnel	TRAPPEUR
Chasseur	GROOM • TRAQUEUR
Chassieux	MITEUX
Châssis courbé en arc	ARCHET
Châssis fixe	CADRE
Châssis vitré	CROISÉE • FENÊTRE
Châssis	BÂTI
Chasteté	CONTINENCE • PUCELAGE • VIRGINITÉ
Chat domestique qui est retourné à l'état sauvage	HARET
Chat gris	CHARTREUX
Chat mâle	MATOU
Chat	MATOU • MIMI • MINET MINOU • SIAMOIS
Châtaigne	MARRON
Châtain	BRUN
Château	PALAIS
Châtelain	SEIGNEUR
Châtié, précieux	CHOISI
Châtier	PUNIR • RÉPRIMER
Châtiment corporel	CORRECTION
Châtiment	DAMNATION • PÉNITENCE PUNITION • RÉPRESSION • TALION
Chaton de certaines fleurs	IULE
Chatouileux	IRRITABLE
Chatouillement	PAPOUILLE
Chatouiller	TITILLER
Chatoyant	BRILLANT • DIAPRÉ • MOIRÉ
Chatoyer	FULGURER • MIROITER
Châtré	HONGRE
Châtrer	CASTRER • CHAPONNER • STÉRILISER
Chaudron	FAITOUT
Chauffer	SWINGUER
Chauffeur de camions sur longue distance	ROUTIER
Chauffeur	PELLETEUR • WATTMAN
Chaume qui reste sur place après la moisson	ÉTEULE
Chaussée formée de pieux et de cailloux	DUIT

Chaussée	ROUTE
Chausson aux fruits	GOSETTE
Chausson de pâte feuilletée	RISSOLE
Chaussure avec une semelle de bois	SOCQUE
Chaussure de cuir sans quartier ni talon	BABOUCHE
Chaussure de cuir	GALOCHE
Chaussure de plage	TONG
Chaussure de sport en toile à semelles de caoutchouc	BASKET
Chaussure de sport	BASKET
Chaussure d'intérieur	MULE
Chaussure légère	SANDALE
Chaussure militaire à tige courte	GODILLOT
Chaussure paysanne	SABOT
Chaussure très fine	ESCARPIN
Chaussure	BOTTE • BOTTINE GODASSE • GROLE • GROLLE SOULIER • TATANE
Chaussures de sport à √semelles de caoutchouc	TENNIS
Chauve	DEGARNI
Chauve-souris d'Amérique du Sud	VAMPIRE
Chauvin	COCARDIER
Chavirer	BASCULER • CAPOTER DESSALER • RENVERSER RÉVULSER • SOMBRER
Che	GUEVARA
Chef apache mort en 1908	GERONIMO
Chef au-dessus du caïd	AGA • AGHA
Chef de bande	CAÏD
Chef de bataillon	MAJOR
Chef de famille	PÈRE
Chef de l'Église catholique romaine	PAPE
Chef de l'État	PRÉSIDENT
Chef de prière dans une mosquée	IMAM
Chef de tribu arabe	CHEIKH
Chef de tribu chez les Arabes	CHEIK
Chef des armées américaines	LEE
Chef d'État dans certains États arabes	RAÏS
Chef d'orchestre	MAESTRO

Chef d'orchestre et compositeur français . . . . AMY
Chef d'un diocèse . . . . ÉVÊQUE
Chef d'une bande de mauvais garçons . . . . CAÏD
Chef d'une mafia . . . . PARRAIN
Chef élu des anciennes
 républiques de Venise . . . . DOGE
Chef éthiopien . . . . RAS
Chef ismaélien . . . . ALADIN
Chef militaire et civil du Japon . . . . SHOGOUN
Chef religieux musulman . . . . IMAM
Chef . . . . LEADER • MAÎTRE
                                         MENEUR • PATRON • ROI
Chemin court en pente rapide . . . . GRIMPETTE
Chemin creux dans une forêt . . . . CAVÉE
Chemin de fer à rails plats . . . . TRAMWAY
Chemin de fer . . . . MÉTRO • RAIL
Chemin étroit . . . . SENTIER
Chemin plus court . . . . RACCOURCI
Chemin réservé aux cyclistes . . . . PISTE
Chemin tout tracé . . . . ORNIÈRE
Chemin . . . . AVENUE • ROUTE • TRAJET • VOIE
Chemineau . . . . ROUTARD
Cheminée . . . . ÂTRE
Cheminer . . . . TRIMARDER
Chemise de nourrisson . . . . BRASSIÈRE
Chemise de nuit très courte . . . . NUISETTE
Chemise de sport en tricot . . . . POLO
Chemise, dossier . . . . FARDE
Chemisette . . . . GUIMPE
Chemisier de femme . . . . BLOUSE
Chenal de communication . . . . GRAU
Chenal . . . . CANAL
Chenapan . . . . BRIGAND • POLISSON
                                       SACRIPANT • VOYOU
Chêne à feuilles oblongues . . . . VÉLANI
Chêne vert . . . . YEUSE
Chéquier . . . . CARNET
Cher . . . . COÛTEUX • ONÉREUX
Chercher à convaincre par
 des discours . . . . EXHORTER
Chercher à éviter . . . . FUIR

Chercher à faire la conquête de quelqu'un	COURTISER
Chercher à se faire bien voir de ses supérieurs	FAYOTER
Chercher en tâtant	TÂTONNER
Chercher la petite bête	PINAILLER
Chercher sa nourriture	PICORER
Chercher	QUÉRIR
Chercheur	SAVANT
Chère	ONÉREUSE
Chéri	CHER
Chérir	AIMER
Chérubin	ANGELOT
Chétif	ÉTIOLÉ • FAIBLARD • FAIBLE MALADIF • RABOUGRI
Cheval assez trapu	COB
Cheval aux pieds avant tournés vers l'arrière	PANARD
Cheval ayant des aptitudes pour le galop	GALOPEUR
Cheval châtré	HONGRE
Cheval d'Afrique du Nord	BARBE
Cheval de bataille	DESTRIER
Cheval de course aux nombreuses victoires	CRACK
Cheval de course médiocre	TOCARD
Cheval de petite taille	GENET • PONEY
Cheval demi-sang utilisé pour la selle	COB
Cheval demi-sang	COB
Cheval dont la robe est jaune rougeâtre	ALEZAN
Cheval dressé pour le trot	TROTTEUR
Cheval ou jument qui va à l'amble	HAQUENEE
Cheval qui trotte avec vivacité	STEPPER
Cheval retourné à l'état sauvage	TARPAN
Cheval	ALEZAN • BOURRIN • DADA ÉTALON • MONTURE PONEY • TROTTEUR
Chevalet	TRÉTEAU
Chevalier errant	PALADIN
Cheval-vapeur	CH
Chevauchée	CAVALCADE
Chevaucher	EMPIÉTER

Chevelure abondante .... CRINIÈRE
Chevet .... ABSIDE
Chevêtre .... LICOL
Cheveu .... TIF
Cheville à tête plate .... ESSE
Cheville de bois conique .... ÉPITE
Cheville de golf .... TEE
Cheville qui sert à assujettir les tire-fond .... TRENAIL
Cheville qui traverse une pièce de bois .... ENTURE
Chevreau .... BICOT • CABRI
Chevreuil mâle .... BROCARD
Chevronné .... ÉMÉRITE • EXPERT
Chevrotement .... BELEMENT
Chevroter .... BÊLER
Chez-soi .... APPARTEMENT • DOMICILE
                                              LOGEMENT • PÉNATES
Chic .... ÉLÉGANCE • SÉLECT
Chic, élégant .... HABILLÉ
Chicane .... ARGUTIE • DISSENSION
Chicaner .... ERGOTER
Chiche .... ÉCONOME
Chicot .... DENT
Chien à oreilles pendantes .... ÉPAGNEUL
Chien à poil ras de très grande taille .... DANOIS
Chien à poil ras .... BOXER
Chien à poils durs .... SCHNAUZER
Chien à robe blanche tachetée
  de noir ou de brun .... DALMATIEN
Chien au poil rude .... GRIFFON
Chien barbet à poil frisé .... CANICHE
Chien célèbre au cinéma .... RINTINTIN
Chien courant d'origine anglaise .... BEAGLE
Chien courant .... BASSET
Chien d'agrément très répandu .... CANICHE
Chien d'arrêt à poil ras .... BRAQUE
Chien d'arrêt anglais .... POINTER • SETTER
Chien de berger de France .... LABRIT
Chien de berger écossais ou anglais .... BOBTAIL
Chien de berger écossais .... COLLEY
Chien de berger .... MOLOSSE
Chien de berger, de taille moyenne .... BOBTAIL

Chien de chasse à courre	CLABAUD
Chien de chasse longiligne et très rapide	LEVRIER
Chien de chasse	BASSET • LABRADOR • SPRINGER
Chien de compagnie	PÉKINOIS
Chien de garde	BOXER • DOBERMAN • DOGUE
Chien dont le poil blanc est tacheté de noir ou de brun	DALMATIEN
Chien du berger de la Provence	LABRI
Chien qui chasse les rats	RATIER
Chien sauvage d'Asie	CYON
Chien sauvage d'Australie	DINGO
Chien terrier à poil dur	AIREDALE
Chien terrier	FOX
Chien	CABOT • CHIOT • CLEBS CLÉBARD • DOBERMAN • ÉPAGNEUL SETTER • TOUTOU
Chiendent	ALPISTE
Chiffon utilisé dans la fabrication du papier	PEILLE
Chiffon	LAMBEAU
Chiffon, torchon	PATTE
Chiffonnant	FROISSANT
Chiffonner	FROISSER • PLISSER
Chiffonnier	BIFFIN • FRIPIER
Chiffre	DIGIT • MONTANT NOMBRE • NUMÉRO • SOMME
Chiffrer	CALCULER • COMPTER ENCODER • ÉVALUER • NUMÉROTER
Chiffres romains	DI
Chimère	ILLUSION • RÊVERIE • UTOPIE
Chimiste allemand né en 1902	ALDER
Chimiste américain mort en 1981	UREY
Chimiste autrichien	AUER
Chimiste et médecin français mort en 1645	REY
Chine	REGRAT
Chip	PUCE
Chiper	CHAPARDER
Chipie	GARCE • MÉGÈRE • PIMBÊCHE
Chipoter	GRIGNOTER

Chiqué	COMÉDIE
Chiromancien	DISEUR
Chiromancienne	DISEUSE
Chirurgien français mort en 1898	PÉAN
Chirurgien français né en 1800	RICORD
Chlore	CL
Chlorure d'ammonium	AMMONIAC
Chlorure naturel de sodium	HALITE
Choc d'un corps contre un autre	PERCUSSION
Choc grave	COMMOTION
Choc	COLLISION • COUP HEURT • PERCUSSION
Chœur	CHORALE
Choir	TOMBER
Choisi par Dieu	ÉLU
Choisir de nouveau	RÉÉLIRE
Choisir	ADOPTER • ÉLIRE • OPTER PRÉFÉRER • SÉLECTIONNER • TRIER
Choix	ASSORTIMENT • CONVENANCE ÉLECTION • EVENTAIL • OPTION PRÉFÉRENCE • SÉLECTION • TRIAGE
Choix entre diverses perspectives	CARREFOUR
Choléra	PESTE
Chômé	FÉRIÉ
Chope	GOBELET • POT
Choquant	CRU • REVOLTANT
Choquant, révoltant	CRIANT
Choqué	OFFUSQUE
Choquer	HEURTER • RÉVOLTER • SCANDALISER
Chorale	CHŒUR
Chose	MACHIN • OBJET
Chose agréable	MIEL
Chose curieuse	CURIOSITÉ
Chose difficile à comprendre	ALGÈBRE
Chose établie, fondée	INSTITUT
Chose hideuse	HIDEUR
Chose imposée	DIKTAT
Chose insignifiante	VÉTILLE
Chose nouvelle	NOVATION • PRIMEUR
Chose que l'on répète, que l'on ressasse	ANTIENNE

Cible	BUT • MIRE
Cible pour le tir d'entraînement	CARTON
Ciboule	CIVE
Ciboulette	CIVETTE
Cicatrice	HILE • STIGMATE
Cicatrice au milieu du ventre	NOMBRIL
Cicatrice d'une plaie	COUTURE
Cicérone	GUIDE
Ciel de lit	DAIS
Ciel	AZUR • FIRMAMENT • PARADIS
Ciel-de-lit en forme demi-circulaire	BALDAQUIN
Cierge	BOUGIE
Cigare réputé	HAVANE
Cigare	VOLTIGEUR
Cigarette de haschisch	JOINT
Cigarette	CLOPE
Cigarillo	NINAS
Ciller	CLIGNER
Cime	CIMIER • FAÎTE
Cime d'un arbre rompue	VOLIS
Cime d'une montagne	SOMMET
Ciment artificiel très résistant	PORTLAND
Cimenter	SCELLER
Cinéaste américain mort en 1982	VIDOR
Cinéaste américain mort en 1991	CAPRA
Cinéaste américain né en 1911	DASSIN • RAY
Cinéaste américain	PENN
Cinéaste autrichien mort en 1976	LANG
Cinéaste britannique né en 1908	LEAN
Cinéaste britannique	REED
Cinéaste canadien né au Québec en 1929	CARLE
Cinéaste espagnol né en 1932	SAURA
Cinéaste et acteur américain	ALLEN
Cinéaste et producteur américain mort en 1966	DISNEY
Cinéaste français mort en 1995	MALLE
Cinéaste français né en 1907	TATI
Cinéaste français né en 1924	SAUTET
Cinéaste français prénommé Abel	GANCE
Cinéaste français	PAGNOL
Cinéaste française née en 1928	VARDA

Cinéaste italien mort en 1989 . . . . LEONE
Cinéaste italien né en 1916 . . . . RISI
Cinéaste italien né en 1922 . . . . ROSI
Cinéaste italien né en 1931 . . . . OLMI • SCOLA
Cinéaste italien prénommé Sergio . . . . LEONE
Cinéma . . . . CINÉ
Cinglé . . . . DINGO • FADA • MABOUL
SINOQUE • TIMBRÉ • TOQUÉ
Cinoche . . . . CINÉ • CINÉMA
Cinq fois dix . . . . CINQUANTE
Cinq numéros sortis ensemble . . . . QUINE
Cinquième jour de la semaine . . . . VENDREDI
Cinquième lettre de l'alphabet grec . . . . EPSILON
Cinquièmement . . . . QUINTO
Circonscription administrative,
en Grèce . . . . ÉPARCHIE
Circonscription ecclésiastique . . . . PAROISSE
Circonscription rurale en
Gaule romaine . . . . PAGUS
Circonscrire . . . . BORNER • LOCALISER
Circonstance . . . . ALIBI • CAS • CONDITION
OCCASION • OCCURRENCE
Circuit . . . . PARCOURS • RÉSEAU • TOUR
Circulaire . . . . ROND • ROTATOIRE
Circulation de l'air . . . . AÉRAGE
Circulation de véhicules . . . . TRAFIC
Circumnavigation . . . . PERIPLE
Cirrhe . . . . CIRRE
Cisaille . . . . SÉCATEUR
Ciseau à tranchant . . . . GOUGE
Ciseau d'acier . . . . BURIN
Ciseau en acier trempé . . . . BÉDANE
Ciseau pour la taille des arbustes . . . . SÉCATEUR
Ciseau . . . . POUCETTES
Ciselage . . . . BURINAGE
Ciselet . . . . CISEAU
Ciselet à bout aplati . . . . PLANOIR
Citadelle d'un souverain,
dans les pays arabes . . . . CASBAH
Citation . . . . EXTRAIT
Cité ancienne de Syrie . . . . EBLA

Cité antique de la basse Mésopotamie	OUR • UR
Cité antique de l'Asie Mineure	TROIE
Cité légendaire bretonne	YS
Citer devant les tribunaux	TRADUIRE
Citer devant un tribunal	ATTRAIRE
Citerne	TANK
Citoyen de la dernière classe du peuple	PROLÉTAIRE • PROLO
Citoyen juif d'Israël	SABRA
Citoyen	HABITANT
Citron très acide	LIMON
Citronnade	LIMONADE
Citronnelle	MELISSE
Citronnier	CITRUS
Citrus	LIMETTIER
Civière	BRANCARD
Civil	COURTOIS • LAÏQUE • POLI
Civiliser	POLIR
Civilité	ENTREGENT • GALANTERIE
Claie	CRIBLE • FASCINE
Clair	EXPLICITE • LIMPIDE • LUCIDE • NET
Claire	NETTE
Clairement	NETTEMENT
Clairsemé	RARE
Clairvoyance	LUCIDITÉ • PERSPICACITÉ • VISION
Clairvoyant	LUCIDE • PERSPICACE • SAGACE
Clamecer	CALANCHER
Clameur d'indignation	TOLLÉ
Clan	BANDE • CLASSE COTERIE • FACTION • TRIBU
Clan, groupement	SECTE
Clandestin	FURTIF
Clanisme	ÉGOÏSME
Clapet	SOUPAPE
Clapier	CAGE • LAPINIERE
Clapotement	CLAPOTAGE
Clapotis	CLAPOTAGE
Claquage	ÉLONGATION
Claque	TAPE
Claquer des dents	GRELOTTER
Claquer	GIFLER

Claquette	CLAP
Claquoir	CLAP • CLAQUETTE
Clarifier	ÉCLAIRCIR • ÉLUCIDER • FILTRER
Clarine	SONNAILLE
Clarté	ÉCLAIRAGE • PRÉCISION
Clarté, lumière	JOUR
Classe d'animaux vertébrés à sang chaud	MAMMIFERE
Classe de mathématiques	MATH
Classe sociale fermée	CASTE
Classe	CATÉGORIE • CLAN • RANG
Classer dans les archives	ARCHIVER
Classer	CALIBRER • RANGER • SÉRIER • TRIER
Classeur personnel	ALBUM
Classeur	CASIER
Classifier	CLASSER • RÉPERTORIER • SÉRIER
Claudication	BOITERIE
Claudiquer	BOITER • BOITILLER
Claustration	ISOLEMENT
Claustrophobie	PHOBIE
Clavier inférieur de l'orgue	PÉDALIER
Clébard	CHIEN
Clément, tolérant	INDULGENT
Clémentine	TANGERINE
Clerc	COPISTE
Clerc qui a reçu l'ordre immédiatement inférieur à la prêtrise	DIACRE
Cliché de photogravure	SIMILI
Cliché	BANALITÉ
Client d'une prostituée	MICHETON
Client	ACHETEUR • HABITUÉ
Client, acheteur	CHALAND
Cligner	CILLER
Clignoter	SCINTILLER
Climat	AMBIANCE
Clin d'œil	ŒILLADE
Clinicien	PRATICIEN
Clip	CLAMP • FILM
Clique	CABALE
Cliver	FENDRE
Clochard	CLODO • MENDIANT

	MENDIGOT • VAGABOND
Clocharde	GUEUSE
Clocher	BEFFROI
Clochette que l'on attache au cou des bestiaux	SONNAILLE
Cloison de planches	BARDIS
Cloison membraneuse de la noix	ZESTE
Cloison	MUR • PAROI
Cloître	COUVENT
Clope	MÉGOT
Clopiner	BOITER • BOITILLER
Cloporte d'eau douce	ASELLE
Cloque de la peau	AMPOULE
Cloque sur la peau	VÉSICULE
Cloque	BULLE
Clore	ACHEVER • BOUCHER • FERMER
Clore un orifice naturel	OCCLURE
Clos	ENCLOS
Clôture de pieux	PALISSADE
Clôture faite d'arbres	HAIE
Clôture métallique	GRILLE
Clôture	BARRIÈRE • FERMETURE
Clôturer	CLORE • ENCLORE ENTOURER • SOLDER • TERMINER
Clou de girofle	GIROFLE
Clou pour ferrer les souliers	CABOCHE
Clou	ABCÈS • FURONCLE • PITON
Clouer de nouveau	RECLOUER
Clouer	CLOUTER
Clown	BOUFFON
Clownerie	PITRERIE
Club Automobile Américain	CAA
Club utilisé principalement sur le green	PUTTER
Club	CERCLE
Cnémide	JAMBIERE
Coaguler	CAILLER
Coagulum	GRUMEAU
Coaliser	ASSOCIER • LIGUER
Coalition	ALLIANCE • BLOC • LIGUE
Coaltar	GOUDRON
Cobalt	CO

Cobra femelle . . . . URAEUS
Coca . . . . COCA-COLA
Cocaïne en poudre . . . . NEIGE
Cocaïne . . . . COKE • CRACK
Cocardier . . . . CHAUVIN
Cocasse . . . . IMPAYABLE
Coche . . . . CRAN
Cochon sauvage d'Amérique . . . . PÉCARI
Cochon . . . . BANQUE • PORC • POURCEAU
Cochonner . . . . BÂCLER • SALOPER
Cochonnerie . . . . SALOPERIE
Cochonnet . . . . GORET • PORCELET
Cocktail de gin . . . . MARTINI
Cocotte . . . . HETAÏRE • MARMITE • POULE
Cocufié . . . . COCU
Code . . . . RECUEIL
Coder . . . . ENCODER
Cœfficient . . . . RATIO
Coéquipier . . . . EQUIPIER
Cœrcitif . . . . OPPRESSIF
Cœur . . . . CENTRE
Cœxistence de deux
    éléments différents . . . . DUALISME
Coffre . . . . CAISSE • MALLE
Coffre à bijoux . . . . BAGUIER
Coffre à compartiments . . . . BOÎTIER
Coffre destiné aux salaisons . . . . SALOIR
Coffre servant de petite serre . . . . BÂCHE
Coffret à bijoux . . . . ÉCRIN
Coffret . . . . BOÎTE • CASSETTE • COFFRE • ÉCRIN
Cogne . . . . POLICIER
Cogner de manière répétée . . . . TOSSER
Cogner . . . . HEURTER • TAPER
Cohérent . . . . HOMOGÈNE
Cohésion . . . . UNITÉ
Cohue . . . . AFFLUENCE • ATTROUPEMENT
                                        FOULE • MÊLÉE
Coiffé d'un casque . . . . CASQUÉ
Coiffe . . . . BONNET
Coiffer . . . . HOUPPER • PEIGNER
Coiffer de nouveau . . . . RECOIFFER

Coiffer d'un casque	CASQUER
Coiffeur	FIGARO
Coiffure de certaines religieuses	CORNETTE
Coiffure de faux cheveux	PERRUQUE
Coiffure de forme conique	TIARE
Coiffure des Bédouins	KEFFIEH
Coiffure du pape	TIARE
Coiffure ecclésiastique	CALOTTE
Coiffure féminine en forme de bonnet conique	HENNIN
Coiffure féminine	COIFFE
Coiffure liturgique	MITRE
Coiffure masculine orientale	TARBOUCHE
Coiffure militaire	CALOT • KÉPI
Coiffure orientale portée par les hommes	TURBAN
Coiffure portée par certains dignitaires	TIARE
Coiffure postiche	PERRUQUE
Coiffure protectrice	CASQUE
Coiffure rigide destinée à protéger la tête	CASQUE
Coiffure rigide munie d'une visière	KÉPI
Coiffure sans rebord	BONNET
Coiffure traditionnelle des Bédouins	KEFFIEH
Coiffure tronconique	FEZ
Coiffure	BÉRET • CHAPEAU
Coin de la scène	CANTONADE
Coin	ANGLE • SECTEUR
Coincer	SQUEEZER
Coïncidence	CONCORDANCE • HASARD
Coïncider (Se)	RECOUPER
Coïncider	CONCORDER
Col	COLLET • COU
Col des Alpes	ISERAN • VARS
Col d'une bouteille	GOULOT
Col étroit d'un récipient	GOULOT
Coléoptère dont les larves rongent les racines des céréales	AGRIOTE
Coléoptère qui façonne des boulettes de bouse	BOUSIER
Colère	FURIE • HARGNE • IRE RRITATION • ROGNE
Colère violente	FUREUR

Colère virulente	FUREUR
Coléreuse	RAGEUSE
Coléreux	IRASCIBLE • RAGEUR
Colimaçon	ESCARGOT • LIMAÇON
Colique	DYSURIE
Colis	ENVOI • PAQUET
Collaborateur sous l'occupation	COLLABO
Collaborateur	COASSOCIE • INCIVIQUE
Collaborationniste	COLLABO
Collaborer	COOPÉRER
Collant	ADHERENT • ADHÉSIF
	GLUANT • GOMMANT • GOMMÉ
	POISSEUX • SERRÉ • VISQUEUX
Collante	POISSEUSE
Collation où l'on boit du thé	THÉ
Collation	BOUCHEE
Colle	ADHÉRENT • RETENUE
Colle à base d'amidon	EMPOIS
Colle sèche	GOMME
Collecte	QUÊTE • RÉCOLTE
Collecter	QUÊTER
Collectif	COMMUN • GÉNÉRAL
Collection d'articles variés	VARIA
Collection de fiches	FICHIER
Collection	ARSENAL • ASSORTIMENT
Collectionner	COLLECTER
Collectivement	ENSEMBLE
Collectiviser	ÉTATISER
Collectivité	GROUPE • SOCIÉTÉ
Collège d'enseignement	CÉGEP
Collège électoral	ÉLECTORAT
Collégien	ÉCOLIER • POTACHE
Collègue	ASSOCIÉ • COMPAGNON
Collement	ADHÉRENCE
Coller	ADHÉRER • GOMMER
Coller de nouveau	RECOLLER
Collet pour prendre les grives	TENDELLE
Collier celtique métallique et rigide	TORQUE
Collier de fer	CARCAN
Collier	CHAÎNE • COLLET
Colline aride, dans le Roussillon	ASPRE

Colline artificielle . . . . TELL
Colline caillouteuse . . . . ASPRE
Colline de sable . . . . DUNE
Colline . . . . BUTTE
Collision . . . . CHOC • IMPACT
Colloque . . . . CONFÉRENCE • SÉMINAIRE
SYMPOSIUM
Collusion . . . . COMPLICITÉ • ENTENTE
Colmater . . . . BOUCHER
Colombium . . . . CB
Colonel . . . . MEISTRE
Colonie . . . . ESSAIM • HARPAIL
Colonnade qui décore la
façade d'un édifice . . . . PÉRISTYLE
Colonne d'eau mue en
tourbillon par le vent . . . . TROMBE
Colonne vertébrale . . . . ÉCHINE
Colonne verticale soutenant un pont . . . . ÉPONTILLE
Colonne . . . . FILE • PILIER • SUPPORT
Colonnette ornant le dos d'un siège . . . . BALUSTRE
Colons . . . . COLONAT
Colophane . . . . ARCANSON
Colorant bleu . . . . SMALT
Colorant d'un beau rouge orangé . . . . ROCOU
Colorant minéral naturel . . . . OCRE
Colorant . . . . CARMIN • TEINTURE
Coloration jaune des muqueuses . . . . ICTÈRE
Coloration rouge de la peau . . . . ROUGEUR
Coloration violacée de la peau . . . . LIVIDITÉ
Coloré . . . . FLEURI • IMAGÉ
Colorer avec les couleurs de l'arc-en-ciel . . . . IRISER
Colorer d'un caractère exotique . . . . ÉROTISER
Colorer légèrement . . . . TEINTER
Colorer vivement . . . . ENLUMINER
Colorer . . . . CENDRER • TEINDRE • TEINTER
Coloris du visage . . . . TEINT
Colossal . . . . DÉMESURÉ • ÉNORME • GROS
PYRAMIDAL • TITANIQUE
Colosse . . . . HERCULE • GÉANT
Colporter des cancans . . . . COMMÉRER

Combat	BAROUD • BATAILLE • CAMPAGNE DUEL • GUERRE • JOUTE • MÊLÉE RENCONTRE • RIF • RIFFE
Combat à cheval	JOUTE
Combat entre boxeurs aux poings gantés de cestes	PUGILAT
Combat entre deux personnes	DUEL
Combat, rencontre	MATCH
Combativité	PUGNACITÉ
Combattant	GUERRIER
Combattant appartenant à un maquis	MAQUISARD
Combattant palestinien	FEDAYIN
Combattant	BATTANT
Combattre	BAGARRER • BATAILLER • LUTTER
Combattre le taureau	TORÉER
Combattu	CONTRARIÉ
Combinaison	AMALGAME • DOSAGE • FUSION MANŒUVRE • MÉLANGE SALOPETTE • SYNERGIE
Combinaison de métaux	ALLIAGE
Combinaison de pièces fonctionnant ensemble	MECANISME
Combinaison d'un corps simple avec du carbure	CARBURE
Combinaison gazeuse d'azote et d'hydrogène	AMMONIAC
Combiné	MIXTE
Combiné avec l'hydrogène	HYDROGÉNÉ
Combine	MAGOUILLE • MANIGANCE TOUR • TRUC
Combiner avec de l'eau	HYDRATER
Combiner avec le soufre	SULFURER
Combiner avec l'oxygène	OXYDER
Combiner dans un alliage	ALLIER
Combiner	CONJUGUER • ÉLABORER MARIER • MÉLANGER • MÊLER OURDIR • RÉUNIR • TRAMER
Comble	BONDÉ • PLEIN
Comblé	RASSASIÉ • RAVI • SATISFAIT
Combler	ABREUVER • CONTENTER • EMPLIR EXAUCER • RASSASIER • REMPLIR

Combler, en ajoutant	SUPPLÉER
Combustible liquide	FIOUL
Combustible minéral	HOUILLE
Combustible provenant de végétaux en décomposition	TOURBE
Combustible qui alimente un moteur	CARBURANT
Combustion	CREMATION
Comédie	FARCE • PIÈCE
Comédien ambulant	BALADIN
Comédien	ACTEUR • CABOTIN
Comestible	ALIMENT • DENRÉE • MANGEABLE
Comète	ASTRE
Comique de cirque	CLOWN
Comique	AMUSANT • BOUFFE • DRÔLE HUMORISTE • RIGOLARD • RIGOLO
Comité International Olympique	CIO
Comm. De la Seine-Maritime	OISSEL
Comm. De l'Ain	BALAN
Comm. De l'Essonne, sur la Bièvre	IGNY
Comm. De Seine-et-Marne	AVON • LOGNES
Comm. Des Alpes-Maritimes	ÈZE
Comm. Des Deux-Sèvres	OIRON
Commandant d'équipage pour la chasse au loup	LOUVETIER
Commandant d'un régiment sous l'Ancien Régime	MESTRE
Commandant d'une force navale	AMIRAL
Commande	ORDRE
Commandement	SOMMATION • VA
Commander	DICTER • DIRIGER • DOMINER EXIGER • PILOTER • RÉGIR
Commanditer	FINANCER • PARRAINER
Comme (À l')	INSTAR
Comme	AINSI • TEL
Commémoration	CÉLÉBRATION • CÉRÉMONIE
Commémorer	FÊTER
Commençant	NOVICE
Commençant, novice	DÉBUTANT
Commencement de la ruine	DÉCADENCE
Commencement	AMORÇAGE • AMORCE • BERCEAU DÉBUT • ÉBAUCHE • NAISSANCE OUVERTURE • PRÉLUDE

Commencer	AMORCER • ATTAQUER DÉBUTER • DÉMARRER • PARTIR
Commencer à apparaître	NAÎTRE
Commencer à chanter un air	ENTONNER
Commencer à être diffusé	TRANSPIRER
Commencer à exister	NAÎTRE
Commencer à lire, apprendre	ÉPELER
Commencer à réaliser	AMORCER
Commencer à se développer	GERMER
Commencer sans exécuter jusqu'au bout	ÉBAUCHER
Commencer, esquisser	ÉBAUCHER
Commensalisme	SYMBIOSE
Commentaire malveillant	GLOSE
Commentaire qui exprime l'opinion d'un journaliste	ÉDITO
Commenter	ANNOTER • GLOSER
Commérage	CANCAN • PAPOTAGE • POTIN RACONTAR • RAGOT
Commerçant	MARCHAND • NÉGOCIANT
Commerçant de gros	GROSSISTE
Commerce	ÉCHANGE • FINANCE NÉGOCE • TRAFIC
Commerce charnel	PROSTITUTION
Commerce de la soie	SOIERIE
Commerce de l'argent et des titres fiduciaires	BANQUE
Commerce de livres	LIBRAIRIE
Commerce de produits d'entretien	DROGUERIE
Commerce de rubans	RUBANERIE
Commerce de toile	TOILERIE
Commerce de vieux objets hétéroclites	BROCANTE
Commerce d'images	IMAGERIE
Commerce du boulanger	BOULANGE
Commerce du brocanteur	BROCANTE
Commerce du drap	DRAPERIE
Commerce du fruitier	FRUITERIE
Commerce du gantier	GANTERIE
Commerce du tulle	TULLERIE
Commerce du vitrier	VITRERIE

Commerce en gros	GROSSERIE
Commercer	NÉGOCIER • TROQUER
Commérer	CANCANER
Commettre une faute	FAILLIR
Commettre une maladresse	GAFFER
Commettre	PERPÉTRER
Commis de la gabelle	GABELOU
Commisération	COMPASSION
Commissaire chargé d'une mission par le pape	ABLEGAT
Commissaire de police	CONDÉ
Commissaire	ABLEGAT
Commission	COMITÉ
Commission de la Santé et de la Sécurité au Travail	CSST
Commissionnaire	COURTIER • MESSAGER
Commissure	RIDULE
Commode	PRATIQUE
Commodité	CONFORT
Commuer la peine de quelqu'un	GRACIER
Commun	BANAL • COURANT • FREQUENT GÉNÉRAL • PUBLIC • UNANIME USÉ • USUEL
Communauté	CONFRERIE • CORPORATION COUVENT • ÉGLISE • SOCIÉTÉ
Communauté des Juifs	JUDAÏSME
Commune de Belgique	AALTER • ANS • ASSE • BALEN DOUR • EUPEN • EVERE • GEEL JETTE • LEDE • MANAGE • MEISE MOL • OLEN • RIEMST • SPA TEMSE • UCCLE • ZELE • ZEMST
Commune de la Gironde	ARÈS
Commune de la Haute-Vienne	ISLE
Commune de la Loire	UNIEUX
Commune de la Polynésie française	PAEA
Commune de l'Aisne	BOUÉ
Commune de l'Aude	ALET
Commune de l'Essonne	IGNY
Commune de l'Isère	AURIS
Commune de Nouvelle-Calédonie	THIO
Commune de Suisse	AIROLO • BEX • LITTAU • ONEX SIERRE • USTER • VERNIER • WIL

Commune de Suisse, sur le lac Léman	NYON
Commune de Vaucluse	TOR
Commune des Bouches-du-Rhône	AURIOL
Commune des Vosges	THAON
Commune du Calvados	IFS
Commune du Loiret	SARAN
Commune du Luxembourg	MAMER
Commune du Morbihan	BONO • CARNAC • ÉTEL
Commune du Nord	HEM • LEERS • NIEPPE
Commune du Nord, en Thiérache	ANOR
Communicatif	OUVERT
Communicatif, loquace	CAUSANT
Communication d'un secret	CONFIDENCE
Communiqué	BULLETIN • INFO • NOTE
Communiquer	ANNONCER • CORRESPONDRE
	TRANSMETTRE
Communiquer à quelqu'un	INFUSER
Commutation	SUBSTITUTION
Compact Disc	CD
Compagne	COPINE
Compagnie	CIE • SOCIÉTÉ
Compagnon	ACOLYTE • CAMARADE • COMPÈRE
Compagnon de Mahomet	AMR
Compagnon de saint Paul	TITE
Comparable	ANALOGUE • COMMUN
Comparaison	ALLÉGORIE • PARALLÈLE
Comparaître en justice	COMPAROIR
Comparant	COMPAROIR
Comparer	CONFRONTER
Compartiment cloisonné réservé à un cheval	STALLE
Compartiment creux d'un plafond	CAISSON
Compartiment d'un meuble	CASE • TIROIR
Compartiment	CASIER • CELLULE • STALLE
Compassion	APITOIEMENT • HUMANITÉ • PITIÉ
Compatissant	SENSIBLE
Compendium	EPITOME
Compenser	PONDERER • RACHETER
Compère	LURON
Compétence	CAPACITÉ

Compétent .... AVERTI • EXPERT
Compétiteur .... RIVAL
Compétition d'athlétisme
    regroupant dix épreuves .... DÉCATHLON
Compétition de motocyclisme .... ENDURO
Compétition d'embarcations
    à voile ou à avirons .... REGATE
Compétition réunissant
    amateurs et professionnels .... OPEN
Compétition sportive comportant
    dix épreuves .... DÉCATHLON
Compétition sportive .... TOURNOI
Compétition .... CHALLENGE • CONCOURS
                                      CONCURRENCE • RIVALITÉ
Complainte populaire .... GOUALANTE
Complaisance .... VANITÉ
Complaisant .... CONCILIANT • GENTIL • SERVIABLE
Complément .... CODICILLE
Complet .... COSTAR • COSTARD • ENTIER
                        INTÉGRAL • PLÉNIER • RADICAL
                                      REMPLI • TOTAL
Compléter .... SUPPLÉER
Complexité .... COMPLICATION
Complication .... ACCROC
Complice .... ACOLYTE • COMPÈRE • SUPPOT
Complicité .... COLLUSION • ENTENTE
Complicité, connivence .... COMPÉRAGE
Compliment .... ÉLOGE • LOUANGE
Complimenter .... FÉLICITER • FLATTER
Complimenteur .... FLATTEUR
Compliqué .... CONTOURNÉ • DIFFICILE
                          MÊLANT • TARABISCOTÉ
Complot .... ATTENTAT • CABALE
Comploter .... CABALER • CONSPIRER
Comportant des nœuds .... NODULAIRE
Comportement .... ALLURE • FAÇON
Comportement affectueux .... DOUCEUR
Comportement de snob .... SNOBISME
Comportement digne d'un bandit ...... GANGSTÉRISME
Comportement qui échappe
    aux règles admises .... DÉVIANCE

Comportement qui manque de simplicité . . . . CHICHI
Comportement volontairement trompeur . . . . FRIME
Comporter . . . . COMPOSER • CONTENIR
Composante . . . . COMPOSÉ • ÉLÉMENT
Composé d'aldéhydes et de cétones . . . . IMINE
Composé dans lequel le fer est bivalent . . . . FERREUX
Composé de deux éléments . . . . BINAIRE • BIPARTITE
Composé de deux partis politiques . . . . BIPARTITE
Composé de petits grains . . . . GRANULEUX
Composé de plantes . . . . VÉGÉTAL
Composé défini d'azote et d'un métal . . . . NITRURE
Composé dérivant de l'urée . . . . URÉIDE
Composé renfermant trois fontions alcool . . . . TRIALCOOL
Composé volatil . . . . ÉTHER
Composé . . . . MIXTE
Composer . . . . CONSISTER
Composer d'éléments différents . . . . PANACHER
Compositeur allemand né en 1873 . . . . REGER
Compositeur allemand . . . . BACH
Compositeur américain . . . . RILEY
Compositeur anglais . . . . PURCELL
Compositeur autrichien . . . . BERG
Compositeur belge . . . . ABSIL
Compositeur britannique mort en 1934 . . . . ELGAR
Compositeur de musique . . . . MAESTRO
Compositeur et organiste
    français né en 1911 . . . . ALAIN
Compositeur et violoniste
    français né en 1666 . . . . REBEL
Compositeur français mort en 1892 . . . . LALO
Compositeur français mort en 1924 . . . . FAURÉ
Compositeur français mort en 1925 . . . . SATIE
Compositeur français né en 1890 . . . . IBERT
Compositeur français né en 1905 . . . . JOLIVET
Compositeur français . . . . AUBER • AURIC • RAVEL
Compositeur italien mort en 1901 . . . . VERDI
Compositeur italien mort en 1969 . . . . ARRIGO
Compositeur italien né en 1924 . . . . NONO
Compositeur italien . . . . BERIO
Compositeur roumain né en 1881 . . . . . . ENESCO • ENESCU
Compositeur russe . . . . CUI

Compositeur suisse mort en 1974 . . . . MARTIN
Compositeur . . . . MUSICIEN
Composition à la linotype . . . . LINOTYPIE
Composition de plâtre . . . . STUC
Composition musicale . . . . DUO • FUGUE
PARTITION • SONATE

Composition musicale
de caractère improvisé . . . . RHAPSODIE
Composition musicale pour orchestre . . . . SYMPHONIE
Composition pour sept voix . . . . SEPTUOR
Composition . . . . CONSTITUTION • PRÉPARATION
RÉDACTION
Compositrice . . . . MUSICIENNE
Compost . . . . ENGRAIS
Compote . . . . CONFITURE
Compréhensible . . . . AUDIBLE
Compréhensif . . . . INDULGENT • TOLÉRANT
Compréhension . . . . RAISON
Compréhension soudaine et intuitive . . . . DÉCLIC
Comprenant . . . . INCLUSIF
Comprendre . . . . CONCEVOIR • CONSISTER
DÉCODER • ENTENDRE • PIGER
Compresser . . . . EMPILER
Compression . . . . RÉDUCTION
Comprimé destiné à
fondre sous la langue . . . . LINGUETTE
Comprimé médicamenteux . . . . PELLET
Comprimer . . . . CONDENSER • ÉCRASER
RÉSORBER • SERRER • TASSER
Compris . . . . INCLUS
Compromis . . . . CONCESSION • IMPLIQUÉ
Comptabilité . . . . BUDGET
Comptable public . . . . PAYEUR
Comptant . . . . CASH
Compte . . . . FACTURE
Compte des sommes dues par
une personne à une autre . . . . DÉBIT
Compte rendu . . . . ANALYSE • APERÇU
RAPPORT • REPORTAGE
Compte-gouttes . . . . PIPETTE
Compter . . . . RECENSER

Compter au total	TOTALISER
Compter de nouveau	RECOMPTER
Compter sur	TABLER
Compteur de taxi	TAXIMÈTRE
Compteur horokilométrique	TAXIMÈTRE
Comptoir où s'effectue le change	CHANGE
Comptoir	BAR
Comté d'Angleterre	ESSEX
Comte de Paris, puis roi de France	EUDE • EUDES
Con	CONARD • CONNARD
	COUILLON • VULVE
Conard	CONNEAU
Concassage	CASSAGE
Concasser	BROYER
Concasseur	EMOTTEUR
Concéder par amodiation	AMODIER
Concéder	ACCÉDER • ACCORDER • CÉDER
Concentration	ATTENTION • EFFORT
Concentration d'acide dans le plasma sanguin	ACIDOSE
Concentrer sur un point	FOCALISER
Concentrer	CENTRALISER • POLARISER
	RASSEMBLER
Concept	IDÉE
Concepteur	CRÉATEUR
Conception contraire aux idées admises	HÉRÉSIE
Conception	CRÉATION • THÉORIE
Conceptuel	IDÉEL
Conceptuelle	IDÉELLE
Concerner	INTÉRESSER • REGARDER • VISER
Concert donné à l'aube sous les fenêtres de quelqu'un	AUBADE
Concert donné la nuit	SÉRÉNADE
Concert	MUSIQUE • RECITAL
Concession minière	CLAIM
Concession	OCTROI
Concevoir	COGITER • COMPRENDRE
	CRÉER • IMAGINER • PROJETER
Concierge	PIPELET • PORTIER
Concierge d'un hôtel particulier	SUISSE

Concile	ASSEMBLÉE
Conciliant	ACCOMMODANT
Conciliateur	ARBITRE • MÉDIATEUR
Conciliation	MÉDIATION
Concis	LACONISME • LAPIDAIRE
Concis, laconique	SUCCINCT
Concise	BRÈVE
Concision dans le langage	BRIÈVETÉ
Concision	LACONISME
Concluant	DÉCISIF • PROBANT
Conclure	ACHEVER • INFÉRER
Conclure un pacte	PACTISER
Conclusion d'un morceau de musique	CODA
Conclusion	BOUQUET • CLÔTURE DÉNOUEMENT • MORALITÉ SOLUTION
Concomitant	ACCESSOIRE • SIMULTANE
Concordance	HARMONIE
Concordat	TRANSACTION
Concorder	COÏNCIDER • CORRESPONDRE
Concourir	CONTRIBUER • COLLABORER
Concours, compétition	TOURNOI
Concret	TANGIBLE
Concrétion calcaire de l'oreille	OTOLITHE
Concubine	COMPAGNE • MAÎTRESSE
Concurrencer	RIVALISER
Concurrent	CANDIDAT COMPÉTITEUR • ÉMULE
Concurrent qualifié pour une finale	FINALISTE
Condamnable	BLÂMABLE • COUPABLE DAMNABLE
Condamnation	ANATHEME • FOUDRES RÉPROBATION
Condamné aux travaux forcés	FORÇAT
Condamné	MURÉ
Condamner	CENSURER • DAMNER MAUDIRE • MURER • PUNIR
Condamner à l'enfer	DAMNER
Condensé	ABRÉGÉ • CONCENTRE CONCRET • RÉSUMÉ

Condenser .... RÉSUMER
Condescendant .... AVENANT • COMPLAISANT
Condescendre .... DAIGNER
Condiment .... MOUTARDE • POIVRE • VINAIGRE
Condition .... CLAUSE • ÉTAT • SORT
Condition dans un contrat .... CLAUSE
Condition de Juif .... JUDAÏTE
Condition d'ilote .... ILOTISME
Condition du colon
    romain ou médiéval .... COLONAT
Conditionner .... ENSACHER
Conditionneur .... CLIMATISEUR
Condom .... CAPOTE
Conducteur .... COCHER • PILOTE
Conducteur aérien destiné à
    capter les ondes .... ANTENNE
Conducteur au service de la
    poste aux chevaux .... POSTILLON
Conducteur commun à
    plusieurs circuits .... BUS
Conducteur d'ânes .... ÂNIER
Conducteur de chameaux,
    de dromadaires .... CHAMELIER
Conducteur de chariot automoteur .... CARISTE
Conducteur de gabarres .... GABARRIER
Conducteur d'engin de manutention .... CARISTE
Conducteur des messages nerveux .... NERF
Conducteur d'un éléphant .... CORNAC
Conducteur d'un métier à filer .... FILEUR
Conducteur d'un tramway électrique .... WATTMAN
Conducteur d'une pirogue .... PIROGUIER
Conducteur professionnel .... CHAUFFEUR
Conducteur, conductrice d'automobile .... CHAUFFEUR
Conductrice d'un métier à filer .... FILEUSE
Conduire .... ACCOMPAGNER • AMENER
                        DIRIGER • ESCORTER • GÉRER
                                    GUIDER • MENER
Conduire quelqu'un, lui servir de guide .... CORNAQUER
Conduire une enquête .... ENQUÊTER
Conduit amenant l'air de
    la trachée aux poumons .... BRONCHE

Conduit de pierres sèches	PIERRÉE
Conduit d'écoulement des eaux	GOULOTTE
Conduit ménagé dans un moule de fonderie	ÉVENT
Conduit qui recueille les eaux d'un toit	CHENEAU
Conduit souterrain	DRAIN
Conduit	ABOUTI • BOYAU • ÉGOUT
Conduit, tuyau	BUSE
Conduite en caoutchouc	DURIT
Conduite extravagante	DÉMENCE
Conduite	BOISSEAU • GESTION MORALITÉ • PILOTAGE
Conduite, administration	DIRECTION
Cône servant à égoutter les bouteilles	IF
Confection d'ouvrages en fer	SERRURERIE
Confectionner	FAÇONNER
Conférence	CONGRÈS
Conférencier	ORATEUR
Conférencière	ORATRICE
Conférer la tonsure	TONSURER
Conférer un titre de noblesse	ANOBLIR
Confesser	DÉBALLER
Confession publique	COULPE
Confession	AVEU
Confiance en soi	APLOMB
Confiance	ESPÉRANCE • SÉCURITÉ
Confiant	OPTIMISTE • SÛR
Confiante	NAÏVE
Confidentiel	SECRET
Confier	LIVRER
Confier une responsabilité	DELEGUER
Configuration	GÉOMETRIE
Confiner	RELÉGUER
Confirmé	EPROUVE
Confirmer	AUTORISER • CORROBORER ENTÉRINER • RATIFIER
Confirmer, rendre plus solide	CONFORTER
Confiscation	MAINMISE • SAISIE
Confiserie	BONBON • DRAGÉE NOUGATINE • ROUDOUDOU
Confiserie au sirop d'érable	TIRE

Congédier	CHASSER • DESTITUER • LICENCIER REMERCIER • RENVOYER
Congeler	GLACER • SURGELER
Congénère	SEMBLABLE
Congénital	INNÉ
Congestion et inflammation du pied du cheval	FOURBURE
Congestion	STASE
Conglomérat	AGREGAT
Congratulation	COMPLIMENT
Congratuler	APPLAUDIR • FÉLICITER
Congre	ANGUILLE
Congréganiste	RECOLLET
Congrès scientifique réunissant des spécialistes	SYMPOSIUM
Congrès	ASSISES
Conifère à gros tronc conique	ÉPICÉA
Conifère apparenté au sapin	PRUCHE
Conifère fusiforme au feuillage persistant	CYPRÈS
Conifère voisin du sapin	PRUCHE
Conifère	CÈDRE • IF • PIN • SAPIN
Conjecture	HYPOTHÈSE
Conjecturer	AUGURER • PREJUGER
Conjoint	ÉPOUX • MARI
Conjointe	ÉPOUSE
Conjonction	CAR • DONC • ET • MAIS NI • OR • OU • SI • SINON
Conjoncture	CIRCONSTANCE • OCCURRENCE
Conjugaison	SYNERGIE
Conjuration	COMPLOT
Conjurer	ADJURER • IMPLORER • SUPPLIER
Connaissance	BAGAGES • COGNITION SAVOIR • SCIENCE
Connaissance élémentaire	NOTION
Connaissance suprême des mystères de la religion	GNOSE
Connaissances	BAGAGE
Connaisseur	AMATEUR • COMPÉTENT
Connaître	POSSÉDER • SAVOIR
Connarde	CONNASSE

Connerie . . . . ÂNERIE
Connexion d'une chose avec une autre . . . . COHÉRENCE
Connexion . . . . ADHÉRENCE
Connivence . . . . COLLUSION • COMPLICITÉ
Connu . . . . APPRIS • NOTOIRE
RÉPANDU • RÉPUTÉ
Conquérant espagnol du Mexique . . . . CORTÉS
Conquérant . . . . GAGNEUR
Conquérir . . . . ENVAHIR
Conquête . . . . PRISE • VICTOIRE
Conquis . . . . SÉDUIT
Conquistador espagnol . . . . SOTO
Consacré . . . . BÉNI • SAINT
Consacrer par ordination . . . . ORDONNER
Consacrer . . . . BÉNIR • DÉDIER • DÉVOUER
SANCTIFIER • VOUER
Conscience . . . . ÂME • CONNAISSANCE
Consciencieuse . . . . TRAVAILLEUSE
Conscient . . . . DÉLIBÉRÉ
Conscrit, adepte . . . . RECRUE
Consécutif à une carence . . . . CARENTIEL
Conseil souverain de la
Rome antique . . . . SÉNAT
Conseil . . . . SUGGESTION
Conseiller . . . . AVISER • CONFIDENT • INSINUER
PRESCRIRE • SUGGÉRER
Conseiller attentif . . . . MENTOR
Conseiller municipal . . . . ÉCHEVIN • ÉDILE
Consentement . . . . ACCEPTATION • AGRÉMENT
ASSENTIMENT • APPROBATION
AUTORISATION
Consentir . . . . ACCÉDER • CÉDER • DAIGNER
PERMETTRE • SOUSCRIRE
Conséquence . . . . EFFET • RÉSULTAT
Conséquence plus ou moins
directe de quelque chose . . . . INCIDENCE
Conservation . . . . ENTRETIEN • GARDE • MAINTIEN
Conservatoire . . . . ÉCOLE
Conservé dans de la graisse . . . . CONFIT
Conservé dans la saumure . . . . MARINÉ
Conservé par congélation . . . . CONGELÉ

Conserver	GARDER • MAINTENIR • PRÉSERVER
Conserves	CANNAGE
Considérable	ÉNORME • NOMBREUSE
Considération	DÉFÉRENCE • ÉGARD
	ESTIME • FAVEUR • RÉPUTATION
Considéré	VU
Considérer	PESERRE • GARDER
Considérer à part	ISOLER
Considérer attentivement	CONTEMPLER
Considérer avec attention	EXAMINER
Considérer avec étonnement	ADMIRER
Consignataire	DEBITRICE
Consignation	DÉPÔT • GARANTIE
Consigne	DIRECTIVE • ORDRE
Consistance	DURETÉ • SOLIDITÉ
Consistant	RÉSISTANT
Consœur	COLLÈGUE
Consolant	RÉCONFORTANT
Consolation	COMPENSATION • RÉCONFORT
Consoler	RÉCONFORTER
Consolider	AFFERMIR • CIMENTER
	FORTIFIER • RENFORCER
Consommateur	CLIENT • UTILISATEUR
Consommation	USAGE
Consommer une cigarette	FUMER
Consommer	ABSORBER • BOUFFER
	MANGER • USER
Consonance	UNISSON
Consortium	POOL • SYNDICAT
Conspiration	CABALE • COMPLOT
Conspuer	HONNIR • HUER
Constance	CONTINUITÉ • OBSTINATION
	PATIENCE
Constant	CONTINU • PERMANENT
	PERSISTANT • SOUTENU • STABLE
Constater	NOTER • VÉRIFIER • VOIR
Constellation	POISSONS
Constellé	RECOUVERT
Consteller	ETOILER
Consternant	BOULEVERSANT • DÉSOLANT
	NAVRANT

Consternation	DÉSOLATION
Consterné	ATTERRÉ • DÉSOLÉ • NAVRÉ
Consterner	AFFLIGER • ATTERRER • ATTRISTER DÉSOLER • NAVRER • STUPÉFIER
Constituer une présence menaçante	PLANER
Constituer	COMPOSER • ÊTRE • FORMER REPRÉSENTER
Constructeur	FAISEUR
Construction	BÂTIMENT • ÉRECTION
Construction en hauteur	TOUR
Construction funéraire	CISTE
Construction pontée	NAVIRE
Construction provisoire en planches	BARAQUE
Construction rurale de forme conique	TRULLO
Construction semi-circulaire à gradins	HÉMICYCLE
Construction syntaxique erronée	SOLÉCISME
Construire avec du béton	BÉTONNER
Construire conformément à un gabarit	GABARIER
Construire en briques	BRIQUETER
Construire en maçonnerie	MAÇONNER
Construire un nid	NIDIFIER
Construire	ÉDIFIER • ÉRIGER
Consultant	AUDIT
Consulter	BOUQUINER • COMPULSER
Consumer	BRÛLER
Contact	RENCONTRE
Contagion	ÉPIDÉMIE
Contamination	CONTAGION • POLLUTION
Contaminé	SEPTIQUE
Conte	FABLE • HISTOIRE LÉGENDE • NOUVELLE
Conte satirique en vers	FABLIAU
Contemplation	EXTASE
Contempler avec admiration	ADMIRER
Contenance	CAPACITÉ • CUBAGE
Contenant	RÉCIPIENT • SAC
Contenant de la houille	HOUILLER
Contenir	COMPORTER • COMPRENDRE POSSÉDER • RENFERMER • REFRÉNER
Contenir, refréner	BRIDER
Content	RÉJOUI • SATISFAIT • SOÛL

Contentement	FIERTÉ • PLAISIR
Contentement intérieur	FÉLICITÉ
Contenter	ASSOUVIR • RASSASIER • SATISFAIRE
Contenu	COMPRIS • FOND • INCLUS
Contenu d'un bol	BOLÉE
Contenu d'un carafon	CARAFON
Contenu d'un pot	POTÉE
Contenu d'un verre plein à ras bords	RASADE
Contenu d'une assiette	ASSIETTE • ASSIETTÉE
Contenu d'une cuve	CUVÉE
Contenu d'une pelle	PELLETÉE
Contenu d'une poêle	POÊLÉE
Contenu exact	TENEUR
Conter	NARRER • RELATER
Contestation	LITIGE • OBJECTION • OPPOSITION
Contesté	CONTROVERSÉ
Contester	DECOUDRE • DÉNIER DISCUTER • NIER • REFUSER
Conteur	NARRATEUR • RACONTEUR
Contient	RENFERME
Contigu	ADJACENT • ATTENANT
Continent disparu	ATLANTIDE
Continent	AMERIQUE • ASIE EUROPE • OCÉANIE • TEMPÉRANT
Contingent	QUOTA
Contingenter	RATIONNER
Continu	CONTINUEL
Continuateur	HÉRITIER
Continue	CONTINUELLE
Continuel	CONTINU • ÉTERNEL • PERPÉTUEL
Continuelle	PERPÉTUELLE
Continuellement	TOUJOURS
Continuer (Se)	PROLONGER
Continuer longtemps	PERDURER
Continuer	PERPÉTUER • PROLONGER
Continuité	CONTINUATION
Contour découpé	DÉCOUPURE
Contour d'une figure plane	PÉRIMÈTRE
Contour harmonieux	GALBE
Contour	FORME • PÉRIPHÉRIE POURTOUR • PROFIL

Contourner .... ESCAMOTER • ÉVITER • TOURNER
Contraceptif oral .... PILULE
Contracté par le mécontentement .... RENFROGNE
Contracté .... NOUÉ • TENDU
Contracter .... CRISPER • RÉTRÉCIR
Contraction brève d'un muscle .... CLONIE
Contraction brusque
    du diaphragme .... HOQUET
Contraction de la voyelle .... CRASE
Contraction de syllabes .... CRASE
Contraction douloureuse .... CRAMPE
Contraction du cœur .... SYSTOLE
Contraction spasmodique
    du diaphragme .... SANGLOT
Contraction .... TENSION • SERREMENT • STRICTION
Contradicteur .... DEBATTEUR • OPPOSANT
Contradiction .... CONTESTATION • DÉMENTI
                        PARADOXAL • PARADOXE
Contradictoire .... CONTRAIRE
Contraindre par la force .... ASSERVIR • OBLIGER
                        RÉDUIRE • VIOLENTER
Contraindre .... ACCULER • BRUSQUER
Contrainte .... JOUG • PRESSION
Contrainte, esclavage .... SERVITUDE
Contraire .... ADVERSE • ANTIPODE
                ANTONYME • CONTRE • OPPOSÉ
Contraire à la bienséance .... INCIVIL
Contraire à la logique .... ILLOGIQUE
Contraire à la raison .... ABSURDE
Contraire à l'amitié .... INAMICAL
Contraire aux lois .... ILLÉGAL
Contralto .... ALTO
Contrariant .... CHIANT • FÂCHANT
Contrarié .... FÂCHÉ • MÉCONTENT
Contrarier fortement .... EMBÊTER
Contrarier .... DÉPITER • ENNUYER
                FÂCHER • IRRITER • OPPOSER
Contraste .... DISPARITÉ
Contraster .... TRANCHER • DETONNER
Contrat de location .... BAIL

Contrat . . . . ACTE
Contravention . . . . AMENDE
Contre . . . . POUR
Contre-attaquer . . . . RIPOSTER
Contrebalancer . . . . COMPENSER
Contrebassiste . . . . BASSISTE
Contrecarrer . . . . CONTRARIER • DÉJOUER
NEUTRALISER
Contrecoup . . . . RÉPERCUSSION • RETOUR
Contredanse . . . . QUADRILLE
Contredire . . . . DÉDIRE • DÉMENTIR
Contrée . . . . RÉGION
Contrée balkanique
de l'Europe ancienne . . . . MÉSIE
Contrée occidentale . . . . AMERIQUE
Contrée située dans le
Grand Caucase . . . . OSSÉTIE
Contrefaçon . . . . TRUCAGE
Contrefacteur . . . . PLAGIAIRE • FAUSSAIRE
Contrefaire . . . . FALSIFIER • SINGER
Contrefait . . . . ARTIFICIEL • DIFFORME
Contrefort . . . . BUTEE
Contremaître d'un atelier
d'imprimerie au plomb . . . . PROTE
Contrepartie . . . . PENDANT • REVANCHE
Contre-poil d'une étoffe . . . . REBOURS
Contrepoison . . . . ANTIDOTE
Contre-réaction . . . . RÉTROACTION
Contretemps . . . . COMPLICATION • CONTRARIÉTÉ
Contrevenant . . . . VIOLATEUR
Contrevenir . . . . DÉSOBÉIR • DÉROGER • PÉCHER
Contrevent . . . . VOLET • PERSIENNE
Contrevérité . . . . MENSONGE
Contribuable . . . . CORVEABLE
Contribuer . . . . APPORTER • COLLABORER
COOPÉRER • COTISER • PARTICIPER
Contribuer à . . . . CONCOURIR
Contribution forcée . . . . TRIBUT
Contribution positive de quelqu'un . . . . APPORT
Contribution . . . . COTISATION • PART • TAXE
Contrit . . . . MARRI • PÉNITENT • REPENTANT

Contrition	REMORDS
Contrôle minutieux	FILTRAGE
Contrôle	MAÎTRISE
Contrôler	TESTER • VÉRIFIER
Contrôleur	VERIFIEUR
Contrordre	CONTRAVIS
Controverser	CONTESTER
Contusionné	CONTUS
Contusionner	MEURTRIR
Convaincant	CONCIS • CONCLUANT • PERSUASIF
Convaincre	PERSUADER
Convaincu	CERTAIN
Convenable	ACCEPTABLE • ADÉQUAT • CONGRU DÉCENT • DIGNE • HONNÊTE OPPORTUN • SÉANT • SEYANT • VRAI
Convenable, approprié	IDOINE
Convenablement	DECEMMENT • DUMENT
Convenance	BIENSÉANCE • GRÉ MODE • PERTINENCE
Convenance logique des idées entre elles	COHÉRENCE
Convenir	ACCORDER • AGRÉER PLAIRE • SEOIR • SOURIRE
Convention conclue entre belligérants	ARMISTICE
Convention de location	BAIL
Convention	CLAUSE • CONTRAT • ENTENTE MARCHÉ • RÈGLE • TRAITÉ
Convenu	ENTENDU
Convergence	CONCORDANCE
Conversation	CAUSERIE • DIALOGUE DISCOURS • ENTRETIEN
Converser	PARLER • DEVISER
Converti en malt	MALTE
Convertir à l'islam	ISLAMISER
Convertir en tissu osseux	OSSIFIER
Convertir une céréale en malt	MALTER
Convexité	BOMBEMENT
Conviction	ASSURANCE • FOI • PERSUASION
Convier	EXHORTER • INDUIRE
Convive	INVITÉ

Convivialité	FACILITÉ
Convocation	INDICTION
Convoiter	DÉSIRER • ENVIER RELUQUER • RÊVER
Convoitise	DÉSIR • ENVIE
Convoler (Se)	MARIER
Convoqué	CITÉ
Convoquer	MANDER
Convoquer en justice	CITER
Convoyer	ESCORTER
Convulsion	CONTORSION • SPASME
Coopérateur	COOPERANT
Coopératif	COOPERANT
Coopérative, dans l'ancienne Russie	ARTEL
Coopérer	COLLABORER
Coordonné	ASSORTI
Coordonnée horizontale qui sert à définir un point	ABSCISSE
Coordonner	ENCHAÎNER
Copain	AMI • CAMARADE COMPAGNON • POTE
Copiage	IMITATION
Copie à l'aide d'un papier transparent	CALQUE
Copie conforme d'un acte	EXTRAIT
Copie conforme	CLONE • DUPLICATA
Copie d'un ordinateur	CLONE
Copie exacte	DOUBLE
Copie	PASTICHE • PLAGIAT
Copié	REPRODUIT
Copiée	REPRODUITE
Copier	IMITER • PASTICHERRE • PRODUIRE
Copier un enregistrement	REPIQUER
Copier une œuvre	PLAGIER
Copieuse	GÉNÉREUSE • PLANTUREUSE
Copieusement	ABONDAMMENT • RICHEMENT
Copieux	ABONDANT • GÉNÉREUX
Copiste	SCRIBE
Coprah	COPRA
Copulation	COÏT
Copuler	FORNIQUER

Coq castré	CHAPON
Coq de bruyère d'Écosse	GROUSE
Coq de bruyère	TÉTRAS
Coque	COQUILLE • ECALURE
Coquelet	COCHET
Coquet	CHARMANT • GANDIN
	MIGNON • PIMPANT
Coquette	MIGNONNE
Coquillage comestible appelé aussi vigneau	BIGORNEAU
Coquillage du groupe des porcelaines	CAURI
Coquille	COQUE • ÉCAILLE
Coquin	BÉLÎTRE • CANAILLE
	ESPIÈGLE • FRIPON
Coquin, drôle	MARAUD
Coquine	POLISSONNE
Cor de chasse	HUCHET
Cor d'ivoire des chevaliers au Moyen-Age	OLIPHANT
Cor qui termine la tête d'un cerf	ÉPOI
Cor	DURILLON
Corbeille d'argent	ALYSSE
Corbeille servant de berceau	COUFFIN
Corbeille	PANIER
Corbillard	FOURGON
Cordage	AMARRE • DRISSE
	DROSSE • HAUBAN
Cordage destiné à serrer les voiles	CARGUE
Cordage dont on entoure les fardeaux pour les soulever	ÉLINGUE
Cordage en chanvre	FILIN
Cordage formé de fils de caret	BITORD
Cordage muni d'un nœud	LAGUIS
Cordage ou filin non goudronné	FUNIN
Cordage pour le remorquage d'un navire	GRELIN
Cordage qui renforce une poulie	GERSEAU
Cordage qui sert à hisser une voile	DRISSE
Cordage qui soutient une ancre	CRAVATE
Cordage reliant une ancre à la bouée	ORIN
Cordage servant à carguer les voiles	CARGUE
Cordage servant à lier	LIURE
Cordage servant à retenir une voile	AMURE

Cordage terminé par un
nœud de chaise . . . . AGUI
Cordages nécessaires pour
gréer un bâtiment . . . . GREEMENT
Corde à linge . . . . SECHOIR
Corde attachant ensemble
les pouces d'un prisonniers . . . . POUCETTES
Corde avec laquelle on
pendait les criminels . . . . HART
Corde mince . . . . FICELLE
Corde pour suspendre la viande
dans une boucherie . . . . PENDOIR
Corde . . . . AMARRE • CÂBLE
Cordeau servant à tracer des cercles . . . . SIMBLEAU
Cordelière . . . . CORDONNET
Corder . . . . HAUBANER
Cordial . . . . AMICAL
Cordon . . . . GANSE • RANG
Cordon étroit . . . . LACET
Cordon littoral . . . . LIDO
Cordon plat fait de fils entrelacés . . . . TRESSE
Cordonner . . . . CORDER • TRESSER
Cordonnet étroit . . . . GANSE
Cordonnier . . . . SAVETIER
Cordons tordus en hélice . . . . TORSADE
Cornard . . . . COCU
Corneille à bec étroit . . . . FREUX
Cornemuse . . . . MUSETTE
Cornemuse bretonne . . . . BINIOU
Corner . . . . KLAXONNER
Cornet . . . . CORNE • HUCHET
Cornu . . . . ENCORNÉ
Corporel . . . . CHARNEL • MATÉRIEL • PHYSIQUE
Corporelle . . . . CHARNELLE • MATÉRIELLE
Corps céleste du système solaire . . . . PLANÈTE
Corps céleste lumineux . . . . MÉTÉORE
Corps céleste . . . . ASTRE • PLANÈTE • SATELLITE
Corps d'armée . . . . LÉGION
Corps de certains chapiteaux . . . . ÉCHINE
Corps de police spécialisé dans
un domaine particulier . . . . BRIGADE

Corps des notaires . . . . NOTARIAT
Corps d'individus unis par un
    lien quelconque . . . . CONFRERIE
Corps d'infanterie romaine . . . . COHORTE
Corps embaumé . . . . MOMIE
Corps flottant . . . . BOUÉE
Corps gras alimentaire . . . . BEURRE
Corps gras dont on enduit
    la semelle des skis . . . . FART
Corps gras d'origine animale
    ou végétale . . . . GRAISSE • LIPIDE
Corps gras servant à frire . . . . FRITURE
Corps humain dévêtu . . . . NUDITÉ
Corps inorganique . . . . MINÉRAL
Corps lancé par une arme . . . . PROJECTILE
Corps noir et visqueux issu
    de la distillation
de produits organiques . . . . GOUDRON
Corps obtenu à partir de l'urée . . . . URÉIDE
Corps pesant . . . . LEST
Corps simple de la famille
    des halogènes . . . . IODE
Corps simple gazeux
    extrêmement léger . . . . HYDROGÈNE
Corps simple gazeux . . . . FLUOR • OZONE
Corps simple répandu dans
    les corps vivants . . . . CARBONE
Corps simple . . . . MÉTAL
Corps sphérique . . . . BOULE • GLOBE
Corpulent . . . . GROS
Corpuscule reproducteur de
nombreuses espèces végétales . . . . SPORE
Correct . . . . CONVENABLE • MORAL
                                      NORMAL • PROPRE
Correcte . . . . BONNE
Correction . . . . AMENDEMENT • FESSÉE
                                      RACLÉE • RÉVISION
Correction . . . . ROULEE
Correspondre . . . . CONCORDER • CONVENIR
Corrida . . . . RODÉO
Corridor . . . . COULOIR • PASSAGE

Corriger à coups de fouet . . . . FUSTIGER
Corriger . . . . AMÉLIORER • AMENDER • CHÂTIER
COMPENSER • FESSER • RECTIFIER
RÉFORMER • REMANIER • RÉVISER
Corroborer . . . . CONFIRMER
Corrodant . . . . CAUSTIQUE
Corrompre l'air . . . . VICIER
Corrompre . . . . AIGRIR • POURRIR
SOUDOYER • SOUILLER
Corrompre, vicier . . . . GANGRENER
Corrompu . . . . DISSOLU • IMMORAL • IMPUR
PERVERS • PERVERTI • POURRI
TARÉ • VENDU • VICIÉ • VICIEUX
Corrosion . . . . ÉROSION • RONGEMENT
Corroyeur . . . . HABILLEUR
Corruption morale . . . . POURRITURE
Corruption . . . . GANGRÈNE • IMPURETÉ
MALVERSATION • SOUILLURE
VENALITE
Corsage droit . . . . CARACO
Corsage sans bretelles . . . . BUSTIER
Corsage . . . . CHEMISIER
Corsaire . . . . PIRATE
Cortège . . . . CAVALCADE • CONVOI
DÉFILÉ • RIBAMBELLE • SUITE
Corticale . . . . CORTEX
Corvée . . . . BESOGNE
Coryza . . . . RHINITE
Cosmique . . . . SPATIAL
Cosmos . . . . MONDE
Cossard . . . . FEIGNANT
Cossu . . . . RICHE
Costaud . . . . FORTICHE • MALABAR • ROBUSTE
Costume de bal masqué . . . . DOMINO
Costume d'homme . . . . COSTAR • COSTARD
Costume féminin, en Inde . . . . SARI
Costume habillé d'homme . . . . SMOKING
Costume . . . . HABIT • TENUE
TAILLEUR • VÊTEMENT
Costumer . . . . DÉGUISER
Côte . . . . BORD • RIVAGE • RAIDILLON

Côte abrupte au-dessus de la mer . . . . FALAISE
Côte comestible des feuilles de cardon . . . . CARDE
Côté de la montagne,
  au-dessus du skieur . . . . AMONT
Côté de la rivière . . . . RIVE
Côte des animaux de boucherie
  de taille moyenne . . . . CÔTELETTE
Côté d'où un bateau reçoit le vent . . . . AMURE
Côté droit d'un navire en
  regardant vers l'avant . . . . TRIBORD
Côté droit . . . . DROITE
Côté du front . . . . TEMPE
Côté du navire frappé par le vent . . . . LOF
Côté effilé d'un instrument coupant . . . . TRANCHANT
Côte humaine . . . . CÔTELETTE
Côté secret d'une chose . . . . COULISSE
Cote . . . . BOURSE
Coterie . . . . LOBBY • MAFFIA
Cotisation . . . . CONTRIBUTION
Coton très fin . . . . PERCALE
Coton . . . . OUATE
Côtoyer . . . . APPROCHER • LONGER
Cou, gorge . . . . KIKI
Couard . . . . CAPON
Couchant . . . . OCCIDENT
Couche de glace . . . . GIVRE • VERGLAS
Couche de pierres concassées
  maintenant les traverses
  d'une voie ferrée . . . . BALLAST
Couche intermédiaire de
  l'écorce terrestre . . . . SIMA
Couche poudreuse qui recouvre
  certains fruits . . . . PRUINE
Couche profonde de la peau . . . . DERME
Couche profonde de la personnalité . . . . ABYSSE
Couche superficielle du globe terrestre . . . . SIAL
Couche tendre au milieu d'une roche . . . . MOIE
Couche . . . . CROÛTE • STRATE
Couché . . . . ÉTENDU
Coucher hors de chez soi . . . . DÉCOUCHER
Coucher tout du long . . . . ÉTENDRE

Coude de la crosse d'un fusil	BUSC
Coudoyer	COTOYER
Coudre avec un point de surjet	SURJETER
Coudre en surjet	SURJETER
Coudre	SUTURER
Couette	CADENETTE • ÉDREDON
Couffin	MOÏSE
Cougouar	COUGUAR
Couguar	PUMA
Couillon	BÉBÊTE
Coulant	ACCOMMODANT
	CONCILIANT • FLUIDE
Couler	ÉCOULERSOMBRER
Couler en abondance vers	AFFLUER
Couler goutte à goutte	GOUTTER
Couler, en parlant de l'eau	FLUER
Couler, se répandre sans arrêt	RUISSELER
Couleur bleu d'azur	OUTREMER
Couleur bleu foncé légèrement violacé	INDIGO
Couleur bleue tirée de l'indigo	INDE
Couleur brun clair	CAFÉ
Couleur brun jaunâtre	BISTRE
Couleur de cendre, gris ou bleuté	CENDRÉ
Couleur de chair	CARNÉ
Couleur de châtaigne	CHÂTAIGNE
Couleur de la peau foncée	BRONZAGE
Couleur de l'ébène	NOIR
Couleur de plomb	PLOMBÉ
Couleur dorée du pain	GRIGNE
Couleur d'un beau bleu clair	AZUR
Couleur d'un brun orangé	OCRE
Couleur d'un rouge éclatant	ÉCARLATE
Couleur d'une personne	PÂLEUR
Couleur entre le roux et le noir	BRUN
Couleur jaune orangé très doux	ABRICOT
Couleur rose vif	GROSEILLE
Couleur rose, rosée	ROSEUR
Couleur rouge bordeaux	AMARANTE
Couleur rousse	ROUSSEUR
Couleur violet pâle	MAUVE
Couleur violette	VIOLET

Couleur	BLEU • ROUGE • TON VERT • VIOLET
Couleur, teinte	COLORIS
Coulis d'ail pilé	AÏOLI
Coulissant	COULANT
Coulisser	GLISSER
Coulisses, au théâtre	CANTONADE
Couloir	CORRIDOR
Coup	CHOC • GNON HEURT • RAMPONEAU
Coup au visage	TALMOUSE
Coup brusque	BOURRADE
Coup de filet	CAPTURE
Coup de fusil	TIR
Coup de soleil	ACTINITE
Coup d'État	PUTSCH
Coup d'œil	APERÇU • REGARD
Coup donné avec la main	TAPE
Coup donné sur la joue	GIFLE
Coup droit, à la boxe	DIRECT
Coup droit, au tennis	DRIVE
Coup frappé dans les arts martiaux	ATÉMI
Coup porté avec une partie du corps	ATÉMI
Coup violent au volley-ball	SMASH
Coup, au golf	DRIVE
Coup, au tennis	LIFT • LOB
Coup, aux échecs	PAT
Coup, gnon	JETON
Coupable	FAUTIF
Coupant	AIGU
Coupe de cheveux	AFRO
Coupe des foins	FENAISON
Coupé en petits morceaux	HACHÉ
Coupé en tranches minces	ÉMINCÉ
Coupe	ABATTAGE • JATTE VASQUE • VERRE
Coupe-papier servant de signet	LISEUSE
Couper à ras	TONDRE
Couper au ras de la peau	RASER
Couper avec une lame tranchante	SCIER
Couper du bois	BÛCHER

Couper en incisant . . . . ENTAMER
Couper en tranches minces . . . . ÉMINCER
Couper la cime d'un arbre . . . . ÉTÊTER
Couper la partie supérieure d'un arbre . . . . ÉCIMER
Couper le bout de . . . . ÉBOUTER
Couper les cheveux en quatre . . . . PINAILLER
Couper un arbuste près de la terre . . . . RECÉPER
Couper . . . . AMPUTER • BALAFRER
CENSURER • DÉPECER • EXCISER
FAUCHER • HACHER • INCISER
PARTAGER • TAILLER
Couper, amasser du fourrage . . . . FOURRAGER
Couper, épurer . . . . EXPURGER
Couperet . . . . HACHOIR
Couperose . . . . ACNÉ • SULFATE
Coupes les branches inutiles d'un arbre . . . . EMONDES
Couple de deux idées complémentaires . . . . DYADE
Couple de deux idées . . . . DYADE
Couple . . . . DEUX • PAIRE
Couplet de music-hall . . . . LYRIC
Couplet de trois vers . . . . TERCET
Couplet lyrique composé de
deux vers inégaux . . . . ÉPODE
Coupole . . . . DÔME
Coupole, dôme . . . . BULBE
Coupon . . . . BILLET
Coups donnés sur les fesses . . . . FESSÉE
Coupure . . . . ENTAILLE • PLAIE
Coupure allongée . . . . INCISION
Cour bordée de portiques . . . . ATRIUM
Cour intérieure à ciel ouvert . . . . PATIO
Cour intérieure de la maison romaine . . . . ATRIUM
Cour intérieure d'un cloître . . . . PRÉAU
Cour . . . . TRIBUNAL
Courage pour supporter la douleur . . . . STOÏCISME
Courage . . . . AUDACE • BRAVOURE • CŒUR
CRAN • VERTU • VAILLANCE
Courageusement . . . . CRÂNEMENT
Courageux . . . . BRAVE • HARDI • VAILLANT
Courant d'eau pour un moulin . . . . CHENAL
Courant électrique . . . . JUS

Courant marin	RAZ
Courant	BANAL • COURS • ORDINAIRE RÉPANDU • USITÉ • USUEL
Courante	USUELLE
Courbatu	MOULU
Courbaturé	COURBATU
Courbe qui tourne autour d'un axe	SPIRALE
Courbe	ARC • COUDE • DÉTOUR ONDULEUX • SINUOSITÉ
Courbé	CROCHU • PROSTERNÉ • VOÛTÉ
Courber à son extrémité	RECOURBER
Courber en arc	ARQUER
Courber par le bout	RECOURBER
Courber	CAMBRER • COUDER • FLÉCHIR INCLINER • INCURVER • INFLÉCHIR PENCHER • PLOYER • VOÛTER
Courber, déformer	DÉJETER
Courbure de la colonne vertébrale	LORDOSE
Courbure en arc	ARCURE
Courbure	ARCEAU
Coureur automobile brésilien	SENNA
Coureur automobile français né en 1955	PROST
Coureur des bois	TRAPPEUR
Coureur qui part	PARTANT
Coureur	PISTARD
Courir après	POURCHASSER
Courir très vite	GALOPER
Courir	CIRCULER • TROTTER
Couronne	JAQUETTE
Couronnement	BOUQUET
Courrier	ENVOI
Courroie	LANIÈRE • RÊNE
Courroie garnie de plomb	CESTE
Courroie passée autour du cou d'une bête de somme	LICOL
Courroie pour attacher un cheval	LONGE
Courroie qui passe sous le menton	JUGULAIRE
Courroucé	EXASPÉRÉ • FURIBARD • IRRITÉ
Courroux	FUREUR
Cours d'eau	FLEUVE • GAVE • RIVIÈRE

Cours d'eau à forte pente	TORRENT
Cours d'eau artificiel	CANAL
Cours d'eau de montagne impétueux	TORRENT
Cours	LEÇON
Course à courre simulée	DRAG
Course à pied en terrain varié	CROSS
Course avec obstacles	STEEPLE
Course bruyante de voitures	RODÉO
Course de motos	MOTOCROSS
Course de taureaux	CORRIDA
Course de vélo	CROSS
Course de vitesse sur petite distance	SPRINT
Course motocycliste d'obstacles	TRIAL
Course navale	REGATE
Course précipitée	GALOPADE
Course	GALOPADE • GYMKHANA
Courses de chevaux	HIPPISME
Coursier	DESTRIER
Court	BREF • ÉPHÉMÈRE
Court chemin en pente rapide	RAIDILLON
Court espace de temps	MINUTE
Court et large	TRAPU
Court manteau de laine	SAGUM
Court texte destiné à expliquer, à vendre	BROCHURE
Courte comédie burlesque et satirique	MIME
Courte durée	BRIÈVETÉ
Courte jaquette de femme	CASAQUE
Courte lettre	MOT
Courte note exposant une question	NOTULE
Courte phrase musicale	RIFF
Courte pièce musicale	INTERLUDE
Courte scène gérénalement comique	SKETCH
Courte tige cylindrique	RIVET
Courte	BRÈVE
Courtier d'assurances	ASSUREUR
Courtisane	HETAÏRE
Courtiser	DRAGUER
Courtois	AMÈNE • CIVIL • POLI
Courtois	BIENSEANT
Courtoisement	POLIMENT
Courtoisie	AFFABILITÉ • AMABILITÉ
	GALANTERIE • POLITESSE

Cousette	MIDINETTE
Coussin cylindrique	TRAVERSIN
Coussin en forme de couronne et rempli de bourre	BOURRELET
Coussin rembourré	OREILLER
Coussinet pour piquer des aiguilles	PELOTE
Coussinet	COUSSIN
Coût additionnel	SURCOÛT
Coût supplémentaire	SURCOÛT
Coût	PRIX
Couteau à enter	ENTOIR
Couteau à greffer	ENTOIR
Couteau à greffer	GREFFOIR
Couteau à racler le cuir	BUTOIR
Couteau à saigner les animaux de boucherie	SAIGNOIR
Couteau pliant à manche de bois	OPINEL
Couteau	CANIF • STYLET SURIN • TRANCHOIR
Coûter	VALOIR
Coûteuse	ONÉREUSE
Coûteux	ONÉREUX
Coutume	ACCOUTUMANCE • HABITUDE RITE • TRADITION
Coutumes	US
Couture	SURFILAGE
Couturier français mort en 1936	PATOU
Couturier français né en 1922	CARDIN
Couturier	TAILLEUR
Couturière française morte en 1971	CHANEL
Couver	INCUBER
Couvercle qui obture les cellules des abeilles	OPERCULE
Couvert d'arbres	BOISÉ
Couvert de bois	BOISÉ
Couvert de brume	BRUMEUX
Couvert de chapelure	PANÉ
Couvert de moisissure	MOISI
Couvert de mousse	MOUSSU
Couvert de neige	ENNEIGÉ • NEIGEUX

Couvert de nouveau . . . . RECOUVERT
Couvert de peinture . . . . PEINT
Couvert de petits nuages ronds . . . . POMMETE
Couvert de pierres . . . . PÉTRÉ
Couvert de plâtre . . . . PLÂTREUX
Couvert de poils . . . . VELU
Couvert de poussière . . . . POUDREUX
Couvert de squames . . . . SQUAMEUX
Couvert de vermine . . . . VERMINEUX
Couvert de vêtements . . . . HABILLÉ
Couvert d'une buée . . . . EMBUÉ
Couvert d'une herbe abondante . . . . HERBU
Couvert . . . . GARANTI • VÊTU
Couverte de beurre . . . . BEURRÉE
Couverte de moisissure . . . . MOISIE
Couverte de neige . . . . NEIGEUSE
Couverte de poils . . . . LAINEUSE
Couverte d'ulcères . . . . ULCÉREUSE
Couverture cartonnée . . . . RELIURE
Couverture de voyage à carreaux . . . . PLAID
Couverture du faîte . . . . FAÎTAGE
Couverture d'un dossier . . . . CHEMISE
Couverture métallique
   protégeant un moteur . . . . CAPOT
Couverture rigide . . . . RELIURE
Couverture volante de certains livres . . . . JAQUETTE
Couverture . . . . TOIT
Couvre-chef . . . . BONNET • CHAPEAU
Couvre-livre . . . . LISEUSE
Couvre-pied de duvet . . . . ÉDREDON
Couvrir comme de perles . . . . EMPERLER
Couvrir d'affiches . . . . PLACARDER
Couvrir de briquetage . . . . BRIQUETER
Couvrir de buée . . . . EMBUER
Couvrir de chapelure . . . . PANER
Couvrir de choses vaporeuses . . . . ENNUAGER
Couvrir de diamants . . . . DIAMANTER
Couvrir de givre . . . . GIVRER
Couvrir de glu . . . . ENGLUER
Couvrir de gouttelettes . . . . EMPERLER
Couvrir de neige . . . . ENNEIGER

Couvrir de nuages	ENNUAGER
Couvrir de poudre d'émeri	ÉMERISER
Couvrir de quelque chose	BARDER
Couvrir de sable	SABLER • SABLONNER
Couvrir de tapisseries	TAPISSER
Couvrir de	CONSTELLER
Couvrir d'eau	INONDER
Couvrir d'eau	SUBMERGER
Couvrir d'émeri	ÉMERISER
Couvrir d'iode	IODER
Couvrir d'ombre	OBOMBRER
Couvrir d'une armure	BARDER
Couvrir d'une bâche	BÂCHER
Couvrir d'une couche d'argent	ARGENTER
Couvrir d'une couche de métal	PLAQUER
Couvrir d'une feuille ou d'une solution d'argent	ARGENTER
Couvrir d'une gaine, d'un étui	GAINER
Couvrir d'une natte	NATTER
Couvrir entièrement	RECOUVRIR
Couvrir un navire d'un pont	PONTER
Couvrir	COMBLER • ENDUIRE REVÊTIR • VOILER
Cow-boy	BOUVIER
Crachat	POSTILLON
Cracher	PROFÉRER
Crachin	BRUINE
Crachiner	PLEUVINER • PLUVINER
Crachoter	CRACHER
Crado	CRACRA
Craie	CRAYON
Craindre grandement	REDOUTER
Crainte	ANGOISSE • ANXIÉTÉ PEUR • TROUILLE
Crainte excessive	PHOBIE
Craintif	APEURÉ • TIMORÉ
Craintive	PEUREUSE
Cramer	FLAMBER
Crampe	SPASME
Crampon métallique	TENON
Crampon servant à relier	AGRAFE

Crampon	GRAPPIN
Cran	COURAGE
Crâne	TÊTE
Crâner	FRIMER
Crâneur	HABLEUR
Crapule	FRIPOUILLE
Crapuleux	SORDIDE
Craqueler	FENDILLER
Craquer de façon répétée	CRAQUETER
Craquer souvent et à petit bruit	CRAQUETER
Craquer	CROQUER
Craqueter	CLAQUETER • CRAQUER
Crasse	ORDURE • SALETÉ
Crasseux	CRACRA • CRADO • CRASPEC
Cravache	FOUET
Cravate	REGATE
Crawl	NATATION
Crayeux	CRÉTACÉ
Crayon à bille	STYLO
Crayon composé d'agglomérés de couleur	PASTEL
Crayon	CRAIE
Créateur des aventures de Tintin	HERGÉ
Créateur qui pratique l'art figuratif	FIGURATIF
Créateur	AUTEUR • CRÉATIF • FONDATEUR FORGEUR • INVENTEUR
Créatif	INNOVANT • INVENTIF
Création	INVENTION
Créativité	IMAGINATION
Créatrice	CRÉATIVE
Créature féminine de rêve	SYLPHIDE
Crécher	HABITER • LOGER
Crédence	DESSERTE • DRESSOIR
Crédit	PRÊT
Crédule	CANDIDE • DUPE GOBEUR • SIMPLE
Crédulité	CANDEUR
Créé par l'imagination	FICTIF
Créer	ACCOUCHER • FORMER INVENTER
Créer quelque chose de nouveau	INNOVER

Créer, produire .... ENFANTER

Crème à base de lait,
d'œufs et de farine .... FLAN

Crème faite avec de la
crème fraîche émulsionnée .... CHANTILLY

Crème glacée .... GLACE

Crème renversée, sorte de dessert .... FLAN

Crème .... ONGUENT • POMMADE

Crèmerie .... BEURRERIE

Créneler .... DENTELER

Créole né aux Antilles françaises .... BÉKÉ

Crêpe épais .... CRÉPON

Crépine .... EPIPLOON

Crépinette ronde .... ATRIAU

Crépiter .... PÉTILLER

Crépu .... FRISÉ

Crépuscule .... SOIR • TOMBEE

Cressonnette .... CARDAMINE

Crête .... SOMMET

Crétin .... CON • CONARD • IDIOT
IMBÉCILE • NUL

Crétiniser .... ABÊTIR • ABRUTIR

Crétinisme .... STUPIDITÉ

Creusage .... MINAGE

Creuser ...... APPROFONDIR • CAMBRER • ÉVIDER
EXCAVER • FOUILLER • MINER

Creuser davantage .... RECREUSER

Creuser de rides .... RAVINER

Creuser d'une rainure .... RAINER

Creuser le sol de ravins .... RAVINER

Creuser le sol .... FOUIR

Creuser plus profond .... RECREUSER

Creuser une cavité .... FORER

Creuser, miner .... CAVER

Creux de la main .... PAUME

Creux d'un objet évidé .... ÉVIDURE

Creux .... CAVITÉ • PROFOND • TROU

Crevant .... TUANT

Crevasse ...... CASSIS • FENTE • FISSURE • GERÇURE

Crevasser .... CRAQUELER • GERCER

Crevé .... FOURBU

Crève-la-faim	AFFAMÉ • FAMÉLIQUE
Crever	CALANCHER
Crevette rose	PALÉMON • SALICOQUE
Cri aigu et prolongé	HURLEMENT
Cri d'acclamation	HOURRA
Cri d'appel à l'aide	HARO
Cri de dérision	HUÉE
Cri de joie	ALLÉLUIA
Cri de la famille des ovidés	BELEMENT
Cri de l'âne	BRAIMENT
Cri de louange	ALLÉLUIA
Cri déchirant	HURLEMENT
Cri d'enthousiasme	HOURRA • YOUPI
Cri des charretiers	DIA
Cri des petits oiseaux	CUICUI
Cri des troupes russes marchant sus à l'ennemi	HURRAH
Cri du cerf en rut	BRAMEMENT
Cri du cerf ou du daim	BRAMEMENT
Cri du chat	FEULEMENT • MIAOU
Cri du chien	ABOI
Cri du coq	COCORICO
Cri du grillon	CRICRI
Cri du tigre	FEULEMENT
Cri d'un animal à qui on tord le cou	COUIC
Cri employé par les veneurs à la chasse au cerf	TAÏAUT
Cri hostile	HUÉE
Cri	APPEL • BRAIMENT • HALLALI OVATION • SON
Criailler	CANARDER • CLABAUDER • PIAILLER
Criant	PATENT
Criard	TAPAGEUR
Criard, pleurnichard	BRAILLARD
Crible pour les cendres du foyer	TAMISEUR
Crible	SAS • TAMIS
Cribler	TAMISER
Cric rouleur	ROULEUR
Cric	TREUIL • VÉRIN
Crier en parlant des oiseaux de nuit	HULULER
Crier en parlant du tigre	RAUQUER

Crier en pleurnichant	PIAULER
Crier fort	BRAILLER
Crier sans motif	CLABAUDER
Crier	HURLER • PEPIEMENT
Crier, en parlant de la cigogne	CLAQUETER
Crier, en parlant de la grenouille	COASSER
Crier, en parlant de l'aigle	GLATIR
Crier, en parlant de l'éléphant	BARRIR
Crier, en parlant de l'hirondelle	TRISSER
Crier, en parlant de l'oie	CRIAILLER
Crier, en parlant des bovins	MEUGLER
Crier, en parlant des corneilles	GRAILLER
Crier, en parlant des poussins	PÉPIER
Crier, en parlant du cerf	BRAMER • RALLER
Crier, en parlant du chat	MIAULER
Crier, en parlant du chevreuil	RÉER
Crier, en parlant du crapaud	COASSER
Crier, en parlant du daim	BRAMER
Crier, en parlant du jars	JARGONNER
Crier, en parlant du lièvre, du crocodile	VAGIR
Crier, en parlant du nouveau-né	VAGIR
Crier, en parlant du rhinocéros	BARRIR
Crier, en parlant du serpent	SIFFLER
Crier, en parlant du tigre	FEULER
Crier, en parlant d'un rapace nocturne	ULULER
Crieur	ABOYEUR
Crime	DÉLIT • MEURTRE
Crime énorme	FORFAIT
Criminel	ASSASSIN • MAFIOSO
	MALFAITEUR • SCÉLÉRAT
Crin	POIL
Crin très résistant employé pour la pêche à la ligne	FLORENCE
Crinoline	JUPON
Crins de certains animaux	CRINIÈRE
Criquet	SAUTERELLE
Crise	DÉPRESSION • RÉCESSION
Crispant	AGAÇANT
Crispation	SPASME • TENSION
Crispé	TENDU
Crisser	GRINCER

Cristal de la manufacture de Baccarat . . . . BACCARAT
Cristal de roche . . . . QUARTZ
Cristal hyalin . . . . QUARTZ
Cristal . . . . BACCARAT
Cristallin . . . . TRANSPARENT
Cristalliser . . . . CANDIR
Critiquable . . . . BLÂMABLE
Critique . . . . ANALYSE • CONTEMPTEUR
DÉTRACTEUR • REPROCHE
Critique d'art qui rend
  compte des Salons . . . . SALONNIER
Critique et philosophe allemand . . . . BAUER
Critique italien . . . . ECO
Critique malveillante . . . . GLOSE
Critique moqueuse . . . . SATIRE
Critiquer . . . . ATTAQUER • BECHER • CARTONNER
GLOSER • MATRAQUER
Critiquer avec amertume . . . . RÉCRIMINER
Critiquer en raillant . . . . FRONDER
Critiquer violemment . . . . FLINGUER
Critiquer vivement . . . . FUSTIGER
Croc de métal ou de bois . . . . ANCRE
Croc . . . . CANINE
Crochet en forme de S . . . . ESSE
Crochet pointu . . . . ÉRIGNE • ÉRINE
Crochet qui était fixé sur le
  côté droit des armures . . . . FAUCRE
Crochet . . . . CRAMPON • CROC
ESSE • PENDOIR • UPPERCUT
Crochu . . . . AQUILIN
Crocodile . . . . CROCO
Crocus . . . . SAFRAN
Croire . . . . SUPPOSER
Croisade . . . . CAMPAGNE
Croisé . . . . HYBRIDE
Croiser . . . . ACCOUPLER • RENCONTRER
TRAVERSER
Croissance . . . . POUSSE
Croître . . . . GRANDIR
Cromlech . . . . MENHIR
Croquer . . . . MORDRE

Croquis	CANEVAS • DESSIN • DIAGRAMME ÉBAUCHE • ESQUISSE
Croquis, plan	TOPO
Crosse de golf	CLUB
Crotte	ÉTRON • MERDE
Crotté	CRASPEC • SALE
Crottin	CROTTE
Croulant	VIOQUE
Crouler	ÉBOULER
Croupe	CROUPION • CUL
Croupir	MOISIR • SÉJOURNER • STAGNER
Croustillant	PIQUANT
Croûte du fromage	COUENNE
Croûte	CHAPELURE
Croûton de pain frotté d'ail	AILLADE
Croûton	ENTAME
Croyable	ADMISSIBLE
Croyance	DOGME • FOI PERSUASION • RELIGION
Croyance qui attribue une âme aux choses, aux animaux	ANIMISME
Croyant	THEISTE
Cru	GRIVOIS
Cru renommé du Beaujolais	JULIÉNAS
Cruauté	ATROCITÉ • BARBARIE FÉROCITÉ • SADISME
Cruche	BROC • POT
Cruchon	CRUCHE
Crucifère annuelle	ROQUETTE
Crue	DEBORD
Cruel	FÉROCE
Crûment	NUEMENT • NÛMENT
Crustacé décapode	PAGURE
Crustacé terrestre	CLOPORTE
Crustacé voisin des cloportes	LIGIE
Crustacé	CRABE
Crypte	CATACOMBE • GROTTE
Cubital	ULNAIRE
Cucul	GNANGNAN
Cucuterie	CONNERIE
Cueillette des glands	GLANDAGE

Cueillette	MOISSON • RAMASSAGE
Cueillir	RÉCOLTER
Cui-cui	PEPIEMENT
Cuillère	CUILLER
Cuillère à pot	POCHE
Cuillerée	BECQUEE
Cuir d'aspect velouté	SUÈDE
Cuir de veau tanné	BOX
Cuir	VACHETTE
Cuirassé	BLINDÉ
Cuirasse	BOUCLIER
Cuirasser	ENDURCIR
Cuire à la vapeur	ÉTUVER
Cuire à l'étuvée	ÉTUVER
Cuire dans un corps gras bouillant	FRIRE
Cuire de nouveau	RECUIRE
Cuire	PŒLER
Cuisine	CUISTANCE
Cuisinier à bord d'un navire	COQ
Cuisinier chargé des sauces	SAUCIER
Cuisinier professionnel	CUISTOT
Cuisinier	PATISSIER
Cuissard d'armure	CUISSOT
Cuisse de chevreuil	CUISSOT
Cuisse de mouton	GIGOT
Cuisse du gros gibier	CUISSOT
Cuisse du porc	JAMBON
Cuisson	COCTION • CUITE • MARENGO
Cuistot	CUISINIER
Cuit à feu vif	RÔTI
Cuit à la poêle dans un corps gras	FRIT
Cuite dans la friture	FRITE
Cuivré	HÂLÉ • MORDORÉ
Cuivre	CU
Cul	ANUS • COUCHERIE • CROUPE
Culbute	CABRIOLE
Culbuter en parlant d'un véhicule	CAPOTER
Culbuter	BASCULER
Cul-de-four	CONQUE
Cul-de-sac	IMPASSE
Culot	TOUPET

Culotte à jambes longues	PANTALON
Culotte courte	SHORT
Culotte de cheval	CELLULITE
Culotte échancrée	SLIP
Culotté	GONFLÉ
Culotte	PANTALON
Culte animiste répandu aux Antilles	VAUDOU
Culte d'honneur rendu aux anges	DULIE
Culte du moi	ÉGOTISME
Culte passionné	ADORATION
Culte polythéiste	PAGANISME
Culte	PIÉTÉ • RELIGION • RITE
Cultivable	ARABLE
Cultivateur	AGRICULTEUR • FERMIER MARAICHER • PAYSAN
Cultivé	EVOLUE • INSTRUIT
Cultiver	CIVILISER • JARDINER
Culture des anciens Romains	ROMANITE
Culture des jardins	JARDINAGE
Culture récoltée en vert pour le fourrage	VERDAGE
Culture	ÉRUDITION • FORMATION • SAVOIR
Cupide	AVARE • INTÉRESSÉ • RAPACE • VÉNAL
Cupidité	AVARICE • RAPACITÉ
Curaillon	CURETON
Curé célèbre au Québec	LABELLE
Cure	MÉDICATION
Curé	PRÊTRE
Curé, prêtre	CURAILLON
Curer	ÉCURER
Curetage	CURAGE
Cureton	CURAILLON
Curie	CI
Curieux	BADAUD • FOUILLEUR FOUINEUR • INDISCRET
Curieux, étonnant	MARRANT
Curiosité	INTÉRÊT
Curiosité	AVIDITE
Curium	CM
Curriculum vitae	CV
Curry	CARI

Cutiréaction . . . . CUTI
Cuve de bois . . . . BAQUET
Cuve fermée . . . . CITERNE
Cuve munie d'une alimentation en eau . . . . ÉVIER
Cuve où l'on fabrique la bière . . . . BRASSIN
Cuve . . . . RESERVOIR • SEILLON
Cyclisme . . . . VÉLO
Cycliste . . . . PÉDALEUR • PISTARD
Cyclomoteur de conception
   particulièrement simple . . . . SOLEX
Cyclone des mers . . . . TYPHON
Cyclone . . . . TORNADE
Cyclopousse . . . . RICKSHAW
Cylindre allongé . . . . ROULEAU
Cylindre de bois utilisé pour la
   castration des animaux . . . . CASSEAU
Cylindre de tabac haché . . . . CIGARETTE
Cylindre destiné à raccorder . . . . MANCHON
Cylindre plat servant à broyer . . . . MEULE
Cylindrique . . . . TUBULAIRE
Cymbaliste . . . . CYMBALIER
Cypéracée . . . . PAPYRUS
Cyprès chauve . . . . CIPRE

D

D'abord	AUPARAVANT
D'Acadie	ACADIEN
D'accord	DAC • OK
Dactylographe	DACTYLO
Dada	CHEVAL • MAROTTE
Dague	STYLET
Dais à colonnes	BALDAQUIN
Dais	BALDAQUIN
Daleau	DALOT
Dallage	CARRELAGE
D'Allemagne	ALLEMAND
Daller	PAVER
Dalleur	PAVEUR
Dam	DAMNATION
Dame anglaise	LADY
Damné	ABOMINABLE • MAUDIT • SATANÉ
Dancing	BAL
D'Andalousie	ANDALOU
Dandinement	BERCEMENT
Dandy	GANDIN
Danger	GUÊPIER • RISQUE
Danger fabuleux	TARASQUE
Danger imminent	PÉRIL • VOLCAN
Dangereuse	NOCIVE • PERNICIEUSE • SÉRIEUSE
Dangereux	BRÛLANT • COÛTEUX • MALSAIN NOCIF • PERILLEUX • REDOUTABLE SÉRIEUX • TRAÎTRE
D'Angleterre	ANGLAIS
Dans la montagne, versant à l'ombre	UBAC
Dans la rose des vents	ENE • ESE • NNE NNO • SO • SSO
Dans l'ancienne Rome, ordre des patriciens	PATRICIAT
Dans l'antiquité	AUTREFOIS
Dans le calendrier romain	IDES
Dans le calme	CALMEMENT
Dans le nom d'une ville du Brésil	SAO

Dans le titre d'un drame lyrique de Debussy	PELLÉAS
Dans le vent	IN
Dans les Évangiles, voleur gracié par Pilate	BARABBAS
Dans peu de temps	TANTÔT
Dans quelle mesure	COMBIEN
Dans un état d'excitation	EXCITE
Dans un mouvement modéré	ANDANTE
Dans une locution signifiant dès maintenant	ORES
Dans une maison, local aménagé pour faire la lessive	BUANDERIE
Dans	CHEZ • DEDANS • EN • ICI
Danse	CLAQUETTE • FLAMENCO • GIGUE AVA • JERK • RONDE • SAMBA SARABANDE • TAMBOURIN
Danse à deux temps	MAMBO
Danse à trois temps	MAZURKA • VALSE
Danse caractérisée par des mouvements syncopés	SMURF
Danse cubaine	CONGA • RUMBA
Danse de bal musette	JAVA
Danse de la Jamaïque	CALYPSO
Danse de Saint-Guy	CHORÉE
Danse d'origine américaine	TWIST
Danse d'origine andalouse	BOLÉRO
Danse d'origine antillaise	BIGUINE
Danse d'origine brésilienne	LAMBADA • SAMBA
Danse d'origine cubaine	HABANERA • MAMBO
Danse d'origine espagnole	PASODOBLE
Danse d'origine grecque	SIRTAKI
Danse d'origine irlandaise	LANCIER
Danse d'origine polonaise	MAZURKA • POLKA
Danse du folklore auvergnat	BOURRÉE
Danse espagnole, originaire de La Havane	HABANERA
Danse figurée, exécutée par une ou plusieurs personnes	BALLET
Danse française à deux temps	RIGAUDON
Danse française d'origine populaire	GAVOTTE

Danse lente à trois temps . . . . CHACONE • LOURE

Danse lente . . . . SLOW

Danse nationale polonaise . . . . POLONAISE

Danse originaire d'Argentine . . . . TANGO

Danse polynésienne à deux temps . . . . TAMOURÉ

Danse populaire de diverses
   régions du centre de la France . . . . BOURRÉE

Danse populaire espagnole . . . . JOTA

Danse populaire grecque . . . . SIRTAKI

Danse proche de la samba . . . . RUMBA

Danse provençale . . . . FARANDOLE

Danse sur un rythme très vif . . . . GAMBILLE

Danse tournante . . . . VALSE

Danse très rapide . . . . GALOP

Danser . . . . BALLER • GAMBADER
                           GAMBILLER • VALSER

Danser la valse . . . . VALSER

Danser le boston . . . . BOSTONNER

Danser sur un rythme très vif . . . . GAMBILLER

Danser un peu . . . . DANSOTER

Danseur à claquettes et acteur
   américain mort en 1987 . . . . ASTAIRE

Danseur de ballets . . . . BALADIN

Danseur de corde . . . . FUNAMBULE

Danseur et chorégraphe anglais . . . . TUDOR

Danseuse égyptienne lettrée . . . . ALMÉE

Danseuse japonaise . . . . GEISHA

Danseuse orientale . . . . ALMÉE

Danseuse qui fait partie d'une revue . . . . GIRL

Daphné . . . . SAINBOIS

D'après . . . . SELON

Darce . . . . DARSE

Dard . . . . JAVELOT

D'Arius . . . . ARIEN

D'arrière-saison . . . . TARDIF

Darse . . . . DARCE

Daurade rose . . . . ROUSSEAU

Daurade . . . . DORADE

Davantage . . . . PLUS

Dé à jouer . . . . CUBE

De Belgique . . . . BELGE

De bon cœur	GAÎMENT
De bon gré	VOLONTIERS
De bonne heure	MATINAL • TÔT
De Bretagne	BRETON
De Calabre	CALABRAIS
De ce côté-ci	DEÇA
De cette façon	AINSI
De Chine	CHINOIS
De Corée	CORÉEN
De couleur orange clair	MANDARINE
De couleur pourpre	PURPURIN
De couleur variée et changeante	DIAPRE
De deux couleurs	BICOLORE
De Dieu, en latin	DEI
De façon crâne	CRÂNEMENT
De façon entendue	TACITEMENT
De façon étonnante	CURIEUSEMENT
De façon fière	FIÈREMENT
De façon sage	SAGEMENT
De façon tendre, amoureusement	AMOROSO
De format réduit	COMPACT
De forme triangulaire	DELTOÏDE
De France	FRANÇAIS
De Galilée	GALILÉEN
De Gênes	GÉNOIS
De grand prix	PRÉCIEUSE • PRÉCIEUX
De Haute-Écosse	ERSE
De la Cafrerie	CAFRE
De la couleur brun-rouge du cachou	CACHOU
De la couleur du citron	CITRIN
De la couleur du vin de Bordeaux	BORDEAUX
De la couleur d'un brun très clair	BEIGE
De la couleur grise de l'acier	ACIER
De la couleur mauve	PARME
De la couleur rouge pourpre de l'amarante	AMARANTE
De la Frise	FRISON
De la Gascogne	GASCON
De la Gaule	GAULOIS
De la Géorgie	GEORGIEN
De la Grèce	GREC

De la Lune	SÉLÈNE
De la Lydie	LYDIEN
De la Mafia	MAFIEUX
De la médecine	MÉDICAL
De la Médie	MÈDE
De la mer Égée	ÉGÉEN
De la métropole	MÉTRO
De la montagne Pelée	PÉLÉEN
De la nature de la farine	FARINEUX
De la nature de la glaise	GLAISEUX
De la nature de l'éther	ÉTHÉRÉ
De la nature de l'herbe	HERBACÉ
De la nature de l'huile	HUILEUX
De la nature de l'huître	OSTRACÉ
De la nature des gaz	GAZEUX
De la nature du bois	LIGNEUX
De la nature du sable	ARÉNACÉ
De la nature du tartre	TARTREUX
De la nature d'une petite tumeur	KYSTIQUE
De la nature et de la consistance du sirop	SIRUPEUX
De la nuque	NUCAL
De la paume de la main	PALMAIRE
De la planète Terre	TERRESTRE
De la poste	POSTAL
De la queue	CAUDAL
De la Russie	RUSSE
De la Sardaigne	SARDE
De la Saxe	SAXON
De la Suède	SUÉDOIS
De la tribu	TRIBAL
De la ville d'Élée	ÉLÉATE
De la ville	CITADIN • URBAIN
De l'abside	ABSIDAL • ABSIDIAL
De l'Abyssinie	ABYSSIN
De l'Afrique	AFRICAIN
De l'Albanie	ALBANAIS
De l'Algérie	ALGERIEN
De l'Amérique latine	LATINO
De l'anus	ANAL
De Laponie	LAPON
De l'Arabie	ARABE

De l'Artois	ARTESIEN
De l'aviculture	AVICOLE
De l'Éolie	EOLIENNE
De Lesbos	LESBIEN
De l'Estonie	ESTONIEN
De l'État	ÉTATIQUE
De Lettonie	LETTON
De l'ex-URSS	RUSSE
De l'iléon	ILÉAL
De l'image en général	ICONIQUE
De l'Inde	HINDOU
De l'Ionie	IONIEN • IONIQUE
De l'Iran	IRANIEN
De l'Italie	ITALIEN
De l'Olympe	OLYMPIEN
De l'ongle	UNGUÉAL
De l'Ontario	ONTARIEN • ONTARIENNE
De l'ONU	ONUSIEN • ONUSIENNE
De l'Organisation des Nations Unies	ONUSIEN • ONUSIENNE
De manière fixe	FIXEMENT
De manière suave	SUAVEMENT
De manière vile	VILEMENT
De mauvais goût	QUÉTAINE
De mauvaise humeur	HARGNEUX • MAUSSADE
De mauvaise qualité	MOCHE
De même que (À l')	INSTAR
De même	AINSI • DITO • IDEM ITEM • ITOU
De Mongolie	MONGOL
De naissance	INNÉ • NÉ
De nature à frustrer	FRUSTRANT
De nature à rassurer	RASSURANT
De Nîmes	NÎMOIS
De nos jours	ACTUELLEMENT
De nouveau	ENCORE
De Nubie	NUBIEN
De Paris	PARISIEN
De Parme, en Italie	PARMESAN
De peu de durée	BREF • BRÈVE
De Picardie	PICARD
De plus	ITEM

De Pologne	POLONAISE
De Potiers	POITEVIN
De préférence	PLUTÔT
De première qualité	SURCHOIX
De profession	PROFESSIONNEL
De qualité supérieure	SURFIN
De Québec	QUÉBÉCOIS
De quelle façon	COMMENT
De Rennes	RENNAIS
De Serbie	SERBE
De Slovaquie	SLOVAQUE
De Slovénie	SLOVENE
De temps en temps	PARFOIS
De Trappes	TRAPPISTE
De trente ans	TRICENNAL
De Turquie	TURC
De vieillard	SÉNILE
De Vienne	VIENNOIS
De vive voix	ORALEMENT
Déambuler	ERRER • MARCHER • RÔDER
Débâcle	DÉROUTE • FAILLITE
	FONTE • KRACH
Déballer	OUVRIR
Débandade	DÉROUTE
Débandade, déroute	DÉBÂCLE
Débarcadère	QUAI
Débarder	CAMIONNER
Débardeur, dans les ports africains	LAPTOT
Débarquement	ARRIVEE
Débarras	CAGIBI
Débarrasser	BALAYER • DÉPÊTRER
Débarrasser de sa bourbe	DÉBOURBER
Débarrasser de ses bavures	ÉBAVURER
Débarrasser de son écale	ÉCALER
Débarrasser de son ignorance	DÉCRASSER
Débarrasser des nœuds	ÉNOUER
Débarrasser des puces	ÉPUCER
Débarrasser le sol du chaume	DÉCHAUMER
Débarrasser un arbre des yeux inutiles	ÉBORGNER
Débarrasser un linge de l'eau dont il est imprégné	ESSORER

Débarrasser un terrain de l'excès d'eau	DRAINER
Débat	DÉLIBÉRATION • DISCUSSION SÉANCE
Débattre	DÉLIBÉRER • DISCUTER
Débauche humiliante	STUPRE
Débauche sexuelle	PARTOUSE
Débauche	LICENCE • LUXURE
Débauché	LUXURIEUX • RIBAUD
Débauchée	BACCHANTE
Débaucher	PERVERTIR
Débiliter	ÉTIOLER
Débine	DÈCHE
Débit de boissons	BAR • TAVERNE
Débit	COMMERCE • DOIT
Débiter	DÉPECER • PRONONCER
Déblatérer	MÉDIRE
Déblayer	BALAYER • DÉGAGER
Débloquer	DEBARRER • DECOINCER DECONNER
Déboire	DÉCEPTION
Déboiser	DEFRICHER
Déboîtement	ENTORSE
Déboîter	LUXER
Débonnaire	BONHOMME • PACIFIQUE
Déborder de joie	EXULTER
Déborder	REGORGER • SAILLIR • SUBMERGER
Déboucher	OUVRIR
Débourrer	DÉPILER
Débours	FRAIS
Débourser	DÉPENSER
Débrider	EXCISER
Débris de construction	DÉBLAI
Débris de glace	CALCIN
Débris d'ouvrages de plâtre	PLATRAS
Débris d'un objet de verre	TESSON
Débris d'un objet en céramique	TESSON
Débris d'une construction	RUINES
Débris	DÉCHET • ÉPAVE • GRAVATS • SCIURE
Débrouillard	FUTÉ
Débrouiller	ÉCLAIRCIR • ÉLUCIDER

Débroussailler	ESSARTER
Début	COMMENCEMENT • NAISSANCE OUVERTURE
Début du jour	MATIN
Début d'un exposé	PRÉMISSE
Débutant	APPRENTI • BIZUT JEUNOT • NOVICE
Débutante, familièrement	DEB
Débuter le dressage	DEBOURRER
Débuter	COMMENCER
Décadence	DÉCLIN • DÉCRÉPITUDE DÉTÉRIORATION
Décalage entre deux réalités	GAP
Décalage	RETARD
Décamper	DÉTALER • DISPARAÎTRE FUIR • PARTIR • SORTIR
Décapant	SOLVANT
Décaper	PONCER • SABLER
Décapeur	PONCEUR
Décapeuse	SCRAPER
Décapiter	ÉCIMER • ÉTÊTER
Décapsuler	DEBOUCHER
Décédé	DÉFUNT • MORT
Décéder	TRÉPASSER
Déceler	TROUVER
Décence	PUDEUR
Décennie	DÉCADE
Décent	BIENSEANT • SÉANT
Déception	CONTRARIÉTÉ • DÉBOIRE
Décerner un diplôme	DIPLÔMER
Décerner	ADJUGER • CONFÉRER
Décès	MORT • TRÉPAS
Décevant	FRUSTRANT
Décevoir	DÉGOÛTER • DÉSAPPOINTER
Décevoir, tromper	FRUSTRER
Déchaîné	DÉBRIDÉ • EFFRÉNÉ • FURIEUX
Déchaînée	FURIEUSE
Déchaîner	PROVOQUER
Décharge électrique	FOUDRE
Décharge simultanée d'armes à feu	SALVE
Déchargé	EXEMPT

Déclamateur	PHRASEUR
Déclamer	RÉCITER
Déclaration	AVEU • CONFESSION • DÉPOSITION
	DIRE • ÉNONCÉ
Déclarer hautement	PROCLAMER
Déclarer nul	RESCINDER
Déclarer ouvertement	PROFESSER
Déclarer qu'on ne croit plus en quelqu'un	RENIER
Déclarer	AFFIRMER • AVOUER • PUBLIER
Déclenché dans toute sa violence	DECHAINE
Déclenchement	AMORÇAGE
Déclencher	DÉCHAÎNER • LANCER
Déclin du jour	SOIR
Déclin précédant la fin	AGONIE
Déclin	DÉCADENCE • DÉCRÉPITUDE
Décliné	AFFAIBLI
Décliner	AGONISER • BAISSER
	FAIBLIR • PÉRICLITER
Déclivité	PENTE
Décoction	INFUSION
Décoder	DECRYPTER
Décolérer	DÉRAGER
Décollage	DÉPART • ENVOL • ENVOLÉE
Décoller (S')	ENVOLER
Décoloration complète ou partielle des cheveux	CANITIE
Décoloré	DECATI • DÉLAVÉ • ÉTEINT
Décoloré par l'action de l'eau	DÉLAVÉ
Décolorer	DÉTEINDRE
Décombres	RUINES
Décomposer	PUTREFIER • SCINDER
Décomposition	CORRUPTION
Décompter	DÉDUIRE • RABATTRE
Déconcerté	DÉCONTENANCÉ • DÉROUTÉ
	DÉSEMPARÉ • ÉTONNÉ
	INTERDIT • PANTOIS
Déconcerter	DÉCONTENANCER • DÉSAPPOINTER
	DÉSARÇONNER • DÉSORIENTER
Déconfit	PENAUD • PITEUX
Déconfite	PITEUSE

Déconfiture . . . . DÉFAITE
Décongeler . . . . DÉGELER
Déconner . . . . RIGOLER
Déconsidération . . . . DISCRÉDIT
Décontenancé . . . . DÉSEMPARÉ
Décontenancé, à la suite d'un échec . . . . DÉCONFIT
Décontenancer . . . . DÉCONCERTER • DÉMONTER
Décontracté . . . . DEGAGE • DÉTENDU • RELAX
Décontracter . . . . RELÂCHER
Décontraction . . . . RELAX
Décor d'un tissu broché . . . . BROCHURE
Décor . . . . AMBIANCE
Décoration . . . . DÉCOR • MÉDAILLE • ORNEMENT
Décoration en relief sur métal . . . . REPOUSSE
Décoration militaire . . . . BANANE
Décoré de scènes narratives . . . . HISTORIÉ
Décorer . . . . ORNER
Décorer d'une médaille . . . . MÉDAILLER
Décorner . . . . ÉCORNER
Décortiquer . . . . DÉSOSSER • ÉCALER • ÉCORCER
Décorum . . . . PROTOCOLE
Découdre le bâti d'une jupe . . . . DÉBÂTIR
Découler . . . . ÉMANER • RÉSULTER
Découpe dans la tranche d'un livre . . . . ENCOCHE
Découpé . . . . PROFILE
Découper . . . . DÉPECER
Découper du bois . . . . DÉBITER
Découper en filets . . . . FILETER
Découper en morceaux . . . . DÉBITER
Découpure en forme de créneaux . . . . CRÉNELURE
Découpure en forme de dent . . . . REDAN
Découpure . . . . ENCOCHE • INCISURE
Découragé . . . . ABATTU
Décourageant . . . . DISSUASIF • GLAÇANT • REBUTANT
Découragement . . . . ACCABLEMENT • DÉSESPOIR
Décourager . . . . DÉMORALISER • DÉPRIMER
DISSUADER • REBUTER • REFROIDIR
Décousu . . . . ILLOGIQUE
Découvert . . . . DÉGAGÉ • ÉVENTÉ
Découverte . . . . DETECTION • INVENTION
TROUVAILLE

Découvrir	APPRENDRE • DÉCELER • DÉGAGER DÉGOTER • DÉGOTTER • DÉNUDER DÉPISTER • DEVINER • ÉVENTER REPÉRER • TROUVER
Découvrir le sens caché de quelque chose	DECRYPTER
Décrasser	LAVER
Décrasser, dégrossir	DÉCROTTER
Décrépitude	CADUCITÉ
Décret	DÉCISION
Décret du roi	RESCRIT
Décret du roi du Maroc	DAHIR
Décréter	ÉDICTER • LÉGIFÉRER
Décrier, dénigrer	DÉBINER
Décrire des sinuosités	SINUER
Décrire les armoiries selon les règles	BLASONNER
Décrochage	RECUL
Décrocher	ABANDONNER • DÉTELER OBTENIR • RECULER
Décroître	BAISSER • PÉRICLITER
Décrotter	DECAPER
Décrotter, dégrossir	DÉCRASSER
Déçu	DÉGOÛTÉ • DÉSABUSÉ • FRUSTRE
Dédaigner	MÉPRISER
Dédaigneux	ROGUE • SUPÉRIEUR
Dédain	MÉPRIS
Dedans	INTÉRIEUR • PARMI
Dédicacer	DÉDIER • SIGNER
Dédier à Dieu, à un saint	CONSACRER
Dédier	ADRESSER • OFFRIR
Dédire	CONTREDIRE • DÉMENTIR
Dédit	FORFAIT
Dédommagement	COMPENSATION
Dédommager	RÉCOMPENSER
Déduction	DÉCOMPTE
Déduire	INFÉRER • RABATTRE • RETENIR
Déesse	MUSE
Déesse des eaux, dans la mythologie nordique	ONDINE
Déesse des mythologies nordiques	WALKYRIE
Déesse égyptienne	ISIS

Déesse grecque aimée de Zeus . . . . SÉMÉLÉ
Déesse grecque de la Jeunesse . . . . HÉBÉ
Déesse grecque de la Pensée . . . . ATHÉNA
Déesse grecque de la Vengeance . . . . NÉMÉSIS
Déesse grecque, épouse de Zeus . . . . HÉRA
Déesse inférieure, dans
   la mythologie indienne . . . . APSARA
Déesse romaine du Foyer . . . . VESTA
Défaillance d'ordre sexuel chez l'homme . . . . FIASCO
Défaillant . . . . LABILE
Défaillir (Se) . . . . PÂMER
Défaire ce qui était cloué . . . . DÉCLOUER
Défaire ce qui était cousu . . . . DECOUDRE
Défaire de nouveau . . . . REDÉFAIRE
Défaire fil à fil . . . . PARFILER
Défaire la boucle de . . . . DÉBOUCLER
Défaire la brochure d'un livre . . . . DÉBROCHER
Défaire le bâtis d'une couture . . . . DÉBÂTIR
Défaire les tresses . . . . DÉNATTER
Défaire . . . . DÉPLIER • DESSERRER
                       DEVISSER • OUVRIR • VAINCRE
Défait . . . . PERDANT • VAINCU
Défaite cuisante . . . . PIQUETTE
Défaite . . . . CAPITULATION • ÉCHEC
                                 PERTE • REVERS
Défaitiste . . . . ALARMISTE • PESSIMISTE
Défalquer . . . . RABATTRE
Défaut consistant à être rétif . . . . RETIVITE
Défaut dans la structure optique de l'œil . . . . AMÉTROPIE
Défaut d'aplomb d'un mur . . . . DEVERS
Défaut de l'esprit simpliste . . . . SIMPLISME
Défaut de prononciation de
   la personne qui blèse . . . . BLESEMENT
Défaut d'égalité . . . . INÉGALITÉ
Défaut d'enthousiasme . . . . TIÉDEUR
Défaut du bois en forme
   de croissant de lune . . . . LUNURE
Défaut du bois . . . . LUNURE
Défaut d'un propos verbeux . . . . VERBOSITÉ
Défaut d'une personne verbeuse . . . . VERBOSITÉ
Défaut héréditaire . . . . TARE

Défaut léger	TRAVERS
Défaut	ABSENCE • DISETTE • VICE
Défaveur	DÉCRI • DISCRÉDIT
Défavorable	MAUVAIS
Défavoriser	DÉSAVANTAGER • HANDICAPER
Défection	ABANDON
Défectueux	DÉTRAQUÉ
Défendre	EMPÊCHER • EXCUSER • INTERDIRE PROHIBER • REFUSER • SECOURIR
Défendre une cause devant les juges	PLAIDER
Défendu	ILLICITE
Défense de sanglier	DAGUE
Défense	APOLOGIE • ARMURE • BOUCLIER
Défenseur d'une cause	CHAMPION
Défenseur éloquent	TRIBUN
Défenseur	AVOCAT • AVOUE • PROTECTEUR
Déférence	ÉGARD
Déférent	AVENANT • COMPLAISANT
Défeuiller	EFFEUILLER
Défi	BRAVADE • GAGEURE
Défiance	PRUDENCE • SUSPICION
Défiant	MÉFIANT • OMBRAGEUX SOUPÇONNEUX
Défiante	SOUPÇONNEUSE
Déficience permanente d'une partie du corps	INFIRMITÉ
Déficit	MALI
Défier l'adversaire	CONTRER
Défier	AFFRONTER • BRAVER • NARGUER
Défigurer	AMOCHER • DÉFORMER • ENLAIDIR
Défilé	CORTÈGE • REVUE
Défilé de chars	CORSO
Défilé d'une troupe de cavaliers	CAVALCADE
Défilé militaire	PARADE
Défiler	EFFILER • PARADER
Défini par la loi	LÉGAL
Définir de nouveau	REDEFINIR
Définir le lieu	LOCALISER
Définir	DÉTERMINER
Définitif	CONCIS • CONCLUANT

Déflagration	DÉTONATION
Défoncer	EMBOUTIR • ÉVENTRER
Défonceuse	CHARRUE • RIPPER • ROOTER
Déforestation	DEBOISAGE
Déformation de la partie antérieure du cou	GOÎTRE
Déformé	AVACHI • BOT • DIFFORME
Déformer	AVACHIR • CABOSSER • DÉNATURER
Déformer à l'ouverture	ÉGUEULER
Déformer en pressant	ÉCACHER
Déformer la vérité	FAUSSER
Déformer par des bosses	BOSSELER • BOSSUER
Déformer par torsion	TORDRE
Déformer par une torsion	DISTORDRE
Déformer, dévier	DÉJETER
Défourailler	DÉGAINER
Défraîchi	ÉCULÉ • USAGÉ • USÉ • VIEILLI
Défrayer	REMBOURSER
Défrichage	DEBOISAGE
Défricher	ESSARTER • FRAYER
Défricheur	PIONNIER
Défriser	DÉBOUCLER
Défunt	FEU
Dégagé	DÉBOUCHÉ
Dégagement	DEBLOCAGE • ISSUE
Dégager	AFFRANCHIR • DÉBARRASSER DECOINCER • DELIER EXTRAIRE • LIBÉRER • RETIRER
Dégager de ce qui encombre	DÉBLAYER
Dégager d'un lien	DÉPÊTRER
Dégager un lieu des choses qui l'encombrent	DÉBLAYER
D'égale inclinaison magnétique	ISOCLINE
Dégarni	DÉNUDÉ
Dégarnir	DÉMUNIR
Dégarnir de sa croûte	ÉCROÛTER
Dégarnir de ses cornes	DÉCORNER
Dégarnir de ses lardons	DÉLARDER
Dégarnir un terrain	DÉBOISER
Dégât	DOMMAGE
Dégâts causés aux grains par la nielle	NIELLURE

Dégelant	DEGLAÇANT
Dégelée	VOLÉE
Dégeler brusquement, en parlant d'une rivière	DÉBÂCLER
Dégénéré	ABÂTARDI
Dégénérer (S')	ABÂTARDIR
Dégénérer en abcès	ABCÉDER
Dégobiller	DÉGUEULER • VOMIR
Dégommer	DÉGOTER
Dégonflé	LÂCHE • PEUREUX • PLAT • POLTRON
Dégorgeoir	DEVERSOIR
Dégoter	DÉCOUVRIR
Dégouliner	RUISSELER
Dégourdi	CAPABLE • DÉLURÉ • ÉVEILLÉ
Dégourdir	DÉNIAISER • DÉLURER
Dégoût	RÉPULSION
Dégoûtant	ABJECT • IMMONDE • REPULSIF
Dégoûtante	AFFREUSE
Dégoûté	ABATTU
Dégoûter	BLASER • DEBECTER • DISSUADER ÉCŒURER • LASSER • REBUTER RÉPUGNER
Dégoutter	COULER • ÉGOUTTER • GOUTTER SUER • SUINTER
Dégradant	ABRUTISSANT • BAS • HONTEUX
Dégradante	HONTEUSE
Dégradation du relief	ÉROSION
Dégradation	ALTÉRATION • DÉTÉRIORATION POLLUTION • USURE
Dégradé	DÉLABRÉ • DÉTÉRIORÉ
Dégradé par le temps	DÉCRÉPIT
Dégrader	ABÂTARDIR • DESTITUER ÉRODER • PROSTITUER
Dégrader par la base	SAPER
Dégrafer	DÉBOUCLER
Dégraisser	DÉLARDER • NETTOYER
Dégraisseur	DETACHEUR
Degré	CRAN • ÉCHELON • MARCHE NUANCE • STADE
Degré de qualification d'une ceinture noire	DAN

Degré d'élévation	NIVEAU
Degré d'énergie	INTENSITÉ
Degré du zodiaque	DÉCAN
Degré d'une hiérarchie	GRADE
Degré extrême	COMBLE
Degré hygrométrique	HUMIDITE
Degré le plus élevé	ZÉNITH
Dégringolade	DESCENTE • GLISSADE
Dégringoler	DÉBOULER
Dégriser	DÉSENIVRER
Dégrossir à la meule	MEULER
Dégrossir, épaneler	ÉBAUCHER
Déguenillé	LOQUETEUX
Déguerpir	DÉLOGER • DÉTALER • SORTIR
Déguerpissez!	OUSTE
Dégueuler	VOMIR
Déguisement	MASCARADE
Déguiser	CAMOUFLER • COSTUMER MAQUILLER • MASQUER • PALLIER
Dégustateur	GOÛTEUR
Dégustation	GUSTATION
Déguster	GOÛTER • SIROTER • SAVOURER
Dehors	HORS
Déifier	DIVINISER
Déiste	THEISTE
Déjouer	DÉPISTER • TROMPER
Délabré	RUINÉ • VÉTUSTE
Délabrement	DÉGRADATION
Délabrer	RUINER
Délacer	DÉNOUER
Délai	MORATOIRE • RÉPIT • SURSIS
Délai de paiement	CRÉDIT
Délaissé	ESSEULÉ
Délaissement	DÉFECTION • LACHAGE
Délaisser	DÉSERTER • NÉGLIGER
Délassé	REPOSÉ
Délassement	RÉCRÉATION • DÉTENTE • REPOS
Délasser	AMUSER • DISTRAIRE • REPOSER
Délateur	ESPION • INDIC
Délayé	DÉTREMPÉ
Délayer	DILUER

Délectable	SUCCULENT
Délectation	DELICE
Délégué	DÉPUTÉ
Délégué représentant les créanciers	SYNDIC
Déléguer	CONFIER
Délester	ALLÉGER
Délétère	TOXIQUE
Délibération entre juges	DÉLIBÉRÉ
Délibéré	VOLONTAIRE • VOULU
Délibérément	EXPRÈS
Délicat	DOUILLET • FIN • FLUET
	FRAGILE • FRÊLE • RAFFINÉ
Délicate	FLUETTE
Délicatesse	PRÉVENANCE • SUAVITÉ • TACT
Délice	JOUISSANCE • RÉGAL
Délicieusement	SUAVEMENT
Délicieux	ADORABLE • CHARMANT
	DÉLECTABLE
	EXQUIS • SUAVE • SUCCULENT
Délier	DÉNOUER • DÉTACHER
Délimiter	ASSIGNER • LIMITER
Délinquant	DÉVOYÉ
Délirant	EXALTÉ
Délire d'interprétation	PARANOÏA
Délire	ACCLAMATION • CAUCHEMAR
Délirer	RÊVER
Délit	CRIME • INFRACTION • RECEL
Délivrance de ce qui embarrassait	DÉBARRAS
Délivrance	LIBÉRATION
Délivré	GUÉRI • LIBÉRÉ
Délivrer	AFFRANCHIR
Délocalisation	TRANSFERT
Délocaliser	ENVOYER • TRANSFÉRER
Déloger	DEJUCHER • EXPULSER
Déloyal	FÉLON • INFIDÈLE
	PERFIDE • TRAÎTRE
Déloyale	TROMPEUSE
Déloyauté	FELONIE • TRAHISON • TRAÎTRISE
Déluge	PLUIE • TROMBE
Déluré	ÉVEILLÉ • MALIN
Délurée	MALIGNE

Délustrer	DÉCATIR
Demain	AVENIR
Demande pressante	SOS
Demande	INSTANCE • PÉTITION • REQUÊTE
Demander humblement et avec insistance	QUEMANDER
Demander la charité	MENDIER
Demander	ADJURER • POSTULER • RÉCLAMER
Demandeur	EXPOSANT
Démangeaison de la peau	PRURIT
Démanteler	RASER
Démantibuler	DÉMOLIR
Démarche	ALLURE • PAS
Démarrage économique	DÉCOLLAGE
Démarrer	COMMENCER
Démêlé	CHICANE
Démêler des fibres textiles	CARDER
Démêler les cheveux	PEIGNER
Démêler	BROSSER • DEFRICHER
Déménager	DÉLOGER
Démence	FOLIE • PSYCHOSE
Dément	ALIÉNÉ • FOL • FOU • INSENSÉ
Démente	FOLLE
Démenti	DÉNÉGATION
Démentir	CONTREDIRE • DÉDIRE INFIRMER • NIER
Démesuré	EFFRÉNÉ • IMMODÉRÉ
Démettre	DÉMANCHER
Démettre, déboîter	DISLOQUER
Demeuré	ABRUTI
Demeure	DOMICILE • FOYER • GÎTE HABITATION • LOGIS LOGEMENT • MAISON • SÉJOUR
Demeurer	EXISTER • HABITER GÎTER • LOGER RÉSIDER • RESTER • SUBSISTER
Demeurer en vie	SURVIVRE
Demi de bière additionné de grenadine	TANGO
Demi	MOITIÉ • SEMI
Demi-bouteille	FILLETTE

Demi-croix de Saint-André . . . . GUÈTE
Demi-dieu . . . . HÉROS
Demi-étage . . . . ENTRESOL
Demi-frère . . . . UTÉRIN
Démilitariser . . . . DÉSARMER
Demi-lune . . . . RAVELIN
Demi-mondaine . . . . HETAÏRE
Demi-portion . . . . AVORTON
Demi-scotch . . . . BABY
Demi-sœur . . . . UTÉRINE
Démission d'un arbitre . . . . DÉPORT
Démissionner . . . . ABDIQUER
Démocrate . . . . JACOBIN
Démodé . . . . ANTIQUE • CADUC • DÉSUET
PÉRIMÉ • SURANNÉ • VIEILLOT
Démodé et un peu ridicule . . . . ROCOCO
Démodée . . . . VIEILLE
Demoiselle . . . . HIE
Demoiselle anglaise . . . . MISS
Démolir . . . . DÉFAIRE • DÉTRUIRE
EMBOUTIR • RATATINER • RUINER
Démolisseur . . . . FOSSOYEUR
Démolition . . . . DESTRUCTION
Démon . . . . DIABLE
Démon masculin . . . . INCUBE
Démoniaque . . . . POSSÉDÉ • SATANIQUE
Démonstratif . . . . OUVERT
Démonstratif, communicatif . . . . EXPANSIF
Démonstration de marchandises . . . . ÉTALAGE
Démonstration enthousiaste . . . . EFFUSION
Démonstration équestre
  de cavaliers arabes . . . . FANTASIA
Démonstration remarquable . . . . FESTIVAL
Démonstration . . . . ARGUMENT
Démonstrations de tendresse . . . . MAMOURS
Démonter . . . . DÉFAIRE
Démonter les enroulements
  d'un dispositif électrique . . . . DÉBOBINER
Démontré . . . . OBVIÉ
Démontrer . . . . PROUVER
Démoralisation . . . . DÉCOURAGEMENT

Démoraliser	DÉPRIMER
Démoraliser profondément	ÉCŒURER
Démuni	DÉPOURVU • DÉNUÉ
Démunir	DÉNUER
Démystifier	DETROMPER
Dénaturé	FRELATÉ • INDIGNE
Dénaturer	DÉFORMER • FAUSSER • FRELATER
Dénégation	DÉNI • DÉSAVEU
Déni	DÉNÉGATION • DÉMENTI
Déniaiser	DÉLURER
Dénicher	DÉCOUVRIR • DÉGOTTER • TROUVER
Dénier	CONTESTER
Dénigrement	CALOMNIE • MEDISANCE
Dénigrer	ACCUSER • DAUBER DÉCRIER • DÉPRÉCIER • MÉDIRE NOIRCIR • RABAISSER
Dénigrer, médire de	DÉBINER
Dénigreur	CONTEMPTEUR • DÉTRACTEUR
Dénombrement des citoyens romains	CENS
Dénombrement	INVENTAIRE
Dénombrer	COMPTER • ÉNUMÉRER
Dénombrer, inventorier	RECENSER
Dénommé	QUALIFIE
Dénoncer (Crier ... Sur)	HARO
Dénoncer par intérêt	VENDRE
Dénoncer	CAFTER • LIVRER • RÉVÉLER • TRAHIR
Dénonciateur	DÉLATEUR • INDIC
Dénonciation	DÉLATION
Dénonciatrice	DÉLATRICE
Dénoter	MANIFESTER
Dénouement	SOLUTION
Dénouer	DÉLACER • DÉLIER • DÉMÊLER DÉTACHER • RÉSOUDRE
Denrée alimentaire conservée par le sel	SALAISON
Denrée	ALIMENT
Dense	COMPACT • NOURRI • TOUFFU
Dent d'éléphant non travaillée	MORFIL
Dent dont la fonction est de broyer	MOLAIRE
Dent d'une fourche	FOURCHON

Dent d'une fourchette	FOURCHON
Dent pointue	CANINE • CROC
Dent	INCISIVE • MOLAIRE
Dentaire	DENTAL
Dentelé	ENGRÊLÉ
Denteler	CRÉNELER
Dentelle fine	VALENCIENNES
Dentelle légère au fuseau	BLONDE
Dentelure en créneaux	CRÉNELURE
Dentier	RÂTELIER
Dentition	DENTURE
Denture	RÂTELIER
Dénudé	NU
Dénuder	DÉCOUVRIR • DÉVÊTIR
Dénué d'esprit	SOT
Dénué d'intelligence	GÂTEUX
Dénué	DÉPOURVU
Déontologie	ETHIQUE
Dép. De la Région Picardie	AISNE
Dép. De la Région Rhône-Alpes	AIN • ISÈRE
Déparer	ENLAIDIR
Départ	ABANDON • ENVOLÉE
	LICENCIEMENT • SORTIE
Départir	DISPENSER
Dépassé	CADUC • DÉMODÉ • FOSSILE
Dépasser	DEVANCER • FRANCHIR
	PASSER • SAILLIR
Dépasser la limite fixée	EXCÉDER
Dépasser les limites	OUTREPASSER
Dépayser	DÉSORIENTER
Dépecer	DÉCOUPER
Dépêcher	HÂTER
Dépeigner	DÉCOIFFER
Dépeindre	DÉCRIRE
Dépendance gênante	TUTELLE
Dépendance	ACCOUTUMANCE • OBEDIENCE
	UCCURSALE • SUJÉTION
Dépendant d'une drogue	ACCRO
Dépendre de	RESSORTIR
Dépendre	DÉCROCHER
Dépenser	CASQUER

Dépérir	LANGUIR
Dépérissement	ANÉMIE
Dépêtrer	DÉBARRASSER
Dépeuplé	DÉSERT
Dépiler	EBOURRER
Dépistage	DETECTION
Dépité	DÉÇU
Dépité, décontenancé	DÉCONFIT
Déplacé	MALSÉANT
Déplacement d'air	VENT
Déplacement	LOCOMOTION • MIGRATION TRANSFERT • VOYAGE
Déplacer	BOUGER • DÉPORTER • DÉRANGER MUTER • PROMENER • REMUER
Déplacer au moyen d'une grue	GRUTER
Déplacer avec les mains	MANIPULER
Déplacer le centre de quelque chose	DECENTRER
Déplacer vers le bas	DESCENDRE
Déplaire	CHATOUILLER • DEBECTER RÉPUGNER
Déplaisant	DÉSAGRÉABLE • INGRAT • ODIEUX
Déplaisante	ODIEUSE
Déplanter	ARRACHER
Déplier	ÉTENDRE
Déploiement	DEBALLAGE
Déplorable	FUNESTE
Déplorer	REGRETTER
Déployé	ÉTENDU
Déployer	DÉFERLER • DÉPLIER ÉPLOYER • ÉTALER
Dépolir	SABLER • MATER
Déportation	EXIL
Déporter	DÉVIER • EXILER
Déposer rapidement en voiture	DROPER
Déposer ses œufs	PONDRE
Déposer	ENTREPOSER • PLACER • POSER
Dépositaire	POSSESSEUR
Dépossédé	DÉCHU
Déposséder	DÉPOUILLER • FRUSTRER PRIVER • SPOLIER
Déposséder juridiquement	ÉVINCER

Dépôt . . . . GAGE • LIMON
Dépôt de carbonate de chaux . . . . CALCIN
Dépôt de matières organiques . . . . TARTRE
Dépôt d'origine marine . . . . FALUN
Dépôt du vin . . . . LIE
Dépôt laissé par le recul d'un glacier . . . . DRIFT
Dépôt pulvérulent d'origine éolienne . . . . LŒSS
Dépôt qui se forme dans le vin . . . . TARTRE
Dépôt résultant d'une précipitation . . . . PRECIPITE
Dépouillé de ce qui garnit . . . . DEGARNI
Dépouillé de sa peau . . . . PELÉ
Dépouille . . . . CADAVRE • CORPS
Dépouillé . . . . DÉNUDÉ • DÉNUÉ
Dépouiller de la crème . . . . ÉCRÉMER
Dépouiller de la matière grasse . . . . ÉCRÉMER
Dépouiller de sa peau . . . . DÉPIAUTER
Dépouiller de ses pétales . . . . EFFEUILLER
Dépouiller de son éclat . . . . FLÉTRIR
Dépouiller de son écorce . . . . ROBER
Dépouiller quelqu'un . . . . PLUMER
Dépouiller un animal de son pelage . . . . TONDRE
Dépouiller un fruit de sa queue . . . . ÉQUEUTER
Dépouiller une peau d'animal
  de sa bourre . . . . EBOURRER
Dépouiller . . . . DÉGARNIR • DÉMUNIR • DÉNUDER
                    DÉPOSSÉDER • DÉSHÉRITER • DÉVALISER
                    EBOURRER • RETAMER • SPOLIER
Dépourvu . . . . DÉNUÉ • PAUVRE
Dépourvu de pattes . . . . APODE
Dépourvu de pieds . . . . APODE
Dépourvu de poils . . . . GLABRE
Dépourvu de valeur . . . . VAIN
Dépourvu d'éléments constructifs . . . . NÉGATIF
Dépravation . . . . PERVERSION
Dépravé . . . . CORROMPU • IMMORAL • MORBIDE
                    PERVERS • PERVERTI • VICIEUX
Déprécier . . . . DÉSHONORER • DÉVALUER
                    MEJUGER • MÉSESTIMER • RABAISSER
Déprédation . . . . PILLAGE • SACCAGE
Dépression de la rétine . . . . FOVÉA
Dépression peu profonde . . . . FOSSETTE

Dépression	CRISE • SURMENAGE • TROU
Déprimé	ABATTU
Depuis peu de temps	RÉCEMMENT
Déraciner	ARRACHER
Déraison	ABSURDITÉ
Déraisonnable	DÉMENT • ILLÉGITIME
Déraisonner	RADOTER
Dérangement	GÊNE
Déranger	BOUSCULER • CONTRARIER DÉRÉGLER • DISTRAIRE • GÊNER NUIRE • PERTURBER • TROUBLER
Dérapage	PATINAGE
Déraper	GLISSER • PATINER
Déréglé	DÉTRAQUÉ
Dérèglement	DÉRANGEMENT • ÉGAREMENT PERVERSION
Dérèglement mental	FOLIE
Dérégler	DETRAQUER
Dérider	DÉGELER
Dérivatif	EXUTOIRE
Dérivé carbonylé	CÉTONE
Dérivé de l'ammoniac	IMIDE
Dérivé hydrogéné du silicium	SILANE
Dériver	DÉVIER • ÉMANER • PROVENIR
Dermatose chronique	PSORIASIS
Dermique	CUTANÉ
Dernier appendice abdominal des crustacés	UROPODE
Dernier des prophètes d'Israël	JOËL
Dernier mois de l'année	DÉCEMBRE
Dernier repas	CÈNE
Dernier roi de Lydie	CRÉSUS
Dernier roi d'Israël	OSÉE
Dernier service d'un repas	DESSERT
Dernier	DER • FINAL • RÉCENT • ULTIME
Dernière main	FION
Dernière œuvre d'un artiste	TESTAMENT
Dernière partie du côlon	RECTUM
Dernière période de la vie normale	VIEILLESSE
Dernière poche de l'estomac des oiseaux	GÉSIER
Dernière station d'une ligne de transport	TERMINUS

Dernièrement	RÉCEMMENT
Dernier-né	BENJAMIN
Dérobade	RECULADE
Dérober de nouveau	REVOLER
Dérober	CHIPER • SUBTILISER
Dérocher	EPIERRER
Déroulement	COURS • DEBALLAGE • SUITE
Dérouler ce qui était en bobine	DÉBOBINER
Déroutant	DÉCONCERTANT
Déroute	PANIQUE
Déroute, débâcle	DÉBANDADE
Dérouter	DÉCONCERTER
Derrière	APRÈS • ARRIÈRE
	ENVERS • POSTÉRIEUR • SÉANT
Derrière, fesses	CROUPE • POPOTIN
Des Aldes	ALDIN
Des Alpes	ALPIN
Des Andes	ANDIN
Des artères	ARTÉRIEL
Des Cévennes	CÉVENOL
Des étoiles	STELLAIRE
Dès l'heure présente	DÉJÀ
Dès maintenant	DÉJÀ
Des oasis	OASIEN
Désabuser	BLASER • DETROMPER
Désaccord	AVERSION • DÉSUNION • DIFFÉREND
	DISCORDE • DISSENSION • DIVERGENCE
	MALENTENDU • MÉSENTENTE
Désaccord violent	CLASH
Désagréable à voir	VILAIN
Désagréable	BOURRU • INGRAT • MAUVAIS
Désagréable, fâcheux	SAUMÂTRE
Désagrégé	DISSOUS
Désagréger	CORRODER • EFFRITER
Désaltérer	ABREUVER • CALMER
Désappointé	DÉÇU
Désappointement	DÉCEPTION
Désappointer	DÉCEVOIR • DÉCONTENANCER
	DÉPITER
Désapprobation	CENSURE • IMPROBATION
	PROTESTATION • RÉPROBATION

Désapprouver	BLÂMER • CONDAMNER CRITIQUER • DÉSAVOUER
Désargenté	FAUCHÉ
Désarmé	DÉSEMPARÉ
Désarroi	AFFOLEMENT • ARROI • DÉTRESSE
Désarticulé, disloqué	DÉSOSSÉ
Désassembler	DÉMONTER
Désastre	CALAMITÉ • FLÉAU • NAUFRAGE
Désavantage	HANDICAP
Désavantager	PÉNALISER • HANDICAPER • LÉSER
Désaveu	CONDAMNATION • DÉMENTI
Désavouer	DÉMENTIR • DÉSAPPROUVER RENIER • RÉPROUVER
Désaxer	DECENTRER
Descendance	LIGNAGE • LIGNÉE • PROGÉNITURE
Descendant	REJETON
Descendants	POSTÉRITÉ • PROGÉNITURE
Descendre	ABAISSER • ABATTRE • BAISSER DÉCHOIR • DÉVALER
Descendre à un niveau plus bas	ABAISSER
Descendu	ISSU
Descente de skis très sinueuse	SLALOM
Descente d'un organe	PTOSE
Descente en radeau pneumatique	RAFT
Descente	BAISSE • PENTE • RAFLE • RAID
D'Esclavonie	ESCLAVON
Description des animaux d'un pays	FAUNE
Description détaillée	DEVIS
Description satirique	CARICATURE
Description	PORTRAIT
Désenchanté	DÉSABUSÉ
Désencombrer	DÉBARRASSER
Désenivrer	DÉGRISER • DESSOÛLER
Désépaissir	ÉCLAIRCIR
Déséquilibré	DÉSAXÉ • DÉTRAQUÉ
Déséquilibre	FOLIE • INÉGALITÉ
Déséquilibrer	DECENTRER
Déséquiper	DÉSARMER
Désert d'Afrique	SAHARA
Déserter	QUITTER
Déserteur	FUGITIF

Désertion	ABANDON
Désespérance	LASSITUDE
Désespoir	DÉTRESSE
Déshabillé	NU • PEIGNOIR
Déshabiller	DÉVÊTIR
Désherber	BINER • SARCLER
Déshonneur	DÉGRADATION • HONTE
	IGNOMINIE • INFAMIE • OPPROBRE
Déshonorant	DIFFAMANT • INFAMANT
Déshydrater	SÉCHER
Désignation	ÉLECTION • NOMINATION
Désignation honorifique	TITRE
Désigné par élection	ÉLU
Désigner à une dignité	ÉLIRE
Désigner	AFFECTER • CHOISIR • INDIQUER
	NOMMER • QUALIFIER
Designer	STYLISTE
Désillusion	DÉBOIRE
Désillusionner	DÉGRISER
Désincarné	ABSTRAIT
Désinfecter	ASEPTISER • PURIFIER • STÉRILISER
Désinfection	PURGE
Désinhibition	CATHARSIS
Désintéressé	GRATUIT • PRODIGUE
Désir ardent	FAIM
Désir ardent et immodéré de quelque chose	AVIDITE
Désir de plaire	COQUETTERIE
Désir de se venger	VENGEANCE
Désir faible	VELLÉITÉ
Désir intense	BOULIMIE
Désir irrépressible	PRURIT
Désir passionné	SOIF
Désir pressant de faire quelque chose	DÉMANGEAISON
Désir	ASPIRATION • ATTIRANCE • BESOIN
	CAPRICE • CONVOITISE • DEMANDE
	INTENTION • SOUHAIT • VŒU
Désirable	AFFRIOLANT • ENVIABLE • SÉDUISANT
Désirer ardemment	SOUPIRER
Désirer	ENVIER • ESPÉRER • RÊVER • VOULOIR

Désireuse	JALOUSE
Désireux	JALOUX
Désistement	ABDICATION • DÉMISSION
Désobéissant	MUTIN
Désobéissante	MUTINE
Désobligeant	CRU • SEC
Désœuvré	INACTIF • OISIF
Désœuvrée	OISIVE
Désœuvrement	OISIVETÉ
Désolant	NAVRANT
Désolé	ATTERRÉ • ÉPLORÉ • FÂCHÉ • NAVRÉ
Désoler grandement	CONSTERNER
Désoler	AFFLIGER • NAVRER
Désopilant	HILARANT
Désordonné	INCOHÉRENT
Désordonné, extravagant	DÉLIRANT
Désordre général	MICMAC
Désordre résultant d'une mauvaise gestion	GABEGIE
Désordre	ANARCHIE • BROUILLON • CHAOS COHUE • ÉGAREMENT • FOUILLIS GÂCHIS • PAGAILLE
Désordre, agitation	CIRQUE
Désorganisation	INCURIE
Despote	DICTATEUR • TYRAN
Despotique	AUTORITAIRE
Desquamation de l'épiderme	DARTRE
Desquamer	PELER
Dessaisir	DÉPOSSÉDER
Dessaisissement	ABDICATION
Desséché	ARIDE
Dessécher	RACORNIR • SÉCHER
Dessein	AMBITION • BUT • PLAN PROJET • VUES
Desserrer	DÉLACER • LÂCHER • RELÂCHER
Dessert	CROUSTADE
Desservir	DÉSAVANTAGER
Dessin à grande échelle	ÉPURE
Dessin broché sur une étoffe	BROCHURE
Dessin de profil	SILHOUETTE
Dessin des veines du bois	VEINURE

Dessin fait à la gouache . . . . GOUACHE
Dessin gravé . . . . GRAFFITI
Dessin indélébile pratiqué sur la peau . . . . TATOUAGE
Dessin satirique . . . . CARICATURE
Dessin . . . . GRAPHIQUE
Dessinateur humoriste français . . . . EFFEL • REISER
Dessiner à la hâte avec un crayon . . . . CRAYONNER
Dessiner . . . . FIGURER • TRACER
Dessouler . . . . DEBOURRER
Dessoûler . . . . DÉGRISER • DÉSENIVRER
Dessous d'un larmier . . . . SOFFITE
Dessous féminins . . . . GUÊPIÈRE
Dessus d'une chaussure . . . . EMPEIGNE
Dessus . . . . AVANTAGE • ENDROIT • SUR
Déstabiliser . . . . ÉBRANLER
Destin . . . . DESTINÉE • ÉTOILE
FATALITÉ • KARMA
Destinataire . . . . RÉCEPTEUR
Destiné à être mis en musique . . . . LYRIQUE
Destinée . . . . DESTIN • FATALITÉ • FATUM • SORT
Destiner à un usage . . . . CONSACRER
Destiner . . . . PRÉDESTINER • VOUER
Destituer d'un emploi . . . . DÉGOMMER
Destituer . . . . LIMOGER • RÉVOQUER
Destitution . . . . DÉPOSITION • LICENCIEMENT
Destructeur brutal . . . . VANDALE
Destructeur . . . . ANNULANT • MEURTRIER
Destruction d'éléments organiques . . . . LYSE
Destruction lente et progressive . . . . CORROSION
Destruction par le feu . . . . INCENDIE
Destruction totale . . . . NAUFRAGE
Destruction, rupture . . . . BRIS
Désuet . . . . DÉMODÉ • OBSOLÈTE
PÉRIMÉ • SURANNÉ • VIEILLI
Désuète . . . . ANCIENNE
Désunion . . . . DIVORCE
Désunir . . . . BROUILLER • DISSOCIER • DIVORCER
Détachant . . . . DETACHEUR
Détaché du réel . . . . DÉRÉEL
Détaché . . . . DÉSINTÉRESSÉ • DÉSUNI
Détachement . . . . ESCORTE

Détachement de la réalité extérieure	AUTISME
Détacher un cordage	LARGUER
Détacher une bête	DÉTELER
Détacher	DÉCOLLER • DÉCROCHER DÉLIER • DÉSUNIR • ENLEVER ISOLER • LAVER LIBÉRER • SÉPARER
Détail accessoire servant à orner	FIORITURE
Détail imaginaire ajouté à un récit	BRODERIE
Détaillé	PRÉCIS
Détailler	ÉNUMÉRER • RACONTER
Détecteur	CAPTEUR • RADAR
Détective	LIMIER • POLICE
Détenir	GARDER
Détente	DÉLASSEMENT • RÉCRÉATION
Détenteur	POSSESSEUR • PROPRIÉTAIRE TENANT
Détention de mauvaise foi de choses volées par autrui	RECEL
Détenu	TAULARD • TOLARD
Détergent	DÉTERSIF
Détérioration	ALTÉRATION • DÉGÂT DÉGRADATION • SABOTERIE • USURE
Détérioré	ABÎMÉ • DÉLABRÉ • USAGÉ • USÉ
Détérioré, dénaturé	ALTÉRÉ
Détériorer	ABÎMER • AMOCHER • ATTAQUER ENDOMMAGER • USER
Déterminant	CRUCIAL • DÉCISIF
Détermination du groupe sanguin	GROUPAGE
Détermination du sexe des animaux	SEXAGE
Détermination	ACHARNEMENT • CARACTÈRE FERMETÉ • RÉSOLUTION VOLONTÉ
Déterminé	CABOCHARD • DÉFINI DÉFINITIF • FERME • VOLONTAIRE
Déterminer	DÉCIDER • DÉFINIR • PRÉCISER
Déterminer par le calcul	COMPTER
Détersif	DÉTERGENT
Détester	ABHORRER • ABOMINER XÉCRER • HAÏR • SACQUER
Détonant	FULMINANT

Détonation	BRUIT
Détour	DEVIATION
Détourné	DÉRIVÉ • INDIRECT
Détournement des deniers publics	PÉCULAT
Détourner	DÉRIVER • DÉVIER • DISSUADER
Détourner l'attention	DISTRAIRE
Détraction	CALOMNIE
Détrempé	TREMPÉ
Détremper	DÉLAVER • TREMPER
Détresse	DÉSARROI • DÉSESPOIR • MISÈRE
Détritus	REBUT • RÉSIDU • IMMONDICE
Détrôné	DÉCHU
Détrousser	DÉVALISER
Détruire entièrement	ANÉANTIR
Détruire les bourgeons poussant sur les troncs	EPINCER
Détruire les obstructions	DESOPILER
Détruire par le feu	CONSUMER • INCENDIER
Détruire	ABOLIR • ANÉANTIR • DÉCIMER DÉMOLIR • DÉVASTER • DISSOUDRE FRACASSER • MASSACRER • RASER RUINER • SABORDER • TUER
Détruire, abîmer	FLINGUER
Détruit	DISSOUS
Dette	DÛE • MPRUNT
D'Eurasie	EURASIEN • EURASIENNE
D'Europe	EUROPÉEN • EUROPÉENNE
Deux choses de même espèce	COUPLE
Deux fois	BIS
Deuxième	SECOND
Deuxième abbé de Cluny	ODON
Deuxième fils de Noé	CHAM
Deuxième jour de la semaine	MARDI
Deuxième mois de l'année	FEVRIER
Deuxième vertèbre du cou	AXIS
Deuxièmement	DEUZIO
Deux-pièces	BIKINI
Dévaler	DÉBOULER • TOMBER
Dévaliser	DÉTROUSSER • VOLER
Dévaloriser	DÉVALUER
Devancer	DÉPASSER • PRÉCÉDER • PRÉVENIR

Devant du corps du cheval	POITRAIL
Devant	DEVANTURE
Devant, front	FAÇADE
Devanture	ÉTALAGE • FAÇADE
Dévastation	CARNAGE • DÉGÂT DÉSOLATION • RAVAGE
Dévaster	INFESTER • PILLER RAVAGER • RUINER
Déveine	ADVERSITÉ • MALCHANCE
Développement	AMPLEUR • CIVILISATION ESSOR • PROCESSUS • PROGRÈS
Développement des bourgeons	GEMMATION
Développement important	PERCÉE
Développement littéraire	TIRADE
Développement progressif	CROISSANCE
Développer	COMMENTER
Devenir bleu	BLEUIR
Devenir blond	BLONDIR
Devenir calme	CALMIR
Devenir démodé	VIEILLIR
Devenir gris, en parlant du système pileux	GRISONNER
Devenir moins fréquent (Se)	RARÉFIER
Devenir opaque (S')	OPACIFIER
Devenir plus fort	FORCIR
Devenir plus frais	FRAÎCHIR
Devenir plus mou	RAMOLLIR
Devenir raide	RAIDIR
Devenir rance	RANCIR
Devenir rouge	ROUGIR
Devenir roux	ROUSSIR
Devenir sur	SURIR
Devenir triple	TRIPLER
Devenir un peu aigre	SURIR
Devenir un peu fou	DÉJANTER
Devenir vert	VERDIR
Devenir	ÉVOLUER
Devenu bleu	BLEUI
Devenu maigre	AMAIGRI
Devenu mou	MOLLI
Devenu noble	ANOBLI

Devenu plus étroit	RÉTRÉCI
Devenu rance	RANCI
Devenu riche	ENRICHI
Devenu rose	ROSI
Devenu terne	EMBU
Dévergondé	COUREUR • DISSOLU • LIBERTIN
Déverrouiller	CROCHETER • DEBARRER
Déversoir d'un étang	DARAISE
Déviation du bon sens	ABERRATION
Déviation d'un navire	DÉRIVE
Dévider et enrouler sur une bobine	BOBINER
Dévidoir des cordiers	CARET
Dévidoir qui sert à tirer la soie des cocons	ASPE • ASPLE
Dévier	DÉFLÉCHIR • DÉRIVER • DÉPORTER
Devin	AUGURE • DISEUR • MAGE PROPHETE • VOYANT
Deviner confusément	PRESSENTIR
Deviner	RÉSOUDRE
Devinette graphique	RÉBUS
Devise	SLOGAN
Dévisser	DÉFAIRE
Dévoiler	DÉBALLER • DÉCELER LIVRER • RÉVÉLER
Devoir	OBLIGATION • DETTE
Devoir comme reliquat de dette	REDEVOIR
Devoir de l'argent comme reliquat	REDEVOIR
Devoir donné comme modèle	CORRIGÉ
Dévorateur	DÉVORANT
Dévorer (Se)	REPAÎTRE
Dévorer	BOUQUINER • CONSUMER
Dévot	BIGOT • CROYANT FERVENT • PIEUX
Dévote	PIEUSE
Dévotion	FERVEUR • PIÉTÉ
Dévotion excessive du bigot	BIGOTERIE
Dévoué	ARDENT • ATTACHÉ LOYAL • ZÉLÉ
Dévoué, loyal	FÉAL
D'Haïti	HAÏTIEN
D'humeur capricieuse	FANTASQUE

D'humeur maussade et revêche . . . . GRINCHEUX
Diable de mer . . . . BAUDROIE
Diable femelle . . . . DIABLESSE
Diable . . . . DÉMON
Diablement . . . . SACRÉMENT
Diagramme . . . . GRAPHIQUE
Dialecte calabrais . . . . CALABRAIS
Dialecte chinois parlé au Hunan . . . . XIANG
Dialecte chinois . . . . WU
Dialecte de langue d'oïl de la Picardie . . . . PICARD
Dialecte gallo-roman . . . . GALLO • GALLOT
Dialecte italien parlé en Calabre . . . . CALABRAIS
Dialecte parlé en Bretagne . . . . GALLO
Dialecte rhéto-roman parlé
    dans le Tyrol du Sud . . . . LADIN
Dialecte . . . . LANGUE • PATOIS
Dialoguer . . . . PARLER
Diamant à usage industriel . . . . BORT
Diamant présentant un défaut . . . . BORT
Diamètre d'un cylindre . . . . ALÉSAGE
Diamètre . . . . MODULE
Diaphragme . . . . PESSAIRE
Diapositive . . . . PHOTO
Diarrhée . . . . COLIQUE
Diatribe . . . . PAMPHLET
Dictateur . . . . DESPOTE • TYRAN
Dictature . . . . TYRANNIE
Dictionnaire . . . . LEXIQUE
Dictionnaire de prosodie latine . . . . GRADUS
Dictionnaire poétique . . . . GRADUS
Dictionnaire qui donne l'explication
    de mots anciens . . . . GLOSSAIRE
Dicton . . . . PROVERBE
Diète . . . . RÉGIME
Dieu celte de la tribu, et dieu de la Guerre . . . . TEUTATÈS
Dieu de la Guerre à Rome . . . . MARS
Dieu de l'Amour . . . . ÉROS
Dieu de l'Amour dans la
    mythologie romaine . . . . CUPIDON
Dieu de l'ancienne Égypte . . . . APIS
Dieu des Bergers . . . . PAN

Dieu des Vents	ÉOLE
Dieu égyptien de Thèbes	AMON
Dieu grec de la Guerre	ARÈS
Dieu grec de la Mer	NÉRÉE
Dieu grec de la Végétation	ATTIS
Dieu guerrier scandinave	THOR
Dieu indien de l'Amour	KAMA
Dieu phénicien de la Végétation	ADONIS
Dieu romain des Voyageurs	MERCURE
Dieu solaire	RÉ
Dieu suprême du panthéon sumérien	ANOU
Dieu unique des musulmans	ALLAH
Dieu	CRÉATEUR • SEIGNEUR
Dieux guerriers de la mythologie scandinave	ASES
Diffamation	CALOMNIE • LIBELLE
Diffamatoire	VIPERIN
Diffamer	CALOMNIER • MÉDIRE • NOIRCIR
Différencier	DISCERNER
Différend	CONTESTATION • DÉMÊLÉ DÉSACCORD
Différent de la norme	ANORMAL
Différent	AUTRE • CONTRASTE • DISTINCT DIVERGENT • DIVERS • INÉGAL
Différer	AJOURNER • DIVERGER REPORTER • SURSEOIR
Difficile à comprendre	ABSTRUS
Difficile à contenter	EXIGEANT
Difficile à digérer	INDIGESTE
Difficile à pénétrer	PROFOND
Difficile	ARDU • COTON • CRITIQUE ÉPINEUX • MALAISÉ • RÉTIF
Difficile, pénible	HARD
Difficilement supportable	INFERNAL
Difficulté à avaler	DYSPHAGIE
Difficulté à déglutir	DYSPHAGIE
Difficulté à dormir	INSOMNIE
Difficulté à garder la station debout	ASTASIE
Difficulté à respirer	DYSPNEE
Difficulté à uriner	DYSURIE
Difficulté de l'accouchement	DYSTOCIE

Difficulté d'expression	DYSPHASIE
Difficulté d'ordre rationnel	APORIE
Difficulté insurmontable	MONTAGNE
Difficulté soudaine	HOQUET
Difficulté	ARIA • COMPLICATION • EMMERDE
	PROBLÈME • SUBTILITÉ • TRACAS
Difficulté, ennui	CHIENDENT
Difficulté, obstacle	EMBÛCHE
Difforme	BOT • TORS
Difformité	ANOMALIE
Diffus	PROLIXE • ZODIACAL
Diffusé	ÉMIS
Diffuser	PROPAGER
Diffusion	ÉMISSION
Digérer	ASSIMILER
Digestion	COCTION
Digitale	DOIGTIER
Digitaliser	NUMÉRISER
Digne de confiance	FIABLE
Digne de respect	AUGUSTE • VÉNÉRABLE
Digne d'envie	ENVIABLE
Digne d'être publié	PUBLIABLE
Digne d'Hercule	HERCULEEN
Digne d'un ange	ANGÉLIQUE
Digne d'un héros	HÉROÏQUE
Digne d'un roi	ROYAL
Dignitaire de l'Église	PONTIFE
Dignitaire ecclésiastique	ÉVÊQUE • PRÉLAT
Dignitaire religieux dans un pays musulman	MOLLAH
Dignité	NOBLESSE • RESPECT
Dignité de bâtonnier	BÂTONNAT
Dignité de calife	CALIFAT
Dignité de cardinal	POURPRE
Dignité de comte palatin	PALATINAT
Dignité de grand d'Espagne	GRANDESSE
Dignité de khan	KHANAT
Dignité de la conduite	TENUE
Dignité de patrice	PATRICIAT
Dignité de prince	PRINCIPAT
Dignité d'émir	ÉMIRAT

Dignité d'éparque, dans l'Antiquité	ÉPARCHIE
Dignité épiscopale	ÉVÊCHÉ
Dignité morale	HONNEUR
Dignité, office de chanoine	CANONICAT
Digue	ÉCLUSE • JETÉE
Digue provisoire établie sur un cours d'eau	BATARDEAU
Dilapidateur	PRODIGUE
Dilapider	DISSIPER • GASPILLER
Dilatation permanente d'une veine	VARICE
Diligence	CÉLÉRITÉ • RAPIDITÉ
Diligent	PRÉVOYANT • PROMPT • RAPIDE OIGNEUX • ZÉLÉ
Diluvien	DILUVIAL • TORRENTIEL
Dimension	ÉTENDUE • FORMAT • GABARIT GROSSEUR • POINTURE PROPORTION • TAILLE
Diminué	AFFAIBLI
Diminuer la surface d'une voile	ARISER
Diminuer la valeur de	DÉVALUER
Diminuer l'excès d'une chose	TEMPERER
Diminuer l'expansion de	ÉLÉGIR
Diminuer par un défaut	ENTACHER
Diminuer	AFFAIBLIR • AMENUISER AMOINDRIR • AMPUTER • ATTÉNUER DÉCLINER • DÉCROÎTRE • ÉCOURTER INFIRMER • MODÉRER • RACCOURCIR REGRESSER • RÉSORBER
Diminutif de Liliane	LILI
Diminutif de Timothy	TIM
Diminutif de Victor	VIC
Diminutif d'Edward	ED
Diminution de la mémoire	AMNÉSIE
Diminution de la soif	ADIPSIE
Diminution de la volonté	ABOULIE
Diminution de l'appétit	DYSOREXIE
Diminution du volume d'un corps ou d'un organe	ATROPHIE
Diminution durable des prix	DÉFLATION
Diminution	RÉGRESSION • BAISSE • DÉCRUE
Dîner	REPAS

Dingo . . . . DINGUE
Dingue . . . . BARJO • DINGO
LOUFOQUE • MABOUL
Dinguerie . . . . FOLIE
Diocèse . . . . ÉVÊCHÉ
Diplomate britannique . . . . ELGIN
Diplomate et homme politique
français 1819-1880 . . . . GRAMONT
Diplomatie . . . . SOUPLESSE
Diplomatie, tact . . . . DOIGTÉ
Diplôme d'Études Collégiales . . . . DEC
Diplômé . . . . BACHELIER
Diplôme . . . . BREVET • PARCHEMIN
Dire à haute voix . . . . DICTER • ORALISER • RÉCITER
Dire à voix basse à l'oreille
de quelqu'un . . . . CHUCHOTER
Dire des choses insignifiantes . . . . PAPOTER
Dire d'une façon langoureuse . . . . ROUCOULER
Dire d'une voix forte et émue (S') . . . . ÉCRIER
Dire en criant (S') . . . . ÉCRIER
Dire en plus . . . . AJOUTER
Dire ou faire des bêtises . . . . DECONNER
Dire . . . . CONTER • ÉNONCER • OPINER
Direct . . . . CRU • DROIT
Directeur . . . . CHEF • GÉRANT • PATRON
RECTEUR • TENANCIER
Direction . . . . CONDUITE • ORIENTATION • SENS
Direction d'un navire . . . . CAP
Direction verticale . . . . APLOMB
Directrice . . . . PATRONNE
Dirigeable . . . . BALLON • AEROSTAT
Dirigeant d'une tuilerie . . . . TUILIER
Dirigeant . . . . CHEF • DIRECTEUR
GÉRANT • LEADER • MENEUR
Dirigeante . . . . MENEUSE
Diriger . . . . ADMINISTRER • ADRESSER
COMMANDER • CONDUIRE • DOMINER
ENCADRER • FOCALISER • GÉRER
GUIDER • MANIER • ORIENTER
PILOTER • PRÉSIDER • RÉGIR • RÉGLER
Diriger avec une autorité excessive . . . . RÉGENTER

Diriger le flottage du bois . . . . DRAVER
Diriger politiquement . . . . GOUVERNER
Diriger suivant un axe . . . . AXER
Diriger, regrouper . . . . CANALISER
Dirigisme . . . . ETATISME
Discernement . . . . JUGEMENT
Discerner par intuition . . . . FLAIRER
Disciple de saint Benoît . . . . MAUR
Disciple sans originalité personnelle . . . . ÉPIGONE
Disciple . . . . ADEPTE • TENANT
Discipline médicale . . . . CHIRURGIE
Discipline traditionnelle indienne . . . . YOGA
Discipline . . . . BRANCHE • MATIÈRE
Discipliné . . . . DOCILE • OBÉISSANT
Disconvenir . . . . NIER
Discordance . . . . CACOPHONIE
Discordant . . . . CRIARD • DISPARATE • GRINÇANT
Discorde . . . . CONFLIT • ZIZANIE
Discount . . . . RABAIS
Discoureur . . . . PARLEUR
Discourir longuement . . . . PALABRER
Discourir . . . . DISSERTER • LAÏUSSER
Discours abondant . . . . BARATIN
Discours confus . . . . PATAQUES
Discours d'un avocat . . . . PLAIDOYER
Discours ennuyeux . . . . HARANGUE
Discours long et verbeux . . . . LAÏUS
Discours violent . . . . DIATRIBE
Discours . . . . ALLOCUTION • CAUSERIE
PROPOS • SPEECH
Discours, exposé . . . . TOPO
Discourtois . . . . INCIVIL • INELEGANT
Discrédit . . . . DÉCRI • DISGRÂCE
Discréditer . . . . DÉNIGRER • DÉPRÉCIER
DÉSHONORER • DIFFAMER
Discret . . . . MUET • RETENU • RÉTICENT
Discrétion . . . . PUDEUR
Discrimination envers
toute personne âgée . . . . ÂGISME
Disculpation . . . . APOLOGIE
Disculper . . . . ABSOUDRE • BLANCHIR
DÉCHARGER • JUSTIFIER • EXCUSER

Discussion	CONTROVERSE • DÉBAT
	DÉLIBÉRATION • DIALOGUE
Discutailler	PARLEMENTER
Discuter	CONFÉRER • CONVERSER
	DISPUTER • ERGOTER • NÉGOCIER
Discuter interminablement	PALABRER
Disette	FAMINE • PÉNURIE • RARETÉ
Diseur	RACONTEUR
Disgrâce	LAIDEUR
Disgracier	LIMOGER
Disgracieux	INGRAT
Disjoindre	ÉCARTER • SÉPARER
Dislocation	SÉPARATION
Disloquer	DÉMANCHER • DÉSUNIR • LUXER
Disparaître	FONDRE • PARTIR • PÉRIR
Disparaître (S')	ENVOLER • ÉVANOUIR
Disparité	BIGARRURE • DIFFÉRENCE
	INÉGALITÉ
Disparition apparente d'un astre	ÉCLIPSE
Disparition d'un mal	GUÉRISON
Disparition progressive	AGONIE
Disparu	ÉVANOUI • NOYÉ
Dispendieuse	ONÉREUSE • RUINEUSE
Dispendieux	CHER • CHEROT
	ONÉREUX • RUINEUX
Dispensé	EXEMPT
Dispenser	DÉCHARGER • EXEMPTER • RÉPANDRE
Dispersé	ÉPARS
Disperser	BALAYER • PARSEMER • VAPORISER
Disperser, séparer	DISLOQUER
Dispersion	DÉBANDADE • SÉPARATION
Disponibilité	VACANCE
Disponible	VACANT
Disposant	TESTATEUR
Disposé cinq par cinq	QUINÉ
Disposé d'un seul côté	UNILATÉRAL
Disposé en anneaux	ANNELÉ
Disposé en boucles fines et serrées	FRISÉ
Disposé en croix	CROISÉ
Disposé en spirale	SPIRALÉ
Disposé en tableaux	TABULAIRE

Disposé	ENCLIN • PRÊT
Disposer	ACCOMMODER • ARRANGER INSTALLER
Disposer d'avance	PRÉDISPOSER
Disposer de façon à enlever les joints	ENLIER
Disposer de la terre en petites buttes	BUTTER
Disposer deux choses l'une sur l'autre, en forme de croix	CROISER
Disposer en anneaux	ANNELER
Disposer en boucles	ANNELER
Disposer en combinant	AGENCER
Disposer en croix	CROISER
Disposer les plis d'un vêtement	DRAPER
Dispositif câblé permettant de remonter une pente	TELESKI
Dispositif contraceptif introduit dans l'utérus	STERILET
Dispositif cylindrique	BARILLET
Dispositif d'alerte	BIP
Dispositif d'allumage des moteurs à explosion	DELCO
Dispositif d'amorçage	DÉTONATEUR
Dispositif d'arrosage	GICLEUR
Dispositif de détection sous-marine	SONAR
Dispositif de lancement d'avions	CATAPULTE
Dispositif de protection	BLINDAGE
Dispositif de sécurité	ANTIVOL • PARACHUTE
Dispositif de transport pour les bêtes de somme	BAT
Dispositif destiné à couper le courant	FUSIBLE
Dispositif destiné à guider le navigateur	BALISE
Dispositif destiné à provoquer la détonation d'un explosif	DÉTONATEUR
Dispositif fixe de fermeture	SERRURE
Dispositif formé d'une lame	PATIN
Dispositif manuel d'appel d'un téléphone	CADRAN
Dispositif muni de bras pour transporter les blessés	CIVIÈRE
Dispositif permettant de décoder	DECODEUR
Dispositif permettant l'aération d'une pièce	AÉRATEUR
Dispositif pour amortir le son	SOURDINE

Dispositif pour présenter des produits . . . . PRÉSENTOIR
Dispositif pour tenir un livre fermé . . . . FERMOIR
Dispositif servant à viser . . . . VISEUR
Dispositif utilisé pour le dégivrage . . . . DÉGIVREUR
Disposition à éprouver un sentiment . . . . FIBRE
Disposition à être généreux . . . . LARGESSE
Disposition affective passagère . . . . HUMEUR
Disposition de sons identiques . . . . RIME
Disposition des bordages
    d'une embarcation . . . . CLIN
Disposition des diverses parties
    d'une habitation . . . . ÊTRES
Disposition des lieux
    dans un bâtiment . . . . ÊTRES
Disposition des nervures . . . . NERVATION
Disposition habituelle au mal . . . . VICE
Disposition naturelle . . . . APTITUDE
Disposition . . . . ORDONNANCE • MESURE
                                              ENDANCE
Disproportionné . . . . INÉGAL
Disputable . . . . EGALABLE
Dispute . . . . ALGARADE • BISBILLE • CHAMAILLE
                         DÉMÊLÉ • ESCARMOUCHE
                         LITIGE • GRABUGE • NOISE
                         QUERELLE • SCÈNE
Disputer . . . . ADMONESTER
Disque plein tournant sur un axe . . . . ROUE
Disque servant de support . . . . RONDEAU
Dissection et examen d'un cadavre
pour connaître les causes de la mort . . . . AUTOPSIE
Dissemblance . . . . DIFFÉRENCE • DISPARITÉ
Disséminé . . . . ÉPARS
Disséminer . . . . DISPERSER • SEMER
Dissension . . . . DÉSACCORD • DISCORDE
                               DIVORCE • MÉSENTENTE
Disséquer . . . . DÉCOMPOSER • DÉSOSSER
Dissertation . . . . COMPOSITION • RÉDACTION
Disserter . . . . DISCOURIR
Dissidence . . . . SÉPARATISME • SCHISME
Dissident . . . . TRANSFUGE • REBELLE
Dissimulateur . . . . GANGUE

Dissimulation	FEINTE
Dissimulé	CACHÉ
Dissimuler	CACHER • CAMOUFLER • CELER
	ENFOUIR • FARDER • MASQUER
	PLANQUER
Dissipé	INDOCILE • TURBULENT
Dissiper son ivresse	CUVER
Dissiper	DILAPIDER
Dissociable	SEPARABLE
Dissocier	DISSOUDRE
Dissolvant	SOLVANT
Dissonance	CACOPHONIE
Dissoudre un contrat	RÉSILIER
Dissoudre	ANNULER • ABROGER
Distance d'un lieu à l'équateur	LATITUDE
Distance	ÉCART • ESPACE • LONGUEUR
Distancer	DÉPASSER • ESPACER
	SEMER • SURPASSER
Distendre	BALLONNER • ÉTIRER • TIRER
Distension du ventre par des gaz	BALLONNEMENT
Distiller	SÉCRÉTER
Distillerie d'eau-de-vie	BRÛLERIE
Distinct	DIFFÉRENT • DIVERS
Distinctif	PARTICULIER • PROPRE
Distinction	ACCESSIT • ÉLÉGANCE • VALEUR
Distinction honorifique	ACCESSIT
Distingué	ÉLÉGANT • ÉMÉRITE • SÉLECT
Distinguer et ordonner	SÉRIER
Distinguer	DISCERNER • MARQUER • VOIR
Distraction sans importance	AMUSETTE
Distraction	ÉVASION • DÉLASSEMENT
	DIVERSION
Distractions pendant les temps libres	LOISIRS
Distraire	AMUSER • DÉTENDRE • DIVERTIR
	ÉGAYER • RÉCRÉER
Distrait	ABSENT
Distrayant	DELASSANT • REPOSANT
Distribuer des rations déterminées et limitées	RATIONNER
Distribuer	CLASSER • DÉPARTIR
	DISPENSER • RÉPANDRE • RÉPARTIR

Distributeur	LOTISSEUR
Distribution	DONNE
Dithyrambique	ÉLOGIEUX
Divagation	DÉLIRE
Divaguer	DÉLIRER • RÊVER
Divan muni d'une étagère	COSY
Divan	SOFA
Divergence	MÉSENTENTE
Diverger	DIFFÉRER
Divers	DISPARATE • MAINT MULTIPLE • VARIÉ
Diversifier	VARIER
Diversité	DISPARITÉ • VARIÉTÉ
Diverti	EBAUDI
Diverticule	PROCESSUS
Divertir	AMUSER • ÉGAYER • RÉCRÉER
Divertissant	AMUSANT • FACETIEUX • LUDIQUE
Divertissement	AMUSEMENT • DISTRACTION JEU • DIVERSION • RIGOLADE
Divertissement entre les actes d'une pièce	INTERMEDE
Dividende	GAIN • INTÉRÊT • RENTE • REVENU
Divin	SUPRÊME • SUBLIME
Divin, merveilleux	DÉLICIEUX
Divination	PRÉDICTION
Divine	DIVE
Diviniser	GLORIFIER
Divinité	DÉITÉ • DIEU • GENIALITE
Divinité des rivières	NAÏADE
Divinité égyptienne du Savoir	THOT
Divinité féminine	DÉESSE
Divinité grecque	ASTRÉE
Divinité mythique	DÉITÉ
Divinités du foyer	PÉNATES
Divisable	SECABLE • SEPARABLE
Divisé en degrés	GRADUÉ
Divisé en deux parties	BIPARTITE
Divisé en petits carrés	QUADRILLE
Divisé en rameaux	RAMIFIE
Divisé en trois parties	TRIPARTI
Divisé en trois	TRIN

Diviser dans le sens de la longueur . . . . FENDRE
Diviser en degrés . . . . GRADUER
Diviser en lots . . . . ALLOTIR
Diviser en tomes . . . . TOMER
Diviser . . . . CLASSER • MORCELER • PARTAGER
RÉPARTIR • SCIER • SCINDER
SEGMENTER • SÉPARER
Division . . . . BRANCHE • CLOISON
SCHISME • SCISSION
Division administrative
de l'ancienne Égypte . . . . NOME
Division de la cellule . . . . MÉIOSE
Division de l'an . . . . MOIS
Division du temps . . . . MINUTE
Division d'un feuilleton . . . . ÉPISODE
Division d'un fleuve . . . . BRAS
Division d'un ouvrage . . . . TOME
Division d'un pays . . . . PARTITION
Division d'une branche d'arbre . . . . RAMEAU
Division d'une pièce de théâtre . . . . ACTE
Division indirecte de la cellule . . . . MITOSE
Division sur un damier . . . . CASE
Division territoriale
dans l'Antiquité grecque . . . . DÈME
Division territoriale . . . . DISTRICT
Divulguer . . . . COLPORTER • ÉBRUITER
ÉVENTER • PUBLIER • RÉVÉLER
TRAHIR • TROMPETER
Dixième lettre de l'alphabet grec . . . . KAPPA
Dixième mois de l'ancienne
année romaine . . . . DÉCEMBRE
Dixième partie du bel . . . . DÉCIBEL
Dixième partie du mètre . . . . DÉCIMÈTRE
Dizaine . . . . DIX
Do . . . . UT
Docile . . . . DOUX • RÉSIGNÉ • SOUMIS
Docilité . . . . OBÉISSANCE
Docker . . . . ARRIMEUR
Docteur . . . . MÉDECIN
Docteur de la loi musulmane . . . . OULÉMA
Docteur de la loi . . . . OULÉMA • ULÉMA

Doctorat	DIPLÔME
Doctrine de certains hérétiques chrétiens	ADAMISME
Doctrine de Kant	KANTISME
Doctrine des partisans d'une union	UNIONISME
Doctrine des philosophes cyniques	CYNISME
Doctrine du retour à la nature	NATURISME
Doctrine mystique islamique	SOUFISME
Doctrine politique des gaullistes	GAULLISME
Doctrine politique	ETATISME
Doctrine préconisant la recherche du plaisir	HEDONISME
Doctrine religieuse ésotérique	GNOSE
Doctrine	DOGME • THÉORIE • THÈSE
Document d'identité codé	BADGE
Document établissant un droit	TITRE
Document	PAPIER • TEXTE
Dodeliner	OSCILLER
Dodo	SOMMEIL
Dodu	CORPULENT • CHARNU GRAS • POTELÉ • REPLET
Dogmatique	TRANCHANT
Dogmatisme	RIGORISME
Dogme	IDEOLOGIE
Doigt de pied	ORTEIL
Doigt du milieu de la main	MAJEUR
Doigt	ANNULAIRE • AURICULAIRE INDEX • MAJEUR • POUCE
Doigté	TACT
Doigtier de cuir du calfat	DÉLOT
Doléance	PLAINTE
Dolent	PLAINTIF
Domaine de chasse réservée	GARENNE
Domaine féodal	FIEF
Domaine libre de toute redevance	ALLEU
Domaine où l'on élève les taureaux de combat	GANADERIA
Domaine réservé	FIEF
Domaine rural	TERRE
Domaine	SECTEUR • SPÉCIALITÉ
Domestique en livrée	LAQUAIS
Domestiqué	APPRIVOISÉ

Domestique	NURSE • SERVANTE • VALET
Domestique, valet	LARBIN
Domestiquer	APPRIVOISER
Domicile	HABITATION • TOIT
Domicile, chez-soi	HOME
Dominant	PRINCIPAL • SUPÉRIEUR
Domination	JOUG • MAÎTRISE
	OPPRESSION • RÈGNE • SUPRÉMATIE
Domination souveraine	HÉGÉMONIE
Dominé	CONQUIS
Dominer	PRIMER
Dominicain belge, prix Nobel de la paix 1958	PIRE
Dommage causé indûment	TORT
Dommage que l'on subit	GRIEF
Dommage	DÉGÂT • LÉSION
	PRÉJUDICE • RAVAGE
Dommage, préjudice	DÉTRIMENT
Dommageable	NUISIBLE • PERNICIEUX
Dompté	APPRIVOISÉ
Dompter	MATER • SOUMETTRE
Dompteur	DRESSEUR
Don de double vue	VOYANCE
Don Juan	SÉDUCTEUR
Don	AUMÔNE • CADEAU • DONATION
	OFFRANDE • RÉCOMPENSE • TALENT
Donateur	BIENFAITEUR
Donation	CESSION
Donc	PARTANT
Donné franchement	APPLIQUÉ
Donner	ADJUGER • CONCÉDER
	INFLIGER • LÉGUER • OFFRIR
	PRÊTER • REFILER • SERVIR
Donner à loyer	LOUER
Donner accès à un lieu	ACCÉDER
Donner comme certain (S')	AVÉRER
Donner de la vigueur	VIVIFIER
Donner de petits baisers répétés	BAISOTER
Donner de petits baisers	BÉCOTER
Donner des bécots	BÉCOTER
Donner des complexes	COMPLEXER

Donner des coups	COGNER
Donner des soins de beauté aux mains	MANUCURER
Donner du corps	CORSER
Donner du galbe	GALBER
Donner du rythme	RYTHMER
Donner en partage	IMPARTIR
Donner la couleur du bronze	BRONZER
Donner la forme d'un cylindre	CYLINDRER
Donner la tonsure	TONSURER
Donner la vie	PROCRÉER
Donner l'apparence du velours	VELOUTER
Donner le sein	ALLAITER
Donner les couleurs du prisme à	IRISER
Donner les moyens matériels de faire quelque chose	OUTILLER
Donner lieu à	OCCASIONNER
Donner l'impression	SEMBLER
Donner sa voix dans une élection	VOTER
Donner un aspect satiné	SATINER
Donner un bien en échange d'un autre	TROQUER
Donner un bon revenu	RAPPORTER
Donner un caractère arabe	ARABISER
Donner un caractère français	FRANCISER
Donner un choc plus ou moins violent	CHOQUER
Donner un contour gracieux	GALBER
Donner un coup	PAUMER
Donner un navire en location	FRÉTER
Donner un nom à	BAPTISER
Donner un préavis	PRÉAVISER
Donner un prénom à quelqu'un	PRÉNOMMER
Donner un quatrième labour	RETERCER
Donner un rendez-vous	RENCARDER
Donner un surnom	SURNOMMER
Donner un troisième labour	TERCER • TERSER • TIERCER
Donner un vif éclat à	ILLUMINER
Donner un warrant en garantie	WARRANTER
Donner une coloration	TEINTER
Donner une couleur de cendre	CENDRER
Donner une forme carré	CARRER
Donner une marque d'attention	SALUER
Donner une perfection idéale	IDÉALISER

Donner une quatrième façon à la vigne	RETERCER
Donner une seconde façon aux terres	BINER
Donner une terre à titre de fief	INFEODER
Donner une texture particulière	TEXTURER
Dont la conjointe est décédée	VEUF
Dont la corolle présente deux lobes en forme de lèvres	LABIÉ
Dont la couleur pâle semble avoir déteint	ÉLAVÉ
Dont la fonction est de vérifier	VERIFIEUR
Dont la force est épanouie	VIGOUREUX
Dont la forme rappelle celle d'une mitre	MITRAL
Dont la peau est durcie et épaissie	CALLEUX
Dont la réalité est sûre	ASSURÉ
Dont la surface présente un renfoncement	CONCAVE
Dont l'acuité visuelle est très diminuée	AMBLYOPE
Dont l'aspect rappelle celui du porc	PORCIN
Dont le centre s'est déplacé	EXCENTRÉ
Dont le conjoint est mort	VEUVE
Dont le pied ne présente qu'un seul sabot	SOLIPÈDE
Dont le QI est très élevé	SURDOUÉ
Dont les liens de parenté sont étroits	PROCHE
Dont l'extrémité se termine en pointe fine	ACUMINÉ
Dont l'impulsion est violente et rapide	IMPETUEUX
Dont on a cité le nom, pour être digne d'un prix	NOMINÉ
Dont on a connaissance	CONNU
Dont on a coupé le poil	TONDU
Dont on a fait l'acquisition	ACQUIS
Dont on a fauché l'herbe	TONDU
Dont on a ôté l'énergie	DECOURAGE
Dont on a ôté les os	DESOSSÉ
Dont on a retranché quelque partie	TRONQUE
Dont on assourdit l'éclat	ÉTOUFFÉ
Dont on ignore le nom	ANONYME
Dont on ne peut parler	TABOU
Dont on surestime la valeur	SURFAIT
Dopage	DROGUE
Doping	DOPAGE • DOPANT
D'Oran	ORANAIS
D'ordre indéterminé	ÉNIÈME • NIÈME
Doré	BLOND • HÂLÉ • JAUNE

Dorer de nouveau	REDORER
Dorer	BLONDIR • BRUNIR
D'origine brésilienne, tabac	PÉTUN
D'origine sanguine	HÉMATIQUE
Dorloter	CAJOLER • MATERNER • MIGNOTER
	MITONNER • SOIGNER
Dorloter maternellement des bébés	POUPONNER
Dormant	STAGNANT
Dormir légèrement	SOMNOLER
Dormir	PIONCER • ROUPILLER
Dortoir dans un hôpital	SALLE
Dos d'une cuirasse	DOSSIÈRE
Dos	ENVERS • VERSO
Dosage excessif	SURDOSAGE
Dose excessive de drogue	SURDOSE
Dose	QUANTITÉ
Dossier	ACCOTOIR • CASIER • DOCUMENT
Dotation	ALLOCATION • PENSION
Doté	DOUÉ
Doter de robots	ROBOTISER
Doter d'un réseau de télévision par câble	CÂBLER
Doter d'une rente	RENTER
Doter	DOUER • MUNIR
	NANTIR • POURVOIR
Double	DUALITÉ • DUPLICATA
Double coup de baguette	FLA
Double lorgnette	JUMELLES
Doubler d'ouate	OUATER
Doubler un pion, au jeu de dames	DAMER
Doubler	DÉPASSER
Doublure d'un chapeau	COIFFE
Douce oisiveté	FARNIENTE
Douce	BÉNIGNE
Douceâtre	DOUX
Doucement	LENTEMENT • MOLLO
	PIANO • SUAVEMENT
Doucereuse	MIELLEUSE
Doucereux	DOUCEÂTRE • MIÈVRE
Douceur agréable	TIÉDEUR

Douceur exquise	SUAVITÉ
Doucine	VARLOPE
Doué de raison	RAISONNABLE
Doué d'une action néfaste	MALÉFIQUE
Doué	BRILLANT
Douillet	COSY • MOLLET
Douleur	DEUIL • MAL
Douleur d'oreille	OTALGIE
Douleur le plus souvent diffuse	ALGIE
Douleur morale ou physique	TORTURE
Douleur osseuse profonde	OSTEALGIE
Douleur physique	ALGIE • BOBO
Douleur ressentie dans l'abdomen	COLIQUE
Douleur ressentie sur le trajet d'un nerf	NÉVRALGIE
Douleur rhumatismale dans la région lombaire	LOMBAGO
Douleur, en langage enfantin	BOBO
Douloureux	CUISANT
Doute	HÉSITATION
Douter (Se)	MÉFIER
Douteux	INCERTAIN • INDÉCIS • SUSPECT
Doux au toucher	VELOUTÉ
Doux	DOUILLET • MOLLET • TEMPÉRÉ
Douzaine	DOUZE
Douze mois	AN • ANNÉE
Douzième mois de l'année	DÉCEMBRE
Dragage	DRAGUE
Dragonne	CORDON
Drague	DRAGAGE
Draguer	ALLUMER • COURTISER
Drain	CANULE • SONDE • TRANCHEE
Drainer	ASSAINIR • ÉGOUTTER
Drainer goutte à goutte	ÉGOUTTER
Dramatique	GRAVE • TELEFILM • THÉÂTRAL TRAGIQUE • SCENIQUE
Dramaturge américain	ALBEE
Drame japonais	NÔ
Drame lyrique espagnol	ZARZUELA
Drame lyrique japonais	NÔ
Drame lyrique sur un sujet religieux	ORATORIO

Drame	TRAGÉDIE
Drames lyriques japonais	NÔS
Drap de lit	BÂCHE
Drap fin et uni	SEDAN
Drap	CHABRAQUE • MARENGO
Drapeau	GUIDON • ORIFLAMME • PAVILLON
Draper	LAINER
Drayoir	BUTOIR
Drège	CHALUT
Drelin	DING
Dressage	DOMPTAGE
Dressé	APPRIVOISÉ • HAUT
Dresser	ARBORER • DOMPTER • ÉLEVER
	ENTRAÎNER • LEVER • RÉDIGER
Dresser quelqu'un	CABRER
Dresser un oiseau pour le vol	OISELER
Dresseur	DOMPTEUR
Drille	FORET
Dring	SONNETTE
Drogue enivrante	HASCH
Drogue hallucinogène	LSD
Drogué	CAMÉ
Drogue	CAME • COCAÏNE
	DOPE • STUPÉFIANT
Drogue, stupéfiant	CHNOUF
Droguer	DOPER
Droguet de soie	LUSTRINE
Droit	ATTRIBUT • DIRECT
	HABILITE • PERMISSION
Droit de passer avant les autres	PRIORITÉ
Droit de primogéniture	AÎNESSE
Droit de retour	RÉVERSION
Droit des porcs de manger les glands dans la fôret	GLANDAGE
Droit d'utiliser la chose dont on est propriétaire	USUS
Droit payé par un navire	TONNAGE
Droit que l'on paye pour emprunter une voie de communication	PÉAGE
Droite	FRANCHE • TRIBORD
Droitier	DROITISTE

Droiture	ÉQUITÉ • PROBITÉ
Drôle	BOUFFE • SPIRITUEL
Drôle, gaillard	BOUGRE
Drôlement	CURIEUSEMENT • VACHEMENT
Drôlerie	BOUFFONNERIE
Dromadaire d'Afrique du Nord	MÉHARI
Dronte	DODO
Dru	TOUFFU
Druide gaulois	OVATE
Drupe globuleuse et oblongue	OLIVE
Dû	DETTE
Dû à des ions	IONIQUE
Dû à la neige	NIVAL
Dû au paludisme	PALUDÉEN
Du centre, en politique	CENTRISTE
Du couchant	VESPERAL
Du Danemark	DANOISE
Du dirigisme	DIRIGISTE
Du fœtus	FŒTAL
Du Japon	NIPPON
Du Kurdistan	KURDE
Du latium	LATIN
Du Maroc	CHÉRIFIEN
Du même temps	CONTEMPORAIN
Du Népal	NÉPALAIS
Du nez	NASAL
Du nord	BORÉAL
Du papier	PAPETIER
Du pays de Galles	GALLOIS
Du père	PATERNEL
Du Poitou	POITEVIN
Du pôle Nord	ARCTIQUE
Du printemps	PRINTANIER
Du Québec	QUÉBÉCOIS
Du rectum	RECTAL
Du renard	VULPIN
Du saint patron	PATRONAL
Du sapin	ABIÉTIN
Du Siam	SIAMOIS
Du temps passé (D')	ANTAN
Duc	HIBOU

Duc de Somerset né en 1500	SEYMOUR
Ductile	ÉTIRABLE
Dugong	LAMANTIN
Dumper	BENNE
D'un bleu foncé tirant sur l'ardoise	TURQUIN
D'un bleu lumineux	SAPHIR
D'un brun chaud à reflets dorés	MORDORÉ
D'un brun rouge	BAI
D'un brun roux, en parlant des cheveux	AUBURN
D'un brun-roux	BAI
D'un caractère désagréable	ACARIÂTRE
D'un chérif	CHÉRIFIEN
D'un esprit vif, dégourdi	DÉLURÉ
D'un goût acide et aigre	SUR
D'un jaune terne	JAUNÂTRE
D'un jaune tirant sur le roux	FAUVE
D'un jaune très doux	BLOND
D'un palais	PALATIAL
D'un point à un autre	ENTRE
D'un regard fixe	FIXEMENT
D'un rouge vif et léger	VERMEIL
D'un rouge-brun	ROUILLE
D'un vert tirant sur le bleu	GLAUQUE
Dundee	KETCH
D'une activité incessante	TRÉPIDANT
D'une beauté irréelle	FÉERIQUE
D'une blancheur de plâtre	PLÂTREUX
D'une blancheur éclatante	VIRGINAL
D'une blancheur parfaite	IMMACULÉ
D'une couleur bleu mauve	LAVANDE
D'une couleur entre le bleu et le vert	PERS
D'une couleur fade, pâle	DÉLAVÉ
D'une couleur orangée plus ou moins vive	ROUX
D'une couleur rouge bordeaux velouté	AMARANTE
D'une couleur tenant du gris et du beige	GRÈGE
D'une couleur violet foncé	PRUNE
D'une douceur fade	DOUCEÂTRE
D'une douceur hypocrite	MIELLEUX
D'une excessive sévérité	DRACONIEN
D'une extrême maigreur	ÉTIQUE
D'une extrême minceur	FILIFORME

D'une façon nette, décidée . . . . CARRÉMENT
D'une fadeur déplaisante . . . . FADASSE
D'une gravité exagérée . . . . SOLENNEL
D'une hardiesse excessive, provocante . . . . DÉLURÉ
D'une locution signifiant sans que
   cette personne s'en doute . . . . INSU
D'une manière calme . . . . CALMEMENT
D'une manière crâne . . . . CRÂNEMENT
D'une manière décente . . . . DECEMMENT
D'une manière décontractée . . . . RELAX
D'une manière déraisonnable . . . . FOLLEMENT
D'une manière empressée . . . . GALAMMENT
D'une manière ferme . . . . FERMEMENT
D'une manière fine . . . . FINEMENT
D'une manière hautaine . . . . FIÈREMENT
D'une manière indue,
   contraire à la règle . . . . INDUMENT
D'une manière judicieuse . . . . SAGEMENT
D'une manière orale . . . . ORALEMENT
D'une manière polie . . . . POLIMENT
D'une manière riche . . . . RICHEMENT
D'une manière sale . . . . SALEMENT
D'une manière savante . . . . SAVAMMENT
D'une manière sèche . . . . SECHEMENT
D'une manière servile . . . . PLATEMENT
D'une manière stupide . . . . BETEMENT
D'une manière tiède . . . . TIEDEMENT
D'une manière utile . . . . UTILEMENT
D'une manière vache . . . . VACHEMENT
D'une manière vague . . . . VAGUEMENT
D'une pâleur maladive . . . . HÂVE
D'une probité absolue . . . . INTÈGRE
D'une qualité supérieure . . . . SUPERFIN
D'une santé déficiente . . . . CACOCHYME
D'une simplicité excessive . . . . SIMPLISTE
D'une teinte rose orangé . . . . SAUMON
D'une tiédeur désagréable . . . . TIÉDASSE
D'une très petite taille . . . . NAIN
Dune . . . . BUTTE
Duo . . . . DEUX
Duper . . . . ATTRAPER • BERNER • ENJÔLER
FLOUER • PIGEONNER

Duper quelqu'un	FLOUER
Duper, tromper	JOBARDER
Duperie	LEURRE • MENSONGE • TRICHE
Dur	CRUEL • ÉGOÏSTE
Dur à supporter	RIGOUREUX
Dur comme du cuir	CORIACE
Dur, épais	FOURNI
Durable	IMMUABLE • PERMANENT
	SOLIDE • STABLE • TENACE
	VIABLE • VIVACE
Durant	PENDANT
Durci, coagulé	PRIS
Durcir	INDURER • RAIDIR
Durcissement d'un tissu	SCLÉROSE
Dure	CRUELLE
Durée	LONGUEUR • PÉRIODE
Durée de huit jours	OCTAVE
Durée de la fonction d'un prieur	PRIORAT
Durée de notre passage sur terre	VIE
Durée de sept ans	SEPTENNAT
Durée des études	SCOLARITÉ
Durement	CRÛMENT
Durer	EXISTER • VIVRE
Dureté	ÂPRETÉ • CRUAUTÉ
	RUDESSE • SÉVÉRITÉ
Durillon	CAL • COR • OIGNON
Duvet de certaines plantes	LAINE
Duvet de fibres très courtes	LINTER
Duveté	VELOUTÉ
Dynamique	ACTIF • REMUANT
Dynamisme	ÉNERGIE • PEP • VITALITÉ
Dynastie impériale chinoise	HAN • MING
Dyspepsie	APEPSIE
Dyspnée	ASTHME
Dysprosium	DY

E

Eau	LAVURE • ONDE
Eau congelée	NEIGE
Eau de Cologne	ALCOOLAT
Eau de toilette	LOTION
Eau de toilette	ALCOOLAT
Eau de vaisselle	LAVASSE
Eau gazéifiée	SODA
Eau minérale chaude aux propriétés thérapeutiques	THERMAL
Eau minérale	VICHY
Eau qui a servi à rincer	RINÇURE
Eau qui suinte du bois chauffé	SUAGE
Eau salée dans laquelle on conserve les denrées	SAUMURE
Eau vive	FONTAINE
Eau, pluie	FLOTTE
Eau-de-vie	ARAC • CHAMPAGNE COGNAC • GIN • GNIOLE GNOLE • NIOLE
Eau-de-vie de canne à sucre	RHUM • TAFIA
Eau-de-vie de cerises	KIRSCH
Eau-de-vie de cidre	CALVA
Eau-de-vie de grain de seigle	VODKA
Eau-de-vie de raisin	ARMAGNAC
Eau-de-vie de vin	COGNAC
Eau-de-vie d'origine écossaise	WHISKY
Eau-de-vie d'origine russe	VODKA
Eau-de-vie fabriquée en Allemagne	SCHNAPS
Eau-de-vie parfumée à l'anis	RAKI
Eaux peu profondes de la Louisiane	BAYOU
Ébahi	AHURI • BABA • ÉBAUBI BERLUÉ • ÉPATÉ
Ébahir	ABASOURDIR • ÉPATER • ÉTONNER
Ébarber une pièce de métal	ÉBAVURER
Ébaubir	ÉBAHIR
Ébauche	AMORCE • CANEVAS COMMENCEMENT • ESQUISSE MAQUETTE • PLAN

Ébaucher	CRAYONNER • DESSINER
Ébaucher un rapprochement	FLIRTER
Ebauches	RUDIMENTS
Ébéniste	MENUISIER
Éberlué	ÉTONNÉ
Éblouir	AVEUGLER
Éblouissant	ADMIRABLE
Éblouissant, éclatant	FULGURANT
Éblouissement	BERLUE • VERTIGE
Éboulement	ÉBOULIS
Ébouriffé	HIRSUTE
Ébrancher	ÉLAGUER • ÉMONDER
Ébranchoir	SERPE
Ébranlé	ATTEINT • ÉMU
Ébranlé, traumatisé	CHOQUÉ
Ébranlement soudain et violent	COMMOTION
Ébranlement	SECOUSSE
Ébranler	ATTEINDRE • ÉMOUVOIR
	ÉTOURDIR • SECOUER
Ébrécher	ÉCORNER • ÉGUEULER
Ébriété	IVRESSE
Éburné	ÉBURNÉEN
Éburnéen	ÉBURNÉ • IVOIRIN
Écaille	COQUILLE • ECALURE
Écailleux	SQUAMEUX
Écale	BROU
Écart dans le temps	DÉCALAGE
Ecart moral	DEVIATION
Écart spatial	DÉCALAGE
Écart temporel	DÉCALAGE
Écart	DÉCALAGE • DISTANCE • ESPACE
Écarté	RETIRÉ
Écarter de sa direction naturelle	DÉJETER
Écarter	ALIÉNER • ÉLOIGNER • ÉVITER
Ecchymose à l'œil	COQUARD
Ecchymose faite à la peau en la suçant fortement	SUÇON
Ecchymose	CONTUSION • COQUART
	HEMATOME
Ecclésiastique	PRÊTRE
Écervelé	ÉTOURDI • ÉVENTÉ

Échafaudage en arc de cercle . . . . CINTRE
Échafaudage . . . . ARMATURE • TRIQUET
Échafauder . . . . ÉLABORER
Echalas . . . . PERCHE
Échancrer . . . . ÉVIDER
Echancrure d'un organe, d'une feuille, etc. . . . . INCISURE
Echancrure . . . . DECOLLETE
Echange de coups de feu . . . . FUSILLADE
Échange de monnaies de pays différents . . . . CHANGE
Échange direct d'un bien contre un autre . . . . TROC
Échange verbal violent . . . . ALTERCATION
Échange . . . . TRANSACTION • TROC
Échanson . . . . SERDEAU • SOMMELIER
Échantillon . . . . SPÉCIMEN
Échappé . . . . ÉVADÉ
Échappée . . . . ESCAPADE • FUITE
Écharpe de dentelle . . . . MANTILLE
Écharpe de fourrure . . . . ÉTOLE
Écharpe de toile que portaient
   les prêtres hébreux . . . . ÉPHOD
Écharpe . . . . FOULARD
Échassier du midi de la France . . . . GLARÉOLE
Échassier . . . . GRUE
Echauder . . . . CHAULER
Échaudoir . . . . CUVE
Échauffourée . . . . RIFIFI
Échéance . . . . TERME
Échec . . . . BIDE • DÉFAITE • FIASCO
                                          FLOP • INSUCCÈS • REVERS
Échec complet . . . . FAILLITE
Échelle de sons . . . . GAMME
Echelle double . . . . TRIQUET
Échelle, en photographie . . . . ISO
Échelon . . . . DEGRÉ • GRADE • NIVEAU
Échelonner . . . . ESPACER • ÉTAGER
Échevelé . . . . HIRSUTE
Échinoderme appelé couramment
   étoile de mer . . . . ASTÉRIE
Échiquier . . . . DAMIER
Écho . . . . RÉSONANCE
Échoppe . . . . BURIN • BOUTIQUE • BARAQUE

Échouer	AVORTER • CHUTER • FOIRER MANQUER • RATER
Échouer, foirer	MERDER
Échu par droit	DÉVOLU
Écimer	DÉCAPITER • ÉTÊTER
Éclabousser	GICLER • MOUILLER • REJAILLIR • SALIR
Eclaboussure	SALISSURE
Éclairage	LUMIÈRE • LUSTRERIE
Éclaircir	CLARIFIER • ÉLUCIDER
Éclaircir la couleur de	DÉCOLORER
Eclaircir une chose compliquée	DÉMÊLER
Eclaircissement	DELAYAGE
Éclairé	ILLUMINÉ
Éclairer	ILLUMINER • LUIRE • TUYAUTER
Éclat	AURÉOLE • BRILLANT ESQUILLE • LUMINOSITÉ • PET
Éclat de voix	CRI
Éclat d'un style imagé et vivant	COLORIS
Éclat et teinte du visage	COLORIS
Éclat naturel ou artificiel	LUSTRE
Éclat pompeux	APPARAT
Éclat trompeur	CLINQUANT
Éclat vif et passager	ÉTINCELLE
Éclat, brillant	FLAMME
Éclatant	BEAU • BRILLANT • CLAIR GLORIEUX • RELUISANT
Eclatement	CREVAISON
Éclater	CREVER • EXPLOSER • FULMINER PÉTER • RETENTIR • SAUTER
Éclipse	ABSENCE
Éclisse servant à égoutter les fromages	VOLETTE
Éclisse	CLISSE
Éclopé	ESTROPIÉ
Éclore	FLEURIR
Ecluse	BATARDEAU
Écœurant	ABJECT • DÉGOÛTANT • RÉPUGNANT
Écœuré	DECOURAGE • DÉGOÛTÉ • SATURÉ
Écœurement	DÉCOURAGEMENT • NAUSÉE RÉPULSION
Ecœurer	DEBECTER

Écouler . . . . LIQUIDER
Ecourté . . . . TRONQUE
Écourter les oreilles . . . . ESSORILLER
Écourter . . . . ABRÉGER • RACCOURCIR
Écouter de nouveau . . . . RÉÉCOUTER
Écouter . . . . OBÉIR • OUÏR
Écouvillon . . . . BALAI
Écrabouillé . . . . ÉCRASÉ
Écrabouiller . . . . ÉCRASER
Écran de télévision . . . . TÉLÉCRAN
Écran monté sur un haut-parleur . . . . BAFFLE
Écran suspendu au plafond . . . . PANCA
Écran . . . . RIDEAU
Écrasé . . . . ÉPATÉ
Écrasement au sol . . . . CRASH
Ecrasement brutal d'un corps creux . . . . IMPLOSION
Écraser . . . . ACCABLER • APLATIR • BROYER
COMPRIMER • MOUDRE
OPPRIMER • PIÉTINER • PILER
PULVÉRISER • RATATINER
Ecraser au moyen d'un pilon . . . . EGRUGER
Écraser avec les dents . . . . MÂCHER
Écraser avec un pilon . . . . PILONNER
Écrin . . . . BOÎTE • COFFRE • COFFRET
Écrin pour ranger les bijoux . . . . BAGUIER
Écrire . . . . COMPOSER
Ecrire de nouveau . . . . RECRIRE
Écrire, rédiger . . . . PONDRE
Ecrit attestant du paiement d'une dette . . . . QUITTANCE
Écrit diffamatoire . . . . LIBELLE
Écrit en trois langues . . . . TRILINGUE
Écrit politique posthume . . . . TESTAMENT
Écrit satirique . . . . PAMPHLET
Écrit tenu pour sans valeur . . . . PAPERASSE
Écrit . . . . TEXTE
Écriteau . . . . AFFICHE • PANCARTE • PLACARD
Ecriture à traits droits et anguleux . . . . GOTHIQUE
Écriture formée de signes . . . . STÉNO
Ecriture . . . . BURINAGE
Écrivain algérien né en 1920 . . . . DIB
Écrivain allemand mort en 1831 . . . . ARNIM

Écrivain allemand mort en 1888 . . . . STORM
Écrivain allemand mort en 1910 . . . . RAABE
Écrivain allemand mort en 1956 . . . . BENN
Écrivain allemand mort en 1985 . . . . BOLL
Écrivain allemand . . . . ARNIM • HEINE • MANN
Écrivain américain mort en 1973 . . . . AUDEN
Écrivain américain né en 1871 . . . . DREISER
Écrivain américain né en 1933 . . . . ROTH
Écrivain américain . . . . AUDEN • PŒ
Écrivain australien né en 1916 . . . . WEST
Écrivain australien, prix Nobel 1973 . . . . WHITE
Écrivain belge prénommé Georges . . . . SIMENON
Écrivain belge . . . . DAISNE • THIRY
Écrivain brésilien . . . . AMADO
Écrivain britannique décédé en 1883 . . . . REID
Écrivain britannique mort en 1834 . . . . LAMB
Écrivain britannique né en 1814 . . . . READE
Écrivain britannique né en 1907 . . . . FRY
Écrivain danois 1805-1875 . . . . ANDERSEN
Écrivain et critique
    britannique mort en 1894 . . . . PATER
Écrivain et journaliste irlandais
    né en 1672 . . . . STEELE
Écrivain et nouvelliste finlandais . . . . AHO
Écrivain et peintre français mort en 1936 . . . . DABIT
Écrivain français d'origine roumaine . . . . IONESCO
Écrivain français mort en 1894 . . . . MACE
Écrivain français mort en 1897 . . . . DAUDET
Écrivain français mort en 1902 . . . . ZOLA
Écrivain français mort en 1905 . . . . VERNE
Écrivain français mort en 1910 . . . . RENARD
Écrivain français mort en 1958 . . . . CARCO
Écrivain français mort en 1960 . . . . CAMUS
Écrivain français mort en 1982 . . . . ARAGON • PEREC
Écrivain français mort en 1984 . . . . BRION
Écrivain français né en 1802 . . . . HUGO
Écrivain français né en 1823 . . . . RENAN
Écrivain français né en 1880 . . . . HÉMON
Écrivain français né en 1895 . . . . GIONO
Écrivain français né en 1919 . . . . DÉON
Écrivain français prénommé Boris . . . . VIAN

Écrivain français . . . . ABOUT • BAZIN
GIDE • LEIRIS • SADE
Écrivain guinéen mort en 1980 . . . . LAYE
Écrivain irlandais . . . . BEHAN
Écrivain israélien . . . . AGNON
Écrivain italien né en 1492 . . . . ARETIN
Écrivain mexicain mort en 1959 . . . . REYES
Écrivain mexicain né en 1914 . . . . PAZ
Écrivain politique français . . . . ARON
Écrivain polonais né en 1505 . . . . REJ
Écrivain polonais . . . . PRUS
Écrivain public . . . . SCRIBE
Écrivain québécois . . . . LEMELIN • NELLIGAN
SAVARD • TREMBLAY
Écrivain russe mort en 1994 . . . . LEONOV
Écrivain suisse d'expression française . . . . AMIEL
Écrivain suisse d'origine allemande . . . . HESSE
Écrivain suisse né en 1857 . . . . ROD
Écrivain uruguayen mort en 1994 . . . . ONETTI
Écrivain . . . . AUTEUR
Ecroué . . . . INCARCERE
Écroulement . . . . CHUTE • DÉGRINGOLADE
ÉBOULEMENT
Écroûter . . . . HERSER
Écu armorial . . . . ÉCUSSON
Écu . . . . BOUCLIER
Écueil . . . . BRISANT • RÉCIF
Écuelle . . . . GAMELLE
Éculé . . . . DÉFRAÎCHI • ÉLIMÉ • USÉ
Écume . . . . BAVE • MOUSSE
Écureuil . . . . SUISSE • TAMIA
Ecusson . . . . GREFFON
Écuyer au service d'un seigneur . . . . VALET
Ecuyer . . . . JOCKEY
Éden . . . . PARADIS
Édicter . . . . PROMULGUER
Édicule . . . . KIOSQUE
Édifiant . . . . PIEUX • VERTUEUX
Édifiante . . . . PIEUSE • VERTUEUSE
Édifice circulaire . . . . ROTONDE
Édifice consacré à la musique . . . . ODÉON

Édifice consacré aux chants . . . . ODÉON
Édifice destiné à la représentation
de pièces dramatiques . . . . THÉÂTRE
Edifice gouvernemental américain . . . . PENTAGONE
Édifice . . . . BÂTIMENT • IMMEUBLE
Édifier . . . . BÂTIR • CONSTRUIRE • ÉLEVER
Édit . . . . LOI
Édit promulgué par le tsar . . . . UKASE
Éditer de nouveau . . . . RÉÉDITER
Éditer . . . . IMPRIMER
Éditorial . . . . ÉDITO
Édredon . . . . DUVET
Éducateur . . . . ENSEIGNANT
Éducation . . . . CULTURE
Édulcorer . . . . AFFADIR • MITIGER • SUCRER
Éduquer . . . . CIVILISER • CULTIVER
ÉLEVER • INSTRUIRE
Éfaufiler . . . . EFFILER
Effaçable . . . . DÉLÉBILE
Effacé . . . . HUMBLE
Effacer . . . . ESCAMOTER • RADIER
Effacer par une usure progressive . . . . OBLITÉRER
Effaré . . . . AFFOLÉ • HAGARD
Effarouché . . . . APEURÉ
Effectif . . . . ACTUEL • AGISSANT
Effective . . . . ACTUELLE
Effectué . . . . ACCOMPLI
Effectuer . . . . ACCOMPLIR • EXÉCUTER
OPÉRER • RÉALISER
Effectuer le dégazage . . . . DÉGAZER
Effectuer le recyclage de quelqu'un . . . . RECYCLER
Effectuer l'insémination artificielle . . . . INSEMINER
Effectuer un coup violent, au tennis . . . . SMASHER
Effectuer un parcours en slalom . . . . SLALOMER
Effectuer un pontage sur une artère . . . . PONTER
Effectuer un slalom . . . . SLALOMER
Effectuer une migration . . . . MIGRER
Effervescence . . . . ÉBULLITION • FEBRILITE
Effet comique rapide . . . . GAG
Effet de commerce . . . . CHÈQUE
Effet d'une action forte . . . . IMPACT

Effet latéral donné à une balle, au golf	SLICE
Effet rétrograde	RÉTRO
Effets, objets personnels	AFFAIRES
Efficace	ACTIF • AGISSANT • BON
Efficacité	PORTÉE • RENDEMENT
Efficient	EFFICACE
Effigie	FIGURE • PORTRAIT
Efflanqué	MAIGRE
Effleurement	ATTOUCHEMENT
Effleurer	CARESSER • FRISER • FRÔLER
	FROTTER • TOUCHER
Efflorescence	ÉRUPTION
Effluve	ODEUR
Effondré	PROSTRÉ
Effondrement de la bourse	KRACH
Effondrement soudain	DÉBÂCLE
Effondrement	IMPLOSION
Effort final	RUSH
Effort pour connaître, découvrir	RECHERCHE
Effraction	BRIS
Effrayant	ALARMANT • HORRIBLE
	REDOUTABLE
Effrayant	ALARMANT
Effrayant, terrifiant	ÉPEURANT
Effrayante	AFFREUSE
Effrayé	APEURÉ
Effrayer vivement	TERRIFIER
Effrayer	AFFOLER • APEURER
	ÉPEURER • INTIMIDER
Effréné	DÉBRIDÉ • ENRAGÉ
Effroi violent	PANIQUE
Effroi	HORREUR • TERREUR
Effronté	CULOTTÉ • ÉHONTÉ
	GONFLÉ • IMPUDENT • INSOLENT
Effronté, trop libre	DÉLURÉ
Effronterie de la personne qui se moque des conventions	CYNISME
Effronterie	GOUAILLE
Effronterie, audace	IMPUDENCE
Effroyable	AFFREUX • TERRIBLE
Égal	UNI

Égal, uni	LISSE
Égale	PAREILLE
Également	AUSSI • COMME • ITOU
Égaliser	APLANIR • NIVELER • RÉGALER
Égalitaire	NIVELEUR
Égalité	PARITÉ • UNIFORMITÉ
Égard	ESTIME • DÉFÉRENCE
Egards	SOINS
Égaré	PERDU • ADIRÉ • DÉSAXÉ
	ÉPERDU • ERRANT
Égarement	VERTIGE
Égarer	FOURVOYER • PAUMER • PERDRE
Égayer	ANIMER • DÉRIDER • DÉTENDRE
Églantine	ROSE
Églefin fumé	HADDOCK
Eglefin	CABILLAUD
Église cathédrale	DÔME
Église romane et gothique	YENNE
Église tibétaine	LAMAÏSME
Église	TEMPLE
Ego	JE • MOI
Égocentrique	ÉGOÏSTE
Égocentriste	ÉGOÏSTE
Égoïne	SCIE
Égorger	SAIGNER
Égotisme	ÉGOÏSME
Egoût	PUISARD
Égrainage	ÉGRENAGE
Égrapper	ÉGRENER
Égratigner	ÉRAFLER • EXCORIER • GRIFFER
Egratignure	GRIFFURE
Éhonté	EFFRONTÉ
Einsteinium	ES
Éjaculation	EJECTION
Éjecter	REJETER
Éjection	REJET
Élaborer	PROGRAMMER
Élaeis	ÉLÉIS
Élagage	ÉMONDAGE
Élaguer	ÉMONDER • TAILLER
Élan capricieux	FOUCADE

Élan d'Amérique	ORIGNAL
Élan	ASPIRATION • ENVOLÉE ESSOR • ORIGNAL
Élancé et fragile	GRACILE
Élancé	LONG • MINCE • SVELTE
Élargi	ÉVASÉ
Élargir à l'orifice	ÉVASER
Élargir l'ouverture	ÉVASER
Élasticité	RESSORT
Élastique	ÉTIRABLE
Elastomère	NEOPRENE • SILICONE
Éléatique	ÉLÉATE
Élection en dehors des élections générales	PARTIELLE
Électrisant	PASSIONNANT
Électriser	ANIMER
Electrode positive	ANODE
Électron de charge négative	NÉGATON
Electrophone	PHONO
Élégance	COQUETTERIE
Élégant	CHIC • COQUET GRACIEUX • SÉLECT
Élégant, chic	SMART
Élégant, distingué	NAP
Élégante	GRACIEUSE
Élégie	POÈME
Éléis	ÉLAEIS
Élément ajouté à l'original	AJOUT
Élément ajouté, apport	ALLIAGE
Élément artificiel et instable	ASTATE
Élément atomique du même groupe que l'aluminium	BORE
Elément chimique artificiel	HAFNIUM
Élément chimique de couleur jaune	SOUFRE
Élément constant d'un calcul	PARAMÈTRE
Élément contribuant à un résultat	FACTEUR
Élément de mesure de l'information	BIT
Élément de noms masculins	OL
Élément de passementerie, de forme ovoïde	GLAND
Élément d'un ensemble	PARTIE
Élément d'un espace vectoriel	VECTEUR
Élément d'une chaîne acoustique	AMPLI

Élément d'une chaîne binaire	BIT
Élément d'une machine ayant une fonction particulière	ORGANE
Élément d'une machine	ORGANE
Élément d'une mosaïque	ABACULE
Élément exprimant l'opposition	ANTI
Élément gazeux radioactif	RADON
Élément incorporé à un mot pour modifier le sens	AFFIXE
Élément instable et radioactif	ASTATE
Élément nécessaire pour juger	PARAMÈTRE
Élément non essentiel	DÉTAIL
Élément radioactif naturel	RADON • URANIUM
Élément stabilisateur de certains projectiles	AILETTE
Elément vibrant grâce à un courant électrique	VIBREUR
Élément	DÉTAIL • ITEM • NOTION PARTIE • UNITÉ
Elémentaire	ENFANTIN
Eléments	RUDIMENTS
Elevage de lapin	LAPINIERE
Élevage de taureaux de combat	GANADERIA
Élévation au-dessus du sol	ALTITUDE
Élévation de la température du corps	FIÈVRE
Élévation de terrain	ÉMINENCE
Élévation peu considérable de terre	TERTRE
Élévation verticale d'un point par rapport au niveau de la mer	ALTITUDE
Élévation	ASCENSION • ÉRECTION • MONT
Élève	ÉCOLIER • POTACHE
Élevé	ANOBLI • ÉMINENT • HAUT
Élève de première année	BIZUT
Élève d'un collège	COLLEGIEN
Élève d'un lycée	LYCÉEN
Élève d'une école normale	NORMALIEN
Élève paresseux et nul	CANCRE
Élever	BÂTIR • CONSTRUIRE • DRESSER ÉDIFIER • ÉDUQUER • SOULEVER
Élever à un haut degré de perfection	EXALTER
Élimé	ÉCULÉ • USÉ

Élimer	LIMER • RÂPER • USER
Élimination	ÉVICTION
Éliminer	DISSIPER • ÉVINCER
Elingue	FILIN
Élire	PRÉFÉRER
Élire une seconde fois	RENOMMER
Élite	ARISTOCRATIE • GRATIN
Elixir	HYDROMEL
Elle fut changée en génisse	IO
Élocution	DICTION
Éloge	APOLOGIE • COMPLIMENT LOUANGE
Élogieux, obligeant	FLATTEUR
Éloigné	DISTANT • ISOLÉ LOIN • LOINTAIN
Éloignement entre deux choses	GAP
Éloignement	DISTANCE • ÉCART
Éloigner	ALIÉNER • ÉCARTER • ISOLER
Élonger	ÉTIRER
Eloquent	PERSUASIF
Élu, prédestiné	CHOISI
Élucider	CLARIFIER
Éluder une question	PATINER
Élusif	ÉVASIF
Émacié	AMAIGRI
Émailler	EMBELLIR
Émanation du thorium	THORON
Émanation d'un corps	AURA
Émanation	ARÔME
Émancipé	LIBÉRÉ
Émaner	PROVENIR
Emasculer	CASTRER
Emballage	ENVELOPPE • PAQUET
Emballage en carton pour confiseries	BALLOTIN
Emballage pour les liquides	BERLINGOT
Emballage servant au transport des petits fruits	CASSEAU
Emballer	ENSACHER
Emballeur	PAQUETEUR
Embarcadère	QUAI
Embarcation à flotteurs	PÉDALO

Embarcation à fond plat	ACCON • ACON • BARGE • DORIS
Embarcation légère	CANOË • CANOT • YOLE
Embarcation non pontée et légère	YOLE
Embarcation portative	CANOË
Embarcation pour charger et décharger les navires	ALLEGE
Embarcation pour le transport des marchandises	GABARE
Embarcation	ALLÈGE
Embarcation, esquif	BARQUE
Embargo	SAISIE
Embarquer	ENGAGER
Embarras	ARIA • GÊNE • MALAISE • TRACAS
Embarrassant	ÉPINEUX • GÊNANT
Embarrassé par pudeur	CONFUS
Embarrassé	DÉCONTENANCÉ • PENAUD • TIMIDE
Embarrasser	ENGORGER • GÊNER
Embassadeur	ENVOYE
Embaucher	EMPLOYER • ENGAGER
Embellir	AMÉLIORER • BRODER • PARER
Embellissement	DÉCORATION
Embêtement	EMBARRAS
Embêter	EMMERDER • RASER
Emblème	INSIGNE • SYMBOLE
Embobiner	BOBINER
Emboîtement	ARTICULATION
Emboîter	ENCASTRER • ENDENTER
Embolie	THROMBOSE
Embonpoint	RONDEUR • ROTONDITÉ
Embouche	PATURAGE
Embouchure d'un fleuve	ESTUAIRE
Embouchure	BOUCHE • GRAU
Embourber	ENLISER • ENVASER
Embout	ABOUT
Embouteillage	BOUCHON • ENCOMBREMENT
Emboutir	DÉFONCER • PERCUTER • TÉLESCOPER
Embraser	ATTISER • BRÛLER • INCENDIER
Embrassade	ACCOLADE
Embrassement	ACCOLADE • CARESSE • ÉTREINTE
Embrasser	BAISER • BISER • ÉTREINDRE
Embrigader	RECRUTER • ENRÔLER

Embrocher	EMPALER
Embrouillé	ABSCONS • MÊLANT • VASEUX
Embrouillée	VASEUSE
Embrouiller	EMMÊLER
Embrumé	VITREUX
Embryon	FŒTUS
Embûche	FILET
Éméché	GRIS • IVRE • POMPETTE
Éméchée	PARTIE
Emerillon	FAUCON
Émerveillement	ADMIRATION
Émerveiller	ÉBLOUIR
Émettre des gémissements	GÉMIR
Émettre des tiges secondaires à la base de sa tige	TALLER
Émettre par les médias	DIFFUSER
Émettre par suintement	EXSUDER
Émettre son bruit, en parlant de la cigale	CRAQUETER
Émettre un babillage	JASER
Émettre un bruit plaintif	GEINDRE
Emettre une théorie	THEORISER
Émeu	ÉMOU
Émigration en masse	EXODE
Émigration	MIGRATION
Émigrer (Se)	RÉFUGIER
Éminence à la surface de certains objets	SAILLIE
Éminence	EM • MONTICULE
Éminent	INSIGNE
Emir	CHEIKH
Émis par le gosier	GUTTURAL
Émissaire	AGENT • DÉLÉGUÉ • ENVOYE
Émission	DIFFUSION
Émission de rayons	RADIATION
Émission inconsciente d'urine	ÉNURÉSIE
Emmailloter	ENROULER • LANGER
Emmener après avoir amené	REMMENER
Emmener	EMPORTER
Emmerdant	CHIANT
Emmerdement	EMMERDE
Emmerder	EMBÊTER • ENNUYER
Emmerdeur	GÊNEUR

Emmiellé	MIELLEUX
Émoi	AGITATION • ÉMOTION
Émoluments	HONORAIRES • TRAITEMENT
Émonder	ÉLAGUER • TAILLER
Émotif	SENSIBLE • SENSITIF • VIBRANT
Émotion	ÉMOI • SENSATION
Émotion tendre	TROUBLE
Émotionnel	ÉMOTIF
Émotionnelle	ÉMOTIVE
Émotionner	ÉMOUVOIR
Émotter	HERSER
Émou	ÉMEU
Émousser	ÉPOINTER
Émoustillant	EXCITANT
Emoustillé	EXCITE
Emoustiller	EMECHER
Émouvoir	ALARMER • ATTENDRIR
	BOULEVERSER • TOUCHER
Empaqueter	EMBALLER
Empaqueteur	PAQUETEUR
Empâté	ÉPAIS • PÂTEUX
Empâtée	PÂTEUSE
Empathique	POMPIER
Empêchement	CONTRETEMPS • DIFFICULTÉ
	ENTRAVE • OBSTACLE
Empêcher	OPPOSER • PROHIBER • RETENIR
Empêcher d'évoluer	SCLÉROSER
Empereur de Bulgarie	TSAR
Empereur de Russie	TSAR
Empereur en Allemagne	KAISER
Empereur légendaire de Chine	YAO
Empereur romain	CÉSAR • NÉRON
Empereur	CÉSAR • NAPOLÉON • ROI
Empesé	AMPOULÉ
Empesté	FÉTIDE
Empester	INFECTER • PUER • VICIER
Empêtrer	ENTRAVER
Emphase	PATHOS
Empiètement	ENCLAVE
Empiler	ACCUMULER • ENTASSER
Empire de l'Amérique précolombienne	INCA

Empire	EMPRISE
Empirer	AGGRAVER
Emplacement à l'avant du navire	GATTE
Emplacement précis	SITE
Emplacement réservé à un exposant	STAND
Emplacement	LIEU • POSITION • TERRAIN
Emplâtre à base de résine	DIACHYLON
Emplette	ACHAT
Emploi d'argent	DÉPENSE
Emploi du temps	AGENDA • HORAIRE
Emploi excessif de la main-d'œuvre	SUREMPLOI
Emploi involontaire d'un mot pour un autre	LAPSUS
Emploi rémunéré	JOB
Emploi	BOULOT • MANIEMENT OFFICE • USAGE
Emploi, fonction	RÔLE • SITUATION
Employé	COMMIS • SALARIÉ
Employé de la douane	GABELOU
Employé de la poste	POSTIER
Employé d'église	BEDEAU
Employé des postes	FACTEUR
Employé du service des postes	POSTIER
Employé laïque d'une église	BEDEAU
Employé qui sert dans un bar	BARMAN
Employée de maison	BONNE
Employée de maison, bonne à tout faire	BONNICHE
Employée qui sert dans un bar	BARMAID
Employer de l'argent	DÉPENSER
Employer	UTILISER
Emplumer	EMPENNER
Empocher	ENCAISSER • GAGNER
Empoignade	CHAMAILLE • CHICANE
Empoigner	SERRER
Empoisonner	EMPESTER • ENVENIMER
Empoisonner, ronger	GANGRENER
Empoissonner	ALEVINER
Emporté	IMPULSIF
Emporté, ardent	BOUILLANT
Emportement	COLÈRE • IRE

Emportement enthousiaste . . . . FURIA
Emporter quelque chose . . . . PRENDRE
Emporter . . . . CHARRIER • PRENDRE • RAVIR
Empoté . . . . EMPRUNTE • GAUCHE • MALADROIT
Empreint de sincérité . . . . SENTI
Empreint d'héroïsme . . . . HÉROÏQUE
Empreinte sur le sol . . . . TRACE
Empreinte . . . . CACHET • IMPRESSION
MARQUE • MOULAGE • SCEAU
STIGMATE • TRACE
Empressé . . . . AVENANT • DÉVOUÉ • DILIGENT
FERVENT • GALANT • PROMPT
Empressement . . . . ARDEUR • CÉLÉRITÉ • DILIGENCE
HÂTE • ZÈLE
Emprisonné . . . . CAPTIF
Emprisonnée . . . . CAPTIVE
Emprisonnement . . . . PEINER • ÉCLUSION
Emprisonner . . . . ASSIÉGER • BOUCLER • COFFRER
ÉCROUER • ENCAGER • ENSERRER
INTERNER
Emprunt au latin . . . . LATINISME
Emprunt . . . . PLAGIAT • PRÊT
Emprunteur . . . . DÉBITEUR
Empuantir . . . . EMPESTER
Empyrée . . . . FIRMAMENT
Émulation . . . . CONCURRENCE
Émule . . . . COMPÉTITEUR
Émulsion riche en amidon . . . . LATEX
En abondance . . . . AMPLEMENT
En Afrique, fonction
d'un chef de tribu . . . . CHEFFERIE
En Afrique, lit bas fait
de fibres végétales . . . . TARA
En alternance . . . . ALTERNÉ
En aucun temps . . . . JAMAIS
En Auvergne, petite fromagerie . . . . BURON
En avance . . . . AVANCÉ
En bon ordre . . . . ORDONNÉ
En boxe, coup de poing . . . . SWING
En boxe, coup porté de bas en baut . . . . UPPERCUT
En ce moment . . . . ACTUELLEMENT

En compagnie de	AVEC
En conséquence	ALORS
En danger	MENACÉ
En définitive	FINALEMENT
En dépit de	MALGRÉ
En dernier lieu	ULTIMO
En détachant nettement les notes	STACCATO
En ébullition	BOUILLANT
En échange de	POUR
En escrime, porter la jambe en avant	REFENDRE
En état de grossesse	ENCEINTE
En état d'ébriété	IVRE
En face de	DEVANT
En fonction de	SUIVANT
En forme	DISPOS
En forme d'anneau	ANNULAIRE
En forme de bec	ROSTRAL
En forme de croix	CROISÉ
En forme de flèche	SAGITTAL
En forme de fuseau	FUSELÉ
En forme de poire	PIRIFORME
En forme de poisson	ICHTYOÏDE
En forme de roue	ROTACÉ
En forme de sphère	SPHÉRIQUE
En forme de table	TABULAIRE
En forme de violon	VIOLONE
En forme d'œuf	OVALE
En forme d'ombilic	OMBILICAL
En grand nombre	ABONDANT
En harmonie, assorti	COORDONNÉ
En hiver, temps que les navires passent en relâche	HIVERNAGE
En jazz, court fragment mélodique	RIFF
En loques, déchiré	LOQUETEUX
En matière de	ÈS
En même temps	ENSEMBLE
En noir et blanc	ACHROME
En Orient, abri pour les voyageurs	KAN • KHAN
En outre	ITEM
En parlant de l'Orient, de l'Est	LEVANT
En paroles	ORALEMENT

En passant par .... VIA
En petits morceaux .... MENU
En piteux état .... MITEUX
En plus .... SUS
En position de guetteur (Aux ...) .... AGUETS
En premier lieu .... AUPARAVANT • PRIMO
En Provence, terme désignant le thym .... FARIGOULE
En publicité, une aguiche .... TEASER
En Russie, assemblée .... DOUMA
En second lieu .... DEUZIO
En sueur .... SUANT
En Suisse, celui qui célèbre un jubilé .... JUBILAIRE
En télégraphie, unité de
   rapidité de modulation .... BAUD
En tous lieux .... PARTOUT
En toute liberté .... LIBREMENT
En troisième lieu .... TERTIO
En un autre lieu .... AILLEURS
En vain .... VAINEMENT
En vérité .... CERTES
En .... DANS
Encadré .... ENTOURE
Encadrement de l'âtre .... CHEMINÉE
Encadrement .... CADRE
Encaissement .... RENTRÉE
Encaisser .... ENDURER • RECEVOIR
Encaisser un coup dur .... MORFLER
Encarter .... INSÉRER
En-cas, lunch .... COLLATION
Encastrer .... ENDENTER
Encaustiquer .... CIRER
Enceindre .... ENCLORE • ENTOURER
Enceinte acoustique .... BAFFLE
Enceinte circulaire destinée aux
   jeux publics chez les Romains .... CIRQUE
Enceinte demi-circulaire de filets .... VENET
Enceinte où l'on tient
   enfermés les taureaux .... TORIL
Enceinte stérile .... BULLE
Encensé .... ADULÉ
Encenser .... ADULER

Encercler	ASSIÉGER • CEINDRE CERNER • ENTOURER
Enchaîner	RIVER
Enchanté	CONTENT • RAVI
Enchantement	MAGIE
Enchanter	RÉJOUIR • RAVIR
Enchanteur	SÉDUISANT
Enchanteur, magique	FÉERIQUE
Enchâsser	ENCASTRER • SERTIR
Enchères	ENCAN
Enchérir	RENCHÉRIR
Enchevêtrer	EMMÊLER
Enclave	TERRITOIRE
Enclaver	ENCASTRER • ENGLOBER
Enclin à la colère	COLERIQUE
Enclin à percevoir les bons côtés d'une chose	OPTIMISTE
Enclore	CIRCONSCRIRE
Enclos	PALISSADE • PARC
Enclos grillagé où l'on élève des oiseaux	VOLIÈRE
Enclos où est enfermé le bétail	PARC
Enclos où l'on parque le bétail	CORRAL
Enclos où vivent les moutons	BERGERIE
Enclos pour le bétail en Afrique du Sud	KRAAL
Encoche	COCHE • ENTAILLE
Encoder	CODER
Encolleuse	PAREUSE
Encolure	DECOLLETE
Encombrant	GÊNANT • INCOMMODE • NUISIBLE
Encombré	SATURÉ
Encombrer	FARCIR
Encore plus	DAVANTAGE
Encore	BIS • DAVANTAGE
Encouragement	SUBVENTION • RÉCONFORT
Encourager	APPROUVER • ENHARDIR INCITER • PROMOUVOIR
Encourir	MÉRITER
Endetter	OBÉRER
Endiablé	INFERNAL

Endommagé par le feu	ARSIN
Endommagé	ABÎMÉ • AVARIÉ • DÉTÉRIORÉ
Endommagement	DÉTÉRIORATION
Endommager	AVARIER • LÉSER
Endormant	MONOTONE
Endormi	NONCHALANT
Endossement	ENDOS • APPROBATION
Endosser de nouveau	RENDOSSER
Endosser	ASSUMER • APPROUVER
Endosseur	RÉPONDANT
Endroit dans un désert	OASIS
Endroit d'une rivière où l'on peut se baigner	BAIGNADE
Endroit d'une rivière où l'on peut traverser à pied	GUÉ
Endroit frayé sur la glace pour y glisser	GLISSOIRE
Endroit mal défini	LIMBES
Endroit malpropre et malsain	CLOAQUE
Endroit où arrêtent les trains	GARE
Endroit où l'on mange mal	GARGOTE
Endroit où l'on remise des objets encombrants	DÉBARRAS
Endroit où l'on se poste pour guetter le gibier	AFFÛT
Endroit où l'on sert des repas	CANTINE
Endroit où poussent des arbustes épineux	ÉPINAIE
Endroit où se croisent plusieurs voies	CARREFOUR
Endroit où se prépare quelque chose	OFFICINE
Endroit réfrigéré destiné à la conservation	GLACIÈRE
Endroit retiré	COIN
Endroit très chaud, surchauffé	FOURNAISE
Endroit	LIEU • PLACE • RECTO
Enduire avec du lut	LUTER
Enduire de beurre	BEURRER
Enduire de bitume	BITUMER
Enduire de colle	ENCOLLER
Enduire de crépi	CREPIR
Enduire de fart	FARTER
Enduire de glaise	GLAISER
Enduire de gomme d'apprêt	ENCOLLER
Enduire de gomme	GOMMER

Enduire de matière gluante	ENGLUER
Enduire de pommade	POMMADER
Enduire de résine	RÉSINER
Enduire de soufre	SOUFRER
Enduire de suif	SUIFFER
Enduire de vaseline	VASELINER
Enduire de vernis	VERNIR • VERNISSER
Enduire d'encaustique	CIRER
Enduire d'encre	ENCRER
Enduire	OINDRE
Enduit de gomme	GOMMANT
Enduit de mortier	CRÉPI
Enduit de plâtre	CRÉPI
Enduit de talc	TALQUE
Enduit de vaseline	VASELINÉ
Enduit durcissant par dessiccation	LUT
Enduit imitant le marbre	STUC
Enduit imperméable	CHAPE
Enduit très résistant	LUT
Enduit	ANTIHALO • VERNIS
Endurant	RÉSIGNÉ
Endurci	AGUERRI • BLINDÉ • INVÉTÉRÉ
Endurcir	DURCIR
Endurcir, rendre moins vulnérable	BLINDER
Endurer	ESSUYER • PÂTIR • SOUFFRIR
	UPPORTER • TOLÉRER
Énergie de la pulsion sexuelle	LIBIDO
Énergie morale	VERTU
Énergie	ACTIVITÉ • FORCE
	PUISSANCE • VITALITÉ
Énergie, dynamisme	TONUS
Énergie, vitalité	DYNAMISME
Énergique	DRACONIEN • DYNAMIQUE
	FERME • RÉSOLU
Énergumène	POSSÉDÉ
Énervant	AGAÇANT • IRRITANT
Énervé	IRRITÉ • NERVEUX • SUREXCITE
Énervée	NERVEUSE
Énervement	NERVOSITÉ
Énerver	AGACER • EXCÉDER
	HORRIPILER • IRRITER • STRESSER

Enfant	REJETON • KID • MIOCHE MÔME • LOUPIOT
Enfant à cheveux blonds	BLONDIN
Enfant de sexe masculin	GARÇON
Enfant en bas âge	LARDON • NOURRISSON
Enfant espiègle	LUTIN • DIABLOTIN
Enfant gros et gras	PATAPOUF
Enfant insupportable	GARNEMENT
Enfant mâle	GARÇON
Enfant que l'on a trouvé abandonné dans les champs	CHAMPIS
Enfant qu'on a tenu sur les fonts baptismaux	FILLEUL
Enfant trouvé dans les champs	CHAMPIS
Enfant turbulent	JOJO
Enfant, môme	CHIARD
Enfanter	ACCOUCHER • CONCEVOIR
Enfantillage	BADINERIE • BALIVERNE FUTILITÉ • GAMINERIE • MÔMERIE PUÉRILITÉ
Enfantin	INFANTILE • PUÉRIL
Enfants	PROGÉNITURE
Enfariné	FARINEUX
Enfermé	CAPTIF • MURÉ • SEQUESTRE
Enfermée	CAPTIVE
Enfermer	BOUCLER • CEINDRE CLORE • ENCAGER • ENTOURER
Enfermer dans un cachot	EMMURER
Enfilade	FILE
Enfiler	EMPALER
Enflammé	ARDENT • BRÛLANT PASSIONNÉ • PÉTILLANT
Enflammer	ALLUMER • ATTISER ÉLECTRISER • STIMULER
Enflé	BOUFFI • BOURSOUFLÉ
Enfler	BALLONNER • BOMBER HAUSSER • TUMÉFIER
Enflure à la suite d'un coup	BOSSE
Enflure douloureuse due au froid	ENGELURE
Enflure	ŒDÈME
Enfoncement du rivage	CRIQUE

Enfoncement ménagé pour un lit . . . . ALCÔVE
Enfoncement . . . . DÉPRESSION
Enfoncer . . . . DÉFONCER • FICHER • PLANTER
Enfoncer dans l'eau . . . . CALER
Enfoncer plus avant . . . . RENFONCER
Enfoui . . . . CACHÉ
Enfouir . . . . ENFONCER • PLONGER
Enfourchure . . . . FOURCHE
Enfreindre . . . . OUTREPASSER • VIOLER
Enfutailler . . . . ENFÛTER
Enfûter . . . . ENTONNER
Engagé dans une coalition . . . . COALISÉ
Engagé dans une mutinerie . . . . MUTINE
Engagé . . . . SOLIDAIRE
Engagement à payer
    si on perd un pari . . . . GAGEURE
Engagement religieux . . . . VŒU
Engagement . . . . BANCO • CONVENTION
                    FOI • OBLIGATION • PROMESSE
Engager dans des dettes . . . . ENDETTER
Engager de nouveau
    dans un engrenage . . . . RENGRENER
Engager les uns dans les autres . . . . ENLIER
Engainer . . . . GAINER
Engazonner . . . . GAZONNER
Engelure . . . . GELURE
Engendrer . . . . ACCOUCHER • CONCEVOIR
                    CRÉER • PROCRÉER
                    PRODUIRE • GÉNÉRER
Engin blindé allemand . . . . PANZER
Engin bruyant . . . . ZINZIN
Engin de levage . . . . POULIE
Engin de pêche . . . . NASSE
Engin de terrassement destiné
    à racler les surfaces . . . . DÉCAPEUSE
Engin de terrassement qui
    fait de l'excavation . . . . DÉCAPEUSE
Engin de terrassement servant
    à niveler un sol . . . . NIVELEUSE
Engin de terrassement . . . . SCRAPER
Engin de travaux publics . . . . LOADER • RIPPER

Engin destiné à forer des tunnels	TUNNELIER
Engin explosif utilisé sous l'eau	TORPILLE
Engin muni de dents métalliques pour défoncer les terrains durs	RIPPER
Engin	APPAREIL • OUTIL
Englober	COMPRENDRE
Engloutir	ENTERRER • DEVORER
Engluer	POISSER
Engorger de sable	ENSABLER
Engouement passager	TOQUADE
Engouement	ADMIRATION • TOCADE
Engourdi par le froid	GOURD
Engourdi	LENT
Engourdir	PARALYSER
Engourdissement	PESANTEUR • TORPEUR
Engrais azoté	URÉE
Engrais composé de terre et de déchets organiques	COMPOST
Engrais fait de goémon	GOÉMON
Engrais naturel	FUMIER • TERREAU
Engrais vert	VERDAGE
Engraissement du bétail dans les prés	EMBOUCHE
Engraisser	ÉPAISSIR • FORCIR • GROSSIR
Engraisser avec du grain	ENGRENER
Engraisser une volaille	EMPÂTER
Engrenage	MECANISME
Énième	NIÈME
Enigmatique	ABSCONS
Énigme qui consiste à découvrir un mot décomposé en syllabes	CHARADE
Énigme	DEVINETTE • MYSTÈRE • RÉBUS
Énigme, devinette	CHARADE
Enivrant	CAPITEUX • GRISANT PASSIONNANT
Enivrante	CAPITEUSE
Enivré	SAOUL
Enivrement	IVRESSE
Enivrer légèrement	EMECHER
Enivrer	GRISER • SAOULER • SOÛLER
Enjamber	ESCALADER
Enjeu	CAVE • MISE • PARI

Enjôler	AMADOUER • CÂLINER • CHARMER
Enjôleur	CARESSANT
Enjôleur, flagorneur	FLATTEUR
Enjoliver	EMBELLIR
Enjoué	BADIN • GAI • JOVIAL JOYEUX • RIEUR
Enjouée	RIEUSE
Enjouement	GAIETÉ
Enkylosé	ENDOLORI
Enlacement	ACCOLADE • ÉTREINTE
Enlacer	EMBRASSER • ÉTREINDRE • SERRER
Enlaidir	DÉPARER
Enlèvement	PRISE • RAPINE • RAPT
Enlever	AMPUTER • EFFACER • KIDNAPPER ÔTER • PRÉLEVER • RAVIR • RETIRER
Enlever à quelqu'un ce qu'il a	PRIVER
Enlever avec un instrument tranchant	EXCISER
Enlever de la matière à un objet	ÉVIDER
Enlever la crête d'un animal	ÉCRÊTER
Enlever la tête	ÉTÊTER
Enlever le boisage	DÉBOISER
Enlever le savon	RINCER
Enlever l'éclat de	DÉPOLIR
Enlever les dents	ÉDENTER
Enlever les pépins de	ÉPÉPINER
Enlever par résection	RÉSÉQUER
Enliser	ENVASER
Enneigé	NEIGEUX
Enneigée	NEIGEUSE
Ennobli	ANOBLI
Ennui	ACCIDENT • DÉSAGRÉMENT MONOTONIE • PÉPIN • SOUCI SPLEEN • TRACAS
Ennui, souci	EMMERDE
Ennui, tracas	TINTOUIN
Ennuyé ou fâché	CONTRARIÉ
Ennuyer	BARBER • LASSER
Ennuyer, raser	BARBIFIER
Ennuyeux	BARBANT • RASANT RASOIR • SUANT

Énoncé	EXPOSÉ • PAROLE
Énoncé considéré indépendamment de sa vérité	LEXIS
Énoncer	ÉMETTRE
Énoncer comme condition	STIPULER
Énoncer son avis	OPINER
Énoncer successivement	ÉNUMÉRER
Énonciation	ÉNONCÉ
Énorme reptile de l'ère secondaire	DINOSAURE
Énorme	GROS • IMMENSE • OBÈSE
Énormément	COPIEUSEMENT
Enquête	CONSULTATION • SONDAGE
Enquiquinant	BARBANT
Enquiquiner	EMMERDER
Enraciné	ÉTABLI • INVÉTÉRÉ
Enracinement	ANCRAGE
Enraciner	ANCRER
Enragé	ACHARNÉ • EXASPÉRÉ FURIEUX • IRRITÉ
Enragée	FURIEUSE
Enrager	RAGER
Enrégimenter	ENRÔLER • MOBILISER • RECRUTER
Enregistrer	ARCHIVER • FILMER INSCRIRE • NOTER
Enrichir de matière	ÉTOFFER
Enrichir	FERTILISER
Enrober de farine	FARINER
Enrôler	MOBILISER
Enroué	RAUQUE
Enroulé	ROULÉ
Enroulement	ROULURE • VOLUTE
Enrouler en torsade	TORDRE
Enrouler sur une bobine	BOBINER
Enrouler un fil sur un support	ENVIDER
Enrubanner	RUBANER
Ensabler	ENGRAVER
Ensanglanté	SAIGNANT
Enseignant	PROF • PROFESSEUR
Enseigne de guerre	ETENDARD
Enseigne	AFFICHE • BANNIÈRE • PANONCEAU
Enseignement	LEÇON

Enseignement de Jésus-Christ	EVANGILE
Enseignement de la religion chrétienne	CATECHESE
Enseigner	APPRENDRE • INITIER • INSTRUIRE
Enseigner les bonnes manières	ÉDUQUER
Enseigner, diriger	RÉGENTER
Ensemble d'acheteurs	CLIENTÈLE
Ensemble d'animaux dans un même gîte	LITÉE
Ensemble d'animaux	BÉTAIL
Ensemble de brins	TOUFFE
Ensemble de chevaux	CAVALERIE
Ensemble de choses embrouillées	DÉDALE
Ensemble de choses formant un tout solide	FAISCEAU
Ensemble de choses sans valeur	RAMAS
Ensemble de cloches	CARILLON
Ensemble de copains	COPINERIE
Ensemble de disciplines artistiques	ARTS
Ensemble de documents concernant un sujet	DOSSIER
Ensemble de fibres	LIGAMENT
Ensemble de fiches	FICHIER
Ensemble de furoncles	ANTHRAX
Ensemble de glisseurs	TORSEUR
Ensemble de haubans	HAUBANAGE
Ensemble de lettres	LETTRAGE • MOT
Ensemble de marches	ESCALIER
Ensemble de mots ayant un sens complet	PHRASE
Ensemble de moyens d'action	PANOPLIE
Ensemble de napperons	SET
Ensemble de notes additionnelles à la fin d'un ouvrage	ADDENDA
Ensemble de personnages célèbres	PANTHÉON
Ensemble de personnes effectuant le même travail (angl.)	POOL
Ensemble de personnes remarquables	ÉLITE
Ensemble de personnes	FAMILLE
Ensemble de perturbations agressantes sur un organisme	STRESS
Ensemble de petits grains minéraux	SABLE

Ensemble de pieux	PILOTIS
Ensemble de pilots enfoncés dans le sol	PILOTIS
Ensemble de soins	TRAITEMENT
Ensemble de solutions	CORRIGÉ
Ensemble de sons harmonieux	EUPHONIE
Ensemble de symptômes liés à la vieillesse	SÉNILITÉ
Ensemble de touches	CLAVIER
Ensemble de toutes les connaissances	ENCYCLOPÉDIE
Ensemble de troupes à cheval	CAVALERIE
Ensemble de vêtements d'une garde-robe	VESTIAIRE
Ensemble de vêtements	TROUSSEAU
Ensemble de vitres	VITRAGE
Ensemble d'éléments homogènes	CONTINUUM
Ensemble des activités liées aux déplacements des touristes	TOURISME
Ensemble des agents de police	FLICAILLE
Ensemble des agglomérations autour d'une grande ville	BANLIEUE
Ensemble des anciens élèves de l'e.N.A.	ENARCHIE
Ensemble des animaux	FAUNE
Ensemble des bâtiments d'un aéroport	AÉROGARE
Ensemble des cellules non reproductrices	SOMA
Ensemble des choses choisies	SÉLECTION
Ensemble des chrétiens non ecclésiastiques	LAÏCAT
Ensemble des clients	CLIENTÈLE
Ensemble des conditions d'habitation	HABITAT
Ensemble des conditions météorologiques d'un lieu donné	CLIMAT
Ensemble des dents	DENTURE
Ensemble des ecclésiastiques d'une religion	CLERGÉ
Ensemble des écosystèmes de la planète	BIOSPHERE
Ensemble des électeurs	ÉLECTORAT
Ensemble des embarcations appartenant à un navire	DROME
Ensemble des espèces végétales	FLORE
Ensemble des êtres humains	HUMANITÉ
Ensemble des facultés mentales	CERVELLE
Ensemble des filets d'un écrou	FILETAGE
Ensemble des forces navales	FLOTTE
Ensemble des frais qui grèvent une opération bancaire	AGIO

Ensemble des frères et sœurs d'une famille	FRATRIE
Ensemble des gestes	GESTUELLE
Ensemble des hommes ou des femmes	SEXE
Ensemble des journaux	PRESSE
Ensemble des juifs, de leur culture	JUDAÏTE
Ensemble des jurés	JURY
Ensemble des laïques dans l'Église	LAÏCAT
Ensemble des larves des huîtres et des moules	NAISSAIN
Ensemble des lecteurs	LECTORAT
Ensemble des localités qui entourent une grande ville	BANLIEUE
Ensemble des lois constitutionnelles d'un État	CHARTE
Ensemble des lois constitutionnelles	CHARTRE
Ensemble des luminaires muraux d'un bâtiment	LUSTRERIE
Ensemble des magistrats d'une cour	PARQUET
Ensemble des manière d'agir et de penser	MENTALITE
Ensemble des manières de penser propres à la civilisation chinoise	SINITÉ
Ensemble des organes génitaux externes féminins	VULVE
Ensemble des os chez l'homme et les vertébrés	SQUELETTE
Ensemble des parents	PARENTÈLE
Ensemble des parlers rhéto-romans	LADIN
Ensemble des paroles et actions de Mahomet	SUNNA
Ensemble des partis conservateurs	DROITE
Ensemble des pays soumis à la loi de Mahomet	ISLAMISME
Ensemble des personnalités de l'aristocratie	GOTHA
Ensemble des pétales	COROLLE
Ensemble des peuples païens	GENTILITÉ
Ensemble des pieds et traverses d'un meuble	PIÉTEMENT
Ensemble des plantes	FLORE
Ensemble des poils	PILOSITÉ
Ensemble des pulsions de mort	THANATOS

Ensemble des rabbins . . . . RABBINAT
Ensemble des récipients
   qui servent à manger . . . . VAISSELLE
Ensemble des règles de bienséance . . . . DECORUM
Ensemble des règles . . . . RITUEL
Ensemble des réjouissances qui
   accompagnent un mariage . . . . NOCE
Ensemble des roues d'une machine . . . . ROUAGE
Ensemble des sépales d'une fleur . . . . CALICE
Ensemble des sports pratiqués à cheval . . . . HIPPISME
Ensemble des techniques vidéo . . . . VIDÉO
Ensemble des toits d'un édifice . . . . TOITURE
Ensemble des valeurs propres aux noirs . . . . . . NEGRITUDE
Ensemble des voies de
   communication publiques . . . . VOIRIE
Ensemble des voies de communication . . . . RÉSEAU
Ensemble des voiles d'un bateau . . . . VOILURE
Ensemble d'examinateurs . . . . JURY
Ensemble d'habitations . . . . CORON
Ensemble d'individus . . . . ETHNIE
Ensemble d'objets nécessaires
   pour un usage . . . . ATTIRAIL
Ensemble d'opérations . . . . TRAITEMENT
Ensemble du toit et de sa structure . . . . TOITURE
Ensemble d'ustensiles de cuisine . . . . BATTERIE
Ensemble formé par le groin et les
   canines du sanglier . . . . BOUTOIR
Ensemble montagneux de
   l'Afrique du Nord . . . . ATLAS
Ensemble particulier de faits psychiques . . . . . PSYCHISME
Ensemble vocal . . . . CHORALE
Ensemble . . . . TOTALITÉ • UNITÉ
Ensemencement . . . . SEMIS
Ensemencer de nouveau . . . . RESSEMER
Ensevelir . . . . ENTERRER • INHUMER
Ensorcelant . . . . TROUBLANT
Ensorceler . . . . CHARMER • ENCHANTER
                                          ENVOÛTER
Ensorcellement . . . . MALÉFICE
Ensuite . . . . APRÈS • PUIS
Entaché d'hérésie . . . . HÉRÉTIQUE

Entaille oblique destinée à l'assemblage	ADENT
Entaille	COCHE • COUPURE • GRAVURE INCISION • RAINURE • TAILLADE
Entaille, échancrure dans un contour	DÉCOUPURE
Entailler	COCHER • ENTAMER INCISER • TAILLADER
Entailler d'une rainure	RAINER
Entailler en faisant des crans	CRÉNELER
Entamer par pression	MÂCHURER
Entamer	COMMENCER • RADER
Entassement	AMAS • EMPILAGE • PILE
Entassement de déchets	TERRIL
Entasser de nouveau	REMPILER
Entasser des êtres vivants dans un espace exigu	EMPILER
Entasser des tonneaux les uns sur les autres	GERBER
Entasser	ACCUMULER • AMASSER ENCAQUER • TASSER
Ente	GREFFE
Entendement	INTELLECT
Entendre	ÉCOUTER • OUÏR
Entendu par l'oreille	AUDIBLE
Entente	ACCORD • ALLIANCE • CHIMIE COMPLICITÉ • CONCERT CONCORDE • HARMONIE • PAIX
Entente entre des groupements	CARTEL
Entente entre les auteurs d'une tromperie	COMPÉRAGE
Entente entre personnes visant à en tromper d'autres	COMPÉRAGE
Enter	GREFFER
Entérinement	APPROBATION
Entériner	RATIFIER • VALIDER
Enterrement	OBSEQUES
Enterrer	ENFOUIR
Entêté	BUTÉ • OBSTINÉ PERSÉVÉRANT • TÊTU
Entêtement	RETIVITE
Enthousiasme	CHALEUR • ENTRAIN • FRÉNÉSIE TRANSPORT • ZÈLE

Enthousiasmer	TRANSPORTER
Enthousiasmer, passionner	EXALTER
Entiché	FOU
Entier	COMPLET • INTACT INTÉGRAL • PLÉNIER • TOTAL
Entonnoir en étoffe	CHAUSSE
Entorse	FOULURE
Entortillé	SÉDUIT
Entortiller	ENJÔLER • SÉDUIRE
Entourage	AMBIANCE • VOISINAGE
Entourer	CEINDRE • CERNER • CIRCONSCRIRE ENCADRER • ENSERRER
Entourer de branches épineuses	ÉPINER
Entourer de cerceaux	CERCLER
Entourer de murs	MURER
Entourer de plaques de métal	BLINDER
Entourer d'une clôture	ENCLORE
Entourer d'une enceinte	CEINTURER
Entourer un fardeau d'une élingue pour le hisser	ELINGUER
Entourer un fil électrique d'un isolant	GUIPER
Entourer une plante d'une butte de terre	BUTTER
Entracte	INTERMEDE
Entrain	ACTIVITÉ • ALLANT • ARDEUR FOUGUE • GAÎTÉ • VIVACITÉ
Entrain, ardeur	ALLANT
Entrain, efficacité	DYNAMISME
Entraîné	AGUERRI
Entraîner	AGUERRIR • ATTIRER • CAUSER CHARRIER • ENGAGER • EXERCER HABITUER • INCITER • MENER OCCASIONNER
Entraîner à la révolte	SOULEVER
Entraîner à une vie dissolue	DÉBAUCHER
Entraîner dans un engrenage	ENGRENER
Entraîner derrière soi	REMORQUER
Entraîner vers la côte	DROSSER
Entraîneur	CHEF • COACH • MONITEUR
Entraîneur d'un athlète	MANAGER

Entrave que l'on attache aux
   paturons d'un cheval . . . . ABOT
Entraver . . . . CONTRARIER
Entre autres . . . . NOTAMMENT
Entre le chaud et le froid . . . . TIÈDE
Entre le vert et l'indigo . . . . BLEU
Entrecroisement de fils métalliques . . . . TREILLIS
Entrecroisement . . . . NŒUD
Entrecroiser . . . . ENLACER • ENTRELACER
Entrée . . . . ADHÉSION • BOUCHEE • HALL
Entrée de données dans
   un système informatique . . . . INPUT
Entrée d'un port . . . . BOUCAU
Entrée d'une maison . . . . SEUIL
Entrée jugée importune . . . . INCURSION
Entrée soudaine et massive . . . . INVASION
Entrelacement . . . . LACIS
Entrelacer des brins . . . . TRESSER
Entrelacer . . . . NATTER
Entremets fait de fruits . . . . COMPOTE
Entremets moulé . . . . GÂTEAU
Entremets . . . . SOUFFLÉ
Entremetteur . . . . MAQUEREAU • RUFFIAN
Entremise . . . . MÉDIATION
Entreposer . . . . DÉPOSER
Entrepôt . . . . HANGAR • MAGASIN
Entreprenant . . . . ACTIF
Entreprenante . . . . ACTIVE
Entreprendre . . . . INAUGURER
Entreprise de production du sel . . . . SALINE
Entreprise hasardeuse . . . . AVENTURE
Entreprise industrielle . . . . FIRME
Entreprise puissante . . . . TRUST
Entreprise . . . . AFFAIRE • INDUSTRIE
Entrer . . . . PÉNÉTRER
Entrer en rapport avec quelqu'un . . . . CONTACTER
Entretenir . . . . CARESSER • CONSERVER
                                               NOURRIR
Entretenir les ongles de quelqu'un . . . . MANUCURER
Entretenir une forêt . . . . JARDINER
Entretenu . . . . NOURRI

Entretien . . . . MÉNAGE
Entretien des chemins . . . . VOIRIE
Entretien des jardins . . . . JARDINAGE
Entretien entre deux
  ou plusieurs personnes . . . . DIALOGUE
Entretien particulier, dans une réunion . . . . APARTÉ
Entretoise . . . . ÉPAR
Entrevoir . . . . DEVINER
Entrevue . . . . INTERVIEW • RENCONTRE
Énumération . . . . CATALOGUE • LISTE
Énumérer . . . . DÉTAILLER
Envahir . . . . ACCAPARER • INFESTER
OCCUPER
Envahissement . . . . OCCUPATION • IRRUPTION
Envahisseur . . . . OCCUPANT
Envaser . . . . ENLISER
Enveloppe . . . . COCON • CONTENANT • COSSE
ÉCORCE • EPICARPE
GANGUE • MEMBRANE
Enveloppe de certains fruits . . . . ÉCALE
Enveloppe de la châtaigne . . . . BOGUE
Enveloppe de la fleur des graminées . . . . GLUMELLE
Enveloppe de l'épillet des graminées . . . . GLUME
Enveloppe de tissu . . . . TAIE
Enveloppe des testicules . . . . SCROTUM
Enveloppe du cœur . . . . PÉRICARDE
Enveloppe du marron . . . . BOGUE
Enveloppe extérieure . . . . COQUE
Enveloppe extérieure des fruits . . . . PEAU
Enveloppe souple . . . . HOUSSE
Envelopper . . . . CERNER • COUVRIR • ROULER
Envelopper de tranches de lard . . . . BARDER
Envenimer . . . . AGGRAVER • FOMENTER
Envergure . . . . CARRURE
Envers . . . . DESSOUS • REVERS
Envers d'un feuillet . . . . VERSO
Envie . . . . BESOIN • CAPRICE • CONVOITISE
DÉSIR • FRINGALE • JALOUSIE
SOUHAIT • TENTATION
Envier . . . . CONVOITER • JALOUSER
Envieuse . . . . JALOUSE

Envieux	DESIREUX • JALOUX
Environ	AUTOUR • VERS
Environnement	DÉCOR
Environnementaliste	ÉCOLO
Environs	ALENTOURS • PARAGES • PÉRIPHÉRIE
Envisager	IMAGINER
Envol	DÉPART • ESSOR
Envolée	ÉLAN
Envoûtant	CAPTIVANT • MAGIQUE
Envoûtant, troublant	FASCINANT
Envoûter	ENSORCELER
Envoûteur	SORCIER
Envoyé d'Allah	MAHDI
Envoyé	ÉMISSAIRE
Envoyer	ADRESSER • DECOCHER • EXPÉDIER
Envoyer au diable	RABROUER
Envoyer au loin	ESSAIMER
Envoyer comme représentant d'une collectivité	DELEGUER
Envoyer de nouveau	RENVOYER
Envoyer promener	BOULER
Envoyer un document par télécopie	FAXER
Enzyme sécrétée par le rein	RÉNINE
Epagneul	BARBET
Épais	DRU • TOUFFU
Épaisse	MASSIVE
Épaisseur	LENTEUR
Épaissir	ALOURDIR
Épaississement de l'épiderme	CAL
Épanchement de sérosité dans le péritoine	ASCITE
Epanchement sanguin	HEMATOME
Épanchement	EFFUSION
Épancher	DÉVERSER • ÉPANDRE
Épandre	ÉTALER • VERSER
Épanoui	RADIEUX • RAVI • RÉJOUI
Épanouie	RADIEUSE
Épanouissement	PLÉNITUDE
Épar	ÉPART
Épargne	CAPITAL • ÉCONOMIE • ÉCONOMIES
Épargner	ÉCONOMISER • ENTASSER

	MÉNAGER • PRÉSERVER
Éparpillé	CLAIRSEMÉ
Éparpiller	DISPERSER • RÉPANDRE
Épars	CLAIRSEMÉ
Épart	ÉPAR
Épatant	EXTRA
Épaté	ÉCRASÉ
Épater	ÉTONNER
Épaulard	ORQUE
Épaule d'animal	ARS
Épauler	APPUYER
Épave	LOQUE
Epeautre	FROMENT
Épée à deux tranchants	GLAIVE
Épée courte	DAGUE
Épée de combat	GLAIVE
Épée longue et effilée	RAPIÈRE
Épée	ESTOC • FER • RAPIÈRE
Épéisme	ESCRIME
Éperdument	FOLLEMENT
Éperon des navires de l'antiquité	ROSTRE
Éperon	ERGOT
Éperonner	BROCHER • PIQUER
Éphéméride	ALMANACH
Éphémérides	ANNALES
Épi	MÈCHE
Épice composée de curcuma	CARI
Épice indienne	CARI • CURRY
Épice	CONDIMENT • MUSCADE • POIVRE
Épicé	RELEVÉ • PIMENTÉ
Épicer	ASSAISONNER • CORSER
Epicurien	JOUISSEUR
Epicurisme	HEDONISME
Épidémie	PESTE
Épiderme	PEAU
Épidermique	CUTANÉ
Épier	ESPIONNER • GUETTER
Épieu	PIEU
Épiler	DÉPILER
Épinceter une étoffe	ÉNOUER
Epinceter	EPINCER

Épine	RONCE
Épineux	BRÛLANT
Épingle de sûreté en métal	FIBULE
Épingler	ALPAGUER
Epiphyte	VANILLIER
Épisode	PHASE
Épisode d'un combat entre deux points de vue	ROUND
Épithète	ADJECTIF
Épluché	PLUMÉ
Éplucher	DÉPIAUTER • DÉSOSSER PELER • PLUMER
Épluchure	PELURE
Épointer	ÉMOUSSER
Éponger	ESSUYER • ÉTANCHER
Époque où l'on sème	SEMAILLES
Époque	DATE • ÈRE • PÉRIODE • TEMPS
Épouse d'Athamas	INO
Épouse de Cronos	RHÉA
Épouse de saint Joachim	ANNE
Épouse du fils	BRU
Épouse d'un rajah	RANI
Épouse	FEMME • MOITIÉ
Épouser	MARIER
Épouser les contours	MOULER
Épousseté	BROSSÉ
Épouvantable	ATROCE
Épouvanté	AFFOLÉ • EFFARÉ • EFFRAYE
Épouvante	AFFOLEMENT • HORREUR PANIQUE • TERREUR
Épouvanter	AFFOLER • ALARMER • TERRORISER
Époux d'Isis	OSIRIS
Époux d'une femme qui a du pouvoir	CONSORT
Époux d'une reine, sans être roi	CONSORT
Époux	MARI
Épreuve d'athlétisme comprenant dix spécialités	DÉCATHLON
Épreuve de ski alpin	ESSAI • SLALOM
Épreuve de vitesse	COURSE
Épreuve d'endurance à moto	ENDURO

Épreuve internationale
annuelle de tennis . . . . DAVIS

Epreuve où un gagnant
est l'objet d'un défi . . . . CHALLENGE

Épreuve sportive impliquant
course de ski et tir . . . . BIATHLON

Épreuve sportive servant à classer
les concurrents . . . . CRITÉRIUM

Épreuve sportive . . . . CRITÉRIUM

Épreuve . . . . ADVERSITÉ • BRIMADE
CONCOURS • TEST

Epreuves . . . . GALERES

Épris . . . . FÉRU

Éprouver . . . . ESSAYER • RESSENTIR • SUBIR

Éprouver douloureusement . . . . SOUFFRIR

Éprouver du dépit . . . . BISQUER

Éprouver un violent dépit . . . . ENRAGER

Éprouvette . . . . TUBE

Épuisant . . . . ÉREINTANT • FATIGANT
HARASSANT • USANT

Épuisé . . . . ÉREINTÉ • FATIGUÉ • FLAPI • RECRU

Épuisé de fatigue . . . . HARASSÉ

Épuisement . . . . FATIGUE • INANITION

Épuiser . . . . ANÉMIER • DEVORER
ÉREINTER • EXTÉNUER

Epulis . . . . EPULIDE

Épuration . . . . PURGE

Épurer . . . . AFFINER • ASSAINIR
PURIFIER • RAFFINER

Épurer, raffiner . . . . SUBLIMER

Équestre . . . . HIPPIQUE

Équidé d'Afrique à la robe rayée . . . . ZÈBRE

Équilibre . . . . APLOMB • BALANCE • ÉGALITÉ
STABILITÉ • SYMÉTRIE

Équilibre moléculaire . . . . ISOTONIE

Equilibrer les forces, les pouvoirs . . . . PONDERER

Équilibrer . . . . BOUCLER • ÉGALISER

Équilibriste . . . . FUNAMBULE

Équin . . . . HIPPIQUE

Equinoxial . . . . AUTOMNAL

Équipage accompagnant
un personnage . . . . ARROI

Équipage	TRAIN
Équipe de quatre joueurs, à la pétanque	QUADRETTE
Équipe	CAMP • TEAM
Équipé	GARNI
Equipement de détection sous-marine	SONAR
Équipement du soldat	FOURBI
Équipement d'un cheval de selle	HARNAIS
Équipement nécessaire à une activité	MATOS
Équipement	ARMEMENT • ATTIRAIL
	BAGAGE
	MATÉRIEL • OUTILLAGE
Équiper	ARMER • DOTER • HABILLER
	MUNIR • OUTILLER
Equiper un navire de matelots	AMARINER
Équipier extérieur d'une patrouille de chasse	AILIER
Équitable	IMPARTIAL • JUSTE • LÉGITIME
Equitation	HIPPISME
Équité	JUSTICE
Équivalence	ÉGALITÉ • PARITÉ • SYNONYMIE
Équivalent	ANALOGUE • HOMOLOGUE
Équivalente	PAREILLE
Équivoque	AMBIGU • ÉVASIF
Érablière	SUCRERIE
Éraflé	ÉRAILLÉ
Érafler	ÉRAILLER • EXCORIER
Éraflure sur une surface	RAYURE
Éraillé	RAUQUE
Érailler	ENROUER
Erbium	ER
Ère	ÉPOQUE
Érectile	CAVERNEUX
Éreintant, fatigant	ÉPUISANT
Éreinté	ÉPUISÉ • FLAPI • FOURBU
	MOULU • RECRU
Éreinter	EXTÉNUER • FATIGUER
	SURMENER • VANNER
Ergot du coq	ÉPERON
Ergoté	CORNU
Ergoter sur des vétilles	PINAILLER
Ergoter	CHIPOTER

Ergoteur	CHICANEUR • DISCUTEUR SOPHISTE
Érigé	ÉLEVÉ
Ériger	BÂTIR • CONSTRUIRE • ÉLEVER
Érigne	ÉRINE
Ermite	SOLITAIRE
Erosion due au vent chargé de sable	CORRASION
Érosion	ABRASION • CORROSION MINAGE • USURE
Érotique	SEXY
Errance	NOMADISME
Errant	NOMADE • RÔDEUR
Erre	LANCEE
Errer au hasard	RÔDER
Errer	TRIMARDER • VAGUER
Erreur	BAVURE • BÉVUE • CONTRESENS ÉGAREMENT • FAUSSETÉ • FAUTE GOURANCE
Erreur dans un calcul	MÉCOMPTE
Erreur d'interprétation	MALENTENDU
Erroné	FAUX • INEXACT • INFONDE
Éructation	ROT
Éructer	ROTER
Érudit	CULTIVÉ • DOCTE • LETTRÉ
Éruption accompagnée de démangeaisons	URTICAIRE
Éruption cutanée transitoire	RASH
Éruption cutanée	URTICAIRE
Éruption de taches rosées	ROSÉOLE
Éruption rouge au cours des maladies infectieuses	ÉNANTHÈME
Eruption vésiculeuse des pieds et des mains	DYSIDROSE
Érythème	RASH
Esbroufe	CHIQUE • HÂBLERIE
Esbroufeur	EPATEUR
Escabeau	ÉCHELLE
Escadrille	FLOTTILLE
Escalade	MONTÉE • RAMONAGE
Escalader	GRAVIR • GRIMPER
Escalator	ESCALIER

Escale	ARRÊT • ÉTAPE • HALTE
Escalier mécanique	ESCALATOR
Escamoter	SUBTILISER • ÉLUDER
Escapade	ÉQUIPÉE • FUGUE • FUITE
Escargot	HÉLIX • LIMAÇON
Escargot de mer	BIGORNEAU
Escarpé	ABRUPT • RAIDE
Escarpement littoral	FALAISE
Escarpement rocheux	CRÊT
Escarpement	RAIDILLON
Escarpolette	BALANÇOIRE
Esche	AICHE • APPÂT • ÈCHE
Escladant	GRIMPANT
Esclandre	CHAHUT • SCÈNE
Esclavage	FERS • JOUG
Esclave égyptienne d'Abraham	AGAR
Esclave	CAPTIVE • PRISONNIER
Escompte	DISCOUNT • RÉDUCTION
Escompter	ESPÉRER
Escorte	CORTÈGE • GARDE • SUITE
Escorter	ACCOMPAGNER
Escorteur	CONVOYEUR
Escrime où l'on combat avec une épée	EPEISME
Escrimeur	ÉPÉISTE • SABREUR
Escroc	AIGREFIN • CRAPULE • FILOU
Escroquer	ENTUBER • FLOUER PIRATER • SOUTIRER
Escroquerie	ARNAQUE • PIRATERIE
Ésotérique	OCCULTE
Espace carré où l'on range les neufs quilles	QUILLIER
Espace clos	CAGE
Espace compris entre deux solives	SOLIN
Espace de huit jours	HUITAINE
Espace de temps	ÈRE • HEURE
Espace de temps du coucher au lever	NUIT
Espace de terrain couvert d'arbres	BOIS
Espace de terrain	ENCLOS
Espace déboisé tracé dans une forêt	LAIE
Espace découvert au milieu d'un cloître	PRÉAU

Espace entre deux choses . . . . HIATUS
Espace extraterrestre . . . . COSMOS
Espace intersidéral . . . . COSMOS
Espace ouvert et plat . . . . CHAMP
Espace plat où nichent
   les oiseaux de proie . . . . AIRE
Espace rasé au sommet du crâne . . . . TONSURE
Espace vide dans une substance . . . . PORE
Espace vide, sans matière . . . . VACUUM
Espace vitré contre une maison . . . . VÉRANDA
Espace . . . . CIEL • IMMENSITE • ZONE
Espacé . . . . CLAIRSEMÉ
Espar horizontal servant à
   gréer des lignes . . . . TANGON
Espar horizontal . . . . BÔME
Espèce d'araignée qui ne tisse
   pas de toile . . . . LYCOSE
Espèce de crocodile . . . . CAÏMAN
Espèce de rhododendron . . . . ROSAGE
Espèce de sapin . . . . ÉPINETTE
Espèce de singe . . . . RHÉSUS
Espèce d'épagneul . . . . BARBET
Espèce très commune d'aconit . . . . NAPEL
Espèce . . . . ACABIT • GENRE • NATURE
                                RACE • SORTE • TYPE
Espèces . . . . MONNAIE
Espérance . . . . ESPOIR
Espérance ferme . . . . CONFIANCE
Espérer . . . . ATTENDRE
Espiègle . . . . BADIN • COQUIN • DISSIPÉ
                ÉVEILLÉ • GAMIN • MIÈVRE
                MUTIN • MUTINE • TAQUIN
Espiègle, taquin . . . . MALICIEUX
Espièglerie . . . . DIABLERIE • GAMINERIE
Espionner . . . . ÉPIER
Esplanade . . . . PARVIS
Espoir . . . . ESPÉRANCE
Esprit combatif . . . . PUGNACITÉ
Esprit de corps . . . . SOLIDARITÉ
Esprit des légendes scandinaves . . . . TROLL
Esprit du bien . . . . MANITOU

Esprit follet très taquin	FARFADET
Esprit	ÂME • DÉMON • GÉNIE • PENSÉE
Esprit, finesse	SEL
Esquimau	INUIT
Esquisse	APERÇU • CANEVAS • DESSIN
	ÉBAUCHE • MAQUETTE • SCHÉMA
Esquisser	CRAYONNER • DESSINER • TRACER
Esquiver	CONTOURNER • ÉLUDER • ÉVITER
Essai	AUDITION • TEST • TENTATIVE
Essaim	COLONIE
Essaim d'abeilles	RUCHE
Essayer de nouveau	RETENTER
Essayer de rattraper	COURSER
Essayer de séduire par la parole	BARATINER
Essayer	TÂCHER • TENTER • TESTER
Essence de l'homme	HUMANITÉ
Essence d'un individu	ENTITÉ
Essence très volatile tirée du pétrole brut	GAZOLINE
Essence	SUBSTANCE
Essence, entité	NATURE
Essentiel	CENTRAL • INHÉRENT
	NÉCESSAIRE
	PRIMORDIAL • REQUIS
Esseulé	ISOLÉ • SEUL • SOLITAIRE
Essieu	ARBRE • AXE
Essor	CROISSANCE • ENVOL
	PROSPÉRITÉ • VOL
Essoufflé	HALETANT • PANTELANT
Essoufflement	ASTHME
Essuie-mains	SERVIETTE
Essuyer	EFFACER
Est	ORIENT
Estacade	JETÉE
Estafette	COURRIER
Estamper	ÉTAMPER
Estampillage	TIMBRAGE
Este	ESTONIEN
Ester	GLUTAMATE • INTENTER
Ester de l'acide borique	BORATE
Ester de l'acide oléique	OLÉINE

Ester de l'acide urique	URATE
Esthétique	STYLISME
Estimable	HONORABLE • LOUABLE
Estimation	APERÇU • AVIS
Estimation d'un effet probable	CALCUL
Estimé	POPULAIRE
Estimer à la vue	TOISER
Estimer	APPRÉCIER • CALCULER • COTER
	ÉVALUER • MESURER • PESER
	PRISER • VÉNÉRER
Estivant	AOUTIEN
Estoc	ÉPÉE
Estompe faite de papier enroulé	TORTILLON
Estonien	ESTE
Estourbir	ASSOMMER
Estrade pour orateurs	TRIBUNE
Estrade	AMBON • RING
Estrade, au Moyen Âge	HOURD
Estropié	BLESSÉ • ÉCLOPÉ
Estropier	BLESSER • MUTILER
Estuaire lagunaire de fleuves	LIMAN
Et aussi	VOIRE
Et caetera	ETC
Et le reste	ETC
Et même	VOIRE
Étable à bœufs	BOUVERIE
Étable à cochons	SOUE
Etable à porcs	PORCHERIE
Étable	ÉCURIE
Établi	BANC
Établir	DÉMONTRER • FONDER
	FORMULER
	NSTITUER • RÉGLER • STATUER
Etablir dans un lieu déterminé	CANTONNER
Établir un camp militaire	CAMPER
Établissement commercial	AGENCE
Établissement créé par une fondation	FONDATION
Établissement d'assistance publique	ASILE
Établissement de jeux	CASINO
Établissement de repos	AÉRIUM
Établissement d'enseignement	COLLÈGE • ÉCOLE

Établissement d'enseignement supérieur . . . . UNIVERSITÉ
Établissement hôtelier . . . . MOTEL
Établissement mal fréquenté . . . . BOUGE
Établissement où les jeux
   d'argent sont autorisés . . . . CASINO
Établissement où l'on loge . . . . HÔTEL
Établissement où l'on prend
   des bains de vapeur sèche . . . . SAUNA
Établissement où l'on tanne les peaux . . . . TANNERIE
Établissement pénitentiaire . . . . BAGNE
Établissement public d'enseignement . . . . LYCÉE
Établissement public . . . . HÔPITAL • PUB
Établissement . . . . FIRME
Étage . . . . GRADIN
Étage bas de plafond . . . . ENTRESOL
Étage supérieur d'une maison . . . . GRENIER
Étagère de salle à manger . . . . ARCHELLE
Étagère où l'on range la vaisselle . . . . DRESSOIR
Étagère . . . . TABLAR
Étai de bois vertical . . . . POINTAL
Étai qui soutient un mur . . . . ÉTANÇON
Étain . . . . SN
Étalage de manières fanfaronnes . . . . ESBROUFE
Étalage . . . . OSTENTATION • VITRINE
Étalé . . . . VAUTRÉ
Étaler . . . . ARBORER • ÉCHELONNER
ÉPANDRE
EXPOSER • MONTRER
Étalon de l'ânesse . . . . BAUDET
Etalon . . . . ALEZAN
Etamer de nouveau . . . . RETAMER
Étancher avec un chiffon . . . . ÉPONGER
Étançonner . . . . ÉTAYER
Étang . . . . LAGUNE • MARAIS
Étang littoral de l'Aude . . . . AYROLLE
Étant donné . . . . SOIT
Étape . . . . ÉPOQUE • HALTE • PAS • RELAIS
Étape des caravanes,
   au Moyen-Orient . . . . KAN • KHAN
Étape intermédiaire . . . . TRANSITION
Étasunien . . . . YANKEE

État	NATION • PAYS • PROFESSION
État à l'ouest du Vietnam	LAOS
État affectif complexe	SENTIMENT
État affectif élémentaire	AFFECT
État africain du Soudan occidental	GHANA
État américain	ARKANSAS • IOWA • LOUISIANE MAINE • MISSOURI • MONTANA TENNESSEE • VERMONT • VIRGINIE
État caractérisé par une perte de conscience	COMA
État d'Afrique centrale	ZAÏRE
État d'Afrique du Nord	TUNISIE
État d'Afrique occidentale	NIGERIA
État d'Afrique	LIBYE • SÉNÉGAL
État d'agitation intense	FEBRILITE
État d'Asie	NÉPAL
État d'attente confiante	ESPOIR
État de ce qui est bombé, convexe	BOMBEMENT
État de ce qui est cher	CHERTÉ
Etat de ce qui est chétif	CHETIVITE
État de ce qui est en pente	DECLIVITE
État de ce qui est rayé	RAYAGE
État de ce qui est tiqueté	TIQUETURE
État de ce qui est visqueux	VISCOSITÉ
État de ce qui est voilé	VOILEMENT
Etat de ce qui se suffit à soi-même	AUTARCIE
Etat de ce qui se vend	VENALITE
Etat de celui qui a plusieurs épouses	POLYGAMIE
Etat de celui qui survit à un autre	SURVIE
État de dépression	ASTHÉNIE
État de détresse respiratoire	ASPHYXIE
État de la Malaisie	SABAH
Etat de la péninsule balkanique	ALBANIE
État de la personne ou de la chose qui est anonyme	ANONYMAT
État de l'Afrique australe	ANGOLA
État de l'Afrique centrale	TCHAD
État de l'Afrique du Nord-Ouest	MAROC
État de l'Afrique équatoriale	CONGO • GABON
État de l'Afrique occidentale	BÉNIN • GHANA • GUINÉE • MALI • TOGO

État de l'Afrique orientale	KENYA • OUGANDA • SOUDAN
État de l'Allemagne unie	LAND
État de l'Amérique centrale	CUBA • PANAMA
État de l'Amérique du Nord	CANADA
État de l'Amérique du Sud	BOLIVIE • BRÉSIL • CHILI COLOMBIE • PÉROU
État de l'Asie méridionale	INDE
État de l'Asie occidentale	IRAN • IRAQ • SYRIE
État de l'Asie orientale	CHINE • CORÉE • JAPON
État de l'est de la Birmanie	CHAN
État de l'Europe occidentale	FRANCE
État de l'Europe orientale	ROUMANIE
État de l'Europe septentrionale	SUÈDE
État de l'extrémité orientale de l'Arabie	OMAN
État de l'Inde occidentale	GOA
État de l'Inde	ASSAM
État de l'organisme	SANTÉ
État de malaise	DYSPHORIE
État de servilité	ILOTISME
État de très grande affliction	NAVREMENT
État de veille	VIGILANCE
État de veuve	VIDUITÉ
État des cheveux devenus blancs	CANITIE
État des dépenses et des revenus	BUDGET
État des États-Unis	NEVADA • TEXAS
État des filets d'une vis	FILETAGE
État des fruits mûrs	MATURITÉ
État des oreilles qui cornent	CORNEMENT
État d'esprit	MENTALITE
État détaillé des travaux à exécuter	DEVIS
État d'Europe	BULGARIE • CROATIE • ESTONIE FRANCE • IRLANDE • ITALIE LETTONIE • SUISSE
État d'Europe et d'Asie	RUSSIE
État du Brésil méridional	PARANA
État du littoral de la Méditerranée	MONACO
État du Moyen-Orient	ISRAËL
État du nord du Brésil	PARA
État du nord-est de l'Inde	ORISSA • TRIPURA
État du nord-est du Brésil	CEARA • PIAUI
État du nord-ouest de l'Afrique	ALGÉRIE

État du Proche-Orient	LIBAN
État du sud de l'Arabie	YEMEN
État du sud-est de l'Europe	GRÈCE
État du Venezuela	ZULIA
État d'un corps convexe	CONVEXITÉ
Etat d'un corps en combustion	IGNITION
État d'un héritage qui n'est pas noble	ROTURE
État d'un liquide trouble	TURBIDITÉ
État d'un pays qui se suffit à lui-même	AUTARCIE
Etat d'un utérus qui porte un fœtus	GRAVIDITE
État d'une chevelure crêpelée ou crépue	CREPELURE
État d'une fonction non exercée	VACANCE
État d'une personne blasée	BLASEMENT
État d'une personne en âge d'être mariée et qui ne l'est pas	CÉLIBAT
État d'une personne ivre	ÉBRIÉTÉ
État d'une personne née libre	INGENUITE
État d'une personne non mariée	CÉLIBAT
État d'une personne privée de la vue	CÉCITÉ
État d'une personne qui dort	SOMMEIL
État d'une personne qui se meut difficilement	IMPOTENCE
État d'une personne veuve	VEUVAGE
État d'une plante naine	NANISME
Etat d'une surface grenue	GRENURE
État entre le Bangladesh et la Birmanie	ASSAM
État habituel	NORMALE
État hallucinatoire dû à la prise d'une drogue	TRIP
État insulaire de l'Asie orientale	TAIWAN
État maladif lié à des troubles métaboliques	DYSCRASIE
Etat morbide dûe à une surcharge graisseuse	ADIPOSE
État occupant la Corne orientale de l'Afrique	SOMALIE
État passager	CONDITION
État passionné	FIÈVRE
État pathologique	DIABÈTE
Etat résultant d'un manque de nourriture	INANITION
Etat résultant d'une fatigue excessive	SURMENAGE
État sur le golfe Persique	QATAR
Étau	ÉTREINTE
Étayer avec une ou plusieurs béquilles	BÉQUILLER
Été	SAISON
Eté des indiens	REDOUX

Éteint	ÉTOUFFÉ • TERNE
Étendard	DRAPEAU
Étendard d'un groupe	BANNIÈRE
Étendoir, séchoir	ÉTENDAGE
Étendre	ALLONGER • DÉPLIER • ÉLARGIR ÉLONGER • ÉPLOYER
Étendu	LONG • SPACIEUX • VAUTRÉ
Étendue	ESPACE • SPACIEUSE • SUPERFICIE
Etendue considérable	IMMENSITE
Étendue couverte de broussailles	BROUSSE
Étendue de la voix	MÉDIUM
Étendue de pays plat	PLAINE
Étendue de terre émergée	ÎLE
Etendue de terre inculte couverte de plantes sauvages	LANDE
Étendue de terre	TERRAIN
Étendue d'eau	LAC
Étendue d'eau de mer	LAGUNE
Étendue d'eau stagnante	ÉTANG
Étendue désertique	REG
Étendue d'herbe à la campagne	PRÉ
Étendue plate	PLAINE
Étendue sableuse	ARÈNE
Éternel	IMMORTEL • INFINI • PERPÉTUEL
Éternelle	PERPÉTUELLE
Étêtement	ÉTÊTAGE
Étêter	DÉCAPITER • ÉCIMER
Éteule	CHAUME
Ethiopien	ABYSSIN
Éthique	MORALE
Ethnie	TRIBU
Ethnies africaines vivant au sud de l'équateur	BANTOU
Étincelant	CORUSCANT • LUISANT • RUTILANT
Étinceler	BRILLER • FLAMBER LUIRE • RESPLENDIR
Étincelle	LUEUR
Étiquette	BIENSÉANCE • CONVENANCES • LABEL
Étirer	DISTENDRE • ÉLONGER ÉTENDRE • TIRER
Étoffe brillante	SATIN

Etoffe brodée de soir, d'or ou d'argent . . . . BROCART
Étoffe cardée et foulée . . . . MOLLETON
Etoffe cloquée pour
   les vêtements d'intérieur . . . . ZENANA
Étoffe croisée de laine . . . . ESCOT
Étoffe d'ameublement à
   côtés perpendiculaires . . . . REPS
Étoffe de coton brodée au plumetis . . . . PLUMETIS
Étoffe de coton croisée . . . . FINETTE
Etoffe de crin . . . . CRINOLINE
Étoffe de laine . . . . LAINAGE • TARTAN
Étoffe de lin tissée comme le damas . . . . DAMASSE
Etoffe de mauvaise qualité . . . . CHIFFE
Étoffe de soie à dessins variés . . . . FOULARD
Étoffe de soie croisée . . . . SURAH
Étoffe de soie . . . . PEKIN • SATIN • TAFFETAS
Étoffe de tussah . . . . TUSSOR
Étoffe en poils de chèvre . . . . MOIRE
Étoffe faite au métier avec
   des retailes de tissus . . . . CATALOGNE
Étoffe imitant la dentelle . . . . GUIPURE
Étoffe légère de soie,
   analogue au foulard . . . . TUSSOR
Étoffe obtenue en foulant . . . . FEUTRE
Étoffe orientale . . . . SAMIT
Etoffe portée pour protéger
   ses vêtements . . . . TABLIER
Étoffe qui orne une fenêtre, un mur . . . . TENTURE
Étoffe semblable au velours . . . . PANNE
Étoffe tissée artisanalement . . . . CATALOGNE
Étoffe tissée avec du cardé . . . . CARDÉ
Étoffe . . . . TEXTILE • TISSU
Étoile de mer . . . . ASTÉRIE
Étoile dont l'éclat peut
   s'accroître brusquement . . . . NOVA
Étoile qui devient soudainement
   plus brillante . . . . SUPERNOVA
Étoilé . . . . CONSTELLÉ
Étoile . . . . ASTRE • NOVA
Étonnant . . . . AHURISSANT • BIZARRE
DRÔLE • ÉTOURDISSANT • ÉTRANGE
FRAPPANT • INOUÏ • INSOLITE

Étonné	BABA • ÉBAHI • ÉPATÉ • SURPRIS
Étonnement	SURPRISE
Étonner	AHURIR • ÉBAHIR • ÉPATER
	FRAPPER • STUPÉFIER
Etonner vivement	EBERLUER
Étouffant	ASSOURDISSANT • SUFFOCANT
Étouffé	OPPRESSÉ • SOURD
Étouffer	ASSOURDIR • ÉTEINDRE • RÉPRIMER
Étouffer sous un poids	OPPRESSER
Etoupement	CALFATAGE
Étourderie	DISTRACTION • OUBLI
Étourdi par un coup	SONNÉ
Étourdi	ABRUTI • AHURI
	ÉCERVELÉ • ÉVENTÉ • FOLLET
Étourdir	ABRUTIR • AHURIR • ASSOURDIR
	ENTÊTER • STUPÉFIER
Étourdissant	ASSOURDISSANT • AHURISSANT
Étourdissement	VERTIGE
Étourneau	SANSONNET
Étrange	BIZARRE
Étrangement	CURIEUSEMENT
Étranger	ALLOGENE • AUTRE • EXTÉRIEUR
	INCONNU • RESIDENT
Etranger aux lois de la logique	ALOGIQUE
Étrangeté	CHINOISERIE • SINGULARITÉ
Étrangler	ÉGORGER
Être agité de frémissements	PALPITER
Être agité de petites secousses	TRÉPIDER
Être amoureux	SOUPIRER
Être apte à satisfaire	SUFFIRE
Etre atteint par le gâtisme	GATIFIER
Être au courant de quelque chose	APPRIS
Être chétif	AVORTON
Être couché	GÉSIR
Être dans l'incertitude	DOUTER
Être de garde	VEILLER
Être déçu	DÉCHANTER
Être déprimé lorsque la drogue a fini son effet	FLIPPER
Être dévolu par le sort	ÉCHOIR

Être en ébullition . . . . BOUILLIR

Être en parfait accord d'idées . . . . COMMUNIER

Être en quantité suffisante . . . . SUFFIRE

Être en suspension dans les airs . . . . FLOTTER

Être en union spirituelle . . . . COMMUNIER

Être entrouvert . . . . BÂILLER

Être étendu sans mouvement . . . . GÉSIR

Être fabuleux . . . . CENTAURE

Être fâché . . . . BOUDER

Être favorable . . . . SOURIRE

Être grand ouvert . . . . BÉER

Être humain . . . . BIPÈDE • CRÉATURE • INDIVIDU

Être imaginaire . . . . FÉE

Être immatériel . . . . ESPRIT

Être la propriété de . . . . APPARTENIR

Être le premier à subir un inconvénient . . . . ÉTRENNER

Être le privilège de . . . . APPARTENIR

Être lent à faire quelque chose . . . . TARDER

Être l'objet d'un besoin . . . . FALLOIR

Être nécessaire . . . . FALLOIR

Être obligatoire . . . . FALLOIR

Être petit, chétif, mal conformé . . . . AVORTON

Être prêt à tout (Se) . . . . DAMNER

Être souhaitable . . . . SEOIR

Être spirituel . . . . ANGE

Être supérieur en son genre . . . . EXCELLER

Être suprême . . . . CRÉATEUR

Etre sur le côté de quelque chose,
    de quelqu'un . . . . FLANQUER

Être surnaturel . . . . GÉNIE

Être suspendu . . . . PENDILLER

Être unicellulaire . . . . BACTÉRIE

Être utile . . . . PROFITER

Être vaincu dans une lutte . . . . SUCCOMBER

Être vivant organisé . . . . ANIMAL

Être . . . . PERSONNALITÉ • PERSONNE

Étreindre . . . . EMBRASSER • ENLACER
                                                    PRESSER • SERRER

Étreinte . . . . ACCOLADE • CARESSE • ÉTAU

Étrenne . . . . CADEAU • PRIMEUR

Étrier de cuir attaché aux jambes . . . . JAMBIER

Étrier en forme d'u	MANILLE
Étrille	BROSSE
Étriller	BROSSER
Étriper	ÉVENTRER
Étriqué	RIKIKI • RIQUIQUI
Étroit	EXIGU • MESQUIN • RESTREINT
Etroit, ayant peu d'étendue	RESSERRE
Étroite bande de tissu	RUBAN
Étroitesse	PETITESSE
Etude de la constitution des corps	CHIMIE
Étude de la destinée	HOROSCOPE
Étude de la nature de la mort	THANATOLOGIE
Étude de la sexualité	SEXOLOGIE
Etude des langues et littératures classiques	HUMANITES
Étude des sérums	SÉROLOGIE
Étude des tumeurs cancéreuses	ONCOLOGIE
Étude du pied et de ses affections	PODOLOGIE
Étude d'une langue	PHILOLOGIE
Étude scientifique de la mort	THANATOLOGIE
Étude	EXAMEN
Études scolaires	SCOLARITÉ
Etudes secondaires	HUMANITES
Étudiant	ÉCOLIER • ÉLÈVE • POTACHE
Étudiant en médecine	CARABIN
Étudié	FEINT
Étudier avec acharnement	POTASSER
Étudier avec opiniâtreté	POTASSER
Etudier	ANALYSER
Étui	COFFRET • ENVELOPPE • GAINE
Étui à compartiments	TROUSSE
Étui allongé	FOURREAU
Étui plat	POCHETTE
Étui rempli d'eau	COFFIN
Euphorbe qui purge violemment	ÉPURGE
Europe Occidentale	EO
European Southern Observatory	ESO
European Space Agency	ESA
Europium	EU
Evacuant	LAXATIF
Évacuation de selles de	

couleur très foncée	MÉLÉNA
Évacuation	RETRAIT
Évacuer l'urine	URINER
Évacuer	VIDER
Evaluation d'un volume en unités cubiques	CUBAGE
Évaluation en chiffres	CHIFFRAGE
Évaluation	ESTIMATION • MESURE
Évaluer de nouveau	RÉÉVALUER
Évaluer	APPRÉCIER • COMPARER • COTER ESTIMER • JAUGER • MESURER PESER • PRISER • SOUPESER
Évanoui	DISPARU
Évanouissement	SYNCOPE
Évasé	LARGE
Évaser	ÉLARGIR
Evaser l'orifice d'une cavité avec une fraise	FRAISER
Évasif	ÉLUSIF • FUYANT • INDIRECT
Évasion	ESCAPADE • EXODE • FUITE
Evêché	DIOCESE
Éveillé	ALERTE • DÉLURÉ • PÉTILLANT
Éveillée	VIVE
Éveiller	RÉVEILLER • SUSCITER
Événement	CAS • PÉRIPÉTIE
Événement extraordinaire	PRODIGE • MIRACLE
Événement fâcheux	DÉBOIRE
Événement imprévisible	ALÉA
Événement imprévu et fâcheux	TUILE
Événement imprévu	HASARD • INCIDENT
Evénement servant de transition	CHARNIERE
Éventail	GAMME
Éventrer	DÉFONCER • ÉTRIPER
Éventuel	CASUEL
Éventuelle	CASUELLE
Évêque de Lyon	IRÉNÉE
Évêque de Noyon	ÉLOI
Évidé	CREUX
Évidée	CREUSE
Evidement	EVIDAGE
Évidemment	OUI

Évidence . . . . AXIOME • BANALITÉ • TRUISME
Évident . . . . CLAIR • NOTOIRE • OBVIÉ
PALPABLE • PATENT • POSITIF • SÛR
Évider . . . . CREUSER
Évincer . . . . EXCLURE
Eviscération . . . . EVIDAGE
Éviter . . . . CONTOURNER • DÉTOURNER
OBVIER • PARER
Éviter avec adresse . . . . ÉLUDER
Évocateur . . . . SUGGESTIF
Évocation volontaire du passé . . . . ANAMNÈSE
Évocation . . . . RAPPEL
Évoé . . . . ÉVOHÉ
Évolué . . . . AVANCÉ
Évolution . . . . CIVILISATION • MÉTAMORPHOSE
PROGRÈS • TOURNURE
Évolution sinueuse . . . . ZIGZAG
Évoque le bruit du reniflement . . . . SNIF • SNIFF
Évoquer . . . . RAPPELER • RESSEMBLER
Exacerbation . . . . PAROXYSME
Exact . . . . CORRECT • FIDÈLE
PONCTUEL • PRÉCIS
Exacte . . . . PONCTUELLE
Exactitude rigoureuse . . . . PRÉCISION
Exactitude . . . . FIDÉLITÉ • JUSTESSE
MINUTIE • PONCTUALITÉ
RECTITUDE • VÉRACITÉ

Exagération anormale de
  la cambrure du dos . . . . LORDOSE
Exagération prétentieuse . . . . EMPHASE
Exagération . . . . EXCÈS • RAJOUT
Exagéré . . . . OUTRANCIER • DÉMESURÉ
Exagérément . . . . TROP
Exagérer . . . . AMBITIONNER • AMPLIFIER
Exaltant . . . . GRISANT
Exaltation . . . . EXTASE • GRISERIE • IVRESSE
Exalter par des louanges . . . . MAGNIFIER
Exalter . . . . DIVINISER • ÉLECTRISER • VANTER
Examen . . . . CONCOURS • CONSTATATION
DISCUSSION • ENQUÊTE • REVUE
Examen attentif, approfondi . . . . AUTOPSIE

Examen critique . . . . RECENSION
Examiner attentivement . . . . DÉPOUILLER • INTERROGER
Examiner de façon superficielle . . . . SURVOLER
Examiner des documents avec soin . . . . COMPULSER
Examiner d'un point de vue différent . . . . REPENSER
Examiner en touchant . . . . PALPER
Examiner rapidement . . . . PARCOURIR
Examiner soigneusement . . . . DÉLIBÉRER
Examiner . . . . CONSULTER • CONTRÔLER
                                      ESSAYER • ÉTUDIER • EXPLORER
                                      INSPECTER • OBSERVER
Exaspérant . . . . ÉNERVANT • HERISSANT • IRRITANT
Exaspération . . . . AGACEMENT
Exaspéré . . . . IRRITÉ
Exaspérer . . . . ÉNERVER
Exaucer . . . . ÉCOUTER
Excavateur . . . . PELLE
Excavation longitudinale
   pratiquée dans le sol . . . . TRANCHEE
Excavation . . . . CARRIÈRE • FOSSÉ • SOUTERRAIN
Excédé . . . . FATIGUÉ
Excédent . . . . BONI • EXCÈS • RESTE • SOLDE
                                      SUPPLÉMENT • SURCHARGE
                                      URCROÎT • SURPLUS
Excédent important de poids . . . . OBÉSITÉ
Excéder de fatigue . . . . ÉREINTER
Excéder . . . . ÉNERVER • SURPASSER
Excellent . . . . MEILLEUR
Excellente . . . . FAMEUSE
Excentrique . . . . BAROQUE • EXCENTRÉ • ORIGINAL
Excepté . . . . HORMIS • SAUF
Excepté, hormis . . . . FORS
Exceptionnel . . . . ÉMINENT • RARE
Exceptionnel . . . . RARISSIME
Excès . . . . ABUS • PLETHORE • PROFUSION
                                      SURABONDANCE • SURPLUS
Excès de charge . . . . SURCHARGE
Excès de poids . . . . OBÉSITÉ
Excès d'estime de soi . . . . ORGUEIL
Excessif . . . . ABUSIF • EXAGÉRÉ • IMMODÉRÉ
                                      OUTRANCIER • SURHUMAIN

Excessif et violent . . . . HARD
Excessivement chaud . . . . TORRIDE
Excision . . . . ABLATION • EXÉRÈSE
Excitant . . . . AGUICHANT • CAPITEUX
PROVOCANT • TROUBLANT
Excitation . . . . ÉMOI
Excité . . . . ENFLAMME
Excité, agité à l'excès . . . . FÉBRILE
Exciter . . . . AGUICHER • AVIVER • CHATOUILLER
DESOPILER • EMBRASER • ÉNERVER
INSTIGUER • STIMULER
Exciter agréablement . . . . TITILLER
Exciter la curiosité . . . . INTRIGUER
Exciter la pitié, la compassion . . . . APITOYER
Exciter le désir . . . . PROVOQUER
Exclamation attribuée à Archimède . . . . EURÊKA
Exclamation d'étonnement . . . . MAZETTE
Exclamation enfantine . . . . NA
Exclamation espagnole . . . . OLLÉ
Exclamation exprimant le dépit . . . . ZUT
Exclamation exprimant
le plaisir de manger . . . . MIAM
Exclamation moqueuse . . . . TURLUTUTU
Exclamation qui marque la surprise . . . . DIABLE
Exclamation qui marque l'admiration . . . . DIANTRE
Exclamation qui renforce . . . . PARDIEU
Exclamation renforçant
une affirmation . . . . NA
Exclamation . . . . AH
Exclure . . . . ÉLIMINER • EXCEPTER
Exclusion massive de personnes . . . . LESSIVE
Exclusion . . . . ÉVICTION
Exclusivité . . . . APANAGE • MONOPOLE
Excommunication prononcée
contre les non-croyants . . . . ANATHEME
Excoriation . . . . GRIFFURE
Excrément . . . . BRAN • ÉTRON • MERDE
Excrément des bovins . . . . BOUSE
Excrément des chevaux . . . . CROTTIN
Excrément d'oiseau . . . . FIENTE
Excrément, dans le langage enfantin . . . . CACA

Excréments solides de l'homme . . . . FÈCES
Excrétion . . . . SÉCRÉTION
Excroissance apparaissant
  sur un tissu végétal . . . . GALLE
Excroissance charnue . . . . CRÊTE
Excroissance cutanée . . . . VERRUE
Excroissance épidermique . . . . CORNE
Excroissance naturelle de
  la surface d'un os . . . . APOPHYSE
Excursion . . . . BALADE
Excusable . . . . VÉNIELLE
Excuse . . . . PRÉTEXTE
Excusé . . . . REPENTI
Excuses . . . . ABSOUS
Exécrable . . . . DÉTESTABLE • HORRIBLE
RÉPUGNANT
Exécration . . . . ABOMINATION • AVERSION
Exécrer . . . . ABHORRER • ABOMINER • HAÏR
Exécutant . . . . INTERPRÈTE • PRATICIEN
Exécuté avec brio . . . . ENLEVÉ
Exécuté avec le plus grand soin . . . . TRAVAILLE
Exécuté avec succès . . . . RÉUSSI
Exécuter à la hâte un travail . . . . TORCHER
Exécuter avec des aiguilles . . . . TRICOTER
Exécuter avec un soin minutieux . . . . PERLER
Exécuter des travaux manuels . . . . BRICOLER
Exécuter rapidement un tableau . . . . POCHER
Exécuter salement . . . . COCHONNER
Exécuter simultanément . . . . CUMULER
Exécuter une volte . . . . VOLTER
Exécuter . . . . ACHEVER • COMMETTRE
EFFECTUER • FAIRE • OPÉRER
PERPÉTRER • RÉALISER • TUER
Exécuter, jouer en arpège . . . . ARPÉGER
Exécution rapide et peu soignée . . . . BÂCLAGE
Exécution . . . . RÉALISATION • OPÉRATION
Exemplaire . . . . ÉCHANTILLON • ÉDIFIANT
SPÉCIMEN
Exemple . . . . MODÈLE
Exempt de toute souillure . . . . IMMACULÉ
Exempt . . . . LIBRE

Exemption	DISPENSE • FRANCHISE • IMMUNITÉ
Exercé par un collège	COLLÉGIAL
Exercer des ravages	SÉVIR
Exercer des représailles (Se)	VENGER
Exercer la répression avec rigueur	SÉVIR
Exercer la satire sur quelqu'un, quelque chose	SATIRISER
Exercer le métier de torero	TORÉER
Exercer le pouvoir	RÉGNER
Exercer une action en justice	ESTER
Exercer une action réciproque	INTERAGIR
Exercer une action	INFLUER
Exercer	PRATIQUER
Exercice à l'arme blanche	ESCRIME
Exercice d'assouplissement	PLIÉ
Exercice de gymnastique	TRACTION
Exercice scolaire d'orthographe	DICTÉE
Exercices de dévotion qui durent neuf jours	NEUVAINE
Exercices tendant vers l'accomplissement spirituel	ASCESE
Exercices	AEROBIE
Exhalaison	BOUFFÉE • FUMÉE ODEUR • SOUFFLE
Exhaler	DÉGAGER • FLEURER
Exhaler une odeur infecte	PUER
Exhaussement de terre fait en labourant	BILLON
Exhiber	EXPOSER • MONTRER PRÉSENTER
Exhibition	PARADE
Exhibitionniste	SATYRE
Exhortation	INCITATION
Exhorter	INCITER • INVITER
Exhumer	DÉTERRER
Exigeant	SÉVÈRE
Exigence absolue	DIKTAT
Exigence	BESOIN
Exiger	NÉCESSITER • RÉCLAMER REQUÉRIR • VOULOIR
Exigu	ÉTROIT

Exiguïté	ÉTROITESSE • PETITESSE
Exilé	BANNI • ÉMIGRÉ • PROSCRIT
Exilée	PROSCRITE
Exiler	DÉPORTER • RELÉGUER
Existant	AVENU
Existence	VIE
Exister	ÊTRE
Exister en même temps	CŒXISTER
Exister ensemble	CŒXISTER
Exonéré	EXEMPT
Exonérer	DÉCHARGER • EXEMPTER
Exorbitant	EXAGÉRÉ
Expatrié	ÉMIGRÉ • EXILÉ
Expatrier	EXILER
Expectoration	CRACHAT
Expectorer	CRACHER
Expédier	ADRESSER • BÂCLER
	ENVOYER • TORCHER
Expéditif	RAPIDE
Expédition	ENVOI
Expédition de chasse	SAFARI
Expédition de chasse, en Afrique	SAFARI
Expérience	ESSAI
Expérimenté	CHEVRONNÉ • ÉMÉRITE • EPROUVE
	EXERCÉ • EXPERT • QUALIFIE
Expérimenter	ESSAYER
Expert chargé d'estimer la	
valeur des marchandises	SAPITEUR
Expert	AS • COMPÉTENT • CONNAISSEUR
Expiration	ÉCHÉANCE
Expirer	MOURIR • RESPIRER
Explication de base	APERÇU
Explication	CLÉ • CLEF • COMPTE
	EXCUSE • ILLUSTRATION
Explicite	EXPRÈS • NET
Expliquer par un commentaire	GLOSER
Expliquer	COMMENTER • INTERPRÉTER
Exploit sportif	RECORD
Exploit	ACTION • PERFORMANCE
	ROUESSE
Exploitant de serres	SERRISTE

Exploitant d'un marais salant . . . . SAUNIER
Exploitation agricole
  collective, en Israël . . . . KIBBOUTZ
Exploitation . . . . INDUSTRIE
Exploiter une colonie . . . . COLONISER
Exploiter . . . . UTILISER
Exploration . . . . RECHERCHE
Explorer de la main . . . . TÂTER
Explorer . . . . APPROFONDIR • SONDER • VISITER
Exploser . . . . FULMINER • PÉTER
Exploser avec bruit . . . . DÉTONER
Explosif plastique . . . . PLASTIC
Explosif . . . . FULMINANT • PLASTIC
Explosion . . . . DÉTONATION
Exposé détaillé . . . . RAPPORT
Exposé écrit . . . . NOTICE
Exposé . . . . CONFÉRENCE • DESCRIPTION
                          ÉNONCÉ • MÉMOIRE • RÉCIT
Exposer à feu vif . . . . RISSOLER
Exposer à la lumière du soleil . . . . INSOLER
Exposer à une forte chaleur . . . . RÔTIR
Exposer au vent . . . . ÉVENTER
Exposer verbalement ou par écrit . . . . TRAITER
Exposer . . . . COMPROMETTRE • DÉCRIRE
                          ÉNONCER • ÉTALER • FORMULER
Exposition horticole où sont
  présentées des fleurs . . . . FLORALIES
Expression de la douleur . . . . SANGLOT
Expression de la pensée . . . . LANGAGE
Expression de l'étonnement,
  de l'admiration, etc. . . . . FICHTRE
Expression propre à une langue . . . . IDIOTISME
Expression propre au latin . . . . LATINISME
Expression stéréotypée . . . . PONCIF
Expression verbale de la pensée . . . . VERBE
Expression . . . . AIR • LOCUTION
Exprime le bruit d'un plongeon . . . . FLOC
Exprime un bruit sec . . . . PIF
Exprime un bruit violent . . . . VLAN
Exprimer en termes violents . . . . CLAMER
Exprimer sa colère . . . . MARONNER

Exprimer son suffrage . . . . VOTER
Exprimer sous forme numérique . . . . NUMÉRISER
Exprimer une chose fausse . . . . MENTIR
Exprimer . . . . DIRE • FORMULER • MARQUER
REFLÉTER • REPRÉSENTER
Exprimer, manifester . . . . EXHALER
Expulsé . . . . EXILÉ
Expulser . . . . BANNIR • ÉJECTER • EXCLURE
Expulser de l'air par le
nez et la bouche . . . . ÉTERNUER
Expulser de l'air . . . . SOUFFLER
Expulser l'air . . . . EXPIRER
Expulsion d'air contenu
dans les poumons . . . . TOUX
Expulsion . . . . EJECTION • ÉVICTION
EXIL • RENVOI
Exquis . . . . DÉLECTABLE
Exsuder . . . . SÉCRÉTER • SUINTER
Extase . . . . EUPHORIE
Extensible . . . . ÉTIRABLE
Exténuant . . . . ÉREINTANT
Exténué . . . . ÉPUISÉ
Exténuer . . . . ÉREINTER
Exténuer . . . . HARASSER
Extérieur . . . . DEHORS • ÉTRANGER • EXTERNE
Extermination d'un
groupe ethnique . . . . GÉNOCIDE
Extermination . . . . GÉNOCIDE
Exterminer . . . . DÉCIMER • MASSACRER
Externe . . . . EXTÉRIEUR
Extirper . . . . DÉRACINER • EXTRAIRE • SARCLER
Extorquer . . . . PRESSURER • SOUTIRER
Extra . . . . SUPER
Extraconjugal . . . . ADULTÈRE
Extraction . . . . ASCENDANCE
Extraire . . . . ARRACHER • DÉRACINER
EXTIRPER • PRÉLEVER • PUISER
Extraire le lait du pis . . . . TRAIRE
Extraire le sel . . . . SAUNER
Extrait de la noix d'arec . . . . CACHOU
Extrait de plantes . . . . VÉGÉTAL
Extrait du suc de fruit . . . . ROB

Extrait d'un ouvrage	PASSAGE
Extrait mou d'ergot de seigle	ERGOTINE
Extrait	CITATION
Extralucide	VOYANT
Extraordinaire	FABULEUX • SUBLIME
Extraterrestre	MARTIEN
Extravagant	ALLUME • GROTESQUE
Extravagant, complètement fou	DÉLIRANT
Extrême maigreur	ÉTISIE
Extrême	DERNIER • EXAGÉRÉ
	FINAL • INTENSE • SUPRÊME
Extrêmement affaibli	EXTENUE
Extrêmement agréable	DÉLICIEUX
Extrêmement fatigant	HARASSANT
Extrêmement fatigué	RECRU
Extrêmement fin	SUPERFIN
Extrêmement heureux	ENCHANTÉ
Extrêmement joli	RAVISSANT
Extrêmement maigre	DÉCHARNÉ
Extrêmement	HAUTEMENT • TRÈS
Extrémité	BOUT • EMBOUT • POINTE
Extrémité charnue des doigts	PULPE
Extrémité de l'aile d'un oiseau	AILERON
Extrémité du canon	CULASSE
Extrémité d'un os long	ÉPIPHYSE
Extrémité d'une aile	AILERON
Extrémité d'une jambe de bois	PILON
Extrémité d'une maîtresse branche	TÊTEAU
Extrémité d'une pièce	ABOUT
Extrémité d'une planche	ONGLET
Extrémité effilée de certains instruments à air	BEC
Extrémité effilée d'un récipient	BEC
Extrémité méridionale du Plateau brésilien	MAR
Extrémité pointue d'un arbre	CIME
Extrémité renflée d'un os long	ÉPIPHYSE
Extrémité sud-est du Pakistan	SIND
Extrémité supérieure d'une antenne	PENNE
Extrinsèque	EXTÉRIEUR • EXTERNE
Exubérance	PÉTULANCE
Exubérant, ouvert	EXPANSIF

F

Fable . . . . ALLÉGORIE • CONTE • LÉGENDE
Fabricant de corde . . . . CORDIER
Fabricant de draps . . . . DRAPIER
Fabricant de faïence . . . . FAÏENCIER
Fabricant de gants . . . . GANTIER
Fabricant de heaumes . . . . HEAUMIER
Fabricant de lunettes . . . . LUNETIER
Fabricant de moules en sable . . . . SABLEUR
Fabricant de parfums . . . . PARFUMEUR
Fabricant de produits détersifs . . . . LESSIVIER
Fabricant de savon . . . . SAVONNIER
Fabricant de selles . . . . SELLIER
Fabricant de tamis . . . . TAMISIER
Fabricant d'instruments à cordes . . . . LUTHIER
Fabricant ou marchand d'armes . . . . ARMURIER
Fabrication . . . . CONFECTION • FAÇON
PRODUCTION
Fabrication de la tôle . . . . TÔLERIE
Fabrication du fil métallique . . . . FILAGE
Fabrication et commerce des lustres . . . . . . LUSTRERIE
Fabriquant d'horloges, de montres . . . . HORLOGER
Fabrique de beurre . . . . BEURRERIE
Fabrique de bière . . . . BRASSERIE
Fabrique de poudre . . . . POUDRERIE
Fabrique de sabots . . . . SABOTERIE
Fabrique de toiles . . . . TOILERIE
Fabrique de tuiles . . . . TUILERIE
Fabrique de tulle . . . . TULLERIE
Fabrique d'huile végétale . . . . HUILERIE
Fabrique . . . . USINE
Fabriquer des noyaux . . . . NOYAUTER
Fabriquer par tissage . . . . TISSER
Fabriquer une étoffe à la façon du damas . . . DAMASSER
Fabriquer . . . . FAÇONNER • FAIRE
PRODUIRE • USINER
Fabuleux . . . . FICTIF • SURNATUREL
Fabuliste grec . . . . ÉSOPE
Façade . . . . APPARENCE • DEVANT
DEVANTURE • FRONT

Face d'un dé marquée de cinq points	CINQ
Face d'une médaille	AVERS
Face d'une monnaie	AVERS
Face extérieure d'un bâtiment	FAÇADE
Face inférieure	DESSOUS
Face supérieure	DESSUS
Face supérieure d'une aile d'avion	EXTRADOS
Face	SURFACE • VISAGE
Face, figure	POIRE
Face-à-face	DÉBAT
Face-à-main	BINOCLE
Facétie	BOUFFONNERIE • FARCE PLAISANTERIE
Facétie de clown, farce	CLOWNERIE
Fâché	CHOQUÉ • MARRI
Fâcherie	BOUDERIE • BROUILLE
Fâcheux, contrariant	RÂLANT
Facho	FAF • FASCISTE
Facile	AISÉ • INDOLORE • SOCIABLE
Facilement corruptible	VÉNAL
Facilement irritable	EMPORTE
Facilement	AISÉMENT • VOLONTIERS
Facilité à se casser	FRAGILITÉ
Facilité	AISANCE • APTITUDE
Façon	AIR • GRIMACE • GUISE MANIÈRE • MODE
Façon de peindre par taches	TACHISME
Façon de s'exprimer	LANGAGE
Faconde	BAGOU
Façonné	PÉTRI • OUVRAGÉ
Façonner	MODELER • OUVRER • PÉTRIR CULPTER • TRAVAILLER
Façonner à coups de marteau	MARTELER
Façonner avec une machine-outil	USINER
Façonner en taillant une matière dure	SCULPTER
Façonner	FABRIQUER
Façonnier	ARTISAN
Façons maniérées, simagrées	CHICHIS
Fac-similé	DOUBLE
Facteur de pianos français	ÉRARD

Facteur qui constitue un préjudice pour l'environnement	NUISANCE
Factice	ARTIFICIEL • INSINCÈRE
Faction	ATTENTE • CAMP
Factionnaire	SENTINELLE
Factitif	CAUSAL
Facture	ADDITION
Facultatif	OPTIONNEL
Faculté de connaître	CONNAISSANCE • COGNITION INTELLECT
Faculté de percevoir la lumière, les couleurs	VUE
Faculté de se mettre à la place d'autrui	EMPATHIE
Faculté de s'identifier à quelqu'un	EMPATHIE
Faculté d'être partout à la fois	UBIQUITÉ
Faculté	CAPACITÉ • FAC • POUVOIR
Facultés intellectuelles, physiques et naturelles	MOYENS
Fadaise	BALIVERNE • SORNETTE
Fade	DÉLAVÉ • INSIPIDE • PLAT • TERNE
Fado	LAMENTO
Fagot de bois court	COTRET
Fagot de bûches liées ensemble	FALOURDE
Fagot	FASCINE
Fagoté	AFFUBLÉ • FICELÉ
Fagoter	ACCOUTRER
Faible d'esprit	IMBÉCILE
Faible frémissement	FRISELIS
Faible	BONASSE • DÉBILE • DÉFICIENT FAILLIBLE • FRAGILE • LAS • VEULE
Faiblement teinté de rouge	ROSÉ
Faiblesse extrême	DÉBILITÉ
Faiblesse	ANÉMIE • CHETIVITE • IMPOTENCE LÂCHETÉ • VEULERIE
Faiblesse, vulnérabilité	FRAGILITÉ
Faibli	MOLLI
Faiblir	MOLLIR
Faïencier	CERAMISTE
Faille	FENTE
Faillible	FAUTIF
Faillir	PÉCHER

Faim subite	FRINGALE
Faim	INANITION
Fainéant	COSSARD • PARESSEUX
Fainéanter	PARESSER
Fainéantise	FLEMME • PARESSE
Faire adhérer	SOUDER
Faire admettre comme juste	LÉGITIMER
Faire apparaître par la magie	ÉVOQUER
Faire appel à	RECOURIR
Faire asseoir à table	ATTABLER
Faire attendre quelqu'un	LANTERNER
Faire avancer au moyen d'un propulseur	PROPULSER
Faire avancer un navire	TOUER
Faire bamboche	BAMBOCHER
Faire beaucoup rire	DESOPILER
Faire boire	ABREUVER
Faire bonne chère	BANQUETER • FESTOYER RIPAILLER
Faire briller comme un diamant	DIAMANTER
Faire couler un navire	SABORDER
Faire couler	ÉPANCHER
Faire cuire	GRILLER
Faire cuire à feu doux	BRAISER
Faire cuire à feu vif	RÔTIR
Faire cuire à l'étouffée	BRAISER
Faire cuire dans la friture	FRIRE
Faire cuire dans une poêle	PŒLER
Faire cuire des morceaux de viande dans une sauce	FRICASSER
Faire cuire en gratin	GRATINER
Faire de grands efforts	AHANER
Faire de la luge	LUGER
Faire de la pâtisserie	PÂTISSER
Faire de la varappe	VARAPPER
Faire de l'ironie	IRONISER
Faire de nouveau	RÉITÉRER
Faire défaut	FAILLIR
Faire des arpèges	ARPÉGER
Faire des commentaires malveillants	GLOSER
Faire des commérages	POTINER

Faire des courses	MAGASINER
Faire des crans à, entailler	CRANTER
Faire des détours	SINUER
Faire des emplettes	MAGASINER
Faire des entailles en forme de dents	DENTELER
Faire des excès de table	RIPAILLER
Faire des excursions touristiques	BALADER
Faire des faux plis	GODER
Faire des faux plis par suite d'une mauvaise coupe	GODAILLER
Faire des fentes à la surface d'une chose	CREVASSER
Faire des flocons	FLOCONNER
Faire des grimaces	GRIMACER
Faire des laïus	LAÏUSSER
Faire des meurtrissures à des fruits	TALER
Faire des mines pour attirer l'attention	MINAUDER
Faire des niaiseries	NIAISER
Faire des petits, en parlant d'une chatte	CHATONNER
Faire des tours d'adresse	JONGLER
Faire des vers	RIMER
Faire descendre	AFFALER • CALER
Faire disparaître	EFFACER • NÉANTISER
Faire disparaître graduellement	RÉSORBER
Faire dormir par anesthésie	ENDORMIR
Faire dormir	ENDORMIR
Faire du baratin	BARATINER
Faire du commerce	NÉGOCIER
Faire du ski	SKIER
Faire du surf	SURFER
Faire du tapage	TAPAGER
Faire du verglas	VERGLACER
Faire éclater le tronc d'un arbre en l'abattant	ÉCUISSER
Faire entendre un bruit de ronron	RONRONNER
Faire entendre un cliquetis	CLIQUETER
Faire entendre une pétarade	PÉTARADER
Faire entendre une voix aigre	GLAPIR
Faire entrer dans un corps	INFILTRER
Faire entrer dans un parti, un groupement, etc	AFFILIER
Faire entrer	INTRODUIRE

Faire espérer	PROMETTRE
Faire exploser à l'aide de torpilles	TORPILLER
Faire explosion	DÉTONER
Faire face	REPLIQUER
Faire fonctionner	ACTIONNER • DÉMARRER
Faire garder le lit	ALITER
Faire gonfler les cheveux	CRÊPER
Faire illusion	BLUFFER
Faire implosion	IMPLOSER
Faire la barbe	BARBIFIER
Faire la cour	FLIRTER
Faire la drave	DRAVER
Faire la tête	BOUDER
Faire la toilette d'un animal	TOILETTER
Faire la vendange	VENDANGER
Faire le cabotin	CABOTINER
Faire le chaînage d'un mur	CHAÎNER
Faire le poireau, attendre	POIREAUTER
Faire le rauchage	RAUCHER
Faire le tour de	CONTOURNER
Faire l'élision de	ÉLIDER
Faire l'imbécile	DECONNER
Faire l'objet d'une sanction	ÉCOPER
Faire malproprement	COCHONNER
Faire mauvais usage d'une chose	MÉSUSER
Faire mourir	OCCIRE
Faire naufrage	NAUFRAGER
Faire par écrit des commentaires sur un texte	ANNOTER
Faire paraître étroit	ÉTRIQUER
Faire paraître un texte	ÉDITER
Faire partie d'une assemblée	SIÉGER
Faire passer d'un lieu dans un autre	TRANSFÉRER
Faire passer sous un rouleau	CYLINDRER
Faire pâturer le bétail	PACAGER
Faire payer autoritairement	IMPOSER
Faire payer par la force	RANÇONNER
Faire payer trop cher	MATRAQUER
Faire payer un prix excessif	RANÇONNER • SALER
Faire pénétrer	ENFONCER
Faire perdre sa couleur	DÉTEINDRE

Faire perdre sa timidité	DECOINCER
Faire perdre une place	DÉGOMMER
Faire périr	IMMOLER
Faire peur à	APEURER
Faire pipi	PISSER • URINER
Faire prendre l'habitude de	ACCOUTUMER
Faire quitter son juchoir	DEJUCHER
Faire reculer	REPOUSSER
Faire référence à	RÉFÉRER
Faire rentrer la bête dans le bois	REMBUCHER
Faire répéter	BISSER
Faire résonner	SONNER
Faire ressortir	REHAUSSER
Faire revenir au pays d'origine	RAPATRIER
Faire revenir dans sa patrie	RAPATRIER
Faire revivre	RÉANIMER
Faire ricochet	RICOCHER
Faire saillie	AVANCER
Faire savoir	SIGNIFIER
Faire sécher à la fumée	SAURER
Faire sécher de la viande fumée	BOUCANER
Faire sécher	ESSORER • RESSUYER
Faire semblant	AFFECTER
Faire ses œufs	PONDRE
Faire ses premiers pas	DÉBUTER
Faire son nid	AIRER • NICHER
Faire son testament	TESTER
Faire sortir un pneu de la jante	DÉJANTER
Faire sortir une bête de son gîte	FORLANCER
Faire sortir	TIRER
Faire souffrir de la faim	AFFAMER
Faire subir des épreuves brutales et vexatoires	BRIMER
Faire subir une nouvelle intervention chirurgicale	RÉOPÉRER
Faire subir	INFLIGER
Faire tomber en putréfaction	PUTREFIER
Faire tomber le poil	DÉPILER
Faire tomber les poils	ÉPILER
Faire tomber par désagrégation	ÉBOULER
Faire tremper	MACÉRER

Faire un bruit particulier
du nez, en dormant . . . . RONFLER
Faire un bruit sec . . . . CROQUER
Faire un bruit sec et répété . . . . CLIQUETER
Faire un faux pas . . . . BRONCHER
Faire un faux pas, tomber . . . . TREBUCHER
Faire un faux pli . . . . GRIMACER
Faire un impair . . . . GAFFER
Faire un raccord . . . . RACCORDER
Faire une déposition en justice . . . . TÉMOIGNER
Faire une enquête . . . . ENQUÊTER
Faire une faute d'orthographe . . . . FAUTER
Faire une nébulisation . . . . NEBULISER
Faire une pause . . . . PAUSER
Faire une rechute . . . . RECHUTER
Faire usage de quelque chose . . . . EMPLOYER
Faire venir auprès de
soi de façon impérative . . . . CONVOQUER
Faire venir quelqu'un . . . . MANDER
Faire voile dans une direction . . . . CINGLER
Faire . . . . AGIR • FORMER
Faire, travailler . . . . FOUTRE
Faisable . . . . JOUABLE • POSSIBLE
Faisait partie d'un duo de comiques . . . . LAUREL
Faisceau de cheveux serrés derrière la tête . . . . . . QUEUE
Faisceau de fils . . . . CÂBLE
Faisceau de jets d'eau . . . . GIRANDOLE
Faisceau de menu bois . . . . FAGOT
Faisceau de tissus fibreux . . . . LIGAMENT
Faisceau fibreux . . . . TENDON
Faisceau . . . . BOTTE
Fait anormal . . . . PHÉNOMÈNE
Fait antérieur invoqué comme référence . . . . PRÉCÉDENT
Fait antérieur . . . . ANTÉCÉDENT
Fait de bronzer sous l'action du soleil . . . . BRONZAGE
Fait de céder à loyer . . . . LOUAGE
Fait de combiner différents éléments . . . . DOSAGE
Fait de gicler . . . . GICLEMENT
Fait de mettre fin à quelque chose . . . . CESSATION
Fait de parler facilement à propos de tout . . . . . . TCHATCHE
Fait de poser un placage . . . . PLAQUAGE

Fait de prendre congé	ADIEU
Fait de pulpe	PULPEUX
Fait de rebondir	REBOND
Fait de se succéder alternativement	ALTERNAT
Fait de s'élever, de se développer	DÉCOLLAGE
Fait de servir à quelque chose	UTILITÉ
Fait de s'inverser	INVERSION
Fait de sortir de son sommeil	ÉVEIL
Fait de soumettre à l'action de gaz	GAZAGE
Fait de tresser	TRESSAGE
Fait de tricher	TRICHE
Fait d'échouer à un examen	RECALAGE
Fait d'être bombé	BOMBEMENT
Fait d'être client	CLIENTÈLE
Fait d'être juif	JUDAÏCITÉ
Fait d'être marié à deux personnes simultanément	BIGAMIE
Fait d'être recalé à un examen	RECALAGE
Fait d'imiter un initiateur	SUIVISME
Fait d'où découle une conséquence	PRÉMISSE
Fait et ajusté après coup	POSTICHE
Fait ou répété plusieurs fois	ITÉRATIF
Fait par immersion	IMMERSIF
Fait par un notaire	NOTARIÉ
Fait révoltant	SCANDALE
Fait sur-le-champ	IMPROMPTU
Fait	ACTION
Faîte	CIME • PINACLE SOMMET • SUMMUM
Faîtière	FAITEAU
Fallacieuse	TROMPEUSE
Fallacieux	FAUX • TROMPEUR
Falsification	ALTÉRATION • TRUCAGE
Falsifié	FAUX • FRELATÉ
Falsifier	CONTREFAIRE • FRELATER
Faluche	BÉRET
Fameux	CÉLÈBRE • FIEFFE • GLORIEUX ILLUSTRE • RENOMMÉ
Familiariser	ACCLIMATER
Familiarité	BONHOMIE • INTIMITÉ
Familiarité malséante	PRIVAUTÉ

Familier . . . . HABITUÉ • USUEL
Familière . . . . USUELLE
Famille de langues indiennes
de l'Amérique centrale . . . . MAYA
Famille de mammifères carnivores . . . . URSIDÉS
Famille de mammifères ruminants
aux cornes creuses . . . . BOVIDE
Famille de plantes dicotylédones . . . . LABIÉES • LINACÉES
Famille de poissons
généralement marins . . . . GADES
Famille de singes cynocéphales . . . . PAPION
Famille d'origine navarraise
du xviie siècle . . . . GRAMONT
Famille nombreuse et encombrante . . . . SMALA
Famille romaine guelfe,
rivale des Colonna . . . . ORSINI
Famille . . . . PARENT • PARENTÉ
Fanal . . . . LANTERNE
Fanatique . . . . FANA • MORDU • SECTAIRE
Fané . . . . DÉFRAÎCHI • ÉTEINT
Faner . . . . FLÉTRIR
Fanfaron . . . . BRAVACHE • FARAUD • VANTARD
Fanfaron, crâneur . . . . FLAMBARD
Fanfaron, vantard . . . . TARTARIN
Fanfaronnade . . . . BRAVADE
Fanfaronner . . . . CRÂNER
Fange . . . . BOURBE
Fangeux . . . . BOUEUX
Fanion . . . . DRAPEAU • GUIDON
Fantaisie . . . . CAPRICE • FOUCADE
IMAGINATION • LUBIE
Fantaisiste . . . . BOHÈME • FUMISTE
Fantasmer . . . . IMAGINER
Fantasque . . . . CAPRICIEUX
Fantassin . . . . PION • PIOUPIOU • SOLDAT
Fantassin grec qui porte une jupe . . . . EVZONE
Fantoche . . . . MARIONNETTE
Fantôme . . . . LÉMURE • SPECTRE
Fantôme malfaisant . . . . LARVE
Fantôme, revenant . . . . ZOMBIE
Fanton . . . . FENTON

Faon	DAIM
Farandole	DANSE • SARABANDE
Faraud	FIÉROT
Farce de mauvais goût	FRASQUE
Farce jouée à quelqu'un	NICHE
Farce	BOUFFONNERIE • COMÉDIE
	GODIVEAU • PLAISANTERIE
Farceur	BLAGUEUR • BOUFFON
	COMÉDIEN • LOUSTIC • PLAISANTIN
Farceur, pitre	CLOWN
Farcir	TRUFFER
Fard	ROUGE
Fard à cils	MASCARA
Fard à joues sec	BLUSH
Fard pour les sourcils	RIMMEL
Fardeau	CHARGE
Farder	COLORER • GRIMER • PEINDRE
Farfelu	FANTASQUE • HURLUBERLU
Faribole	BALIVERNE
Farinacé	FARINEUX
Farine de blé dur	MINOT
Farine de manioc	GARI
Farine granuleuse	SEMOULE
Farouchement	ÂPREMENT
Fasce rétrécie sur un écu	BURÈLE
Fascination	ATTRAIT
Fasciné	SÉDUIT
Fasciner	ÉBLOUIR • ENVOÛTER • SÉDUIRE
Fasciste	FACHO • FAF
Faste	APPARAT • LUXE
Fastidieux	LABORIEUX
Fastueux	SOMPTUEUX
Fat	FARAUD • FIÉROT
Fatal	MORTEL • NÉFASTE
Fatale	MORTELLE
Fatalement	SÛREMENT
Fatalité	DESTIN • DESTINÉE • FATUM
Fatidique	FATAL
Fatigant	ABRUTISSANT • ASSOURDISSANT
	LASSANT • PÉNIBLE • SUANT • USANT
Fatiguant	TANNANT

Fatigué	LAS
Fatigué et amaigri	TIRÉ
Fatigue	BAMBOU • LASSITUDE
Fatigué, sans force	RAPLAPLA
Fatiguer à l'excès	SURMENER
Fatiguer	ÉREINTER • EXTÉNUER
Fatras	RAMASSIS
Fatuité	VANITÉ
Fauché	PAUVRE
Fauchée	MITEUSE
Faucher	RENVERSER
Faucon	LANERET
Faucon de petite taille	HOBEREAU
Faucon du sud de la France	PÈLERIN
Faucon femelle	LANIER
Faucon ressemblant au pèlerin	LANIER
Fauconnerie	VOLERIE
Faufilé	COUSU
Faune femelle	FAUNESSE
Faussaire	IMITATEUR
Fausse nouvelle	CANARD • CANULAR
Fausse	MENTEUSE
Faussé, dénaturé	ALTÉRÉ
Fausser	CANARDER • TRUQUER
Fausseté, traîtrise	DÉLOYAUTÉ
Faute d'impression signalée	ERRATUM
Faute énorme	FORFAIT
Faute grossière de langage	BARBARISME • PATAQUÈS
Faute lourde	BOURDE
Faute survenue dans l'impression d'un ouvrage	ERRATUM
Faute	BÉVUE • DÉFAUT • DÉLIT MALVERSATION • MÉFAIT PÉCHÉ • TORT
Fautes d'impression signalées	ERRATA
Fautes survenues dans l'impression d'un ouvrage	ERRATA
Fauteuil à bascule	BERÇANTE
Fautif	COUPABLE • INCORRECT
Fauve	PANTHÈRE • ROUSSÂTRE
Faux	BOITEUX • ERRONÉ • FACTICE INEXACT • SIMILI

Faux brave qui fanfaronne	BRAVACHE
Faux dévot	TARTUFE
Faux pas de la langue	LAPSUS
Faux serment	PARJURE
Faux, postiche	SIMULÉ
Faux-fuyant	ATERMOIEMENT
Faux-monnayeur	FAUSSAIRE
Faveur	BÉNÉDICTION • SERVICE
Faveurs	GRACES
Favorable à la vie en commun	SOCIAL
Favorable	BÉNÉFIQUE • FASTE • HEUREUX
	OPPORTUN • PROPICE
Favori	COURTISAN • PRÉFÉRÉ
Favoriser par le sort	LOTIR
Favoriser	PROMOUVOIR
Favoritisme	PARTIALITÉ
Fébrile	EXCITE • FIÉVREUX
Fécond	ABONDANT • FERTILE
	FRUCTUEUX • PRODUCTIF
Féconder	INSEMINER
Fécondité	ABONDANCE
Fécule de manioc	TAPIOCA
Fécule qu'on retire de la mœlle des sagoutiers	SAGOU
Fécule servant à empeser le linge	AMIDON
Fécule	AMIDON
Federal Bureau of Investigation	FBI
Fédératif	FEDERAL
Feindre	AFFECTER • SIMULER
Feint	ETUDIE • FACTICE
Feint, qui n'est pas réel	SIMULÉ
Feinte	ARTIFICE
Fêler	ETOILER
Félicitation	ÉLOGE
Félicité	BÉATITUDE • BONHEUR
Félin carnassier de la savane	SERVAL
Félin sauvage d'Amérique	OCELOT
Félin	ONCE • TIGRE
Fêlure	BRISURE • CASSURE
	FAILLE • FISSURE
Femelle adulte du mouton	BREBIS

Femelle de divers gallinacés	POULE
Femelle de l'âne	ÂNESSE
Femelle de l'ours	OURSE
Femelle du canard	CANE
Femelle du cerf	BICHE
Femelle du cheval	JUMENT
Femelle du daim	DAINE
Femelle du dindon	DINDE
Femelle du lapin de garenne	HASE
Femelle du lévrier	LEVRETTE
Femelle du lièvre	HASE
Femelle du lion	LIONNE
Femelle du loup	LOUVE
Femelle du sanglier	LAIE
Femelle du singe	GUENON
Femelle du taureau	VACHE
Femelle du tigre	TIGRESSE
Femelle du verrat	TRUIE
Femelle d'un chien de chasse	LICE
Femelle reproductrice de l'espèce porcine	TRUIE
Femelle	FEMININ
Femme	COMPAGNE • ÉPOUSE GRELUCHE • NANA
Femme à cheval	CAVALIERE
Femme acariâtre	CHIPIE • HARPIE
Femme amérindienne	SQUAW
Femme attachée au culte d'une divinité	PRÊTRESSE
Femme ayant pour intérêt son ménage et ses enfants	BOBONNE
Femme corpulente	MATRONE
Femme de haut rang, en Angleterre	LADY
Femme de la famille Borgia	LUCRÈCE
Femme de lettres américaine	NIN • OATES • STEIN
Femme de lettres canadienne morte en 1983	ROY
Femme de lettres française née en 1799	SÉGUR
Femme de lettres française	ADAM • COLET SAGAN • SÉGUR • STAËL
Femme de lettres française, dite George	SAND
Femme de lettres québécoise	BLAIS • HÉBERT

Femme de mauvaise vie	GAUPE
Femme de mauvaises mœurs	CATIN
Femme de mœurs légères	DRÔLESSE
Femme débauchée	GOTON
Femme désagréable	GARCE • GROGNASSE
Femme dévergondée	SALOPE
Femme difficile à vivre	CHIPIE
Femme d'Osiris	ISIS
Femme du tsar	TSARINE
Femme d'un certain âge	MÉMÉ • MÉMÈRE
Femme d'un harem	ODALISQUE
Femme d'un maire	MAIRESSE
Femme d'un rajah	RANI
Femme d'une grande beauté	VÉNUS
Femme effrontée	DRÔLESSE
Femme emportée et violente	PANTHERE
Femme énigmatique	SPHINGE
Femme exerçant les fonctions de maire	MAIRESSE
Femme fatale	VAMP
Femme fière, fougueuse	LIONNE
Femme homosexuelle	GOUINE
Femme imaginaire	FÉE
Femme jalouse	LIONNE
Femme jouissant d'une grande autorité	PAPESSE
Femme laide et de mauvaises mœurs	CHABRAQUE
Femme laide et méchante	SORCIÈRE
Femme légère	POULE
Femme malpropre	GAUPE
Femme mariée, chez les Amérindiens	SQUAW
Femme méchante	MÉGÈRE
Femme musulmane	FATMA
Femme pape	PAPESSE
Femme plantureuse	WALKYRIE
Femme poète	POÉTESSE
Femme politique française née en 1927	VEIL
Femme politique israélienne	MEIR
Femme politique philippine	AQUINO
Femme qui allaite un enfant	NOURRICE
Femme qui élève un nourrisson	NOURRICE
Femme qui livra Samson	DALILA
Femme qui monte à cheval	AMAZONE

Femme qui n'a pas eu d'enfant	NULLIPARE
Femme qui sait et colporte toutes les nouvelles	COMMÈRE
Femme qui sème	SEMEUSE
Femme sotte et prétentieuse	PECORE
Femme stupide	CONASSE • CONNASSE • DINDE
Femme très active, remuante	DIABLESSE
Femme très chaste	VESTALE
Femme très jalouse	TIGRESSE
Femme très laide	GUENON
Femme unie à plusieurs hommes	POLYGAME
Femme vierge	PUCELLE
Femme, fille	GONZESSE
Fendillement	GERÇURE
Fendiller	GERCER
Fendre la roche pour faire des pavés	EPINCER
Fendre légèrement	FÊLER
Fendre	COUPER • FÊLER GERCER • INCISER
Fendu en deux	BIFIDE
Fenêtre faisant saillie	ORIEL
Fenêtre	CROISÉE • HUBLOT
Fenil	GRANGE • GRENIER
Fente dans le bois	GERCE
Fente profonde	CREVASSE • SILLON
Fente verticale qui se forme au sabot du cheval	SEIME
Fente	BRISURE • ENTURE • INCISION
Fer tranchant	COUTRE
Fer	FE
Ferlouche	FARLOUCHE
Fermage	COLONAT
Ferme de campagne	MAS
Ferme de la prairie, aux États-Unis	RANCH
Fermé	CLOS
Ferme	SOLIDE
Ferme, stable	INCHANGÉ
Fermenter	CUVER
Fermer et ouvrir rapidement les yeux	CLIGNER
Fermer	CALFEUTRER • CLORE • ÉTEINDRE OBSTRUER • OCCLURE • TERMINER

Fermeté dans l'adversité . . . . STOÏCISME
Fermeté . . . . RIGUEUR • TÉNACITÉ
Fermeture à glissière . . . . ZIP
Fermeture éclair . . . . ZIP
Fermeture . . . . CLÔTURE • OCCLUSION
Fermier . . . . AGRICULTEUR • COLON • PAYSAN
Fermière . . . . PAYSANNE
Fermium . . . . FM
Féroce . . . . CRUEL • FAUVE
Férocité . . . . BARBARIE • CRUAUTÉ
Ferraille . . . . MITRAILLE
Ferré . . . . INSTRUIT • PARE
Ferrure destinée à soutenir une porte . . . . PENTURE
Ferrure . . . . FERRAGE • TÉ
Ferry-boat . . . . FERRY
Fertile . . . . FÉCOND
Fertilisant . . . . ENGRAIS
Fertiliser . . . . ENRICHIR
Féru . . . . ÉPRIS
Fervent . . . . DÉVOT • MORDU
Ferveur . . . . PIÉTÉ • ZÈLE
Fesses . . . . POPOTIN
Fessier . . . . CUL
Festin . . . . BANQUET • BOMBANCE
GUEULETON • RIPAILLE
Feston . . . . GUIRLANDE
Festonner . . . . BRODER
Festoyer . . . . BANQUETER • RIPAILLER
Fêtard . . . . NOCEUR • VIVEUR
Fête . . . . FESTIVITE • FIESTA • NOËL
Fête annuelle, en Espagne . . . . FERIA
Fête célébrée le 31 octobre . . . . HALLOWEEN
Fête de bienfaisance . . . . KERMESSE
Fête de Noël . . . . NATIVITÉ
Fête de plein air pour motos et automobiles . . . . . GYMKHANA
Fête donnée pour le marquage du bétail . . . . RODÉO
Fête foraine . . . . FOIRE
Fête judaïque annuelle . . . . PÂQUE
Fête juive . . . . PÂQUE
Fête mondaine . . . . RAOUT
Fête musulmane qui suit le ramadan, chez les Turcs . . . . . . BEIRAM

Fête où l'on distribuait mets et vins	COCAGNE
Fête patronale au village	FRAIRIE
Fête, noce	NOUBA
Fétiche	AMULETTE • MASCOTTES TALISMAN
Fétide	NAUSÉABOND • PESTILENTIEL PUANT • VIREUX
Fétidité	PUANTEUR
Fétidité	REMUGLE
Feu éternel	DAMNATION
Feu follet	FUROLE
Feu	INCENDIE • MORT
Feuillage	RAMURE
Feuille	PAGE • PAPIER
Feuille d'acier	TÔLE
Feuille de carton mince	CARTE
Feuille de fer	TÔLE
Feuille de tabac	CAPE
Feuille de trèfle	TRILOBE
Feuille d'un registre	FOLIO
Feuille insérée dans une brochure	ENCART
Feuillées	LATRINES
Feuilles de tabac roulées que l'on fume	CIGARE
Feuillet	PAGE
Feuillet superflu d'un ouvrage imprimé	DÉFET
Feuilleté	BAKLAVA
Feuilleter	COMPULSER • PARCOURIR
Feuilleton	ROMAN
Feuler	RAUQUER
Feutre à poil long	MÉLUSINE
Fiabiliser	SÉCURISER
Fiable	FIDÈLE • SÛR
Fiacre	CALECHE
Fiancé	PROMIS
Fiancée	DULCINÉE • PROMISE
Fiasco	BIDE • ÉCHEC • FOUR
Fibre coriace de certaines viandes	FILANDRE
Fibre de noix de coco	COIR
Fibre élastomère	LYCRA
Fibre provenant de la toison de certains ruminants	LAINE

Fibre synthétique	NYLON • ORLON
Fibre textile	JUTE • LIN • ORLON
Fibre textile de fabrication française	TERGAL
Fibrome	TUMEUR
Ficelle de fouet	MÈCHE
Ficelle	CORDE • CORDONNET • FIL
Ficher, flanquer	FOUTRE
Fichu posé sur la tête et noué sous le menton	FANCHON
Fichu	CUIT • FOUTU • FOULARD GUIMPE • NASE • NAZE • RÂPÉ
Fiction	FABLE
Fidèle	ADEPTE • ATTACHÉ • FÉAL FIABLE • LITTÉRAL • PONCTUEL
Fidèle, par rapport au pasteur spirituel	OUAILLE
Fidèles	OUAILLES
Fidélité	LOYAUTÉ
Fiel	AIGREUR
Fielleuse	HAINEUSE
Fielleux	HAINEUX
Fiente	CROTTE
Fiente de vache	BOUSE
Fier	ALTIER • DÉDAIGNEUX • FARAUD
Fierté légitime	ORGUEIL
Fièvre	APHTEUX • FRÉNÉSIE
Fiévreux	FÉBRILE • CHAUD
Fifre	PICCOLO
Figaro	COIFFEUR
Figer	CAILLER • CONGELER
Fignoler	LÉCHER • LIMER PERFECTIONNER • SOIGNER
Figuier de l'Inde	BANIAN
Figure à quatre faces triangulaires	TÉTRAÈDRE
Figure circulaire	ROND
Figure de patinage artistique	AXEL
Figure de rhétorique	METAPHORE
Figure découpée	DÉCOUPAGE
Figure dessinée négligemment	BONHOMME
Figure emblématique	DEVISE
Figure géométrique	LOSANGE
Figuré par des lignes	GRAPHIQUE

Figure rubiconde d'un gros mangeur et buveur	TROGNE
Figure tauromachique	VERONIQUE
Figure	BOUILLE • FACE MUSEAU • VISAGE
Figurer	INCARNER
Figurine humaine	POUPÉE
Figurine ornant les crèches de Noël	SANTON
Figurine provençale	SANTON
Figurine	STATUETTE
Fil conducteur	FILAMENT
Fil de fer muni de pointes	BARBELE
Fil passé en faufilant	FAUFIL
Fil synthétique de polyester	TERGAL
Fil terminé par un hameçon	LIGNE
Fil textile gainé de polyester	LUREX
Fil très fin	FILAMENT
Fil	CHEVEU
Filament délié de chanvre	BRIN
Filament fin	CIL
Filament qui relie l'ovule au placenta (Bot.)	FUNICULE
Filament	FIBRE • RADICELLE
Filamenteux	CHEVELU
Filandière	FILEUSE
Filature policière	FILOCHE
Fildefériste	FUNAMBULE
File de personnes	QUEUE
File	DÉFILÉ
Filer	DÉTALER • DISPARAÎTRE FILOCHER • PISTER
Filer le parfait amour	ROUCOULER
Filet à larges mailles	RÉSILLE
Filet à petites mailles	RISSOLE
Filet à poissons plats	PICOT
Filet dans lequel on attache les cheveux	RÉSILLE
Filet de bœuf coupé en tranches	TOURNEDOS
Filet de canard	MAGRET
Filet de hareng mariné au vinaigre	ROLLMOPS
Filet de pêche	GABARE • HAVENET
Filet de pêche carré	ABLERET • ABLIER

Filet de pêche de forme conique	ÉPERVIER
Filet de pêche en forme de poche	DRAGUE • TRUBLE
Filet de pêche que l'on traîne	TRAÎNE
Filet de porc	BACON
Filet pour capturer du gibier	RETS
Filet pour la chasse aux perdrix	TONNELLE
Filet pour la pêche	RETS • SENNE
Filet pour la pêche à la crevette	HAVENEAU
Filet que l'on traîne sur le fond de la mer	CHALUT
Filet qui borde la moulure d'une assiette	MARLI
Filet suspendu horizontalement servant de lit	HAMAC
Filet	TRAINEAU
Filetage	TARAUDAGE
Fileter	TARAUDER
Filiation	LIGNÉE
Filiforme	GRÊLE • MINCE
Filin de retenue d'une mine	ORIN
Filin qui sert à soutenir une poulie	GERSEAU
Filin terminé par un croc	VÉRINE
Filin	CORDAGE
Fille	FIFILLE
Fille de Cadmos	INO
Fille de la belle-sœur	NIÈCE
Fille d'Harmonia	INO
Fille du frère ou de la sœur	NIÈCE
Fille du roi d'Argos	DANAÉ
Fille méchante	GARCE
Fille ou femme d'un prince	PRINCESSE
Fille ou femme très jeune	JEUNESSE
Fille prétentieuse	DONZELLE
Fillette appartenant au scoutisme	JEANNETTE
Fillette	FIFILLE
Film à épisodes	CINEROMAN
Film conçu spécialement pour la télévision	TELEFILM
Film dont l'action se situe dans le Far West	WESTERN
Film policier	POLAR
Film tourné en vidéo	VIDÉO

Film vidéo	CLIP
Film	FEUIL • PELLICULE
Filmeur	CAMERAMAN
Filoche	FILATURE
Filon de roche magmatique	DYKE
Filon	GISEMENT
Filou	AIGREFIN • ESCROC
	FILOU • FRIPON
Fils aîné d'Adam et Eve	CAÏN
Fils aîné de Noé	SEM
Fils d'Abraham	ISAAC • ISMAËL
Fils d'Adam et Ève	ABEL • CAÏN • SETH
Fils d'Agamemnon	ORESTE
Fils de Cham et petit-fils de Noé	CANAAN
Fils de Dédale	ICARE
Fils de Lot	AMMON
Fils de Noé	CHAM
Fils d'Énée	IULE
Fils d'Éson	JASON
Fils d'Isaac et de Rébecca	ÉSAÜ
Fils d'Isaac	ÉSAÜ • JACOB
Fils du beau-frère	NEVEU
Fils du frère ou de la sœur	NEVEU
Fils	FISTON • GARÇON
Filtration	FILTRAGE
Fin d'une prière	AMEN
Fin gravier	GRAVILLON
Fin tissu de paille ou d'osier	LACERIE
Fin	DÉCÈS • DÉLICAT • MENU
	TERME • TOMBEE
Final	DERNIER • EXTRÊME
	TERMINAL • ULTIME
Finalement	ENFIN
Finaliser	FIGNOLER • FINIR
Finances	BUDGET • MOYENS
Financier écossais né en 1671	LAW
Finasser	RUSER
Finaud	FUTÉ • RETORS
Fine galette	CRÊPE
Fine pellicule cireuse de certains fruits	PRUINE
Fine tranche	LAMELLE

Fine tranche de viande . . . . ÉMINCÉ
Fines herbes . . . . ESTRAGON
Finesse . . . . ADRESSE • ASTUCE • DÉLICATESSE
Fini . . . . FINITION • FOUTU
Finir . . . . COMPLÉTER • FIGNOLER
Fiole longue et étroite . . . . TOPETTE
Fiole . . . . FLACON
Fiord . . . . GOLFE
Fioul . . . . FUEL • MAZOUT
Firmament . . . . AZUR • CIEL
Firme . . . . ENTREPRISE • MAISON
Firme de fabrication
    électrique allemande . . . . AEG
Fisc . . . . FISCALITE
Fissure . . . . FAILLE • FÊLURE
Fissurer . . . . CRAQUELER • FENDILLER
Fiston . . . . FILS
Fixateur . . . . FIXATIF
Fixation à un jour dit . . . . INDICTION
Fixation de sarments à des piquets . . . . ACCOLAGE
Fixation des jeunes pousses
    de vigne sur un support . . . . ACCOLAGE
Fixation . . . . LIMITATION
Fixé sur le revers d'un organe . . . . DORSAL
Fixé . . . . ADHERENT • CAMPÉ • PRESCRIT
Fixe . . . . IMMOBILE • DÉFINITIF
Fixer à l'aide de goupilles . . . . GOUPILLER
Fixer à l'aide de rivets . . . . RIVETER
Fixer au moyen de haubans . . . . HAUBANER
Fixer avec des boulons . . . . BOULONNER
Fixer avec des punaises . . . . PUNAISER
Fixer par adsorption . . . . ADSORBER
Fixer par un nœud . . . . AMARRER
Fixer solidement . . . . ANCRER • CROCHER
Fixer sur un carton . . . . ENCARTER
Fixer une chose dans une autre . . . . IMPLANTER
Fixer une voile par son point d'amure . . . . AMURER
Fixer . . . . ATTACHER • CALAGE • CLOUER
                          CLOUTER • COLLER • DÉFINIR
                          FOCALISER • POSER • VISSER

Flacon destiné à contenir l'eau et le vin à la messe	BURETTE
Flacon	FIOLE
Flafla	TRALALA
Flagada	RAMOLLO
Flageller	FOUETTER
Flageoler	CHANCELER
Flagorner	ADULER
Flagornerie	ADULATION • LECHAGE
Flagrant	ÉVIDENT • PATENT • VISIBLE
Flagrant délit	FLAG
Flair	FEELING • ODORAT
Flairer	SENTIR
Flairer l'odeur du gibier, en parlant du chien	HALENER
Flambeau	TORCHE
Flambeur	JOUEUR
Flamboyant	RUTILANT
Flamboyer	FULGURER • RESPLENDIR • RUTILER
Flamme	FEU • PASSION
Flammèche	ÉTINCELLE
Flan breton aux raisins secs	FAR
Flan léger au beurre et aux œufs	DARIOLE
Flanc	CÔTÉ • LATÉRAL
Flancher	CANER • MOLLIR • SUCCOMBER
Flâner	ERRER • MUSARDER • MUSER
Flânerie	ERRANCE
Flâneur	BADAUD • MUSARD • PASSANT PROMENEUR • RÔDEUR
Flanquer	FOURRER
Flasque	AVACHI
Flatter	CARESSER • ENCENSER
Flatter bassement	FLAGORNER
Flatterie excessive	ADULATION
Flatterie	LOUANGE
Flatteur	CARESSANT • COURTISAN
Flatteur, rempli d'éloges	ÉLOGIEUX
Flatulence	GAZ
Flatuosité	PET
Flaveur	SAVEUR
Fléau	CALAMITÉ • DÉSASTRE
Fléché	BALISÉ

Flèche	POINTE • SAGETTE
Fléchir	ARQUER • FAIBLIR • PLOYER
Flegmatique	PLACIDE
Flegme	PLACIDITÉ
Flétan	ELBOT
Flétri	DÉFRAÎCHI • VIEILLI
Flétrir	FANER • RIDER • SÉCHER • TERNIR
Fleur de l'églantier	ÉGLANTINE
Fleur d'oranger destinée à la distillation	NÉROLI
Fleur d'oranger	NÉROLI
Fleur du tournesol	SOLEIL
Fleur violette	COLCHIQUE
Fleur	LIS • LYS • ŒILLET • ROSE
Fleuret	FER
Fleuri	ÉCLOS
Fleurir	ÉCLORE
Fleuve côtier de Bretagne	BELON
Fleuve côtier de la Vendée	LAY
Fleuve côtier de Normandie	ORNE
Fleuve côtier des Pyrénées-Orientales	TÊT
Fleuve côtier né en France	YSER
Fleuve d'Afrique	CONGO • DRA • DRAA • NIL
Fleuve d'Allemagne	EMS
Fleuve d'Angleterre	TAMISE • TYNE
Fleuve d'Asie orientale	YALU
Fleuve de Bretagne	AULNE • RANCE
Fleuve de Chine	TARIM
Fleuve de France	AUDE • LOIRE • SEINE
Fleuve de Géorgie	RION • RIONI
Fleuve de la Chine centrale	HOUAI • HUAI
Fleuve de la Corse	GOLO
Fleuve de la Provence orientale	VAR
Fleuve de la République tchèque et d'Allemagne	ELBE
Fleuve de l'Afrique équatoriale	CHARI
Fleuve de l'Afrique occidentale	NIGER
Fleuve de Laponie	TORNE
Fleuve de l'Espagne méridionale	TINTO
Fleuve de l'Europe centrale	DANUBE
Fleuve de l'Inde	GANGE

Fleuve de l'Ukraine	BOUG
Fleuve de Russie	DON • KAMA • LENA • NEVA OB • OURAL • VOLGA
Fleuve de Suisse et de France	RHÔNE
Fleuve de Turquie et d'Irak	TIGRE
Fleuve de Yougoslavie et d'Italie	ISONZO
Fleuve de Yougoslavie	VARDAR
Fleuve d'Écosse	TAY
Fleuve des Pyrénées	TECH
Fleuve d'Espagne et du Portugal	DOURO
Fleuve d'Espagne	ÈBRE • EBRO • GENIL • JUCAR
Fleuve d'Europe occidentale	RHIN
Fleuve d'Irlande	ERNE
Fleuve d'Italie	ADIGE • ARNO • PIAVE • PO • TIBRE
Fleuve du Canada	FRASER • NELSON
Fleuve du Ghana	VOLTA
Fleuve du Kazakhstan	EMBA
Fleuve du Languedoc	ORB
Fleuve du Maroc méridional	SOUS
Fleuve du Maroc	SEBOU
Fleuve du Proche-Orient	ORONTE
Fleuve du Sénégal	SALOUM
Fleuve du sud de la France	ORB
Fleuve du sud-ouest de la France	ADOUR
Fleuve qui se jette dans le golfe de Finlande	NEVA
Fleuve qui sépare la Pologne de l'Allemagne	ODER • ODRA
Flexibilité	SOUPLESSE
Flexible	SOUPLE
Flibustier	PIRATE
Flic	CONDÉ • POLICIER
Flingue	FUSIL
Flinguer	FUSILLER
Flopée	TAPÉE
Florilège	SPICILEGE
Florissant	PROSPÈRE
Flot	COULEE • ONDE
Flottage du bois	DRAVE
Flotte	ESCADRE • FLOTTEUR PLUIE • TRAIN

Flotter au gré du vent	VOLTIGER
Flotter	NAGER • ONDULER
Flotteur d'une ligne de pêcheur	BOUCHON
Flou	ESTOMPÉ • VAGUE
Floue	NÉBULEUSE
Fluctuant	HÉSITANT
Fluctuer	VARIER
Fluet	FRÊLE • GRÊLE • MINCE
Fluide	COULANT
Fluide frigorifique	FRÉON
Fluide très subtil	ÉTHER
Fluorine	FLUOR
Fluorure	FLUATE
Flûte à bec	FLAGEOLET
Flûte champêtre	FLUTIAU • PIPEAU
Flûte champêtre, roseau percé de trous	CHALUMEAU
Flûte de pan	SYRINX
Flûte traversière en bois	FIFRE
Flux	MARÉE
Fœhn	FÖHN
Foène	HARPON
Foi	CONVICTION • CREDO
Foire	BRINGUE • KERMESSE
Foirer	RATER
Foisonner	ABONDER • PROLIFÉRER • PULLULER
Folâtre	BADIN • FOLICHON • GUILLERET
Folâtrer	BADINER • CABRIOLER
Folâtrerie	BADINAGE
Folichon	FOLÂTRE
Folie	DÉMENCE • DINGUERIE • FRÉNÉSIE
Folio	FEUILLET
Folioter	PAGINER • NUMÉROTER
Fomenter	SUSCITER
Fomenteur	FAUTEUR
Foncer (S')	ÉLANCER
Foncer (Se)	RUER
Foncer	RUER
Foncier	RADICAL
Fonction d'aide d'anatomie ou de chirurgie	ADJUVAT

Fonction de général
  d'un ordre religieux . . . . GENERALAT
Fonction de lecteur . . . . LECTORAT
Fonction de maire . . . . MAIRIE
Fonction de mécène . . . . MÉCÉNAT
Fonction de notaire . . . . NOTARIAT
Fonction de prieur . . . . PRIORAT
Fonction de rabbin . . . . RABBINAT
Fonction du tuteur . . . . TUTORAT
Fonction et dignité
  de prêtre catholique . . . . PRETRISE
Fonction . . . . CHARGE • MÉTIER • MISSION
OFFICE • POSTE
PROFESSION • UTILITÉ

Fonctionnaire à la tête
  d'un département . . . . PREFET
Fonctionnaire adjoint à un proconsul . . . . LÉGAT
Fonctionnaire qui reçoit
  les deniers publics . . . . RECEVEUR
Fonctionnel . . . . COMMODE
Fonctionnement défectueux
  de quelque chose . . . . RATÉ
Fonctionner . . . . MARCHER
Fonctions de bâtonnier . . . . BÂTONNAT
Fonctions d'un vicaire . . . . VICARIAT
Fond . . . . CULOT • SUBSTANCE
Fond de l'être . . . . ESSENCE
Fond doré d'un tableau . . . . ORS
Fond d'un parc à huîtres . . . . ACUL
Fond d'un terrier . . . . ACUL
Fond sur lequel se détache le
  dessin d'une dentelle . . . . TOILAGE
Fond sur lequel se détachent
  les événements marquants . . . . TRAME
Fondamental . . . . CARDINAL • ESSENTIEL • PRIMAIRE
PRINCIPAL • RADICAL • VITAL

Fondamental, essentiel . . . . BASAL
Fondateur de l'Oratoire d'Italie . . . . NERI
Fondateur du christianisme . . . . JÉSUS
Fondateur . . . . BATISSEUR
Fondation . . . . BASE

Fondement	ANUS • BASE • PRINCIPE
Fonder ses calculs sur	TABLER
Fonder	ASSEOIR • BASER • ÉRIGER
	ÉTABLIR • INSTITUER • INSTAURER
Fondre	MAIGRIR
Fontaine	SOURCE
Fonte de la glace	DÉGEL
Fonte naturelle de la neige	DÉGEL
Fonts	BAPTISMAL
Football	FOOT • SOCCER
Footballeur brésilien	PELÉ
Forage	PERFORAGE • SONDAGE
Forçat interné dans un bagne	BAGNARD
Forçat	BAGNARD
Force	ÉNERGIE • PORTÉE • PUISSANCE
Force d'âme	VERTU
Force d'attraction	AIMANT
Force navale commandée par un vice-amiral	ESCADRE
Forcené	FURIEUX
Forcer	ACCULER • CONTRAINDRE
	CROCHETER • OBLIGER • OUTRER
Forer	CREUSER
Forestier	SYLVICOLE
Forêt d'arbres très élevés	FUTAIE
Forêt de conifères	TAÏGA
Forêt de pins	PINÈDE
Forêt de sapins	SAPINIÈRE
Forêt de type amazonien	SELVE
Forêt dense	SYLVE
Forêt tropicale	JUNGLE
Forêt vierge équatoriale	SELVE
Foret	MÈCHE
Foret, mèche	VRILLE
Foreuse	PERCEUSE
Forfaiture	FELONIE
Forfanterie	HÂBLERIE
Forger, imaginer	FEINDRE
Forgeur	FORGERON
Formant	FORMATEUR
Format	CALIBRE

Formation	CULTURE • ÉDUCATION PRÉPARATION
Formation de quatre musiciens	QUATUOR
Formation de sept musiciens	SEPTUOR
Formation d'un caillot dans un vaisseau sanguin	THROMBOSE
Formation herbeuse des régions tropicales	SAVANE
Formation militaire recrutée au Maroc	GOUM
Formation musicale de Bretagne	BAGAD
Formation pathologique arrondie et dure	NODOSITÉ
Forme de bouddhisme	LAMAÏSME
Formé de coraux	CORALLIEN
Forme de fructification de la rouille du blé	ÉCIDIE
Forme de jeu	PARI
Formé de plusieurs éléments	COMPOSÉ
Formé de récifs	RÉCIFAL
Forme de sable mêlé de vase	VASARD
Formé de sel	SALIN
Formé de six choses semblables	SEXTUPLE
Formé de talc	TALQUEUX
Forme de tourisme consistant à vivre sous la tente	CAMPING
Formé de tubes	TUBULAIRE
Forme d'esprit	HUMOUR
Forme donnée à un vêtement	FAÇON
Forme du culte	LITURGIE
Forme d'un cristal qui a plusieurs faces	PRISME
Forme échancrée de la Lune	CROISSANT
Forme enroulée en hélice	VOLUTE
Forme générale	SILHOUETTE
Forme instrumentale ou vocale	RONDO
Forme instrumentale	MENUET
Forme larvaire de certains crustacés	ZOÉ
Forme larvaire des vers parasites trématodes	RÉDIE
Forme masculine	MASCULIN
Forme musicale	BLUES
Forme nominale du verbe latin	SUPIN
Forme particulière de désert rocheux	REG
Forme particulière	MODALITÉ
Forme primitive du brahmanisme	VEDISME

Forme	GABARIT • MOULE SCHÈME • SORTE
Formel	CATÉGORIQUE
Former	COMPOSER • ÉDUQUER • EXERCER INSTRUIRE • PRÉPARER • SCULPTER
Former aux bonnes manières	DÉCROTTER
Former d'avance	PRÉFORMER
Former des cloques	CLOQUER
Former des plis en forme de tuyaux à une étoffe	TUYAUTER
Former des spores	SPORULER
Former un complot	COMPLOTER
Former un jarret	JARRETER
Former un tubercule	TUBÉRISER
Former une syncope	SYNCOPER
Formidable	ÉPATANT • TERRIBLE
Formulaire	RECUEIL
Formule d'acclamation	VIVE
Formule d'égalité	ÉQUATION
Formule qui exprime une règle	PRÉCEPTE
Formule répétée à tout propos	RENGAINE
Formule sacrée du brahmanisme	MANTRA
Formule utilisée en publicité	SLOGAN
Formule	LOCUTION • MOYEN
Formuler	ÉMETTRE • ÉNONCER • LIBELLER PRONONCER • THEORISER
Fort cordage	GRELIN
Fort sensible au froid	FRILEUX
Fort	COSTAUD • TRÈS
Fort, énergique	VIGOUREUX
Fort, retentissant	SONORE
Fort, très savant	TRAPU
Forte pluie qui trempe	SAUCÉE
Fortement attaché	ADHERENT
Forteresse	FERTÉ
Fortifiant	QUINQUINA • STIMULANT • TONIQUE
Fortification	ABRI • BASTION • MUR MURAILLE • REMPART
Fortifier	AFFERMIR • ARMER • DURCIR ENDURCIR • RAFFERMIR ENFORCER • SOUTENIR • TONIFIER

Fortuit	ACCIDENTEL • IMPRÉVU
Fortuné	ARGENTÉ • FRIQUE
Fortune	CHANCE • TRÉSOR
Forum	CONFÉRENCE • CONGRÈS
Fosse à purin	PUROT
Fossé rempli d'eau	DOUVE
Fosse sous-marine très profonde	ABYSSE
Fossé	TRANCHEE
Fosse	TROU
Fou de colère	FORCENÉ
Fou	ALIÉNÉ • CINGLÉ • DÉMENT FÊLÉ • LOUFOQUE • MABOUL SINOC • SINOQUE • SIPHONNÉ
Fou, bizarre	DINGUE
Fou, compliqué à l'excès	TORDU
Fou, farfelu	BARJO
Foudre	ÉCLAIR
Foudroyer	TERRASSER
Fouet	BATTEUSE • MOUSSOIR
Fouetter	FUSTIGER
Fouetter, en parlant de la pluie	CINGLER
Fougère appelée aussi herbe à dorer	CÉTÉRACH
Fougère	CÉTÉRACH
Fougue	ENTHOUSIASME • FLAMME • VERVE
Fougueux	ARDENT • FRINGANT • IMPETUEUX IMPULSIF • PÉTULANT • VÉHÉMENT
Fouille sommaire	PALPATION
Fouiller	ANALYSER • APPROFONDIR CREUSER FOURRAGER • FURETER • SONDER
Fouiller indiscrètement	FOUINER
Fouiller la terre, en parlant du blaireau	VERMILLONNER
Fouiller le sol à coups de boutoir	FOUGER
Fouilleur	FURETEUR
Fouillis	CHAOS • FATRAS • PAGAILLE
Fouiner	FURETER
Fouineur	FURETEUR
Foulard	ÉCHARPE
Foule	AFFLUENCE • MASSE • MULTITUDE
Foulée	ENJAMBEE

Foulon	FOULOIR
Foulure	ENTORSE
Four	FOURNAISE • FOURNEAU
Fourbe	JUDAS • SOURNOIS
Fourberie	PERFIDIE • ROUERIE • RUSE
	TRAÎTRISE • TROMPERIE
Fourbu	ÉPUISÉ • ÉREINTÉ • FATIGUÉ
	HARASSÉ • MOULU
	RENDU • ROMPU
Fourche à trois dents	TRIDENT
Fourchon	FOURCHE
Fourgon	VAN • WAGON
Fourgonner	TISONNER
Fourguer	REFILER
Fourmilière	NID
Fourmillant	POPULEUX
Fourmiller	ABONDER • GROUILLER • PULLULER
Fourneau	FOUR • POÊLE
Fourneau de cuisine	CUISINIÈRE
Fourneau pour griller les tissus	GRILLOIR
Fourni	FEUILLU
Fournir	APPORTER • PRÊTER • PROCURER
Fournir massivement à une entreprise	INJECTER
Fourrage	FOIN
Fourré d'épines	ÉPINIER
Fourreau qui protège un doigt	DOIGTIER
Fourreau	GAINE
Fourrure de jeune agneau d'Asie, à poil frisé	ASTRAKAN
Fourrure de petit-gris	VAIR
Fourrure	PELAGE • POIL
Fourvoiement	ABERRATION • GOURANCE
Fourvoyer	ÉGARER
Foutrement	BIGREMENT
Foutu	FICHU • FRIT • NAZE • PERDU • RÂPÉ
Fox-terrier	FOX
Foyer	ÂTRE • BERCAIL • INTÉRIEUR
	MÉNAGE • PÉNATES
Foyer de chaleur	BRASIER
Foyer de corruption	CLOAQUE

Foyer d'incendie . . . . BRASIER
Foyer d'un four de céramiste . . . . ALANDIER
Foyer familial . . . . BERCAIL
Fracasser . . . . BRISER • CASSER
Fraction des actifs amortie
   en un an par une entreprise . . . . ANNUITÉ
Fraction d'un tout divisé en
   quatre parties égales . . . . QUART
Fraction liquide du fumier,
   utilisée comme engrais . . . . PURIN
Fraction . . . . PARTIE
Fractionné . . . . RAMIFIE
Fractionner . . . . COUPER • DIVISER
                           SCINDER • SECTIONNER
Fracture . . . . CASSURE • RUPTURE
Fracturer . . . . FORCER
Fragile . . . . CASSANT • DÉBILE
                        DÉLICAT • FRÊLE • INSTABLE
Fragilité . . . . PRÉCARITÉ
Fragment de glace fondante . . . . FRASIL
Fragment de pierre . . . . CAILLOU • ÉOLITHE
Fragment de roche vitreuse . . . . TECTITE
Fragment de tuile . . . . TUILEAU
Fragment d'os retenu
   dans un tissu après fracture . . . . SEQUESTRE
Fragment du corps d'un saint . . . . RELIQUE
Fragment . . . . BRIBE • COPEAU • DÉBRIS
                        ESQUILLE • MORCEAU
                        PARCELLE • TRONÇON
Fragmentaire . . . . PARTIEL
Fragmenter . . . . ÉMIETTER • MORCELER
                                   SEGMENTER
Fragrance . . . . PARFUM
Fraîche . . . . FROIDE
Fraîchement . . . . FRAIS
Fraîcheur . . . . JOUVENCE • NAÏVETÉ • PURETÉ
Frais . . . . DÉPENSE • FRISQUET • REPOSÉ
Frais de scolarité . . . . ÉCOLAGE • MINERVAL
Frais et léger, en parlant d'un vin . . . . GOULEYANT
Fraise . . . . CARONCULE
Fraiser . . . . ALÉSER

Framboisier sauvage	MURON
Franc	DROIT • SINCÈRE
Franche	NATURELLE
Franchement	FRANCO • NETTEMENT • VRAIMENT
Franchir	ESCALADER • PASSER
Franchise	DROITURE • SINCÉRITÉ
Franchissement	PASSAGE
Franciscain	RECOLLET
Francium	FR
Franc-maçon	MAÇON
Franco à bord	FOB
Francophone de Louisiane	CAJUN
Frange	EFFILÉ
Frange de passementerie ouvragée	CRÉPINE
Franger	TORSADER
Frangin	FRÈRE
Frappant	SAILLANT • SURPRENANT
Frappé de stupeur	SIDÉRÉ
Frappé par un malheur	EPROUVE
Frapper à coups de bâton	BATONNER
Frapper au moyen d'une matraque	MATRAQUER
Frapper avec le bec, en parlant d'un oiseau	BECQUETER
Frapper avec un objet flexible	CINGLER
Frapper de charges financières	GREVER
Frapper de la foudre	FOUDROYER
Frapper de paralysie	PARALYSER
Frapper de stupeur	MÉDUSER • SIDÉRER
Frapper d'estoc	ESTOQUER
Frapper discrètement	TOQUER
Frapper d'une surtaxe	SURTAXER
Frapper légèrement à petits coups répétés	TAPOTER
Frapper sur la joue	GIFLER
Frapper	ASSENER • BATTRE • DARDER FÉRIR • FOUETTER • TOUCHER
Frasque sans gravité	FREDAINE
Fraternité	CONCORDE
Fraude	DOL
Fraude	GABEGIE
Frauder	TRICHER

Fraudeur	COPIEUR
Frayeur	CRAINTE • TERREUR
Fredonner	CHANTER • TURLUTER
Frein	ENTRAVE • MORS • PARACHUTE
Freiner	ARRÊTER • ENTRAVER INHIBER • REFRÉNER
Frémir	BRUIRE • PALPITER • TREMBLER
Frémissement doux	FRISELIS
Frémissement	FRISELIS • FRÔLEMENT
Frêne à fleurs blanches	ORNE
Frénésie	DÉLIRE • FUREUR
Frénétique	FIÉVREUX
Fréquemment	SOUVENT
Fréquence et intensité des tremblements de terre	SISMICITE
Fréquent	USUEL
Fréquenté	PASSANT
Fréquente	USUELLE
Fréquenter fréquemment un lieu	HANTER
Fréquenter	COTOYER • FRAYER VOISINER • VISITER
Frère d'Abel	CAÏN
Frère de Caïn et d'Abel	SETH
Frère de Jacob	ÉSAÜ
Frère de la mère	ONCLE
Frère de Moïse	AARON
Frère jumeau de Romulus	REMUS
Frère	CONVERS
Frères artistes allemands	ASAM
Frères et sœurs nés de même père et mère	GERMAIN
Fret d'un bateau	NOLIS
Fret	NOLIS
Fréter	AMARINER • CHARGER
Friandise	BONBON • JUJUBE • NANAN
Friandise espagnole aux amandes	TOURON
Friandise très délicate	CHATTERIE
Fric	BLÉ • OSEILLE • PÈZE • POGNON
Fricassée	FRICOT
Fricasser	FRICOTER
Fric-frac	EFFRACTION

Friche	JACHERE
Fricoter	FRICASSER • MIJOTER
Friction	MASSAGE
Frictionner avec une lotion	LOTIONNER
Frigorifié	GELÉ
Frime	BLUFF
Frimer	CRÂNER
Frimeur	BLUFFEURE • PATEUR
Frimousse	MINOIS
Fringale	ENVIE • FAIM
Fringant	ALERTE • GUILLERET PIMPANT • SÉMILLANT
Fringuer	VÊTIR
Friper	FROISSER
Fripon	COQUIN • GARNEMENT PENDARD • SCÉLÉRAT • VAURIEN
Fripouille	CANAILLE • ESCROC
Frire	CUIRE
Frisant	RASANT
Frisé serré	CRÉPU
Friselis	FROUFROUS
Friser légèrement	FRISOTTER
Friser	BOUCLER
Frisottis	CREPELURE
Frisquet	FROID
Frissonnement	TREMBLOTE
Frissonner	FRÉMIR • GRELOTTER
Frivole	CAILLETTE • FUTILE • LÉGER SUPERFICIEL • VOLAGE
Frivole, déréglé	DISSIPÉ
Frivolité	BAGATELLE • FUTILITÉ • LÉGÈRETÉ
Froid répandu dans l'air	FROIDURE
Froid	GLACIAL • HIBERNAL
Froideur	FLEGME
Froidure	ENGELURE • GELURE
Froissement	BLESSURE
Froisser	FRIPER • OFFENSER • PIQUER LISSER • ULCÉRER • VEXER
Frôlement	ATTOUCHEMENT
Frôler	CARESSER • FRISER
Frôleur	PELOTEUR • TRIPOTEUR

Fromage à pâte dure . . . . CHEDDAR
Fromage à pâte ferme . . . . CANTAL
Fromage à pâte grasse . . . . REBLOCHON
Fromage à pâte molle fabriqué
    principalement en Normandie . . . . CAMEMBERT
Fromage à pâte molle . . . . BRIE • REBLOCHON
Fromage à pâte pressée cuite . . . . COMTE
Fromage anglais à pâte
    dure et colorée . . . . CHEDDAR
Fromage au lait de brebis . . . . NIOLO
Fromage au lait de chèvre . . . . NIOLO
Fromage aux fines herbes . . . . PIE
Fromage blanc . . . . SÉRÉ
Fromage cylindrique . . . . TOMME
Fromage de France et de Hollande . . . . MIMOLETTE
Fromage de Hollande . . . . ÉDAM • GOUDA
Fromage de lait de vache . . . . CANTAL • FOURME • MORBIER
Fromage d'origine italienne . . . . RICOTTA
Fromage en forme de disque . . . . TOMME
Fromage fabriqué en Savoie . . . . BEAUFORT
Fromage grec . . . . FETA
Fromage italien à pâte dure . . . . PARMESAN
Fromage voisin de l'édam . . . . MIMOLETTE
Fromage voisin du gruyère . . . . BEAUFORT
Fromage . . . . BRIE • GÉROMÉ • OKA • RICOTTA
Fromager . . . . KAPOKIER
Froncer . . . . PLISSER
Frontalier . . . . ZONIER
Fronteau . . . . BANDEAU
Frontière . . . . LIMITE
Frontières . . . . CONFINS
Frotté d'huile . . . . OINT
Frottement . . . . FRICTION
Frotter avec les mains . . . . MASSER
Frotter avec une peau de chamois . . . . PEAUFINER
Frotter d'ail . . . . AILLER
Frotter d'huile . . . . OINDRE
Frotteur . . . . ESSUYEUR
Froufrou . . . . FRÔLEMENT
Froussard . . . . PEUREUX • POLTRON
Frousse . . . . PETOCHE • TRAC

Fructueux	FÉCOND
Frugal	TEMPÉRANT
Frugalité	AUSTÉRITÉ
Frugivore	LÉROT
Fruit à coque ligneuse	NOIX
Fruit à deux valves	GOUSSE
Fruit à noyau	OLIVE
Fruit à pulpe molle et sucrée	KAKI
Fruit à pulpe sucrée	DATTE
Fruit à pulpe verte	KIWI
Fruit à saveur acide	AGRUME
Fruit à saveur douce	LIMETTE
Fruit charnu à un seul noyau	DRUPE
Fruit charnu	ANONE • BAIE • DRUPE • FIGUE
Fruit comestible du châtaignier cultivé	MARRON
Fruit comestible du papayer	PAPAYE
Fruit comestible	DATTE • NÈFLE
Fruit de la ketmie	NAFÉ
Fruit de la ronce	MÛRE • MÛRON
Fruit de la taille d'une grosse pêche	MANGUE
Fruit de la vigne	RAISIN
Fruit de l'abricotier	ABRICOT
Fruit de l'alisier	ALISE • ALIZE
Fruit de l'amandier	AMANDE
Fruit de l'anacardier	CAJOU
Fruit de l'arachide	CACAHUÈTE
Fruit de l'aubépine	CENELLE
Fruit de l'icaquier	ICAQUE
Fruit de l'olivier	OLIVE
Fruit des conifères	PIVE
Fruit des graminées	GRAIN
Fruit des légumineuses	GOUSSE
Fruit du cacaoyer	CABOSSE
Fruit du calebassier	CALEBASSE
Fruit du cédratier	CÉDRAT
Fruit du cédratier, plus gros que le citron	CÉDRAT
Fruit du châtaignier	CHÂTAIGNE
Fruit du chêne	GLAND
Fruit du cognassier	COING

Fruit du groseillier	GROSEILLE
Fruit du hêtre	FAINE
Fruit du jujubier	JUJUBE
Fruit du limettier	LIMETTE
Fruit du muscadier	MUSCADE
Fruit du néflier	NÈFLE
Fruit du noisetier	NOISETTE
Fruit du noyer	NOIX
Fruit du piment doux	POIVRON
Fruit du pistachier	PISTACHE
Fruit du sapotier	SAPOTILLE
Fruit du sorbier	SORBE
Fruit du vanillier	VANILLE
Fruit étoilé	CARAMBOLE
Fruit farineux entouré d'une enveloppe épineuse	CHÂTAIGNE
Fruit ou graine de l'arachide	CACAHUÈTE
Fruit riche en amidon	JAQUE
Fruit rouge à pulpe blanche	LITCHI
Fruit rouge	ALISE
Fruit rouge, à forme de fraise	ARBOUSE
Fruit sec	FOLLICULE
Fruit sphérique rouge	TOMATE
Fruit sucré et parfumé	ANONE
Fruit	ABRICOT • ALISE • ANANAS BANANE • CERISE • CLÉMENTINE FIGUE • FRAISE • GRENADE • LIME MERISE • MÛRE • ORANGE PÊCHE • POIRE POMME • PRUNE PRUNELLE • RAISIN
Fruits cuits avec un sirop de sucre	CONFITURE
Frusques	FRINGUE
Fruste	RUDE • RUSTAUD
Frustrer	LÉSER
Fugace	ÉPHÉMÈRE • FUGITIF • FURTIF
Fugitif	ÉVADÉ • FUGACE • FUYARD
Fugue	ESCAPADE
Fuir (S')	ÉVADER
Fuir (Se)	RÉFUGIER
Fuir	ÉCHAPPER • QUITTER

Fuite	ABANDON • ÉVASION EXODE • FUGUE • RETRAITE
Fuite après évasion	CAVALE
Fuite des idées	MENTISME
Fulminer	PESTER • TEMPÊTER • TONNER
Fumée	BOUCANE
Fumer	GRILLER • SAURER
Fumeux, nébuleux	BRUMEUX
Fumier	SALAUD
Fumiger	ENFUMER
Fumiste	FARCEUR
Fumisterie	ATTRAPE
Funboard	FUN
Funèbre	FUNERAIRE • LUGUBRE MORTUAIRE • SÉPULCRAL • SINISTRE
Funérailles	OBSEQUES
Funéraire	FUNÈBRE • MORTUAIRE
Funeste	LUGUBRE • MACABRE • NÉFASTE NOCIF • SINISTRE • TRAGIQUE
Fureter	FOUINER
Fureteur	FOUILLEUR
Fureur	IRE • RAGE
Furibond	DECHAINE • ENRAGÉ • FORCENÉ
Furie	COLÈRE • IRE
Furieux	ACHARNÉ • ENRAGÉ • FURAX FURIBOND • FURIBARD
Furoncle	ABCÈS
Fusain	CRAYON
Fusée éclatant sous l'action d'un choc	PERCUTANT
Fusette	BOBINE
Fusil à répétition de petit calibre	LEBEL
Fusil	BRIQUET
Fusiller	FLINGUER
Fusion	AMALGAME • MÉLANGE • UNION
Fusionner	UNIFIER • UNIR
Fustiger	RÉPROUVER
Fût d'une colonne	ESCAPE
Fut reine de Belgique	ASTRID
Fût	FUTAILLE • TONNELET
Futaille	BARIL
Futé	FINAUD • MALIN • ROUÉ • RUSÉ

G

Gabare	ALLEGE
Gabarit	STATURE
Gabelou	DOUANIER
Gâchage	SABOTAGE
Gâcher	BOUSILLER • DISSIPER
	GASPILLER • GÂTER • SABOTER
Gâcher un ouvrage	GALVAUDER
Gâchis	SABOTERIE
Gade	CAPELAN
Gadolinium	GD
Gaélique	ERSE
Gaffe	BALOURDISE • BOURDE
	GAUCHERIE • IMPAIR
Gage	CAUTION • CRÉANCE • GARANTIE
Gager	MISER • PARIER
Gager par un warrant	WARRANTER
Gageure	CHALLENGE • PARI
Gagnant	SORTANT
Gagne-pain	TURBIN
Gagner	ACQUÉRIR • EMPIÉTER • MÉRITER
	RAFLER • REMPORTER • VAINCRE
Gai luron	FLAMBARD
Gai	BADIN • ENJOUÉ • ÉPANOUI
	HILARE • JOYEUX • JOVIAL • RIEUR
Gaie	GRISE • RIEUSE
Gaieté simple et communicative	JOVIALITÉ
Gaieté	JOVIALITÉ
Gaillard	LASCAR • LURON • VERT
Gain	AUBAINE • BÉNÉFICE
	ÉCONOMIE • REVENU
Gain, profit	LUCRE
Gaine	FOURREAU • ÉTUI
Gaine baleinée	CORSET
Gaine étroite qui amincit la taille	GUÊPIÈRE
Gainer	GUIPER
Galbé	RENFLÉ
Gale légère	GRATTELLE
Galéjade	BLAGUE

Galère à deux rangs de rames . . . . BIRÈME
Galère de l'antiquité . . . . BIRÈME
Galerie légère en bois . . . . VÉRANDA
Galerie souterraine . . . . TUNNEL
Galerie . . . . BALCON • COULOIR
Galérien . . . . FORÇAT
Galet . . . . CAILLOU • PIERRE
Galetas . . . . TAUDIS
Galette de farine de maïs . . . . POLENTA
Galette de fleur de froment . . . . FOUACE
Galette de pommes de terre rapées . . . . RŒSTI
Galette mince . . . . BRICELET
Galette . . . . BISCUIT
Galeuse . . . . LÉPREUSE
Galeux . . . . LÉPREUX
Galipette . . . . CULBUTE • PIROUETTE
Galliforme . . . . GALLINACE
Gallinacé au plumage sombre . . . . PINTADE
Gallium . . . . GA
Gallot . . . . GALLO
Galoche . . . . SOCQUE
Galopade . . . . COURSE
Galopé . . . . COURU
Galoper . . . . COURIR
Galvaniser . . . . ZINGUER
Galvaudage . . . . GÂCHAGE
Gambader . . . . SAUTILLER
Gambille . . . . DANSE
Gambiste . . . . VIOLISTE
Gamète femelle animal . . . . OVULE
Gamète femelle végétal . . . . OVULE
Gamin . . . . ENFANT • GARÇONNET
                                                                    GAVROCHE
                                  GONE • KID • MISTON • TITI
Gamin, morveux . . . . MERDEUX
Gamins . . . . MARMAILLE
Gamme . . . . CLAVIER • NUANCE
Gangrène . . . . NÉCROSE
Gangster . . . . CAGOULARD • MAFIOSO
                                                                          RUAND
Ganse servant à retenir un rideau . . . . EMBRASSE

Ganse . . . . CORDON • ŒIL
Ganses . . . . ŒILS
Gant . . . . MITAINE
Gant, généralement fourré . . . . MOUFLE
Gantelet formé d'un doigtier
    articulé pour le pouce . . . . MITON
Gantelet garni de plomb . . . . CESTE
Garant . . . . CAUTION • OTAGE • RÉPONDANT
Garanti . . . . ATTESTÉ
Garantie . . . . AVAL • GAGE • PRÉCAUTION
SÛRETÉ
Garantir par une réassurance . . . . RÉASSURER
Garantir . . . . ATTESTER • EXEMPTER
CAUTIONNER
Garçon de café . . . . LOUFIAT
Garçon d'écurie . . . . LAD
Garçon vierge . . . . PUCEAU
Garçon . . . . FILS • MEC • SERVEUR
Garde . . . . ESCORTE • GEÔLIER
Garde du corps . . . . GORILLE
Garde du sabre japonais . . . . TSUBA
Garde-corps . . . . PARAPET • RAMBARDE
Garder pour soi . . . . RAVALER
Garder une chose volée par un autre . . . . RECELER
Garder . . . . CONSERVER • DÉTENIR • TENIR
Garderie . . . . CRÈCHE
Garde-robe . . . . PENDERIE • VESTIAIRE
Gardien de but . . . . GOAL
Gardien de la paix . . . . POLICIER
Gardien de porcs . . . . PORCHER
Gardien de prison . . . . MATON
Gardien de troupeaux de la pampa . . . . GAUCHO
Gardien sévère . . . . CERBÈRE
Gardien vigilant et intraitable . . . . DRAGON
Gardien . . . . GARDE • GEÔLIER
PORTIER • RECEVEUR
Gare d'hélicoptères . . . . HELIGARE
Gare située en tête de ligne . . . . TERMINAL
Gare . . . . TERMINUS
Garenne . . . . LAPINIERE
Garer . . . . REMISER • STATIONNER

Gargouiller	HOQUETER
Garnement	GALOPIN • GAMIN • JOJO
	POLISSON • VOYOU • VAURIEN
Garni de cheveux	CHEVELU
Garni de cils	CILIÉ
Garni de clous	CLOUTÉ
Garni de créneaux	CRÉNELÉ
Garni de dents	DENTÉ
Garni de feuilles	FOLIÉ
Garni de plomb	PLOMBÉ
Garni de poils	CILIÉ
Garni de poils fins	VELU
Garni de truffes	TRUFFÉ
Garni d'une doublure ouatinée	MATELASSE
Garni d'une empenne	EMPENNÉ
Garni	CAPITONNE • FOURRÉ
Garnir avec des briques	BRIQUETER
Garnir avec du bois	BOISER
Garnir d'acier par soudure	ACIÉRER
Garnir d'acier	FERRER
Garnir d'anneaux	BAGUER
Garnir de bagues	BAGUER
Garnir de carton	CARTONNER
Garnir de clous	CLOUTER
Garnir de coulisses	COULISSER
Garnir de dents	ENDENTER
Garnir de fers	FERRER
Garnir de hourds	HOURDER
Garnir de jarretières	JARRETER
Garnir de jonc	JONCER
Garnir de lattes	LATTER
Garnir de menuiserie	BOISER
Garnir de nouveau	REGARNIR
Garnir de terre le pied d'une plante	BUTTER
Garnir de toile	ENTOILER
Garnir de truffes	TRUFFER
Garnir d'étoffe	ÉTOFFER
Garnir d'ouate	OUATER
Garnir d'un bord, d'une bordure	BORDER
Garnir d'un cercle métallique	FRETTER
Garnir d'un cercle, de cercles	CERCLER

Garnir d'un drap	DRAPER
Garnir d'un grillage	GRILLAGER
Garnir d'un parquet	PARQUETER
Garnir d'un treillis de rotin	CANNER
Garnir d'une clisse	CLISSER
Garnir d'une èche	ÉCHER
Garnir d'une frette	FRETTER
Garnir d'une ganse	GANSER
Garnir d'une tontine	TONTINER
Garnir intérieurement une confiserie	FOURRER
Garnir le bord de	BORDER
Garnir une flèche de plumes	EMPENNER
Garnir	GRÉER • ORNER
Garniture de lattes	LATTIS
Garniture de métal	FERRURE
Garniture de tarte faite de raisin et de mélasse	FERLOUCHE
Garniture d'étoffe transparente	VOILAGE
Garniture métallique du bord d'un vêtement	GRÉBICHE
Garniture qui protège le bout d'une canne	EMBOUT
Garniture	BORDURE • ORNEMENT PAREMENT • PARURE
Garou	SAINBOIS
Garrotter	MUSELER
Gaspillage	COULAGE • GABEGIE • PERTE
Gaspillé	GÂCHÉ
Gaspiller	DÉPENSER • GÂCHER PERDRE • DILAPIDER
Gaspilleur	GÂCHEUR
Gastralgique	GASTRIQUE
Gastro-entérite attaquant plusieurs animaux	TYPHUS
Gastronome	GOURMET
Gastronomique	CULINAIRE
Gâté	AVARIÉ • CORROMPU MOISI • VÉREUX
Gâteau de cire d'abeilles	GAUFRE
Gâteau de farine de maïs	MILLAS
Gâteau en pâte feuilletée	PALMIER

Gâteau fait d'amandes pilées	MASSEPAIN
Gâteau fait de fruits mêlés	CLAFOUTIS
Gâteau garni de fruits	POUDING • PUDDING
Gâteau garni de raisins secs	CAKE
Gâteau meringué	VACHERIN
Gâteau oriental	BAKLAVA
Gâteau plat	GALETTE
Gâteau sec	BISCUIT • MACARON
Gâteau sec, rond et plat	PALET
Gâteau	CAKE
Gâter par la nielle	NIELLER
Gâter	ALTÉRER • AVARIER • CARIER DÉPARER • POURRIR • SABOTER
Gâteux	GAGA • RAMOLLI • RAMOLLO
Gauche	MALADROIT • PATAUD • LOURDAUD
Gauche et maladroit	EMPOTÉ
Gauche, contraint	ENGONCÉ
Gaucherie	TIMIDITÉ
Gauchissement	VOILEMENT
Gaucho	BOUVIER
Gaude	RÉSÉDA
Gaufre très mince et croustillante	BRICELET
Gavé	REPU
Gaver	BOURRER
Gavroche	TITI
Gaz bleu	OZONE
Gaz combustible formé de méthane	GRISOU
Gaz combustible qui se dégage spontanément dans certaines mines de houille	GRISOU
Gaz incolore à odeur forte	ARSINE
Gaz incolore et inodore	ARGON
Gaz incolore	AZOTE
Gaz inerte de l'air	XÉNON
Gaz inerte	ARGON
Gaz inflammable	PROPANE
Gaz inodore	AZOTE
Gaz intestinal	PET • VENT • VESSE
Gaz rare de l'atmosphère	NÉON
Gaz rare très léger	HÉLIUM
Gazoduc	FEEDER • PIPELINE

Gazon	HERBE • PELOUSE • TOURBE
Gazonnement	GAZONNAGE
Gazouillement	RAMAGE
Gazouiller	BABILLER
Gazouillis	BABIL
Géant de grand appétit	GARGANTUA
Géant des contes de fées	OGRE
Géant monstrueux	CYCLOPE
Géant	COLOSSE • GRAND • TITAN
Géant, fils de Poséidon et de Gaia	ANTÉE
Géante	GRANDE
Gecko	TARENTE
Geignard	DOLENT
Geindre	GÉMIR
Gel	GELÉE
Gelé	TRANSI
Gelée blanche	GIVRE
Gelée	CONFITURE
Geler de nouveau	REGELER
Geler	BARRER • CONGELER • GLACER
Gélinotte	LAGOPEDE • PERDRIX
Gémir	GEINDRE
Gémissant	DOLENT • PLAINTIF
Gémissement	PLAINTE • PLEUR • SANGLOT
Gémissements	PLEURS
Gemme	PIERRE
Gendarme	BRIGADIER • COGNE • PANDORE
Gendre de Mahomet	ALI
Gêne	EMBARRAS • NUISANCE
Gêne financière, misère	PURÉE
Gêne respiratoire	OPPRESSION
Gêne, misère	POISSE
Gêner	NUIRE
Général allemand né en 1866	SEECKT
Général américain né en 1924	HAIG
Général britannique né en 1897	GLUBB
Général byzantin	NARSES
Général espagnol	RIEGO
Général et homme politique espagnol	ALBE
Général et homme politique israélien né en 1922	RABIN

Genre de champignons	AGARIC
Genre de labiées à odeur forte	NÉPÈTE
Genre de musique	DISCO • JAZZ
Genre de palmier	ROTIN
Genre littéraire et artistique	GROTESQUE
Genre poétique	POÉSIE
Genre	ACABIT • CATÉGORIE • ESPÈCE NATURE • SORTE • STYLE • TYPE
Gentil	AFFABLE • COQUET • MIGNON
Gentil, mignon	CHOU
Gentilhomme qui servait comme soldat	CADET
Gentilité	PAGANISME
Gentille	MIGNARDE • MIGNONNE
Gentillesse	AMABILITÉ • PRÉVENANCE
Gentleman	GALANT
Geôle	CACHOT • PÉNITENCIER • PRISON
Géothermique	THERMIQUE
Géotrupe	BOUSIER
Gérant	TENANCIER
Gerbe	BOTTE • BOUQUET
Gerber	BOTTELER
Gercer	CREVASSER
Gerçure	CREVASSE • GELIVURE
Gérer en commun	COGÉRER
Gérer	ADMINISTRER • DIRIGER
Germain	TEUTON
Germaine	TEUTONNE
Germandrée à fleurs jaunes	IVE • IVETTE
Germanium	GE
Gérontisme	SÉNILISME
Gérontologie	GÉRIATRIE
Geste	SIGNE
Geste de politesse	BAISEMAIN
Geste imposé par le respect des convenances	FORMALITÉ
Gesticuler	AGITER
Gestion d'un service public	RÉGIE
Gestion en commun	COGESTION
Gestualité	GESTUELLE
Ghilde	GUILDE

Gibet	CROIX • POTENCE
Giboulée	AVERSE
Giclée	JET
Gicler	COULER • JAILLIR • REJAILLIR
Gifle	BAFFE • BEIGNE • CLAQUE
	MANDALE • SOUFFLET • TALMOUSE
	TALOCHE • TAPE
Gigantesque	TITANIQUE
Gigot	CUISSE • GIGUE
Gigoter	GAMBILLER
Gilet de sauvetage	BRASSIÈRE
Gilet	VESTE
Giratoire	ROTATOIRE
Giroflée des jardins	RAVENELLE
Giroflée rouge	VIOLIER
Gisement de tourbe	TOURBIÈRE
Gitan nomade	MANOUCHE
Gitan	TSIGANE • TZIGANE
Gîte fangeux de mammifères	BAUGE
Givre	GEL
Glaçant	GLACIAL
Glacé	FROID • GELÉ
Glace légère à base d'eau	SORBET
Glace	GELÉE • GLAÇON
	MIROIR • VERRE • VITRE
Glacée	FROIDE
Glacer	ENROBER • FIGER • GELER • LISSER
	PÉTRIFIER • REFROIDIR • TRANSIR
Glaceux	GIVREUX
Glacial	SIBÉRIEN
Glaciale	FROIDE
Glaciation	GLACIAIRE
Glaçure	ENDUIT
Gladiateur qui combattait les bêtes féroces, à Rome	BESTIAIRE
Glaive	ÉPÉE
Glande à sécrétion de l'appareil génital masculin	PROSTATE
Glande abdominale	PANCRÉAS
Glande annexe du tube digestif	PANCRÉAS
Glande endocrine située à la base du cou	THYROÏDE

Glande endocrine	THYROÏDE
Glande génitale femelle	OVAIRE
Glande génitale mâle	TESTICULE
Glande salivaire paire	PAROTIDE
Glande sexuelle	GONADE
Glander	PARESSER
Glaner	BUTINER • GRAPPILLER
Glapir	ABOYER
Glatir	TROMPETER
Glauque	VERDÂTRE
Glissade	GLISSE • GLISSOIRE
Glissement	GLISSE
Glisser	DÉRAPER
Glisser par frottement	RIPER
Glisser sur des coulisses	COULISSER
Glisser sur le sol	DÉRAPER
Glissière	COULISSE
Glissoire	GLISSADE
Global	GÉNÉRAL
Globalité	TOTALITÉ
Globe	SPHÈRE • TERRE
Globule blanc	LEUCOCYTE
Globule rouge du sang	HÉMATIE
Gloire	AURÉOLE • CÉLÉBRITÉ MAJESTÉ • RENOMMÉE
Glorieuse	FAMEUSE
Glorieux	FAMEUX • TRIOMPHAL
Glorifier	AURÉOLER • BÉNIR • CANONISER HONORER • LOUANGER • LOUER
Glorifier, magnifier	EXALTER
Gloriole	OSTENTATION
Glouton	AVIDE • BÂFREUR • GOINFRE GOULU • GOURMAND • MORFAL
Glouton, goulu	VORACE
Gloutonnement	GOULUMENT
Gloutonnerie	VORACITÉ
Glu	COLLE
Gluant	POISSEUX
Gluante	POISSEUSE
Glucide décomposable par hydrolyse	OSIDE
Glucide voisin de l'amidon	INULINE

Glucoside extrait de nombreux végétaux . . . . RUTINE
Gnaule . . . . GNOLE
Gnole . . . . NIOLE
Gnome . . . . LUTIN
Gobelet de métal . . . . TIMBALE
Gobelet . . . . GODET
Gobeur . . . . CRÉDULE
Godailler . . . . GODER
Godasse . . . . CROQUENOT • SOULIER
Goder . . . . GODAILLER
Godiche . . . . BENÊT
Godille . . . . AVIRON
Godiller . . . . RAMER
Gogo, naïf . . . . GOBEUR
Goguenard . . . . NARQUOIS
Goinfre . . . . GLOUTON • GOULU • MORFAL
Goinfrerie . . . . VORACITÉ
Goitre . . . . STRUME
Golfe de l'océan Indien . . . . MANNAR
Golfe des Bouches-du-Rhône . . . . FOS
Golfe . . . . FJORD
Gommé . . . . COLLANT
Gomme résine odorante . . . . MYRRHE
Gommer . . . . EFFACER
Gonade mâle de forme ovale . . . . TESTICULE
Gondoler . . . . GAUCHIR
Gonfalon . . . . ETENDARD
Gonflé . . . . BOUFFI • BOURSOUFLÉ
ENFLÉ • JUPONNE • RENFLÉ
Gonflement . . . . BALLONNEMENT
Gonfler les tissus, bouffir . . . . EMPÂTER
Gonfler . . . . AUGMENTER • BALLONNER
BOMBER • GROSSIR
MAJORER • TUMÉFIER
Gonzesse . . . . NANA
Goret . . . . COCHONNET • PORCELET
Gorge . . . . GOSIER • POITRINE • VALLÉE
Gorge creusée par un cours d'eau
dans une chaîne de montagnes . . . . CANYON
Gorge transversale dans un
pli anticlinal . . . . CLUSE

Gorger	GAVER
Gosse	BAMBIN • GARÇONNET • MIOCHE
Goualante	LAMENTO
Gouape	SALIGAUD
Goudron	BITUME
Goudronner	BITUMER
Gouet	GOUGE
Gouffre	ABÎME • AVEN • IGUE
	PRÉCIPICE • PUITS
Gouge	GOUET
Goujat	BUTOR • IMPOLI • INDELICAT
	MALAPPRIS • MUFLE • RUSTRE
Goujaterie	MUFLERIE
Goulée	GORGÉE
Goulot	COL • COU • GOULET
Goulotte	GLISSOIRE
Goulu	AVIDE • GLOUTON
Gourdin	BÂTON • TRIQUE
Gourmand	FRIAND
Gourmandise	AVIDITE
Gourmet	FRIAND
Gourmette	CHAINETTE
Gourou	GUIDE • GURU
Gousse de légumineuses	LÉGUME
Gousse	COSSE
Goût bizarre	FANTAISIE
Goût morbide pour des substances non comestibles	PICA
Goût pour les objets d'art japonais	JAPONISME
Goût	ATTIRANCE • CONVENANCE
	SAVEUR
Goûter	APPRÉCIER • ESSAYER • JOUIR
Goûter avec plaisir	SAVOURER
Goûteur	GOURMET
Goutte	DOIGT • GLOBULE • LARME
Goutte de salive projetée	POSTILLON
Goutte qui pend du nez	ROUPIE
Gouttière	CHENEAU • ÉGOUT
Gouvernail	TIMON
Gouvernante	NURSE
Gouverner	BARRER • COMMANDER
	DIRIGER • MENER • RÉGIR

Gouverner plus près du vent	LOFER
Grabat	LIT
Grâce	ABSOLUTION • AISANCE • AMNISTIE
	BÉNÉDICTION • ÉLÉGANCE
	JOLIESSE • MERCI • RÉMISSION
Grâce puérile	MIÈVRERIE
Gracier	ABSOUDRE
Gracieusement	GALAMMENT
Gracieux et vif	ACCORT
Gracieux	CHARMANT • ÉLÉGANT
	GRATUIT • SUAVE
Gracieux, avenant	ACCORT
Gracile	FLUET • FLUETTE
Grade	DAN • GR • SERGENT
Grade le moins élevé dans la cavalerie	BRIGADIER
Grade le moins élevé dans l'armée	CAPORAL
Grade universitaire	LICENCE
Gradin	ÉTAGE
Graduer	ÉCHELONNER
Graffiti	TAG
Grain d'avoine, privé de son	GRUAU
Grain de beauté	NAEVUS
Grain de glace	GRÊLON
Grain de raisin	GRUME
Grain d'eau congelée	GRÊLON
Grain qu'on sème	SEMAILLES
Graine contenue dans l'arachide	CACAHUÈTE
Graine de certains fruits	PÉPIN
Graine de lin	LINETTE
Graine de quelques légumineuses	GRAIN
Graine du cacaoyer	CACAO
Graine du caféier	CAFÉ
Graine d'un fruit à noyau	AMANDE
Graine qui se forme dans des gousses	LÉGUME
Graine verdâtre du pistachier	PISTACHE
Grainetier	GRAINIER
Grains de beauté	NAEVI
Grains de métal	GRENAILLE
Graisse	CELLULITE • LARD
Graisse alimentaire	MARGARINE

Graisse animale	SUIF
Graisse des animaux	OINT
Graisse des ruminants	SUIF
Graisse du sanglier	SAIN
Graisse qui imprègne la toison des moutons	SUINT
Graisse retirée du suint du mouton	LANOLINE
Graisse servant à la lubrification	VASELINE
Graisse sous la peau du porc	PANNE
Graisser	HUILER • SUIFFER
Graisseux	HUILEUX
Graminacée à tige cylindrique ligneuse	BAMBOU
Graminée	ALPISTESPART
Graminée à graines toxiques	IVRAIE
Graminée aromatique	NARD
Graminée des régions humides tropicales	RIZ
Graminée employée à fixer les sables des dunes	OYAT
Graminée fourragère	CRÉTELLE
Grand	HAUT • IMMENSE LARGE • LONG
Grand arbre à la forme majestueuse	PLATANE
Grand arbre de la forêt africaine	SIPO
Grand arbre de l'archipel indien	DURION
Grand arbre de l'Inde	SAL
Grand arbre	CHÊNE
Grand avion de transport pour passagers	AIRBUS
Grand bassin où les navires peuvent mouiller	RADE
Grand bâtiment armé	GALION
Grand bâtiment public	HALLE
Grand bâtiment	BÂTISSE
Grand boa constricteur d'Amérique du Sud	ANACONDA
Grand bœuf d'Europe	AUROCHS
Grand bovidé de l'Inde	ZÉBU
Grand bruit discordant	TINTAMARRE
Grand bruit d'objets divers	CHARIVARI
Grand bruit	BOUCAN
Grand cabas	COUFFIN
Grand casque des hommes d'armes	HEAUME
Grand cerf d'Amérique du Nord	WAPITI
Grand champignon	MÉRULE
Grand chat sauvage	OCELOT

Grand chat sauvage d'Afrique	SERVAL
Grand chenet de cuisine	HÂTIER
Grand chien de chasse	LIMIER
Grand cimetière	NECROPOLE
Grand coffre de bois	HUCHE
Grand coffre	BAHUT
Grand conifère d'origine exotique	THUYA
Grand conifère	MÉLÈZE
Grand crabe comestible	MAÏA
Grand crocodile à museau court et large	CAÏMAN
Grand crustacé décapode à pinces	HOMARD
Grand désordre	BORDEL • MERDIER
Grand dieu solaire	RA
Grand dirigeable rigide	ZEPPELIN
Grand échassier à long cou grêle	HÉRON
Grand faucon	SACRE
Grand félin	FAUVE • JAGUAR
Grand félin sauvage	ONCE
Grand filet	DRÈGE
Grand filet de pêche	BOLIER • BOULIER
Grand fleuve d'Asie	INDUS
Grand format de papier	COLOMBIER
Grand fromage en forme de disque	MEULE
Grand gobelet	CHOPE
Grand héron blanc	AIGRETTE
Grand hôtel de luxe	PALACE
Grand Lac	ÉRIÉ
Grand lac salé d'Asie	ARAL
Grand lézard carnivore	VARAN
Grand luth	TÉORBE • THÉORBE
Grand malheur	DÉSASTRE
Grand mammifère	CERF
Grand mammifère carnivore	JAGUAR • LION
Grand mammifère marin	MORSE
Grand mammifère ruminant	GIRAFE
Grand manteau	CAPE • CAPOTE
Grand marché public	FOIRE
Grand mollusque	PINNE
Grand morceau d'étoffe	CHÂLE • PAN
Grand moustique	TIPULE
Grand navire à voiles du Moyen Âge	NEF

Grand navire armé en guerre	GALION
Grand navire	BÂTIMENT
Grand nombre de gens	POPULO
Grand nombre de personnes	RÉGIMENT
Grand oiseau coureur de l'île Maurice	DRONTE
Grand oiseau coureur	NANDOU
Grand oiseau de basse-cour	DINDON
Grand oiseau de mer	FREGATE
Grand oiseau échassier	HÉRON
Grand oiseau échassier d'Amérique du Sud	KAMICHI
Grand oiseau palmipède	CYGNE
Grand oiseau vivant en Australie	MÉNURE
Grand oiseau	ALBATROS
Grand ouvert	BÉANT
Grand panier d'osier	MANNE
Grand panier que l'on porte sur le dos	HOTTE
Grand panier sans fond	GABION
Grand papillon	MACHAON
Grand papillon de Madagascar	URANIE
Grand papillon de nuit	SATURNIE
Grand papillon nocturne	COSSUS
Grand perroquet	ARA
Grand pic à plumage jaune et vert	PIVERT
Grand plat en terre	TIAN
Grand poisson	MORUE
Grand poisson plat	FLÉTAN
Grand prêtre et juge des Hébreux	HÉLI
Grand propriétaire foncier, en Écosse	LAIRD
Grand rabot à poignée	VARLOPE
Grand rapace diurne	GERFAUT
Grand récipient de forme circulaire	BASSIN
Grand récipient en bois	SEILLE
Grand récipient	CUVE • JARRE • TONNE
Grand requin	PÈLERIN
Grand rideau de fenêtre	VOILAGE
Grand seigneur	BARON
Grand serpent de l'Amérique du Sud	ANACONDA
Grand singe	DRILL
Grand succès	HIT
Grand thon pêché dans l'Atlantique	GERMON
Grand vase à boire	HANAP

Grand vase en terre cuite . . . . JARRE
Grand vautour des Andes . . . . CONDOR
Grand vitrage . . . . VERRIÈRE
Grande abondance . . . . LUXE
Grande antilope africaine . . . . ÉLAND
Grande araignée . . . . MYGALE
Grande caisse . . . . CAISSON
Grande chaîne de montagnes . . . . ANDES
Grande chaleur . . . . CANICULE
Grande clarté . . . . LIMPIDITÉ
Grande colère . . . . FOUDRES
Grande coquille concave . . . . CONQUE
Grande course . . . . DERBY
Grande cuillère percée de trous . . . . ÉCUMOIRE
Grande cuillère . . . . LOUCHE
Grande épée . . . . ESTOC
Grande étendue de terre . . . . CONTINENT
Grande exploitation rurale
   en Amérique du Sud . . . . HACIENDA
Grande facilité de parole . . . . BAGOU
Grande fête . . . . GALA
Grande futaille . . . . PIPE
Grande gerbe jaillissante . . . . GEYSER
Grande gorgée de liquide avalée d'un trait . . . . . . LAMPÉE
Grande gorgée . . . . LAMPÉE
Grande hache . . . . COGNÉE
Grande jatte . . . . JALE
Grande lanterne . . . . FALOT
Grande liane . . . . LIERRE
Grande libellule . . . . AESCHNE
Grande manifestation musicale . . . . FESTIVAL
Grande nappe naturelle d'eau douce . . . . LAC
Grande paresse . . . . FLEMME
Grande péniche plate . . . . BARGE
Grande période de l'histoire . . . . ÂGE
Grande peur . . . . EFFROI
Grande pièce d'étoffe . . . . CHÂLE • VELUM
Grande place avec boutiques . . . . AGORA
Grande quantité d'armes . . . . ARSENAL
Grande quantité . . . . FLOPÉE • MILLIER • TAPÉE • TAS
Grande quantité, immensité . . . . OCÉAN

Grande renommée	GLOIRE
Grande rivière	FLEUVE
Grande salle	HALLE
Grande salle d'une université	AULA
Grande toile formant une tente amovible	VELARIUM
Grande tortue marine	LUTH
Grande vedette	STAR
Grande veste de laine des marins	CABAN
Grande vitesse	VÉLOCITÉ
Grande voile rectangulaire	HAÏK
Grande voiture tirée par des chevaux	COCHE
Grande	HAUTE
Grande-Bretagne	ALBION
Grandelet	GRANDET
Grandement	BEAUCOUP
Grandeur d'âme	NOBLESSE
Grandeur géométrique	VECTEUR
Grandeur mesurable	DIMENSION
Grandeur sans limites	IMMENSITE
Grandeur	ÉTENDUE • MAJESTÉ • TAILLE
Grandiloquence	EMPHASE
Grandiloquent	RONFLANT
Grandiose	IMPOSANT • SOLENNEL
Grandir	CROÎTRE • HAUSSER POUSSER • PROFITER
Grandissant	CROISSANT
Grand-mère	MÉMÉ • MÉMÈRE
Grand-papa	PÉPÉ
Grand-père	AÏEUL • PAPI • PÉPÈRE
Grands-parents	AIEUX
Grange où l'on emmagasine le foin	FENIL
Graphique rond divisé en secteurs	CAMEMBERT
Graphisme	ÉCRITURE
Grappiller	GLANER • GRATTER • RABIOTER
Grappin	CRAMPON • CROC • HARPON
Gras	CORPULENT • DODU
Grassouillet	POTELÉ • REPLET
Gratification accordée par un employeur	BONUS
Gratification de fin d'année	ÉTRENNE
Gratification	POURBOIRE • RÉCOMPENSE

Gratifier . . . . ALLOUER • DOTER • DOUER
POURVOIR • RÉCOMPENSER
Gratifier d'un prix . . . . PRIMER
Gratin . . . . ÉLITE
Gratis . . . . GRATUIT
Gratitude, reconnaissance . . . . GRÉ
Gratte-pieds . . . . GRATTOIR
Gratter . . . . RACLER
Grattoir . . . . EBARBOIR • FROTTOIR • RACLE
Gratuit . . . . BÉNÉVOLE • DÉSINTÉRESSÉ
GRACIEUX • GRATIS
Gratuite . . . . GRACIEUSE
Gratuitement . . . . GRATIS • RIEN
Gravats . . . . PLATRAS
Grave . . . . DOCTORAL • SÉRIEUX
Graver . . . . ESTAMPER • GAUFRAGE • NIELLER
Graveur de nielles . . . . NIELLEUR
Graveur en nielle . . . . NIELLEUR
Graveur . . . . ARTISTE • BRULEUR
Gravier . . . . GRAVELLE
Gravir . . . . ESCALADER • GRIMPER
Gravité affectée . . . . SOLENNITÉ
Gravois . . . . GRAVATS • PLATRAS
Gravure . . . . EMPREINTE • ESTAMPE
Gray . . . . GY
Gré . . . . CONVENANCE
Grec . . . . HELLENE
Gréement . . . . AGRÈS
Gréer . . . . AMARINER • ÉQUIPER
Greffe . . . . BOUTURAGE • ENTE
Greffer pour la seconde fois . . . . REGREFFER
Greffer une seconde fois,
après un échec . . . . REGREFFER
Greffer . . . . ENTER
Greffier . . . . SCRIBE
Greffier . . . . TABELLION
Greffon . . . . ENTE
Grêle comme un fil . . . . FILIFORME
Grêler . . . . GRÉSILLER
Grêlon . . . . GRÊLE
Grelot . . . . CLOCHETTE • SONNAILLE

Grelottement	TREMBLOTE
Grelotter	GELER • TREMBLER
Grenat aluminoferreux	ALMANDIN
Grené	GRENU
Grener	GRAINER
Grenier	GALETAS
Grenier où l'on met les foins	FENIL
Grenouille géante d'Amérique du Nord	OUAOUARON
Grenouille mugissante	OUAOUARON
Grenouille taureau	OUAOUARON
Grenu	GRANULEUX
Grésil	GRÊLE
Grésiller	CRÉPITER • GRÊLER
Grève de courte durée	DÉBRAYAGE
Grève	PLAGE • RIVAGE
Grèver	DEBRAYE
Gribouillage	BARBOUILLAGE
Gribouiller	ÉCRIRE
Gribouillis	BARBOUILLAGE
Griffe des carnassiers	ONGLE
Griffe	MARQUE • PARAFE • PARAPHE
Griffon à poil long et frisé	BARBET
Griffonnage	BARBOUILLAGE
Griffonner	ÉCRIRE • RÉDIGER
Griffure	RAYURE
Grigner	GODAILLER
Grignotement	RONGEMENT
Grignoter	EMPIÉTER • GRUGER • RONGER
Grignoteur	BOUFFEUR
Grigou	LADRE
Grill	GRILLADE
Grillade	CARBONADE
Grillage	ROTISSAGE
Grillé	CUIT
Grille-pain	TOASTEUR
Griller	BRÛLER • CALCINER • RÔTIR
Grillon domestique	CRICRI
Grimace faite par mécontentement	MOUE
Grimace	MOUE • SIMAGRÉE • SINGERIE
Grimer	FARDER
Grimper	HISSER • MONTER

Grincer	CRISPER • CRISSER
Grincheux	GRINGE • GROGNON MARABOUT • RÂLEUR
Gringalet	MAUVIETTE
Gris foncé	BIS
Gris	ÉMÉCHÉ • IVRE
Grisant	CAPITEUX
Grisant, excitant	ENIVRANT
Grisante	CAPITEUSE
Griser	ENIVRER • SAOULER • SOÛLER
Grive à tête cendrée	LITORNE
Grivois	ÉPICÉ • LÉGER • LESTE OBSCÈNE • OSÉ • SALÉ
Grivois, leste	GAULOIS
Grivoise	POLISSONNE
Grogner de façon continuelle	GROGNASSER
Grogner	BOUGONNER • GRONDER MARONNER • MAUGRÉER • PESTER RÂLER • RONCHONNER • ROUSPÉTER
Grogner, en parlant du chat	FEULER
Grogner, en parlant du sanglier	GROMMELER
Grognon	GROGNARD • GRONDEUR
Grognon, maussade	BOUDEUR
Grognonner	GROGNASSER
Grole	GROLLE
Grolle	GROLE
Grommeler	BOUGONNER
Gronder	ADMONESTER • DISPUTER HOUSPILLER • QUERELLER • TONNER
Groom	LAQUAIS
Gros bâton	TRIQUE
Gros biceps	CANTALOUP
Gros chien de garde	MÂTIN • MOLOSSE
Gros coussin	POUF
Gros crapaud	PIPA
Gros doigt rond	BOUDIN
Gros et long bâton	ÉPIEU
Gros fromage	GÉROMÉ
Gros fruit oblong	ANANAS
Gros fruit tropical	COROSSOL
Gros harpon	FOÈNE

Gros homme petit et ventru	POUSSAH
Gros maillet	MAILLOCHE • MASSE
Gros mangeur	GARGANTUA
Gros mil	SORGHO
Gros nuage	NUÉE
Gros oiseau d'Amérique du Sud	NANDOU
Gros pain rond	MICHE
Gros paquet de marchandises	BALLE
Gros pieu employé à faire un pilotis	PILOT
Gros pigeon à huppe érectile	GOURA
Gros pigeon sauvage	RAMIER
Gros pivot	TOURILLON
Gros plan bref	INSERT
Gros poisson carnassier	MÉROU
Gros poisson d'eau douce	CARPE
Gros poisson des mers froides	MORUE
Gros poisson marin très primitif	TARPON
Gros rongeur de l'Amérique du Sud	AGOUTI
Gros saucisson	SALAMI
Gros serpent	BOA
Gros soulier	CROQUENOT • GODILLOT
Gros tas de foin	MEULE
Gros véhicule automobile	CAMION
Gros ventre	BEDAINE
Gros	OBÈSE • PANSU • VENTRU
Gros, de taille importante	MAOUS
Groseille rouge	RAISINET
Grosse araignée redoutée pour ses piqûres	TARENTULE
Grosse bévue	ÉNORMITÉ
Grosse bille	CALOT
Grosse bouchée	GOULÉE
Grosse bouteille de champagne	MAGNUM
Grosse chaussure de marche	GODILLOT
Grosse courge	POTIRON
Grosse crevette	GAMBA • SCAMPI
Grosse crevette rose	PALÉMON
Grosse erreur	BOURDE
Grosse gorgée	GOULÉE
Grosse grive, appelée aussi litorne	JOCASSE
Grosse guêpe rousse et jaune	FRELON
Grosse hache de bûcheron	COGNÉE

Grosse main	PATOCHE
Grosse mouche	ŒSTRE • TAON
Grosse mouche ressemblant à une guêpe	ÉRISTALE
Grosse moulure pleine de profil arrondi	TORE
Grosse noisette	AVELINE
Grosse pièce de bois utilisée comme soutènement	ÉTANÇON
Grosse pièce de bois	POUTRE
Grosse pierre pour grimper sur un cheval	MONTOIR
Grosse pilule	BOL
Grosse pipe à tuyau court	BOUFFARDE
Grosse pipe	BOUFFARDE
Grosse pluie soudaine	ONDÉE
Grosse pomme à chair parfumée	GOLDEN
Grosse prune oblongue	QUETSCHE
Grosse tache d'encre	PÂTÉ
Grosse toile	CANEVAS
Grosse verrue chez les bovins	FIC
Grosse vrille servant à percer un moyeu	QUILLIER
Grosse	GRASSE
Grossesse	GESTATION • GRAVIDITE
Grosseur au cou	GOITRE
Grossier	BRUT • ÉPAIS • FRUSTE • IMPOLI INSULTANT • OBSCÈNE • ORDURIER PRIMITIF • RUDE • RUSTAUD
Grossière étoffe de laine brune	BURE
Grossière	PRIMITIVE
Grossièrement	LOURDEMENT
Grossièreté	MUFLERIE • RUSTICITE
Grossir de nouveau	REGROSSIR
Grossir	AMPLIFIER • AUGMENTER • ENFLER ÉPAISSIR • EXAGÉRER • FORCIR
Grossissement	ACCROISSEMENT
Grossiste qui vendait des œufs	COQUETIER
Grotesque et caricatural comme le personnage Ubu	UBUESQUE
Grotte	ANTRE • CAVERNE

Groupe anglais des années
1960 natif de Liverpool . . . . BEATLES
Groupe comprenant huit
éléments binaires . . . . OCTET
Groupe d'abeilles . . . . ESSAIM
Groupe d'alpinistes réunis par une corde . . . . CORDÉE
Groupe d'arbres ou d'arbustes . . . . BOSQUET
Groupe d'arbres plantés pour l'agrément . . . . BOSQUET
Groupe de buissons touffus . . . . HALLIER
Groupe de cent unités . . . . CENTAINE
Groupe de chanteurs scandinaves . . . . ABBA
Groupe de discussion . . . . PANEL
Groupe de huit unités . . . . HUITAINE
Groupe de joueurs associés
en nombre déterminé . . . . ÉQUIPE
Groupe de langues indo-européennes . . . . SLAVE
Groupe de lettres liées ensemble . . . . LOGOTYPE
Groupe de notes émises d'un seul souffle . . . . NEUME
Groupe de personnes
qui partagent une activité . . . . ÉQUIPE
Groupe de personnes qu'on méprise . . . . ENGEANCE
Groupe de personnes
réunies devant un auditoire . . . . PANEL
Groupe de personnes . . . . CORPS
Groupe de petites cloches . . . . CARILLON
Groupe de pression . . . . LOBBY
Groupe de quatre personnes . . . . QUATUOR
Groupe de quelques hommes . . . . ESCOUADE
Groupe de sporanges chez les fougères . . . . SORE
Groupe de trois dieux . . . . TRINITÉ
Groupe de trois éléments . . . . TRIADE
Groupe de trois personnes . . . . TRIADE
Groupe de trois principes . . . . TRINITÉ
Groupe de trois vers . . . . TERCET
Groupe de trois . . . . TRIO
Groupe d'enfants bruyants . . . . MARMAILLE
Groupe d'entreprises . . . . TRUST
Groupe d'êtres vivant isolés . . . . ISOLAT
Groupe d'habitations ouvrières . . . . CORON
Groupe d'îles . . . . ARCHIPEL
Groupe d'ondes . . . . FAISCEAU

Groupe ethnique islamisé . . . . AFAR
Groupe ethnique isolé . . . . ISOLAT
Groupe humain . . . . NOYAU
Groupe manipulé
   par d'autres personnes . . . . FANTOCHE
Groupe nombreux qui se déplace . . . . ESSAIM
Groupe nombreux . . . . BATAILLON
Groupe organisé . . . . SECTE
Groupe social exclusif . . . . CASTE
Groupe subversif . . . . FACTION
Groupe . . . . BANDE • CAMP • CATÉGORIE
                   CLASSE • COMPAGNIE • COHORTE
                   PELOTON • POOL • SECTION
                       TRIBU • TROUPE
Groupement . . . . PEUPLADE • RÉUNION • SYNDICAT
Groupement à but non lucratif . . . . MUTUELLE
Groupement de dix villes . . . . DECAPOLE
Groupement de personnes . . . . POOL
Groupement de quelques
   maisons rurales . . . . HAMEAU
Groupement d'humains . . . . ETHNIE
Grouper . . . . ASSEMBLER • CONCENTRER
                    RANGER • RAPPROCHER
Grouse . . . . LAGOPEDE
Gruau . . . . GRUON
Grue très puissante . . . . BIGUE
Gruger . . . . RONGER
Grumeleux . . . . GRANULEUX
Guais . . . . GUAI
Guanaco . . . . ALPAGA
Guenille . . . . HAILLON
Guêpe solitaire . . . . EUMÈNE
Guère . . . . PEU
Guéret . . . . JACHERE
Guéri . . . . SAUVÉ
Guérilla . . . . TROUPE
Guérir . . . . SAUVER
Guérissable . . . . CURABLE
Guérisseur . . . . REBOUTEUX
Guerre de harcèlement,
   menée par des partisans . . . . GUÉRILLA

Guerre des gueux	JACQUERIE
Guerre	BATAILLE
Guerrier armé d'une fronde	FRONDEUR
Guerrier brutal	REÎTRE
Guerrier japonais	SAMOURAÏ
Guerrier philistin vaincu par David	GOLIATH
Guerrier	SOLDAT
Guet-apens	ATTRAPE
Guêtre enveloppant la jambe	JAMBIERE
Guêtres	CHAUSSE
Guette	GUÈTE
Guetter avec convoitise	GUIGNER
Guetteur chargé de surveiller le large	VIGIE
Guetteur	VEILLEUR
Gueulard	CRIARD
Gueule	BOUCHE
Gueuler	CRIER • HURLER • TEMPÊTER VOCIFÉRER
Gueuleton	FESTIN • REPAS REVEILLON • RIPAILLE
Gueuletonner	BOULOTTER • FESTOYER
Gugusse	GUS
Guide	BERGER • CICÉRONE CORNAC • PILOTE • RÊNE
Guide de montagne dans l'Himalaya	SHERPA
Guide expérimenté	MENTOR
Guider	MENER • ORIENTER • PILOTER
Guigne	DÉVEINE • GUIGNON • POISSE
Guignol	PANTIN • PITRE
Guillemot	PINGOUIN
Guilleret	FRINGANT
Guillotiner	DÉCAPITER
Guimbarde	TACOT
Guindé	EMPESÉ
Guindé	ENGONCÉ
Guinguette	AUBERGE • BAL
Guirlande de fleurs	FESTON
Guise	GRÉ
Guitare	BALALAÏKA
Guitariste	BASSISTE
Gus	GUSSE

Gymnase . . . . PALESTRE
Gymnastique chinoise . . . . TAI-CHI
Gymnastique . . . . GYM
Gypse . . . . PLÂTRE

Habile	ADROIT • AVISÉ
Habile, malin	FORTICHE
Habile, rusé	ROUBLARD
Habilement	FINEMENT • SAVAMMENT
Habileté à la vie sociale	ENTREGENT
Habileté dans la manière d'agir	DEXTÉRITÉ
Habileté	ADRESSE • APTITUDE • ART
Habillé	MIS
Habillement inélégant	FAGOTAGE
Habillement	COSTUME • TOILETTE • VÊTEMENT
Habiller avec mauvais goût	ATTIFER
Habiller d'une manière ridicule	ACCOUTRER
Habiller	COSTUMER • NIPPER
	REVÊTIR • VÊTIR
Habit de moine	FROC
Habit masculin de cérémonie	FRAC
Habitacle du pilote et co-pilote dans un avion	COCKPIT
Habitacle d'un avion où se trouve le poste de pilotage	CARLINGUE
Habitant de la région de Gap	GAVOT
Habitant de la zone autour de Paris	ZONIER
Habitant de l'Inde	HINDOU
Habitant de l'Ukraine	UKRAINIEN
Habitant d'une grande ville en août	AOUTIEN
Habitant d'une ville	CITOYEN
Habitant d'une zone frontière	ZONIER
Habitant imaginaire de la Lune	SELENITE
Habitant présumé de la planète Mars	MARTIEN
Habitant	OCCUPANT
Habitante d'une oasis	OASIENNE
Habitants	GENS
Habitation comportant trois appartements	TRIPLEX
Habitation d'ermite	ERMITAGE
Habitation des pays russes	ISBA
Habitation d'un ascenseur	CABINE
Habitation en bois de sapin	ISBA
Habitation en forme de dôme	IGLOO • IGLOU

Habitation mal construite ou mal tenue	BICOQUE
Habitation misérable	GOURBI
Habitation rudimentaire	ABRI
Habitation rurale	MANSE
Habitation traditionnelle de certains Indiens	TIPI
Habitation traditionnelle de Tahiti	FARÉ
Habitation	APPARTEMENT • LOGIS MAISON • NID • SÉJOUR • TOIT
Habiter à nouveau	RELOGER
Habiter quelque part	CRECHER
Habiter	DEMEURER • GÎTER • LOGER PEUPLER • RÉSIDER SÉJOURNER • VIVRE
Habitude de flâner	FLÂNERIE
Habitude	ACCOUTUMANCE • COUTUME MANIE • MAROTTE • RITE ROUTINE • TIC
Habitudes	MŒURS
Habitué	AGUERRI • EXERCÉ
Habituel	ACCOUTUMÉ • CLASSIQUE COURANT • COUTUMIER • FAMILIER FRÉQUENT • NORMAL • ORDINAIRE RITUEL • ROUTINIER
Habituelle et précise	RITUELLE
Habituer aux dangers de la guerre	AGUERRIR
Habituer	ACCLIMATER • ACCOUTUMER
Hâblerie	BRAVADE
Hâbleur	CABOTIN
Hache à fendre le bois	MERLIN
Hache de fer étroit, à long manche	COGNÉE
Hache de guerre	TOMAHAWK
Haché	SACCADÉ
Hache	FENDOIR • TOMAHAWK
Haché, saccadé	HEURTÉ
Hachereau	HACHETTE
Hachette	HACHE
Hafnium	HF
Hagard	EFFARÉ • EFFRAYE ÉGARÉ • HALLUCINÉ

Haie . . . . BARRIÈRE
Haillon . . . . FRIPE • GUENILLE • LAMBEAU
Haillons . . . . HARDES
Haine des étrangers . . . . XÉNOPHOBIE
Haïr . . . . ABHORRER • ABOMINER • DÉTESTER
Haire . . . . CILICE
Haïssable . . . . DÉTESTABLE
Halage . . . . TIRAGE
Hâlé . . . . BASANÉ • BRONZÉ • TANNÉ
Hâler . . . . BRONZER • BRUNIR
Haler . . . . REMORQUER • TOUER
Haletant . . . . PANTELANT
Haleter . . . . ANHÉLER • PANTELER
Haleur . . . . TREUIL
Halle . . . . MARCHÉ
Hallucination . . . . BERLUE • DÉLIRE • ILLUSION
Halluciné . . . . VISIONNAIRE
Halluciner . . . . DÉLIRER
Halo lumineux . . . . NIMBE
Halte . . . . ARRÊT • ESCALE • ÉTAPE • PAUSE
STATION • STOP • TERMINUS
Hameau . . . . BOURG • ÎLET
Hameau, en Algérie . . . . MECHTA
Hameçon double . . . . BRICOLE
Hampe d'une bannière . . . . TRABE
Handicap ouvert aux
    chevaux de tous âges . . . . OMNIUM
Handicap . . . . INFIRMITÉ
Handicapé . . . . DÉFICIENT • ESTROPIÉ • INFIRME
Hangar . . . . ENTREPÔT • GARAGE
Hanter . . . . POURCHASSER • OBSÉDER
Hantise . . . . OBSESSION
Happer . . . . GRIPPER • SAISIR
Hara-kiri . . . . SEPPUKU
Harassant . . . . FATIGANT
Harassement . . . . SURMENAGE
Harasser . . . . VANNER
Harcèlement . . . . TARAUDAGE
Harceler . . . . ASSAILLIR • ASTICOTER • TANNER
TARABUSTER • TOURMENTER
Harde de biches et de jeunes cerfs . . . . HARPAIL

Hardes	NIPPES
Hardi	INTRÉPIDE • OSÉ • TÉMÉRAIRE
Hardiesse	ASSURANCE • AUDACE • TÉMÉRITÉ
Harem	SÉRAIL • ZENANA
Hareng fumé	SAUR
Hareng nouvellement sauré	SAURIN
Hareng ouvert, fumé et salé	KIPPER
Hargne	ACRIMONIE
Hargneuse	RAGEUSE
Hargneux	TEIGNEUX
Haricot nain très estimé	FLAGEOLET
Haricot sec	FAYOT
Harle du Grand Nord	BIÈVRE
Harmonie de sons	EUPHONIE
Harmonie	ACCORD • BEAUTÉ • CADENCE CHIMIE • COMMUNION SYMÉTRIE • UNION • UNISSON
Harmonieux	MUSICAL
Harmonisation	ADAPTATION • COORDINATION
Harmonisé	ASSORTI
Harmoniser	APPARIER • ASSORTIR
Harnais	BAT
Harpon à plusieurs branches	FOÈNE
Hasard	ALÉA • CHANCE
Hasardeux	DANGEREUX • PERILLEUX
Hasch	HASCHISCH
Haschisch	HASCH • KIEF
Hassium	HS
Hâter	ACCÉLÉRER • ACTIVER BOUSCULER • BRUSQUER
Hâtier	CHENET
Hâtif	PRÉCOCE
Haussé	LEVÉ
Hausse d'un demi-ton en musique	DIÈSE
Hausse soudaine	BOOM
Hausser	LEVER • MAJORER RELEVER • REMONTER
Haut	GRAND
Haut bonnet de femme	HENNIN
Haut de robe d'un seul tenant	CORSAGE
Haut en couleur	TRUCULENT

Haut fonctionnaire	MANDARIN
Haut plateau des Andes	PUNA
Haut prix des choses qui sont à vendre	CHERTÉ
Hautain	ALTIER • ARROGANT DÉDAIGNEUX • FIER
Hautaine	FIÈRE
Hautboïste	HAUTBOIS
Haut-de-gamme	LUXUEUX
Haute	GRANDE
Haute coiffure de cérémonie	MITRE
Haute récompense cinématographique	OSCAR
Haute tour	PHARE
Hauteur	COLLINE • MONT
Haut-le-cœur	NAUSÉE
Haut-parleur	SPEAKER
Hâve	BLAFARD
Haveneau	HAVENET
Havenet	HAVENEAU
Havre	ASILE
Hebdomadaire	HEBDO
Héberger	ABRITER • ACCUEILLIR
Hébété	ABRUTI
Hébétement	HÉBÉTUDE
Hébéter	ABASOURDIR • ABRUTIR • AHURIR
Hébétude	STUPEUR
Hébraïque	HÉBREU
Hébreu	JUIF
Hécatombe	TUERIE
Hectare	HA
Hectisie	ÉTISIE
Hédoniste	JOUISSEUR
Héler	APPELER
Hélianthe	TOURNESOL
Hélice	SPIRALE
Héliport	HELIGARE
Hélistation	HELIGARE
Hélium	HE
Hellénique	GREC • HELLENE
Hémorragie cutanée	

sous forme de stries	VIBICES
Hémorragie	SAIGNÉE
Héraut	MESSAGER
Herbe à gazon	GRAMEN
Herbe annuelle ou vivace	LOTIER
Herbe appelée aussi spart	ALFA
Herbe aquatique des régions tempérées	PESSE
Herbe aquatique vivace	ISOÈTE
Herbe bisannuelle appelée aussi herbe jaune	GAUDE
Herbe courte et fine	HERBETTE
Herbe de Saint-Jacques	JACOBÉE
Herbe des bois d'Europe occidentale	SILÈNE
Herbe des prairies	FOIN
Herbe dont on tire une huile laxative	RICIN
Herbe fourragère odorante	FLOUVE
Herbe fourragère	MÉLILOT
Herbe potagère	CERFEUIL
Herbe très commune dans les prés	BROME
Herbe très commune	BROME
Herbe vivace et bulbeuse	NARCISSE
Herbe	GAZON • PELOUSE
Herbeux	HERBU
Herbue	ERBUE
Hercule	COLOSSE
Hérédité	ATAVISME
Hérisser	AGACER • HORRIPILER
Héritage	HOIRIE • LEGS • PATRIMOINE SUCCESSION
Héritier présomptif du trône de France	DAUPHIN
Héritier	HOIR
Herméneutique	EXEGESE
Héroïne compagne de Tristan	ISEUT
Héroïne légendaire grecque, épouse d'Héraclès	IOLE
Héros de bande dessinée	ASTÉRIX
Héros de BD, créé par Hergé	TINTIN
Héros grec	ACHILLE
Héros	BRAVE
Herse utilisée pour émotter	ÉMOTTEUR
Herser	ÉMOTTER

Hertz	HZ
Hésitant	INDÉCIS • PERPLEXE RÉTICENT • TIMIDE
Hésitation	BALANCEMENT • DOUTE • FRILOSITE RÉTICENCE • SCRUPULE
Hésite	BRONCHE
Hésiter	BALANCER • CHANCELER CHEVROTER • OSCILLER TREBUCHER
Hétéroclite	DISPARATE
Hêtre	FAYARD
Heure du milieu du jour	MIDI
Heureux	CONTENT • JOYEUX • PROSPÈRE
Heureux en Dieu	BÉAT
Heurt	CAHOT • CHOC • COGNEMENT COUP • IMPACT
Heurté dans sa sensibilité, ses opinions	OFFUSQUE
Heurter violemment	EMBOUTIR
Heurter	ACCROCHER • CHOQUER COGNER • HOQUETER • TÉLESCOPER
Heurtoir	BUTOIR
Hibernal	HIÉMAL
Hic	OS
Hideur	LAIDEUR
Hideuse	AFFREUSE
Hièble	YEBLE
Hier	VEILLE
Hi-han	BRAIMENT
Hilarité	GAIETÉ • GAÎTÉ
Hindou	INDIEN • INDOU
Hindouisme	VÉDISME
Hirondelle	ARONDE
Hirsute	POILU
Hissé	LEVÉ
Hisser	ÉLEVER • LEVER
Histoire inventée	GALÉJADE
Histoire	ANNALES • LÉGENDE NARRATION • RÉCIT
Historien d'art français mort en 1954	MALE
Historien et philosophe grec	ARRIEN

Historien français né en 1625	ANSELME
Historien	ANNALISTE • NARRATEUR
Hiver	SAISON
Hocher	BRANLER
Hockey sur glace adapté à la pratique féminine	RINGUETTE
Holmium	HO
Homélie	PRÉDICATION • PRÔNE • SERMON
Homicide	MEURTRE • MEURTRIER
Hommage	BAISEMAIN • CULTE • RESPECT
Homme	GARS • MÂLE • MORTEL • PERSONNE
Homme âgé et borné	BADERNE
Homme âgé	VIEILLARD
Homme athlétique, musclé	TARZAN
Homme avare	GRIGOU
Homme avide d'argent	VAMPIRE
Homme condamné aux galères	FORÇAT
Homme cruel	CANNIBALE
Homme d'âge plus que mûr	BARBON
Homme d'armes	THANE
Homme de barre	TIMONIER
Homme de couleur	MULÂTRE
Homme de guerre brutal	SOUDARD
Homme de loi britannique	SOLICITOR
Homme de loi des pays anglo-saxons	ATTORNEY
Homme de loi	LÉGISTE • ROBIN
Homme de main	NERVI • SBIRE
Homme de petite taille	GRINGALET
Homme de race noire	NÈGRE
Homme de rien	BÉLÎTRE
Homme de veille placé en observation	VIGIE
Homme débauché, grossier	PORC
Homme d'État anglais mort en 1643	PYM
Homme d'État britannique	ACTON
Homme d'État cubain	CASTRO
Homme d'état florentin (1469-1527)	MACHIAVEL
Homme d'État sans scrupules	MACHIAVEL
Homme dont on ignore ou dont on tait le nom	QUIDAM
Homme du bas peuple de Naples	LAZZARONE
Homme d'une avarice sordide	GRIGOU

Homme d'une grande avarice	HARPAGON
Homme employé à jauger	JAUGEUR
Homme frôlant les femmes pour son plaisir sexuel	FROLEUR
Homme grossier	PALTOQUET
Homme hardi et sans scrupule qui vit d'expédients	RUFIAN
Homme insociable	OURS
Homme léger et sans mérite	FRELUQUET
Homme malin	LASCAR
Homme malveillant	ROSSARD
Homme méprisable	SALAUD
Homme misérable	HÈRE
Homme opulent	FINANCIER
Homme politique algérien né en 1899	ABBAS
Homme politique allemand mort en 1969	PAPEN
Homme politique allemand	ADENAUER • BEBEL • EBERT HESS • HITLER • KOHL
Homme politique américain	HULL
Homme politique américain mort en 1930	TAFT
Homme politique américain mort en 1972	TRUMAN
Homme politique américain né en 1913	FORD
Homme politique américain né en 1924	BUSH • CARTER
Homme politique anglais né en 1788	PEEL
Homme politique angolais né en 1922	NETO
Homme politique argentin mort en 1974	PERON
Homme politique argentin	MENEM
Homme politique autrichien	ADLER • RAAB
Homme politique brésilien mort en 1954	VARGAS
Homme politique canadien mort en 1873	CARTIER
Homme politique chilien	BELLO • FREI
Homme politique coréen	RHEE
Homme politique égyptien mort en 1970	NASSER
Homme politique égyptien mort en 1981	SADATE
Homme politique français mort en 1950	BLUM
Homme politique français né en 1833	BERT
Homme politique français né en 1912	DEBRÉ
Homme politique français	RIBOT • SÉE
Homme politique indien	NEHRU
Homme politique israélien	BEGIN

Homme politique italien mort en 1978	MORO
Homme politique italien mort en 1980	NENNI
Homme politique italien né en 1903	CIANO
Homme politique néerlandais mort en 1988	DREES
Homme politique nicaraguayen	ORTEGA
Homme politique nigérien né en 1916	DIORI
Homme politique philippin mort en 1989	MARCOS
Homme politique roumain né en 1930	ILIESCU
Homme politique russe né en 1870	LÉNINE
Homme politique salvadorien né en 1925	DUARTE
Homme politique soviétique d'origine hongroise	VARGA
Homme politique soviétique	BERIA
Homme politique suisse mort en 1940	MOTTA
Homme politique suisse	ADOR
Homme politique tchécoslovaque	BENES
Homme politique turc mort en 1993	OZAL
Homme politique turc	EVREN • INONU
Homme puissant et despotique	SATRAPE
Homme qui est chargé de ramer	RAMEUR
Homme qui fait preuve de machisme	MACHO
Homme qui pratique le yachting	YACHTSMAN
Homme qui se croit ou se sait beau	BELLÂTRE
Homme qui vit de revenus non professionnels	RENTIER
Homme rétrograde	BADERNE
Homme riche et élégant	MILORD
Homme sans courage	PLEUTRE
Homme simple et borné	NICODÈME
Homme trapu, épais	MASTOC
Homme très avare	HARPAGON
Homme très fort	HERCULE • MALABAR
Homme très riche	CRÉSUS
Homme uni à plusieurs femmes	POLYGAME
Homme vierge	PUCEAU
Homme, individu	GONZE
Homme-grenouille	PLONGEUR
Homogène	UNI • COHÉRENT
Homogénéiser	UNIFIER
Homologie	SYNONYMIE

Homologuer . . . . VALIDER
Homosexualité féminine . . . . SAPHISME
Homosexualité masculine . . . . URANISME
Homosexuel . . . . GAY • LOPE • LOPETTE • PÉDÉ
Homosexuel efféminé . . . . TANTE • TAPETTE
Homosexuelle . . . . LESBIENNE
Honnête . . . . FRANC • INTÈGRE • LOYAL
                                                       MORAL • PROBE
Honnêtement . . . . PUREMENT
Honnêteté totale . . . . INTÉGRITÉ
Honnêteté . . . . LOYAUTÉ • PROBITÉ
Honneur . . . . RÉPUTATION
Honnir . . . . VILIPENDER
Honorable . . . . DIGNE
Honoraires . . . . VACATION
Honorer d'hommages excessifs . . . . ENCENSER
Honorer d'une médaille . . . . MÉDAILLER
Honorer quelqu'un . . . . GLORIFIER
Honorer . . . . COURONNER • LOUER • VÉNÉRER
Honte . . . . INFAMIE • OPPROBRE
Honteux . . . . INFAMANT • PÉTEUX
                                                    REPENTI • VILAIN
Hôpital . . . . HOSTO • OSTO
Hôpital où l'on soignait les lépreux . . . . LADRERIE
Hormis . . . . EXCEPTÉ • HORS • SAUF
Hormone ayant la
     structure d'un stérol . . . . STEROÏDE
Hormone dérivée des stérols . . . . STEROÏDE
Hormone produite par la
     muqueuse du duodénum . . . . SÉCRÉTINE
Hormone qui active l'utilisation du
     glucose dans l'organisme . . . . INSULINE
Horreur . . . . ABOMINATION • LAIDEUR
Horrible . . . . ABOMINABLE • AFFREUX
Horripilant . . . . ÉNERVANT
Horripiler . . . . HÉRISSER
Hors champ . . . . OFF
Hors des limites du court . . . . OUT
Hors d'haleine . . . . HALETANT
Hors du commun . . . . ORIGINAL
Hors du lieu . . . . DEHORS

Hors d'un lieu	DEHORS
Hors	DEHORS • EXCEPTÉ • HORMIS
Hors, excepté	FORS
Hors-d'œuvre à la russe	ZAKOUSKI
Hors-la-loi	DESPERADO
Hospice	HÔPITAL
Hostile aux étrangers	XÉNOPHOBE
Hostile	INAMICAL
Hostilité à ce qui est étranger	XÉNOPHOBIE
Hostilité	ANTIPATHIE • AVERSION
Hosto	OSTO
Hôte	CONVIVE • INVITÉ LOGEUSE • VISITEUR
Hôtel de ville	MAIRIE
Hôtel luxueux	PALACE
Hôtel	AUBERGE • MOTEL
Hôtelier	LOGEUR
Hôtelière	LOGEUSE
Hotte servant à la vendange	BRANTE
Houe à lame en biseau	HOYAU
Houe employée en viticulture	FOSSOIR
Houe	PIOCHE
Houle	VAGUE
Houlette	BÂTON
Houleux	AGITÉ
Hourra	VIVAT
Houspiller	QUERELLER • TIRAILLER
Housse de selle	CHABRAQUE
Houssière	HOUSSAIE
Huard	HUART • PLONGEON
Huart	HUARD
Huche à pain	MAIE
Huche	PÉTRIN
Huée	TOLLÉ
Huer	CONSPUER • SIFFLER
Huile bénite mêlée de baume	CHRÊME
Huile consacrée	CHRÊME
Huile minérale naturelle	PÉTROLE
Huile parfumée tirée de la noix de coco	MONOÏ
Huiler	GRAISSER • LUBRIFIER
Huileuse	GRASSE

Huileux	GRAS • OLÉIFORME
Huis	PORTE
Huitante	OCTANTE
Huitième jour après certaines fêtes	OCTAVE
Huître à chair brune	BELON
Huître plate et arrondie	BELON
Hululer	ULULER
Humain	CLÉMENT • HOMME • SENSIBLE
Humaniste flamand né en 1547	LIPSE
Humaniste hollandais né en 1469	ÉRASME
Humanoïde légendaire de l'Himalaya	YÉTI
Humble	EFFACÉ • MODESTE • OBSCUR
Humecter doucement	BASSINER
Humecter	HYDRATER
Humer	SENTIR
Humide de larmes	LARMOYANT
Humide	MOUILLÉ
Humidité qui sort des bois d'un vaisseau neuf	SUAGE
Humiliation	AFFRONT • AVANIE • HONTE
Humilié	PENAUD
Humilier	ACCABLER • ULCÉRER • VEXER
Humoriste	COMIQUE • IRONISTE
Humus	TERREAU
Hune placée au sommet des mâts à antenne	GABIE
Huppe	HOUPPE
Hurlement prolongé	BRAMEMENT
Hurlement	BRUIT • CLAMEUR
Hurler	ABOYER • BEUGLER • CRIER GUEULER • RUGIR • TONITRUER
Hurluberlu	BRAQUEÉ • CERVELÉ
Hussard	PALADIN
Hutte des Indiens d'Amérique du Nord	WIGWAM
Hutte	CABANE
Hybride d'une lionne et d'un tigre	TIGRON
Hybride	BÂTARD • MÉTIS
Hydrocarbure gazeux incolore	ÉTHYLÈNE
Hydrocarbure polycyclique	PYRÈNE
Hydrocarbure possédant deux liaisons éthyléniques	ALLÈNE

Ibéride . . . . IBÉRIS
Ibérien . . . . IBÉRIQUE
Ibéris . . . . IBÉRIDE
Ichtyophage . . . . PISCIVORE
Ici CI
Ici dedans . . . . CÉANS
Ici, en ces lieux . . . . CÉANS
Iconoclaste . . . . BRISEUSE
Ictère . . . . JAUNISSE
Id est . . . . IE
Idéal d'équilibre entre les
   espèces végétales . . . . CLIMAX
Idéal . . . . AMBITION • IDÉEL
                        OPTIMAL • PARFAIT • RÊVÉ
Idéale . . . . IDÉELLE
Idée fixe . . . . HANTISE • MAROTTE • OBSESSION
Idée . . . . APERÇU • THÈME
Idéel . . . . IDÉAL
Idem . . . . DITO • ID
Identifier . . . . RECONNAÎTRE
Identique . . . . CONFORME • ÉGAL
                        INCHANGÉ • PAREIL
Idéologue . . . . UTOPISTE
Idi ... Dada . . . . AMIN
Idiot . . . . CRÉTIN • IMBÉCILE • NUL
                        SOT • STUPIDE • TARÉ
Idiote . . . . CONASSE • CONNASSE
Idiotie . . . . BÊTISE • DÉBILITÉ
Idiotisme . . . . LOCUTION
Idolâtre . . . . PAÏEN
Idolâtrer . . . . ADORER
Igloo . . . . IGLOU
Iglou . . . . IGLOO
Ignare . . . . INCULTE
Ignoble . . . . ABJECT • INFÂME • ODIEUX
                        RÉPUGNANT • VIL
Ignominie . . . . BASSESSE • OPPROBRE • TURPITUDE
Ignorance grossière . . . . ÂNERIE

Ignorance, incertitude	TÉNÈBRES
Ignorant	ÂNE • IGNARE • ILLETTRÉ • PROFANE
Ignoré	EFFACÉ • INCONNU
Île de l'Atlantique	RÉ
Il a écrit un boléro célèbre	RAVEL
Il y a belle ...	LURETTE
Il y a peu de temps	NAGUÈRE
Île croate de l'Adriatique	RAB
Île de la Charente-Maritime	OLÉRON
Île de la Grèce	ÉGINE
Île de la Guinée équatoriale	BIOCO
Île de la mer Égée	EUBÉE • IOS
Île de l'Inde	DIU
Île de l'Indonésie	TIMOR
Île des mers tropicales	ATOLL
Île des Philippines	CEBU • SAMAR
Île des Samoa occidentales	UPOLU
Île d'Indonésie	BALI
Île du Danemark	FYN
Île du Danube	CSEPEL • SCEPEL
Île du golfe de Naples	CAPRI
Île du Pacifique	NIUE
Île française de la Méditerranée	CORSE
Île grecque de la mer Égée	CHIO • ICARIE • MILO • SAMOS
Île grecque des Cyclades	TÊNOS
Île grecque	RHODES
Île la plus peuplée de l'archipel des Hawaii	OAHU
Île néerlandaise de la mer du Nord	TEXEL
Île néerlandaise	ARUBA
Île	ATOLL
Îlien	INSULAIRE
Illégal	ILLICITE • INJUSTE • PROHIBÉ
Illégalement	INDUMENT
Illégitime	BÂTARD
Illégitimement	INDUMENT
Illicite	ILLÉGAL • PROHIBÉ
Illico	AUSSITÔT
Illogique	ALOGIQUE
Illuminé	ÉCLAIRÉ • FANATIQUE • INSPIRÉ
Illuminer	ÉCLAIRCIR • ÉCLAIRER • ENSOLEILLER

Illusion	CHIMÈRE • MIRAGE • RÊVE SONGE • UTOPIE
Illusionniste	MAGICIEN • MAGICIENNE
Illustration	IMAGE • PHOTO
Illustre	CÉLÈBRE • GLORIEUX
Illustre, célèbre	CONNU
Îlot de la Méditerranée	IF
Image	ALLÉGORIE • EFFIGIE • EXEMPLE ILLUSTRATION • SYMBOLE
Image découpée	DÉCOUPAGE
Image des saints	ICÔNE
Image en couleur de mauvais goût	CHROMO
Image lithographique en couleur	CHROMO
Image réfléchie	REFLET
Imaginaire	FICTIF • IRRÉEL
Imaginatif	RÊVEUR
Imagination	FICTION • SONGE
Imaginative	RÊVEUSE
Imaginé par avance	PRECONÇU
Imaginer	CONCEVOIR • CRÉER • CROIRE DEVINER • INVENTER ONGER • SUPPOSER
Imam	MOLLAH
Imbécile	BÊTE • CLOCHE • CRÉTIN CON • CONARD • CONNARD CONNEAU • COUILLON • IDIOT SINOQUE • SOT • STUPIDE • TARÉ
Imbécile, maladroit	ENFOIRÉ
Imbécillité	STUPIDITÉ
Imbibé d'un liquide	DÉTREMPÉ
Imbibé	TREMPÉ
Imbiber de vin	AVINER
Imbiber un corps d'un liquide	IMPRÉGNER
Imbiber	ABSORBER • HYDRATER MOUILLER • TREMPER
Imbroglio	CONFUSION
Imbu	INFATUÉ
Imitant un bruit sec	CRAC
Imitateur	PLAGIAIRE • SUIVEUR
Imitation comique	PARODIE
Imitation de pierres précieuses	STRASS

Imitation d'un métal précieux ....TOC

Imitation d'une matière ....SIMILI

Imitation maladroite ....SINGERIE

Imitation servile ....CALQUE

Imitation ....COPIE • PASTICHE
PIRATERIE • PLAGIAT • STRASS

Imité ....FACTICE • REPRODUIT

Imite ....SINGE

Imitée ....REPRODUITE

Imiter ....CALQUER • CONTREFAIRE • MIMER
PARODIER • REPRODUIRE • SINGER

Imiter frauduleusement ....PIRATER

Imiter le cri de la chouette ....FROUER

Imiter le style, la manière d'un artiste ....PASTICHER

Imiter les veines et les
couleurs du marbre ....MARBRER

Immaculé ....BLANC

Immaculée ....NETTE

Immatériel ....ABSTRAIT • SPIRITUEL

Immatérielle ....SPIRITUELLE

Immature ....PUÉRIL

Immédiat ....IMMINENT • PROMPT

Immédiatement ....AUSSITÔT • DÈS • ILLICO

Immémorial ....SÉCULAIRE

Immense ....ÉNORME • VASTE

Immergé ....INONDÉ

Immerger ....INONDER • PLONGER

Immeuble comportant deux
appartements sur deux étages ....DUPLEX

Immeuble ....BÂTIMENT

Immigrant ....IMMIGRE • RESIDENT

Immigré originaire de l'Amérique latine ....LATINO

Immigré ....DEBARQUE

Imminent ....INSTANT • IMMÉDIAT

Immobile ....ÉTALE • INANIMÉ • INERTE

Immobilisation ....BLOCAGE

Immobiliser ....ARRÊTER • CLOUER • COINCER
FIGER • FIXER • MAÎTRISER
PARALYSER

Immobiliser dans le sable ....ENSABLER

Immodéré ....ABUSIF

Immodestie	IMPUDEUR • INDÉCENCE
Immolation	SACRIFICE
Immoler	SACRIFIER
Immonde	SALE
Immondice	SALISSURE
Immoral	HONTEUX • MALSAIN • VICIEUX
Immorale	HONTEUSE • VICIEUSE
Immoralité	VICE
Immortaliser	ÉTERNISER • PERPÉTUER
Immortalité	ÉTERNITÉ
Immuniser	VACCINER
Impact	COLLISION • PERCUSSION
Impair	BÉVUE
Impalpable	ÉTHÉRÉ
Imparfait	INACHEVE • LACUNAIRE
Impartial	OBJECTIF • JUSTE • NEUTRE
Impartialité	ÉQUITÉ • JUSTICE • NEUTRALITÉ
Impartir	DÉPARTIR
Impasse	DILEMME
Impassibilité	FLEGME
Impassible	FERME • IMPAVIDE
Impatience	HÂTE
Impatient	DESIREUX • NERVEUX
Impatiente	BALSAMINE • NERVEUSE
Impatienter	CRISPER • DAMNER
	ÉNERVER • IRRITER
Impayé	ARRIÉRÉ • DÛ
Impeccable	PARFAIT • SOIGNÉ
Impératif	CATÉGORIQUE • MUST • PRESSANT
Impératrice d'Autriche	SISSI
Impératrice de Russie	TSARINE
Impératrice d'Orient	IRÈNE
Imperfection	DÉFECTUOSITÉ • INFIRMITÉ • TRAVERS
Impérissable	IMMORTEL • PERPÉTUEL
Imperméable	IMPER
Impersonnel	ANONYME
Impertinence	DÉSINVOLTURE
Impertinent	INSOLENT • DÉSINVOLTE
Imperturbable	IMPASSIBLE
Impétueux	VÉHÉMENT
Impétuosité	FOUGUE • FURIA

Impie	MÉCRÉANT • PAÏEN
Impiété	SACRILÈGE
Impitoyable	INHUMAIN
Implacable	FÉROCE
Implanter	ANCRER • INTRODUIRE
Implicite	TACITE
Implicitement	TACITEMENT
Impliquer	COMPORTER • COMPROMETTRE
	INTÉRESSER • NÉCESSITER
Implorer	ADJURER • CONJURER • DEMANDER
	PRIER • SUPPLIER
Impoli	GROSSIER • INCIVIL • INSOLENT
Impoli, malappris	MALPOLI
Importa le tabac en France	NICOT
Importance de quelque chose	AMPLEUR
Importance	DIMENSION • GRANDEUR
Important	INFLUENT • NOTABLE
	SÉRIEUX • SIGNALÉ
Importante masse minérale, gazeuse, etc.	GISEMENT
Importante	SÉRIEUSE
Importun	INDISCRET • INTRUS • RASEUR
	TANNANT • TRUBLION
Importun, fâcheux	GÊNEUR
Importuner à force de répéter	SERINER
Importuner	ASSAILLIR • BASSINER • FATIGUER
	TANNER • TOURMENTER
Imposant	MAGISTRAL
Imposant, distingué	NOBLE
Imposant, majestueux	POMPEUX
Imposer	GREVER
Imposition	TAXATION • TRIBUT
Impossibilité à s'endormir	INSOMNIE
Impossibilité de procréer	STÉRILITÉ
Impossible à éviter	IMPARABLE
Impossible à vivre	INVIVABLE
Impossible	INSOLUBLE
Imposteur	CHARLATAN • MENTEUR
	USURPATEUR
Impôt en nature perçu sur le produit de la récolte annuelle	ANNONE

Impôt indirect	EXCISE
Impôt	CENS • DÎME • TAXE • TRIBUT
Impotent	ESTROPIÉ • INVALIDE
Imprécation sacrilège	JUREMENT
Imprécis	ESTOMPÉ • ÉVASIF
	FLOU • INDÉFINI
Imprécise	FLOUE
Imprégné d'humidité	MOITE
Imprégner	BAIGNER • PÉNÉTRER
Imprégner d'alun	ALUNER
Imprégner de sel	SALER
Imprégner de substances ignifuges	IGNIFUGER
Imprégner d'eau	IMBIBER • MOITIR
Imprégner d'une substance colorante	TEINDRE
Imprésario	MANAGER
Impression	ÉDITION • EFFET • SENSATION
Impressionnant	IMPOSANT
Impressionner	ÉPATER • FRAPPER • INTIMIDER
Imprévoyant	IMPRUDENT
Imprévu	ACCIDENTEL • FORTUIT
	INESPÉRÉ • INATTENDU
	INOPINÉ • SOUDAIN
Imprimer au moyen de fers chauds	GAUFRER
Imprimer en continu	LISTER
Imprimer quelque chose dans l'esprit de quelqu'un	INCULQUER
Imprimer un tatouage	TATOUER
Imprimer	GRAVER
Improductif	STÉRILE
Impromptu	INATTENDU
Impropriété	BARBARISME • SOLECISME
Improvisé	IMPROMPTU
Imprudence	TÉMÉRITÉ
Imprudent	TÉMÉRAIRE
Impudent	EFFRONTÉ • ÉHONTÉ
Impudicité	INDÉCENCE
Impudique	IMMODESTE
Impuissance	INCAPACITÉ
Impuissant	INCAPABLE
Impulsion électrique de synchronisation	TOP
Impulsion	ÉLAN • ESSOR • POUSSÉE

Impur	MALSAIN • VICIÉ
Impureté	BOURBE • LUXURE • SOUILLURE
Imputation	APPLICATION
Inachevé	IMPARFAIT
Inactif	AMORPHE • CHOMEUR
	OISIF • PASSIF • SOMNOLENT
Inaction	INERTIE • OISIVETÉ
Inactive	OISIVE • PASSIVE
Inactivité	APATHIE
Inadéquat	INADAPTÉ
Inamical	HOSTILE
Inanimé	INCONSCIENT • INERTE
Inapparent	INVISIBLE
Inapproprié	INADAPTÉ
Inaptitude	INCAPACITÉ
Inattendu	DÉCONCERTANT • SURPRENANT
	INOPINÉ • IMPRÉVU • INESPÉRÉ
Inattentif	ABSENT • DISTRAIT • NÉGLIGENT
Inattentif et turbulent	DISSIPÉ
Inauguration	OUVERTURE
Inaugurer	INSTAURER
Incalculable	ILLIMITÉ
Incapable	INAPTE • INCOMPÉTENT • INEPTE
	INFICHU • INFOUTU • MAZETTE
Incapacité pathologique à agir	ABOULIE
Incarcération	DÉTENTION
Incarcérer	ÉCROUER
Incarner	FIGURER
Incartade	FRASQUE • FREDAINE
Incasique	INCA
Incendie	FEU • IGNITION
Incendier	BRÛLER • EMBRASER
Incertain	AMBIGU • CHANGEANT
	INDÉCIS • PRÉCAIRE
Incertitude	DOUTE • EMBARRAS
Incessamment	BIENTÔT
Incessant	PERSISTANT
Incident	ANICROCHE • PÉRIPÉTIE
Incinération	CREMATION
Inciser superficiellement la peau	SCARIFIER
Inciser	ENTAMER

Incisif	AIGU • COUPANT • MORDANT
Incision pour arrêter la descente de la sève	BAGUAGE
Incision	INCISURE
Incisive	DENT
Inciter	DÉTERMINER • INDUIRE • INVITER
Inciter à la débauche	DÉBAUCHER
Inciter à l'action	MOTIVER
Inciter quelqu'un à faire quelque chose	INSTIGUER
Inclinaison d'une ligne sur une autre	OBLIQUITÉ
Inclinaison	DECLIVITE • TALUS
Inclinaison, pente	DÉVERS
Inclination	APPÉTIT • PENCHANT • PROPENSION SYMPATHIE • TENDANCE
Incliner d'un côté	PENCHER
Incliner	BAISSER • COUCHER • INFLÉCHIR PLIER • PRÉDISPOSER • PRÉFÉRER
Incluant	INCLUSIF
Inclure	COMPORTER • COMPRENDRE RENFERMER
Inclus	COMPRIS
Inclusion présente dans toutes les cellules des végétaux eucaryotes	PLASTE
Incohérent	DÉCOUSU • CHAOTIQUE
Incombustible	APYRE
Incommodé	INDISPOSÉ
Incommoder	GÊNER
Incommodité	GÊNE • INCONFORT
Incompétence	NULLITÉ
Incompétent	INCAPABLE
Incomplet	IMPARFAIT • INACHEVE LACUNAIRE • PARTIEL
Incomplète	PARTIELLE
Incompréhensible	ILLISIBLE • INCOHÉRENT
Inconnu	ANONYME • ÉTRANGER IGNORÉ • INEXPLORE
Inconséquent	ILLOGIQUE
Inconsistant	ONDOYANT
Inconstance	VERSATILITÉ

Inconstant	CHANGEANT • VERSATILE
Incontinence	ÉNURÉSIE
Incontournable	IMPARABLE
Inconvenance	BALOURDISE • INDÉCENCE
Inconvenant	INCORRECT • INDÉCENT
	INDIGNE • MALSÉANT
Incorporé	INC
Incorporer	AGRÉGER • ANNEXER
	ASSIMILER • INTÉGRER
Incorrect	ERRONÉ • FAUTIF • IMPERTINENT
	IMPOLI • IMPROPRE • INEXACT
Incorrection	BARBARISME
Incorrigible	INCURABLE • INVÉTÉRÉ
Incorruptibilité	INTÉGRITÉ
Incorruptible	INTÈGRE • PROBE
Incrédule	MÉCRÉANT
Incriminer	ACCUSER • IMPUTER • INCULPER
Incriminer	SUSPECTER
Incroyable	ABRACADABRANT • INOUÏ
Incroyant	ATHÉE
Incrustation d'émail noir	NIELLE
Incubation	COUVAISON
Incuber	COUVER
Inculpé	PRÉVENU
Inculquer	ENSEIGNER
Inculte	ARIDE • IGNARE • ILLETTRÉ • PRIMITIF
Incursion	INTRUSION • RAID • RAZZIA
Indécent	IMPUDIQUE • IMMODESTE
Indéchiffrable	ILLISIBLE
Indécis	DUBITATIF • HÉSITANT
	PERPLEXE • TIMIDE
Indécision	HÉSITATION
Indéfini	ILLIMITÉ
Indéfinissable	INDICIBLE
Indemne	RESCAPÉ
Indemniser	REMBOURSER
Indemniser, rembourser	DÉFRAYER
Indemnité	PRESTATION
Indépendance	LIBERTÉ
Indépendant	LIBRE • SOUVERAIN
Indépendantisme	SÉPARATISME

Indépendantiste	SÉRARATISTE
Indésirable	INTRUS
Indéterminé	CONFUS • INDÉFINI
Index	CENSURE
Indicateur	ESPION
Indication de la quantité	POSOLOGIE
Indication de mouvement lent	ADAGIO
Indication de tempo désignant un mouvement assez lent	ANDANTE
Indication pour désigner un morceau de musique	OPUS
Indication	MENTION
Indice	COTE • INDICATION SIGNE • SYMPTÔME
Indiens de Bolivie et du Pérou	AYMARA
Indifféremment	TIEDEMENT
Indifférence	MÉPRIS • TIÉDEUR
Indifférent	TIÈDE
Indifférente	PASSIVE
Indigent	MENDIANT • PAUVRE
Indignation	REVULSION • SCANDALE
Indigné	OUTRÉ
Indigne	BAS • VIL
Indigner	RÉVOLTER
Indignité	HONTE
Indiqué ci-dessus	SUSVISÉ
Indique le point de départ	DEPUIS
Indique une soustraction	MOINS
Indiquer	ANNONCER • DÉFINIR • DONNER INSCRIRE • MARQUER • SPÉCIFIER
Indiscret	BAVARD • CURIEUX FOUINEUR • FURETEUR
Indiscrète	CURIEUSE
Indiscutable	CATÉGORIQUE
Indiscuté	RECONNU
Indispensable à l'approvisionnement de l'armée	MUNITION
Indispensable	ESSENTIEL • NÉCESSAIRE REQUIS • UTILE • VITAL
Indisposé	MALADE • SOUFFRANT
Indisposer	GÊNER • HÉRISSER

Indisposition	MALAISE
Indium	IN
Individu à l'esprit borné	ÂNE
Individu atteint d'albinisme	ALBINOS
Individu chargé de basses besognes	SBIRE
Individu désagréable	MOINEAU
Individu grossier et brutal	SOUDARD
Individu hargneux mais peu redoutable	ROQUET
Individu hors caste	PARIA
Individu mâle ayant subi la castration	CASTRAT
Individu malhonnête	FAISAN • GREDIN
Individu peu intelligent	MINUS
Individu prétentieux et insignifiant	PALTOQUET
Individu quelconque	CITOYEN • GUSSE PANTE • TYPE • ZOZO
Individu qui exploite la crédulité du public	CHARLATAN
Individu sans consistance	FANTOCHE
Individu sans énergie	EMPLÂTRE
Individu sans scrupules	FORBAN
Individu servile	LARBIN
Individu	BONHOMME • COCO • ÊTRE GONZE • HOMME • PERSONNE QUIDAM • UNTEL • ZIG • ZIGUE
Individu, espèce	BOUGRE
Indocile	RÉCALCITRANT
Indo-européen	ARYEN
Indolence	APATHIE • MOLLESSE • PARESSE
Indolent	FAINÉANT
Indolente	MOLLE
Indomptable	IRRÉDUCTIBLE
Indompté	FAROUCHE
Indu	IMMÉRITÉ
Indubitable	ASSURÉ • RÉEL
Induire	INFÉRER
Indulgence	CHARITÉ • TOLÉRANCE
Indulgent	CLÉMENT • TOLÉRANT
Industrie de l'acier	SIDÉRURGIE
Industrie des vitres	VITRERIE
Industrie du gantier	GANTERIE
Industrie du prêt-à-porter	CONFECTION

Industrie du sellier	SELLERIE
Industrie du tannage	TANNERIE
Industrie	USINE
Industriel allemand	ABBE • LINDE
Industriel américain	EASTMAN
Industriel américain né en 1819	DRAKE
Industriel de la biscuiterie	BISCUITER
Industriel du fumage des viandes et du poisson	FUMEUR
Industriel et chimiste suédois	NOBEL
Industriel	FABRICANT • USINIER
Industrieux	INGÉNIEUX
Ineffaçable	INDÉLÉBILE • MÉMORABLE
Inefficace	INACTIF • INOPÉRANT • VAIN
Inefficacité	INUTILITÉ
Inégalité du feutre	GRIGNE
Inégalité	RELIEF • VARIATION
Inéluctable	FATAL
Inéluctable	IMPARABLE
Inemployé	INUTILISÉ
Inepte	ABSURDE • INSANE
Ineptie	ABSURDITÉ • INSANITÉ
Inerte	INANIMÉ
Inertie	ATONIE
Inévitablement	SÛREMENT
Inexact	ERRONÉ • IMPROPRE
Inexactitude	GOURANCE
Inexpérimenté	IGNORANT • INEXERCÉ • INEXPERT
Inexploré	INCONNU
Inexprimable	INDICIBLE
Inexprimé	TACITE
Infaillibilité	FIABILITE
Infaillible	ASSURÉ
Infaisable	IMPOSSIBLE
Infâme	IGNOBLE • INFECT
Infamie	IGNOMINIE • TURPITUDE • VILENIE
Infantile	PUÉRIL
Infatué	IMBU
Infécond	STÉRILE
Infécondité	STÉRILITÉ
Infect	NAUSÉABOND • PUANT

Infecter	CONTAMINER • ENVENIMER POLLUER • SOUILLER
Infectieux	BACTERIEN
Infection	PUANTEUR
Infection aiguë du doigt	PANARIS
Infection de la peau	FURONCLE • IMPÉTIGO
Infection, puanteur	FÉTIDITÉ
Inférence	INDUCTION
Inférer	ARGUER
Inférieur	MOINDRE
Infériorité	HANDICAP
Infertile	INCULTE • STÉRILE
Infester	POLLUER
Infichu	INFOUTU
Infidèle	INCONSTANT • VOLAGE
Infidélité conjugale	ADULTÈRE
Infiltrer	NOYAUTER
Infime quantité	PARTICULE
Infime	MINIME • MINUSCULE • PETIT
Infini	ÉTERNEL • ILLIMITÉ
Infinitif	ER • IR
Infirme	ÉCLOPÉ • IMPOTENT • MUTILÉ
Infirmier	SOIGNANT
Infirmité de celui qui boite	BOITERIE
Infirmité	IMPOTENCE
Inflammable	IGNIFUGE
Inflammation aiguë de la muqueuse nasale	RHUME
Inflammation aiguë d'un doigt	PANARIS
Inflammation de la glande mammaire	MASTITE
Inflammation de la langue	GLOSSITE
Inflammation de la muqueuse buccale	STOMATITE
Inflammation de la muqueuse de l'intestin grêle	ENTÉRITE
Inflammation de la muqueuse des fosses nasales	RHINITE
Inflammation de la peau provoquée par les rayons solaires	ACTINITE
Inflammation de la rate	SPLÉNITE
Inflammation de la rétine	RÉTINITE
Inflammation de la vessie	CYSTITE

Inflammation de l'aorte	AORTITE
Inflammation de l'iléon	ILÉITE
Inflammation de l'intestin grêle	ENTÉRITE
Inflammation de l'iris	IRITIS
Inflammation de l'isthme du pharynx	ANGINE
Inflammation de l'oreille	OTITE
Inflammation de l'urètre	URÉTRITE
Inflammation de l'utérus	MÉTRITE
Inflammation de l'uvée	UVÉITE
Inflammation des ganglions	ADÉNITE
Inflammation des gencives	GINGIVITE
Inflammation des muqueuses	MUGUET
Inflammation des os	OSTÉITE
Inflammation des sinus	SINUSITE
Inflammation des veines	PHLEBITE
Inflammation du côlon	COLITE
Inflammation du corps vitré de l'œil	HYALITE
Inflammation du foie	HÉPATITE
Inflammation du tissu conjonctif cellulaire	CELLULITE
Inflammation	COLITE • IRRITATION ŒDÈME • PARULIE
Inflexible	RIGIDE
Inflexion	ACCENT
Infliger une peine à	PÉNALISER • PUNIR
Infliger	IMPOSER
Inflorescence	ÉPI
Influençable	PERMÉABLE • TRAITABLE
Influence	CRÉDIT • EMPRISE PRESTIGE • PISTON
Influencer profondément	IMPRÉGNER
Influencer	INFLUER • ORIENTER
Influent	PUISSANT
Influer	AGIR
Information	INFO
Information diffusée	NOUVELLE
Information sensationnelle	SCOOP
Informer	AVISER • ÉCLAIRER NOTIFIER • RENSEIGNER
Informer à l'avance	PRÉVENIR
Infortune	ADVERSITÉ • MISÈRE

Infoutu . . . . INFICHU
Infraction . . . . CRIME • DÉLIT • FAUTE
Infrangible . . . . INCASSABLE
Infrastructure . . . . FONDATION
Infus . . . . INNÉ
Infusé . . . . MACÉRÉ
Infuser . . . . MACÉRER
Infusion . . . . TISANE • SOUCHONG
Ingénieur allemand né en 1832 . . . . OTTO
Ingénieur allemand né en 1912 . . . . BRAUN
Ingénieur et industriel
    français mort en 1944 . . . . RENAULT
Ingénieur et inventeur français . . . . ADER
Ingénieur français né en 1822 . . . . LENOIR
Ingénieur français . . . . LÉAUTÉ
Ingénieur norvégien mort en 1925 . . . . BULL
Ingénieux . . . . ADROIT • GÉNIAL • INVENTIF
Ingénu . . . . CANDIDE • NAÏF
Ingénue . . . . NAÏVE
Ingénuité . . . . NAÏVETÉ
Ingérence . . . . IMMIXTION • INTRUSION
Ingérer . . . . AVALER
Ingrat . . . . OUBLIEUX
Ingurgiter . . . . BOIRE
Inhabile . . . . GAUCHE • IGNORANT
                                            INAPTE • INEXERCÉ
Inhabité . . . . DÉSERT • INOCCUPÉ • SAUVAGE
Inhabituel . . . . ACCIDENTEL • ANORMAL
                                            INSOLITE • INUSITÉ
Inhibiteur de la monoamine . . . . IMAO
Inhibition . . . . TIMIDITÉ
Inhumain . . . . BARBARE • CRUEL • FÉROCE
Inhumaine . . . . CRUELLE
Inhumer . . . . ENTERRER
Inimaginable . . . . ABERRANT
Inimitié . . . . ANIMOSITÉ • AVERSION
Ininflammable . . . . APYRE
Inintelligent . . . . DEMEURÉ
Ininterrompu . . . . CONTINU
Iniquité . . . . INJUSTICE
Initial . . . . LIMINAIRE • ORIGINEL • PREMIER

Initiale servant d'abréviation	SIGLE
Initiale	ORIGINELLE • MAJUSCULE
Initiales d'une province atlantique	IPE • NB • NE • TN
Initiales d'une province maritime	IPE • NB • NE
Initiateur	FONDATEUR • NOVATEUR
	PROMOTEUR
Initiation	ADMISSION
Injection d'un liquide dans le gros intestin	LAVEMENT
Injure	INSULTE • INVECTIVE
Injures	POUILLES
Injurier	INSULTER
Injurier	AGONIR
Injurieux	OFFENSANT
Injuste	INFONDE • INDU • INIQUE • PARTIAL
Injustice	ABUS • PARTIALITÉ
Inlassable	PATIENT
Inné	INFUS • NATIF
Innée	INFUSE • NATIVE
Innocence	PURETÉ
Innocent	CANDIDE • PUR • SIMPLE
Innocente	NAÏVE
Innocenter	ABSOUDRE • BLANCHIR
	DISCULPER • PARDONNER
Innombrable	NOMBREUX
Innomé	INNOMMÉ
Innonder	SUBMERGER
Innovant	CRÉATIF
Innovante	CRÉATIVE
Innovateur	NOVATEUR
Innovation	NOUVEAUTÉ
Inoccupé	DISPONIBLE • INHABITÉ
	OISIF • VACANT • VIDE
Inoccupée	OISIVE
Inoculer	VACCINER
Inoffensif	BÉNIN
Inoffensif, sans danger	ANODIN
Inoffensive	BÉNIGNE
Inondation	DÉLUGE
Inonder	ARROSER • BAIGNER • NOYER
Inopiné	SURPRENANT

Inopportun	IMPORTUN
Inoubliable	INDÉLÉBILE • MÉMORABLE
Inouï	EFFARANT
Inquiet	CRAINTIF • SOUCIEUX
Inquiétant	ALARMANT • MENAÇANT
Inquiète	CRAINTIVE • SOUCIEUSE
Inquiéter	ALARMER • ENNUYER • PRÉOCCUPER
Inquiétude	ANGOISSE • ANXIÉTÉ • SOUCI
Inquiétude morale	SCRUPULE
Inquiétude très vive	TRANSE
Insaisissable	FUYANT
Insalubre	MALSAIN
Insanité	ABSURDITÉ • BÊTISE
Insatiable	GOURMAND • INASSOUVI
Insatisfait	FRUSTRE • INASSOUVI
	MÉCONTENT
Inscription funéraire	ÉPITAPHE
Inscription gravée sur un tombeau	ÉPITAPHE
Inscription sur la Croix	INRI
Inscription sur un mur, une voiture, etc.	GRAFFITI
Inscrire à la suite	ALIGNER
Inscrire au cadastre	CADASTRER
Inscrire	ÉCRIRE • NOTER
Inscrit de nouveau	RÉINSCRIT
Inscrit	AFFILIÉ
Insecte à la larve aquatique	SIALIS
Insecte à quatre ailes membraneuses	CIGALE
Insecte à quatre ailes transparentes	LIBELLULE
Insecte à quatre ailes	TERMITE
Insecte adulte apte à se reproduire	IMAGO
Insecte appelé aussi vrillette	ANOBIE
Insecte aquatique appelé aussi tourniquet	GYRIN
Insecte aquatique au corps noir	GYRIN
Insecte aquatique	VÉLIE
Insecte brun des prairies	SIALIS
Insecte carnassier	MANTE
Insecte coléoptère de grande taille	BLAPS
Insecte coléoptère nuisible aux graines	CHARANÇON
Insecte coléoptère parasite des céréales	ZABRE
Insecte coléoptère sauteur	ALTISE

Insecte coléoptère vésicant . . . . MÉLOÉ
Insecte coléoptère . . . . ALTISE • CAPRICORNE
CÉTOINE • GYRIN • HANNETON
LUCIOLE • SCARABÉE
Insecte de l'ordre des homoptères . . . . CIGALE
Insecte des eaux stagnantes . . . . NÈPE
Insecte d'Europe et d'Asie du Nord . . . . GÉOTRUPE
Insecte diptère . . . . ŒSTRE
Insecte diptère de grande taille . . . . TIPULE
Insecte diptère qui ressemble à l'abeille . . . . ÉRISTALE
Insecte dont les larves vivent dans le bois . . . . XYLOPHAGE
Insecte hyménoptère . . . . GUÊPE
Insecte lépidoptère . . . . COSSUS • LYCÈNE
Insecte longicorne . . . . SAPERDE
Insecte orthoptère . . . . GRILLON
Insecte parasite . . . . POU
Insecte piqueur . . . . TAON
Insecte qui pique . . . . GUÊPE
Insecte qui se nourrit de bois . . . . TERMITE
Insecte qui vit sous les pierres . . . . FORFICULE
Insecte sans ailes . . . . POU • PUCE
Insecte sauteur de couleur noire . . . . GRILLON
Insecte sauteur herbivore . . . . SAUTERELLE
Insecte sauteur . . . . CRIQUET • PUCE
Insecte social à abdomen annelé . . . . GUÊPE
Insecte social . . . . ABEILLE
Insecte vert doré . . . . CÉTOINE
Insecte vésicant noir ou bleu . . . . MÉLOÉ
Insecte vivant en société organisée . . . . FOURMI
Insecte voisin du hanneton . . . . SCARABÉE
Insecte volant . . . . CRIQUET
Insecte . . . . ABEILLE • BESTIOLE • BOURDON
HANNETON • LUCIOLE
Insectes qui lèchent le nectar . . . . LECHEUR
Insémination Artificielle
avec Donneur . . . . IAD
Insensé . . . . ABSURDE • ABERRANT • DÉMENT
DÉRAISONNABLE • FOU • INSANE
Insensée . . . . FOLLE
Inséparables . . . . SIAMOIS
Inséré . . . . INCLUS

Insérer	ENCARTER
Insérer dans une cavité	ENCASTRER
Insérer une fiche dans un connecteur	ENFICHER
Insigne	BADGE • EMBLÈME
	ÉMINENT • MÉDAILLE • SYMBOLE
Insigne aux couleurs nationales	COCARDE
Insigne liturgique	ÉTOLE
Insignifiance	BANALITÉ
Insignifiant	DÉRISOIRE • FADE
	FRIVOLE • FUTILE • VÉNIEL
Insignifiant, sans danger	ANODIN
Insignifiante	VÉNIELLE
Insinuation	ALLUSION
Insipide	FADASSE • FADE • INCOLORE
Insistance	INSTANCE
Insociable	ACARIÂTRE • FAROUCHE
Insolation	BAMBOU
Insolence	IMPUDENCE • MORGUE
Insolence	IRRESPECT
Insolent	ARROGANT • DÉSINVOLTE
	EFFRONTÉ • IMPERTINENT
	IMPUDENT
Insolite	BIZARRE
Insouciance	INCURIE • LÉGÈRETÉ
Insouciant	ÉTOURDI • NÉGLIGENT
	NONCHALANT
Insouciant, paresseux	INDOLENT
Insoumis	MUTIN • RÉCALCITRANT
Inspecter	CONTRÔLER • SCRUTER
Inspection	CONTRÔLE
Inspirateur	CONSEILLER • INSPIRANT
Inspiration vive	VERVE
Inspiration	INSTINCT • INTUITION
Inspiratrice d'un artiste	ÉGÉRIE
Inspiratrice	MUSE
Inspiré par la luxure	LUXURIEUX
Inspirer de la répugnance	DÉGOÛTER
Inspirer	ASPIRER • HUMER • INHALER
	RESPIRER • SUGGÉRER
Instabilité	PRÉCARITÉ • VERSATILITÉ
Instable	BOITEUX • CAPRICIEUX

MOUVANT • NOMADE • PRÉCAIRE
VARIABLE • VOLATIL
Installation rudimentaire . . . . .CAMPEMENT
Installation sanitaire . . . . .URINOIR
Installé sur un siège . . . . .ASSIS
Installé . . . . .DISPOSÉ
Installer . . . . ACCOMMODER • AMÉNAGER
ASSEOIR • CARRER • DISPOSER
ÉTABLIR • PLACER • POSER
Instant . . . . MINUTE • MOMENT
Instantané . . . . IMMÉDIAT • SUBIT
Instantanément . . . . .AUSSITÔT
Instaurer . . . . .ÉTABLIR
Instigateur . . . . .PROMOTEUR
Instigation . . . . .INCITATION
Instinct qui pousse à agir . . . . .IMPULSION
Instinctif . . . . INCONSCIENT • SPONTANÉ
Instit . . . . .INSTI
Instituer . . . . ÉRIGER • FONDER • FORMER
Institut Français d'Opinion Publique . . . . .IFOP
Institut Géographique National . . . . .IGN
Instituteur . . . . .INSTI
Institution . . . . .INSTITUT
Institutrice . . . . INSTI • MAÎTRESSE
Instructeur . . . . .MONITEUR
Instruction donnée à des subordonnés . . . . .DIRECTIVE
Instruction stricte . . . . .CONSIGNE
Instruction . . . . CULTURE • FORMATION
PEDAGOGIE • PRESCRIPTION
Instruire un oiseau à l'aide
d'un petit orgue mécanique . . . . .SERINER
Instruire . . . . AVERTIR • INCULQUER • INITIER
Instruit . . . . AVERTI • DOCTE • ÉRUDIT • FERRÉ
Instrument à anches
activé par le souffle . . . . .HARMONICA
Instrument à battre la crème . . . . .BARATTE
Instrument à clavier . . . . .VIELLE
Instrument à cordes . . . . GAMBE • HARPE
Instrument à dents . . . . .HERSE
Instrument à dents recourbées . . . . .GRIFFE
Instrument à deux lunettes . . . . .JUMELLES

Instrument à lame . . . . HACHE
Instrument à mesuser des angles . . . . COMPAS
Instrument à percussion d'Afrique . . . . BALAFON
Instrument à percussion . . . . BATTERIE • CYMBALE • TAMBOUR
TIMBALE • TRIANGLE
Instrument à pointe . . . . POINÇON
Instrument à réflexion . . . . SEXTANT
Instrument à six cordes frottées . . . . VIOLE
Instrument à tranchant très fin . . . . RASOIR
Instrument à vent à pistons . . . . BUGLE
Instrument à vent composé d'une
outre et de tuyaux . . . . CORNEMUSE
Instrument à vent en bois . . . . BASSON
Instrument à vent en cuivre . . . . SAXOPHONE
Instrument à vent . . . . BUGLE • CLARINETTE • COR
FLÛTE • HAUTBOIS
TROMBONE • TUBA
Instrument acoustique . . . . SIRÈNE
Instrument augmentant
l'intensité des sons . . . . MICROPHONE
Instrument avec lequel on imite le
cri des oiseaux pour
les attirer au piège . . . . APPEAU
Instrument chirurgical en forme
de pinces . . . . FORCEPS
Instrument chirurgical pour
percer les os du crâne . . . . TREPAN
Instrument chirurgical . . . . BISTOURI • ÉRIGNE
Instrument de chamoiseur . . . . PALISSON
Instrument de chirurgie . . . . BISTOURI • ÉRINE
Instrument de gymnastique . . . . HALTÈRE
Instrument de la famille des violons . . . . ALTO
Instrument de labour à bras . . . . HOUE
Instrument de maçon, à long manche . . . . BOULOIR
Instrument de mesure de contenu . . . . JAUGE
Instrument de musique à air . . . . MUSETTE
Instrument de musique à cordes
de la Grèce antique . . . . CITHARE
Instrument de musique à cordes pincées . . . . PANDORE
Instrument de musique à cordes . . . . BANJO • CISTRE • GUZLA
Instrument de musique à long manche . . . . CISTRE

Instrument de musique à percussion	SISTRE • XYLOPHONE
Instrument de musique africain	SANZA
Instrument de musique antique	LYRE
Instrument de musique de l'Inde	SARODE
Instrument de musique indienne	TABLA
Instrument de musique médiéval à trois cordes	REBEC
Instrument de musique russe à trois cordes	BALALAÏKA
Instrument de musique	CLARINETTE • ÉPINETTE • GUITARE MARIMBA • ORGUE • PIANO SITAR • VIÈLE • VIOLON VIOLONCELLE
Instrument de navigation	COMPAS
Instrument de percussion	GONG
Instrument de percussion d'origine latino-américaine	BONGO
Instrument de supplice	CROIX • GARROT GIBET • POTENCE
Instrument destiné à tirer des fils	FILIÈRE
Instrument dont la pièce principale est un soc tranchant	CHARRUE
Instrument d'optique constitué d'un spath	NICOL
Instrument d'optique	LUNETTE • TÉLESCOPE
Instrument en forme de lance	LANCE
Instrument en forme de T	ÉQUERRE
Instrument en métal résonnant à l'aide d'un battant	CLOCHE
Instrument formé d'une lourde masse	HIE
Instrument métallique, en forme de fourche à deux branches	DIAPASON
Instrument obstétrical	FORCEPS
Instrument où s'enroulent des fils	DÉVIDOIR
Instrument permettant de mesurer la distance angulaire d'un astre avec l'horizon	SEXTANT
Instrument portatif à deux lunettes	JUMELLE
Instrument pour aiguiser les couteaux	FUSIL
Instrument pour briser la tige du chanvre et du lin	BROIE

Instrument pour crocheter les portes . . . . ROSSIGNOL
Instrument pour déterminer
   l'intensité accoustique . . . . SONOMETRE
Instrument pour écrire . . . . PLUME
Instrument pour la mesure des poids . . . . PESON
Instrument pour lisser . . . . LISSOIR
Instrument propre à couper . . . . LAME
Instrument qui sert à affiler . . . . AFFILOIR
Instrument qui sert à battre la mesure . . . . MÉTRONOME
Instrument qui sert à jauger les tonneaux . . . . VELTE
Instrument qui sert à mesurer la
   pression atmosphérique . . . . BAROMÈTRE
Instrument servant à broyer . . . . BROYEUR
Instrument servant à carder la laine . . . . CARDE
Instrument servant à écrire . . . . STYLO
Instrument servant à élargir
   certaines cavités du corps . . . . SPECULUM
Instrument servant à entamer
   la corne d'un sabot . . . . RÉNETTE
Instrument servant à filer la laine . . . . ROUET
Instrument servant à mesurer la
   distance parcourue . . . . ODOMETRE
Instrument servant à piler . . . . PILON
Instrument servant à remuer
   la chaux, le mortier . . . . BOULOIR
Instrument tranchant . . . . COUTEAU
Instrument utilisé pour
   donner un signal sonore . . . . GONG
Instrument . . . . APPAREIL • ENGIN • OUTIL • SCIE
Instrumentiste qui joue de la harpe . . . . HARPISTE
Instrumentiste qui joue du tuba . . . . TUBISTE
Instrumentiste . . . . MUSICIEN • ORGANISTE
Insubordination . . . . RÉBELLION • RETIVITE
Insuccès . . . . ÉCHEC
Insuffisance . . . . CARENCE
Insuffisance, médiocrité . . . . PAUVRETÉ
Insuffisant . . . . DÉFICIENT
Insuffler . . . . INSPIRER
Insulaire . . . . ÎLIEN • ÎLIENNE
Insultant . . . . OFFENSANT
Insulte . . . . AFFRONT • INJURE

	OFFENSE • OUTRAGE
Insulte, contrariété	VEXATION
Insulter	INJURIER • OUTRAGER
Insulter	AGONIR
Insulteur	OFFENSEUR
Insupportable	AGAÇANT • IMBUVABLE
	INFERNAL • INHUMAIN
	INTENABLE • INVIVABLE
Insurgé	REBELLE
Insurrection	SÉDITION
Insurrection de paysans ou de classes inférieures	JACQUERIE
Intact	ENTIER • INALTÉRÉ
Intégral	ABSOLU • COMPLET
Intégralité	ENTIÈRETÉ • GLOBALITÉ
Intègre	HONNÊTE • JUSTE
Intégrer à l'islam	ISLAMISER
Intégrer	ASSOCIER
Intégrité	HONNÊTETÉ
Intelligence	INTELLECT • RAISON
Intelligent	RECEPTIF
Intendant d'une grande maison	ÉCONOME
Intensifier	ACCENTUER
Intensité d'un courant électrique	AMPERAGE
Intensité d'un son	VOLUME
Intensité	ACUITÉ • TONICITE
Intention de nuire	MALVEILLANCE
Intention	DESSEIN • MOTIF • PROJET
	PROPOS • VISÉE • VOLONTÉ
Intentionnel	PRÉMÉDITÉ
Intentionnellement	EXPRÈS
Intercaler	INSÉRER
Intercepter	PRENDRE
Intercession	ENTREMISE
Interdépendance	SOLIDARITÉ
Interdiction	ANATHEME • BOYCOTT • FERMETURE
Interdire	CENSURER • DÉFENDRE • EMPÊCHER
	PROHIBER • PROSCRIRE • TABOUISER
Interdit	CENSURÉ • DÉFENDU
	ILLICITE • TABOU
Intéressé	CURIEUX

Interjection marquant le refus . . . . ZEST
Interjection marquant l'impatience . . . . BASTA
Interjection marquant l'indifférence . . . . PEUH
Interjection pour appeler . . . . OHÉ
Interjection pour chasser quelqu'un . . . . OUSTE
Interjection pour conspuer . . . . HOU
Interjection pour donner
    le signal d'un saut . . . . HOUP
Interjection pour faire peur . . . . HOU
Interjection pour marquer la joie . . . . HIP
Interjection pour marquer
    l'enthousiasme . . . . HIP
Interjection pour presser quelqu'un . . . . OUST
Interjection pour saluer . . . . HELLO
Interjection qui exprime le dégoût . . . . POUAH
Interjection qui exprime le mépris . . . . POUAH
Interjection qui exprime
    un bruit de chute . . . . PAF
Interjection qui indique un refus . . . . TURLUTUTU
Interjection qui marque le doute . . . . HEU
Interjection qui marque l'embarras . . . . HEU
Interjection qui sert à attirer l'attention . . . . PSITT • PST
Interjection qui sert à
    manifester sa présence . . . . COUCOU
Interjection servant à appeler . . . . HEM • HEP • HO
Interjection servant à arrêter . . . . HOLÀ
Interjection servant à
    exprimer le doute . . . . HEM
Interjection servant à stimuler . . . . HOP
Interjection servant d'appel . . . . ALLÔ
Interjection . . . . AH • AÏE • ALLÔ • APPEL • AREU
                    BIGRE • BOF • CHUT • CLAC • CRAC
                    DAME • DIEU • EH • EUH • HA • HÉ
                    HI • HO • HOUP • OH • PARDI • TAC
Interloqué . . . . ÉPATÉ
Interlude . . . . INTERMEDE
Intermède . . . . ENTRACTE
Intermédiaire . . . . ENTREMISE • MOYEN • RELAIS
Intermédiaire entre le
    détaillant et le producteur . . . . GROSSISTE
Intermezzo . . . . ENTRACTE

Intituler	TITRER
Intolérable	INTENABLE
Intolérance	ALLERGIE
Intolérant	SECTAIRE
Intonation	ACCENT • TON
Intoxication par le tabac	TABAGISME
Intoxication provoquée par l'abus du tabac	TABAGISME
Intraitable	IRRÉDUCTIBLE
Intransigeance	RIGORISME
Intransigeant	INTOLÉRANT
Intrant	INPUT
Intrépide	HARDI • IMPAVIDE
Intrigue mesquine	MICMAC
Intrigue	CABALE • MANIGANCE • SCÉNARIO
Intriguer	CABALER • TURLUPINER
Intrinsèque	INHÉRENT • INTERNE
Introducteur	INJECTEUR
Introduction d'un tube dans le larynx	TUBAGE
Introduction	ADMISSION • INITIATION PRÉAMBULE • PRÉFACE
Introduire	ENTRER • GREFFER IMPLANTER • INSÉRER
Introduire dans un support	ENFICHER
Introduire de nouveau	RÉINSÉRER
Introduire des complices dans un groupe	NOYAUTER
Introduire par la bouche	INGÉRER
Introduire sous pression dans un corps	INJECTER
Introduire sur le territoire national	IMPORTER
Introduire une fiche dans une douille	ENFICHER
Introduire	PREFACER
Intrusion	IMMIXTION
Intubation	TUBAGE
Intuition	FLAIR • INSTINCT
Intuition sensible	SENTIMENT
Intuition	PIFOMETRE
Inusable	RÉSISTANT
Inusité	INUTILISÉ
Inutile	OISEUSE • OISEUX SUPERFLU • VAIN

Inutilement	VAINEMENT
Inutilité	INANITÉ
Invalidation	ANNULATION
Invalide	IMPOTENT • PERCLUS
Invalider	ANNULER
Invariablement	TOUJOURS
Invasion soudaine	IRRUPTION
Invasion	INCURSION
Invectives	POUILLES
Inventaire	REVUE
Inventaire périodique	BILAN
Inventé de toutes pièces	CONTROUVE
Inventer de nouveau	RECRÉER
Inventer de toutes pièces	FABRIQUER
Inventer	BRODER • CRÉER
	FABULER • INNOVER
Inventer, imaginer	FORGER
Inventeur américain né en 1847	EDISON
Inventeur et physicien américain	BELL
Inventeur	CRÉATEUR • FORGEUR
Inventif	INNOVANT
Invention	CRÉATION • DÉCOUVERTE • FICTION
	MENSONGE • TROUVAILLE
Inventive	CRÉATRICE
Inverse	OPPOSÉ
Inverser	INVERTIR • RENVERSER
Inverti	PEDERASTE
Investigateur	CHERCHEUR
Investigation	ENQUÊTE • EXAMEN
Investir	PLACER
Investir des capitaux dans	FINANCER
Investissement	MISE • PLACEMENT
Investissement d'un pays	BLOCUS
Investissement d'une ville	BLOCUS
Invisible	ABSTRAIT
Invitation faite à quelqu'un de ne pas répéter quelque chose	MOTUS
Invité	CONVIVE • HÔTE
Inviter à se réunir	CONVOQUER
Inviter de nouveau	REINVITER
Inviter	ATTABLER • CONVIER • INDUIRE

Involontaire	MACHINAL • SPONTANÉ
Invoquer	ALLÉGUER • PRETEXTER
Iodler	IOULER • JODLER
Ion à charge négative	ANION
Ion chargé négativement	ANION
Iouler	IODLER • JODLER
Iourte	YOURTE
Iranien	PERSAN
Irascible	COLERIQUE • EMPORTÉ
	IRRITABLE • RAGEUR
Ire	COLÈRE
Iridium	IR
Irisé	NACRÉ
Irlande	EIRE • ÉRIN
Ironie mordante	SARCASME
Ironique	NARQUOIS
Irrationnel	DÉRAISONNABLE
Irréalisable	IMPOSSIBLE
Irréel	IMAGINAIRE
Irréfléchi	ÉCERVELÉ • ÉTOURDI
Irréfutable	DÉCISIF
Irrégularité de la démarche d'un cheval qui boite	BOITERIE
Irrégularité	ANOMALIE
Irrégulier	ANORMAL • ILLÉGAL
	INTERMITTENT
Irréligieux	IMPIE • LIBERTIN
Irrévérence	IRRESPECT
Irrigation	ARROSAGE
Irritable	IRASCIBLE • MARABOUT
Irritant au goût	ACRE
Irritant	AGAÇANT • ENRAGEANT
Irritation locale pour arrêter une inflammation	REVULSION
Irritation nerveuse désagréable	AGACEMENT
Irritation	CONTRARIÉTÉ • DÉMANGEAISON
	IRE • NERVOSITÉ
Irrité	AIGRI • ULCÈRE
Irriter	AGACER • AIGRIR
	FÂCHER • HÉRISSER
Islamiser	ARABISER

J

Jacasser	BABILLER • JABOTER
Jacasserie	CAQUET
Jacinthe des bois	ENDYMION
Jaco	JACOT
Jacot	JACO
Jacques	CONNEAU
Jadis	ANCIENNEMENT • AUTREFOIS
Jaillir	APPARAÎTRE • COULER FUSER • GICLER • SURGIR
Jaillir avec force	SAILLIR
Jaillir de terre	SOURDRE
Jaillissement	JET
Jaïn	JAÏNA
Jaïna	JAÏN
Jalon	REPÈRE
Jalonner de balises	BALISER
Jalouser	ENVIER
Jalousie	ENVIE • PERSIENNE
Jamais	ONC
Jamais encore atteint	RECORD
Jambe	CANNE • GAMBETTE GIGUE • GUIBOLE • PATTE
Jambe de derrière d'un cheval	GIGOT
Jambier	TIBIAL
Jambière	GUÊTRE
Japonais	NIPPON
Japonaise	NIPPONNE
Japper	ABOYER
Jappeur	ABOYEUR
Jar	JARD
Jard	JAR
Jardin d'enfants	GARDERIE
Jardin planté de rosiers	ROSERAIE
Jardin potager	LEGUMIER
Jardin zoologique	ZOO
Jardin	PARC
Jardinier	FRUITIER • SARCLEUR
Jardinière	BAC

Jaser	BABILLER
Jaseur	PARLEUR
Jaspiner	BAVARDER
Jauge	TONNAGE
Jauger	CUBER • SUPPUTER
Jaune	BRISEUSE • DORÉ
Jaunir	SAFRANER
Jaunisse	ICTÈRE
Javelot	HAST
Javelot de l'infanterie romaine	PILUM
Javelot de tribus primitives	SAGAIE
Javelot en fer	DIGON
Je	EGO • MOI
Jeanne	PAPESSE
Jérémiade	COMPLAINTE • GIRIE
Jerrycan	BIDON
Jésus-Christ	GALILÉEN • MESSIE • SAUVEUR
Jeter	ÉJECTER • LANCER
Jeter un coup d'œil pour observer	ZIEUTER • ZYEUTER
Jeter violemment	FOUTRE
Jeter	BAZARDER
Jeton d'ivoire servant d'entrée aux spectacles dans l'Antiquité	TESSÈRE
Jetté dans la consternation	CONSTERNE
Jeu africain	WALÉ
Jeu de balle	BASEBALL
Jeu de billes	BILLARD
Jeu de boules	CROQUET • PÉTANQUE
Jeu de cartes d'origine hollandaise	YASS
Jeu de cartes provenant d'Espagne	ALUETTE
Jeu de cartes qui réunit quatre joueurs	BRIDGE
Jeu de cartes	BELOTE • BÉSIGUE • BRELAN CANASTA • MANILLE • POKER RAMI • WHIST
Jeu de cartes, issu du whist	BRIDGE
Jeu de casino	ROULETTE
Jeu de construction	LEGO
Jeu de devinettes	PENDU
Jeu de hasard à trois dés	ZANZI
Jeu de hasard	BINGO • LOTERIE LOTO • ROULETTE

Jeu de loto . . . . BINGO
Jeu de mutation de l'orgue . . . . NASARD
Jeu de pelote basque . . . . REBOT
Jeu de société . . . . CORBILLON • SCRABBLE
Jeu de stratégie d'origine chinoise . . . . GO
Jeu de table proche du backgammon . . . . JACQUET
Jeu de volant . . . . BADMINTON
Jeu d'enfants . . . . MARELLE
Jeu dérivé du trictrac . . . . JACQUET
Jeu d'esprit . . . . RÉBUS
Jeu d'origine chinoise . . . . GO
Jeu où l'on forme des mots à
   placer sur une grille . . . . SCRABBLE
Jeu . . . . DOMINO
Jeûne . . . . ABSTINENCE • CARÊME
Jeune actrice qui veut devenir
   une star du cinéma . . . . STARLETTE
Jeune admirateur . . . . FAN
Jeune amant entretenu . . . . GIGOLO
Jeune apprentie couturière . . . . COUSETTE
Jeune bonne . . . . BONNICHE
Jeune bovin . . . . BROUTARD
Jeune branche droite . . . . SCION
Jeune cadre dynamique et ambitieux . . . . YUPPIE
Jeune canard . . . . CANETON
Jeune cerf . . . . DAGUET • HÈRE
Jeune chat . . . . CHATON
Jeune chêne . . . . CHENEAU
Jeune chien . . . . CHIOT
Jeune cochon . . . . GORET
Jeune coq . . . . CHAPON
Jeune coq . . . . COCHET
Jeune daim . . . . DAGUET • HÈRE
Jeune danseuse . . . . GIRL
Jeune domestique . . . . BOY
Jeune d'origine maghrébine né en France . . . . BEUR
Jeune d'un animal . . . . JUVÉNILE
Jeune employé en livrée dans un hôtel . . . . GROOM
Jeune employée chargée de faire les courses . . . . TROTTIN
Jeune enfant . . . . BÉBÉ • GONE
Jeune et inexpérimenté . . . . JEUNOT

Jeune faisan	POUILLARD
Jeune femelle	FAUNESSE
Jeune femme élégante et facile	LORETTE
Jeune femme laide	LAIDERON
Jeune femme prétentieuse et ridicule	DONZELLE
Jeune femme	POULETTE
Jeune femme, nana	SOURIS
Jeune fille	MÔME • PUCELLE
Jeune fille à l'allure masculine	GARÇONNE
Jeune fille de condition modeste	GRISETTE
Jeune fille de naissance noble	MENINE
Jeune fille espiègle	GAMINE
Jeune fille niaise	OISELLE
Jeune fille un peu sotte	OIE
Jeune fille vertueuse	ROSIERE
Jeune fille vive et turbulente	DIABLESSE
Jeune fille	GRELUCHE
Jeune garçon	ÉPHÈBE • GOSSE
Jeune garçon d'écurie	LAD
Jeune garçon galant	DAMOISEAU
Jeune gentilhomme n'étant pas encore chevalier	DAMOISEAU
Jeune homme à la mode	MINET
Jeune homme de naissance noble	MENIN
Jeune homme d'une grande beauté	ADONIS
Jeune homme entretenu par un homosexuel	GITON
Jeune homme très élégant	GANDIN
Jeune homme vivant dans une banlieue	LOUBARD
Jeune homme	GARÇON • MECTON
Jeune lapin	LAPEREAU
Jeune lièvre	LEVRAUT
Jeune noble	PAGE
Jeune oiseau	OISILLON
Jeune orme	ORMEAU
Jeune ouvrière parisienne de la couture	MIDINETTE
Jeune perdreau	POUILLARD
Jeune pintade	PINTADEAU
Jeune plante	PLANT
Jeune poisson destiné au peuplement des rivières	ALEVIN

Jeune porc . . . . PORCELET
Jeune poule qui a subi un
    engraissement intensif . . . . POULARDE
Jeune poule . . . . POULETTE
Jeune poulet . . . . POUSSIN
Jeune pousse . . . . BROUT
Jeune rameau de l'année . . . . PAMPRE
Jeune rat . . . . RATON
Jeune reine de beauté . . . . MISS
Jeune religieuse . . . . NONNETTE
Jeune sanglier . . . . MARCASSIN
Jeune saumon . . . . SAUMONEAU • SMOLT • TACON
Jeune soldat . . . . PIOUPIOU
Jeune sportif âgé de 13 à 16 ans . . . . CADET
Jeune taureau . . . . TAURILLON
Jeune tourterelle . . . . TOURTEREAU
Jeune turbot . . . . TURBOTIN
Jeune vache qui n'a pas encore vêlé . . . . GÉNISSE
Jeune vache . . . . GÉNISSE • TAURE • VACHETTE
Jeune vipère . . . . VIPEREAU
Jeune visage délicat . . . . MINOIS
Jeune voyou . . . . LOUBARD
Jeune . . . . MINEUR
Jeunesse . . . . ENFANCE • JOUVENCE
Jeux célébrés tous les deux
    ans à Némée . . . . NÉMÉENS
Jeux . . . . ÉBATS • OLYMPIQUE
Job . . . . BOULOT
Jodler . . . . IODLER • IOULER
Joie . . . . ALLÉGRESSE • BONHEUR
                        CONTENTEMENT • GAIETÉ
                                GAÎTÉ • HILARITÉ

Joie débordante et collective . . . . LIESSE
Joie intense . . . . JUBILATION
Joie profonde . . . . FÉLICITÉ
Joindre au moyen de pattes . . . . EMPATTER
Joindre bout à bout . . . . AJOINTER
Joindre par les bouts . . . . ABOUTER
Joindre . . . . ABOUCHER • ACCOLER • ADJOINDRE
                        AJOUTER • ALLIER • ANNEXER
            ATTEINDRE • CONJUGUER • INCLURE
            RELIER • RÉUNIR • SOUDER • UNIR

Joint articulé de la jambe . . . . GENOU
Joint assurant l'étanchéité . . . . GARNITURE
Joint par une couture . . . . COUSU
Joint . . . . AJUSTAGE • CONNEXE
Jointure . . . . ARTICULATION
Joli . . . . BEL • JOJO
Joliesse . . . . BEAUTÉ
Joliet . . . . GENTILLET
Jonc . . . . ALLIANCE • BAGUE
Jonché . . . . COUVERT
Joncheraie . . . . JONCHAIE
Jonchère . . . . JONCHAIE
Jonction . . . . CHARNIERE • CONFLUENT
EPISSURE • RACCORD • SOUDURE
Joue pendante . . . . BAJOUE
Joue . . . . ABAJOUE
Jouer à l'octave supérieure . . . . OCTAVIER
Jouer au bridge . . . . BRIDGER
Jouer aux cartes . . . . BRIDGER
Jouer de la flûte . . . . FLÛTER
Jouer de la trompette . . . . TROMPETER
Jouer de la vielle . . . . VIELLER
Jouer du piano de façon maladroite . . . . PIANOTER
Jouer l'octave supérieure
au lieu de la note . . . . OCTAVIER
Jouer une œuvre . . . . INTERPRÉTER
Jouer . . . . BERNER • MISER
PARIER • SIMULER
Jouet à grelot pour les bébés . . . . HOCHET
Jouet d'enfant figurant un bébé . . . . BAIGNEUR
Jouet d'enfant formé d'une
plateforme montée sur deux roues . . . . PATINETTE
Jouet formé d'un disque de bois . . . . YOYO
Jouet formé d'une boule,
une cordelette et un bâton . . . . BILBOQUET
Jouet lesté dans lequel on frappe . . . . RAMPONEAU
Jouet qui tourne au moyen
d'une ficelle . . . . TOUPIE
Jouet . . . . JOUJOU • TOUPIE • YOYO
Joueur de cymbales . . . . CYMBALIER
Joueur de hockey . . . . HOCKEYEUR

Joueur de quilles	QUILLEUR
Joueur de rugby chargé de talonner	TALONNEUR
Joueur de tennis américain, d'origine tchèque	LENDL
Joueur de tennis australien	LAVER
Joueur de tennis de table	PONGISTE
Joueur de tennis français né en 1904	LACOSTE
Joueur de tennis suédois	BORG
Joueur de tennis	TENNISMAN
Joueur de volley-ball	VOLLEYEUR
Joueur d'instruments à percussion	BATTEUR
Joueur	TURFISTE
Joueuse de tennis allemande née en 1969	GRAF
Joueuse de tennis américaine née en 1954	EVERT
Joufflu	BOURSOUFLÉ • MAFFLU
Joug	COLLIER • FARDEAU • SUJÉTION
Jouir de	APPRÉCIER
Jouir de plusieurs droits simultanément	CUMULER
Jouissance	DÉLICE
Jouissance d'un bien par usufruit	USUFRUIT
Jouissance	DELICE
Joujou	JOUET
Jour de l'an vietnamien	TÊT
Jour de repos	FÉRIÉ
Jour qui suit immédiatement	LENDEMAIN
Jour	DIMANCHE • JEUDI • JOURNÉE LUNDI • MARDI • MERCREDI SAMEDI • VENDREDI
Journal	FEUILLE
Journal qui paraît chaque jour	QUOTIDIEN
Journalier	QUOTIDIEN
Journaliste chargé des échos	ÉCHOTIER
Journaliste espagnol	PLA
Journaliste payé à la ligne	LIGNARD
Journaliste	GAZETIER • REDACTEUR REPORTER • SALONNIER
Jouter	CONCOURIR
Jouteur	LUTTEUR

Jovial	GAI • GAILLARD
Jovialité	GAIETÉ
Joyeuse partie de plaisir	FRAIRIE
Joyeuse	HEUREUSE
Joyeusement	GAIEMENT • GAÎMENT
Joyeux	GAI • HEUREUX • JOVIAL • RÉJOUI
Joyeux compagnon	FALOT
Joyeux excès de table	RIBOTE
Jubilation	ALLÉGRESSE
Jubiler	EXULTER
Jubiler (Se)	RÉJOUIR
Juchoir	PERCHOIR
Judaïté	JUDAÏCITÉ
Judas	TRAÎTRE
Judéïté	JUDAÏCITÉ
Judéité	JUDAÏTE
Judicieuse	RATIONNELLE
Judicieusement	SAINEMENT
Judicieux	PERTINENT • RATIONNE • SENSÉL
Judoka	LUTTEUR
Juge de paix, dans les pays espagnols	ALCADE
Juge des Hébreux	SAMSON
Jugé meilleur	PRÉFÉRÉ
Juge musulman	CADI
Juge	ARBITRE • JUSTICIER • MAGISTRAT
Jugement	AVIS • DÉCISION • OPINION SENS • SENTENCE • VERDICT
Jugeote	SAPIENCE
Juger	ARBITRER • JAUGER • PENSER
Jugulé	ENRAYÉ
Juguler	ENRAYER
Juif né en Israël	SABRA
Juif	HEBRAÏQUE • JUDAÏQUE
Jules	HOMME • MEC
Jumeau	BESSON • DEUX
Jumeaux	DEUX • GÉMEAUX
Jumelle	BESSONNE • LORGNETTE
Jument de moins de trois ans	POULICHE
Jument de race	CAVALE
Jument qui n'est pas encore adulte	POULICHE
Jungle	AMAZONIE

Jupe courte . . . . KILT
Jupe courte et plissée . . . . KILT
Jupe de dessous . . . . JUPON
Jupe de gaze . . . . TUTU
Jupe longue et ample portée par une cavalière . . . . AMAZONE
Jupe plissée à la taille . . . . COTTE
Jupe très courte . . . . JUPETTE
Jupon . . . . JUPE
Jupon bouffant . . . . CRINOLINE
Jurement atténué pour
    exprimer l'assentiment . . . . PARBLEU
Juridiction d'un khan . . . . KHANAT
Juridique . . . . LÉGAL
Juridisme . . . . LEGALISME
Juriste français . . . . VEDEL
Juron familier . . . . SAPRISTI
Juron qui marque l'étonnement . . . . DIANTRE
Juron . . . . BLASPHEME
Jus concentré . . . . COULIS
Jus de la canne à sucre écrasée . . . . VESOU
Jus de raisin non fermenté . . . . MOÛT
Jus de viande, de légumes . . . . BOUILLON
Jus extrait de pommes . . . . MOÛT
Jusant . . . . REFLUX
Juste . . . . ADÉQUAT • EXACT • IMPARTIAL
Justement . . . . DUMENT
Justesse . . . . PRÉCISION
Justice . . . . ÉQUITÉ
Justification . . . . EXCUSE • PREUVE
Justifier . . . . AUTORISER • DISCULPER • MOTIVER
Juvénile . . . . JEUNE

K

Kan	KHAN
Kangourou	WALLABY
Kaon	KA
Karbau	BUFFLE • KÉRABEAU
Kérabau	BUFFLE
Kérabeau	KARBAU
Kératique	CORNEEN
Kermesse	FESTIVITE
Khalifat	CALIFAT
Khan	KAN
Kidnapper	ENLEVER
Kidnappeur	RAVISSEUR
Kidnapping	RAPT
Kif	HACHISCH
Kilofranc	KF
Kilogramme	KG • KILO
Knock-out	KO
Korê	CORÉ
Koulak	MOUJIK
Kriss	CRISS
Krypton	KR
Kwas	KVAS
Kyrie ...	ELEISON
Kyrielle	QUANTITÉ • RIBAMBELLE

L

La bille rouge, au billard	CARAMBOLE
La centième partie du franc	CENTIME
La chanteuse France ...	GALL
La classe noble	ARISTOCRATIE
La durée de la nuit	NUITÉE
La femelle du renard	RENARDE
La fourmi de La Fontaine ne l'était pas	PRÊTEUSE
La loi du silence selon la Mafia	OMERTA
La maîtresse de maison, pour les domestiques	MADAME
La moitié d'une chopine	DEMIARD
La Nativité	NOËL
La partie intérieure	DEDANS
La partie la plus grossière de la filasse	ÉTOUPE
La peinture en est un	ART
La plus aiguë des voix	SOPRANO
La plus élevée des voix	SOPRANO
La plus grave des voix d'homme	BASSE
La principale des îles Wallis	OUVÉA • UVÉA
La rose en est une	FLEUR
La Sainte Vierge	MARIE
La Terre	MONDE
La vie psychique	PSYCHISME
Labeur	TRAVAIL
Labiée à fleurs jaunes	IVE • IVETTE
L'abominable homme des neiges	YÉTI
Laboratoire annexé à une pharmacie	OFFICINE
Laboratoire	ATELIER
Laborieux	DIFFICILE
Labour	HIVERNAGE
Labourable	ARABLE
Labouré	CULTIVÉ
Labourer	BÊCHER • HERSER
Labourer avec la houe	HOUER
Labourer superficiellement une terre	ÉCROÛTER
Labre	TOURD
Labyrinthe	DÉDALE
Lac de la Laponie finlandaise	INARI

Lac de la Turquie orientale	VAN
Lac de l'Amérique du Nord	HURON • ONTARIO
Lac de Russie	ILMEN
Lac de Syrie	ASAD
Lac d'Écosse	NESS
Lac des Pyrénées	OÔ
Lac d'Éthiopie	TANA
Lac d'Italie	ISEO
Lac du nord-ouest de la Russie	ONEGA
Lac et ville de Suisse	ZOUG
Lac italien des Alpes	CÔME
Lac très allongé, en Écosse	LOCH
Laçage	LACEMENT
Lacement	LAÇAGE
Lacer	MAILLER
Lacerie	VANNERIE
Lacet	LACS
Lâchage	DÉFECTION
Lâche	CAPON • CHIFFE • FUYARD
	PLEUTRE • VEULE
Lâcher des vents	PÉTER
Lâcher	ABANDONNER • DÉLAISSER
	FLANCHER • LAISSER
	LARGUER • QUITTER
Lâcheté	COUARDISE • VEULERIE
Laconique	LAPIDAIRE
Laconisme	CONCISION
Lacté	BLANC
Lacune	ABSENCE • ANOMALIE
	CARENCE • OMISSION
Ladin	ROMANCHE
Ladre	LÉPREUX
Ladrerie	LÈPRE
L'âge mûr	MATURITÉ
Lagon	MARE
Lagopède d'Écosse	GROUSE
Lagune centrale d'un atoll	LAGON
Lagune d'Australie	EYRE
Lagune d'eau douce	MŒRE
Lagune derrière un cordon littoral	LIDO
Lagune isolée par un cordon littoral	LIMAN

Lai	CONVERS
Laid	HIDEUX • MOCHE
Laide	HIDEUSE
Laideron	GUENON • HORREUR
Laideur extrême	HIDEUR
Laideur	DISGRÂCE
Lainage foulé et imperméable	LODEN
Lainage	TOISON
Laine des moutons d'Écosse	CHEVIOTTE
Laine obtenue en tondant les moutons	TONTE
Laïque qui sert le prêtre	SERVANT
Laïque	LAI • SÉCULIER
Laissé seul	ESSEULÉ
Laissé	DÉLAISSÉ
Laisser aller	PROMENER
Laisser craindre	MENACER
Laisser croire une chose	ACCROIRE
Laisser échapper un liquide	PISSER
Laisser écouler du pus	SUPPURER
Laisser en garde	ENTREPOSER
Laisser séjourner	MACÉRER
Laisser tomber par mégarde	ÉCHAPPER
Laisser tomber	JETER
Laisser	LÂCHER • LÉGUER • QUITTER
Laisser-aller	NÉGLIGENCE
Laissez-passer	PERMIS
Lait caillé fermenté	YAOURT • YOGOURT
Lait, dans le langage enfantin	LOLO
Laitance	LAITE
Laiterie	BEURRERIE
Laiteux	OPALIN
Laiton plus zinc	SIMILOR
Laitue à feuilles dentées et croquantes	BATAVIA
Laize	LÉ
Lallation	BABILLAGE
Lama à l'état sauvage	GUANACO
Lama	ALPAGA
Lambeau	LOQUE
Lambin	LENT • TRAÎNARD
Lambine	LENTE
Lambiner	TRAÎNASSER

Lame cornée . . . . ONGLE
Lame de baleine . . . . BUSC
Lame d'osier . . . . ÉCLISSE
Lame métallique triangulaire . . . . SOC
Lame saillante . . . . AILETTE
Lame . . . . PAILLET
Lamelle . . . . PAILLETTE
Lamentable . . . . MINABLE • MISÉRABLE
                                                    PITOYABLE
Lamentation . . . . COMPLAINTE • JÉRÉMIADE
                                            PLAINTE • PLEUR
Lamentations . . . . PLEURS
Lamie . . . . TAUPE
Lampadaire . . . . REVERBERE
Lampe à filament de tungstène . . . . FLOOD
Lampe émettant une lumière brève . . . . FLASH
Lampe placée à l'avant d'un bateau . . . . LAMPARO
Lampe qui éclaire faiblement . . . . LUMIGNON
Lampe . . . . TORCHE
Lampée . . . . GORGÉE
Lance de tribus primitives . . . . SAGAIE
Lance-pierre . . . . FRONDE
Lancer . . . . JETER
Lancer avec force . . . . PROJETER
Lancer rudement . . . . FLANQUER
Lancer . . . . DECOCHER
Lanceur de disque . . . . DISCOBOLE
L'ancienne Estonie . . . . EESTI
Lancier . . . . HASTAIRE
Lancier, dans l'ancienne
   armée allemande . . . . UHLAN
Lancinant . . . . OBSÉDANT
Lançon . . . . ANGUILLE • EQUILLE
Landau . . . . CALECHE
Lande marécageuse . . . . FAGNE
Lande . . . . GARRIGUE
Landier . . . . CHENET
Langage de l'East End de Londres . . . . COCKNEY
Langage de programmation
   appliqué à de gestion . . . . COBOL
Langage de programmation symbolique . . . . LISP

Langage de programmation . . . . ALGOL
Langage du milieu . . . . ARGOT
Langage particulier à une profession . . . . ARGOT
Langage . . . . LANGUE • PAROLE
Langoureux . . . . ALANGUI • LANGUIDE
Langoustine . . . . SCAMPI
Langue . . . . IDIOME • LANGAGE
Langue bantoue . . . . SWAHILI
Langue caucasienne . . . . GEORGIEN
Langue celte des Gaulois . . . . GAULOIS
Langue celtique parlée
    dans l'ouest de la France . . . . BRETON
Langue celtique . . . . BRETON • GALLOIS
Langue chinoise . . . . MANDARIN
Langue de terre entre deux mers . . . . ISTHME
Langue du groupe iranien oriental . . . . AFGHAN
Langue du groupe iranien . . . . KURDE
Langue du groupe thaï . . . . ANNAMITE
Langue française . . . . FRANÇAIS
Langue germanique . . . . NORROIS
Langue indienne parlée au Brésil . . . . TUPI
Langue indienne . . . . OTOMI
Langue indo-aryenne . . . . HINDI • SANSCRIT
Langue indo-européenne . . . . HITTITE • LATIN • PARSI • PERSE
Langue indo-européenne
    parlée en Albanie . . . . ALBANAIS
Langue internationale artificielle . . . . VOLAPUK
Langue iranienne . . . . OSSÈTE
Langue nigéro-congolaise . . . . PEUL
Langue nordique . . . . SUÉDOIS
Langue parlée à Tahiti . . . . TAHITIEN
Langue parlée au Bengale . . . . BENGALI
Langue parlée au Cambodge . . . . KHMER
Langue parlée au Danemark . . . . DANOIS
Langue parlée aux Philippines . . . . TAGAL
Langue parlée dans le pays de Galles . . . . GALLOIS
Langue parlée des Bantous . . . . BANTOU
Langue parlée en Acadie . . . . ACADIEN
Langue parlée en Albanie . . . . ALBANAIS
Langue parlée en Allemagne . . . . ALLEMAND
Langue parlée en Inde du Nord . . . . HINDI

Langue parlée en Sardaigne	SARDE
Langue polynésienne	TAHITIEN
Langue râpeuse de certains mollusques	RADULA
Langue romane parlée dans le canton des Grisons	ROMANCHE
Langue sémitique	HÉBREU
Langue slave parlée en Slovaquie	SLOVAQUE
Langue slave voisine du serbo-croate	SLOVENE
Langue slave	UKRAINIEN
Langue supplantée par l'espéranto	VOLAPUK
Langue turque parlée dans la vallée de la Volga	TATAR
Languette mobile	ANCHE
Langueur	ACCABLEMENT • APATHIE ATONIE
Languir (Se)	MORFONDRE
Languir	ATTENDRE • MOISIR • STAGNER
Languissant	ALANGUI • ATONE LANGUIDE • TRAÎNANT
Lanière de cuir	GUIDE
Lanière terminée par un nœud	LASSO
Lanière	BANDE
Lanterne d'automobile	VEILLEUSE
Lanterne destinée à l'éclairage public	REVERBERE
Lanterne vénitienne	LAMPION
Lanthane	LA
Lapalissade	BANALITÉ • ÉVIDENCE TRUISME
Lapidaire	LACONISME
Lapis-lazuli	OUTREMER
L'Apôtre des gentils	PAUL
Larcin	VOL
Lard fumé	BACON
Lard	BARDE
Large carré de laine	LANGE
Large ceinture	CEINTURON
Large couteau	HACHOIR
Large cuvette d'une fontaine	VASQUE
Large cuvette	TUB
Large extension	LATITUDE
Large semelle pour marcher	

sur la neige molle . . . . RAQUETTE
Large . . . . AMPLE
Largement . . . . ABONDAMMENT • AMPLEMENT
COPIEUSEMENT • GRASSEMENT
Largement fixé sur le pied (Bot.) . . . . ADNÉ
Largement ouvert . . . . BÉANT
Largement ouverte . . . . BÉANTE
Largesse . . . . LIBÉRALITÉ
Largeur de la marche d'un escalier . . . . GIRON
Largeur d'esprit . . . . TOLÉRANCE
Largeur du dos, d'une épaule à l'autre . . . . CARRURE
Largeur d'une étoffe . . . . LÉ
Largeur d'une étoffe entre l
es deux lisières . . . . LAIZE
Largeur . . . . DIAMETRE
Larguer . . . . DÉFERLER • DROPER • LAISSER
Larme . . . . GOUTTE • PLEUR
Larmoyant . . . . ÉPLORÉ
Larmoyer . . . . SANGLOTER
Larve de batracien . . . . TÊTARD
Larve de la mouche à viande . . . . ASTICOT
Larve du hanneton . . . . MAN
Larve du trombidion . . . . LEPTE
Larve d'un acarien . . . . AOÛTAT
Larve parasite de la peau des bovins . . . . VARON
Larve utilisée pour la pêche à la ligne . . . . ASTICOT
Laryngite diphtérique . . . . CROUP
Laryngite pseudomembraneuse . . . . CROUP
Lascar . . . . COCO
Lascif . . . . CHARNEL • SALACE • SENSUEL
Lascive . . . . CHARNELLE
Lassant . . . . BLASANT • FATIGANT
LANCINANT
Lassitude . . . . ABATTEMENT • FATIGUE
Lassitude . . . . BLASEMENT
Latent . . . . SOMNOLENT
Latin . . . . ROMAIN
Latitude . . . . LIBERTÉ
Latrines . . . . TOILETTES
Lauréat . . . . VAINQUEUR
Laurier dont on extrait le camphre . . . . CAMPHRIER

Lavande dont on extrait
  une essence odorante . . . . SPIC
Lavande . . . . ASPIC
Lavandier . . . . BUANDIER
Lave-linge . . . . LAVEUSE
Laver de nouveau . . . . RELAVER
Laver . . . . DÉLAVER • NETTOYER • RÉHABILITER
Laveur . . . . NETTOYEUR • DOUCHEUR
Lavure . . . . RINÇURE
Lawrencium . . . . LR
Laxatif extrait du cassier . . . . SÉNÉ
Layon . . . . LAIE
Lazzi . . . . QUOLIBET
Le bien possédé . . . . POSSESSION
Le bon côté . . . . POUR
Le chemin le plus court . . . . RACCOURCI
Le cinquième doigt de la main . . . . AURICULAIRE
Le cinquième jour du mois . . . . CINQ
Le compagnon d'Ève . . . . ADAM
Le corps humain . . . . ORGANISME
Le côté gauche d'un navire . . . . BÂBORD
Le degré extrême . . . . PAROXYSME
Le derrière humain . . . . CROUPION
Le derrière . . . . FESSIER
Le dessous de la chaussure . . . . SEMELLE
Le drapeau canadien . . . . UNIFOLIÉ
Le drapeau du Québec . . . . FLEURDELISÉ
Le fait de vivre comme un saint . . . . SAINTETÉ
Le fait d'échanger une
  marchandise contre son prix . . . . VENTE
Le feuillage . . . . FRONDAISON
Le français en usage au Québec . . . . QUÉBÉCOIS
Le gland est son fruit . . . . CHÊNE
Le maître du dessin animé . . . . DISNEY
Le mari de la tante . . . . ONCLE
Le petit coin . . . . TOILETTES
Le plus âgé . . . . DOYEN
Le plus grand des océans . . . . PACIFIQUE
Le plus grand nombre . . . . PLURALITE
Le plus haut degré . . . . . . FAÎTE • PAROXYSME • SUMMUM
Le plus haut degré atteint

par quelque chose	MAXIMUM
Le plus jeune enfant d'une famille	BENJAMIN
Le premier homme	ADAM
Le premier livre de l'Ancien Testament	GENÈSE
Le premier-né	AÎNÉ
Le quatrième doigt de la main	ANNULAIRE
Le sein de l'Église	BERCAIL
Le sommet du monde	EVEREST
Le sujet	EGO
Lé	HALAGE • LAIZE
Leader	MENEUR • MENEUSE
Leasing	LOCATION
Léchage	FIGNOLAGE • LÈCHEMENT
Lèche-cul	FAYOT
Lécher	FAYOTER • LICHER
Leçon	COURS
Leçon des Apôtres	ÉPÎTRE
Lecteur	LISEUR
Lectrice	LISEUSE
Légal	LOYAL
Légalité	VALIDITE
Légataire	HÉRITIER
Légendaire	IMAGINAIRE
Légende	FABLE • MYTHE
Léger	FAIBLE • GRIVOIS • PRINTANIER
Léger et flou	VAPOREUX
Léger et folâtre	FOUFOU
Léger repas	COLLATION
Légère élévation de terrain	BUTTE
Légère entorse	FOULURE
Légère et folâtre	FOFOLLE
Légère humidité	MOITEUR
Légèrement acide	ACIDULÉ
Légèrement coloré	TEINTÉ
Légèrement froid	FRAIS • FRISQUET
Légèrement humide	MOITE
Légèrement jaune	JAUNET
Légèrement salé	SAUMÂTRE
Légèrement snob	SNOBINARD
Légèrement	PEU
Leggings	JAMBIERE

Légion	COHORTE
Législation	LOI
Légiste	JURISTE
Légitimement	JUSTEMENT
Légitimer	JUSTIFIER • LÉGALISER
Legs	HÉRITAGE
Légué	TRANSMIS
Léguer	TRANSMETTRE
Légume	CHOU • NAVET
Légumineuse	ERS
Légumineuse annuelle	FÈVE
L'emporter sur	PRÉVALOIR
L'emporter	PRIMER
Lémurien arboricole vivant à Madagascar	INDRI
Lendemain	AVENIR • DEMAIN
L'ensemble de ce qui existe	UNIVERS
Lent dans son fonctionnement	PARESSEUX
Lent	LAMBIN • TARDIF
Lente	TARDIVE
Lentement	ADAGIO • LENTO
Lentement et avec ampleur	LARGO
Lentement	POSEMENT
Lentille correctrice	LORGNON
Lentille de verre grossissante	LOUPE
Lentille	ERS
Lento	LENTEMENT
L'entourage du souverain	COUR
Lépreux	LADRE
Léproserie	LADRERIE
L'équipement d'un soldat	BARDA
Les arbres en général	BOIS
Les autres	AUTRUI
Les doigts la composent	MAIN
Les enfants d'un couple	FAMILLE
Les générations à venir	POSTÉRITÉ
Les petits qui viennent d'éclore	COUVÉE
Lesbianisme	SAPHISME
Lesbisme	SAPHISME
Léser	ENDOMMAGER • NUIRE
Léser	DESSERVIR

Lésiner	LIARDER • MÉGOTER
Lésion	PLAIE
Lésion cutanée causée par les radiations lumineuses	LUCITE
Lésion de la peau causée par le froid	FROIDURE • GELURE
Lésion de la peau	ACNÉ
Lésion dentaire amenant la formation d'une cavité	CARIE
Lésion inflammatoire des nerfs	NÉVRITE
Lésion, blessure grave	TRAUMA
Lessivage	LAVAGE
Lest formé de sable et de cailloux	BALLAST
Leste	AGILE • PRESTE
Léthargie	INACTION • TORPEUR
Lettré	CLERC • CULTIVÉ • ÉRUDIT
Lettre	ÉPÎTRE • MISSIVE
Lettre écrite par un auteur ancien	ÉPÎTRE
Lettre grecque	ALPHA • BÊTA • DELTA • EPSILON ÊTA • GAMMA • IOTA • KAPPA KSI • KHI • LAMBDA • MU • NU OMÉGA • OMICRON • PHI • PI PSI • RHÔ • SIGMA • TAU THÊTA • UPSILON • XI • ZÊTA
Lettre patente du pape	BULLE
Lettre plus grande et de forme différente	MAJUSCULE
Lettres inscrites au-dessus de la Croix	INRI
Lettres	HUMANITES
Leurre métallique pour la pêche	DEVON
Leurre	DUPERIE • PIÈGE
Leurrer	ABUSER • DUPER • TROMPER
Levant	EST • ORIENT
Levé	DEBOUT • HAUT
Levée, aux cartes	PLI
Lever	FERMENTER • REDRESSER SOULEVER
Levier de commande	MANETTE
Levier	CRIC • PÉDALE
Lèvre épaisse et proéminente	LIPPE
Lèvre inférieure	LIPPE

Lèvre inférieure des insectes . . . . LABIUM
Lèvres pendantes de certains animaux . . . . BABINES
Lèvres . . . . BABINES
Lévrier d'une race à poil long . . . . AFGHAN
Lexique de philologie . . . . THÉSAURUS
Lexique d'une langue vivante . . . . GLOSSAIRE
Lézard à pattes très courtes . . . . SEPS
Lézard apode insectivore . . . . ORVET
Lézard grimpeur . . . . GECKO
Lézarde . . . . CREVASSE
Lézarder . . . . CREVASSER
Liaison amoureuse de courte durée . . . . PASSADE
Liaison entre deux éléments . . . . RACCORD
Liaison . . . . ALLIANCE • JONCTION
LIEN • RELATION • UNION
Liane d'Afrique et d'Asie . . . . LUFFA
Liane originaire du Mexique . . . . COBÉE
Liant . . . . AFFABLE • SOCIABLE
Liasse de copies . . . . FARDE
Libellé . . . . RÉDACTION
Libeller . . . . RÉDIGER
Liber du tilleul . . . . TEILLE
Libéral . . . . GÉNÉREUX • TOLÉRANT
Libérale . . . . GÉNÉREUSE
Libéralisme . . . . TOLÉRANCE
Libéralité faite par testament . . . . LEGS
Libérateur d'Israël . . . . MOÏSE
Libérateur envoyé par Dieu . . . . MESSIE
Libération . . . . ÉMANCIPATION
Libération bouddhiste du cycle
   des réincarnations . . . . NIRVANA
Libération . . . . DEBLOCAGE
Libérer . . . . AFFRANCHIR • DÉGELER
DÉLIER • EXONÉRER
Libertaire . . . . ANAR
Liberté . . . . LOISIR
Liberté du langage . . . . VERDEUR
Libertin . . . . GRIVOIS
Libidineux . . . . CHARNEL
Libre . . . . DÉGAGÉ • DISPONIBLE
Libre . . . . DEGAGE

Libre, osé	OLÉ OLÉ
Libre, résolu	DÉLIBÉRÉ
Licence	PERMIS
Licenciement	CONGÉ • RENVOI
Licencier	CONGÉDIER • DESTITUER LOURDER • VIRER
Licencieux	LÉGER
Liche	LECHAGE
Lichen de couleur grisâtre	USNÉE
Lichen des régions froides	PARMÉLIE
Lichen filamenteux	USNÉE
Lichen formant une plaque jaune sur les pierres	PARMÉLIE
Licol	LICOU
Lié	SOLIDAIRE
Lie-de-vin	VINEUX
Lien avec lequel on attache un animal	LAISSE
Lien dont on se sert pour fixer la vigne	MAILLETON
Lien d'osier flexible	HART
Lien juridique entre un père et son enfant	PATERNITE
Lien servant à attacher	COUPLE
Lien servant à comprimer une artère	GARROT
Lien servant à retenir	BRIDE
Lien	ATTACHE • LAISSE
Lier	FICELER • LACER • NOUER
Lier en bottes	BOTTELER
Liesse	ALLÉGRESSE
Lieu	ENDROIT • SITE
Lieu artificiel d'un cours d'eau	DUIT
Lieu bourbeux où se vautre le sanglier	SOUILLE
Lieu commun	BANALITÉ
Lieu couvert destiné à la déambulation	PROMENOIR
Lieu de délices	ÉDEN
Lieu de dépôt d'animaux errants	FOURRIÈRE
Lieu de formation de professionnels	VIVIER
Lieu de la Terre diamétralement opposé à un autre	ANTIPODE
Lieu de passage couvert	GALERIE
Lieu de pâturage temporaire	REMUE
Lieu de rapports amoureux	ALCÔVE
Lieu de souffrances	ENFER

Lieu de travail	BOÎTE
Lieu d'entreposage	DÉBARRAS
Lieu destiné à la prière	ORATOIRE
Lieu destiné à la reproduction de l'espèce chevaline	HARAS
Lieu destiné à recevoir des immondices	CLOAQUE
Lieu destiné au supplice des damnés	ENFER
Lieu destiné au supplice des damnés	ENFER
Lieu déterminé	LOCALITÉ
Lieu d'habitation	RÉSIDENCE
Lieu d'origine	BERCEAU
Lieu du temple où était la statue du dieu	CELLA
Lieu du temple	CELLA
Lieu écarté, solitaire	ERMITAGE
Lieu en désordre	BAZAR
Lieu enchanteur	PARADIS
Lieu ensoleillé, abrité du vent	CAGNARD
Lieu fortifié, en Afrique du Nord	KSAR
Lieu isolé	BLED
Lieu où croissent des arbustes épineux	ÉPINAIE
Lieu où croissent les ronces	RONCERAIE
Lieu où diverses choses se mêlent, se fondent	CREUSET
Lieu où est rendue la justice	TRIBUNAL
Lieu où le sol est couvert de pierres	PIERRIER
Lieu où l'on abat les animaux de boucherie	ABATTOIR
Lieu où l'on abrite les ovins	BERGERIE
Lieu où l'on affine les fromages	HALOIR
Lieu où l'on campe	CAMPEMENT
Lieu où l'on enterre les morts	CIMETIÈRE
Lieu où l'on fait du feu	FOYER
Lieu où l'on fait paître le bétail	PATURAGE
Lieu où l'on habite	DEMEURE
Lieu où l'on présente des films	CINÉMA
Lieu où l'on range certaines choses	RESSERRE
Lieu où l'on range le linge	LINGERIE
Lieu où l'on sèche le chanvre	HALOIR
Lieu où l'on tue les bestiaux	ABATTOIR
Lieu où l'on vend des médicaments	PHARMACIE
Lieu où l'on vend des produits laitiers	LAITERIE

Lieu où l'on vend le poisson à la criée	CRIÉE
Lieu où on lave le minerai	LAVERIE
Lieu où poussent les joncs	JONCHAIE
Lieu où poussent les roseaux	CANIER
Lieu où se croisent plusieurs routes	CARREFOUR
Lieu où se fait le traitement du lait	LAITERIE
Lieu où sont emmagasinés les vins en fût	CHAI
Lieu où sont mortes beaucoup de personnes	CIMETIÈRE
Lieu où sont rassemblés des véhicules hors d'usage	CIMETIÈRE
Lieu où une communauté vit	GHETTO
Lieu planté d'aulnes	AUNAIE
Lieu planté de fougères	FOUGERAIE
Lieu planté de houx	HOUSSAIE
Lieu planté de palmiers	PALMERAIE
Lieu planté de pommiers	POMMERAIE
Lieu planté de saules	SAULAIE
Lieu planté de trembles	TREMBLAIE
Lieu planté d'ormes	ORMAIE
Lieu public où on lavait le linge	LAVOIR
Lieu qui procure le calme	OASIS
Lieu réservé aux exercices physiques	PALESTRE
Lieu saint	SANCTUAIRE
Lieu sale et humide	SENTINE
Lieu solitaire	SOLITUDE
Lieu souterrain	CAVE
Lieu très sale	BAUGE • PORCHERIE
Lieu vers lequel on se dirige	DIRECTION
Lieutenant de louveterie	LOUVETIER
Lieutenant du sénéchal	MAJE
Lieux d'aisance sommaires	LATRINES
Lieux qui entourent un espace	ENVIRONS
Lieux qui sont alentour	ENVIRONS
Lièvre, lapin mâle	BOUQUIN
Ligament	NERF
Ligaturer	LIER
Lignage	ASCENDANCE
Ligne courbe	SINUOSITÉ
Ligne d'action	PROGRAMME
Ligne d'amarrage faite de deux fils	LUSIN

Ligne d'artillerie sur le flanc d'un navire	BORDEE
Ligne de jonction du pont et de la coque d'un navire	LIVET
Ligne d'intersection de deux plans	ARÊTE
Ligne d'intersection des deux versants	ARÊTE
Ligne droite	RAIE
Ligne droite du p, m, n et de l'u	JAMBAGE
Ligne droite qui partage symétriquement un cercle	DIAMETRE
Ligne d'un mur mitoyen séparant deux bâtiments d'inégale hauteur	HÉBERGE
Ligne	DROITE
Ligne	RANGÉE • TRAIT
Ligné	RAYE
Lignée	ARBRE • SOUCHE
Lignite d'une variété d'un noir brillant	JAIS
Ligoté	FICELÉ
Ligoter	ATTACHER
Ligroïne	BENZINE
Ligue Nationale d'Improvisation	LNI
Ligue Nationale	LN
Ligue	COALITION
Liliacée à petites fleurs blanches	MUGUET
Liliacée bulbeuse à grande et belle fleur	TULIPE
Lilliputien	MINUSCULE
Limace grise	LOCHE
Limage	EBARBAGE
Lime	RÂPE
Limite d'arrivée d'une course à pied	FIL
Limite fixée	TERME
Limite quantitative	QUOTA
Limite supérieure	PLAFOND
Limite	BORNE • BOUT • CONTOUR FIN • FRONTIÈRE • LIGNE SEUIL • RESTREINT
Limitée	LTÉE
Limiter	BORNER • CIRCONSCRIRE RATIONNER
Limites	CONFINS
Limitrophe	ATTENANT • FRONTIÈRE
Limoger	DÉGOMMER

Limon d'origine éolienne	LŒSS
Limon	SILT • VASE
Limoneux	ALLUVIAL
Limpide	CLAIR • TRANSPARENT
Limpidité	TRANSPARENCE
Linceul blanc	SUAIRE
Linceul	SUAIRE
Linge absorbant	COUCHE
Linge bénit couvrant les épaules du prêtre	AMICT
Linge de corps	LINGERIE
Linge dont on recouvre la table	NAPPE
Linge qu'emporte une jeune fille qui se marie	TROUSSEAU
Linge qui sert à l'infusion	NOUET
Lingerie	LINGE
Liniment	BAUME • ONGUENT
Lino	LINOLÉUM
Linoléum	PRÉLART
Linsoir	LINÇOIR
Liquéfiable	SOLUBLE
Liquéfier	FONDRE
Liqueur aromatisée au cumin	KUMMEL
Liqueur d'Orient	RAKI
Liqueur faite avec de l'absinthe	ABSINTHE
Liqueur préparée avec des grains d'anis	ANISETTE
Liqueur	ANISETTE • DIGESTIF
Liquidateur	SYNDIC
Liquidation de soldes	BRADERIE
Liquidation	BRADAGE
Liquide amniotique	EAUX
Liquide blanc	LAIT
Liquide blanc qui reste du lait dans la fabrication du beurre	BABEURRE
Liquide coulant en abondance	RUISSEAU
Liquide des végétaux	SÈVE
Liquide extrait de la pulpe	JUS
Liquide extrait du sang par les reins	URINE
Liquide fluide filtré	FILTRAT
Liquide formé de sucre	SIROP
Liquide incolore et inflammable	ACÉTONE

Liquide incolore et inodore . . . . EAU
Liquide noir . . . . ENCRE
Liquide nourricier . . . . SÈVE
Liquide nutritif tiré du sol . . . . SÈVE
Liquide nutritif . . . . LAIT
Liquide obtenu par distillation de l'alcool . . . . ALCOOLAT
Liquide obtenu par distillation . . . . ALCOOL
Liquide obtenu par le lessivage du tan . . . . JUSÉE
Liquide organique . . . . SUC
Liquide organique clair et ambré . . . . URINE
Liquide organique sécrété
    par certaines membranes . . . . SEROSITE
Liquide pâteux . . . . BOUILLIE
Liquide pour les cheveux . . . . FIXATIF
Liquide produit par les glandes muqueuses . . . . MUCUS
Liquide qui se boit . . . . BOISSON
Liquide reproducteur mâle . . . . SPERME
Liquide rouge . . . . SANG
Liquide sécrété par la seiche . . . . SÉPIA
Liquide sécrété par le foie . . . . BILE
Liquide séminal . . . . SEMENCE
Liquide sirupeux extrait de corps gras . . . . GLYCERINE
Liquide utilisé comme solvant . . . . ACÉTONE
Liquide utilisé pour écrire . . . . ENCRE
Liquide visqueux et amer . . . . BILE
Liquide visqueux rouge . . . . SANG
Liquide . . . . FLUIDE • HUMIDE • SUC
Liquider . . . . SUPPRIMER • TUER
Lire de nouveau . . . . RELIRE
Lire d'une manière pénible . . . . ÂNONNER
Lire en chantant et en
    nommant les notes . . . . SOLFIER
Lire une nouvelle fois . . . . RELIRE
Lire . . . . BOUQUINER
Lirette . . . . CATALOGNE
Lis rose tacheté de pourpre . . . . MARTAGON
Liséré dépassant le bord dans
    le bas d'un vêtement . . . . DEBORD
Liseur . . . . LECTEUR
Liseuse . . . . LECTRICE
Lisière du bois . . . . ORÉE

Lisière	BORDURE • LIMITE
Lisse	UNI
Lisser	LUSTRER
Liste de gagnants	PALMARÈS
Liste de marchandises	MANIFESTE
Liste de succès	PALMARÈS
Liste des lettres servant à transcrire les sons d'une langue	ALPHABET
Liste	CATALOGUE • INVENTAIRE
Lister	RÉPERTORIER
Lit ambulant généralement ouvert	LITIÈRE
Lit de calcaire grossier	CAILLASSE
Lit de malade	GRABAT
Lit de paille	PAILLASSE
Lit de plumes	COUETTE
Lit misérable	GRABAT
Lit mobile suspendu	HAMAC
Lithiase	GRAVELLE
Lithium	LI
Lithographe	GAUFREUR
Lithographier	GAUFRAGE
Litige soumis à une juridiction	PROCÈS
Litre de vin	LITRON
Littérateur	ÉCRIVAIN
Littérature sacrée des brahmanes	SANSCRIT
Littoral	RIVAGE
Littoral	COTIER
Liturgie	CÉRÉMONIE • CULTE
Liure	CÂBLE
Livide	BLAFARD • BLÊME • PÂLE
Lividité	BLANCHEUR
Living-room	VIVOIR
Livraison	FOURNITURE
Livré à la débauche	DISSOLU
Livre contenant les prières quotidiennes du prêtre	BREVIAIRE
Livre de magie à l'usage des sorciers	GRIMOIRE
Livre liturgique contenant l'office du soir	VESPERAL
Livre liturgique	MISSEL
Livre pour apprendre l'alphabet	ABÉCÉDAIRE
Livre sacré des Musulmans	CORAN

Livre très épais . . . . PAVÉ
Livre . . . . ÉDITION • MISSEL
PLAQUETTE
TOME • VOLUME
Livrer par extradition . . . . EXTRADER
Livret . . . . CAHIER
Livreur . . . . PORTEUR
Local . . . . LOFT
Local industriel transformé en logement . . . . LOFT
Local où l'on conserve les fruits . . . . FRUITIER
Local où l'on conserve les graines
de semence . . . . GRAINIER
Local où l'on enferme les taureaux
avant la corrida . . . . TORIL
Local où l'on fume les viandes . . . . FUMOIR
Local où opère un photographe . . . . STUDIO
Local où se fait l'incubation des œufs . . . . COUVOIR
Local où travaillent des artisans . . . . ATELIER
Local réservé à la lessive, dans une maison . . . . . BUANDERIE
Localisation d'un gène . . . . LOCUS
Localiser . . . . SITUER
Localité . . . . PATELIN
Localité de Grande-Bretagne . . . . ASCOT
Localité de la Haute-Savoie . . . . ASSY
Localité d'Italie . . . . OSTIE
Locataire . . . . OCCUPANT
Location . . . . LOUAGE • LOYER
Loche . . . . BARBOTE • BARBOTTE
Locution propre à une langue . . . . IDIOTISME
Loge . . . . BAIGNOIRE
Logement . . . . APPARTEMENT • GÎTE
LOCAL • PIAULE
Logement d'un concierge . . . . LOGE
Logement malpropre, obscur . . . . BOUGE
Logement misérable . . . . GALETAS • TAUDIS
Logement sale et en désordre . . . . CHENIL
Loger . . . . ABRITER • DEMEURER • GÎTER
HÉBERGER • HABITER • METTRE
Loger . . . . CRECHER
Logique . . . . COHÉRENT • RATIONNEL
Logis seigneurial . . . . MANOIR

Loi canonique islamique	CHARIA
Loi du silence	OMERTA
Loi ecclésiastique	CANON
Loi	FISCALITE • RÈGLE
Loi, règle fondamentale	CHARTRE
Loin du centre	EXCENTRÉ
Loin	LOINTAIN
Lointain	LOIN
Lois	REGLES
Lolo	NÉNÉ • SEIN
Lolo	ROBERT
Lombalgie	LOMBAGO
Lombric	VER
L'oncle d'à côté	SAM
Londonien caractérisé par son parler populaire	COCKNEY
Long bâton de pèlerin	BOURDON
Long canal d'irrigation	BISSE
Long canal suisse	BISSE
Long coussin de chevet	TRAVERSIN
Long manteau de cérémonie	CHAPE
Long morceau de bois rond	BÂTON
Long pagne de l'Asie du Sud-Est	SARONG
Long poème	ÉPOPÉE
Long prolongement du neurone	AXONE
Long sac	BESACE
Long siège à dossier et accotoirs	CANAPE
Long siège sans dossier ni bras	DIVAN
Long tremplin utilisé par les acrobates	BATOUDE
Long-courrier	PAQUEBOT
Longer	BORDER
Longue bande de cuir	LANIÈRE
Longue barre de fer	TISONNIER
Longue construction destinée à retenir les eaux	DIGUE
Longue corde	LASSO
Longue entaille au visage	BALAFRE
Longue énumération	LITANIE
Longue et profonde dépression sous-marine	CANYON
Longue étoffe drapée	SARI
Longue histoire mouvementée	SAGA

Longue perche	GAULE
Longue période difficile	TUNNEL
Longue pièce de bois	AIS • ESPAR
Longue pièce transversale sous une voiture	ESSIEU
Longue plume de l'aile des oiseaux	PENNE
Longue robe	SIMARRE
Longue robe boutonnée	SOUTANE
Longue suite de phrases	TIRADE
Longue suite ininterrompue	KYRIELLE
Longue tige à pointe de fer	JAVELOT
Longue tige pointue	BROCHE
Longue tresse de cheveux de chaque côté du visage	CADENETTE
Longue tunique ample	BOUBOU
Longue tunique flottante	BOUBOU
Longue veste d'homme à pans ouverts	JAQUETTE
Longuement	LONGTEMPS
Longueur de la remorque d'un navire	TOUÉE
Longueur d'un fil de la trame	DUITE
Longueur	DURÉE
Longue-vue	LORGNETTE
Loofa	LUFFA
Loquace	BAVARD • CAUSEUR PARLANT • VOLUBILE
Loquacité tendant à convaincre	BAGOU
Loquacité tendant à faire illusion	BAGOUT
Loquacité	BAGOUT • TAPETTE • VOLUBILITÉ
Loque	ÉPAVE • HAILLON
Loques	HARDES
Loquet	TAQUET
Lorgner	CONVOITER • LOUCHER • MATER RELUQUER • ZIEUTER • ZYEUTER
Lorgner, convoiter	GUIGNER
Lorgnon	BINOCLE • MONOCLE
Lorry	WAGONNET
Lorsque	LORS
Los Angeles	LA
Loser	RATÉ
Lot	ASSORTIMENT • PART • PORTION
Lot des princes n'ayant	

pas accès à la couronne	APANAGE
Lote	LOTTE
Loterie de société	TOMBOLA
Loterie où l'on peut gagner des lots en nature	TOMBOLA
Lotte	BARBOTTE • BAUDROIE • LOTE
Louage	LOCATION
Louage d'un navire	FRET
Louange	APOLOGIE • COMPLIMENT • ÉLOGE
Louange, flatterie excessive	ENCENS
Louanger	LOUER
Louangeur	LAUDATIF
Loubard, voyou	LOULOU
Louche	BIGLE • BORGNE CUILLER • DOUTEUX MALFAME • POCHON • SUSPECT
Louchement	LOUCHERIE
Loucher	BIGLER
Louer	ENCENSER • LOUANGER
Louer à ferme ou à bail	AFFERMER
Louer beaucoup	VANTER
Louer de nouveau	RELOUER
Louer par un contrat d'amodiation	AMODIER
Louer, céder par affermage	AFFERMER
Loufoque	FARFELU
Loufoquerie	DINGUERIE
Lougre	GALIOTE
Louis	NAPOLÉON
Louper	RATER
Lourd instrument qui immobilise le navire	ANCRE
Lourd javelot utilisé comme arme de jet	PILUM
Lourd marteau	MARTINET
Lourd	INDIGESTE • PATAUD • PESANT
Lourd, épais	MASSIF
Lourdaud	BALOURD • CUISTRE
Lourde charge	FARDEAU
Lourde	MASSIVE
Lourdement, sans grâce	PESAMMENT
Lourdeur	LENTEUR • PESANTEUR • POIDS

Lourdeur, grossièreté du béotien	BÉOTISME
Louveteau	SCOUT
Louvoyer	BIAISER
Lover	ROULER
Loyal	FÉAL • FIDÈLE • FRANC • SINCÈRE
Loyale	FRANCHE
Loyauté	DROITURE • FIDÉLITÉ • SINCÉRITÉ
Loyer de l'argent emprunté	INTÉRÊT
Lubie	CAPRICE • MAROTTE
Lubricité	SALACITÉ
Lubrifier	GRAISSER • HUILER • SUIFFER
Lubrique	SALACE
Lucarne	FAÎTIÈRE • FENÊTRE
Lucide	CONSCIENT
Lucifer	SATAN
Lucratif	FRUCTUEUX • PRODUCTIF
Ludiférien	SATANIQUE
Luette	UVULE
Lugubre	FUNÈBRE • MACABRE • SINISTRE
Lui	IL
Lui, elle	SOI
Luire	BRILLER
Luisant	RELUISANT
Lumen	LM
Lumière	ÉCLAIRAGE • LUEUR
Lumière faible, tamisée	PÉNOMBRE
Lumière vive, de courte durée	ÉCLAIR
Lumière, éclairage	CLARTÉ
Luminance	ÉCLAT
L'un des sept sacrements de l'Église	BAPTÊME
Lunaire	SELENITE
Lunatique	VISIONNAIRE
Lupanar	BORDEL
Lustrage	GLAÇAGE
Lustre	BRILLANT
Lustré	SATINÉ
Lustrer	SATINER • VELOUTER
Lutécium	LU
Lutin	GNOME
Lutin des légendes scandinaves	TROLL
Lutin d'une grâce légère et vive	FARFADET

Lutin, esprit follet	FARFADET
Lutte	COMBAT • CONFLIT
Lutte armée	GUERRE
Lutte armée entre groupes sociaux	GUERRE
Lutte japonaise	SUMO
Lutte libre	CATCH
Lutte sportive à coups de poing	BOXE
Lutter contre ce qui attire	RÉSISTER
Lutter sans violence	MILITER
Lutter	BATAILLER • COMBATTRE RIVALISER
Lutteur	JUDOKA
Luxation	ENTORSE
Luxe recherché et voyant	TRALALA
Luxe	AISES
Luxueux	RUPIN • SOMPTUEUX
Luxueux, splendide	SOMPTUEUX
Luxure	ÉROTISME • STUPRE
Lycéen	COLLEGIEN
Lychee	LITCHI
Lymphangite	PHLEBITE
Lymphatique	INDOLENT
Lymphe	SEROSITE
Lynx à oreilles noires	CARACAL
Lyre munie d'une grande caisse de résonance	CITHARE
Lyrique	PŒTIQUE

M

Mac . . . . MAQUEREAU
Macabre . . . . LUGUBRE
Macadam . . . . BITUME
Macareux . . . . PINGOUIN
Macchabée . . . . CADAVRE
Macérer . . . . INFUSER • MARINER
Mâcher de nouveau . . . . RUMINER
Mâcher plus ou moins machinalement . . . . MACHONNER
Machin . . . . BIDULE • CHOSE • OBJET
Machination . . . . COMPLOT • MANÈGE
MANŒUVRE • MENÉES

Machine à aleser . . . . ALESEUSE
Machine à broyer . . . . BROYEUR
Machine à découper le bois, les tissus . . . . DECOUPEUR
Machine à ébarber . . . . ÉBARBEUR
Machine à faner . . . . FANEUR
Machine à filer le coton . . . . JENNY
Machine à filer . . . . ROUET
Machine à gaufrer . . . . GAUFREUR
Machine à lainer . . . . LAINEUSE
Machine à l'aspect humain . . . . ROBOT
Machine à laver . . . . LAVEUSE
Machine à parer les draps . . . . PAREUSE
Machine à plisser les étoffes . . . . PLISSEUSE
Machine à reproduire
un texte dactylographié . . . . RONÉO
Machine à rogner le papier . . . . MASSICOT
Machine à scier . . . . SCIEUSE
Machine à sécher . . . . SÉCHEUSE
Machine à tamiser . . . . TAMISEUSE
Machine à teiller . . . . TEILLEUSE
Machine à traire . . . . TRAYEUSE
Machine de guerre antique . . . . CATAPULTE
Machine de guerre en forme
de tour mobile . . . . HÉLÉPOLE
Machine de guerre . . . . BÉLIER • BOMBARDE
Machine de levage . . . . GRUE
Machine destinée à un usage particulier . . . . ENGIN

Machine employée pour la pose des rivets . . . . RIVETEUSE
Machine hydraulique à godets . . . . NORIA
Machine munie d'une pelle
    pour ramasser . . . . CHARGEUSE
Machine permettant d'effectuer
    des opérations arithmétiques . . . . CALCULATRICE
Machine pour abattre
    mécaniquement la roche . . . . HAVEUSE
Machine pour ébarber les plantes . . . . ÉBARBEUR
Machine qui effectue le travail d'une pelle . . . . PELLETEUR
Machine qui sert à poncer . . . . PONCEUR
Machine servant à nettoyer . . . . NETTOYEUR
Machine servant à tondre . . . . TONDEUSE
Machine souvent munie d'une sonnerie . . . . HORLOGE
Machine transformant l'énergie
mécanique en énergie électrique . . . . DYNAMO
Machine volante . . . . AÉRONEF
Machine . . . . APPAREIL
Machiner . . . . OURDIR • TRAMER
Machiniste . . . . OPÉRATEUR
Machisme . . . . SEXISME
Machmètre . . . . MACH
Mâchoire . . . . MARGOULIN • MANDIBULE
Mâchonnement . . . . MACHEMENT
Mâchonner . . . . MÂCHER • MARMONNER
MORDRE
Mâchouiller . . . . MACHONNER
Maçon . . . . PLATRIER
Maçonner avec du mortier fait
    de paille et de boue . . . . BOUSILLER
Maçonner grossièrement . . . . HOURDER
Maçonnerie servant de base
    aux murs d'un édifice . . . . FONDEMENT
Maculé . . . . MALPROPRE
Maculer . . . . BARBOUILLER • CROTTER • SALIR
Madame . . . . DAME • MME
Mademoiselle . . . . FILLE • MLLE • SEÑORITA
Madone . . . . VIERGE
Madré . . . . MATOIS
Madréporique . . . . CORALLIEN
Madrier . . . . CHEVRON • POUTRE

Maerl	MERL
Maffia	MAFIA
Mafflu	JOUFFLU • BOUFFI
Mafia	MAFFIA
Mafioso	MAFIEUX
Magasin à explosifs	POUDRIÈRE
Magasin de fruits	FRUITERIE
Magasin de prêt-à-porter	BOUTIQUE
Magasin de serrures	SERRURERIE
Magasin du gantier	GANTERIE
Magasin où l'on torréfie le café	BRÛLERIE
Magasin situé dans la cale d'un navire	SOUTE
Magasin	COMMERCE
Maghrébin	ARABE
Magicien qui évoque les morts	NÉCROMANT
Magicien	MAGE • SORCIER
Magique	ENCHANTÉ
Magistrat anglais	SHERIF
Magistrat municipal	ÉCHEVIN • ÉDILE
Magistrat musulman	CADI
Magistrat	JUGE • CONSUL • ROBIN
Magma	LAVE
Magnanime	GÉNÉREUX • NOBLE
Magnanimité	GRANDEUR
Magnat	BARON
Magnésium	MG
Magnétophone	PHONO
Magnificence	LUXE • RICHESSE • SPLENDEUR
Magnifier	AURÉOLER • IDÉALISER • SUBLIMER
Magnifique	ADMIRABLE • SPLENDIDE • SUPERBE
Magot	PACTOLE • TRÉSOR
Magouille	FRICOTAGE
Mahométisme	ISLAMISME
Maigre	CHÉTIF • ÉCRÉMÉ • ÉMACIÉ OSSEUX • PETIT
Maigre, efflanqué	ÉLANCÉ
Maigrelet	MAIGRIOT
Maigrichonne	CHÉTIVE
Maigrir (S')	AMAIGRIR
Mail	DRÈVE

Maille d'une chaînette . . . . PAILLON
Maille . . . . CHAÎNON • MAILLURE
Maillet de bois . . . . MAILLOCHE
Mailloche . . . . MAILLET
Maillon . . . . CHAÎNON
Maillot de bain en deux pièces
    réduites à l'extrême . . . . BIKINI
Maillot de bain formé d'un
    slip et d'un soutien-gorge . . . . BIKINI
Maillot de bain très petit . . . . STRING
Maillot de corps . . . . CAMISOLE
Main courante . . . . RAMPE
Main droite . . . . DEXTRE
Main fermée . . . . POING
Main . . . . POGNE
Mainmise . . . . SAISIE
Maintenant . . . . PRÉSENT
Maintenir . . . . APPUYER • ARRÊTER
                                        FIXER • SOUTENIR
Maintien fier et élégant . . . . PRESTANCE
Maintien . . . . CONTINUITÉ • MINE • SURVIE
Maire en Espagne . . . . ALCADE
Maire . . . . MAGISTRAT
Maïs d'eau . . . . VICTORIA
Mais . . . . CEPENDANT
Maison ambulante . . . . ROULOTTE
Maison d'agrément à toit de chaume . . . . CHAUMIÈRE
Maison de campagne . . . . CHALET • MAS
Maison de campagne avec un jardin . . . . VILLA
Maison de campagne russe . . . . DATCHA
Maison de campagne, en Russie . . . . DATCHA
Maison de jeu . . . . TRIPOT
Maison de prostitution . . . . BORDEL • LUPANAR
Maison de rapport, à Rome . . . . INSULA
Maison de religieux . . . . COUVENT
Maison d'édition . . . . LIBRAIRIE
Maison sans confort . . . . TURNE
Maison traditionnelle, en Polynésie . . . . FARÉ
Maison . . . . BERCAIL • FOYER • GÎTE • LOGIS
Maisonnette . . . . PAVILLON
Maître à penser . . . . GURU

Maître de cérémonies	MC
Maître de maison	PATRON • HÔTE
Maître de manœuvre	BOSCO
Maître des gladiateurs, à Rome	LANISTE
Maître spirituel	GOUROU • GURU
Maître	PREFET • PROFESSEUR • SEIGNEUR
Maître-queux	CUISINIER
Maîtresse de maison	PATRONNE
Maîtresse préférée d'un roi	FAVORITE
Maîtresse	DULCINÉE
Maîtrise	EMPIRE
Maîtriser	DOMPTER • JUGULER • NEUTRALISER
Majesté	GRANDEUR
Majestueux	GRANDIOSE • IMPÉRIAL • OLYMPIEN
Majeur	ADULTE • MÉDIUS
Majoration	HAUSSE
Majoration d'une prime d'assurance automobile	MALUS
Majoration d'une taxe	SURTAXE
Majorer	ENFLER
Mal à l'aise, inhibé	COINCÉ
Mal à l'aise, peu naturel	GUINDÉ
Mal de mer	NAUPATHIE
Mal de tête	CÉPHALÉE • MIGRAINE
Mal des montagnes	PUNA
Mal du pays	NOSTALGIE
Mal élevé, grossier	MALPOLI
Mal famé	BORGNE
Malabar	HERCULEEN
Malade atteint de schizophrénie	SCHIZOPHRÈNE
Malade	ATTEINT • SCHIZOPHRÈNE SOUFFRANT
Maladie à virus de la pomme de terre	FRISOLÉE
Maladie à virus, contagieuse	GRIPPE
Maladie bactérienne du porc	ROUGET
Maladie caractérisée par des maux d'oreille	OREILLONS
Maladie caractérisée par des sueurs abondantes	SUETTE
Maladie causée par le bacille tétanique	TÉTANOS

Maladie contagieuse	GALE • RUBÉOLE
Maladie contagieuse de l'enfance	ROUGEOLE
Maladie contagieuse des équidés	MORVE
Maladie cryptogamique des plantes	ROT
Maladie cutanée	GALE • LUPUS
Maladie de Barlow	SCORBUT
Maladie de la muqueuse buccale	MUGUET
Maladie de la peau	ECZÉMA
Maladie de la pomme de terre	DARTROSE
Maladie de l'épi des céréales	NIELLE
Maladie de l'œil	GLAUCOME
Maladie de peau	PSORIASIS
Maladie des chevaux	VERTIGO
Maladie des oiseaux transmissible à l'homme	ORNITHOSE
Maladie des plantes	FUMAGINE
Maladie des plantes cultivées	MILDIOU
Maladie des vers à soie	GRASSERIE • PÉBRINE
Maladie des voies urinaires	GRAVELLE
Maladie d'origine virale	VARIOLE
Maladie du cheval due à l'emphysème pulmonaire	POUSSE
Maladie du foie	JAUNISSE
Maladie du sabot des équidés	SEIME
Maladie du sang très grave	LEUCÉMIE
Maladie due à l'insuffisance de vitamines C	SCORBUT
Maladie épidémique contagieuse	CHOLERA
Maladie éruptive	VÉROLE
Maladie fébrile contagieuse	SUETTE
Maladie infectieuse des oiseaux	ORNITHOSE
Maladie infectieuse due à un virus	POLIO
Maladie infectieuse grave	TÉTANOS
Maladie infectieuse transmise par l'anophèle	PALUDISME
Maladie infectieuse	GRIPPE • LÈPRE • TYPHUS VARIOLE • ZONA
Maladie inflammatoire de l'utérus	MÉTRITE
Maladie inflammatoire du rein	NÉPHRITE
Maladie mentale causant une altération de la personnalité	PSYCHOSE

Maladie mentale	NÉVROSE
Maladie mortelle des vers à soie	FLACHERIE
Maladie nerveuse	CHORÉE
Maladie parasitaire	PALU
Maladie particulière à une région donnée	ENDÉMIE
Maladie pulmonaire affectant la respiration	ASTHME
Maladie Transmissible Sexuellement	MTS • SYPHILIS
Maladie vénérienne contagieuse	SYPHILIS
Maladie virale	RUBÉOLE
Maladie virulente	RAGE
Maladie	DIABÈTE • MAL • MALAISE
Maladie, souvent mortelle	SIDA
Maladif	CHÉTIF • MALSAIN
Maladif	CACOCHYME
Maladif, famélique	CREVARD
Maladive	CHÉTIVE
Maladresse choquante	IMPAIR
Maladresse	BALOURDISE • BÉVUE GAFFE • GAUCHERIE
Maladroit	BALOURD • BOITEUX • EMPOTÉ EMPRUNTE • GAUCHE • LOURD MANCHOT • PATAUD
Maladroit, mal à l'aise	GOURD
Maladroite	BOITEUSE • LOURDE
Malaise moral	INCONFORT
Malaisé	INCOMMODE
Malaise	MALADIE
Malappris	BUTOR
Malaria	PALUDISME
Malart	MALARD
Malaxer	PÉTRIR
Malchance	DÉVEINE • GUIGNE • GUIGNON MALHEUR • POISSE
Malchance, poisse	SCOUMOUNE
Malchanceux	GUIGNARD • INFORTUNÉ
Mâle de la chèvre	BOUC
Mâle de la jument	CHEVAL
Mâle de l'oie	JARS
Mâle du faucon lanier	LANERET

Mâle du faucon sacre	SACRET
Mâle reproducteur	ÉTALON
Mâle reproducteur de l'espèce porcine	VERRAT
Malédiction	FATALITÉ
Maléfice	DIABLERIE • SORT
Maléfique	MALFAISANT
Malentendu	MÉPRISE • QUIPROQUO
Malfaçon	DÉFECTUOSITÉ
Malfaisant	MALÉFIQUE • MÉCHANT
Malfaisante	NOCIVE
Malfaiteur	BANDIT • BRIGAND
	GANGSTER • MALFRAT
Malformation congénitale de la peau	NAEVUS
Malgré tout	NÉANMOINS
Malhabile	MALADROIT
Malheur	ÉPREUVE • MISÈRE
Malhonnête	VÉREUX
Malhonnêteté	IMPROBITÉ
Malice	ASTUCE • MALIGNITE
Malicieux	COQUIN • TAQUIN
Malignité	ACRIMONIE • MALICE • NOCIVITÉ
Malin	DÉLURÉ • ESPIÈGLE • FINAUD
	FUTÉ • HABILE • MADRÉ • RUSÉ
Malin, démerdard	COMBINARD
Malingre	CHÉTIF • DÉBILE • MALADE
	MALADIF • RABOUGRI
Malingre	FAIBLARD
Malléable	PLASTIQUE • MANIABLE
Mallette	VALISE
Malmener	MALTRAITER • MOLESTER
Malmener fortement	ÉTRILLER
Malodorant	FÉTIDE
Malotru	GOUJAT • HURON
	MUFLE • RUSTRE
Malpoli	MALAPPRIS
Malpropre	SALE
Malpropreté	SALETÉ
Malsain	MORBIDE • POURRI • PUTRIDE
Maltraitance	SÉVICES

Maltraiter	MALMENER
Maman	MÈRE
Mamelle d'un mammifère	TÉTINE
Mamelle d'une femelle	PIS
Mamelon du sein	TÉTIN
Mammifère	MULOT
Mammifère à fourrure estimée	MARTE • MARTRE
Mammifère à odeur nauséabonde	PUTOIS
Mammifère à queue aplatie	CASTOR
Mammifère appelé grand fourmilier	TAMANOIR
Mammifère arboricole	AÏ
Mammifère australien se déplaçant par bonds	KANGOUROU
Mammifère australien	KOALA
Mammifère aux mouvements lents	AÏ
Mammifère bas sur pattes	BELETTE
Mammifère carnassier	HYÈNE • LÉOPARD • PUMA
Mammifère carnassier de la famille des félidés	PANTHERE
Mammifère carnassier voisin du loup	COYOTE
Mammifère carnivore au museau pointu	MARTE • MARTRE
Mammifère carnivore au museau terminé en groin	COATI
Mammifère carnivore au pelage gris-brun	FOUINE
Mammifère carnivore aux oreilles pointues	LYNX
Mammifère carnivore d'Afrique	GENETTE
Mammifère carnivore d'Afrique et d'Asie	HYÈNE
Mammifère carnivore de Sibérie	ZIBELINE
Mammifère carnivore	BLAIREAU • CHAT • CIVETTE FENNEC • FURET • GUÉPARD HERMINE • LOUP • OCELOT OURS • RATEL • RATON • RENARD
Mammifère carnivore, sorte de blaireau, friand de miel	RATEL
Mammifère cétacé	MARSOUIN
Mammifère cuirassé de plaques cornées	TATOU

Mammifère d'Afrique	GIRAFE
Mammifère d'Amérique tropicale	UNAU
Mammifère de la famille des antilopes	GAZELLE
Mammifère de l'ordre des primates	SINGE
Mammifère des forêts d'Asie	PANDA
Mammifère disparu	RHYTINE
Mammifère domestique	TAUREAU
Mammifère du Pacifique	OTARIE
Mammifère grimpeur australien	KOALA
Mammifère herbivore aquatique au corps massif	LAMANTIN
Mammifère herbivore	GNOU • TAPIR
Mammifère lémurien vivant à Madagascar	INDRI
Mammifère marin	BALEINE • CÉTACÉ • ÉPAULARD
Mammifère marin au corps épais	MORSE
Mammifère marin carnivore	ORQUE
Mammifère marin habitant les mers arctiques	BÉLOUGA
Mammifère marin proche du marsouin	DAUPHIN
Mammifère onglé ruminant à cornes ramifiées	CERVIDE
Mammifère ongulé de l'ordre des proboscidiens	ELEPHANT
Mammifère ongulé omnivore	PORC
Mammifère ongulé	GNOU • LAMA • TAPIR
Mammifère ovipare d'Australie	ÉCHIDNÉ
Mammifère presque aveugle	TAUPE
Mammifère proche de la belette	HERMINE
Mammifère qui se meut avec grande lenteur	BRADYPE
Mammifère recherché pour sa fourrure	VISON
Mammifère rongeur	LIÈVRE
Mammifère rongeur à fourrure estimée	RAGONDIN
Mammifère rongeur d'Amérique du Sud	COBAYE
Mammifère rongeur hibernant	MARMOTTE
Mammifère ruminant	BŒUF • CERF • CHÈVRE MOUTON • RENNE
Mammifère ruminant ongulé	DAIM • MOUFLON
Mammifère ruminant qui a deux bosses sur le dos	CHAMEAU

Mammifère ruminant sauvage d'Afrique	ANTILOPE
Mammifère ruminant voisin du bœuf	BUFFLE
Mammifère ruminant voisin du lama	ALPAGA
Mammifère ruminant, aux pattes grêles et aux longues cornes arquées	ANTILOPE
Mammifère très prolifique	LAPIN
Mammifère végétarien des rivières	CASTOR
Mammifère voisin de la belette	ZORILLE
Mammifère voisin des mouffettes	ZORILLE
Mammifère voisin du lama	ALPAGA
Mammifère voisin du lapin	LIÈVRE
Mammifère voisin du phoque	OTARIE
Mammite	MASTITE
Manche en bois	HAMPE
Manche, au tennis	SET
Manche, au volley-ball	SET
Manchon mobile	NILLE
Mandarin	MANITOU
Mandarine	CLÉMENTINE
Mandat	MISSION • POUVOIR
Mandat de sept ans	SEPTENNAT
Mandataire	AGENT • AGRÉÉ DÉLÉGUÉ • DÉPUTÉ
Mandater	DELEGUER
Mandrill	PAPION
Manécanterie	CHŒUR
Manège de chevaux de bois	CARROUSEL
Manette	LEVIER
Manganèse	MN
Mangeaille	NOURRITURE
Mangeoire pour la volaille	TRÉMIE
Mangeoire	AUGE
Manger	BECTER • BOUFFER • GOBER
Manger avec gloutonnerie	BÂFRER
Manger de nouveau	REMANGER
Manger du bout des dents	GRIGNOTER • PIGNOCHER
Manger en déchirant avec les dents	DEVORER
Manger gloutonnement et avec excès	BÂFRER
Manger l'herbe, en parlant du bétail	BROUTER
Manger par petits morceaux	CHIPOTER
Manger peu	PICORER

Manger sans appétit	PIGNOCHER
Manger une autre fois	REMANGER
Manger	BOULOTTER
Mangeur	BOUFFEUR • DINEUR
Maniable	SOUPLE
Maniaque	OBSÉDÉ
Manichéiste	MANICHÉEN
Manie de bouger, de voyager	BOUGEOTTE
Manie	HABITUDE • TIC
Maniement	UTILISATION
Manier avec habileté	JONGLER
Manier brutalement	TRITURER
Manier	MODELER • TÂTER
Manière	FAÇON • GUISE • MODALITÉ MODE • SYSTÈME
Manière d'agir à l'égard d'autrui	PROCEDE
Manière d'agir jugée aberrante	HÉRÉSIE
Manière d'appliquer la couleur	TOUCHE
Manière d'avancer	ERRE
Manière de boucher	BOUCHAGE
Manière de chasser au hasard du lancer	TROLLE
Manière de cuisson	DAUBE
Manière de dactylographier	FRAPPE
Manière de draper	DRAPEMENT
Manière de faire des plis	PLISSURE
Manière de griller la viande sur les charbons	CARBONADE
Manière de lacer	LACEMENT
Manière de lancer	TIR
Manière de parler	DICTION
Manière de procéder juridiquement	PROCÉDURE
Manière de raconter un fait	VERSION
Manière de recevoir	ACCUEIL
Manière de réciter	DÉBIT
Manière de ressentir une situation	FEELING
Manière de saluer exagérée	SALUTATION
Manière de se comporter	ATTITUDE
Manière de se tenir	ATTITUDE
Manière de s'exprimer en peu de mots	LACONISME
Manière de s'exprimer	TON
Manière de tenir le corps	ATTITUDE

Manière de tricoter . . . . TRICOTAGE
Manière d'écrire vague et emphatique . . . . LAÏUS
Manière d'écrire, style . . . . ÉCRITURE
Manière d'être . . . . ÉTAT • QUALITÉ
Manière dont on réagit . . . . RÉACTION
Manière dont un livre est relié . . . . RELIURE
Manière dont un mot est écrit . . . . GRAPHIE
Manière dont une chose est faite . . . . FAÇON
Manière dont une chose est pliée . . . . PLIAGE
Manière dont une chose est tressée . . . . TRESSAGE
Manière dont une chose s'est faite . . . . COMMENT
Manière d'utiliser . . . . UTILISATION
Maniérée . . . . GUINDEE
Maniérisme . . . . PRÉCIOSITÉ
Manifestation bruyante . . . . TONNERRE
Manifestation morbide brutale . . . . ICTUS
Manifestation non violente . . . . SIT-IN
Manifestation . . . . AFFIRMATION • APPARITION
                                                        EMERSION • MEETING
Manifesté . . . . ADVENU
Manifeste . . . . APPARENT • ÉVIDENT • VISIBLE
Manifester en termes violents,
    par des cris . . . . CLAMER
Manifester une joie intense . . . . JUBILER
Manifester . . . . TÉMOIGNER • TRADUIRE
Manigance . . . . TRIPOTAGE
Manigancer . . . . COMBINER • MACHINER
                                                        MIJOTER • TRIPOTER
Manipulateur . . . . OPÉRATEUR
Manipulation . . . . ACCONAGE • MANIEMENT
Manipuler . . . . MANIER
Manitou . . . . CAÏD
Manivelle . . . . BIELLE
Manœuvrable . . . . MANIABLE
Manœuvre de massage . . . . FRICTION
Manœuvre douteuse . . . . MAGOUILLE
Manœuvre frauduleuse . . . . DOL
Manœuvre qui pousse des chariots . . . . ROULEUR
Manœuvre secrète . . . . MANIGANCE
Manœuvre . . . . INTRIGUE • MANÈGE • OUVRIER
                                                        STRATÉGIE • TACHERON

Manœuvrer pour arriver à ses fins	INTRIGUER
Manœuvrer une embarcation à l'aide d'une godille	GODILLER
Manœuvrer	MANIER • MANIPULER • RUSER
Manœuvres secrètes et malveillantes	MENÉES
Manoir	CASTEL
Manoquer	BOTTELER
Manque	LACUNE • PRIVATION • RARETÉ
Manque absolu d'activité	INERTIE
Manque d'argent	DÈCHE
Manque d'assurance	TIMIDITÉ
Manque d'attention	NÉGLIGENCE
Manque de clarté	CONFUSION • OBSCURITÉ
Manque de confort	INCONFORT
Manque de discernement	MYOPIE
Manque de force	ASTHÉNIE
Manque de franchise	FAUSSETÉ
Manque de largeur d'esprit	ÉTROITESSE
Manque de loyauté	PERFIDIE
Manque de loyauté, de bonne foi	DÉLOYAUTÉ
Manque de nécessaire	PAUVRETÉ
Manque de probité	IMPROBITÉ
Manque de rapidité	LENTEUR
Manque de respect	IRRESPECT
Manque de retenue	IMPUDEUR
Manque de réussite	INSUCCÈS
Manque de richesse	MAIGREUR
Manque de robustesse	FRAGILITÉ
Manque de saine raison	INSANITÉ
Manque de soin	INCURIE
Manque de travail	CHÔMAGE
Manque d'éclat	GRISAILLE
Manque d'énergie	LÂCHETÉ
Manque d'intelligence	IDIOTIE
Manque d'oxygène	ASPHYXIE
Manque total d'aliments	FAMINE
Manquement	FAUTE • OUBLI
Manquer	ÉCHOUER • FAILLIR LOUPER • RATER
Mansarde	GALETAS
Manteau	PARKA

Manteau à capuchon	BURNOUS
Manteau court en drap de laine	CABAN
Manteau d'astrakan	ASTRAKAN
Manteau de femme	MANTE
Manteau de laine à capuchon que portent les Arabes	BURNOUS
Manteau de pluie	IMPER
Manteau de prélat	MANTELET
Manteau du chien	MANTELURE
Manteau porté sur l'armure, au Moyen Âge	TABARD
Manteau sans manches	PÈLERINE
Manteau	PALETOT • PARDESSUS
Mantille	FANCHON
Manufacturé	OUVRÉ
Manufacture	USINE
Manufacturier de laine	LAINIER
Manufacturier	FABRICANT
Manuscrit	DOCUMENT • ÉCRIT PAPYRUS • TEXTE
Manutention des marchandises des navires	ACCONAGE • ACONAGE
Manutention	ACONAGE
Maquereau	MARLOU • PROXÉNÈTE SOUTENEUR
Maquette	ESQUISSE
Maquillage de théâtre	GRIMAGE
Maquillage	FARD • MASCARA
Maquillé	DÉGUISÉ
Maquiller pour le théâtre	GRIMER
Maquiller	DÉGUISER • FARDER
Maquis	GARRIGUE
Marabout	KOUBBA • MOSQUEE
Marais	MARE
Marais du Péloponnèse	LERNE
Marais salant	SALIN • SALINE
Marasme	MOROSITÉ • CRISE
Marbre bleu	TURQUIN
Marbre brun-rouge	GRIOTTE
Marbrer	JASPER • VEINER
Marbrure	CERNE • JASPURE

Marchand ambulant	CAMELOT • CRIEUR
Marchand d'articles de marine	SHIPCHANDLER
Marchand de chevaux	MAQUIGNON
Marchand de couleurs	DROGUISTE
Marchand de faïence	FAÏENCIER
Marchand de laine	LAINIER
Marchand de légumes	LEGUMIER
Marchand de lunettes	LUNETIER
Marchand de sel	SAUNIER
Marchand de soupe	ÉPICIER
Marchand de vin en gros	PINARDIER
Marchand d'ouvrages de sellerie	SELLIER
Marchand en gros	GROSSISTE
Marchand	NÉGOCIANT • VENDEUR
Marchande de glaces	GLACIÈRE
Marchande	VENDEUSE
Marchandise	CAME
Marchandise non emballée	VRAC
Marchandise sans valeur	NANAR
Marchandises du vitrier	VITRERIE
Marchandises en magasin	STOCK
Marchandises sans emballage	VRAC
Marchandises sans valeur	PACOTILLE
Marché	PACTE
Marche à suivre	MÉTHODE • PROCÉDURE • TACTIQUE
Marché aux herbes	HERBERIE
Marché couvert des pays d'Islam	SOUK
Marché public en Orient	BAZAR
Marche	AVANCEMENT • ÉCHELON
Marché, dans les pays arabes	SOUK
Marchepied à quelques degrés	ESCABEAU
Marcher	ALLER • ARQUER CHEMINER • PIETER
Marcher à petits pas courts	TROTTINER
Marcher avec affectation (Se)	PAVANER
Marcher avec des béquilles	BÉQUILLER
Marcher côte à côte avec quelqu'un	COTOYER
Marcher sans but précis	DÉAMBULER
Marcher sur un sol détrempé	PATAUGER
Marcher très vite	GALOPER
Marcher vite et à petits pas	TROTTINER

Marcotte de vigne	PROVIN
Marcotte	BOUTURAGE
Mare	ÉTANG
Marécage	MARAIS
Maréchal allemand mort en 1945	MODEL
Maréchal de France né en 1485	LAUTREC
Maréchal de France né en 1795	RANDON
Maréchal de France né en 1856	PÉTAIN
Maréchal de France	NIEL
Maréchal de Luxembourg	TAPISSIER
Maréchal des logis	MARGIS
Maréchal prussien mort en 1879	ROON
Maréchal yougoslave	TITO
Maréchal-ferrant	FORGERON
Marginal	ASOCIAL • BOHÈME
Marginer	ANNOTER
Margotter	MARGOTER
Mari	ÉPOUX
Mari de Bethsabée	URIE
Mariable	NUBILE
Mariage	ALLIANCE • HYMEN
	HYMENÉE • UNION
Marié à deux personnes	BIGAME
Marie-jeanne	MARIHUANA
Marier	ÉPOUSER
Marijuana	HACHISCH • MARIHUANA
Marin	MATELOT • NAUTIQUE
Marin toulonnais	MOCO
Marinade aromatisée de poissons étêtés	ESCABÈCHE
Marinier	BATELIER
Marionnette sans fils	GUIGNOL
Marionnette, pantin	FANTOCHE
Maritime	MARINE
Marivaudage	BADINERIE
Marmelade	COMPOTE
Marmite en fonte	BRAISIÈRE • COCOTTE
Marmonner	BREDOUILLER • MACHONNER
Marmot	FIGURINE
Marmots	MARMAILLE
Marmotte	FANCHON • MURMEL

Marmotter	BALBUTIER
Marneux	GLAISEUX
Marotte	DADA • MANIE
Marquage de lettres	LETTRAGE
Marquage	PIQUETAGE
Marque apposée	LABEL
Marque caractéristique, distinctive	TRAIT
Marque d'approbation	BRAVO
Marqué de bandes	FASCIÉ
Marqué de petites raies	VERGETÉ
Marqué de raies	STRIÉ
Marque de vénération	HOMMAGE
Marque d'un coup	GNON
Marque d'une victoire	TROPHÉE
Marque faite en mordant	MORSURE
Marque formée par un pli	PLIURE
Marque laissée par une plaie	STIGMATE
Marque le doute	EUH
Marqué par le fanatisme	FANATIQUE
Marque qui reste sur la peau qui a été pincée	PINÇON
Marque qu'on fait à la peau en la suçant fortement	SUÇON
Marque sur la peau	PINÇON
Marque	CICATRICE • EMPREINTE • ENSEIGNE ÉTIQUETTE • MEURTRISSURE • SIGNE SCORE • TACHE • TRACE • REPÈRE
Marqué	PRONONCÉ
Marque, repère	JALON
Marquer de bandes foncées	ZÉBRER
Marquer de bigarrures	BIGARRER
Marquer de couleurs contrastantes	BIGARRER
Marquer de couleurs qui tranchent l'une sur l'autre	BIGARRER
Marquer de dessins indélébiles	TATOUER
Marquer de l'esprit latin	LATINISER
Marquer de lignes sinueuses	ZÉBRER
Marquer de petites taches	PICOTER • TACHETER
Marquer de raies	RAYER • STRIER
Marquer de traits profonds	SABRER
Marquer de traits	LIGNER

Marquer d'un cran . . . . CRÉNER
Marquer d'un parafe . . . . PARAFER
Marquer d'un paraphe . . . . PARAPHER
Marquer d'un signe . . . . COCHER
Marquer d'un trait . . . . COCHER
Marquer d'une entaille . . . . CRÉNER
Marquer la mesure . . . . SCANDER
Marquer le début de . . . . INAUGURER
Marquer l'emplacement . . . . TRACER
Marquer les arbres à épargner
  dans une coupe . . . . LAYER
Marquer par tomes . . . . TOMER
Marquer . . . . BORNER • DÉSIGNER • GRAVER
INSCRIRE • JALONNER • NOTER
Marqueté . . . . TACHETÉ
Marquise . . . . AUVENT
Marrant . . . . RIGOLO • TORDANT
Marrant . . . . COMIQUE
Marshall . . . . SHERIF
Marsouin . . . . BELUGA
Marsupial . . . . KANGOUROU
Marte . . . . MARTRE
Marteau à deux pointes . . . . SMILLE
Marteau de couvreur . . . . ASSEAU • ASSETTE
Marteau de porte . . . . HEURTOIR
Marteau . . . . MAIL • MAILLET • PICOT
Martial . . . . MILITAIRE
Martre de Sibérie et du Japon . . . . ZIBELINE
Martre du Canada . . . . PÉKAN
Martre . . . . MARTE
Martyre . . . . SUPPLICE
Martyriser . . . . PERSÉCUTER
Mascara . . . . RIMMEL
Mascarade . . . . MOMERIE
Masculin . . . . MÂLE • VIRIL
Masculiniser . . . . VIRILISER
Masochiste . . . . MASO
Masque qui filtre l'air . . . . RESPIRATEUR
Masque . . . . LOUP
Masquer . . . . VOILER
Massacre . . . . BOUCHERIE • CARNAGE • TUERIE

Massacrer	ABÎMER • IMMOLER
Masse	AMAS • MASSUE
	POIDS • POPULACE
Masse charnue qui enveloppe le fœtus	PLACENTA
Masse compacte et pesante	BLOC
Masse continentale formée par l'Asie et l'Europe	EURASIE
Masse de beurre	MOTTE
Masse de fer aciéré	ENCLUME
Masse de glace flottante	ICEBERG
Masse de matière en fusion versée dans un moule	COULEE
Masse de métal ou d'alliage	LINGOT
Masse de métal	LINGOT
Masse de neige durcie	NÉVÉ
Masse de pierre dure	ROCHER
Masse d'eau qui se déplace	FLOT
Masse d'eau	RIVIÈRE
Masse du papier exprimée en grammes au mètre carré	GRAMMAGE
Masse d'une matière moulée	PAIN
Masse pierreuse sphérique	GÉODE
Masse pour assommer les bœufs	MERLIN
Masse solide	BLOC
Massicoter	ROGNER
Massif boisé du Bassin parisien	OTHE
Massif d'arbustes	FOURRÉ
Massif de l'Algérie orientale	AURÈS
Massif de maçonnerie	CULÉE
Massif de pierre destiné à recevoir une poussée	BUTEE
Massif des Alpes suisses	ADULA • MIDI
Massif du nord du Maroc	RIF
Massif du sud de l'Espagne	NEVADA
Massif montagneux de l'Algérie septentrionale	DAHRA
Massif montagneux de l'Asie centrale russe	ALTAÏ
Massif montagneux d'Europe	ALPES
Massif montagneux du Sahara méridional	AÏR
Massif où, suivant la Bible, s'arrêta l'arche de Noé	ARARAT

Massif volcanique d'Allemagne	RHON
Massue	BATTE • GOURDIN
Mastication	MACHEMENT
Mastiquer	MÂCHER
Mastodonte	COLOSSE • ELEPHANT
M'as-tu-vu	CABOTIN
Mât arrière d'un voilier qui en comporte deux ou davantage	ARTIMON
Mât horizontal	BÔME
Mât le plus arrière sur un navire à trois mâts et plus	ARTIMON
Mât placé obliquement à l'avant du navire	BEAUPRE
Mât	PYLÔNE
Matador	ESPADA • TOREADOR • TORERO
Mataf	MATELOT
Matamore	FENDANT • VANTARD
Matelas de coton	FUTON
Matelas d'origine japonaise	FUTON
Matelassé	CAPITONNE
Matelasser	BOURRER • REMBOURRER
Matelot affecté au service de la cale	CALIER
Matelot chargé de l'entretien	GABIER
Matelot chargé du service de la cale	CALIER
Matelot qui ouvre les morues	TRANCHEUR
Matelot	MARIN • MATAF
Mater	MATIR
Matérialiste	ATHÉE
Matériau céramique	GRÈS
Matériau composite formé de produits céramiques	CERMET
Matériau de construction constitué de terre argileuse	PISÉ
Matériau de construction	BÉTON
Matériau formé d'un mortier	BÉTON
Matériau léger	LIÈGE
Matériau stratifié	FORMICA
Matériau synthétique imitant le cuir	SKAÏ
Matériel	CONCRET • MATOS • OUTILLAGE
Matériel de couchage	LITERIE
Matériel de guerre	ARTILLERIE

Matériel du tireur à l'arc	ARCHERIE
Matériel d'une armée	BAGAGE
Math	MATHS
Mathématicien français né en 1906	WEIL
Mathématicien français	BAIRE • VIÈTE
Mathématicien italien né en 1835	BELTRAMI
Mathématicien norvégien né en 1802	ABEL
Mathématicien suisse né en 1707	EULER
Mathématiques	MATH • MATHS
Matière carbonée noire	SUIE
Matière collante	GLU
Matière colorante brunâtre	SÉPIA
Matière colorante brune utilisée pour la teinture du coton	CACHOU
Matière colorante rouge	ÉOSINE
Matière colorante	ÉOSINE
Matière colorée végétale ou animale	PIGMENT
Matière en fusion émise par un volcan en activité	LAVE
Matière fécale	ÉTRON
Matière fertilisante d'origine animale	GUANO
Matière fétide mélangée de sang	SANIE
Matière grasse	CRÈME
Matière grasse du lait	CRÈME
Matière inflammable	RÉSINE
Matière minérale utilisée en bijouterie	GEMME
Matière onctueuse et jaune	CÉRUMEN
Matière organique	HUMUS
Matière plastique fluorée	TÉFLON
Matière plastique	PVC
Matière première	MATÉRIAU
Matière propre à être tissée	TEXTILE
Matière pulvérulente	CIMENT
Matière purulente	SANIE
Matière qui use par frottement	ABRASIF
Matière résistante d'un blanc laiteux	IVOIRE
Matière rocheuse et dure	ROC
Matière sébacée que sécrète la peau des moutons	SUINT
Matière synthétique	PLASTIQUE
Matière textile	ABACA • OUATE

Matière textile appelée aussi tagal	ABACA
Matière tinctoriale bleue	INDIGO
Matière utilisée dans la cémentation	CÉMENT
Matière utilisée en céramique fine	PORCELAINE
Matière visqueuse	GLU
Matière visqueuse à base de résine	POIX
Matière	SUBSTANCE
Matières vomies	VOMISSURE
Matin	AURORE
Matinal	MATUTINAL
Matinier	MATUTINAL
Matois	MADRÉ
Matraque	GOURDIN • TRIQUE
Matrice en acier	ÉTAMPE
Matrice	MOULE • UTÉRUS
Matricer	ESTAMPER
Matricule	NUMÉRO
Matthiole	VIOLIER
Maturation des fruits	VÉRAISON
Maturité d'une inflammation	COCTION
Maudit	ABOMINABLE • DAMNÉ
Maudit, sacré	SATANÉ
Maugréer	BOUGONNER • GROGNER
	PESTER • RÂLER • ROUSPÉTER
Maussade	BOURRU • RENFROGNE
Mauvais	ABOMINABLE • ABUSIF
	INJUSTE • MALIN
Mauvais accueil	REBUFFADE
Mauvais avocat	AVOCAILLON
Mauvais bateau	RAFIOT
Mauvais cheval	ROSSE • TOCARD
Mauvais cuisinier	GARGOTIER
Mauvais film	NANAR • NAVET
Mauvais petit cheval	MAZETTE
Mauvais ragoût	RATA
Mauvais tableau	CROÛTE
Mauvais traitements	SÉVICES
Mauvais vin	VINASSE
Mauvais violon	CRINCRIN
Mauvaise automobile	BAGNOLE
Mauvaise boisson	BIBINE • RINÇURE

Mauvaise chance . . . . GUIGNE • GUIGNON

Mauvaise chance, mauvaise fortune . . . . MALCHANCE

Mauvaise constitution . . . . DYSCRASIE

Mauvaise cuisine trop grasse . . . . GRAILLON

Mauvaise foi . . . . DUPLICITE

Mauvaise humeur . . . . BOUDERIE • HARGNE • ROGNE

Mauvaise imitation de pierreries . . . . CLINQUANT

Mauvaise interprétation . . . . CONTRESENS

Mauvaise mère . . . . MARÂTRE

Mauvaise nourriture mal préparée . . . . RATA

Mauvaise odeur . . . . RELENT

Mauvaise plaisanterie . . . . CRASSE

Mauvaise voiture . . . . BAGNOLE • PATACHE

Mauvaise . . . . PERNICIEUSE

Mauviette . . . . LULU

Maxillaire inférieur . . . . MANDIBULE

Maximaliser . . . . MAXIMISER

Maxime . . . . ADAGE • AXIOME
DICTON • PROVERBE

Maxime populaire . . . . ADAGE

Maximiser . . . . OPTIMISER

Maximum . . . . CULMINANT • PLAFOND

Mayonnaise à l'ail et à l'huile d'olive . . . . AÏOLI

Mayonnaise à l'ail . . . . AILLOLI

Mazdéisme . . . . PARSISME

Mazout . . . . FIOUL • FUEL

Mec . . . . AMI • GARS • GUS • JULES

Mécanisme de déclenchement . . . . DÉCLIC

Mécanisme servant à éjecter une pièce . . . . ÉJECTEUR

Mécanisme servant à faire
tourner une broche . . . . TOURNEBROCHE

Mécanisme . . . . ORGANE

Mécénat . . . . PROTECTION

Mécène . . . . BIENFAITEUR • PROTECTEUR

Méchanceté . . . . MALICE • MALIGNITE
ROSSERIE • VACHERIE

Méchanceté, haine . . . . VENIN

Méchant . . . . DANGEREUX • MALIN • MAUVAIS
ODIEUX • SCÉLÉRAT • TEIGNEUX
VENIMEUX • VILAIN

Méchant, sévère . . . . VACHARD

Méchante	CRUELLE • ODIEUSE
Mèche de cheveux	COUETTE • ÉPI
Mèche recouverte de suif et servant à l'éclairage	CHANDELLE
Méconnaître	IGNORER • MÉSESTIMER
Mécontenter	ALIÉNER • DÉCEVOIR • FÂCHER
Médecin allemand mort en 1928	FLIESS
Médecin allemand né en 1758	GALL
Médecin américain mort en 1993	SABIN
Médecin anglais	ADDISON
Médecin britannique mort en 1977	ADRIAN
Médecin britannique, prix Nobel 1936	DALE
Médecin et écrivain français mort en 1672	PATIN
Médecin et physiologiste français	BINET
Médecin et psychanaliste français mort en 1981	LACAN
Médecin français considéré comme le fondateur de la psychiatrie moderne	PINEL
Médecin français mort en 1989	LÉPINE
Médecin français né en 1775	ITARD
Médecin français, collaborateur de Pasteur	ROUX
Médecin traitant	PRATICIEN
Médecin	DOCTEUR • PODOLOGUE SEXOLOGUE • TOUBIB
Médecine de la vieillesse	GÉRIATRIE
Médecine des enfants	PEDIATRIE
Média	PRESSE
Médianoche	REVEILLON
Médiateur	ARBITRE • OMBUDSMAN
Médicament	MÉDECINE • PILULE
Médicament analgésique	ASPIRINE
Médicament employé comme traitement du paludisme	QUININE
Médicament fictif	PLACEBO
Médicament liquide	POTION
Médicament qui fortifie	TONIQUE
Médicament	PANACEE
Médicament, philtre	BREUVAGE
Médiéval	GOTHIQUE

Médiocre	MOCHE • PITEUX
Médire	BAVER • POTINER
Médisant	DIFFAMANT
Méditatif	PENSEUR • PENSIF
Méditer	MÛRIR • PENSER • SONGER
Médius	MAJEUR
Méduse des mers tempérées	AURÉLIE
Méduse	AURÉLIE
Méduser	PÉTRIFIER
Méfiance	SUSPICION
Mégaptère	JUBARTE
Mégère	CHIPIE • GROGNASSE
Mégisser	MÉGIR
Mégot de cigare	CLOPE
Mégot	BOUT
Mégoter	LÉSINER
Meilleur en son genre	AS
Meistre	MESTRE
Mélancolie douce et rêveuse	LANGUEUR
Mélancolie	CAFARD • DÉPRIME • NOIRCEUR NOSTALGIE • SPLEEN • TRISTESSE
Mélancolique	ATRABILAIRE • HUMORISTE
Mélangé	MIXTE
Mélange d'argile et de calcaire	MARNE
Mélange de chaux et de sable	MORTIER
Mélange de cire et d'huile	CÉRAT
Mélange de couleurs contrastées	BARIOLURE
Mélange de feuilles de salades	MESCLUN
Mélange de flocons d'avoine	MUESLI • MUSLI
Mélange de fumée et de brouillard	SMOG
Mélange de langues	VOLAPUK
Mélange de raisins secs et de mélasse	FARLOUCHE
Mélange de sable et de ciment	GUNITE
Mélange d'excréments d'animaux	LISIER
Mélange d'hydrocarbures utilisé comme solvant	BENZINE
Mélange fermenté de résidus organiques et minéraux	COMPOST
Mélange formant une masse pâteuse	MAGMA
Mélange liquide provenant de la rectification des alcools	FUSEL

Mélange mou et gluant	POIX
Mélange pour faire mariner	MARINADE
Mélange très fluide de ciment et d'eau	BARBOTINE
Mélange	AMALGAME • CROISEMENT IMBROGLIO • PROMISCUITÉ RÉUNION
Mélanger	COMBINER • CONFONDRE ENTREMÊLER • INCORPORER • MÊLER
Mélanger avec un coupage	RECOUPER
Mélanine	PIGMENT
Mêlé de malt grillé	MALTE
Mêlé de terre	TERREUX
Mêlée de gens qui se battent	BAGARRE
Mêlée	RIXE
Mêler d'iode	IODER
Mêler	ALLIER • ENTREMÊLER MÉLANGER • UNIR
Méli-mélo	CONFUSION
Méllite	MELISSE
Mélodie langoureuse	CANTILÈNE
Mélodieux	MUSICAL
Mélodramatique	MÉLO
Mélodrame	MÉLO
Melon à chair jaune, très parfumé	CAVAILLON
Melon à côtes rugueuses	CANTALOUP
Melon brodé	CANTALOUP
Melon cultivé dans la région de Cavaillon	CAVAILLON
Melon d'eau	PASTÈQUE
Membrane colorée de l'œil	IRIS
Membrane de l'œil	RÉTINE
Membrane de l'oreille	TYMPAN
Membrane mince	PELLICULE
Membrane qui permet de nager	NAGEOIRE
Membre actif d'une organisation	MILITANT
Membre de la Cagoule	CAGOULARD
Membre de la congrégation de Saint-Sulpice	SULPICIEN
Membre de la mafia	MAFIOSO
Membre de la tribu de Lévi	LÉVITE
Membre de l'ordre fondé par Ignace de Loyola	JÉSUITE

Membre des animaux supportant le corps	PATTE
Membre du clergé	PRÊTRE
Membre du conseil des califes	VIZIR
Membre du parti conservateur en Grande-Bretagne	TORY
Membre du parti libéral opposé aux torys	WHIG
Membre du parti national-socialiste allemand	NAZI
Membre d'un gang	GANGSTER
Membre d'un jury	JURÉ
Membre d'un mouvement religieux protestant	QUAKER
Membre d'un mouvement religieux	MORMON
Membre d'une ambassade	ATTACHÉ
Membre d'une commission de censure	CENSEUR
Membre d'une congrégation instituée par saint Jean Eudes	EUDISTE
Membre d'une conjuration	CONJURÉ
Membre d'une peuplade de l'Amérique du Nord	HURON
Membre d'une secte hérétique du Moyen Âge	CATHARE
Membre permettant la nage	NAGEOIRE
Membre viril	PÉNIS • PHALLUS
Membre	ADHÉRENT
Mémé	MÉMÈRE
Même	PAREIL
Mémoire	SOUVENIR
Mémorialiste	ANNALISTE • HISTORIEN
Menaçant	FULMINANT
Menace	DANGER • PÉRIL
Ménager	ÉCONOMISER • ÉPARGNER
Ménager des gradations dans les couleurs	NUANCER
Mendélévium	MD
Mendiant	GUEUX • MENDIGOT
Mendiante	GUEUSE
Mendier	QUÊTER
Mendier	QUEMANDER
Mener	COMMANDER • DIRIGER

Mener à son terme . . . . TERMINER
Mener à . . . . ABOUTIR
Mener au terme de
  son accomplissement . . . . CONSOMMER
Mener avec soi . . . . EMMENER
Mener quelqu'un quelque part . . . . CONDUIRE
Mener une existence insipide . . . . VÉGÉTER
Mener une vie faite de parties de plaisir . . . . BAMBOCHER
Ménestrel . . . . POÈTE
Ménétrier . . . . VIOLONEUX
Meneur . . . . LEADER
Mensonge par exagération . . . . CRAQUE
Mensonge . . . . BLAGUE • BOBARD • CALOMNIE
Mensonge, vantardise . . . . CRAQUE
Mensonger . . . . CONTROUVE • MENTEUR
Mensonger, trompeur . . . . DÉCEVANT
Mensongère . . . . MENTEUSE
Menstrues . . . . REGLES
Mental . . . . MORAL
Menterie . . . . MENSONGE
Menteur . . . . TROMPEUR
Mention portée au dos
  d'un titre à ordre . . . . ENDOS
Mention . . . . NOMINATION
Mentionné ci-dessus . . . . SUSDIT
Mentionner . . . . CITER • NOMMER
Mentir . . . . BLAGUER • TRICHER
Mentor . . . . CONSEILLER • GUIDE
Menu morceau . . . . BRIBE
Menue monnaie de métal . . . . MITRAILLE
Menuisier . . . . ÉBÉNISTE
Mépris . . . . DÉDAIN • DÉRISION • NIQUE
Mépris pour les choses de la religion . . . . IMPIÉTÉ
Méprisable . . . . ABJECT • VIL
Méprisant . . . . ARROGANT • DÉDAIGNEUX
                                                                        HAUTAIN
Méprisant . . . . BAVEUX
Méprise . . . . QUIPROQUO
Mépriser . . . . DÉDAIGNER • NARGUER
Mépriser . . . . BECHER
Mer . . . . OCÉAN

Mercanti	MAQUIGNON
Merder	FOIRER • MERDOYER • RATER
Mère d'Artémis et d'Apollon	LÉTO
Mère de Jésus	MARIE
Mère de la Sainte Vierge	ANNE
Mère de Zeus	RHÉA
Mère dénaturée	MARÂTRE
Mère d'Ismaël	AGAR
Mère patrie	MÉTROPOLE
Mère	FEMME • MAMAN
Méridienne	ROUPILLON
Merisier à grappes	PUTIER
Mérite	VALEUR
Mériter	ENCOURIR
Méritoire	LOUABLE • VERTUEUSE • VERTUEUX
Merl	MAERL
Merlin	FENDOIR
Merveille	PHÉNOMÈNE • TRÉSOR
Merveilleux	BEAU
Mésaventure, malheur	AVATAR
Mésentente	DÉSACCORD • DÉSUNION DISCORDE • ZIZANIE
Mésestime	ANTIPATHIE • DÉPRISE
Mesquin	BAS • CHICHE • ÉTROIT • RADIN
Message	PUBLICITÉ
Messager	COURRIER • HÉRAUT • PORTEUR
Messie	CHRIST • SAUVEUR
Messire	SIRE
Mesurage	MESURE
Mesuré	MODÉRÉ
Mesure agraire de superficie	ARE
Mesure anglo-saxonne de longueur	MILE
Mesure de capacité anglo-saxonne	PINTE
Mesure de capacité équivalant dix litres	DECALITRE
Mesure de capacité	GALLON
Mesure de distance	LIEUE
Mesure de la surface	SUPERFICIE
Mesure de longueur anglo-saxonne	YARD
Mesure de longueur correspondant à l'envergure des bras	BRASSE
Mesure de longueur valant dix mètres	DÉCAMÈTRE

Mesure de longueur	ARPENT • COUDÉE KILOMÈTRE • MILLE • TOISE
Mesure de longueur, soit deux bras étendus	BRASSE
Mesure de poids anglo-saxonne	ONCE
Mesure de poids espagnole	ARROBE
Mesure de quantité liquide	LITRE
Mesure d'environ une paume	PALME
Mesure des poids	PESAGE
Mesure espagnole de poids	AROBE
Mesure itinéraire chinoise	LI
Mesure provisoire	PALLIATIF
Mesure répressive	SANCTION
Mesure	CONTENANCE • DOSE PONDÉRATION • TEST
Mesurer à la radoire	RADER
Mesurer à l'aide d'un mètre	MÉTRER
Mesurer au stère	STÉRER
Mesurer avec la chaîne d'arpenteur	CHAÎNER
Mesurer en mètres	MÉTRER
Mesurer la profondeur	SONDER
Mesurer le poids	PESER
Mesurer	CADENCER • CALIBRER CUBER • DOSER • RADER
Métal alcalin blanc et mou	CALCIUM
Métal alcalin	POTASSIUM
Métal alcalin, mou, jaune pâle	CÉSIUM
Métal blanc argenté très dur	CHROME
Métal blanc brillant	NIOBIUM • RHÉNIUM • TITANE
Métal blanc du même groupe que le fer et le nickel	COBALT
Métal blanc grisâtre	ÉTAIN
Métal blanc inoxydable	NICKEL
Métal blanc léger	ALUMINIUM
Métal blanc précieux	ARGENT
Métal blanc rougeâtre, dur et cassant	COBALT
Métal blanc très malléable	ÉTAIN
Métal blanc	INDIUM
Métal brillant à reflets rouges	BISMUTH
Métal connu sous forme d'erbine	ERBIUM
Métal de couleur rouge-brun	CUIVRE

Métal du groupe des lanthanides	CÉRIUM
Métal du groupe des terres rares	TERBIUM
Métal d'un blanc bleuâtre	ZINC
Métal d'un gris bleuâtre	PLOMB
Métal dur	ZINC
Métal dur, blanc, brillant	COBALT
Métal dur, brillant, extrait de la cérite	CÉRIUM
Métal gris	FER
Métal gris, dur	URANIUM
Métal imitant l'or	SIMILOR
Métal jaune	OR
Métal précieux	OR • PLATINE
Métal terreux	ERBIUM
Métal très dense	PLOMB
Métal	ALUMINIUM • CHROME • CUIVRE FER • MERCURE • NICKEL
Métaldéhyde	MÉTA
Métalliser	ZINGUER
Métalloïde assez rare	TELLURE
Métalloïde jaune verdâtre d'odeur suffocante	CHLORE
Métallurgie du fer, de la fonte	SIDÉRURGIE
Métallurgiste français né en 1849	OSMOND
Métamorphose	MUE
Métamorphose, transformation	AVATAR
Métaphore passe-partout	PONCIF
Métaphore	ALLÉGORIE • COMPARAISON
Méthode	FORMULE • MOYEN • SYSTÈME
Méthode d'enseignement	PEDAGOGIE
Méthode	PROCEDE
Méthodique	CARTESIE • NORDONNÉ
Méticulosité	MINUTIE
Métier à tisser inventé par Jacquard	JACQUARD
Métier de reporter	REPORTAGE
Métier	CARRIÈRE
Métis	HYBRIDE • MULÂTRE • QUARTERON
Métisser	ACCOUPLER
Mètre-Tonne-Seconde	MTS
Mets	PLAT
Mets accommodé avec beaucoup d'oignons	OIGNONADE

Mets fait avec des œufs . . . . OMELETTE
Mets fait de feuilles d'herbes potagères . . . . SALADE
Mets fait de pommes de terre émincées . . . . RŒSTI • RÖSTI
Mets italien . . . . PIZZA
Mets japonais fait de poisson . . . . SUSHI
Mets typique d'une région . . . . SPÉCIALITÉ
Mettable . . . . PORTABLE
Metteur en scène de
    théâtre britannique . . . . CRAIG
Mettre . . . . APPOSER • DÉPOSER • DISPOSER
                                  FOURRER • PORTER
Mettre à couver . . . . INCUBER
Mettre à la porte . . . . LOURDER • CONGÉDIER
Mettre à la poste . . . . POSTER
Mettre à la suite . . . . ENFILER
Mettre à l'abri . . . . ABRITER • PLANQUER • REMISER
Mettre à l'épreuve . . . . ÉPROUVER
Mettre à part . . . . RÉSERVER
Mettre à pied, faute de travail . . . . DÉBAUCHER
Mettre à sec . . . . TARIR
Mettre au courant par un bref exposé . . . . BRIEFER
Mettre au courant . . . . BRANCHER
Mettre au lit . . . . COUCHER
Mettre au même niveau . . . . ÉGALER
Mettre au monde . . . . ENFANTER
Mettre au nombre des bienheureux . . . . BÉATIFIER
Mettre au nombre des saints . . . . CANONISER
Mettre au point par des essais . . . . RODER
Mettre au point . . . . PEAUFINER
Mettre au propre . . . . RECOPIER
Mettre au rang des bienheureux
    par l'acte de la béatification . . . . BÉATIFIER
Mettre au rang des dieux . . . . DIVINISER
Mettre auprès . . . . APPROCHER
Mettre autour d'une ficelle . . . . ENFILER
Mettre bas . . . . VÊLER
Mettre bas, en parlant de la brebis . . . . AGNELER
Mettre bas, en parlant de la lapine . . . . LAPINER
Mettre bas, en parlant de la truie . . . . COCHONNER
Mettre bas, en parlant d'une chatte . . . . CHATONNER
Mettre bout à bout . . . . ABOUTER

Mettre d'accord	CONCILIER
Mettre dans la saumure	MARINER
Mettre dans l'erreur	FOURVOYER
Mettre dans sa poche	EMPOCHER
Mettre de niveau	ARASER
Mettre de nouveau	RENDOSSER
Mettre dehors	CHASSER
Mettre des balises	BALISER
Mettre des couches à un bébé	LANGER
Mettre des gants	GANTER
Mettre du piquant	PIMENTER
Mettre en caque	ENCAQUER
Mettre en circulation	ÉMETTRE
Mettre en code	CODER
Mettre en communication	BRANCHER
Mettre en danger	MENACER
Mettre en désordre	BOUSCULER • FOURRAGER
Mettre en discussion	CONTESTER
Mettre en évidence	SOULIGNER
Mettre en faisceau	TROUSSER
Mettre en futaille	ENFÛTER
Mettre en gerbe	GERBER
Mettre en harmonie	ADAPTER
Mettre en liaison	CONNECTER
Mettre en mouvement	ACTIONNER
Mettre en orbite autour d'un astre	SATELLISER
Mettre en petits grains	GRANULER
Mettre en pièces	LACÉRER
Mettre en possession d'un lot	LOTIR
Mettre en présence	CONFRONTER
Mettre en prison	COFFRER • ÉCROUER
Mettre en question	DISCUTER
Mettre en rapport	ABOUCHER
Mettre en sac	ENSACHER
Mettre en silo	ENSILER
Mettre en tas	ENTASSER
Mettre en terre des plantes	REPIQUER
Mettre en terre	REPIQUER • INHUMER • SEMER
Mettre en torsade	TORSADER
Mettre en vers	RIMER
Mettre ensemble pour	

former un groupe . . . . REGROUPER
Mettre ensemble . . . . ASSOCIER • COMPILER
Mettre fin à un contrat . . . . RÉSILIER
Mettre la date . . . . DATER
Mettre les rênes à . . . . ENRÊNER
Mettre l'esprit à l'envers . . . . TOURNEBOULER
Mettre par couches . . . . LITER
Mettre par lits . . . . LITER
Mettre pêle-mêle . . . . BROUILLER
Mettre pour titre . . . . TITRER
Mettre un enjeu . . . . MISER
Mettre un harnais à un cheval . . . . HARNACHER
Mettre une moto sur sa béquille . . . . BÉQUILLER
Mettre . . . . BOUTER
Meublé . . . . GARNI
Meuble à fiches . . . . FICHIER
Meuble à pupitre . . . . LUTRIN
Meuble à tiroirs . . . . CABINET
Meuble à trois pieds . . . . TRÉPIED
Meuble de l'écu . . . . MACLE
Meuble formé de montants . . . . ÉTAGÈRE
Meuble où l'on range la vaisselle . . . . BUFFET
Meuble sur lequel on fait ses devoirs . . . . PUPITRE
Meuble . . . . BUREAU • COMMODE
LIT • TABLE
Meugler . . . . BEUGLER • MUGIR
Meule . . . . GERBIER
Meule . . . . AFFILOIR
Meurt-de-faim . . . . AFFAMÉ
Meurtri . . . . CONTUS • TALÉ
Meurtrier . . . . ASSASSIN • TUEUR
Meurtrière . . . . MORTELLE
Meurtrir . . . . COTIR • TALER
Meurtrissure de la peau . . . . CONTUSION
Meurtrissure d'un fruit . . . . TALURE
Mexicain établi aux États-Unis . . . . CHICANO
Mexicain . . . . AZTEQUE
Miaulement . . . . MIAOU
Micheline . . . . AUTORAIL
Micro . . . . MICROPHONE • MINI
Microbe . . . . BACILLE

Micro-ondes	FOUR
Micro-organisme agent de la contagion	VIRUS
Micro-organisme provoquant la fermentation	FERMENT
Microphone	MICRO
Microscopique	MINUSCULE
Microsillon	DISQUE
Midi	SUD
Mielleuse	ONCTUEUSE
Mielleux	DOUCEÂTRE • ONCTUEUX SIRUPEUX
Miette	PARCELLE
Mièvre	GNANGNAN
Mignardise	CHICHI
Mignon	GENTILLET • JOLI • MIMI
Migraine	CÉPHALÉE
Migrant	EMIGRANT
Migrateur	EMIGRANT
Mijaurée	PIMBÊCHE
Mijoter	FRICASSER • FRICOTER MITONNER
Milice	ARMÉE
Milieu de la nuit	MINUIT
Milieu des voleurs	PÈGRE
Milieu du jour	MIDI
Milieu refermé sur lui-même	GHETTO
Milieu	AMBIANCE • CENTRE DÉCOR • HABITAT
Milieu, centre	MITAN
Militaire	CAPORAL • GUERRIER • MARTIAL SOLDAT • TANKISTE
Militaire appartenant à la gendarmerie	GENDARME
Militaire d'un corps de cavalerie	HUSSARD
Militaire spécialisé dans le service des canons	CANONNIER
Militant	PARTISAN
Militariste	COCARDIER
Militer	LUTTER
Mille-pattes	IULE

Millet	ALPISTE • PANIC
Millilitre	ML
Mime	IMITATEUR
Mimer	COPIER
Minable	PIÈTRE • MITEUSE MÉDIOCRE • MITEUX
Minaret	CAMPANILE
Minauderie	SIMAGRÉE
Minaudier	FAÇONNIER
Mince	MENU • PLAT • SVELTE
Mince comme un fil	FILIFORME
Mince couche de glace	VERGLAS
Mince et allongé	EFFILÉ
Mince et d'apparence frêle	FLUET
Mince et délicat	GRACILE
Mince et svelte	ÉLANCÉ
Mince lit de vase	VARVE
Mince, serré	PINCÉ
Minceur	FINESSE
Minceur délicate	GRACILITÉ
Mine	AIR • FIGURE
Mine de plomb	GRAPHITE
Mine de soufre	SOUFRIERE
Mine, parole destinées à aguicher	AGACERIE
Miner	AFFAIBLIR • CORRODER • SAPER
Minerai	MICA • BAUXITE
Minerai de sulfure de zinc	BLENDE
Minerai noir	MAGNÉTITE
Minéral à structure lamellaire et cristalline	SPATH
Minéral brillant	MICA
Minéral fusible	FLUOR
Minéral naturel transparent	CRISTAL
Minéral	MINERAI
Minet	MINOU
Mineur chargé du herchage	HERCHEUR
Mineur qui détache le minerai	TRANCHEUR
Minijupe	JUPETTE
Minimal	MINIMUM
Minimaux	MINIMA
Minime	INFIME

Minimums	MINIMA
Ministre	ATTORNEY • PASTEUR
Ministre du culte	REVEREND
Ministre d'un souverain musulman	VIZIR
Ministre protestant anglo-saxon	CLERGYMAN
Minois	FRIMOUSSE • MUSEAU • VISAGE
Minotier	MEUNIER
Minou	MINET
Minuscule	EXIGU • INFIME • PETIT
Minuscule goutte de graisse	LIPOSOME
Minutie	SOIN
Minutieuse à l'excès	TATILLONNE
Minutieux à l'excès	TATILLON
Minutieux	EXACT • SOIGNEUX
Mioche	ENFANT • GOSSE • MOUTARD
Miraculeux	SURNATUREL
Mirage	CHIMÈRE • ILLUSION
Miraud	MIRO
Miro	MIRAUD
Miroir	GLACE
Miroitant	CHATOYANT
Miroitement	ÉCLAT
Miroiter	SCINTILLER
Mis dans l'impossibilité d'agir	COINCÉ
Mis en prison	INCARCERE
Mis en rond	ROULÉ
Mise à angles droits de divers éléments	EQUERRER
Mise à l'épreuve des délinquants	PROBATION
Mise à sécher de l'herbe fauchée	FANAGE
Mise de fonds	PLACEMENT
Mise en circulation	ÉMISSION • LANCEMENT
Mise en gerbes	GERBAGE
Mise en place du sujet par rapport au cadre	CADRAGE
Mise en vente d'un produit	SORTIE
Mise	ENJEU • TOILETTE
Miser une somme d'argent	CAVER
Miser	JOUER • PONTER
Misérable	MÉCHANT • MINABLE
Misérable, mendiant	GREDIN

Misérable, pauvre	PAUMÉ
Misérable, vaurien	MARAUD
Misère	ADVERSITÉ • DÉBINE • DÈCHE
	MISTOUFLE • MOUISE
Miséreux	GUEUX • MENDIANT
Miséricorde	BONTÉ • CHARITÉ • PITIÉ
Mispickel	ARSENIC
Miss	REINE
Missile	FUSÉE
Mission	RÔLE
Missionnaire protestant anglais né en 1604	ELIOT
Missive	LETTRE • MESSAGE
Mitaine	GANT • MOUFLE
Mite	TEIGNE
Miteuse	PITEUSE
Miton	GITON
Mitonner	CUIRE • MIJOTER
Mitose	MÉIOSE
Mitrailler	FUSILLER
Mobile	MOTEUR • PORTATIF
	SAUTILLANT • VOLANT
Mobilier	MEUBLE
Mobiliser	RECRUTER
Mobylette	MOB
Moche	PITOYABLE
Mode de cuisson à l'étouffée	DAUBE
Mode de déplacement de certains animaux	SAUT
Mode de gestion d'une entreprise publique	RÉGIE
Mode de locomotion animale	REPTATION
Mode de préparation de carottes	VICHY
Mode de vie des nomades	NOMADISME
Mode	ÉPIDÉMIE • MANIÈRE
	STYLE • VOGUE
Modèle à suivre en construction	PLAN
Modèle de pistolet automatique	MAUSER
Modèle réduit	MAQUETTE
Modèle simplifié	PATTERN
Modelé vaporeux	SFUMATO

Mois de vingt-huit jours	FÉVRIER
Mois	AOÛT • AVRIL • DÉCEMBRE FÉVRIER • JANVIER • JUILLET • JUIN MAI • MARS • NOVEMBRE OCTOBRE • SEPTEMBRE
Moïse	BERCEAU • COUFFIN
Moisir	CROUPIR
Moisir	RANCIR
Moisson	RÉCOLTE
Moiteur	HUMIDITE
Moitié	DEMI
Moitié de l'échine du veau	LONGE
Moitié d'un tout	DEMI
Molécule	ION
Molester	BATTRE • MALMENER
Molette	ÉPERON
Mollasse	PÂTEUX
Mollasson	RAMOLLI
Mollesse	ATONIE
Mollusque à coquille en forme de cœur	ISOCARDE
Mollusque à longs bras	POULPE
Mollusque à valves égales	ISOCARDE
Mollusque au corps vermiforme	TARET
Mollusque bivalve d'eau douce	ANODONTE
Mollusque bivalve marin	CLAM • LIME • VÉNUS
Mollusque bivalve	HUÎTRE • MYE • PINNE
Mollusque comestible	LITTORINE
Mollusque d'eau douce	LIMNÉE
Mollusque gastéropode carnassier	NASSE
Mollusque gastéropode des mers chaudes	VERMET
Mollusque gastéropode	CÔNE • DORIS
Mollusque marin comestible	CALMAR
Mollusque marin des rochers littoraux	CHITON
Mollusque marin	CLAM • OSCABRION • TARET
Mollusque pulmoné à coquille en spirale	PLANORBE
Mollusque pulmoné	LIMNÉE
Mollusque qui vit dans les étangs	PALUDINE
Mollusque sans coquille	LIMACE

Mollusque terrestre	LIMACE
Mollusque	CALMAR • ESCARGOT • MOULE
	POURPRE • SOLEN • TURBO
Molybdène	MO
Môme	LOUPIOT
Môme, enfant	CHIARD
Moment cinétique intrinsèque d'une particule	SPIN
Moment de la fin du repas	DESSERT
Moment où la bête chassée sort du bois	DÉBUCHE
Moment où une chose s'achève	FIN
Moment	CIRCONSTANCE • DATE
	INSTANT • TEMPS
Momentané	BREF • PASSAGER • TEMPORAIRE
Momentanée	BRÈVE
Momerie	BIGOTERIE
Monacal	ABBATIAL • CLAUSTRAL • MONIAL
Monarchie	ROYAUTÉ
Monarchisme	ROYALISME
Monarchiste	ROYALISTE
Monarque	POTENTAT • PRINCE
	ROI • SOUVERAIN
Monarque	KAISER
Monastère orthodoxe	LAURE
Monastique	ABBATIAL • CLAUSTRAL
	MONACAL • MONIAL
Monceau	TAS
Monde des escrocs	PÈGRE
Monde	UNIVERS
Monergol	ERGOL
Moniteur	ÉCRAN • MONO
Monnaie à l'effigie d'un duc	DUCAT
Monnaie anglaise	PENNY
Monnaie d'argent chez les Hébreux	SICLE
Monnaie d'argent de la Renaissance	TESTON
Monnaie de cuivre	BILLON
Monnaie d'or frappée en Iran	TOMAN
Monnaie d'origine écossaise	ESTERLIN
Monnaie du Guatemala	QUETZAL
Monnaie du Japon	SEN

Monnaie du Mexique	PESO
Monnaie française qui valait douze deniers	DOUZAIN
Monnaie hongroise	FILLÉR
Monnaie japonaise	YEN
Monnaie romaine	SESTERCE
Monnaie russe	KOPECK
Monnaie	ARGENT • DEVISE • MÉTAL • SOU
Monnaie-du-pape	LUNAIRE
Monochrome	ACHROME
Monocle	LORGNON
Monocyte	LEUCOCYTE
Monogramme du Christ	CHRISME
Monolingue	UNILINGUE
Monophonie	MONO
Monopolisation	ACCAPAREMENT
Monopoliser	ACCAPARER
Monotone et lent	TRAÎNANT
Monotone	LASSANT • MORNE • UNIFORME
Monotonie	UNIFORMITÉ
Monotonie, routine	RONRON
Monovalent	UNIVALENT
Monseigneur de l'Afrique du Sud	TUTU
Monseigneur	PRÉLAT
Monsieur	HOMME • SIEUR
Monstre de la mythologie	GORGONE
Monstre fabuleux à tête de femme	HARPIE
Monstre femelle à queue de serpent	LAMIE
Monstre légendaire	TARASQUE
Monstre mythique	SPHINX
Monstrueux	AFFREUX • DÉMESURÉ • DIFFORME
Monstruosités	HORREURS
Mont de Vénus	PÉNIL
Mont	MONTAGNE
Montagnard libre de la région de l'Olympe	CLEPHTE
Montagne	MONT
Montagne à relief allongé	SIERRA
Montagne biblique	NÉBO
Montagne d'Algérie	ZAB
Montagne de Grèce	ATHOS • ŒTA

Monumental	ÉNORME
Moquer	CHINER • RAILLER
Moquerie collective	RISÉE
Moquerie ironique	SARCASME
Moquerie	BROCARD • GOUAILLE
	IRONIE • RAILLERIE • SATIRE
Moquette	TAPIS
Moqueur	GOGUENARD • GOUAILLEUR
	IRONISTE • RAILLEUR
Moqueur, impertinent	FRONDEUR
Morale	MŒURS
Morale du plaisir	HEDONISME
Moralement désenchanté	NIHILISTE
Moralisateur	PRÉDICANT • PRÊCHEUR
Moraliser	PRÊCHER
Moralité	CONCLUSION • ETHIQUE
Moratoire	SUSPENSION
Morbide	MALSAIN
Morbus	CHOLERA
Morceau	DÉBRIS • FRAGMENT • MIETTE
	PARTIE • PIÈCE • TRONÇON
Morceau coupé finement	TRANCHE
Morceau de bœuf	ALOYAU
Morceau de bœuf, près de l'aloyau	BAVETTE
Morceau de bois brûlé	TISON
Morceau de bois de chauffage	BÛCHE
Morceau de bois scié	PLANCHE
Morceau de glace	GLAÇON
Morceau de glace	GLAÇON
Morceau de linge roulé en boule	TAPON
Morceau de linge	LAVETTE
Morceau de musique d'un caractère mélancolique	NOCTURNE
Morceau de papier	FEUILLE
Morceau de pâte	PÂTON
Morceau de porc	JAMBON
Morceau de terre	MOTTE
Morceau de tissu	LINGE
Morceau de viande de boucherie	RÔTI
Morceau découpé	DÉCOUPURE
Morceau d'or	PÉPITE

Morceau exécuté par l'orchestre tout entier	TUTTI
Morceau joué seul	SOLO
Morceau pour trois instruments	TRIO
Morceler à l'excès	ÉMIETTER
Morceler	PARTAGER • SECTIONNER
Mordançage	ALUNAGE
Mordant	ACERBE • ACÉRÉ • AIGRE • AIGREUR CUISANT • INCISIF • PÉNÉTRANT
Mordant, vif	PIQUANT
Mordiller	MORDRE
Mordoré	BRUN
Mordu	AMOUREUX • FÉRU
More	MAURE
Moribond	EXPIRANT • MOURANT
Morigéner	CHAPITRER • SERMONNER
Morne	GRISATRE • TERNE
Mornifle	CLAQUE
Morose	TACITURNE • TRISTE
Mors	FREIN
Mort	TVO<
Mortalité	LÉTALITÉ
Mort-aux-rats	RATICIDE
Mortel	FATAL • FUNESTE HUMAIN • INCURABLE
Mortier	CIMENT • OBUSIER
Mortier détrempé avec de l'eau	GÂCHIS
Mortification	ASCESE • NÉCROSE • PÉNITENCE
Mortifié	MACÉRÉ
Mortifier	MACÉRER • ULCÉRER
Mortuaire	FUNÈBRE • FUNÉRAIRE • OBITUAIRE
Morue fraîche	CABILLAUD
Morue, merlu	MERLUCHE
Morve	CHANDELLE
Mosaïque	CARRELAGE
Mosquée	TEMPLE
Mot à mot	TEXTUEL
Mot de trois lettres	TRIGRAMME
Mot dont le son imite la chose dénommée	ONOMATOPÉE
Mot dont on se sert pour	

faire avancer un cheval	HUE
Mot imitatif	ONOMATOPÉE
Mot italien signifiant «avec tendresse»	AMOROSO
Mot ou expression synonyme	SYNONYME
Mot piquant, moquerie	FION
Mot que l'acteur dit à part soi	APARTÉ
Mot qui a un sens opposé à celui d'un autre	ANTONYME
Mot qui exprime une action	VERBE
Mot servant à désigner un objet, une notion	VOCABLE
Mot	BILLET • MISSIVE
Motel	HÔTEL
Moteur à combustion interne	DIESEL
Moteur à réaction	RÉACTEUR
Moteur actionné par l'énergie du vent	EOLIENNE
Motif de plainte	GRIEF
Motif décoratif de forme ronde	PASTILLE
Motif	CAUSE • EXCUSE FONDEMENT • MOBILE
Motivant	STIMULANT
Motiver	CAUSER • STIMULER
Moto d'enduro	ENDURO
Motocross	TRIAL
Motocycle	SCOOTER
Motocyclette	MOTO
Motocycliste de la gendarmerie	MOTARD
Motocycliste	MOTARD
Motoriser	MÉCANISER
Mou	AMORPHE • BONASSE • FAIBLE FLASQUE • MOL • TENDRE
Mou, avachi	RAMOLLO
Mouchard	DÉLATEUR
Moucharder	DÉNONCER
Moucharder	CAFTER
Mouche africaine	GLOSSINE • TSÉ-TSÉ
Mouche dont la larve vit dans les flaques de pétrole	PSILOPA
Mouche du genre glossine	TSÉ-TSÉ
Moucher	EMECHER
Moucheté	TACHETÉ • TIGRÉ

Mouchette	VARLOPE
Moucheture sur le plumage d'un oiseau	MAILLURE
Mouchoir jetable	KLEENEX
Moudre	BROYER
Moue	BOUDERIE
Moufle	MITAINE
Mouflet	MOUTARD
Mouillage	ANCRAGE
Mouillé	HUMIDE
Mouiller abondamment	DOUCHER
Mouiller légèrement	HUMECTER
Mouiller	ARROSER • ASPERGER • DILUER IMBIBER • SAUCER • TREMPER
Mouiller, arroser	BAIGNER
Moulant	COLLANT • SERRÉ
Moule à fromage	CASERET
Mouler	FONDRE • GAINER • SERRER
Moult	BEAUCOUP
Moulu	COURBATU • ÉREINTÉ FOURBU • ROMPU
Moulure à hauteur d'appui	CIMAISE
Moulure concave	CAVET
Moulure en saillie	SACOME
Moulure plate ou saillante	LISTEL
Moulure ronde	TORE
Moulure	CANNELURE
Mourant	MORIBOND
Mourir	CALANCHER • CANER • CLAMSER DÉCÉDER • EXPIRER • PÉRIR SUCCOMBER • TRÉPASSER
Mousse blanchâtre	ÉCUME
Mousse	ÉCUME
Mousseline de coton	ORGANDI
Mousseline raidie par un apprêt	ORGANDI
Mousser	ÉCUMER
Mousser	FLOCONNER
Mousseux	CHAMPAGNE
Moustache	BACCHANTE
Moustique aux longues pattes fines	COUSIN
Moustique	BRÛLOT

Moutarde des champs	RAVENELLE • SANVE
Moutarde sauvage	SÉNEVÉ
Mouton en ragoût	NAVARIN
Mouton	BÉLIER • SUIVEUR
Mouvant	FLUENT • ONDOYANT
Mouvement	ACTIVITÉ • ALLÉE • ANIMATION CONTORSION • GESTE • MOTION RYTHME • TRANSPORT
Mouvement alternatif d'un navire	TANGAGE
Mouvement brusque	SURSAUT
Mouvement circulaire	GIRATION • ROTATION
Mouvement culturel jamaïcain	RASTA
Mouvement de colère	RAGE
Mouvement de contestation regroupant des jeunes	PUNK
Mouvement de grève	DÉBRAYAGE
Mouvement de la mer descendante	REFLUX
Mouvement de la mer	MARÉE
Mouvement de la peinture française (1905-1910)	FAUVISME
Mouvement de l'air	VENT
Mouvement de l'âme vers un idéal	ASPIRATION
Mouvement de l'eau	COURANT
Mouvement de sens inverse	RETOUR
Mouvement des équidés qui lancent leurs membres postérieurs en arrière	RUADE
Mouvement d'haltérophilie	ÉPAULÉ
Mouvement d'un animal qui rue	RUADE
Mouvement d'un liquide	COULURE
Mouvement en rond	VOLTE
Mouvement giratoire	GIRATION
Mouvement impétueux d'une foule	RUÉE
Mouvement ondulatoire	HOULE
Mouvement politique	SÉPARATISME
Mouvement qui oscille	VIBRATION
Mouvement qui suit une ligne sinueuse	ZIGZAG
Mouvement rapide d'un végétal en réaction à un choc	NASTIE
Mouvement rapide	VÉLOCITÉ
Mouvement sinueux	ONDULATION
Mouvement, tourbillon	REMOUS

Mouvementé	ORAGEUX
Mouvementée	ORAGEUSE
Mouvements folâtres	ÉBATS
Mouvoir	ÉMOUVOIR
Mouvoir son corps en cadence	DANSER
Moye	MOIE
Moyen astucieux pour parvenir à ses fins	COMBINE
Moyen de protection	ARMURE
Moyen de réussir	ATOUT
Moyen de séduire	SÉDUCTION
Moyen de transport	AUTO • TRAIN
Moyen d'épuration	CREUSET
Moyen détourné d'atteindre un but	BIAIS
Moyen	MANIÈRE • MODÉRÉ RESSOURCE • SYSTÈME
Moyenâgeux	MEDIÉVAL
Moyennant	POUR
Moyenne	MILIEU • NORMALE
Moyens	POSSIBILITÉ
Mû par un élan créateur	INSPIRÉ
Muance	MUE
Mucher	MUSSER
Muet	COI
Muette	COITE
Mufle	GOUJAT • INDELICAT
Mufti	MOLLAH
Mugir	BEUGLER • MEUGLER • RUGIR
Muguet	STOMATITE
Mulâtre	MÉTIS
Mule	BABOUCHE
Mulet	BARDOT
Multicolore	BARIOLÉ
Multiforme	DIVERSIFORME
Multiple	VARIÉ
Multiplication indéfinie d'un fragment d'adn	CLONAGE
Multiplicité	PLURALITE
Multiplier par boutures	BOUTURER
Multiplier par cent	CENTUPLER
Multiplier par sept	SEPTUPLER

Multiplier par six . . . . SEXTUPLER
Multiplier par trois . . . . TRIPLER
Multiplier . . . . CENTUPLER
Multitude . . . . AFFLUENCE • ARMÉE
COHORTE • FLOPÉE • LÉGION
PLURALITE • TOURBE
Multitude de personnes . . . . FOULE
Muni d'armes . . . . ARMÉ
Muni de deux moteurs . . . . BIMOTEUR
Muni . . . . GARNI • POURVU
Munir de balises . . . . BALISER
Munir de cercles . . . . CERCLER
Munir d'un grillage . . . . GRILLAGER
Munir d'un tuteur . . . . TUTEURER
Munir d'une arme . . . . ARMER
Munir d'une bague . . . . BAGUAGE
Munir d'une coulisse . . . . COULISSER
Munir d'une fermeture à glissière . . . . ZIPPER
Munir d'une mèche . . . . MECHER
Munir d'une selle . . . . SELLER
Munir d'une virole . . . . VIROLER
Munir les pneus de chaînes . . . . CHAÎNER
Munir . . . . GARNIR • NANTIR
Muon . . . . MU
Muqueuse de la cavité utérine . . . . ENDOMÈTRE
Muqueuse entourant la base des dents . . . . GENCIVE
Mur . . . . PAROI • REMPART
Mur à hauteur d'appui . . . . PARAPET
Mur d'appui d'une fenêtre . . . . ALLEGE
Mur d'appui . . . . ALLÈGE
Mur de soutènement . . . . PERRÉ
Mur d'une salle d'exposition . . . . CIMAISE
Murer . . . . CONDAMNER • EMMURER
Muretin . . . . MURET
Mûri par la chaleur . . . . AOÛTÉ
Mûri . . . . AOÛTÉ • PRÉMÉDITÉ
Mûrir . . . . MÉDITER
Mûrir par la chaleur d'août . . . . AOÛTER
Mûrir par la réflexion . . . . DIGÉRER
Murmure . . . . BABILLAGE • CHUCHOTIS
Murmurer confusément . . . . MARMOTTER

Murmurer doucement	SUSURRER
Murmurer	PROTESTER • SOUFFLER
Musarder	FLÂNER • MUSER
Musardise	GLANDAGE
Muscle	NERF
Muscle de la jambe	JAMBIER
Muscle de l'épaule élévateur du bras	DELTOÏDE
Muscle du bras	BICEPS
Muscle qui produit une tension	TENSEUR
Musculature culturiste	GONFLETTE
Muse	ÉGÉRIE
Muse de la Poésie épique et de l'Histoire	CLIO
Muse de la Poésie lyrique	ÉRATO
Museau du porc	GROIN
Museau du sanglier	GROIN
Musée consacré aux sciences naturelles	MUSÉUM
Muser	MUSARDER
Musette de grande taille	LOURE
Musicale	MUSICIENNE
Musicien qui joue de la basse ou du violoncelle	BASSISTE
Musicien qui joue de la harpe	HARPISTE
Musicien qui joue de la viole	VIOLISTE
Musicien qui joue des timbales	TIMBALIER
Musicien qui joue du tuba	TUBISTE
Musicien	ORGANISTE
Musique à bouche	HARMONICA
Musique afro-américaine	JAZZ
Musique andalouse	FLAMENCO
Musique au rythme martelé sur laquelle sont scandées des paroles	RAP
Musique composée pour des grand-messes	MESSE
Musique de danse afro-cubaine	SALSA
Musique de danse brésilienne	BOSSA-NOVA
Musique de jazz lente	BLUES
Musique de régiment	NOUBA
Musique d'origine américaine	DISCO • ROCK
Musique jamaïcaine	CALYPSO
Musique jamaïcaine, à rythme syncopé	REGGAE

Musique originaire d'Algérie	RAÏ
Musique populaire d'origine anglo-saxonne	POP
Musique populaire jamaïcaine	REGGAE
Musique syncopée et rapide	RAGTIME
Musique traditionnelle populaire modernisée	FOLK
Musulman	MAHOMETAN
Musulman, au Moyen Âge	SARRASIN
Mutilation	ABLATION
Mutilé	INFIRME
Mutiler	AMPUTER • BLESSER
Mutin	REBELLE
Mutinerie	RÉBELLION
Mutisme	SILENCE
Mutualisme	SYMBIOSE
Myope	MIRAUD • MIRO
Myriade	INFINITE
Myriapode noir et luisant	IULE
Myrtille	BLEUET
Mystère	ÉNIGME
Mystérieux	SECRET • TENEBREUX
Mystificateur	FUMISTE
Mystique	INSPIRÉ
Mythique	FABULEUX
Mythomane	MENTEUR

N

Nabot	GNOME • NAIN
Nacelle	COCKPIT
Nage rapide	CRAWL
Nage sur le ventre	BRASSE • CRAWL
Nage	NATATION
Nageoire de caoutchouc	PALME
Nageoire de certains poissons	AILERON
Nager le crawl	CRAWLER
Nageuse	NAÏADE
Naguère	ANCIENNEMENT • AUTREFOIS • PASSÉ
Naïf	CANDIDE • CRÉDULE • DUPE GOGO • INGÉNU • INNOCENT NIAIS • POIRE • ZOZO
Nain	NABOT • PETIT
Naissance de Jésus-Christ	NATIVITÉ
Naissance	AVÈNEMENT • ÉCLOSION • ORIGINE
Naissant	ISSANT
Naître	GERMER • POINDRE • SURGIR
Naïve	BOURRIQUE • SIMPLETTE
Naïvement	BETEMENT
Naïveté	CANDEUR • INGENUITE
Nana	FEMME • FILLE • GONZESSE NÉNETTE • PÉPÉE
Nanifier	NANISER
Nanti	POURVU • RICHE
Nantir d'un avantage	GRATIFIER
Nantir	MUNIR • PROCURER
Nantissement	CRÉANCE
Nappage	GLAÇAGE
Nappe d'eau stagnante	MARAIS
Narcissisme	ÉGOTISME
Narcotique	STUPÉFIANT
Narguer	BRAVER
Narine de certains animaux	NASEAU
Narine de certains mammifères	NASEAU
Narine des cétacés	ÉVENT
Narquois	IRONIQUE • MOQUEUR
Narrateur	CONTEUR

Narration	RÉCIT
Narrer	CONTER • RACONTER • RELATER
Nase	FOUTU • NEZ
Naseau	NARINE
Natation	NAGE
Nation	GENT • PATRIE • PAYS • PEUPLE
Nationaliser	ÉTATISER
Nattage	TRESSAGE
Natte de cheveux roulée sur l'oreille	MACARON
Natte de cordage	PAILLET
Natte en osier	CAGET
Natte servant à la pratique du judo	TATAMI
Natte	CADENETTE • TRESSE
Natter	TORSADER • TRESSER
Naturaliser	ACCLIMATER
Naturalisme	NATURISME
Naturaliste suédois né en 1707	LINNE
Naturaliste	RÉALISTE
Nature	ACABIT
Naturel	AISANCE • AISÉ • INFUS INNÉ • NATIF
Naturelle	NATIVE
Nauséabond	FÉTIDE • PUANT
Nauséabond	VIREUX
Naval	NAUTIQUE
Navet fourrager	TURNEPS
Navigant	AVIATEUR
Navigateur portugais né en 1469	GAMA
Navigateur portugais	CAM • CAO
Navigateur	AVIATEUR • MARIN
Navigation autour d'une mer, d'une région	PERIPLE
Naviguer à reculons	CULER
Naviguer	SURFER • VOGUER
Navire à fond plat	PRAME
Navire à vapeur	STEAMER
Navire à voiles à un mât	SLOOP
Navire aménagé pour le transport des passagers	PAQUEBOT
Navire armé	CORSAIRE
Navire citerne	PÉTROLIER

Navire de charge transportant
  des grains en vrac . . . . CEREALIER
Navire de guerre . . . . CORVETTE • CUIRASSÉ
Navire de ligne . . . . LINER
Navire de plaisance . . . . YACHT
Navire destiné au transport
  du butane liquéfié . . . . BUTANIER
Navire équipé pour le transport du vin . . . . PINARDIER
Navire grec à trois rangs de rames . . . . TRIÈRE
Navire pour la pêche au thon . . . . THONIER
Navire pour le transport du propane . . . . PROPANIER
Navire qui roule beaucoup . . . . ROULEUR
Navire rapide de petit tonnage . . . . CARAVELLE
Navire réservé au transport
  des marchandises . . . . CARGO
Navire spécialisé dans
  le transport du butane . . . . BUTANIER
Navire transportant des
  produits en vrac . . . . VRAQUIER
Navire . . . . BATEAU • NEF • VAISSEAU
Navrant . . . . DÉSOLANT
Navrant, pathétique . . . . DÉCHIRANT
Navré . . . . FÂCHÉ
Navrer . . . . AFFLIGER • CONSTERNER
N'ayant subi aucune teinture . . . . ÉCRU
Né dans le pays qu'il habite . . . . INDIGÈNE
Né hors du mariage . . . . BÂTARD • ILLÉGITIME
Ne pas avouer . . . . NIER
Ne pas comprendre dans
  un ensemble . . . . EXCEPTER
Ne pas dire la vérité . . . . MENTIR
Ne pas reconnaître . . . . NIER
Ne pas rentrer coucher chez soi . . . . DÉCOUCHER
Ne pas réussir . . . . MERDER
Ne pas savoir . . . . IGNORER
Ne rien faire . . . . BULLER • GLANDER
Né . . . . SORTI
Néanmoins . . . . CEPENDANT • MAIS • NONOBSTANT
                                    POURTANT • TOUTEFOIS
Néant . . . . RIEN
Nébuleux . . . . VAPOREUX

Nébuliseur	AÉROSOL
Nec plus ultra	PERFECTION
Nécessaire	UTILE • REQUIS
Nécessité absolue	IMPÉRATIF
Nécessité d'agir vite	URGENCE
Nécessité	BESOIN
Nécessiteux	INDIGENT
Nécromancien	NÉCROMANT
Nécrose cutanée	ESCARRE
Nécrose d'un tissu	GANGRÈNE
Nef transversale d'une église	TRANSEPT
Néfaste	FUNESTE
Négatif photographique	CLICHE
Négation	NE • NENNI • NI • NON
Négligé	OMIS • RELÂCHÉ
Négligeable	ACCESSOIRE • SECONDAIRE
Négliger	MÉPRISER • OUBLIER
Négliger de mentionner	OMETTRE
Négoce	COMMERCE
Négociant	MARCHAND
Négociateur malhonnête	MAQUIGNON
Négocier	PARLEMENTER
Négondo	ÉRABLE
Neige chassée par le vent	POUDRERIE
Neiger	ENNEIGER • FLOCONNER
Néné	NICHON • ROBERT • SEIN
Nénuphar	LOTUS
Néophyte	PROFANE
Neptunium	NP
Nerf	TENDON
Nerprun	BOURDAINE
Nerveux	AGITÉ • ÉNERVÉ • IMPATIENT
Nervosité	FEBRILITE
Nervure de la voûte gothique	LIERNE
Net	CLAIR • EXPLICITE
Net, dépouillé	CLEAN
Net, propre	SOIGNÉ
Netteté	PROPRETÉ
Nettoyage avec un balai	BALAYAGE
Nettoyage	LAVAGE • LESSIVAGE • RAMONAGE
Nettoyant	DÉTERGENT • DÉTERSIF

Nettoyer à fond	ÉCURER
Nettoyer à l'eau	RINCER
Nettoyer au râteau	RÂTELER
Nettoyer avec du savon	SAVONNER
Nettoyer avec un abrasif	RÉCURER
Nettoyer en frottant	RÉCURER
Nettoyer en raclant	RAMONER
Nettoyer la façade d'un immeuble	RAVALER
Nettoyer soigneusement	DÉCRASSER
Nettoyer un conduit	RAMONER
Nettoyer	BALAYER • CURER
	ESSUYER • LAVER
	LESSIVER • TOILETTER • TORCHER
Nettoyeur	TEINTURIER
Neuf	MODERNE • NOUVEAU • PRINTANIER
Neutralité	ABSTENTION
Neuve	NOUVELLE
Neuvième heure du jour	NONE
Neuvième lettre de l'alphabet grec	IOTA
Névroglie	GLIE
Nez	BLAIR • BLASE • NASE
	PIF • TARIN • PIFOMETRE
Ni chaud ni froid	TIÈDE
Niais	ANDOUILLE • BÊTA
	CUCUL • DADAIS
	NIAISEUX • NIGAUD • ZOZO
Niais, imbécile	CORNICHON
Niais, nigaud	SERIN
Niaise	BÊTASSE • NIAISEUSE • SIMPLETTE
Niaiserie	FADAISE • PLATITUDE
Niaiseux	NIAIS
Niche funéraire à fond plat	ENFEU
Niche funéraire pour y recevoir des tombes	ENFEU
Nichée	COUVÉE
Nicher	AIRER • COUVER • NIDIFIER
Nicher	CRÉCHER
Nichon	NÉNÉ • TÉTON
Nickel	NI
Nid de guêpes	GUÊPIER
Nidifier	NICHER

Niellage	NIELLURE
Nième	ÉNIÈME
Nigaud	BENÊT • DADAIS
	NIAIS • NIAISEUX
Nigaude	BÉCASSE
N'importe où	PARTOUT
N'importe qui	QUICONQUE
Ninas	CIGARILLO
Niôle	GNIOLE
Nippé	AFFUBLÉ
Nipper	FRINGUER
Nippes	FRINGUE
Nitrate de potassium	NITRE • SALPÊTRE
Niveau à bulle	NIVELLE
Niveau atteint par le feuillage des végétaux	STRATE
Niveau le plus bas d'un cours d'eau	ÉTIAGE
Niveau	DEGRÉ • ÉTAGE • HAUTEUR
Niveler	APLANIR • ÉCRÊTER • ÉGALER
Nobélium	NO
Noblesse	ARISTOCRATIE • DIGNITÉ
	PATRICIAT
Noceur	VIVEUR
Noceur, viveur	FÊTARD
Nocif et violent	VIRULENT
Nocif pour les organismes vivants	TOXIQUE
Nocif	PERNICIEUX
Nocive	PERNICIEUSE
Noctuelle	XANTHIE
Noduleux	NODULAIRE
Nœud coulant	LACET • LACS
Nœud de chaise	AGUI
Nœud de ruban	COCARDE
Nœud fait sur une amarre	EMBOSSURE
Nœud formé d'une ou deux boucles	ROSETTE
Nœud	EPISSURE
Nœud, loupe	NODOSITÉ
Noir de fumée	SUIE
Noir	AFRICAIN • NÈGRE • NUIT
	OBSCUR • SOMBRE
Noirceur	OBSCURITÉ

Noircir	CALOMNIER • ENFUMER • BISER
Noise	CHICANE
Noisette	AVELINE
Noix ovale	PACANE
Noli me tangere	BALSAMINE
Nom ajouté au nom de baptême	SURNOM
Nom ancien du renard	GOUPIL
Nom anglais du pays de Galles	WALES
Nom anglais du vin de Xérès	SHERRY
Nom aztèque du Mexique	ANAHUAC
Nom celtique de la Bretagne	ARMOR • ARVOR
Nom celtique de la Grande-Bretagne	ALBION
Nom collectif désignant certains fruits	AGRUME
Nom courant du merlu	COLIN
Nom de baptême	PRÉNOM
Nom de deux constellations	OURSE
Nom de deux des livres bibliques	TESTAMENT
Nom de deux pharaons de la xixe dynastie	SETI
Nom de deux rivières d'Allemagne	ELSTER
Nom de famille	PATRONYME
Nom de lieu	TOPONYME
Nom de plusieurs rois de Hongrie	BÉLA
Nom de quatorze rois de Suède	ÉRIC
Nom de rois de Norvège	OLAF • OLAV
Nom de trois rois de Hongrie	ANDRÉ
Nom donné à divers coléoptères	ESCARBOT
Nom donné à divers sommets	APEX
Nom donné à Jésus	CHRIST
Nom donné à la Nouvelle-Guinée par l'Indonésie	IRIAN
Nom donné à la Vierge	MADONE
Nom donné au folklore andalou	FLAMENCO
Nom donné aux civils par les militaires	PEKIN
Nom donné aux territoires britanniques de l'Inde	INDES
Nom du Dieu d'Israël	YAHVÉ
Nom d'un aldose	RIBOSE
Nom d'un avion à réaction moyen courrier	CARAVELLE
Nom d'un célèbre écrivain canadien	NELLIGAN

Nom d'un couturier français . . . . DIOR
Nom d'un ex-défenseur de hockey
  prénommé Bobby . . . . ORR
Nom d'un ex-président des États-Unis . . . . REAGAN
Nom d'une actrice italienne
  prénommée Sophia . . . . LOREN
Nom d'une constellation . . . . SAGITTAIRE • SCORPION
Nom d'une ex-championne
  de tennis prénommée Chris . . . . EVERT
Nom gaélique de l'Irlande . . . . EIRE
Nom générique des animaux
  de sexe féminin . . . . FEMELLE
Nom générique des dérivés du silicium . . . . SILICONE
Nom générique des hydrocarbones . . . . GLUCIDE
Nom grec de deux chaînes de montagnes . . . . IDA
Nom hébreu de Babylone . . . . BABEL
Nom hongrois du Danube . . . . DUNA
Nom poétique de l'Irlande . . . . ÉRIN
Nom précédant le patronyme . . . . PRÉNOM
Nom scandinave du dieu
  germanique Wotan . . . . ODIN
Nom usuel de divers coléoptères . . . . ESCARBOT
Nomade du désert . . . . BÉDOUIN
Nomade . . . . VAGABOND
Nombre à deux chiffres . . . . BINAIRE
Nombre approximatif de quinze . . . . QUINZAINE
Nombre de lignes d'un texte imprimé . . . . LIGNAGE
Nombre de mille environ . . . . MILLIER
Nombre de môles d'éléments
  actifs par litre . . . . NORMALITE
Nombre de personnes . . . . EFFECTIF
Nombre d'environ trente . . . . TRENTAINE
Nombre d'observations d'un événement . . . . FRÉQUENCE
Nombre entier . . . . SEPT
Nombre ordinal de deux . . . . DEUXIÈME
Nombre ordinal de quatre . . . . QUATRIÈME
Nombre suivant treize . . . . QUATORZE
Nombre toujours divisible par deux . . . . PAIR
Nombre . . . . CHIFFRE • QUATRE • QUINZE
                                              TRENTE • VINGT
Nombreux . . . . MULTIPLE

Nombril	OMBILIC
Nomenclature	LISTE • RÉPERTOIRE
Nomination à un poste supérieur	PROMOTION
Nommément	NOTAMMENT
Nommer	CITER • INTITULER • QUALIFIER
Nommer à une fonction	ÉLIRE
Nommer de nouveau	RENOMMER
Nommer des lettres	ÉPELER
Non	NÉGATION • NENNI
Non achevé	GROSSIER
Non cassant	LIANT
Non coupable	INNOCENT
Non gratuit	PAYANT
Non marié	CÉLIBATAIRE
Non naturel	ARTIFICIEL
Non payé	DÛ
Non poli	FRUSTE
Nonchalamment	TIEDEMENT
Nonchalance	MOLLESSE • NÉGLIGENCE
Nonchalant	ALANGUI • LENT • MOLLASSE MOU • NÉGLIGENT • TIÈDE
Nonchalante	LENTE • MOLLE
Non-croyant	ATHÉE
Non-être	NÉANT
Non-initié	PROFANE
Non-intervention	ABSTENTION
Nonne	SŒUR
Nonobstant	CEPENDANT • MALGRÉ
Non-sens	ABERRATION
Normal	HABITUEL • LÉGITIME ORDINAIRE • RÉGULIER
Normale	HABITUELLE • NATURELLE
Normale, au golf	PAR
Normalisé	STANDARD
Normaliser	UNIFORMISER
Norme	NORMALE
North Atlantic Treaty Organization	NATO
Nostalgie	ENNUI • REGRET
Nota bene	NB
Notaire	SOLICITOR
Notation par des chiffres	CHIFFRAGE

Nouveau venu .... DEBARQUE
Nouveau .... INÉDIT • MODERNE • NÉO
NEUF • RÉCENT
Nouveau-né au poids
inférieur à la moyenne .... DYSMATURE
Nouveauté .... NOVATION • ORIGINALITÉ
Nouvel adepte .... NÉOPHYTE
Nouvelle .... FRAÎCHE • INFO
INFORMATION • NEUVE
Nouvelle édition .... REEDITION
Nouvelle fantaisiste .... CANULAR
Nouvelle gelée .... REGEL
Nouvelle lecture .... RELECTURE
Nouvelle sensationnelle .... SCOOP
Novice .... APPRENTI • INEXPERT
JEUNOT • NÉOPHYTE
Noyau de la Terre .... NIFE
Noyau d'hélium .... HÉLION
Noyau d'un escalier .... LIMON
Noyau .... CENTRE
Noyauter .... INFILTRER
Noyé .... INONDÉ
Noyer blanc .... HICKORY
Noyer .... DILUER
Nu .... DÉNUDÉ
Nuage en haute altitude
en flocons ou filaments .... CIRRUS
Nuage .... NUE • NUÉE
Nuageux .... COUVERT • NÉBULEUX
Nuance de la couleur du visage .... TEINT
Nuance très foncée de brun
rouge piqueté de blanc .... MARENGO
Nuance .... COULEUR • TEINTE
Nuancer .... NUER
Nubile .... PUBÈRE
Nudisme .... NUDITÉ
Nudisme .... NATURISME
Nue .... NUAGE • NUÉE
Nuée .... NUAGE • NUE
Nuire .... DÉSAVANTAGER
Nuisible .... NÉFASTE • NOCIF • PERNICIEUX

Nuit passée à l'hôtel	NUITÉE
Nul	AUCUN • INCOMPÉTENT • INVALIDÉ
Nullement	POINT
Nullité	ZÉRO
Numérique	DIGITAL
Numéro	AS • CHIFFRE
Numéro de chaque page d'un livre	FOLIO
Numéro inscrit dans un registre	MATRICULE
Numéro	SKETCH
Numéroté	CHIFFRÉ
Numéroter feuillet par feuillet	FOLIOTER
Numéroter les pages	PAGINER
Numéroter	PAGINER
Nutritif	NOURRICIER
Nutritionnel	NUTRITIF
Nymphe de la mer	NÉRÉIDE • OCÉANIDE
Nymphe des bois et des prés	NAPÉE
Nymphe des insectes diptères	PUPE
Nymphe des montagnes et des bois	ORÉADE
Nymphe des prairies et des forêts	NAPÉE
Nymphe	NAÏADE • SYRINX

O

Oasis du Sahara algérien	OUED
Obéir	OBSERVER • SUIVRE
Obéir aux lois de la gravitation	GRAVITER
Obéissance à un supérieur ecclésiastique	OBEDIENCE
Obéissance	DOCILITÉ
Obéissant	DOCILE • SOUMIS
Obel	OBÈLE
Obèle	OBEL
Obèse	VENTRIPOTENT
Obésité	ADIPOSE
Objecter	BAGARRER • OPPOSER • PRETEXTER
Objectif à focale variable	ZOOM
Objectif visé	BUT • CIBLE
Objectif	FIN • NEUTRE
Objectivité	NEUTRALITÉ
Objet ancien, usé et démodé	VIEILLERIE
Objet circulaire	CERCLE
Objet de critiques	CIBLE
Objet de curiosité originaire du Japon	JAPONERIE
Objet de parure	BIJOU
Objet de taille réduite pour un transport facile	PORTATIF
Objet dont on se sert pour frotter	FROTTOIR
Objet d'usage domestique	USTENSILE
Objet en céramique	POTERIE
Objet fabriqué	MACHINE
Objet intentionnel de pensée	NOÈME
Objet matériel	CORPS
Objet moulé en plâtre	PLÂTRE
Objet que l'on ne nomme pas	TRUCMUCHE
Objet quelconque	ZINZIN
Objet servant à se défendre	ARME
Objet servant de preuve	DOCUMENT
Objet volant non identifié	OVNI
Objet	CAUSE • CHOSE
Objets de verre	VERRERIE
Objets divers	AFFAIRES

Objets en osier, en rotin	VANNERIE
Objets faits en tôle	TÔLERIE
Objets mobiliers	EFFETS
Oblation	OFFRANDE
Obligation	CONTRAINTE • CRÉANCE • NÉCESSITÉ
Obligation de résider	RÉSIDENCE
Obligation morale	DEVOIR
Obligeant	ACCOMMODANT • PRÉVENANT SERVIABLE
Obliger à se mettre au lit	ALITER
Obliger	FORCER • RÉDUIRE
Oblique	BIAIS
Obliquer	BIAISER
Obliquité	DECLIVITE
Oblitération brusque d'un vaisseau sanguin	EMBOLIE
Obnubiler	OBSÉDER
Obole	AUMÔNE
Obscène	IMPUDIQUE • ORDURIER
Obscénité	ORDURE
Obscénité dans les spectacles	PORNOGRAPHIE
Obscur	ABSCONS • ABSTRUS • AMBIGU NOIR • NÉBULEUX • SIBYLLIN SOMBRE • TENEBREUX
Obscurcir l'esprit	OBNUBILER
Obscurcir	ENTÉNÉBRER • OBOMBRER • VOILER
Obscurcissement	ÉCLIPSE
Obscurité profonde	TÉNÈBRES
Obscurité	BROUILLARD • NUIT OMBRE • TÉNÈBRES
Obsédant	LANCINANT
Obséder	OBNUBILER
Obséquieuse	GUINDEE
Obséquiosité	ADULATION • COURBETTE • SERVILITÉ
Observateur	MIREUR • SPECTATEUR
Observation des règles	OBÉISSANCE
Observation	ANALYSE • CONSTATATION • REMARQUE
Observatoire	BELVÉDÈRE
Observer	CONSTATER • CONTEMPLER • ÉPIER ÉTUDIER • REGARDER RESPECTER • SCRUTER

Observer les règles d'une religion . . . . PRATIQUER
Obsession . . . . CAUCHEMAR • MANIE • PARANOÏA
Obsessionnel . . . . OBSÉDÉ
Obsolescence . . . . DÉSUÉTUDE
Obstacle . . . . BANQUETTE • CONTRETEMPS
DIFFICULTÉ • DIGUE • ENTRAVE
Obstacle équestre . . . . OXER
Obstacle, difficulté . . . . CHIENDENT
Obstination . . . . ACHARNEMENT • TÉNACITÉ
Obstiné . . . . BUTÉ • ENTÊTÉ • TENACE
TÊTU • OPINIÂTRE • PERSÉVÉRANT
CABOCHARD
Obstinément . . . . MORDICUS
Obstruction . . . . OCCLUSION • OPPOSITION
Obstruer . . . . BARRER • ENTRAVER
Obstruer par l'accumulation
de matières . . . . ENGORGER
Obtempérer . . . . OBÉIR
Obtenir à prix d'argent . . . . ACHETER
Obtenir en prêt . . . . EMPRUNTER
Obtenir par la ruse . . . . SOUTIRER
Obtenir par une requête . . . . IMPÉTRER
Obtenir . . . . ACQUÉRIR • AVOIR
Obtenu par extrusion . . . . EXTRUDÉ
Obturer . . . . BOUCHER
Obus chargé de balles . . . . SHRAPNEL • SHRAPNELL
Obus . . . . ANTICHAR
Occasion . . . . AUBAINE • CIRCONSTANCE
MOMENT • OCCASE
Occasionnel . . . . ACCIDENTEL • CASUEL • FORTUIT
Occasionnelle . . . . CASUELLE
Occasionner . . . . COÛTER
Occident . . . . OUEST
Occupant . . . . HABITANT
Occupation favorite . . . . DADA
Occupation . . . . CARRIÈRE • FONCTION • PROFESSION
Occupations pendant
le temps de liberté . . . . LOISIRS
Occupé . . . . AFFAIRÉ • PRIS
Occuper brusquement . . . . ENVAHIR
Occuper la place d'honneur . . . . TRÔNER

Occuper	PEUPLER • PRENDRE
Océan	MER
Océane	OCEANIQUE
Ocre	ARGILE
Ocreux	OCRÉ
Octave	HUITAINE
Octroi de la vie sauve à un ennemi	AMAN
Octroi	ALLOCATION • CONCESSION
Octroyer	ACCORDER • ALLOUER CONCÉDER
Odeur	SENTEUR
Odeur agréable	FUMET • PARFUM
Odeur agréable de certaines essences	ARÔME
Odeur agréable	FRAGRANCE
Odeur de graisse brûlée	GRAILLON
Odeur de renfermé, de moisi	REMUGLE
Odeur du gibier	FUMET
Odeur d'une chose qui commence à brûler	ROUSSI
Odeur forte	RANCE
Odeur infecte	PUANTEUR
Odeur, goût de rance	RANCI
Odieux	DEGOÛTANT
Odorat	FLAIR • OLFACTION
Odorat du chien	FLAIR
Odoriférant	ODORANT • PARFUME
Œil poché	COQUART
Œil simple des larves d'insectes	STEMMATE
Œillade	REGARD
Œnothère	ONAGRE
Œuf à demi couvé	COUVI
Œuf de pou	LENTE
Œuf pourri	COUVI
Œuf	COCO
Œufs battus et cuits dans la poêle	OMELETTE
Œufs d'esturgeon	CAVIAR
Œuvre cinématographique	FILM
Œuvre démodée	VIEILLERIE
Œuvre dramatique	TRAGÉDIE
Œuvre du sculpteur	SCULPTURE
Œuvre en prose	ROMAN

Œuvre exécutée sur une toile . . . . TABLEAU
Œuvre faite au pastel . . . . PASTEL
Œuvre littéraire . . . . OUVRAGE • ROMAN
Œuvre narrative d'une certaine ampleur . . . . SAGA
Œuvre poétique dont
  le thème est la plainte . . . . ÉLÉGIE
Œuvre semblable à un original . . . . RÉPLIQUE
Œuvre théâtrale mise en musique . . . . OPÉRA
Œuvre théâtrale . . . . OPÉRETTE
Œuvre . . . . PRODUCTION
Œuvrer . . . . OUVRER
Offensant . . . . INSULTANT
Offense . . . . ATTENTAT • AVANIE • BLESSURE
                                        OUTRAGE • PÉCHÉ
Offensé . . . . OFFUSQUE
Offenser vivement . . . . OUTRAGER
Offenser . . . . FROISSER • INJURIER • VEXER
Offenseur . . . . PÉCHEUR
Offensive . . . . ASSAUT • ATTAQUE
Offert . . . . DONNÉ
Office du diacre . . . . DIACONAT
Office du Vatican chargé d'expédier
  des actes pontificaux . . . . DATERIE
Office religieux . . . . MESSE
Officiel . . . . AUTHENTIQUE
Officielle . . . . SOLENNELLE
Officiellement reconnu . . . . AGRÉÉ
Officier chargé du pain à la cour . . . . PANETIER
Officier civil qui rend la justice . . . . MAGISTRAT
Officier commandant un
  régiment d'infanterie . . . . MEISTRE
Officier de bouche de la table du roi . . . . SERDEAU
Officier de la cour du Sultan . . . . AGA • AGHA
Officier de Louis XV . . . . ÉON
Officier de police . . . . CONSTABLE
Officier de police judiciaire . . . . CORONER
Officier de police . . . . SHERIF
Officier d'épée qui rendait la justice
  au nom du roi . . . . BAILLI
Officier général d'une marine militaire . . . . AMIRAL
Officier ministériel . . . . TABELLION

Officier municipal . . . . MAIRE
Officier porte-drapeau . . . . ENSEIGNE
Officier public qui faisait
   office de notaire . . . . TABELLION
Officier public . . . . NOTAIRE
Offrande rituelle . . . . SACRIFICE
Offrande . . . . OBLATION
Offre Publique d'Achat . . . . OPA
Offre . . . . OBLATION • PROPOSITION
Offrir . . . . DÉVOUER • DONNER
                  PRÉSENTER • PROPOSER
Oghamique . . . . GAELIQUE
Ogive . . . . OBUS
Ogre . . . . CANNIBALE
Oie mâle . . . . JARS
Oie sauvage à bec court . . . . BERNACLE
Oindre . . . . BÉNIR • FROTTER • SACRER
Oint . . . . BÉNI
Oiseau à bec long . . . . IBIS
Oiseau à gorge rose et à tête noire . . . . BOUVREUIL
Oiseau à gros bec . . . . VERDIER
Oiseau à plumage coloré et à gros bec . . . . TOUCAN
Oiseau à plumage noir ou gris . . . . CORBEAU
Oiseau aquatique . . . . PÉLICAN
Oiseau au long bec pointu . . . . SITTELLE
Oiseau au plumage bigarré . . . . GEAI
Oiseau au plumage bleu et brun . . . . BENGALI
Oiseau au plumage gris et noir,
   rouge sur la poitrine . . . . BOUVREUIL
Oiseau au plumage jaune vif . . . . LORIOT
Oiseau chanteur . . . . PINSON
Oiseau construisant
   un nid en forme de four . . . . FOURNIER
Oiseau coureur d'Afrique, le plus
   grand des oiseaux actuels . . . . AUTRUCHE
Oiseau coureur d'Australie . . . . CASOAR
Oiseau coureur de Nouvelle-Guinée . . . . CASOAR
Oiseau coureur de Nouvelle-Zélande . . . . KIWI
Oiseau crépusculaire ou nocturne brun-roux . . . . ENGOULEVENT
Oiseau d'Amérique Centrale
   au plumage vert mordoré . . . . QUETZAL

Oiseau d'Amérique du Sud	AGAMI
Oiseau d'Asie surmonté d'un casque	CALAO
Oiseau d'Australie	ÉMEU
Oiseau de basse-cour	COQ • POULE VOLAILLE • VOLATILE
Oiseau de grande taille qui court très vite	AUTRUCHE
Oiseau de la famille des mésanges	RÉMIZ
Oiseau de l'île Maurice	DRONTE
Oiseau de l'ordre des gallinacés	LAGOPEDE
Oiseau de mer	GOÉLAND • LABBE MOUETTE • PUFFIN
Oiseau de proie diurne	BUSARD
Oiseau de proie du genre faucon	GERFAUT
Oiseau de proie piscivore	BALBUZARD
Oiseau des montagnes	CRAVE
Oiseau domestique	VOLATILE
Oiseau dont le chant est agréable	ROSSIGNOL
Oiseau du genre héron	AIGRETTE
Oiseau échassier au bec court	PLUVIER
Oiseau échassier de l'Afrique tropicale	OMBRETTE
Oiseau échassier de Nouvelle-Calédonie	CAGOU
Oiseau échassier migrateur	BÉCASSE
Oiseau échassier palmipède	FLAMANT
Oiseau échassier très friand de coquillages	HUÎTRIER
Oiseau échassier	AGAMI • BARGE • BUTOR • IBIS MARABOUT • OUTARDE • RÂLE
Oiseau fabuleux	ROCK
Oiseau femelle	OISELLE
Oiseau gallinacé	DINDON • FAISAN
Oiseau gallinacé à plumage roux	GÉLINOTTE
Oiseau gallinacé de la taille du faisan	PAON
Oiseau grégaire des montagnes	CRAVE
Oiseau grimpeur à cou flexible	TORCOL
Oiseau grimpeur de la famille des psittacidés	PERROQUET
Oiseau grimpeur et frugivore	TOUCAN
Oiseau grimpeur	CACATOÈS • PIC
Oiseau gris et noir qui ressemble à un pigeon	COUCOU
Oiseau marin	MANCHOT

Oiseau migrateur	RÂLE
Oiseau nocturne de l'Arctique	HARFANG
Oiseau originaire d'Asie	PAON
Oiseau palmipède à tête noire	STERNE
Oiseau palmipède au long cou	CYGNE
Oiseau palmipède des régions arctiques	PINGOUIN
Oiseau palmipède des régions polaires	GUILLEMOT
Oiseau palmipède piscivore	GOÉLAND
Oiseau palmipède	CANARD • MOUETTE OIE • PÉLICAN • SARCELLE
Oiseau passereau à dos brun	LINOTTE
Oiseau passereau d'Amérique	TANGARA
Oiseau passereau	BRUANT • CORBEAU • GEAI MERLE • PIPIT • ROITELET
Oiseau planeur blanc ou gris	ALBATROS
Oiseau plus petit que le merle	LORIOT
Oiseau rapace diurne	BUSARD • ÉPERVIER FAUCON • MILAN
Oiseau rapace diurne, piscivore	BALBUZARD
Oiseau rapace	AIGLE • BUSE
Oiseau ratite d'Australie	ÉMOU
Oiseau ratite de grande taille	ÉMEU
Oiseau sauvage de grande taille	TÉTRAS
Oiseau sylvain à tête noire et gorge rouge	BOUVREUIL
Oiseau voisin de la caille	COLIN
Oiseau voisin de la fauvette	POUILLOT
Oiseau voisin de la grive	MERLE
Oiseau voisin de la linotte	SIZERIN
Oiseau voisin de la perdrix	CAILLE • GÉLINOTTE
Oiseau voisin du corbeau	FREUX
Oiseau voisin du merle	GRIVE • MOQUEUR
Oiseau	CACATOÈS • CARDINAL • GRIVE MARTINET • MÉSANGE • MOINEAU PIE • ROUSSEROLLE
Oiseux	SUPERFLU
Oisif	INOCCUPÉ • MUSARD
Oisillon	OISELET
Olé	OLLÉ

Oléacée à fleurs jaunes	FORSYTHIA
Oléagineux	HUILEUX • OLÉIFORME
Oléoduc	PIPELINE
Olfaction	ODORAT
Olivaie	OLIVERAIE • OLIVETTE
Olivâtre	VERDÂTRE
Olivette	OLIVERAIE
Ombellifère aquatique	SIUM
Ombilic	NOMBRIL
Ombrageuse	SOUPÇONNEUSE
Ombrageux	SOUPÇONNEUX
Ombre épaisse	OPACITÉ
Ombre	OMBRAGE • SOUPÇON
Ombrelle	PARASOL
Ombreux	OMBRAGÉ
Omettre	NÉGLIGER • OUBLIER
Omission stylistique	ELLIPSE
Omission	LACUNE • OUBLI
Omnipotent	PUISSANT
Omniprésent	PRÉSENT
On lui doit le téléphone	BELL
On y stocke les récoltes	SILO
Onagre	ÂNE
Once anglo-saxonne	OZ
Oncle de Mahomet	ABBAS
Oncle	TONTON
Oncle, en langage enfantin	TONTON
Onctueuse	MIELLEUSE
Onctueux	MIELLEUX
Onde	EAU • FLOT
Ondée	AVERSE • GIBOULÉE
Ondoyer	ONDULER
Ondueuse	SINUEUSE
Ondulation de la mer	LAME
Ondulation d'un tissu	PLI
Ondulation	CREPELURE • ONDE • SINUOSITÉ
Ondulé	COURBÉ • SINUEUX
Ondulée	SINUEUSE
Onduler	BOUCLER • FRISOTTER • SERPENTER
Onduleux	SINUEUX
Onéreux	CHEROT • COÛTEUX

Ongle très développé . . . . SABOT
Onglette . . . . BURIN
Onguent à base de cire et d'huile . . . . CÉRAT
Onguent . . . . BAUME • POMMADE
Ongulé . . . . ONGLÉ
Onomatopée évoquant
   le bruit d'une chute . . . . BADABOUM
Onomatopée évoquant
   le bruit d'une sonnette . . . . DRELIN • DRING
Onomatopée évoquant un bruit sec . . . . BING
Onomatopée exprimant la vitesse . . . . VROUM
Onomatopée exprimant une
   sensation de froid . . . . BRRR
Onomatopée imitant le bruit
   de l'eau qui tombe . . . . FLAC
Onomatopée imitant un bruit
   de chute . . . . PLOC
Onomatopée imitant un bruit sec . . . . VLAN
Onomatopée imitant un
   claquement sec CLIC
Onomatopée imitant un petit cri . . . . COUIC
Onomatopée qui marque le doute . . . . TARATATA
Onomatopée . . . . BANG • DING • DRING • TOC
Onze XI
Opacité totale ou partielle du cristallin . . . . CATARACTE
Opalin . . . . LAITEUX
Opaline . . . . LAITEUSE
Opéra de Verdi . . . . AÏDA
Opéra en trois actes de Rossini . . . . OTELLO
Opérateur de prises de vues . . . . CADREUR
Opération chirurgicale . . . . EXÉRÈSE
Opération commerciale . . . . TRANSACTION • VENTE
Opération consistant à
   détourner l'attention . . . . DIVERSION
Opération consistant à donner à un
   métal la dureté de l'acier . . . . ACIÉRAGE
Opération de classement . . . . TRI
Opération de fouille méthodique . . . . RATISSAGE
Opération de meunerie . . . . MOUTURE
Opération de teinture artisanale . . . . ROSAGE
Opération militaire éclair . . . . RAID

Opération militaire . . . . FRAPPE

Opération par laquelle on
réunit deux corps solides . . . . SOUDURE

Opération par laquelle on rogne . . . . ROGNAGE

Opération qui consiste à aplanir . . . . PLANAGE

Opération qui consiste à râper . . . . RÂPAGE

Opération qui consiste à
secréter les peaux . . . . SECRÉTAGE

Opération qui donne aux pièces
la dimension exacte . . . . AJUSTAGE

Opération . . . . ABLATION • CAMPAGNE

Opérations financières . . . . AFFAIRES

Opérer quelqu'un maladroitement . . . . CHARCUTER

Opérer . . . . AGIR • RÉALISER

Ophtalmologiste . . . . OCULISTE

Opianine . . . . NARCOTINE

Opiniâtre . . . . ACHARNÉ • ENTÊTÉ • TÊTU

Opiniâtreté . . . . ACHARNEMENT • CONSTANCE

Opinion exprimée lors d'une élection . . . . VOTE

Opinion préconçue . . . . PRÉJUGÉ

Opinion . . . . AVIS • THÈSE

Oponce . . . . NOPAL

Opportun . . . . BIENVENU • PROPICE

Opposant . . . . ANTAGONISTE

Opposé . . . . ADVERSE • CONTRAIRE • DIVERGENT

Opposé à . . . . VERSUS

Opposé de cathode . . . . ANODE

Opposition . . . . CONTESTATION • CONTRASTE
DIVERGENCE • HOSTILITÉ
OBJECTION

Opposition, refus . . . . VETO

Oppresser . . . . ÉTOUFFER

Oppresseur . . . . TYRAN

Oppression . . . . TYRANNIE

Opprimer . . . . ACCABLER • BRIMER • OPPRESSER

Optimal . . . . OPTIMUM

Optimaliser . . . . OPTIMISER

Option . . . . CHOIX

Optique . . . . VISUEL

Opulence . . . . ABONDANCE • RICHESSE

Opulent . . . . ABONDANT

Opus . . . . OP
Or noir . . . . PÉTROLE
Or . . . . AU
Oraison . . . . ORÉMUS
Oraison dominicale . . . . PATENOTRE
Oral . . . . VERBAL
Orange amère . . . . BIGARADE
Orange . . . . NAVEL
Orateur qui excelle aux débats publics . . . . DEBATTEUR
Orateur . . . . TRIBUN
Orchestre se servant d'instrument de cuivre . . . FANFARE
Orchestre Symphonique de Montréal . . . . OSM
Orchidacée . . . . VANILLIER
Orchidée des forêts de hêtres . . . . NÉOTTIE
Orchidée sauvage . . . . LIPARIS
Ordinaire . . . . ACCOUTUMÉ • BANAL
COUTUMIER
Ordo . . . . CALENDRIER
Ordonnance de l'empereur . . . . RESCRIT
Ordonnance . . . . DÉCRET • LOI
Ordonné et propre . . . . SOIGNEUX
Ordonné . . . . COHÉRENT • ORGANISÉ • PRESCRIT
Ordonner . . . . AMÉNAGER • COMBINER
CONDENSER • EXIGER • MANDER
PRESCRIRE • SOMMER • STATUER
Ordre . . . . CATÉGORIE • CONSIGNE
CORPORATION • RANG
SACERDOC • SOMMATIONE
Ordre de plantes dicotylédones . . . . URTICALE
Ordre des avocats . . . . BARREAU
Ordre détaillé . . . . PRESCRIPTION
Ordre d'oiseaux omnivores . . . . GALLINACE
Ordre du jour . . . . PROGRAMME
Ordre écrit . . . . MANDEMENT
Ordre impératif . . . . UKASE
Ordre religieux . . . . CARMEL
Ordure . . . . CRASSE • FUMIER
IMMONDICE • RÉSIDU
Ordures . . . . DÉTRITUS
Ordurier . . . . OBSCÈNE
Orée . . . . LISIÈRE

Oreiller	COUSSIN
Orémus	ORAISON
Organe	OREILLE
Organe annexé au tube digestif	FOIE
Organe buccal de certains insectes	SUÇOIR
Organe central chez l'homme	CŒUR
Organe charnu	LANGUE
Organe commandé au pied	PÉDALE
Organe contenu dans l'abdomen	FOIE
Organe de commande	LEVIER
Organe de contrôle d'une planteuse	TÂTEUR
Organe de la bouche	DENT
Organe de la parole	VOIX
Organe de la phonation	LARYNX
Organe de la respiration	POUMON
Organe de la vue	ŒIL
Organe de l'abdomen, du thorax	VISCÈRE
Organe de l'appareil digestif	ESTOMAC
Organe de l'ouïe	OREILLE
Organe de protection cylindrique	MANCHON
Organe du chant chez les oiseaux	SYRINX
Organe du vol	AILE
Organe dur, souvent pointu	CORNE
Organe en forme de petit sac	VÉSICULE
Organe femelle des plantes à fleurs	PISTIL
Organe féminin	UTÉRUS
Organe génital	SEXE
Organe génital interne de la femme	VAGIN
Organe lymphoïde de la gorge	AMYGDALE
Organe où se forment les cellules femelles chez les champignons	OOGONE
Organe ou tissu prélevé pour être greffé	GREFFON
Organe pointu et venimeux de la guêpe	DARD
Organe porté par certaines plantes	VRILLE
Organe quelconque	VISCÈRE
Organe vocal principal	LARYNX
Organisation de Libération de la Palestine	OLP
Organisation de l'ordre	POLICE
Organisation de l'Unité Africaine	OUA
Organisation des États Américains	ŒA
Organisation des Nations Unies	ONU

Organisation du Traité
de l'Atlantique Nord . . . . OTAN
Organisation Maritime Internationale . . . . OMI
Organisation pour fixer
les prix du pétrole . . . . OPEP
Organisation . . . . COORDINATION • ORGANISME
Organisé . . . . RÉGLÉ • STRUCTURÉ
Organisé avec . . . . COORDONNÉ
Organisé en fonction
d'un résultat défini . . . . COORDONNÉ
Organiser en colonie . . . . COLONISER
Organiser en syndicat . . . . SYNDIQUER
Organiser . . . . MONTER • ORCHESTRER
PLANIFIER • PRÉPARER
PRÉSIDER • PROGRAMMER
Organisme aéronautique
et spatial des États-Unis . . . . NASA
Orgasme . . . . CLIMAX
Orge germée . . . . MALT
Orgie . . . . PARTOUSE
Orgue mécanique . . . . LIMONAIRE
Orgueil . . . . FIERTÉ • MORGUE • VANITÉ
Orgueilleux . . . . PHARISIEN
Orient . . . . EST • LEVANT
Orientaliste français mort en 1966 . . . . RENOU
Orientation vers un point donné . . . . DIRECTION
Orientation . . . . SITUATION
Orienter dans une nouvelle direction . . . . RÉORIENTER
Orienter suivant un axe . . . . AXER
Orienter . . . . AXER
Orifice central de l'iris . . . . PUPILLE
Orifice de l'iris de l'œil . . . . PRUNELLE
Orifice du nez . . . . NARINE
Orifice duquel s'écoule le
trop-plein d'un canal . . . . DEVERSOIR
Orifice extérieur du rectum . . . . ANUS
Orifice externe de l'urètre . . . . MÉAT
Orifice naturel creusé par les
eaux d'infiltration . . . . AVEN
Orifice percé dans un réservoir . . . . AJUTAGE
Orifice respiratoire chez

certaines plantes . . . . OSTIOLE

Orifices du fer à cheval . . . . ETAMPURE

Originaire . . . . NATIF

Original . . . . NEUF • OLIBRIUS • TYPIQUE

Originale . . . . NEUVE

Originalité . . . . FANTAISIE • SINGULARITÉ

GENIALITE

Origine d'une famille . . . . SOUCHE

Origine . . . . ASCENDANCE • AURORE • CAUSE

COMMENCEMENT • PRINCIPE

RACE • SOURCE

Originel . . . . INITIAL • ORIGINAL • PREMIER

Orignal . . . . ÉLAN

Orléaniste . . . . ROYALISTE

Ormeau . . . . ORMET

Ormoie . . . . ORMAIE

Orné à l'excès . . . . TARABISCOTÉ

Orné de boules en forme

de pommes . . . . POMMETE

Orné de cannelures . . . . CANNELÉ

Orné de clous . . . . CLOUTÉ

Orné de fleurs de lys . . . . FLEURDELISÉ

Orné de galon . . . . GALONNE

Orné de lauriers . . . . LAURÉ

Orné d'éperons de navires . . . . ROSTRAL

Orné, garni . . . . ÉTOILÉ

Ornemaniste . . . . STUCATEUR

Ornement . . . . ATOUR • FARD • FIORITURE

DÉCORATION • PAREMENT

PARURE

Ornement circulaire en

forme de petite rose . . . . ROSETTE

Ornement circulaire . . . . ROSACE

Ornement courant en ligne brisée . . . . FRETTE

Ornement de métal recouvrant un toit . . . . FAITEAU

Ornement en forme de petit clocher . . . . CLOCHETON

Ornement en forme de rosace . . . . PATÈRE

Ornement en forme d'œuf . . . . OVE

Ornement linéaire . . . . MOULURE

Ornement pour les cheveux . . . . BARRETTE

Ornement qui surmonte un casque . . . . CIMIER

Ornement tordu en hélice	TORSADE
Ornement, parure	GARNITURE
Ornementation	DÉCORATION
Ornements	FROUFROUS
Orner	DÉCORER • ILLUSTRER • PARER
Orner avec des jours, des ouvertures	AJOURER
Orner d'armoiries	BLASONNER
Orner de dessins sinueux	VEINER
Orner de diamants	DIAMANTER
Orner de drapeaux	PAVOISER
Orner de façon brillante	DIAPRER
Orner de paillettes	PAILLETER
Orner de perles	EMPERLER
Orner de raies	STRIER
Orner d'enluminures	ENLUMINER
Orner d'un panache	PANACHER
Orner	POMPONNER
Orphelin mineur	PUPILLE
Orpiment	ARSENIC
Orpin	SEDUM
Orthodoxie musulmane	SUNNA
Os de la cuisse	FÉMUR
Os de la face portant les dents	MÂCHOIRE
Os de la jambe	PÉRONÉ • TIBIA
Os de poisson	ARÊTE
Os du nez	VOMER
Os formant le haut de l'épaule	OMOPLATE
Os joignant l'omoplate au sternum	CLAVICULE
Os long, formant la partie antérieure de la ceinture scapulaire	CLAVICULE
Os parallèle au tibia	PÉRONÉ
Os plat de la partie antérieure de la poitrine	STERNUM
Os plat du genou	ROTULE
Os plat du thorax	CÔTE
Os plat triangulaire	OMOPLATE
Os plat	STERNUM
Os unique du bras	HUMÉRUS
Os	BASILAIRE • FRONTAL • HIC HUMÉRUS • MANDIBULE • TIBIA

Oscillation	BALANCEMENT • ONDULATION ROULIS
Osciller	BALANCER • BALLER
Osée	POLISSONNE
Oseille	SURELLE
Oser (Se)	HASARDER
Oser	TENTER
Ossature d'un mur	PAN
Ossature	CARCASSE • SQUELETTE STRUCTURE
Osselet de l'oreille	ENCLUME • ÉTRIER
Ossements	CARCASSE
Ossuaire	CATACOMBE
Ostensible	APPARENT
Ostentatoire	FASTUEUX
Ostéosynthèse à l'aide d'agrafes	AGRAFAGE
Ostréiculteur	HUÎTRIER
Ôter ce qui coiffe	DÉCOIFFER
Oter ce qui obstrue	DEBOUCHER
Ôter la bâcle fermant une porte	DÉBÂCLER
Oter la barre	DEBARRER
Ôter la boue	DÉCROTTER
Oter la bourre	DEBOURRER
Oter les impuretés qui altèrent une surface	DECAPER
Ôter les pépins de	ÉPÉPINER
Oter les pierre d'un terrain	EPIERRER
Oter les plats de la table	DESSERVIR
Oter les vis	DEVISSER
Ôter une plante d'un pot	DÉPOTER
Ôter	ENLEVER • RETIRER
Où il fait du vent	VENTEUX
Où il pleut beaucoup	PLUVIEUX
Où il y a des callosités	CALLEUX
Où il y a des risques	PERILLEUX
Où il y a peu de bruit	INSONORE
Où l'irrationnel tient une grande place	MAGIQUE
Où l'on peut naviguer	NAVIGABLE
Où un navire peut flotter	NAVIGABLE
Ou	SOIT

Ouaté	FEUTRÉ
Oubli	LACUNE • OMISSION
Oublié	OMIS
Oublier	OMETTRE • PASSER • PERDRE
Oublier	EXCEPTER
Ouest	OCCIDENT
Oui	DA • OK
Ouï-dire	RUMEUR
Ouillante	TOQUANTE
Ouille	AÏE
Ouragan	CYCLONE • ORAGE TORNADE • TYPHON
Ourdir	CONSPIRER • MACHINER TISSER • TRAMER
Ourdou	URDU
Ourlet	ORLE • REBORD • REPLI
Ours noir d'Amérique	OURSON
Oust	OUSTE
Ouste	OUST
Outarde	BERNACHE
Outil	MARTEAU • PELLE • PINCE RABOT • SCIE
Outil à ébarber les sculptures	BOËSSE
Outil à long manche	BÊCHE • RÂBLE
Outil à main en métal	LIME
Outil agricole portant des dents	RÂTEAU
Outil agricole	PLANTOIR
Outil composé d'un manche et d'un fer à pointes	PIOCHE
Outil d'acier	CISEAU
Outil d'alpiniste	PIOLET
Outil de forme cylindrique	MANDRIN
Outil de graveur sur bois	CANIF
Outil de jardinage	BÊCHE • RÂTEAU • SÉCATEUR
Outil de maçon	GÂCHE • TRUELLE
Outil de menuisier	DAVIER
Outil de sculpteur	RIPE
Outil de tailleur de pierre	RIPE
Outil du génie civil	SAPE
Outil placé à l'extrémité d'une tige de forage	CAROTTIER

Outil pour couper le verre . . . . DIAMANT
Outil pour émonder . . . . ÉMONDOIR
Outil pour le levage des
   pierres de taille . . . . LOUVE
Outil pour river . . . . RIVOIR
Outil pour tourner les vis . . . . TOURNEVIS
Outil qui sert à matir un métal . . . . MATOIR
Outil qui sert à parer . . . . PAROIR
Outil qui sert à roder . . . . RODOIR
Outil rotatif de coupe . . . . FRAISE
Outil servant à battre . . . . BATTE
Outil servant à couper les corps durs . . . . COUPOIR
Outil servant à ébarber les métaux . . . . EBARBOIR
Outil servant à effectuer des filetages . . . . TARAUD
Outil servant à émonder les arbres . . . . ÉMONDOIR
Outil servant à faire des pas de vis . . . . TARAUD
Outil servant à fendre . . . . FENDOIR
Outil servant à percer . . . . PERCEUSE
Outil servant à racler . . . . CURETTE
Outil tranchant à manche court . . . . SERPE
Outil tranchant du maréchal-ferrant . . . . BOUTOIR
Outil utilité par le facteur de piano . . . . RETENDOIR
Outiller . . . . MUNIR
Outrage . . . . AFFRONT • AVANIE
OFFENSE • TORT
Outrager . . . . BAFOUER • OFFENSER
Outrepasser . . . . ABUSER • EXCÉDER
Ouvert . . . . ACCESSIBLE • DÉBOUCHÉ
Ouverte d'étonnement . . . . BÉE
Ouverte . . . . FRANCHE
Ouvertement . . . . HAUTEMENT
Ouverture . . . . ACCÈS • BOUCHE • BRÈCHE
CAVITÉ • LARGEUR • ŒIL
OFFRE • ORIFICE • TROUÉE
Ouverture dans un mur . . . . BAIE • FENÊTRE
Ouverture donnant passage à l'eau . . . . ABÉE
Ouverture d'un orifice . . . . ÉVASURE
Ouverture en arc . . . . ARCADE
Ouverture évasée . . . . ÉVASURE
Ouverture ménagée dans un mur . . . . OPE
Ouverture pour l'écoulement des eaux . . . . EXUTOIRE

Ouverture ronde dans
le fuselage d'un avion . . . . HUBLOT
Ouverture . . . . AJUTAGE
Ouvertures latérales d'un violon . . . . OUÏES
Ouvrage blindé pour la défense . . . . BLOCKHAUS
Ouvrage de fortification isolé . . . . REDOUTE
Ouvrage de fortification . . . . BASTIDE • BASTION • REDAN
Ouvrage de maçonnerie
permettant de faire du feu . . . . CHEMINÉE
Ouvrage de menuiserie . . . . BOISERIE
Ouvrage de sculpture . . . . STATUE
Ouvrage de terre rapportée . . . . REMBLAI
Ouvrage didactique . . . . MANUEL
Ouvrage dramatique mis en musique . . . . OPÉRA
Ouvrage en lattes . . . . LATTIS
Ouvrage en maçonnerie . . . . MÔLE
Ouvrage en pente . . . . RAMPE
Ouvrage en raphia . . . . RAPHIA
Ouvrage en saillie sur un toit . . . . LUCARNE
Ouvrage fortifié défensif . . . . BLOCKHAUS
Ouvrage fortifié . . . . RAVELIN
Ouvrage hydraulique . . . . ÉCLUSE
Ouvrage imprimé antérieur à 1500 . . . . INCUNABLE
Ouvrage littéraire . . . . ÉCRIT
Ouvrage nouveau . . . . NOUVEAUTÉ
Ouvrage suspendu
au-dessus d'un trône . . . . DAIS
Ouvrage vitré en surplomb . . . . ORIEL
Ouvrage . . . . BESOGNE • ŒUVRE • TÂCHE
Ouvragé . . . . OUVRÉ
Ouvragé . . . . TRAVAILLE
Ouvrages du sellier . . . . SELLERIE
Ouvrier affecté au forage des tunnels . . . . TUNNELIER
Ouvrier agricole qui s'occupe des porcs . . . . PORCHER
Ouvrier agricole . . . . SARCLEUR
Ouvrier chargé de calfater un navire . . . . CALFAT
Ouvrier chargé de détruire les taupes . . . . TAUPIER
Ouvrier chargé du broyage . . . . BROYEUR
Ouvrier chargé du ramassage
des ordures ménagères . . . . ÉBOUEUR
Ouvrier chargé du sablage . . . . SABLEUR

Ouvrier des filatures de coton	COTONNIER
Ouvrier d'une sardinerie	SARDINIER
Ouvrier embauché pour remplacer un gréviste	BRISEUR
Ouvrier exécutant des travaux de tôlerie	TOLIER
Ouvrier fabriquant des poudres et explosifs	POUDRIER
Ouvrier imprimeur travaillant à une presse à bras	PRESSIER
Ouvrier qui arrime la cargaison d'un navire	ARRIMEUR
Ouvrier qui calfate les navires	CALFAT
Ouvrier qui découpe	DECOUPEUR
Ouvrier qui effectue un pavage	PAVEUR
Ouvrier qui effectue un ravalement sur un immeuble	RAVALEUR
Ouvrier qui étampe	ÉTAMPEUR
Ouvrier qui fait des tuiles	TUILIER
Ouvrier qui ferre les chevaux	FERREUR
Ouvrier qui gâche du mortier	GÂCHEUR
Ouvrier qui grave dans la pierre	LAPICIDE
Ouvrier qui laine le drap	LAINIER
Ouvrier qui lisse	LISSEUR
Ouvrier qui manœuvre la sonnette	SONNEUR
Ouvrier qui met le tissu sur les rames	RAMEUR
Ouvrier qui monte les lices d'un métier à tisser	LISSIER
Ouvrier qui pose des ferrures	FERREUR
Ouvrier qui pose les dalles	DALLEUR
Ouvrier qui pose une pièce déterminée	PLACEUR
Ouvrier qui procède à l'étirage	ETIREUR
Ouvrier qui rabote	RABOTEUR
Ouvrier qui réalise des pièces mécaniques	AJUSTEUR
Ouvrier qui récolte la résine	RÉSINIER
Ouvrier qui travaille à la tâche	TACHERON
Ouvrier qui travaille avec du plâtre	PLATRIER
Ouvrier qui travaille avec la pelle	PELLETEUR
Ouvrier qui travaille dans le tissage de la soie à Lyon	CANUT

Ouvrier qui travaille en caisson, sous l'eau	TUBISTE
Ouvrier qui travaille le coton	COTONNIER
Ouvrier spécialisé dans le ponçage	PONCEUR
Ouvrier spécialiste de l'alésage	ALÉSEUR
Ouvrier sur métier à tisser	TISSEUR
Ouvrier	JOURNALIER • MANŒUVRE PROLÉTAIRE • SALARIÉ • SOUDEUR
Ouvrière qui rogne	ROGNEUSE
Ouvrir	DÉCLENCHER • ENTAMER ÉVENTRER
Ouvrir en retirant la bonde	DÉBONDER
Ouvrir involontairement la bouche	BÂILLER
Ouvrir les parties d'un corps pour l'examiner	DISSEQUER
Ouvrir une fenêtre en enlevant la bâcle	DÉBÂCLER
Ouvrir une huître	ÉCAILLER
Ouvrir une serrure avec un crochet	CROCHETER
Ovaire	GONADE
Ovale	OVÉ • OVOÏDE
Ovation du public d'une enceinte sportive	OLA
Ovation	ACCLAMATION • HURRAH
Ovationner	ACCLAMER • APPLAUDIR
Ové	OVALE • OVOÏDE
Overdose	SURDOSAGE • SURDOSE
Ovni (angl.)	UFO
Ovoïde	OVALE • OVÉ
Oxyde bleu de cobalt	SAFRE
Oxyde de baryum	BARYTE
Oxyde de béryllium	GLUCINE
Oxyde de cuivre	TÉNORITE
Oxyde de silicium	SILICE
Oxyde de zinc	TUTIE
Oxyde d'uranium	URANE
Oxyde d'yttrium	YTTRIA
Oxyde ferrique	AÉTITE
Oxyde naturel de cuivre	TÉNORITE
Oxyde naturel de fer	MAGNÉTITE
Oxyde terreux de l'erbium	ERBINE
Oxyder au maximum	SUROXYDER
Oxyder au plus haut degré possible	PEROXYDER

P

Pagayer	RAMER
Page	FEUILLE
Paginer	FOLIOTER
Pagne	PAREO
Paiement annuel	ANNUITÉ
Paiement anticipé	AVANCE
Paiement partiel	ACOMPTE • AVALOIR
Paiement	RÈGLEMENT • VERSEMENT
Païen	IDOLÂTRE • INCROYANT
Paillasse	MATELAS
Paillasson vertical pour protéger les cultures du vent	ABRIVENT
Paille	CHAUME
Paillette	PAILLON
Pain de fantaisie	FICELLE
Pain émietté	PANURE
Pain non levé	PITA
Pain séché râpé	CHAPELURE
Pain	POLKA
Paire	DEUX
Paire de verres	LUNETTES
Paisibilité	PACIFISME
Paisible	PLACIDE • SEREIN
Paisible, tranquille	PACIFIQUE
Paître	BROUTER • PACAGER
Paix	QUIETUDE
Palace	CHÂTEAU
Palafitte de l'Italie du Nord	TERRAMARE
Palais du sultan, dans l'Empire ottoman	SÉRAIL
Palais épiscopal	ÉVÊCHÉ
Palais	CHÂTEAU
Palatin	PALATIAL
Pale	PELLE
Paletot	MANTEAU
Palette d'une roue hydraulique	AUBE
Pâleur	BLANCHEUR
Palier	ÉTAGE
Palier de gouvernement	FEDERAL

Palikare	EVZONE
Pâlir	BLANCHIR • BLÊMIR • BLONDIR
Palissade de bois	LICE
Palissade protégeant les cultures du vent	ABRIVENT
Palissade	BARRIÈRE
Palliatif	REMÈDE
Palmacée	LATANIER
Palmier à huile d'Afrique	ÉLAEIS
Palmier à huile	PALMISTE
Palmier à tige ramifiée	DOUM
Palmier d'Afrique	ÉLAEIS • ÉLÉIS
Palmier d'Afrique du Nord	DATTIER
Palmier d'Arabie	DOUM
Palmier d'Asie	AREC
Palmier de Chine	TALLIPOT
Palmier de l'Inde du Sud	TALLIPOT
Palmier des Mascareignes	LATANIER
Palmier dont la mœlle fournit le sagou	SAGOUTIER
Palmier dont le fruit est la noix de coco	COCOTIER
Palmier du genre arec	PALMISTE
Palmier qui produit la noix de coco	COCOTIER
Palmier	ÉLÉIS
Palombe	RAMIER
Palonnier	GOUVERNE • TIMON
Pâlot	BLAFARD • PÂLE • PÂLICHON
Palpable	CONCRET • MATÉRIEL • RÉEL TACTILE • TANGIBLE
Palper	TÂTER • TOUCHER
Palpitant	PANTELANT • PASSIONNANT
Palplanche	POUTRELLE
Palu	PALUDISME
Paluche	PATOCHE • POGNE
Paludisme	MALARIA • PALU
Pampa	STEPPE
Pamphlet	SATIRE
Pamplemoussier	CITRUS
Pan de vêtement	BASQUE
Pan	COLOMBAGE
Panaché	BARIOLÉ
Panaris	TOURNIOLE
Pancarte	AFFICHE • ÉCRITEAU • PLACARD

Panégyriste	LAUDATEUR
Panicaut	CHARDON
Panicule	ÉPI
Panier circulaire pour les diapositives	CARROUSEL
Panier dans lequel sont disposés des œufs à couver	COUVOIR
Panier plat en osier muni de deux anses	VAN
Panier souple en paille tressée	CABAS
Panier	BANNETON
Panka	EVENTAIL
Panne	ARRÊT
Panneau de verre décoratif	VITRAIL
Panneau de verre	VITRE
Panneau d'une fenêtre qui s'ouvre de deux côtés	VANTAIL
Panneau qui ferme une ouverture	TRAPPE
Panneau routier	STOP
Panneau-réclame	AFFICHE
Panonceau	ENSEIGNE
Panorama	PAYSAGE
Pansement	COMPRESSE
Pansu	VENTRU
Pantalon	CULOTTE • FROC • JEAN • JEANS
Pantalon ample des gaulois	BRAIES
Pantalon bouffant	SAROUEL
Pantalon de toile	JEAN • JEANS
Pantalon moulant de femme	CALEÇON
Pantelant	HALETANT • PALPITANT
Panthère d'Afrique	LÉOPARD
Pantin	AUTOMATE • ESCLAVE MARIONNETTE
Pantois	COI
Pantoise	COITE
Pantomime	MIME • MIMODRAME
Pantouflard	SÉDENTAIRE
Pantoufle de femme	MULE
Pantoufle en tissu molletonné à carreaux	CHARENTAISE
Pantoufle orientale	BABOUCHE
Pantoufle	SAVATE
Panure	CHAPELURE

Paonner (Se) . . . . PAVANER
Papa . . . . PÈRE
Pape de 155 à 166 . . . . ANICET
Pape de 76 à 88 . . . . ANACLET
Papi . . . . PÉPÉ
Papier d'emballage . . . . KRAFT
Papier enveloppant un bonbon . . . . PAPILLOTE
Papier jaunâtre . . . . BULLE
Papier ou tissu à motifs imprimés . . . . IMPRIME
Papier paraffiné . . . . STENCIL
Papier servant à la polycopie . . . . STENCIL
Papier servant d'enveloppe à
   un bonbon . . . . PAPILLOTE
Papier tortillé . . . . TORTILLON
Papier utilisé par pression pour copier . . . . CARBONE
Papier-monnaie . . . . BILLET
Papier-mouchoir . . . . KLEENEX
Papiers administratifs . . . . PAPERASSE
Papiers . . . . PASSEPORT
Papillon aux ailes fendues . . . . ALUCITE
Papillon brun . . . . MARS
Papillon de grande taille . . . . URANIE
Papillon de mer . . . . GONNELLE
Papillon de nuit . . . . XANTHIE
Papillon des bois aux ailes brunes . . . . MORIO
Papillon diurne aux vives couleurs . . . . VANESSE
Papillon diurne . . . . LYCÈNE • MACHAON
Papillon dont la chenille attaque
   la vigne . . . . EUDÉMIS
Papillon nocturne . . . . PHALÈENE • SPHINX
Papillon . . . . ADONIS • VULCAIN
Papilloter . . . . CLIGNER
Papotage . . . . BAVARDAGE
Papoter . . . . BAVARDER • CANCANER • JACTER
Papule . . . . PAPILLE
Paquebot de grande ligne . . . . LINER
Paquebot transatlantique . . . . TRANSAT
Paquebot . . . . BATEAU
Paquet . . . . COLIS • PACSON • SACHET
Paquet de billets de banque
   liés ensemble . . . . LIASSE

Par conséquent	DONC • PARTANT
Par exemple	NOTAMMENT
Par l'effet de	SOUS
Par opposition à	VERSUS
Par quel moyen	COMMENT
Par	VIA
Paracentèse	PONCTION
Parachever	COMPLÉTER • PERFECTIONNER
Parachutage	LARGAGE
Parachuter	DROPER
Parade ridicule	MASCARADE
Parade	REVUE
Paradis	CIEL • ÉDEN • ELDORADO
Parafe	PARAPHE
Parages	APPROCHES • CONTRÉE
Paraître	SEMBLER
Paraître de nouveau	REPARAÎTRE
Parallèle	COMPARAISON
Parallélogramme dont les côtés sont égaux	LOSANGE
Paralysé	PERCLUS
Paralyser	COMPLEXER • FIGER
Paralysie	ASPHYXIE
Paramorphine	THEBAÏNE
Paranoïa	FRILOSITE • PSYCHOSE
Parapher	PARAFER • SIGNER
Parapluie	PARASOL • PEBROC
Parasite de l'ordre des acariens	ACARUS
Parasite intestinal	VER
Parc	ENCLOS • PAYSAGER
Parce que	BECAUSE
Parcelle de bois	COPEAU
Parcelle d'or	PAILLETTE
Parcelle	ATOME • BRIBE • MORCEAU
Parcelliser	ÉMIETTER
Parchemin	VÉLIN
Parcourir à grandes enjambées	ARPENTER
Parcourir à grands pas	ARPENTER
Parcourir de haut en bas	DESCENDRE
Parcourir des yeux	LIRE
Parcourir en tous sens	SILLONNER

Parcourir un lieu	VISITER
Parcours de golf	LINKS
Parcours très sinueux	SLALOM
Parcours	ITINÉRAIRE • TRAJET
Par-dessus le marché (En)	SUS
Par-dessus tout	SURTOUT
Pardessus	MANTEAU • PALETOT
Pardessus, manteau doublé de fourrure	PELISSE
Pardi	PARBLEU
Pardieu	PARDI
Pardon d'une faute	RACHAT
Pardon	ABSOLUTION • AMNISTIE
Pardonner	ABSOUDRE • COMMUER
Pardonnes	ABSOUS
Pare-étincelles	ÉCRAN
Pare-feu	ÉCRAN
Pareil	ÉGAL • IDENTIQUE • PAIR • TEL
Parent	COUSIN • VIOQUE
Parents de souche commune	LIGNAGE
Parer	DÉCORER • ORNER
Parer avec grand soin	POMPONNER
Parer de couleurs variées	DIAPRER
Paresse	ATONIE • COSSE • MOLLESSE
Paresser	BULLER
Paresseux	AÏ • ATONE • BRADYPE • COSSARD FAINÉANT • FEIGNANT FLEMMARD • LENT • UNAU
Parfaire	ACHEVER • FIGNOLER
Parfait	ACCOMPLI • MODÈLE OPTIMAL • PUR
Parfaite ressemblance	SOSIE
Parfum	ARÔME • BOUQUET • FRAGRANCE MUSC • SENTEUR
Parfumé à la vanille	VANILLÉ
Parfumé au musc	MUSQUÉ
Parfumer à l'anis	ANISER
Parfumer au pralin	PRALINER
Parier	MISER
Parieur	TURFISTE
Parigot	PARISIEN

Parité . . . . ÉGALITÉ
Parjure . . . . JUREUR
Parka . . . . ANORAK
Parlementer . . . . TRAITER
Parler . . . . CONVERSER • DIALECTE • JACTER
Parler avec emphase . . . . PÉRORER
Parler avec un défaut de
    prononciation . . . . BLÉSER
Parler de façon peu intelligible . . . . JARGONNER
Parler de façon prétentieuse . . . . PONTIFIER
Parler de nouveau . . . . REPARLER
Parler de . . . . COMMENTER
Parler du groupe rhéto-roman . . . . ROMANCHE
Parler du nez . . . . NASILLER
Parler en hésitant sur certaines syllabes . . . . BEGAYER
Parler en hurlant . . . . VOCIFÉRER
Parler en prononçant les j et les s
    comme des v . . . . ZEZAYER
Parler entre ses dents . . . . MARMOTTER
Parler local . . . . PATOIS
Parler sans approfondir la matière . . . . DISCOURIR
Parler toujours des mêmes choses . . . . RADOTER
Parler, chanter d'une voix tremblante . . . . CHEVROTER
Parler, dire bas à l'oreille . . . . CHUCHOTER
Parlote . . . . BAVARDAGE
Parmi . . . . CHEZ • ENTRE • MILIEU
Parodie . . . . CARICATURE
Parodier . . . . COPIER • PASTICHER • SINGER
Paroi vitrée . . . . VERRIÈRE
Paroi . . . . CLOISON
Paroissien . . . . BREVIAIRE • OUAILLE
Paroissiens . . . . OUAILLES
Parole . . . . MOT
Parole agressive . . . . INVECTIVE
Parole extravagante . . . . ÉNORMITÉ
Parole impudente . . . . IMPUDENCE
Parole méchante . . . . VACHERIE
Parole ou action drôle . . . . DRÔLERIE
Parole qui outrage la divinité,
    la religion . . . . BLASPHEME
Parole qu'on adresse à Dieu . . . . PRIÈRE

Parole, regard destinés à provoquer . . . . AGACERIE
Paroles inintelligibles . . . . PATENOTRE
Paroxysme . . . . MAXIMUM
Parpaing . . . . BRIQUE
Parrainage . . . . MÉCÉNAT • PATRONAGE
Parsemé de persil haché . . . . PERSILLÉ
Parsemé de raies . . . . VERGETÉ
Parsemé d'étoiles . . . . CONSTELLÉ
Parsemer . . . . SEMER
Parsemer d'astres . . . . CONSTELLER
Parsemer de paillettes . . . . PAILLETER
Parsemer de petites taches . . . . TACHETER
Parsemer d'étoiles . . . . ETOILER
Parsemer d'ornements . . . . ÉMAILLER
Part . . . . LOT • PARTAGE • PORTION
Part de bénéfice . . . . DIVIDENDE
Partage . . . . SCISSION
Partage politique . . . . PARTITION
Partager en quatre quartiers égaux . . . . ÉCARTELER
Partager en segments . . . . SEGMENTER
Partager . . . . COUPER • DIVISER
Partenaire . . . . CAVALIERE • COASSOCIE
Parti pris . . . . PRÉJUGÉ
Parti . . . . CLAN • DISPARU
Partial . . . . INIQUE • SUBJECTIF
Partialité . . . . PRÉFÉRENCE • PRÉVENTION
Participation . . . . APPORT • COGESTION
Participer . . . . ASSISTER • COOPÉRER
CONCOURIR • CONTRIBUER
Participer activement . . . . MILITER
Particularité . . . . APANAGE • ATTRIBUT • DÉTAIL
Particule affirmative . . . . OÏL
Particule d'un élément chimique . . . . ATOME
Particule électriquement neutre . . . . NEUTRON
Particule élémentaire à
  interactions faibles . . . . MUON
Particulier à une région . . . . LOCAL
Particulier . . . . PERSONNEL • PRIVÉ • SINGULIER
SPÉCIAL
Particulière . . . . PERSONNELLE
Partie allongée et saillante d'un os . . . . ÉPINE

Partie antérieure de chacun des os iliaques	PUBIS
Partie antérieure du tronc	VENTRE
Partie antérieure d'un projectile, de forme conique	OGIVE
Partie antérieure	AVANT
Partie arrondie de la joue	POMMETTE
Partie arrondie	LOBE
Partie aval d'une vallée	RIA
Partie avant de la tige d'une chaussure	EMPEIGNE
Partie basse	FOND
Partie basse de Budapest	PEST
Partie centrale de la terre	NIFE
Partie centrale et saillante d'un bouclier	OMBILIC
Partie centrale	NOYAU
Partie charnue	FESSE
Partie cintrée d'une arcade, porte ou fenêtre	ARCEAU
Partie cloisonnée d'un théâtre	LOGE
Partie creuse d'un instrument	DOUILLE
Partie creuse d'une salière	SALERON
Partie dallée de la cheminée	ÂTRE
Partie de certains ustensiles	ANSE
Partie de certains vêtements	PLASTRON
Partie de débauche	ORGIE
Partie de la bouche	LÈVRE
Partie de la cale d'un navire	SENTINE
Partie de la charrue	SEP
Partie de la corolle	PÉTALE
Partie de la face	MENTON
Partie de la face humaine	FRONT
Partie de la jambe	PIED
Partie de la journée	MATINÉE
Partie de la main	DOIGT
Partie de la mathématique	ARITHMÉTIQUE
Partie de la Méditerranée	ÉGÉE
Partie de la mitre	FANON
Partie de la pièce qui entre dans la mortaise	TENON

Partie de la région du bassin . . . . FESSE
Partie de la rue réservée aux piétons . . . . TROTTOIR
Partie de la selle . . . . ÉTRIER
Partie de la thérapeutique médicale . . . . CHIRURGIE
Partie de la tige des branches
   du rotang . . . . ROTIN
Partie de l'aloyau . . . . ROMSTECK
Partie de l'appareil digestif
   après l'estomac . . . . INTESTIN
Partie de l'armure qui protège le pied . . . . SOLERET
Partie de l'épaule du cheval . . . . ARS
Partie de l'équipage qui fait le quart . . . . BORDEE
Partie de l'estomac des ruminants . . . . CAILLETTE
Partie de l'œil . . . . CORNÉE
Partie de l'office divin du soir . . . . VÊPRES
Partie de l'oreille . . . . ÉTRIER • LOBE • TYMPAN
Partie de l'os coxal qui forme
   la hanche . . . . ISCHION
Partie de plaisir . . . . FIESTA • NOCE
Partie de vêtement . . . . COLLET
Partie des mathématiques . . . . ALGÈBRE
Partie des villes destinée aux sépultures . . . . NÉCROPOLE
Partie du bassin . . . . FESSE
Partie du chœur d'une église . . . . CHEVET
Partie du corps . . . . AINE • BRAS • COL
                                          COU • HANCHE
Partie du corps de l'homme . . . . DOS
Partie du corps humain . . . . MAIN • TRONC
Partie du corps où s'accumule l'urine . . . . VESSIE
Partie du cou . . . . GORGE • NUQUE
Partie du fruit . . . . PÉRICARPE
Partie du fuselage d'un avion . . . . CARLINGUE
Partie du harnais d'un cheval . . . . DOSSIÈRE
Partie du harnais placée sur
   la poitrine du cheval . . . . BRICOLE
Partie du lit où l'on pose sa tête . . . . CHEVET
Partie du membre inférieur . . . . CUISSE • JAMBE
Partie du membre supérieur . . . . COUDE
Partie du monde . . . . ASIE • CONTINENT • EUROPE
Partie du pain . . . . CROÛTE • MIE
Partie du pantalon . . . . JAMBE

Partie du pied	PLANTE • TALON
Partie du rivage découverte à marée basse	BATTURE
Partie du rivage que la marée laisse à découvert	BATTURE
Partie du squelette de la main	CARPE
Partie du squelette du pied	TARSE
Partie du tablier qui couvre la poitrine	BAVETTE
Partie du talon d'une flèche	EMPENNE
Partie du tube digestif	ESTOMAC
Partie du tube digestif, du larynx à l'estomac	ŒSOPHAGE
Partie du vêtement	MANCHE
Partie du vêtement qui recouvre l'épaule	ÉPAULE
Partie d'un bas	TALON
Partie d'un bois dégarnie d'arbres	CLAIRIERE
Partie d'un canal entre deux écluses	SAS
Partie d'un carpelle où sont insérés les ovules	PLACENTA
Partie d'un compte	DOIT
Partie d'un cours d'eau	AMONT • AVAL
Partie d'un couvent réservée aux novices	NOVICIAT
Partie d'un drame	ÉPISODE
Partie d'un hectare	ARE
Partie d'un jardin réservée à une culture	PLANCHE
Partie d'un jardin	PARTERRE
Partie d'un meuble qui coulisse	TIROIR
Partie d'un mouvement d'horlogerie	MINUTERIE
Partie d'un navire	VIBORD
Partie d'un outil	MANCHE
Partie d'un siège	DOSSIER
Partie d'un tableau qui à été repeinte	REPEINT
Partie d'un théâtre	COULISSE
Partie d'un théâtre où l'on peut circuler	PROMENOIR
Partie d'un tout	LOT • PORTION • TRANCHE
Partie d'un végétal	SEMENCE

Partie d'un véhicule spatial . . . . MODULE

Partie d'une chanson . . . . COUPLET

Partie d'une clé . . . . PANNETON

Partie d'une église . . . . ABSIDE • NEF

Partie d'une pièce servant d'appui . . . . EMBASE

Partie d'une ville . . . . QUARTIER

Partie d'une voile destinée à
    être serrée . . . . RIS

Partie en pente d'un quai . . . . CALE

Partie épaisse qui se dépose
    dans la liqueur . . . . LIE

Partie étroite . . . . COL

Partie externe de l'oreille . . . . PAVILLON

Partie externe qui forme l'enveloppe
    d'un organe . . . . CORTEX

Partie filetée d'une vis . . . . FILETAGE

Partie globuleuse . . . . BULBE

Partie image d'une publicité . . . . VISUEL

Partie inférieure de certains arbres . . . . TRONC

Partie inférieure de l'aloyau . . . . BAVETTE

Partie inférieure d'une cuisse
    de poulet . . . . PILON

Partie inférieure d'une pierre précieuse . . . . CULASSE

Partie inférieure ou centrale
    d'une voûte . . . . REIN

Partie intérieure d'un temple grec . . . . NAOS

Partie interne d'un navire . . . . CALE

Partie la plus grossière de la laine . . . . LANICE

Partie la plus grossière du son . . . . BRAN • BREN

Partie la plus renflée d'un tonneau . . . . BOUGE

Partie latérale de la tête de
    certains animaux . . . . BAJOUE

Partie latérale de la tête . . . . TEMPE

Partie latérale du corps . . . . FLANC

Partie latérale du nez . . . . AILE

Partie latérale d'une construction . . . . AILE

Partie liquide du fumier . . . . PURIN

Partie liquide du sang . . . . PLASMA

Partie mobile autour des gonds
    d'une fenêtre, d'une porte . . . . BATTANT

Partie mobile dans un mécanisme rotatif . . . . ROTOR

Partie mobile de la carrosserie
d'une automobile . . . . CAPOT
Partie mobile d'une soupape . . . . CLAPET
Partie molle de l'intérieur des os . . . . MŒLLE
Partie molle, tendre . . . . TENDRON
Partie nord de la Grande-Bretagne . . . . ÉCOSSE
Partie plate des architraves . . . . FASCE
Partie plate d'un aviron . . . . PALE
Partie plate d'un piolet . . . . PANNE
Partie pleine d'un parapet . . . . MERLON
Partie postérieure du cou . . . . NUQUE
Partie postérieure d'une arme à feu
portative . . . . CROSSE
Partie principale de la feuille . . . . LIMBE
Partie profonde du cartilage de l'oreille . . . . CONQUE
Partie relativement plate du corps . . . . MÉPLAT
Partie rembourrée d'une selle . . . . COUSSINET
Partie renflée d'une bouteille . . . . PANSE
Partie saillante du visage . . . . MENTON • NEZ
Partie saillante d'un os . . . . APOPHYSE
Partie septentrionale de l'Asie . . . . SIBÉRIE
Partie supérieure de la muraille
d'un navire . . . . HANCHE
Partie supérieure de la tête . . . . SINCIPUT
Partie supérieure du corps humain . . . . BUSTE
Partie supérieure du quaternaire . . . . HOLOCÈNE
Partie supérieure du tronc . . . . THORAX
Partie supérieure et triangulaire
d'un mur . . . . PIGNON
Partie tendre et charnue des fruits . . . . PULPE
Partie terminale de la patte des insectes . . . . TARSE
Partie terminale de l'intestin . . . . RECTUM
Partie terminale d'un fleuve . . . . ESTUAIRE
Partie tournante d'une machine . . . . ROTOR
Partie tranchante d'un couteau . . . . LAME
Partie . . . . ÉLÉMENT • FRAGMENT
PARTOUSE • SEGMENT
Parties femelles d'une fleur . . . . PISTIL
Partir (S') . . . . ENVOLER
Partir . . . . DÉLOGER • DÉMARRER • FUIR
Partisan de la révolution . . . . PATRIOTE

Partisan de l'arianisme . . . . ARIEN
Partisan de Wagner . . . . WAGNÉRIEN
Partisan de . . . . ACQUIS
Partisan des théories de Freud . . . . FREUDIEN
Partisan des théories de Newton . . . . NEWTONIEN
Partisan du castrisme . . . . CASTRISTE
Partisan du dirigisme . . . . DIRIGISTE
Partisan du finalisme . . . . FINALISTE
Partisan du nihilisme . . . . NIHILISTE
Partisan du purisme . . . . PURISTE
Partisan du quiétisme . . . . QUIÉTISTE
Partisan du racisme . . . . RACISTE
Partisan du tsar . . . . TSARISTE
Partisan enthousiaste . . . . FANATIQUE
Partisan . . . . ADEPTE • ADHÉRENT • DISCIPLE
PARTIAL
Partisant du roi . . . . ROYALISTE
Parturition . . . . VELAGE
Parulie . . . . EPULIDE
Parure féminine . . . . ATOUR
Parure . . . . ORNEMENT
Parution . . . . PUBLICATION
Parvenir . . . . ACCÉDER • ARRIVER • RÉUSSIR
Parvenu au terme de
  sa croissance . . . . ADULTE
Parvenu . . . . ENRICHI • RÉUSSI
Parvis . . . . ESPLANADE
Pas . . . . AUCUN • ENJAMBEE • POINT
Pas beaucoup . . . . PEU
Pas de danse glissé . . . . COULÉ
Pas du tout . . . . NULLEMENT
Pas en vers . . . . PROSE
Pascal . . . . PA
Pas-de-géant . . . . VINDAS
Passable . . . . ACCEPTABLE • POTABLE
Passablement . . . . ASSEZ
Passade . . . . TOQUADE
Passage à l'eau de ce qui à été lavé . . . . RINÇAGE
Passage compris entre deux retraits . . . . ALINÉA
Passage de voyageurs en franchise
  des droits de douane . . . . TRANSIT

Passage d'un état à un autre	TRANSITION
Passage d'un texte	EXTRAIT
Passage étroit et long	COULOIR
Passage joué en détachant les notes	STACCATO
Passage maritime étroit	CHENAL
Passage	AVENTURE • CORRIDOR • PERCÉE SILLAGE • TOCADE • VOIE
Passager	FUGACE • PROVISOIRE • TEMPORAIRE
Passant	BADAUD • PROMENEUR
Passé devant notaire	NOTARIÉ
Passe servant à ouvrir des serrures à pompes	PARAPLUIE
Passé	APRÈS
Passe-droit	PRIVILEGE
Passéiste	RÉTROGRADE
Passementerie	RUBANERIE
Passe-montagne	CAGOULE
Passe-partout	CLÉ • CLEF
Passer à tabac	TABASSER
Passer à travers	PÉNÉTRER
Passer au crible pour séparer le plus fin du gros	CRIBLER
Passer au sasseur	SASSER
Passer d'un corps dans un autre	TRANSMIGRER
Passer d'une chaîne de télé à d'autres	ZAPPER
Passer en revue	DÉTAILLER
Passer en transit	TRANSITER
Passer sous silence	OCCULTER • TAIRE
Passer une limite	FRANCHIR
Passer	CÉDER • REFILER
Passerelle	BAIGNOIRE • PLANCHE • PONT
Passerose	PRIMEROSE
Passe-temps	AMUSEMENT • OCCUPATION
Passeur	BATELIER
Passion	AMBITION • FERVEUR • LYRISME
Passionnant	PALPITANT
Passionné	ALLUME • BRÛLANT • ÉPRIS EXALTÉ • FÉRU • IMPETUEUX
Passoire	CRIBLE • FILTRE
Pastèque	MELON

Pasteur anglo-saxon . . . . CLERGYMAN
Pasteur luthérien norvégien . . . . EGEDE
Pasteur . . . . BERGER • PÂTRE • REVEREND
Pastiche . . . . PARODIE
Pastoral, rustique . . . . BUCOLIQUE
Pataud . . . . PATTU
Patauger . . . . BARBOTER • PATOUILLER
Pâté à la viande . . . . TOURTIERE
Pâte alimentaire mince et allongée . . . . SPAGHETTI
Pâte amincie sous le rouleau . . . . ABAISSE
Pâté chaud enveloppé dans une
    croûte croquante . . . . CROUSTADE
Pâté chaud fait d'andouillettes
    et de veau haché . . . . GODIVEAU
Pâte de chair de poisson . . . . SURIMI
Pâte de farine . . . . LEVAIN
Pâté de soja . . . . TOFU
Pâte frite enrobant un aliment . . . . BEIGNET
Pâté léger et mousseux . . . . MOUSSE
Pâte malléable . . . . MASTIC
Pâte molle et sucrée . . . . GUIMAUVE
Pâté pectorale faite avec
    la décoction du jujube . . . . JUJUBE
Pâté rond garni de fruits . . . . TOURTE
Pâté russe à base de poisson
    et de chou . . . . KOULIBIAC
Pâté . . . . TERRINE
Pâtée pour la volaille . . . . PÂTON
Pâtée . . . . PITANCE
Patelin . . . . BOURG • VILLAGE
Patent . . . . MANIFESTE
Pater . . . . PATERNEL
Pâtes alimentaires en forme
    de larges rubans . . . . LASAGNE
Pâteux . . . . ÉPAIS
Pathétique . . . . POIGNANT
Patienter . . . . ATTENDRE
Patinoire couverte . . . . ARÉNA
Pâtis . . . . PATURAGE
Pâtisserie à la meringue . . . . VACHERIN
Pâtisserie allongée . . . . ÉCLAIR

Pâtisserie alsacienne	BRETZEL
Pâtisserie de forme ronde	TOURTE
Pâtisserie en forme de bûche	BÛCHE
Pâtisserie feuilletée au miel et aux amandes	BAKLAVA
Pâtisserie légère	BRIOCHE
Pâtisserie triangulaire au fromage	TALMOUSE
Pâtisserie	BAR • CROISSANT • GÂTEAU QUETTE •STRUDEL • TARTE TARTELETTE
Patois	DIALECTE
Patouiller	PATAUGER
Pâtre	BERGER
Patriarche biblique	NOÉ
Patriarche	VIEILLARD
Patrie	PAYS
Patrie d'Abraham	OUR • UR
Patrie de Zénon	ÉLÉE
Patrimoine	HÉRITAGE
Patriotard	CHAUVIN
Patriote exalté	COCARDIER
Patron	BOSS • GABARIT • MANITOU PATTERN • TENANCIER
Patron de café	BISTRO
Patron d'un hôtel peu recommandable	TOLIER
Patron, sur une gabarre	GABARRIER
Patronage	CAUTION
Patronne d'un café	CAFETIÈRE
Patronner	PARRAINER • PISTONNER
Patte d'insecte qui se replie sur sa proie	RAVISSEUR
Patte	JAMBE
Patte-de-loup	LYCOPE
Pattern	SCHÉMA
Pâturage d'altitude moyenne avec bâtiment	MAYEN
Pâturage dans les montagnes	ALPAGE
Pâturage des Alpes	ALPE
Pâturage d'été en montagne	ESTIVE
Pâturage d'été, en haute montagne	ALPAGE
Pâturage	PACAGE • PÂTURE • PRÉ

Pâturer	PAÎTRE
Paumée	COLÉE
Pause	ARRÊT • ATTENTE • RÉPIT
	REPOS • STATION • TRÊVE
Pauvre	DEGARNI • INDIGENT • RIKIKI
Pauvreté	ARIDITÉ • DÉBINE • DÈCHE
	MAIGREUR • MOUISE
Pavage	PAVÉ
Pavé	DALLAGE
Pavillon circulaire à dôme et à colonnes	ROTONDE
Pavillon de jardin	KIOSQUE
Pavillon	BELVÉDÈRE
Pavot sauvage	PONCEAU
Paxon	PACSON
Payable	RÉGLABLE
Payant	PROFITABLE
Payer au-delà de la juste valeur	SURPAYER
Payer d'avance	PREPAYER
Payer de nouveau	REPAYER
Payer en supplément	REPAYER
Payer les dépenses de quelqu'un	DÉFRAYER
Payer quelqu'un plus qu'il n'est dû	SURPAYER
Payer sa part	PARTICIPER
Payer sa quote-part	COTISER
Payer	ACHETER • CASQUER • RÉMUNÉRER
Payer, dépenser	DÉBOURSER
Pays chimérique	ELDORADO
Pays de l'Afrique orientale	UGANDA
Pays des Perses	PERSE
Pays d'Europe	SUÈDE
Pays puissant	PUISSANCE
Pays soumis à un khan	KHANAT
Pays sous la domination d'un palatin	PALATINAT
Pays	CONTRÉE • ÉTAT • PATRIE
Paysage caractéristique de l'ouest de la France	BOCAGE
Paysage	SITE
Paysan de l'Amérique du Sud	PÉON
Paysan russe sous l'ancien régime	MOUJIK

Paysan	AGRICULTEUR • CAMBROUSARD FERMIER • MANANT • PEQUENAUD PLOUC • RURAL • TERRIEN
Paysan, dans les pays arabes	FELLAH
Paysanne	PECORE • TERRIENNE
Peau	CUIR • EPICARPE • VACHETTE
Peau d'agneau mort-né laine frisée	ASTRAKAN
Peau d'agneau	AGNELIN • TOULOUPE
Peau d'animal préparée pour l'écriture	PARCHEMIN
Peau de certains animaux	CUIR
Peau de l'homme	CUIR
Peau de porc grillée	COUENNE
Peau de veau mort-né	VELOT
Peau de veau	VÉLIN
Peau d'hermine très fine	ARMELINE
Peau d'un fruit	PELURE
Peau enlevée à un animal	DÉPOUILLE
Peau tannée du crocodile	CROCO
Peaufiner	POLIR
Péché	COULPE • FAUTE
Péché de la chair	LUXURE
Pêche nappée de crème chantilly	MELBA
Pêcher de nouveau	REPÊCHER
Pêcheur chargé de préparer la morue	HABILLEUR
Pêcheur de sardines	SARDINIER
Pédagogique	ÉDUCATIF
Pédagogue	ENSEIGNANT
Pédant ridicule	CUISTRE
Pédéraste	PÉDÉ • PEDOPHILE
Pédologie	PEDIATRIE
Pédomètre	ODOMETRE
Pédoncule	SESSILE
Pédophile	PEDERASTE
Peigner des fibres textiles	CARDER
Peigner	COIFFER • HOUPPER
Peignoir léger	KIMONO
Peindre à neuf	REPEINDRE
Peindre de nouveau	REPEINDRE
Peindre en posant les couleurs en couche épaisse	EMPÂTER

Peindre	BROSSER • GOUACHER
Peine	DAM • ÉPREUVE • PÉNALITÉ
Peine afflictive	DETENTION
Peine cruelle	MARTYRE
Peine des condamnés à ramer sur les galères	GALERES
Peine pécuniaire	AMENDE
Peine profonde	DÉSOLATION
Peine sévère	CHÂTIMENT
Peiner	AFFECTER • AHANER • BESOGNER SUER • TRIMER
Peint à neuf	REPEINT
Peint de nouveau	REPEINT
Peinte à neuf	REPEINTE
Peinte de nouveau	REPEINTE
Peintre allemand	ERNST
Peintre anglais d'origine néerlandaise	LELY
Peintre cubain né en 1902	LAM
Peintre espagnol né en 1601	CANO
Peintre espagnol prénommé Salvador	DALI
Peintre espagnol	DALI
Peintre et dessinateur français né en 1859	SEURAT
Peintre et écrivain français mort en 1943	DENIS
Peintre et graveur belge mort en 1898	ROPS
Peintre et sculpteur espagnol	MIRO
Peintre et sculpteur français	ARP
Peintre et théoricien italien mort en 1966	CARRA
Peintre français mort en 1883	MANET
Peintre français mort en 1919	RENOIR
Peintre français	ESTÈVE • LATOUR • MONET UTRILLO • VIEN
Peintre italien né en 1615	ROSA
Peintre italien	RENI
Peintre néerlandais né en 1613	DOU
Peintre néerlandais né en 1626	STEEN
Peintre sans grand talent	RAPIN
Peintre suisse	LIOTARD

Pendant un long moment	LONGTEMPS
Pendoir	CROCHET
Pendre	APPENDRE • BALLER • SUSPENDRE
Pendulier	HORLOGER
Pénétrable	ACCESSIBLE • PERMÉABLE
Pénétration d'esprit	SAGACITÉ
Pénétré de froid	TRANSI
Pénétrer	APPROFONDIR • ENTRER TRANSPERCER
Pénétrer de nouveau	RENTRER
Pénible	AMER • ARDU • DÉSAGRÉABLE
Péninsule montagneuse d'Égypte	SINAÏ
Pénitence	ABSTINENCE
Pénitencier	BAGNE • PRISON
Pénitent	ASCÈTE • CONTRIT • REPENTANT
Pennage	PLUMAISON
Pennon	ETENDARD
Pense-bête	MÉMENTO
Pensée	ESPRIT • RÊVERIE
Pensée vague	SONGERIE
Penser	COGITER • PRÉSUMER • RÉFLÉCHIR SONGER
Penser vaguement à des sujets imprécis	RÊVASSER
Pensif	SONGEUR
Pensive	SONGEUSE
Pente	CÔTE • TALUS • VERSANT
Pentose	RIBOSE
Pentu	INCLINÉ
Pénurie de vivres	DISETTE
Pénurie	DISETTE • MANQUE • RARETÉ
Pep	PUNCH
Pépé	PAPI • PÉPÈRE
Pépée	FILLE • POUPÉE
Pépère	PÉPÉ
Pépiement d'oiseau	CUICUI
Pépier	PIAILLER
Pépin	HIC • PEBROC
Péquenaude	PECORE
Perçant	PÉNÉTRANT • STRIDENT • SURAIGU
Percée	CLAIRIERE

Perceptible	AUDIBLE • INTUITIF
Perception des saveurs par le goût	GUSTATION
Perception des sons	AUDITION
Perception par la vue	VISION
Perception	RENTRÉE
Percer à coups de cornes	ENCORNER
Percer d'ouvertures	AJOURER
Percer un trou	FORER
Percer	CREVER • FRAISER • PERFORER
	TRAVERSER • TROUER
Percer, orner de jours	AJOURER
Perceuse	FOREUSE • PERCE
Percevoir	DISCERNER • DISTINGUER
	RECEVOIR • SENTIR • VOIR
Percevoir le son	ENTENDRE
Percevoir, toucher	EMPOCHER
Perche noire	ACHIGAN
Percher	NICHER
Perchiste	SAUTEUR
Perco	PERCOLATEUR
Percolateur	CAFETIÈRE
Perçu	VU
Percussion	CHOC
Percussionniste	BATTEUSE
Perdant	LOSER • VAINCU
Perdre	ÉGARER • PAUMER
Perdre de nouveau	REPERDRE
Perdre de sa valeur	DÉPRÉCIER
Perdre de son actualité	VIEILLIR
Perdre du poids (S')	AMAIGRIR
Perdre du poids	MAIGRIR
Perdre lentement ses forces	LANGUIR
Perdre les qualités naturelles de sa race	DEGENERER
Perdre momentanément	ÉGARER
Perdre sa force par manque d'habitude (Se)	ROUILLER
Perdre sa forme	GAUCHIR
Perdre sa fraîcheur	DÉCATIR
Perdre ses illusions	DÉCHANTER
Perdre son éclat	FANER • PÂLIR

Perdre son rang, sa réputation	DÉCHOIR
Perdre son temps à des riens	LAMBINER • MUSARDER • NIAISER
Perdre son temps	LANTERNER
Perdu	ADIRÉ • ÉGARÉ • ELOIGNE • FICHU
Perdu, égaré	PAUMÉ
Père	DAB • DABE • MOINE • PAPA PATERNEL • TRAPPISTE
Père des aïeuls	BISAÏEUL
Père des Néréides	NÉRÉE
Pérégrination	NOMADISME
Péremptoire	CASSANT • IMPERIEUX
Perfectionné	AVANCÉ
Perfectionnement	AMÉLIORATION
Perfide	FOURBE
Perfidie	NOIRCEUR • TRAHISON
Perfidie, hypocrisie	FOURBERIE
Perforatrice	FOREUSE
Perforer	FORER • PERCER • TROUER
Performance	EXPLOIT
Péricarpe de divers fruits	BROU
Péril	DANGER
Périlleux	DANGEREUX • RISQUÉ
Périmé	CADUC • DÉSUET • OBSOLÈTE VÉTUSTE
Période d'abstinence	CARÊME
Période d'activité d'une assemblée	SESSION
Période d'activité sexuelle des mammifères	RUT
Période de 18 ans et 11 jours	SAROS
Période de 6585 jours qui règle le retour des éclipses	SAROS
Période de cent ans	SIÈCLE
Période de croissance du fœtus dans l'utérus	GESTATION
Période de dix ans	DÉCENNIE
Période de dix jours	DÉCADE
Période de formation dans une entreprise	STAGE
Période de grande chaleur	CANICULE
Période de jeûne des musulmans	RAMADAN
Période de la vie	ENFANCE

Période de l'allaitement chez
les animaux . . . . LACTATION

Période de lassitude . . . . DÉPRIME

Période de l'ère tertiaire . . . . ÉOCÈNE

Période de l'histoire où ont régné
les tsars . . . . TSARISME

Période de quatre semaines
qui précède Noël . . . . AVENT

Période de quinze années . . . . INDICTION

Période de quinze jours . . . . QUINZAINE

Période de sept jours, du lundi
au dimanche . . . . SEMAINE

Période de temps . . . . SAISON

Période de travail intensif pour
terminer à temps

Un projet urgent . . . . CHARRETTE

Période des chaleurs . . . . ÉTÉ

Période du tertiaire . . . . NÉOGÈNE

Période historique . . . . ÈRE

Période mesurable pendant laquelle
à lieu une action . . . . DURÉE

Période pendant laquelle persiste
un même vent . . . . NUAISON

Période très longue . . . . SIÈCLE

Période . . . . CYCLE • DURÉE • ÉPOQUE
ÉTAPE • LAPS • PHASE
SESSION • STADE • TEMPS

Périodique . . . . CONTOUR • FEUILLE

Périodique de petit format . . . . TABLOÏDE

Péripétie . . . . INCIDENT

Périple . . . . CIRCUIT • VOYAGE

Périr . . . . MOURIR

Périssoire . . . . KAYAK

Péristyle . . . . COLONNADE

Perle . . . . PERLOUSE

Perler . . . . GOUTTER

Perlouze . . . . PERLOUSE

Permanent . . . . DURABLE • STABLE

Perméable . . . . POREUSE • POREUX

Permet de repérer la position
d'un avion . . . . RADAR

Permettre . . . . TOLÉRER
Permis . . . . AUTORISATION • LICITE
Permis par la loi . . . . LICITE
Permission de partir . . . . CONGÉ
Permission de sortir . . . . EXÉAT
Permission . . . . AUTORISATION • DISPENSE • LOISIR
Permuter . . . . INVERTIR
Pernicieuse . . . . NOCIVE
Pernicieux . . . . MALFAISANT
Pérorer . . . . DISCOURIR
Perpétrer . . . . COMMETTRE
Perpétuation . . . . CONTINUITÉ
Perpétuel . . . . CONTINUEL • ÉTERNEL
Perpétuelle . . . . CONTINUELLE
Perpétuer . . . . ÉTERNISER
Perquisition . . . . DESCENTE
Perquisitionner . . . . FOUILLER
Perroquet au plumage brillant . . . . ARA
Perroquet d'Australie . . . . LORI
Perroquet . . . . ARA
Perruquier . . . . COIFFEUR
Persan . . . . FARSI
Persécuter . . . . BRIMER
Persévérance . . . . CONSTANCE • PATIENCE • TÉNACITÉ
Persévérant . . . . CONSTANT • OBSTINÉ • OPINIÂTRE
PATIENT
Persévérer . . . . CONTINUER • PERSISTER
Persienne . . . . JALOUSIE • VOLET
Persiflage . . . . RAILLERIE
Persistant . . . . CHRONIQUE
Persister . . . . PERSÉVÉRER • RESTER • SUBSISTER
Personnage allégorique féminin . . . . DÉESSE
Personnage biblique, épouse
   d'Abraham . . . . SARA • SARAH
Personnage biblique, épouse
   de Booz . . . . RUTH
Personnage biblique, neveu
   d'Abraham . . . . LOTH
Personnage bizarre . . . . OLIBRIUS
Personnage bouffon de la comédie
   italienne . . . . ARLEQUIN

Personnage d'Alfred Jarry, écrivain français	UBU
Personnage énigmatique	SPHINX
Personnage fanfaron	RODOMONT
Personnage fastueux et riche	NABAB
Personnage grotesque qui fait des tours d'adresse	CLOWN
Personnage guidé par une étoile	MAGE
Personnage hypocrite	ESCOBAR
Personnage imaginaire de taille minuscule	NAIN
Personnage important dans un domaine quelconque	PONTE
Personnage important d'une région	NOTABLE
Personnage important	PERSONNALITÉ
Personnage représenté en prière	ORANT
Personnage vaniteux	FAT
Personnalité influente	MAGNAT
Personne à cheval	CAVALIER
Personne à la fois hétérosexuelle et homosexuelle	BISEXUEL
Personne à marier	PARTI
Personne à qui l'on confie un secret	CONFIDENT
Personne à qui l'on impute une infraction	ACCUSÉ
Personne agée	ANCÊTRE
Personne anonyme	UNTEL
Personne asservie	ILOTE
Personne associée à d'autres	COASSOCIE
Personne attachée à une terre et dépendant du seigneur	SERF
Personne atteinte de pyromanie	PYROMANE
Personne atteinte de voyeurisme	VOYEUR
Personne atteinte du sida	SIDÉEN
Personne autoritaire	GENDARME
Personne aux idées démodées	FOSSILE
Personne avare	RAT
Personne ayant le pouvoir de décision	DECIDEUR
Personne ayant l'habitude de s'enivrer	IVROGNE
Personne ayant une mission à accomplir	ENVOYE
Personne ayant une perception confuse des couleurs	DALTONIEN

Personne bavarde	PIE • PIPELET
Personne bavarde, qui colporte les cancans	COMMÈRE
Personne bien musclée	ATHLÈTE
Personne bizarre	HURLUBERLU • PHÉNOMÈNE
Personne chargée d'assurer les liaisons par télex	TÉLEXISTE
Personne chargée de former des professionnels	FORMATEUR
Personne chargée de la signalisation	SIGNALEUR
Personne chargée de l'administration matérielle	ÉCONOME
Personne chargée de l'entretien des égouts	EGOUTIER
Personne chargée de l'entretien des lampes	LAMPISTE
Personne chargée de l'entretien d'un immeuble	CONCIERGE
Personne chargée de rabattre le gibier	RABATTEUR
Personne chargée de reconstituer les bruits	BRUITEUR
Personne chargée de traire	TRAYEUR
Personne chargée de vérifier des pesées	PESEUR
Personne chargée des échos	ÉCHOTIER
Personne chargée des semailles	SEMEUR • SEMEUSE
Personne chargée des soins esthétiques des mains	MANUCURE
Personne chargée d'habiller acteurs et mannequins	HABILLEUR
Personne chargée du maniement de la caméra	CADREUR
Personne chétive	MAUVIETTE • MICROBE
Personne coupable de recel	RECELEUR
Personne courageuse	LION
Personne curieuse et bavarde	COMMÈRE
Personne de caractère bas	REPTILE
Personne de goût vulgaire	PHILISTIN
Personne de grand mérite	PERLE
Personne de premier plan	VEDETTE
Personne de race noire	NÈGRE • NÉGRO

Personne dépendant d'un seigneur . . . . SERF
Personne difficile à comprendre . . . . ÉNIGME
Personne disposée à acheter . . . . PRENEUR
Personne dont la profession est
    la danse . . . . DANSEUR
Personne dont le métier est
    d'abattre les arbres . . . . BUCHERON
Personne dont le métier est
    de conduire . . . . CHAUFFEUR
Personne dont le métier est
    de déguster les vins . . . . DÉGUSTATEUR
Personne dont le métier est
    de goûter . . . . GOÛTEUR
Personne dont le métier est
    de jongler . . . . JONGLEUR
Personne dont le métier est de laver . . . . LAVEUR
Personne dont le métier est d'écrire
    à la machine . . . . DACTYLO
Personne dont une autre garantit
    les droits . . . . GARANTI
Personne du sexe féminin . . . . NANA
Personne d'un violence excessive . . . . BRUTE
Personne d'une laideur effrayante . . . . MONSTRE
Personne d'une puissance extraordinaire . . . . TITAN
Personne dure et rapace . . . . VAUTOUR
Personne dynamique n'hésitant pas
    à s'engager . . . . FONCEUR
Personne employée au sarclage . . . . SARCLEUR
Personne en fuite . . . . FUGITIF
Personne en vacances . . . . VACANCIER
Personne excessivement maniérée . . . . CHOCHOTTE
Personne extrêmement habile . . . . VIRTUOSE
Personne extrêmement peureuse . . . . TREMBLEUR
Personne faisant l'ascension de
    parois rocheuses . . . . VARAPPEUR
Personne favorable à l'égalité
    des sexes . . . . FEMINISTE
Personne fouineuse . . . . FURET
Personne fruste . . . . PLOUC
Personne gaie, insouciante . . . . LURON
Personne grande et maigre . . . . PERCHE

Personne grossière	BRUTE
Personne habile à gouverner	POLITIQUE
Personne habile dans les lancers	LANCEUR
Personne habilitée à effectuer des massages	MASSEUR
Personne incapable	TOCARD
Personne inconsistante	PANTIN
Personne influente	PUISSANT
Personne instruite	CLERC
Personne insupportable	POISON
Personne interrogée lors d'un sondage d'opinion	SONDÉ
Personne jeune qui prend des airs d'importance	MORVEUX
Personne lâche	LOPE • LOPETTE
Personne laide	LAIDERON
Personne lente dans son travail	TRAÎNARD
Personne malingre	CREVARD
Personne malpropre	SOUILLON
Personne malveillante	VIPÈRE
Personne méchante ou acariâtre	CHAMEAU
Personne méchante, dure	ROSSE
Personne méchante, sans pitié	VACHE
Personne médisante	ROSSARD
Personne méprisable	VERMINE
Personne mise au ban d'une société	PARIA
Personne née dans les antilles	CRÉOLE
Personne nuisible	PESTE
Personne originaire d'Asie	ASIATE
Personne originale	NUMÉRO
Personne parfaite	ANGE
Personne participant à des régates	RÉGATIER
Personne payée à la pige	PIGISTE
Personne perfide et méchante	SERPENT
Personne pingre	RAT
Personne pleine d'expérience	VÉTÉRAN
Personne préposée à la garde d'un immeuble	CONCIERGE
Personne privée	PARTICULIER
Personne qualifiée dans son métier	PRO
Personne que l'on peut tromper aisément	DUPE

Personne quelconque	INDIVIDU
Personne qui à coutume de mâcher	MÂCHEUR
Personne qui à la garde d'un immeuble	CONCIERGE
Personne qui à la vue courte	MYOPE
Personne qui à le droit de vote	ÉLECTEUR
Personne qui à l'habitude de boire	BUVEUR
Personne qui à l'habitude de nier	NÉGATEUR
Personne qui à remporté un prix	LAURÉAT
Personne qui à un air absent, amorphe	ZOMBIE
Personne qui à une dette morale	DEBITRICE
Personne qui à une parfaite ressemblance à une autre	SOSIE
Personne qui abat de la besogne	ABATTEUR
Personne qui abuse de la générosité d'autrui	PROFITEUR
Personne qui administre les douches	DOUCHEUR
Personne qui agit comme une machine	AUTOMATE
Personne qui agit de manière ignoble	SALIGAUD
Personne qui aime à parader	PARADEUR
Personne qui aime bâfrer	BÂFREUR
Personne qui aime faire la noce	NOCEUR
Personne qui aime fouiller dans les marchés d'occasion	CHINEUR
Personne qui aime le genre humain	PHILANTHROPE
Personne qui aime peloter	PELOTEUR
Personne qui aime se vanter	HABLEUR
Personne qui arrache les poils	EPILEUR
Personne qui arrive quelque part	ARRIVANT
Personne qui arrive	ARRIVANT
Personne qui avait la charge d'une gazette	GAZETIER
Personne qui bâfre	BÂFREUR
Personne qui bâille	BÂILLEUR
Personne qui bâtit	BATISSEUR
Personne qui bluffe	BLUFFEUR
Personne qui boit beaucoup	BUVEUR
Personne qui boit	BUVEUR

Personne qui bouffe . . . . BOUFFEUR

Personne qui brade le territoire
national . . . . BRADEUR

Personne qui brade . . . . BRADEUR

Personne qui brise les mottes
de terres . . . . EMOTTEUR

Personne qui brise quelque chose . . . . BRISEUR

Personne qui brise . . . . BRISEUSE

Personne qui casse . . . . CASSEUR

Personne qui change aisément d'avis . . . . GIROUETTE

Personne qui change sans cesse
d'opinions . . . . PROTÉE

Personne qui chante en duo . . . . DUETTISTE

Personne qui cherche à égaler
quelqu'un . . . . ÉMULE

Personne qui cherche minutieusement . . . . FOUINEUR

Personne qui cherche . . . . CHERCHEUR

Personne qui chicane et conteste . . . . ERGOTEUR

Personne qui chine . . . . CHINEUR

Personne qui chipote . . . . CHIPOTEUR

Personne qui cire . . . . CIREUR

Personne qui combat les incendies . . . . POMPIER

Personne qui commet un vol à
main armée . . . . BRAQUEUR

Personne qui compose des textes
en imprimerie . . . . COMPOSEUR

Personne qui conduit le bois flotté . . . . DRAVEUR

Personne qui conduit un bateau . . . . NAUTONIER

Personne qui conduit une opération
d'affinage . . . . AFFINEUR

Personne qui contrôle les actions
d'autrui . . . . CENSEUR

Personne qui copie . . . . COPIEUR

Personne qui coud des vêtements . . . . COUTURIER

Personne qui crâne, qui fanfaronne . . . . CRANEUR

Personne qui creuse les fosses dans
un cimetière . . . . FOSSOYEUR

Personne qui croit tout ce qu'on
lui dit . . . . GOBEUR

Personne qui cultive la vigne . . . . VIGNERON

Personne qui cultive les jardins . . . . JARDINIER

Personne qui danse la valse	VALSEUR
Personne qui danse	DANSEUR • DANSEUSE
Personne qui débute	DÉBUTANT
Personne qui décode	DECODEUR
Personne qui découvre des sources	SOURCIER
Personne qui dépendait d'un seigneur	VASSAL
Personne qui détache les vêtements	DETACHEUR
Personne qui dirige une maison de couture	COUTURIER
Personne qui distrait	AMUSEUR
Personne qui divertit	AMUSEUR
Personne qui divise un terrain en lots	LOTISSEUR
Personne qui doit	DÉBITEUR • DEBITRICE
Personne qui dompte des animaux	DOMPTEUR
Personne qui donne à bail	BAILLEUR • LOCATEUR
Personne qui donne des conseils	MONITEUR
Personne qui dresse des animaux	DRESSEUR
Personne qui échoue en général	LOSER
Personne qui écoute	AUDITEUR
Personne qui effectue une attaque à main armée	BRAQUEUR
Personne qui élague	ÉLAGUEUR
Personne qui emprunte souvent de l'argent	TAPEUR
Personne qui enlève avec violence	RAVISSEUR
Personne qui ennuie	RASEUR
Personne qui enseigne des connaissances	PROF
Personne qui essuie	ESSUYEUR
Personne qui est dans le secret	INITIÉ
Personne qui est sacrifiée ou qui se sacrifie	SACRIFIE
Personne qui étampe	ÉTAMPEUR
Personne qui évoque la beauté, la séduction	FLEUR
Personne qui examine des œufs	MIREUR
Personne qui excite à une émeute	ÉMEUTIER
Personne qui exécute des exercices d'équilibre	ACROBATE
Personne qui exerce une censure	CENSEUR

Personne qui exerce une domination	MAÎTRE
Personne qui exploite un moulin à céréales	MEUNIER
Personne qui exploite un navire	ARMATEUR
Personne qui exploite une cantine	CANTINIER
Personne qui expose ses produits	EXPOSANT
Personne qui fabrique de la céramique	CERAMISTE
Personne qui fabrique des filets pour la pêche	LACEUR
Personne qui fabrique des gaines	GAINIER
Personne qui fabrique des gilets	GILETIER
Personne qui fabrique des joyaux	JOAILLIER
Personne qui fabrique des sabots	SABOTIER
Personne qui fabrique et répare des charrettes	CHARRON
Personne qui fabrique et vend des chaussures sur mesure	BOTTIER
Personne qui fabrique et vend des lunettes	OPTICIEN
Personne qui fabrique et vend des poteries	POTIER
Personne qui fabrique ou emploie du ciment	CIMENTIER
Personne qui fabrique ou vend des chapeaux d'homme	CHAPELIER
Personne qui fabrique ou vend des chemises	CHEMISIER
Personne qui fait de la luge	LUGEUR
Personne qui fait des paquets	PAQUETEUR
Personne qui fait des tours d'acrobatie	BATELEUR
Personne qui fait du cannage	CANNEUR
Personne qui fait du tissage	TISSEUR
Personne qui fait La cuisine	CUISINIER
Personne qui fait le commerce d'articles en solde	SOLDEUR
Personne qui fait le service dans un restaurant	SERVEUR
Personne qui fait l'éloge	LAUDATEUR
Personne qui fait métier de donner en location	LOUEUR

Personne qui fait ou vend des chapeaux . . . . CHAPELIER

Personne qui fait ou vend des corsets . . . . CORSETIER

Personne qui fait partie d'une équipe . . . . EQUIPIER

Personne qui fait régner la justice ou l'applique . . . . JUSTICIER

Personne qui fait une cure thermale . . . . CURISTE

Personne qui fait, qui vend de la pâtisserie . . . . PATISSIER

Personne qui falsifie . . . . TRUQUEUR

Personne qui fane l'herbe . . . . FANEUR

Personne qui fauche les herbes, les céréales . . . . FAUCHEUSE

Personne qui fixe une taxe . . . . TAXATEUR

Personne qui flaire . . . . FLAIREUR

Personne qui fomente une émeute . . . . ÉMEUTIER

Personne qui forge . . . . FORGEUR

Personne qui fouille . . . . FOUILLEUR

Personne qui fraude . . . . FRAUDEUR

Personne qui fuit le monde . . . . OURS

Personne qui fume . . . . FUMEUR

Personne qui gage . . . . GAGEUR

Personne qui garde et conduit les bœufs . . . . BOUVIER

Personne qui garde les moutons . . . . BERGER

Personne qui gaspille . . . . GÂCHEUR

Personne qui gaufre les étoffes . . . . GAUFREUR

Personne qui gave les volailles . . . . GAVEUR

Personne qui glane . . . . GLANEUR

Personne qui goûte la bonne cuisine en connaisseur . . . . GOURMET

Personne qui habite l'Angleterre . . . . ANGLAIS

Personne qui invente . . . . INVENTEUR

Personne qui joue au ping-pong . . . . PONGISTE

Personne qui joue aux quilles . . . . QUILLEUR

Personne qui joue de l'orgue . . . . ORGANISTE

Personne qui joue un premier rôle dans une affaire . . . . PROTAGONISTE

Personne qui joue une partie dans un duo . . . . DUETTISTE

Personne qui jouit d'une bourse d'études	BOURSIER
Personne qui lave le linge	BUANDIER
Personne qui lie des bottes de foin	LIEUR
Personne qui lit	LECTRICE
Personne qui livre les journaux à domicile	CAMELOT
Personne qui manœuvre un ascenseur	LIFTIER
Personne qui manœuvre une grue	GRUTIER
Personne qui maraude	MARAUDEUR
Personne qui mène grand train	SATRAPE
Personne qui mène une vie austère	ASCÈTE
Personne qui mène une vie de plaisirs	VIVEUR
Personne qui méprise	CONTEMPTEUR
Personne qui mesure au niveau	NIVELEUSE
Personne qui met de l'argent de côté	ÉPARGNANT
Personne qui monte les chevaux dans les courses	JOCKEY
Personne qui n'a pas réussi	RATÉ
Personne qui ne cherche aucun profit	PHILANTHROPE
Personne qui néglige ses amis	LÂCHEUR
Personne qui nettoie	NETTOYEUR
Personne qui pagaie	PAGAYEUR
Personne qui parie	PARIEUR
Personne qui participe à des courses sur piste	PISTARD
Personne qui participe à une conjuration	CONJURÉ
Personne qui participe à une émeute	ÉMEUTIER
Personne qui participe à une grève	GREVISTE
Personne qui patine	PATINEUR • PATINEUSE
Personne qui pille	PILLEUR
Personne qui pilote un avion	AVIATEUR
Personne qui place les spectateurs	PLACEUR
Personne qui plombait les marchandises, les étoffes	PLOMBEUR
Personne qui polémique	POLÉMISTE

Personne qui possède un terrain sur la rive	RIVERAIN
Personne qui pratique la boxe	BOXEUR
Personne qui pratique le camping	CAMPEUR
Personne qui pratique le judo	JUDOKA
Personne qui pratique le ski	SKIEUR
Personne qui pratique le sport du canoë	CANOÉISTE
Personne qui pratique le yoga	YOGI
Personne qui pratique l'épéisme	ÉPÉISTE
Personne qui pratique un sport	ATHLÈTE • SPORTIF
Personne qui précède	DEVANCIER
Personne qui prédit l'avenir	PROPHETE
Personne qui prend des oiseaux au filet	OISELEUR
Personne qui prend part à un dîner	DINEUR
Personne qui prend ses vacances au mois d'août	AOUTIEN
Personne qui préside	PRÉSIDENT
Personne qui prête à intérêt excessif	USURIER
Personne qui procède à l'ajustage	AJUSTEUR
Personne qui professe des opinions extrêmes	ULTRA
Personne qui propage	APÔTRE • SEMEUR
Personne qui quitte son pays pour vivre ailleurs	ÉMIGRANT
Personne qui raconte bien	CONTEUR
Personne qui raconte une histoire	RACONTEUR
Personne qui ramasse	RAMASSEUR
Personne qui râtelle	RATELEUR
Personne qui ravaude	RAVAUDEUR
Personne qui recherche certaines choses	AMATEUR
Personne qui reçoit des biens en héritage	HÉRITIER
Personne qui rédige	REDACTEUR
Personne qui relie des livres	RELIEUR
Personne qui rit	RIEUR
Personne qui ronfle	RONFLEUR
Personne qui sait valser	VALSEUR
Personne qui se baigne	BAIGNEUR
Personne qui se confesse	PÉNITENT

Personne qui se déplace pour son plaisir	TOURISTE
Personne qui se livre à des tripotages	TRIPOTEUR
Personne qui se livre à l'exploitation commerciale d'un navire	ARMATEUR
Personne qui se sert d'une arme à feu	TIREUR
Personne qui se trouve sans travail	CHOMEUR
Personne qui s'empare d'un pouvoir sans droit	USURPATEUR
Personne qui s'occupe de botanique	BOTANISTE
Personne qui s'occupe un peu de tout	FACTOTUM
Personne qui subit la haine	VICTIME
Personne qui suborne un témoin	SUBORNEUR
Personne qui suscite des querelles	BOUTEFEU
Personne qui témoigne	TÉMOIN
Personne qui tenait un four à pain	FOURNIER
Personne qui tient	TENEUR
Personne qui tient la batterie dans un groupe musical	BATTEUR
Personne qui tient les comptes	COMPTABLE
Personne qui tient une droguerie	DROGUISTE
Personne qui tient une épicerie	ÉPICIER
Personne qui tient une galerie d'art	GALERISTE
Personne qui tient une gargote	GARGOTIER
Personne qui tient une papeterie	PAPETIER
Personne qui tient une taverne	TAVERNIER
Personne qui tire profit de la prostitution d'autrui	PROXENETE
Personne qui tire	TIREUR
Personne qui trahit sa patrie	RENÉGAT
Personne qui transporte des bagages par voiture	VOITURIER
Personne qui transporte les clubs des joueurs de golf	CADDIE
Personne qui traque	TRAQUEUR
Personne qui travaille à façon	FAÇONNIER
Personne qui travaille le chanvre	CHANVRIER
Personne qui travaille le stuc	STUCATEUR

Personne qui travaille pour une compagnie de gaz	GAZIER
Personne qui tricote	TRICOTEUR
Personne qui use de raisonnements capiteux	SOPHISTE
Personne qui utilise un canoë	CANOÉISTE
Personne qui utilise un service public	USAGER
Personne qui va à pied	PIÉTON
Personne qui valse	VALSEUR
Personne qui vanne les grains	VANNEUR
Personne qui vend au détail grains, légumes, etc.	GRAINIERE
Personne qui vend des appareils ménagers	MÉNAGISTE
Personne qui vend des instruments d'optique	OPTICIEN
Personne qui vend du lait	LAITIER
Personne qui vend du plâtre	PLATRIER
Personne qui vend ou pose les tapis	TAPISSIER
Personne qui veut gagner	GAGNEUR
Personne qui viole les droits, lois, etc...	VIOLATEUR
Personne qui vit aux dépens d'autrui	SANGSUE
Personne qui vit de ses rentes	RENTIER
Personne qui vit retirée	ERMITE
Personne qui voyage à pied ou en auto-stop	ROUTARD
Personne qui voyage par agrément	TOURISTE
Personne qui, sans être médecin, prétend guérir	REBOUTEUX
Personne qu'on utilise pour marchander	OTAGE
Personne récemment baptisée	NÉOPHYTE
Personne recherchant le plaisir	JOUISSEUR
Personne réduite au dernier degré de la misère	ILOTE
Personne remarquable	CHAMPION
Personne salariée dans une entreprise	EMPLOYÉ
Personne sans éducation	MALOTRU
Personne sans énergie	LARVE • LAVETTE
Personne sans envergure	MINUS
Personne se livrant à un trafic malhonnête	FRICOTEUR

Personne semblable à une autre	CONGÉNÈRE
Personne sotte	OIE
Personne soupçonnée d'une infraction	PRÉVENU
Personne spécialisée dans la comptabilité	COMPTABLE
Personne spécialisée dans l'élagage des arbres	ÉLAGUEUR
Personne spécialisée dans l'étude des pieds	PODOLOGUE
Personne stupide et d'un esprit lourd	BÛCHE
Personne stupide	PATATE
Personne très crédule	OISON
Personne très froide	GLAÇON
Personne très laide	MACAQUE
Personne très lente	TORTUE
Personne vivant en marge des lois	DESPERADO
Personne volage	COUREUR
Personne vorace	OGRE
Personne	AUCUN • CRÉATURE • ÊTRE
Personne, institution archaïque	DINOSAURE
Personnel d'un ministre	CABINET
Personnel	PARTICULIER • PRIVÉ • PROPRE
Personnes ayant des caractères communs	FAMILLE
Personnes payées pour applaudir au spectacle	CLAQUE
Perspective	HORIZON • OPTIQUE
Perspicace	CONSCIENT • PÉNÉTRANT SAGACE • SUBTIL • VIVACE
Perspicacité	SAGACITÉ
Persuadé	CONVAINCU
Persuader	CONVAINCRE
Persuasion	CONVICTION
Perte	DÉCHET
Perte de la mémoire	AMNÉSIE
Perte de la voix	APHONIE
Perte de réputation	DÉCRI
Perte de substance de la peau	ULCÈRE
Perte du sens de l'ouïe	SURDITÉ
Perte en vies humaines	SAIGNÉE
Pertes financières	SAIGNÉE
Pertinent	ADÉQUAT • CONGRU • JUDICIEUX
Pertuisanier	PIQUIER
Perturbation atmosphérique	ORAGE • TORNADE

Perturbation	DÉSORDRE
Perturber les fonctions d'un organe	DETRAQUER
Perturber	BOULEVERSER • DETRAQUER TROUBLER
Pervers	DÉPRAVÉ
Perverse	VICIEUSE
Perversion sexuelle	SADISME
Perverti	CORROMPU • DÉPRAVÉ
Pesage	PESEE
Pesamment	LOURDEMENT
Pesant	ÉPAIS • LOURD
Pesante	LOURDE
Pesanteur	LOURDEUR
Pesée	PESAGE
Pèse-personne	BALANCE
Peser l'emballage d'une marchandise	TARER
Peser un emballage	TARER
Peser	SOUPESER
Pessimiste	ALARMISTE • BILIEUX
Peste	POISON
Pester	MAUGRÉER • ROGNER • TEMPÊTER
Pesticide	HERBICIDE
Pestilence	REMUGLE
Pet	VESSE
Pétale supérieur de la corolle des orchidées	LABELLE
Pétant	SONNANT
Pétarade	BRUIT
Péter	CREVER • ÉCLATER EXPLOSER • VESSER
Pétiller	CRÉPITER
Petit accordéon hexagonal d'orchestres de tango	BANDONEON
Petit agneau	AGNELET
Petit aigle	ALERION
Petit amas de poussière	CHATON
Petit âne	ÂNON
Petit ange	ANGELOT
Petit animal arthropode	CLOPORTE
Petit animal du genre des martres	FOUINE

Petit animal invertébré	INSECTE
Petit animal marin	SALPE
Petit anneau en cordage	ERSEAU
Petit aqueduc en maçonnerie	DALOT
Petit arbre d'Asie	MÉLIA
Petit arbre des régions tropicales	XIMÉNIE
Petit arbre	ARBUSTE
Petit avion de reconnaissance	DRONE
Petit avion télécommandé	DRONE
Petit bac	BACHOT
Petit baiser affectueux	BAISE
Petit baiser	BÉCOT
Petit balai à manche court	BALAYETTE
Petit balai pour l'époussetage	PLUMEAU
Petit banc rembourré	BANQUETTE
Petit bardeau servant à recouvrir les toits	TAVILLON
Petit baril	BARILLET
Petit bassin utilisé en chirurgie	HARICOT
Petit bateau à rames	NACELLE
Petit bateau ponté ou non	BARQUE
Petit bateau	BARQUE • BATELET
Petit bâtiment de guerre rapide	AVISO
Petit bâtiment rapide qui portait le courrier	AVISO
Petit bâtiment rural	MAZOT
Petit bec d'un réchaud	VEILLEUSE
Petit biscuit sec feuilleté	GAUFRETTE
Petit bois	BOCAGE • BOSQUET
Petit bonnet rond	CALOTTE
Petit bouclier en forme de croissant	PELTA • PELTE
Petit bouclier en usage au Moyen Âge	TARGE
Petit bras de levier	CLENCHE
Petit café à clientèle populaire	CABOULOT
Petit café	TAVERNE
Petit cageot	CAGETTE
Petit caillou formant le gravillon	GRAVILLON
Petit canal	ÉTIER
Petit canapé à deux places	CAUSEUSE
Petit canot étroit et long recouvert de peau	KAYAK

Petit capital économisé peu à peu . . . . PÉCULE
Petit carré de pâte farcie . . . . RAVIOLI
Petit carreau de terre cuite . . . . TOMETTE
Petit carton qui sert à marquer
  une page . . . . SIGNET
Petit carton rectangulaire . . . . CARTE
Petit casque fermé . . . . ARMET
Petit cerf d'Asie à bois court . . . . AXIS
Petit champ . . . . LOPIN
Petit chandelier sans pied . . . . BOUGEOIR
Petit chapeau de femme . . . . BIBI
Petit charançon qui s'attaque
  aux fruits . . . . APION
Petit chardonneret jaune, vert
  et noir . . . . TARIN
Petit chariot métallique . . . . CADDIE
Petit chariot roulant le long
  d'un câble . . . . TROLLEY
Petit chat . . . . MINOU
Petit château . . . . CASTEL • MANOIR
Petit cheval de selle . . . . BIDET
Petit chevron . . . . GUILLEMET
Petit chien à poil ras . . . . CARLIN
Petit chien d'agrément à poil ras . . . . CHIHUAHUA
Petit chien d'appartement . . . . BICHON • LOULOU
Petit chien qui jappe sans arrêt . . . . ROQUET
Petit cigare . . . . CIGARILLO • NINAS
Petit cigare analogue aux ninas . . . . SEÑORITA
Petit cigare de la régie française . . . . SEÑORITA
Petit ciseau à l'usage des orfèvres . . . . CISELET
Petit ciseau servant aux graveurs . . . . CISELET
Petit clocher . . . . CLOCHETON
Petit cloporte . . . . ASELLE
Petit clou à grosse tête qu'on
  enfonce avec le pouce . . . . PUNAISE
Petit coffre . . . . CASSETTE • COFFRET
Petit colombier . . . . FUIE
Petit concombre conservé
  dans du vinaigre . . . . CORNICHON
Petit concombre cueilli avant maturité . . . . CORNICHON
Petit coquillage de mer comestible . . . . BIGORNEAU

Petit cor . . . . CORNET

Petit cordage de deux fils . . . . LUSIN

Petit cordon . . . . CORDONNET

Petit coulant mobile où passe
  une chaîne . . . . GLISSOIR

Petit cours d'eau peu large . . . . RUISSEAU

Petit coussin . . . . COUSSINET

Petit couteau destiné aux
  opérations chirurgicales . . . . SCALPEL

Petit creux . . . . FOSSETTE

Petit crochet métallique . . . . HAMEÇON

Petit crustacé d'eau douce . . . . CYCLOPE

Petit crustacé marin . . . . CREVETTE

Petit crustacé . . . . BALANE

Petit cube constituant l'élément
  d'une mosaïque . . . . ABACULE

Petit cube de carton . . . . FUSETTE

Petit cube . . . . DÉ

Petit cylindre à rebords . . . . BOBINE

Petit de la baleine . . . . BALEINEAU

Petit de la brebis . . . . AGNEAU

Petit de la chèvre . . . . CABRI

Petit de la cigogne . . . . CIGOGNEAU

Petit de la corneille . . . . CORNILLON

Petit de la girafe . . . . GIRAFEAU

Petit de l'aigle . . . . AIGLON

Petit de l'âne . . . . ÂNON

Petit de l'oie . . . . OISON

Petit de l'outarde . . . . OUTARDEAU

Petit démon . . . . LUTIN

Petit détachement . . . . BRIGADE

Petit diable . . . . DIABLOTIN

Petit domaine féodal . . . . MANSE

Petit drame lyrique espagnol . . . . ZARZUELA

Petit drapeau . . . . FANION

Petit du canard . . . . CANETON

Petit du cerf . . . . FAON

Petit du cheval et de l'anesse
  accouplés . . . . BARDOT

Petit du cheval . . . . POULAIN

Petit du corbeau . . . . CORBILLAT

Petit du daim	FAON
Petit du héron	HERONNEAU
Petit du lapin	LAPEREAU
Petit du lièvre	LEVRAUT
Petit du lion et de la lionne	LIONCEAU
Petit du sanglier	MARCASSIN
Petit d'une souris	SOURICEAU
Petit d'une vipère	VIPEREAU
Petit duo	DUETTO
Petit écran portatif pour s'éventer	EVENTAIL
Petit écran	TÉLÉ
Petit écriteau d'identification	ÉTIQUETTE
Petit écureuil	TAMIA
Petit emballage à anse	FLEIN
Petit enfant	BAMBIN • MARMOT MINOT • MÔME
Petit enfant, môme	MOUFLET
Petit ennui qui retarde	ANICROCHE
Petit escalier extérieur	PERRON
Petit escalier portatif	ESCABEAU
Petit espace vide	INTERSTICE
Petit et d'aspect mesquin	RIKIKI
Petit étui contenant un nécessaire à couture	COUSETTE
Petit fagot de bois	COTRET
Petit fagot de bûchettes	LIGOT
Petit fagot pour allumer le feu	FAGOTIN
Petit fagot	FAGOTIN
Petit fait curieux	ANECDOTE
Petit faucon au vol rapide	ÉMERILLON
Petit filet à écrevisses	PÊCHETTE
Petit filet en forme de poche	TRUBLE
Petit fort	FORTIN
Petit fragment	MIETTE
Petit frère	FRÉROT
Petit froid vif et piquant	FRISQUET
Petit fromage de chèvre	CROTTIN
Petit fruit charnu	CERISE
Petit furoncle	ORGELET
Petit garçon	GARÇONNET • MARMOT MOUTARD

Petit gâteau feuilleté fourré
à la frangipane . . . . DARIOLE
Petit gâteau sec à pâte sablée . . . . SABLÉ
Petit gâteau . . . . MUFFIN
Petit groupe fermé . . . . CLAN
Petit insecte . . . . BRÛLOT • FOURMI
Petit insecte à corps aplati . . . . PUNAISE
Petit insecte dont la larve s'attaque
aux céréales . . . . AGRIOTE
Petit insecte parasite des plantes . . . . PUCERON
Petit insecte volant . . . . MOUCHE
Petit instrument à pendule . . . . MÉTRONOME
Petit instrument à vent . . . . OCARINA
Petit instrument avec lequel on siffle . . . . SIFFLET
Petit instrument pour les petites
incisions . . . . LANCETTE
Petit intermède . . . . INTERLUDE
Petit jardin public . . . . SQUARE
Petit kyste blanc . . . . MILLET
Petit lac d'eau salée . . . . LAGON
Petit lac des Pyrénées . . . . OÔ
Petit levier d'un billard mécanique . . . . FLIPPER
Petit linge de table . . . . NAPPERON
Petit livre pour apprendre l'alphabet . . . . ABC
Petit livre scientifique . . . . OPUSCULE
Petit livre . . . . OPUSCULE
Petit lobe . . . . LOBULE
Petit local . . . . CABINE
Petit loir gris . . . . LÉROT
Petit luth . . . . MANDORE
Petit maillet à manche flexible . . . . MAIL
Petit mal blanc qui fait le tour du doigt . . . . . . TOURNIOLE
Petit mammifère au pelage gris . . . . LOIR
Petit mammifère carnassier . . . . BELETTE • COATI
Petit mammifère carnivore . . . . LOUTRE • PUTOIS
Petit mammifère édenté . . . . TATOU
Petit mammifère familier . . . . CHAT
Petit mammifère fouisseur . . . . HAMSTER • TAUPE
Petit mammifère proche de la belette . . . . . . MANGOUSTE
Petit mammifère rongeur . . . . COBAYE • LAPIN
LÉROT • MULOT • SOURIS

Petit mammifère rongeur à la queue en panache	ÉCUREUIL
Petit mammifère	VISON
Petit manchot pourvu d'une huppe jaune	GORFOU
Petit manteau	MANTELET
Petit marais tourbeux	FAGNE
Petit marsupial herbivore australien	WALLABY
Petit massif volcanique d'Allemagne	RHON
Petit meuble pour ranger les accessoires de couture	TRAVAILLEUSE
Petit meuble servant à présenter des marchandises	PRÉSENTOIR
Petit meuble servant à présenter des objets à vendre	PRÉSENTOIR
Petit meuble vitré	VITRINE
Petit miroir fixé sur un véhicule	RÉTRO
Petit morceau cubique	DÉ
Petit morceau de lard	LARDON
Petit morceau de pain frit	CROÛTON
Petit morceau de pain sec	CROÛTON
Petit morceau de terrain	LOPIN
Petit morceau d'os fracturé	ESQUILLE
Petit mot invariable	PARTICULE
Petit mouchoir	POCHETTE
Petit mulet	BARDOT
Petit mur	MURET
Petit navire	COTRE
Petit navire à mât vertical	SLOOP
Petit navire à voiles très léger	GALIOTE
Petit navire arabe	BOUTRE
Petit navire de la Méditerranée	TARTANE
Petit navire portugais	CARAVELLE
Petit nom	PRÉNOM
Petit nombre	QUARTERON
Petit objet décoratif	BIBELOT
Petit objet précieux	BIJOU
Petit oiseau à chair très estimée	ORTOLAN
Petit oiseau à plumage gris ou brunâtre	ALOUETTE
Petit oiseau au chant agréable	FAUVETTE

Petit oiseau de basse-cour	POULET
Petit oiseau des champs	ALOUETTE
Petit oiseau marin	STERNE
Petit oiseau migrateur	CAILLE
Petit oiseau passereau	PINSON
Petit oiseau siffleur	LINOTTE
Petit oiseau trapu	SITTELLE
Petit oiseau	BRUANT • MÉSANGE OISELET • OISILLON
Petit opéra-comique	OPÉRETTE
Petit orme	ORMEAU
Petit os à l'extrémité de l'os sacrum	COCCYX
Petit os plat du genou	ROTULE
Petit os situé à l'extrémité De la colonne vertébrale	COCCYX
Petit os	OSSELET
Petit outil de graveur en médailles	ONGLETTE
Petit ouvrage en saillie sur une façade	LOGETTE
Petit ouvrage littéraire	BLUETTE
Petit pain d'épice rond	NONNETTE
Petit pain long et mince	LONGUET
Petit pain rond cuit	MUFFIN
Petit pain	MICHE
Petit panier	FLEIN
Petit panneau	PANONCEAU
Petit papillon blanchâtre de la famille des teignes	MITE
Petit papillon	TEIGNE
Petit paquet de vêtements	BALLUCHON
Petit passereau	PIPIT • SERIN
Petit pâté impérial	NEM
Petit perroquet d'Océanie	LORI
Petit pied	PETON
Petit pieu pointu	PALIS
Petit pieu	PIQUET
Petit pilon de pharmacien	MOLETTE
Petit piment d'origine mexicaine	CHILE • CHILI
Petit plat à hors-d'œuvre	RAVIER
Petit plat creux	RAVIER

Petit plomb de chasse	DRAGÉE
Petit poème champêtre	ÉGLOGUE
Petit poème de forme régulière	BALLADE
Petit poème pastoral	ÉGLOGUE
Petit poisson	GIRELLE • LOCHE • SARDINE
Petit poisson allongé	LIPARIS
Petit poisson carnassier d'Amérique du Sud	PIRANHA
Petit poisson de mer	ANCHOIS
Petit poisson de mer, qu'on consomme surtout mariné et salé	ANCHOIS
Petit poisson marin	SPRAT
Petit poisson vivant dans les eaux courantes	VAIRON
Petit pont d'une seule travée	PONCEAU
Petit primate à longue queue	OUISTITI
Petit projecteur	SPOT
Petit projectile métallique	BALLE
Petit puma de l'Amérique du Sud	EYRA
Petit racloir	RACLETTE
Petit réchaud suspendu	PHARILLON
Petit récipient où l'on met de l'encre	ENCRIER
Petit récipient percé d'une fente	TIRELIRE
Petit récipient plat contenant de la poudre	POUDRIER
Petit récipient	TASSE
Petit récit satirique en vers	FABLIAU
Petit renard du Sahara	FENNEC
Petit renflement	NODULE
Petit repas	DÎNETTE
Petit reptile saurien	LÉZARD
Petit ressort	SPIRAL
Petit rongeur appelé rat palmiste	XÉRUS
Petit rongeur d'Afrique et d'Asie	GERBOISE • XÉRUS
Petit rongeur des savanes	GERBILLE
Petit rongeur d'Europe	LOIR
Petit rongeur	GERBILLE • HAMSTER
Petit rouleau de tabac	CIGARETTE
Petit ruisseau	RU • RUISSELET
Petit ruminant à robe fauve et ventre blanc	CHEVREUIL

Petit sac à main	RÉTICULE
Petit sac arrondi	BOURSE
Petit sac	SACHET
Petit salon de dame	BOUDOIR
Petit salon élégant	BOUDOIR
Petit sanctuaire domestique	LARAIRE
Petit saumon de printemps	SMOLT
Petit sentier	SENTE
Petit siège de bois	SELLETTE
Petit siège de cuir	SELLE
Petit siège	SELLETTE
Petit signe en forme de C retourné	CÉDILLE
Petit sillon cutané	RIDE
Petit singe	SAÏ
Petit singe d'Amérique à longue queue	SAPAJOU
Petit socle	TEE
Petit somme	ROUPILLON
Petit sureau à baies noires	YEBLE
Petit tambour	TAMBOURIN
Petit terrain d'atterrissage en haute montagne	ALTIPORT
Petit toit en saillie	AUVENT
Petit tonneau	TONNELET
Petit tour de graveur	TOURET
Petit traîneau	LUGE
Petit trait	TIRET
Petit treuil à main	WINCH
Petit tube servant à prélever du liquide	PIPETTE
Petit tuyau souple ou rigide	CANULE
Petit tyran	TYRANNEAU
Petit vaisseau	PINASSE
Petit vase	LÉCYTHE
Petit vase à encens	NAVETTE
Petit vase destiné à contenir de l'huile et du vinaigre	BURETTE
Petit vase pour manger des œufs à la coque	COQUETIER
Petit vautour au plumage noir	URUBU
Petit véhicule à moteur à trois roues	TRICYCLE
Petit véhicule à une seule roue	BROUETTE
Petit voilier	FINN

Petit voilier arabe	BOUTRE
Petit vol	LARCIN
Petit wagon	WAGONNET
Petit yacht	CRUISER
Petit	FISTON • MENU • NAIN • PETIOT
Petit, mesquin	RIQUIQUI
Petit-bourgeois aux idées étroites	BEAUF
Petite affiche	PANONCEAU
Petite annotation à un texte	NOTULE
Petite antilope d'Europe	SAÏGA
Petite antilope très rapide	GAZELLE
Petite araignée aux couleurs vives	THÉRIDION
Petite arche	ARCEAU
Petite assiette	SOUCOUPE
Petite auge pour oiseaux	AUGET
Petite automobile de course	RACER
Petite baie	ANSE • CRIQUE
Petite balance pour les monnaies	PESETTE
Petite balle	ÉTEUF
Petite bande de papier	ONGLET
Petite bannière en forme de flamme	BANDEROLE
Petite barque à fond plat	BACHOT
Petite barque	BARQUETTE • NACELLE
Petite barre	BARREAU • BARRETTE
Petite barrique	BARIL
Petite bête	BESTIOLE
Petite bobine	FUSEAU
Petite boîte métallique	CANETTE
Petite boîte munie d'une fente	TIRELIRE
Petite boîte où l'on met du tabac	TABATIÈRE
Petite boîte pour le tabac	TABATIÈRE
Petite botte fourrée	BOTTILLON
Petite boucle de cheveux frisés	FRISETTE
Petite boule de minerai de fer	PELLET
Petite boule de viande hachée, de pâte	BOULETTE
Petite boule façonnée à la main	BOULETTE
Petite boule percée d'un trou	PERLE
Petite boule servant de but au jeu de boules	COCHONNET
Petite boule terminant la poignée d'une canne	POMMEAU
Petite boule	BILLE

Petite bouteille	FLACON
Petite bouteille longue et étroite	TOPETTE
Petite branche d'arbre	BROUTILLE • RAMEAU
Petite brique de carrelage	TOMETTE
Petite brique	BRIQUETTE
Petite brosse en soies de porc	SAIE
Petite brosse	BALAYETTE
Petite butte funéraire	TOMBELLE
Petite cabane de jardin	CABANON
Petite caisse	CAISSETTE
Petite cane	CANETTE
Petite carafe	CARAFON
Petite cavité glandulaire	ACINUS
Petite cerise sauvage	MERISE
Petite chaîne	CHAINETTE
Petite chambre à bord d'un navire	CABINE
Petite chauve-souris	PIPISTRELLE
Petite cheville de bois	ÉPITE
Petite cheville métallique	CLAVETTE
Petite cheville plate	CLAVETTE
Petite claie d'osier	CLISSE
Petite cloche	CLOCHETTE
Petite colonne composant une balustrade	BALUSTRE
Petite comédie bouffonne	SAYNÈTE
Petite construction de jardin	PERGOLA
Petite construction édifiée sur la voie publique	ÉDICULE
Petite construction élevée sur le pont d'un navire	ROUF
Petite corbeille	CORBILLON • MOÏSE
Petite corde	CORDON
Petite corneille noire à nuque grise	CHOUCAS
Petite coupe dans laquelle on mange l'œuf à la coque	COQUETIER
Petite coupe pour baigner l'œil	ŒILLÈRE
Petite cruche pour les boissons	PICHET
Petite dent d'un ouvrage en dentelle	PICOT
Petite dépendance d'un édifice religieux	ÉDICULE
Petite élévation	COLLINE

Petite embarcation légère . . . . ESQUIF
Petite éminence à la surface
 d'une muqueuse . . . . PAPILLE
Petite enclume à deux cornes . . . . BIGORNE
Petite entaille . . . . BRÈCHE • ENCOCHE
Petite entrée . . . . TAMBOUR
Petite épicerie . . . . DÉPANNEUR
Petite erse . . . . ERSEAU
Petite étincelle . . . . BLUETTE
Petite étoffe mince . . . . ÉTAMINE
Petite excroissance charnue . . . . CARONCULE
Petite excroissance de la peau . . . . VERRUE
Petite faux en forme de croissant . . . . FAUCILLE
Petite fenêtre . . . . LUCARNE
Petite feuille de propagande . . . . TRACT
Petite ficelle attachée à une
 ligne de fond . . . . CORDÉE
Petite fille . . . . FILLETTE
Petite flotte . . . . FLOTTILLE
Petite flûte en ré . . . . PICOLO
Petite flûte traversière . . . . PICOLO
Petite flûte . . . . FIFRE • OCTAVIN
                                    PICCOLO • PIPEAU
Petite formation de jazz . . . . COMBO
Petite gaufre . . . . GAUFRETTE
Petite girouette pour indiquer
 la direction du vent . . . . PENON
Petite glande du cerveau . . . . ÉPIPHYSE
Petite glande située à la base
 du cerveau . . . . HYPOPHYSE
Petite grenouille arboricole . . . . RAINETTE
Petite grenouille . . . . RAINETTE
Petite grive . . . . MAUVIS
Petite guerre . . . . GUEGUERRE
Petite habitation misérable . . . . MASURE
Petite hache . . . . HACHETTE
Petite herse . . . . NIVELEUR
Petite heure de l'office qui
 se récite après tierce . . . . SEXTE
Petite horloge . . . . MONTRE
Petite houppe . . . . POMPON

Petite huître des côtes de la Manche	PERLON
Petite huître	PERLOT
Petite inflammation purulente	ORGELET
Petite lame	LAMELLE
Petite lamelle de métal	PAILLON
Petite lampe éclairant peu	VEILLEUSE
Petite lampe	LOUPIOTE
Petite languette d'un végétal	LIGULE
Petite libellule	AGRION
Petite linotte commune	SIZERIN
Petite loge	LOGETTE
Petite lope	LOPETTE
Petite lunette d'approche	LORGNETTE
Petite lunette	VISEUR
Petite main	MENOTTE
Petite maison couverte de chaume	CHAUMIÈRE
Petite masse de houille qui sert de combustible	BRIQUETTE
Petite masse de liquide caillé	CAILLOT
Petite masse de neige	FLOCON
Petite masse d'or	PÉPITE
Petite masse	TAMPON
Petite massue	MIL
Petite mèche qui frise	FRISON
Petite mesure	DOIGT
Petite meule de foin	MEULON
Petite nappe d'eau peu profonde	MARE
Petite nappe individuelle	NAPPERON
Petite nodosité	NODULE
Petite offrande	OBOLE
Petite ouverture laissant passer le jour	AJOUR
Petite ouverture ronde dans la coque d'un navire	HUBLOT
Petite parcelle	MIETTE
Petite passoire fine à fond pointu	CHINOIS
Petite pelote	PELOTON
Petite pendule a sonnerie	RÉVEIL
Petite pièce de bois collée	SILLET
Petite pièce de monnaie	PIÉCETTE
Petite pièce de vers composée rapidement	IMPROMPTU

Petite pièce de vers	ÉPIGRAMME
Petite pièce du jeu d'échecs	PION
Petite pièce instrumentale	ARIETTE
Petite pièce pour deux voix	DUETTO
Petite pièce vocale de caractère mélodique	ARIETTE
Petite pince	PINCETTE
Petite pipe en forme d'entonnoir	SHILOM
Petite place d'une ville	PLACETTE
Petite plaie insignifiante	BOBO
Petite planche	AISSEAU
Petite plante buissonnante ornementale	AGERATUM
Petite plante d'eau douce	ÉLODÉE
Petite plante du printemps	FICAIRE
Petite plante herbacée	VIOLETTE
Petite plaque	PLAQUETTE
Petite pluie fine et pénétrante	CRACHIN
Petite pluie fine	BRUINE
Petite pomme	API
Petite pompe utilisée en médecine	SERINGUE
Petite porte dérobée	POTERNE
Petite porte	PORTILLON
Petite poutre	POUTRELLE
Petite prune	PRUNELLE
Petite quantité d'air	BULLE
Petite réunion dansante	SAUTERIE
Petite ride	RIDULE
Petite roue qui sert à lever des fardeaux	POULIE
Petite rue étroite	VENELLE
Petite rue	RUELLE
Petite salière individuelle	SALERON
Petite serpe pour faire des fagots	FAUCHETTE
Petite serpe	SERPETTE
Petite serrure mobile	CADENAS
Petite sole allongée	CÉTEAU
Petite solive	SOLIVEAU
Petite sonate	SONATINE
Petite soupape	CLAPET
Petite statue	STATUETTE

Petite stèle funéraire	CIPPE
Petite table de toilette	COIFFEUSE
Petite tache cutanée rouge	PÉTÉCHIE
Petite tache cutanée	ÉPHÉLIDE • LENTIGO
Petite tape	TAPETTE
Petite tarte individuelle	TARTELETTE
Petite tétine	SUCETTE
Petite tige de métal	CLOU • ÉPINGLE
Petite touffe de cheveux	TOUPET
Petite touffe de laine	FLOCON
Petite toupie	TOTON
Petite tour	TOURELLE
Petite trompe	CORNET
Petite tumeur sous la peau	LOUPE
Petite tumeur	COR
Petite ulcération	APHTE
Petite valise pour le voyage, le travail	MALLETTE
Petite valise	MALLETTE
Petite vallée à versants raides	RAVIN
Petite vallée	VALLON
Petite valve d'une conduite d'eau	VANNELLE
Petite vanne d'écluse	VANNELLE
Petite verge	VERGETTE
Petite veste de femme	BOLÉRO
Petite ville	LOCALITÉ
Petite	BRÈVE
Petit-lait	SÉRUM
Pétoche	FROUSSE
Pétrifier	MÉDUSER • TERRORISER
Pétrin	MAIE
Pétrissage	MASSAGE
Pétrole	ESSENCE
Pétrole lampant	KÉROSÈNE
Pétrolier	PROPANIER
Pétrolière	ESSO
Pétulant	DYNAMIQUE • FRINGANT • SÉMILLANT
Peu accommodant	REVÊCHE
Peu clair	BRUMEUX
Peu communicatif	TACITURNE
Peu fréquent	RARE
Peu important	MINIME

Peu naturel	APPRÊTÉ
Peu pratique à l'usage	INCOMMODE
Peu souvent	RAREMENT
Peuhl	PEUL
Peulven	MENHIR
Peuple	NATION
Peuple d'Amérique centrale	NAHUA
Peuple de Chine	DONG • MIAO
Peuple de la Côte d'Ivoire	AGNI • BAOULÉ • GOURO
Peuple de la Sierra Leone	TEMNE • TIMNE
Peuple de l'île de Hainan	LI
Peuple de l'Inde méridionale	TAMIL • TAMOUL
Peuple des Philippines	IGOROT • MORO • TAGAL
Peuple du Bénin	ÉWÉ
Peuple du Burkina	MOSSI
Peuple du Cameroun	MOUM
Peuple du Congo	TÉKÉ
Peuple du Ghana	AGNI • ÉOUÉ • ÉWÉ • FANTI
Peuple du Kenya	MASAI
Peuple du Laos	MOÏ
Peuple du Ruanda	TUTSI
Peuple du Soudan et du Zaïre	ZANDÉ
Peuple du Soudan	NUER
Peuple du sud du Bénin	FON
Peuple du sud-est du Nigeria	TIV
Peuple du Zaïre	LUBA
Peuple nomade du Sahara	TOUAREG
Peuple, populace	POPULO
Peupler d'alevins	ALEVINER
Peupler de colons	COLONISER
Peupler de nouveau	REPEUPLER
Peupler	REBOISER
Peupleraie	TREMBLAIE
Peuplier à écorce lisse	TREMBLE
Peuplier franc	LIARD
Peur (Pop.)	VENETTE
Peur instinctive	PHOBIE
Peur maladive des animaux	ZOOPHOBIE
Peur	ANGOISSE • ANXIÉTÉ • CAUCHEMAR
	COUARDISE CRAINTE • FROUSSE
	PETOCHE • TRAC • TROUILLE

Peureuse . . . . CRAINTIVE
Peureux . . . . CRAINTIF • LÂCHE
Peureux, froussard . . . . PÉTEUX
Phallocrate . . . . MACHO
Phallocratie . . . . SEXISME
Phare utilisé pour attirer le poisson . . . . LAMPARO
Phare . . . . PROJECTEUR
Pharmacien . . . . POTARD
Pharmacologue allemand né
    en 1873 . . . . LŒWI
Phase . . . . PALIER • PÉRIODE • STADE
Phase du sommeil durant laquelle
    on rêve . . . . PARADOXAL
Phénomène de diffusion . . . . OSMOSE
Phénomène de libération
    des passions . . . . CATHARSIS
Phénomène extraordinaire . . . . PRODIGE
Phénomène . . . . AS • MIRACLE • SPÉCIMEN
Philippique . . . . DIATRIBE
Philosophe américain contemporain . . . . SEARLE
Philosophe et économiste britannique . . . . MILL
Philosophe et écrivain français mort
    en 1980 . . . . SARTRE
Philosophe et historien français mort
    en 1954 . . . . BERR
Philosophe et sociologue britannique . . . . SPENCER
Philosophe français né en 1900 . . . . EY
Philosophe . . . . PENSEUR
Philosopher . . . . RAISONNER
Philosophie de kant . . . . KANTISME
Philosophie . . . . IDEOLOGIE • PHILO
Phonation . . . . PHONIE
Phosphate hydraté naturel d'uranium . . . . URANITE
Phot . . . . PH
Photocopieur . . . . COPIEUR
Photographe américain mort
    en 1958 . . . . WESTON
Photographe français . . . . ATGET
Photo-roman . . . . CINEROMAN
Physicien allemand mort en 1928 . . . . WIEN
Physicien allemand mort en 1960 . . . . LAUE

Physicien allemand né en 1789 . . . . OHM
Physicien allemand . . . . LENARD
Physicien américain d'origine serbe . . . . PUPIN
Physicien autrichien mort en 1916 . . . . MACH
Physicien britannique . . . . ASTON
Physicien français . . . . BIOT • NÉEL
Physicien pakistanais, prix Nobel
   en 1979 . . . . SALAM
Physicienne française d'origine
   polonaise . . . . CURIE
Physionomie . . . . APPARENCE • FACE • FACIÈS
Phytophage . . . . HERBIVORE
Piaillard . . . . PIAILLEUR
Piailler . . . . COUINER • CRIAILLER • PIAULER
Piaillerie . . . . CAQUET
Pianiste français né en 1890 . . . . NAT
Pianoter . . . . TAPER • TAPOTER
Piastre . . . . DOLLAR
Piaule . . . . CHAMBRE • TAULE
Pibrock . . . . CORNEMUSE
Pic . . . . PIOCHE
Piccolo . . . . FLÛTE
Pichet . . . . BROC • CRUCHE
Picoler . . . . CUITER • PINTER
Picorer . . . . BEQUETER
Picotage . . . . PIQUETAGE
Picoter . . . . BEQUETER
Pic-vert . . . . PIVERT
Pièce centrale d'une roue . . . . MOYEU
Pièce cylindrique d'une pompe . . . . PISTON
Pièce cylindrique servant d'axe . . . . TOURILLON
Pièce cylindrique . . . . MANCHON
Pièce dans laquelle peut tourner un axe . . . . COUSSINET
Pièce d'armure couvrant la tête du cheval . . . . TÊTIÈRE
Pièce d'armure . . . . PLASTRON
Pièce d'artillerie . . . . CANON
Pièce de bœuf rôti . . . . ROSBIF
Pièce de bois . . . . CHEVRON • ESPAR
Pièce de bois cintrée constituant
   l'armature d'une selle . . . . ARÇON
Pièce de bois en forme de bouteille . . . . QUILLE

Pièce de bois qui fait avancer la chaloupe	RAME
Pièce de bois qui supporte la quille d'un navire	TIN
Pièce de bois servant d'appui	SOLE
Pièce de charpente	ARÊTIER • ÉTAI • LONGERON POTEAU •SOLIVE
Pièce de charpente horizontale	SOLIVE
Pièce de charpente oblique	LIERNE
Pièce de charpente placée dans le sens de la longueur	LONGRINE
Pièce de charrue	SOC
Pièce de fer coudée en équerre	GOND
Pièce de fer sur laquelle tourne une penture	GOND
Pièce de forte toile imperméabilisée	BÂCHE
Pièce de gaze hydrophile	COMPRESSE
Pièce de harnais	LICOU
Pièce de la charrue	SEP
Pièce de la serrure	PÊNE
Pièce de linge	LINGE • SERVIETTE
Pièce de literie	MATELAS • OREILLER
Pièce de métal	CRAMPON
Pièce de métal en forme d'angle	ÉQUERRE
Pièce de métal recourbée	CROCHET
Pièce de métal, de bois, percée d'un trou	ÉCROU
Pièce de musique	SONATE
Pièce de poésie	SONNET
Pièce de réception	SALON
Pièce de Shakespeare	HAMLET
Pièce de tissu	DRAP
Pièce de tissu léger dont on garnit un lit	DRAP
Pièce de tissu placée sous le drap	ALAISE • ALÈSE
Pièce de vaisselle dans laquelle on sert le potage	SOUPIÈRE
Pièce de vaisselle	ASSIETTE • BOL
Pièce de vers qui se chante	CHANSON
Pièce de viande	RÔTI
Pièce de viande enfilée sur un bâton	BROCHETTE
Pièce d'eau artificielle	BASSIN

Pièce d'eau où l'on conserve
le poisson vivant . . . . VIVIER
Pièce d'eau servant d'ornement . . . . BASSIN
Pièce d'entrée . . . . VESTIBULE
Pièce destinée à faire rire . . . . COMÉDIE
Pièce d'étoffe drapée . . . . SARONG
Pièce d'étoffe . . . . FICHU • VOILE
Pièce d'horlogerie . . . . MARTEAU
Pièce d'identité officielle . . . . PASSEPORT
Pièce du harnais . . . . BRIDE • MORS
Pièce du jeu d'échecs . . . . CAVALIER • DAME • REINE • TOUR
Pièce du loquet d'une porte . . . . CLENCHE
Pièce du train d'une voiture
à cheval . . . . ARMON
Pièce du violon où se fixent
les cordes . . . . CORDIER
Pièce d'un mécanisme . . . . RESSORT
Pièce en forme d'équerre . . . . ESCARRE
Pièce en sous-sol d'un bâtiment . . . . CAVE
Pièce entrant dans le goulot
des bouteilles . . . . BOUCHON
Pièce fixée parallèlement au mur . . . . LINÇOIR
Pièce formant la proue d'un navire . . . . ÉTRAVE
Pièce honorable de l'écu . . . . PAL
Pièce honorable en forme de V . . . . CHEVRON
Pièce horizontale de métal
qui soutient la maçonnerie . . . . LINTEAU
Pièce inférieure de l'appareil buccal . . . . LABIUM
Pièce instrumentale de composition libre . . . . RHAPSODIE
Pièce instrumentale . . . . POLKA • POLONAISE
Pièce littéraire, faite
de morceaux empruntés . . . . CENTON
Pièce longitudinale d'une brouette . . . . BRANCARD
Pièce maîtresse de charpente . . . . FAÎTAGE
Pièce maîtresse de la charrue . . . . AGE
Pièce mécanique pour imprimer
un mouvement de rotation . . . . MANIVELLE
Pièce métallique faisant contact . . . . PLOT
Pièce mobile d'une serrure . . . . PÊNE
Pièce musicale . . . . SOMMELIER
Pièce où l'on dort . . . . CHAMBRE

Pièce où l'on entrepose le vin	CELLIER
Pièce où l'on fait les salaisons	SALOIR
Pièce plate servant d'appui	SEMELLE
Pièce poétique simple et attendrissante	ROMANCE
Pièce porteuse d'un cintre	VAU
Pièce ronde et mince de métal, caoutchouc, etc...	RONDELLE
Pièce servant à produire une empreinte	ESTAMPE
Pièce servant à raccommoder les vêtements	TACON
Pièce servant de couvercle	OPERCULE
Pièce située à l'entrée	VESTIBULE
Pièce tragique de théâtre	DRAME
Pièce verticale du corps du gouvernail	SAFRAN
Pièce verticale sur le pont d'un navire	BITTE
Pièce vocale	MÉLODIE
Pièce	SALLE • TELEFILM
Pièces de monnaie	SOUS
Pièces mouvant les aiguilles d'une montre	CADRATURE
Pied de la plante	SOUCHE
Pied de vigne	CEP
Pied des champignons	STIPE
Pied menu	PETON
Pied	PANARD
Pied-de-loup	LYCOPE
Piédestal	SOCLE
Piédroit	JAMBAGE
Piège à rats	RATIERE
Piège destiné à attraper des oiseaux de passage	TENDERIE
Piège	ATTRAPE • EMBÛCHE FILET • GUÊPIER • HAMEÇON LACS • TRAPPE • TENDERIE
Pierraille	ROCAILLE
Pierre	BAUXITE • MARGELLE ROC • ROCHE • TRAVERTIN
Pierre calcaire dure	LIAIS
Pierre d'aigle	AÉTITE
Pierre d'argile cuite au four	BRIQUE
Pierre d'un bleu intense	LAPIS
Pierre dure, pour la construction des murs	CAILLASSE

Pierre fine bleue . . . . OUTREMER
Pierre fine d'un bleu azur . . . . LAPIS
Pierre fine . . . . AMÉTHYSTE • CAMAÏEU
CAMÉE • OPALE
Pierre plate utilisée comme dalle . . . . LAUSE
Pierre précieuse de teinte bleue . . . . SAPHIR
Pierre précieuse fendillée ou tâchée
de blanc . . . . GIVREUX
Pierre précieuse . . . . DIAMANT • RUBIS
Pierre qui ressemble au diamant . . . . ZIRCON
Pierre qui tient toute l'épaisseur
d'un mur . . . . PARPAING
Pierre semi-précieuse . . . . OPALE
Pierre semi-précieuse de couleur
vert clair . . . . PÉRIDOT
Pierre tendre et feuilletée . . . . ARDOISE
Pierreux . . . . PÉTRÉ
Piétinement . . . . RETARD
Piétiner . . . . FOULER
Piètre avocat . . . . AVOCAILLON
Piètre . . . . MÉDIOCRE • PITEUX
Pieu aiguisé à une extrémité . . . . PAL
Pieuse . . . . RELIGIEUSE
Pieuvre . . . . POULPE
Pieux . . . . CROYANT • DÉVOT • RELIGIEUX
Pièze . . . . PZ
Pif . . . . NASE • NAZE • NEZ
Pifer . . . . BLAIRER
Pigeon . . . . DUPE
Pigeon sauvage de couleur bise . . . . BISET
Pigeonnier en forme de tour . . . . COLOMBIER
Pigeonnier . . . . COLOMBIER
Pigment brun foncé . . . . MÉLANINE
Pigment jaune présent dans
le jaune d'œuf . . . . LUTÉINE
Pignocher . . . . CHIPOTER
Pilastre cornier . . . . ANTE
Pilastre . . . . COLONNE
Pilier . . . . COLONNE • POTEAU
PYLÔNE • SUPPORT
Pilier carré dans une construction . . . . PILASTRE

Pilier d'encoignure	ANTE
Pillage	RAVAGE • SAC
Pillage fait sur le territoire ennemi	RAZZIA
Pillard	PILLEUR
Piller	DÉVALISER • ÉCUMER • PLAGIER
Pilleur	PILLARD
Pilote d'un traversier	PASSEUR
Piloter	GOUVERNER • MENER
Piment doux de Hongrie	PAPRIKA
Piment doux	POIVRON
Piment fort	CHILE • CHILI
Pimenté	ÉPICÉ
Pimenter	ÉPICER
Pin cembro	AROL • AROLE
Pin montagnard	AROLE
Pin parasol	PIGNON
Pinacle	APOGÉE
Pince à deux branches	CLAMP
Pince à longs bras	DAVIER
Pinceau pour savonner la barbe	BLAIREAU
Pincement	SERREMENT
Pince-nez	BESICLES
Pincer	APPRÉHENDER • CUEILLIR • ÉPINGLER
Pinces de verrier	MORAILLES
Pinède	PINERAIE
Pingouin	GORFOU • GUILLEMOT
Pingre	AVARE • RAPIAT • REGARDANT
Pingrerie	AVARICE • RADINERIE
Pinne marine	NACRE
Pioche	PIC
Pioche à large fer	SAPE
Piocheur	TRAVAILLEUR
Piolet	PIC
Pionnier	COLON • PRÉCURSEUR
Pioupiou	TROUFION
Pipe	CALUMET
Pipe à haschisch	SHILOM
Pipe à long tuyau	CALUMET
Pipe orientale	NARGUILÉ
Pipeline	OLÉODUC • TUYAU
Pipi	URINE

Piquant au goût	ACIDE • ÂCRE
Piquant de certains végétaux	ÉPINE
Piquant	BARBELE • PÉNÉTRANT • VINAIGRE
Piqué par les vers	VERMOULU
Pique	INVECTIVE
Pique-assiette	LECHEUR • PARASITE
Piquer	CHAPARDER • FAUCHER
Piquer à plusieurs reprises	LARDER
Piquer avec le bec	BEQUETER
Piquer avec son bec pour se nourrir	BECQUETER
Piquer avec un dard	DARDER
Piquer d'ail	AILLER
Piquet	PIEU
Pirate, flibustier	FORBAN
Piraya	PIRANHA
Pirogue	CANOË
Pirouette	CABRIOLE • GAMBADE
Pis	MAMELLE • PIRE • TÉTINE
Pisciforme	ICHTYOÏDE
Pisé	BANCO
Piste aménagée pour les courses de lévriers	CYNODROME
Piste de patinage	PATINOIRE
Piste	CHEMIN • FOULÉE • TRACE
Pister	ÉPIER • FILER
Pistolet automatique de 9 mm	LUGER
Pistolet	COLT • REVOLVER
Piteux	PIÈTRE
Pitié	APITOIEMENT • BONTÉ COMPASSION • MERCI
Piton de roches dures	NECK
Pitonner	ZAPPER
Pitoyable	MÉDIOCRE • MINABLE • MISÉRABLE
Pitre de cirque	PAILLASSE
Pitrerie	SINGERIE
Pitrerie	CLOWNERIE
Pittoresque	TRUCULENT
Pivot	AXE
Pivoter	TOURNER
Placard	ANNONCE • PANCARTE • PENDERIE
Placarder	AFFICHER

Place abritée, peu exposée . . . . PLANQUE
Placé au-dessus du rein . . . . SURRÉNAL
Place bordée d'édifices publics . . . . AGORA
Placé dans une position oblique . . . . INCLINÉ
Placé en tête . . . . LIMINAIRE
Place forte . . . . FERTÉ
Place publique . . . . FORUM
Place située devant l'entrée
    d'une église . . . . PARVIS
Placé . . . . DISPOSÉ • MIS • SITUÉ
Place . . . . POSTE • SQUARE
Placée . . . . SISE
Placement . . . . MISE
Placer au centre . . . . CENTRER
Placer dans un endroit déterminé
    pour surveiller . . . . POSTER
Placer des jalons pour construire . . . . BORNOYER
Placer un dièse devant une note . . . . DIÉSER
Placer . . . . ARRANGER • CASER
                        DÉPOSER • METTRE • SITUER
Placide . . . . PAISIBLE
Placidité . . . . FLEGME
Placier . . . . PLACEUR
Plafond à caissons . . . . SOFFITE
Plafonner . . . . CULMINER
Plage . . . . LITTORAL
Plagiaire . . . . COPISTE • PILLEUR
Plagiat . . . . COPIE
Plaider . . . . INTERCÉDER
Plaideur . . . . AVOCAT
Plaie faite par une arme blanche . . . . SÉTON
Plaie sociale . . . . CHANCRE
Plaie . . . . LÉSION • ULCÈRE
Plaine crayeuse . . . . CHAMPAGNE
Plaine de l'est de la corse . . . . ALÉRIA
Plaine du Bas-Rhône . . . . CRAU
Plaine du N.-O. du Maroc . . . . RHARB
Plaine . . . . STEPPE
Plainte . . . . ACCUSATION • JÉRÉMIADE
Plaintif . . . . DOLENT
Plaintif et niais . . . . BÊLANT

Plaire	AGRÉER • SOURIRE
Plaisant	AMUSANT • AVENANT • SOURIANT
Plaisanter	BADINER • BLAGUER • CHINER
Plaisanterie burlesque	FACÉTIE
Plaisanterie désobligeante	VANNE
Plaisanterie moqueuse	LAZZI
Plaisanterie	BADINAGE • BOUTADE • FARCE FRIVOLITE • GALÉJADE JOYEUSETÉ • PITRERIE
Plaisantin	BLAGUEUR • FARCEUR FUMISTE • LOUSTIC
Plaisir extrême	DELICE
Plaisir physique intense	JOUISSANCE
Plaisir sexuel	VOLUPTÉ
Plaisir	DÉLICE • RÉGAL
Plaisirs	RIS
Plan incliné d'un toit	VERSANT
Plan incliné mobile	PASSERELLE
Plan	PROJET • STRATÉGIE
Planche	LATTE
Planche à découper	TRANCHOIR
Planche de bois	LATTE
Planche de labour	SILLON
Planche élastique sur laquelle on saute	TREMPLIN
Planche fine utilisée dans la construction	FRISETTE
Planche posée horizontalement	TABLETTE
Planche qu'on ajoute à une autre pour élargir un panneau	ALÈSE
Planche reproduisant en relief une image	CLICHE
Planche très épaisse	MADRIER
Planche, solive de sapin	SAPINE
Planchéier	PARQUETER
Plancher	PARQUET • PARTERRE • SOL
Plancher de charpente	PLATELAGE
Plancher élevé	ESTRADE
Plancher en béton armé	DALLE
Planchette à repasser	JEANNETTE
Planchette de bois	AIS
Planchettes jointes donnant un signal en claquant	CLAQUETTE

Planer	VOLER
Planète	JUPITER • LUNE • MARS MERCURE • NEPTUNE • PLUTON
Planète du système solaire	JUPITER • NEPTUNE • PLUTON SATURNE • URANUS • VÉNUS
Planquer	CACHER
Plant de vigne	CÉPAGE
Plantain d'eau aux tissus remplis d'air	ALISMA • ALISME
Plantation	PLANT
Plantation d'arbres forestiers	BOISEMENT
Plantation de pommiers	POMMERAIE
Plantation de riz	RIZIÈRE
Plantation de sapins	SAPINIÈRE
Plantation d'oliviers	OLIVERAIE
Plantation d'orangers	ORANGERAIE
Plante à bulbe à fleurs bleues	ENDYMION
Plante à bulbe	CROCUS
Plante à chair jaune	RUTABAGA
Plante à feuilles découpées	ACHE
Plante à feuilles dentées	ALOÈS
Plante à feuilles et bractées épineuses	CHARDON
Plante à feuilles palmées	CHANVRE • LUPIN
Plante à feuilles triangulaires	ARROCHE
Plante à fleurs blanchâtres	RÉSÉDA
Plante à fleurs disposées sur un spadice	ARUM
Plante à fleurs jaunes	COLZA • LAITERON
Plante à fleurs jaunes ou blanches	ALYSSE
Plante à fleurs ornementales	DAHLIA
Plante à fleurs pourpres	NIELLE
Plante à fleurs purpurines	BARDANE
Plante à fleurs velues	VELVOTE
Plante à grandes feuilles palmées	RICIN
Plante à grandes fleurs bleues dont on fait des tisanes	BOURRACHE
Plante à larges feuilles dont les tiges sont comestibles	RHUBARBE
Plante à nombreuses variétés	LAITUE
Plante à odeur forte	NÉPÈTE
Plante à petites fleurs en étoile	MORELLE
Plante à rhizome très développé	RÉGLISSE
Plante à rhizome tubéreux	CURCUMA

Plante à tubercules comestibles	CROSNE
Plante alimentaire	CÉLERI
Plante apre et toxique	ÉTHUSE
Plante aquatique à larges feuilles	NÉNUPHAR
Plante aquatique de haute taille	ROSEAU
Plante aquatique originaire d'Amérique	ÉLODÉE
Plante aquatique	ACORE • MACRE • NÉLOMBO
Plante aromatique du genre du thym	SERPOLET
Plante aromatique voisine de la menthe	ORIGAN
Plante aromatique	ANETH • CARDAMOME CERFEUIL • CUMIN • LAURIER LAVANDE • ORIGAN • ROMARIN
Plante au liquide irritant	ORTIE
Plante aux feuilles comestibles	OSEILLE
Plante aux fleurs décoratives	ASTER
Plante aux tiges traînantes	COURGE
Plante bulbeuse	AIL • LIS • NARCISSE
Plante bulbeuse à saveur piquante	AIL
Plante carnivore d'Amérique	DIONÉE
Plante carnivore des tourbières	DROSÉRA
Plante charnue	ORPIN • SEDUM
Plante commune dans les décombres	BARDANE
Plante considérée comme ancêtre mythique	TOTEM
Plante contenant du latex	LAITERON
Plante cryptogame	PRÊLE
Plante cultivée pour ses fleurs décoratives	ASTER
Plante cultivée pour ses fleurs ornementales	PAVOT
Plante cultivée pour ses racines odorantes	VÉTIVER
Plante cultivée pour ses tubercules comestibles	TARO
Plante cultivée pour son feuillage décoratif	BÉGONIA
Plante cultivée surtout pour ses racines	RADIS
Plante cultivée	CÉRÉALE • POIS

Plante d'Amérique tropicale	BÉGONIA
Plante d'appartement d'origine tropicale	FICUS
Plante de goût acide	SURELLE
Plante de la famille des composées	HELIANTHE
Plante de la famille des graminacées	GRAMINÉE
Plante de la famille des orchidacées	ORCHIDÉE
Plante de la famille des rosacées	SPIRÉE
Plante de l'Asie tropicale	RAMIE
Plante de montagne	ARNICA
Plante des bois et des haies	VIOLETTE
Plante des bois humides	PIROLE
Plante des bords de l'eau	CAREX
Plante des herbages humides	CARDAMINE
Plante des lieux humides	AUNÉE • PRÊLE
Plante des marais	ACORE
Plante des marais, à baies rouges	CALLA
Plante des prairies	CARVI
Plante des prés humides	CARDAMINE
Plante des prés vivace	RUE
Plante des régions chaudes	DRACENA
Plante des régions désertiques	ALOÈS
Plante des régions tempérées	OROBE
Plante des régions tropicales	MANIOC
Plante dicotylédone herbacée	LYCOPE
Plante dicotylédone	ANIS
Plante dont la racine est comestible	PANAIS
Plante dont la racine produit une teinture rouge	GARANCE
Plante dont la racine sert à fabriquer une confiserie	RÉGLISSE
Plante dont les fleurs se tournent vers le soleil	TOURNESOL
Plante dont les grains servent à l'alimentation	CÉRÉALE
Plante dont l'une des variétés est le fenouil	ANETH
Plante dont on fait des infusions	VERVEINE
Plante dont on nourrit les oiseaux	PLANTAIN
Plante dont on utilise la fibre comme textile	LIN
Plante d'origine mexicaine	AGAVE

Plante du bord des étangs . . . . ROSEAU
Plante du littoral africain . . . . LOTUS
Plante fourragère graminée
   des prés et des bois . . . . FETUQUE
Plante fourragère herbacée . . . . CRÉTELLE
Plante fourragère . . . . LUZERNE
Plante graminée . . . . AVOINE
Plante grasse à rameaux épineux . . . . OPONCE
Plante grasse de l'Amérique tropicale . . . . CIERGE
Plante grimpante à fleurs en bouquet . . . . CLEMATITE
Plante grimpante à grandes
   fleurs bleues . . . . COBÉE
Plante grimpante aux baies rutilantes . . . . TAMIER
Plante grimpante cultivée pour
   ses graines . . . . POIS
Plante grimpante dont le fruit
   est la vanille . . . . VANILLIER
Plante grimpante . . . . GESSE • HOUBLON • LIANE
Plante herbacée à feuilles vertes . . . . PIROLE
Plante herbacée à fleurs blanches . . . . SAGINE • SAMOLE
Plante herbacée à fleurs bleues . . . . VERONIQUE
Plante herbacée à fleurs en épis . . . . MOLÈNE
Plante herbacée à fleurs jaunes . . . . ANÉMONE
Plante herbacée à fleurs roses . . . . GÉRANIUM • VALÉRIANE
Plante herbacée à fleurs sans corolle . . . . ANÉMONE
Plante herbacée à fleurs violettes . . . . GLAÏEUL • LUZERNE
Plante herbacée à grandes
   fleurs décoratives . . . . GLAÏEUL
Plante herbacée à racine bulbeuse . . . . TULIPE
Plante herbacée à tige volubile . . . . LISERON
Plante herbacée à variétés
   ornementales . . . . SILÈNE
Plante herbacée annuelle ou vivace . . . . ŒILLET
Plante herbacée annuelle . . . . ERS • LAITUE
Plante herbacée appelée aussi œillet . . . . TAGÈTE
Plante herbacée aromatique . . . . ARMOISE
Plante herbacée aux feuilles cendrées . . . . CINÉRAIRE
Plante herbacée des pays tropicaux . . . . SORGHO
Plante herbacée des régions chaudes . . . . SANICLE
Plante herbacée exotique . . . . NARD
Plante herbacée odorante . . . . MENTHE

Plante herbacée ornementale . . . . PÉTUNIA
Plante herbacée rampante. . . . . CONCOMBRE
Plante herbacée rudérale . . . . MÉLILOT
Plante herbacée très aromatique . . . . MENTHE
Plante herbacée tropicale. . . . . TACCA
Plante herbacée vénéneuse . . . . BELLADONE
Plante herbacée vivace. . . . . ELLÉBORE • LIS • LYS
Plante herbacée . . . . ALFA • ANCOLIE • ARUM • ASPERGE
BLÉ • BROME • CAREX • CRESSON
CROCUS • DRAVE • ÉPIAIRE • FENOUIL
FÉRULE • GESSE • GINGEMBRE
LENTILLE • LIN • LINAIRE • LUPIN
MAUVE • MOUTARDE • ORGE
ORTIE • PANIC • PAVOT • PISSENLIT
SPIRÉE • TRÈFLE • VESCE
Plante indienne dont l'odeur
éloigne les insectes . . . . VÉTIVER
Plante insectivore. . . . . DROSÉRA
Plante légumineuse annuelle . . . . FÈVE
Plante légumineuse
d'origine exotique . . . . SOJA
Plante ligneuse aromatique . . . . THYM
Plante malodorante. . . . . ACTÉE
Plante médicinale . . . . BOURRACHE
Plante mellifère, herbacée et aromatique . . . . MELISSE
Plante nuisible aux cultures . . . . CHIENDENT
Plante odorante des régions
méditerranéennes. . . . . FÉRULE
Plante odoriférante et amère. . . . . ABSINTHE
Plante oléagineuse . . . . SÉSAME
Plante oléagineuse grimpante . . . . SOJA
Plante ombellifère, herbacée . . . . ACHE
Plante originaire de l'Inde. . . . . SÉSAME
Plante originaire du Moyen-Orient . . . . CUMIN
Plante ornementale à belles fleurs . . . . HIBISCUS
Plante ornementale de la famille
des crucifères . . . . JULIENNE
Plante ornementale dont le fruit
éclate au toucher. . . . . BALSAMINE
Plante ornementale méditerranéenne . . . . ACANTHE
Plante ornementale . . . . DAHLIA • JASMIN • TAGÈTE

Plante ou animal résultant d'un croisement	HYBRIDE
Plante potagère à odeur forte	AIL
Plante potagère à racine charnue	BETTERAVE
Plante potagère à racines comestibles	NAVET
Plante potagère annuelle	TOMATE
Plante potagère aromatique	ESTRAGON
Plante potagère aux feuilles vertes	ÉPINARD
Plante potagère cucurbitacée	CONCOMBRE
Plante potagère cultivée pour ses fruits allongés	CONCOMBRE
Plante potagère dont on mange le pied	POIREAU
Plante potagère du genre de l'artichaut	CARDON
Plante potagère feuillue	SALADE
Plante potagère que l'on mange crue	VERDURE
Plante potagère tropicale	GOMBO
Plante potagère vivace	ARTICHAUT
Plante potagère	AGÉRATE • ARTICHAUT • CÉLERI CHOU • COURGE • OIGNON • PERSIL PIMENT • RADIS • RAIPONCE
Plante qui contient un alcaloïde toxique	TABAC
Plante qui croît dans les marais	SCIRPE • SAMOLE
Plante qui s'apparente au navet	RUTABAGA
Plante sauvage herbacée, appelée aussi petite bardane	LAMPOURDE
Plante sauvage très commune	GÉRANIUM
Plante sauvage	CARVI
Plante submergée dans les eaux stagnantes	LENTICULE
Plante textile	CHANVRE
Plante tropicale	TARO
Plante utilisée comme condiment	RAIFORT
Plante vasculaire qui croît surtout dans les bois	FOUGERE
Plante vénéneuse de la famille des ombellifères	CIGUË
Plante vénéneuse des régions montagneuses	ACONIT
Plante vénéneuse	ACONIT
Plante vivace à feuilles en éventail	ELLÉBORE

Plante vivace à rhizome épais . . . . PHORMION
Plante vivace à tige volubile . . . . HOUBLON
Plante vivace des bois . . . . ACTÉE
Plante vivace des montagnes . . . . ARNICA
Plante vivace rampante . . . . THYM
Plante vivace . . . . ASPERGE
Plante voisine de la betterave . . . . BETTE
Plante voisine de la gesse . . . . OROBE
Plante voisine du chou . . . . COLZA
Plante voisine du navet . . . . RAVE
Plante volubile . . . . LISERON
Plante . . . . ARBRE • VÉGÉTAL
Planter . . . . ENFONCER • FICHER • POSER
Planter de nouveau . . . . REPLANTER
Planter des arbres sur un
    terrain déboisé . . . . REBOISER
Plantes ayant des fleurs
    hermaphrodites . . . . POLYGAMIE
Plantureux . . . . OPULENT
Plaque blasonnée servant d'enseigne . . . . ÉCUSSON
Plaque de bois . . . . ÉCLISSE
Plaque de neige isolée . . . . NÉVÉ
Plaque de terre cuite . . . . TUILE
Plaque destinée au pavement du sol . . . . DALLE
Plaque mobile à charnière . . . . MORAILLON
Plaque portante . . . . PLATINE
Plaquer . . . . LÂCHER
Plaques à lames dentelées pour panser
    les chevaux . . . . ETRILLE
Plasma . . . . SÉRUM
Plastronner . . . . PARADER
Plat basque composé d'œufs battus . . . . PIPERADE
Plat composé de viande et de
    haricots blancs . . . . CASSOULET
Plat de légumes bouillis . . . . PISTOU
Plat de viande, de légumes . . . . RAGOÛT
Plat d'origine italienne . . . . RAVIOLI
Plat d'origine suisse . . . . FONDUE
Plat dressé sous de la gelée moulée . . . . ASPIC
Plat espagnol . . . . PAELLA
Plat fait de morceaux de viande . . . . TAGINE

Plat hongrois . . . . GOULACHE
Plat italien composé de riz, tomates
  et parmesan . . . . RISOTTO
Plat italien . . . . LASAGNE
Plat servi avant la viande . . . . ENTRÉE
Plat valaisan au fromage . . . . RACLETTE
Plat . . . . LEGUMIER • METS • PLATEAU
Plat, uni . . . . PLAN
Plateau formé par les restes
  d'une coulée volcanique . . . . MÉSA
Plateau herbeux en Afrique du Sud . . . . VELD
Plateau pour découper la viande . . . . TAILLOIR
Plateau tournant sur une scène
  de théâtre . . . . TOURNETTE
Plateau . . . . PLAT • SCÈNE
Plateforme dans un escalier . . . . PALIER
Plateforme . . . . PERRON • PLATEAU
                                        SOCLE • TERRASSE
Plate-forme . . . . TABLIER
Platine . . . . PT
Platitude . . . . FADEUR
Plâtrer . . . . CREPIR
Plausible . . . . ADMISSIBLE
Plèbe . . . . POPULACE • RACAILLE
Plébéien . . . . PROLÉTAIRE • ROTURIER
Plein d'attentions, vigilant . . . . ATTENTIF
Plein de boue . . . . BOUEUX
Plein de fange . . . . FANGEUX
Plein de prévenance . . . . EMPRESSÉ
Plein de vie . . . . VIVANT
Plein de violence . . . . VIRULENT
Plein d'esprit d'invention . . . . INGÉNIEUX
Plein d'un enthousiasme de poète . . . . LYRIQUE
Plein . . . . BONDÉ • FARCI • PÉTRI
Plénitude . . . . KIEF
Pleur . . . . LARME
Pleurard . . . . PLEUREUR
Pleurer . . . . REGRETTER
Pleurer, se plaindre . . . . CHIALER
Pleurnichard . . . . GEIGNARD • GNANGNAN
Pleurnicher . . . . PLEURER

Pleurnicher	SANGLOTER
Pleurnicheur	GEIGNARD • LARMOYANT PLEUREUR
Pleuvoir à verse	ROILLER
Pleuvoir à verse, en Belgique	DRACHER
Pleuvoir finement	PLEUVINER • PLUVINER
Pleuvoir	FLOTTER
Pleuvoter	CRACHINER
Pli de la peau provoqué par le vieillissement	RIDE
Pli	BOURRELET • RIDULE
Pli, aux cartes	LEVÉE
Pliage	PLIEMENT • PLIURE
Plier	COUDER • FLÉCHIR • PLOYER
Plioir à lignes de pêche	DÉVIDOIR
Plissé	PLISSURE
Plisser	FRAISER • FRONCER • RIDER
Ploc	PLOUF
Ploiement	PLIEMENT
Plomb	GRENAILLE • PB • SATURNE
Plombagine	GRAPHITE
Plongé dans les ténèbres	TENEBREUX
Plongé dans une profonde tristesse	CONTRISTÉ
Plongeoir	TREMPLIN
Plonger dans un liquide très chaud	POCHER
Plongeur	LAVEUR
Plouc	PEQUENAUD
Plouf	FLOC • PLOC
Ployer	FLÉCHIR
Pluie battante, averse	DRACHE
Pluie fine et persistante	CRACHIN
Pluie fine et serrée	CRACHIN
Pluie soudaine	GIBOULÉE • ONDÉE
Pluie torrentielle	TROMBE
Pluie	AVERSE
Plumage	PLUMAISON
Plumard	LIT
Plumeau	BALAYETTE
Plumes qui servent à diriger le vol des oiseaux	RECTEUR
Plus bas, ci-dessous	INFRA

Plus doué que la moyenne	SURDOUÉ
Plus d'un	PLUSIEURS
Plus grand	ACCRU
Plus grand, plus considérable	MAJEUR
Plus loin que	DELÀ
Plus mal	PIS
Plus mauvais	PIRE • PIS
Plus nuisible	PIRE
Plus petit en dimension	MOINDRE
Plus tard	DEMAIN • ENSUITE
Plus	DAVANTAGE • ENCORE
Plutonium	PU
Plutôt gentil	GENTILLET
Plutôt grand	GRANDET
Pneumatique	PNEU
Pochard	POIVROT • SOULARD
Poche entre la joue et la mâchoire	ABAJOUE
Poche pour ranger un ensemble d'objets	TROUSSE
Poche	SAC
Podium	ESTRADE
Podomètre	ODOMETRE
Poème à forme fixe du Moyen Âge	RONDEAU
Poème court	POÉSIE
Poème de douze vers	DOUZAIN
Poème destiné à être chanté	ODE
Poème lyrique	ÉLÉGIE • LAI • ODE
Poème lyrique religieux	STANCE
Poème mis en musique	CANTATE
Poème moral ou satirique	SIRVENTÈS
Poème narratif	LAI
Poème pastoral	BUCOLIQUE
Poème	SONNET
Poésie	LYRISME • MUSE • SEPTAIN
Poète allemand né en 1751	VOSS
Poète américain mort en 1963	FROST
Poète autrichien	LENAU
Poète canadien d'expression française né en 1889	MORIN
Poète celtique	BARDE
Poète épique et récitant	AÈDE
Poète français mort en 1951	CADOU

Poète français mort en 1959 . . . . PÉRET
Poète français prénommé Jean . . . . RACINE
Poète grec de l'époque primitive . . . . AÈDE
Poète hongrois . . . . ADY
Poète italien mort en 1535 . . . . BERNI
Poète italien né en 1883 . . . . SABA
Poète italien . . . . MARINO
Poète lyrique de langue d'oïl . . . . TROUVÈRE
Poète lyrique grec . . . . ALCÉE • ARION
Poète médiéval . . . . TROUVÈRE
Poète persan . . . . ATTAR
Poète sans inspiration . . . . RIMEUR
Poétesse française morte en 1967 . . . . NOËL
Poétique . . . . LYRIQUE
Pognon . . . . FRIC
Poids . . . . AUTORITÉ • LEST
LOURDEUR • PESANTEUR
Poids et monnaie usités dans
l'Orient ancien . . . . SICLE
Poids supplémentaire excessif . . . . SURCHARGE
Poignant . . . . DÉCHIRANT • TOUCHANT
Poignard . . . . COUTEAU • SURIN
Poignard à lame sinueuse . . . . CRISS
Poignard à lame triangulaire très effilée . . . . STYLET
Poignard turc . . . . KANDJAR
Poigne . . . . AUTORITÉ
Poignée . . . . ANSE
Poil de la chèvre angora . . . . MOHAIR
Poil de la tête chez l'homme . . . . CHEVEU
Poil long et rude . . . . CRIN
Poil rude du porc . . . . SOIE
Poil . . . . BARBE • CIL • PELAGE
Poils au-dessus de l'orbite . . . . SOURCIL
Poils qui suivent l'arcade sourcilière . . . . SOURCIL
Poilu . . . . CHEVELU • VELU
Poinçon pour écarter les torons . . . . ÉPISSOIR
Poinçon servant à percer le cuir . . . . ALÈNE
Poinçon . . . . ALÈNE • ÉTAMPE
TIMBRE • TRACERET
Poinçonnage . . . . PERFORAGE
Poinçonner . . . . PERCER

Poindre	PARAÎTRE
Point	PAS • SUJET
Point cardinal	EST • NORD • OUEST • SUD
Point culminant des Pyrénées	ANETO
Point culminant du Canada	LOGAN
Point culminant du globe	EVEREST
Point culminant du Jura	NEIGE
Point culminant	ACMÉ • ZÉNITH
Point de croyance	DOCTRINE
Point de la sphère céleste	NADIR
Point de vue	OPTIQUE
Point noir au centre d'une cible	MOUCHE
Pointage	CONTRÔLE • SCORE
Pointe à tracer	TRACERET
Pointe de terre	CAP
Pointe extrême d'une digue	MUSOIR
Pointe recourbée du tarse	ERGOT
Pointé	PARU
Pointer	BRANDIR • PARAÎTRE POUSSER • VISER
Pointillage	POINTILLE
Pointilleuse	TATILLONNE
Pointilleux	TATILLON
Pointillisme	TACHISME
Pointilliste	TACHISTE
Pointu	AIGU • PIQUANT
Poire à deux valves	ÉNÉMA
Poire à la peau rougeâtre	ROUSSELET
Poire utilisée pour le lavage du conduit auditif	ÉNÉMA
Poireauter	PAUSER
Poison végétal paralysant	CURARE
Poison végétal	UPAS
Poison violent	ARSENIC
Poison	CIGUË • TOXIQUE
Poisse	DÉVEINE • MALCHANCE
Poisseux	CRASPEC • VISQUEUX
Poisson à corps plat prolongé d'amples nageoires	TRANCHOIR
Poisson à flancs tachetés de noir	GONNELLE
Poisson à long barbillon	ROUGET

Poisson à reflets dorés	DAURADE
Poisson à ventre argenté	HARENG
Poisson abondant dans la Manche	SPRAT
Poisson apprécié pour sa chair délicate	TANCHE
Poisson au corps effilé	LANÇON
Poisson au corps long et plat	BRÈME
Poisson aux nageoires en forme d'ailes	PÉGASE
Poisson aux nageoires épineuses	VIVE
Poisson carnivore d'eau douce	BROCHET
Poisson comestible	GARDON • GRONDIN LABRE • SAR
Poisson connu sous le nom de chien de mer	SQUALE
Poisson cuit dans un court-bouillon	BLAFF
Poisson cyprinidé	TANCHE
Poisson de fonds rocheux	MURÈNE
Poisson de grande taille	THON
Poisson de la méditerranée	GIRELLE • SÉBASTE
Poisson de mer	CONGRE • ÉGLEFIN • HARENG MERLU • PAGRE
Poisson de mer appelé aussi lieu noir	COLIN
Poisson de mer couvert d'appendices et d'épines	BAUDROIE
Poisson de mer de la famille des gadidés	CAPELAN
Poisson de mer plat	BARBUE
Poisson de petite taille	BLENNIE • TACAUD
Poisson de rivière	BARBOTE • BARBOTTE
Poisson de roche	ROCHIER
Poisson d'eau douce à corps allongé	ANGUILLE
Poisson d'eau douce voisin du saumon	OMBLE
Poisson d'eau douce	BLENNIE • BRÈME • BROCHET GARDON • HOTU • IDE • LOTE LOTTE • PERCHE • TÉTRA
Poisson des côtes d'Europe occidentale	MERLAN

Poisson des fleuves de l'Inde	CLARIAS
Poisson des lacs alpins	FÉRA
Poisson des mers chaudes	MÔLE
Poisson des mers froides	LUMP
Poisson des récifs coralliens	SCARE
Poisson des régions chaudes	TARPON
Poisson du genre corégone	BONDELLE
Poisson du genre labre	TOURD
Poisson du lac Léman	FÉRA
Poisson exotique d'eau douce	TÉTRA
Poisson féroce	REQUIN
Poisson fusiforme	MAQUEREAU
Poisson gluant	LOTE • LOTTE
Poisson long et mince	MURÈNE
Poisson long et mince qui s'enfouit dans le sable	EQUILLE
Poisson marin à chair estimée	BARBUE
Poisson marin comestible	DAURADE • DORADE
Poisson marin vorace	BAR
Poisson marin	ALOSE • CONGRE • ÉPERLAN GRONDIN • LABRE • TURBOT
Poisson migrateur à chair estimée	SAUMON
Poisson osseux aussi appelé gardon rouge	ROTENGLE
Poisson osseux comme la morue	MERLAN • MERLU
Poisson osseux de l'Atlantique	SCIÈNE
Poisson osseux des mers tropicales	SCARE
Poisson osseux	LUMP • MÉROU
Poisson plat	FLET • PLIE • RAIE • SOLE
Poisson plat à chair très estimée	TURBOT
Poisson plat à la chair peu estimée	FLET
Poisson plat des fonds marins	RAIE
Poisson plat des mers froides	FLÉTAN
Poisson portant des épines	ÉPINOCHE
Poisson pouvant respirer hors de l'eau	CLARIAS
Poisson proche de la morue	ÉGLEFIN
Poisson salmonidé	OMBLE
Poisson sélacien	REQUIN
Poisson téléostéen de petite taille	LORICAIRE
Poisson vivant en bancs sur les côtes atlantiques	ROUSSEAU

Poisson voisin de la dorade . . . . PAGRE
Poisson voisin de la perche . . . . SANDRE
Poisson voisin de la raie . . . . TORPILLE
Poisson voisin de la sardine . . . . ALOSE
Poisson voisin du hareng . . . . SARDINE
Poisson voisin du saumon . . . . ÉPERLAN • OMBRE • TRUITE
Poisson voisin du thon . . . . PÉLAMIDE
Poisson vorace . . . . PIRANHA
Poisson . . . . SOLE • THON • TRUITE
Poitrail . . . . POITRINE
Poitrine des femmes . . . . BUSTE
Poitrine d'une femme . . . . GORGE
Poitrine humaine . . . . POITRAIL
Poitrine . . . . SEIN • TORSE
Poivrier grimpant originaire
    de Malaisie . . . . BÉTEL
Poivrier qui pousse en Polynésie . . . . KAVA
Poivron . . . . PIMENT
Poivrot . . . . IVROGNE • POCHARD • SOULARD
Pôle . . . . TRINGLE
Polémique . . . . CONTROVERSE • DÉBAT • DIFFÉREND
Poli . . . . AFFABLE • LISSE • LUISANT
Police militaire se l'Allemagne nazie . . . . SS
Police . . . . ROUSSE
Policier corrompu . . . . RIPOU
Policier . . . . BOURRE • FLIC • POULET
Poliment . . . . GALAMMENT
Polir . . . . LIMER • PONCER
Polir à la molette . . . . MOLETER
Polir avec la ripe . . . . RIPER
Polir avec un abrasif pulvérulent . . . . ÉGRISER
Polir de nouveau . . . . REPOLIR
Polir par frottement . . . . ÉGRISER
Polisson . . . . GARNEMENT
Politesse . . . . AFFABILITÉ • BIENSÉANCE
                                    ÉDUCATION • URBANITÉ
Politesse exagérée . . . . COURBETTE
Polluer . . . . SOUILLER • VICIER
Polochon . . . . TRAVERSIN
Poltron . . . . CAPON • COUARD • LÂCHE
                                    PEUREUX • PLEUTRE

Poltronnerie	COURADISE • LÂCHETÉ
Polyandrie	BIGAMIE
Polychlorure de vinyle	PVC
Polyèdre à cinq faces	PENTAÈDRE
Polyèdre à quatre faces triangulaires	TÉTRAÈDRE
Polyester	ESTER
Polygamie	BIGAMIE
Polygone à cinq côtés	PENTAGONE
Polygone à huit côtés	OCTOGONE
Polygone à six côtés et six angles	HEXAGONE
Polygone à trois côtés	TRIANGLE
Polype	TUMEUR
Polypier à support calcaire	CORAIL
Polytechnicien	CARVA • PIPO
Polytonal	BITONAL
Pommade	ONGUENT
Pomme de pin	PIGNE
Pomme de terre	PATATE
Pomme de terre à peau rose	ROSEVAL
Pomme de terre allongée	RATTE
Pomme	API • REINETTE
Pommes de terre frites	CHIPS
Pompe	CROQUENOT • SOLENNITÉ
Pompette	ÉMÉCHÉ
Pompeux	AMPOULÉ • FASTUEUX
	RONFLANT • TRIOMPHAL
Pompier	SAPEUR
Ponceau	PONT
Poncer	POLIR
Ponctualité	ASSIDUITÉ • RÉGULARITÉ
Ponctuel	ASSIDU
Ponctuellement	ASSIDÛMENT • RECTA
Ponctuer	SCANDER
Pondération	SAPIENCE
Pondéré	MODÉRÉ
Pondéré, réfléchi	RASSIS
Pondérer	MODÉRER • TEMPERER
Pont étroit réservé aux piétons	PASSERELLE
Pont flottant	PONTON
Pont supérieur d'un navire	TILLAC
Pont	VIADUC

Ponte des œufs par la femelle
des poissons . . . . FRAI
Ponte. . . . . BONZE
Pontife . . . . BONZE • PAPE
Pontifiant . . . . DOCTORAL
Pontifical . . . . PAPAL
Pontifier . . . . PÉRORER
Popote . . . . CANTINE • MESS
Populace misérable . . . . RACAILLE
Populace . . . . PLÈBE
Populacier . . . . VULGAIRE
Populaire . . . . POPULEUX
Popularité . . . . VOGUE
Population d'arrivée récente
dans un pays . . . . ALLOGENE
Population d'une ruche . . . . RUCHEE
Population . . . . NATION • PEUPLE
Populo . . . . POPULACE
Poque . . . . TALURE
Porc mâle qui sert à la reproduction . . . . VERRAT
Porc sauvage . . . . SANGLIER
Porc . . . . POURCEAU
Porcelaine . . . . VAISSELLE
Porcelet . . . . COCHONNET
Pore . . . . ORIFICE
Poreux . . . . PERMÉABLE
Porridge . . . . BOUILLIE
Port bien abrité . . . . HIVERNAGE
Port d'Allemagne . . . . EMDEM
Port de Finlande . . . . OULU • PORI • VAASA
Port de Grande-Bretagne . . . . BRISTOL
Port de la Corée du Nord . . . . NAMPO
Port de la Corée du Sud . . . . PUSAN • ULSAN
Port de la Guinée équatoriale . . . . BATA
Port de l'Inde . . . . SURAT
Port de l'Indonésie . . . . MEDAN
Port de l'Iran . . . . ABADAN
Port de Sicile . . . . MARSALA
Port de Tanzanie . . . . TANGA
Port de Tunisie . . . . GABES • SOUSSE
Port d'Égypte . . . . SUEZ

Port des Baléares . . . . MAHON
Port des États-Unis . . . . ÉRIÉ • TAMPA
Port d'Espagne . . . . HUELVA • VIGO
Port d'Indonésie . . . . MANADO
Port d'Irlande . . . . CORK
Port d'Italie . . . . ANZIO • BARI • CEFALU • GAETE
GELA • TARENTE • TRIESTE
Port du Brésil . . . . NATAL • SANTOS
Port du Chili septentrional . . . . ARICA
Port du Costa Rica . . . . LIMON
Port du Danemark . . . . ODENSE
Port du Ghana . . . . TEMA
Port du Japon . . . . AOMORI • BEPPU • KOBE
NAGOYA • OTARU • UBE
Port du Maroc . . . . AGADIR • SAFI • TANGER
Port du Nord du Liban . . . . TRIPOLI
Port du Portugal . . . . FARO • PORTO
Port du Yémen . . . . ADEN
Port d'Ukraine . . . . ODESSA
Port et banlieue industrielle d'Athènes . . . . PIRÉE
Port et centre industriel du Japon . . . . CHIBA
Port et ville de Grèce . . . . VOLOS
Port fluvial de l'Uruguay . . . . SALTO
Port, station balnéaire de Bulgarie . . . . VARNA
Portable . . . . PORTATIF
Portage . . . . TRANSPORT
Portail . . . . PORTE
Portatif . . . . PORTABLE
Porte à battant . . . . PORTILLON
Porté à la licence dans ses manières . . . . POLISSON
Porte arrière d'un véhicule . . . . HAYON
Porte de panneau arrière
    d'une automobile . . . . HAYON
Porte d'un train . . . . PORTIÈRE
Porte d'une maison . . . . HUIS
Porte d'une voiture . . . . PORTIÈRE
Porte le numéro atomique 100 . . . . FERMIUM
Porte monumentale . . . . PORTAIL
Porté naturellement à . . . . ENCLIN
Porte principale de grande largeur . . . . PORTAIL
Porté . . . . ENCLIN

Porte	HUIS • LOURDE
Porte-bonheur	AMULETTE • FÉTICHE
	MASCOTTE • TALISMAN
Portée d'une poutre de plancher	TRAVÉE
Portée	ACCEPTION
Portefaix qui charge et décharge les gabares	GABARIER
Portefeuille diversifié de valeurs immobilières	SICAV
Portemanteau	PATÈRE
Porte-monnaie	BOURSE • RÉTICULE
Porter à son maximum	MAXIMISER
Porter assistance à	SECOURIR
Porter avec soi en un lieu	APPORTER
Porter d'un lieu à un autre	TRANSPORTER
Porter envie à	JALOUSER
Porter l'estocade au taureau	ESTOQUER
Porter un coup	ASSENER
Porter un jugement défavorable ou erroné	MEJUGER
Porter un jugement prématuré	PREJUGER
Porter vers le haut	ÉLEVER
Porter	APPORTER
Porteur en Extrême-Orient	COOLIE
Porteur	MESSAGER
Porteur, dans les expéditions himalayennes	SHERPA
Porte-voix de marin	GUEULARD
Portion	DOSE • FRACTION • LOT • PART
	PARTIE • RATION • SEGMENT
Portion congrue	PREBENDE
Portion de l'axe d'une courbe	ABSCISSE
Portion de roche englobée à la masse rocheuse	ENCLAVE
Portion d'intérêt	DIVIDENDE
Portion du gros intestin	CÔLON
Portion du littoral	ESTRAN
Portion d'un cours d'eau entre deux chutes	BIEF
Portion d'un espace	COIN
Portion d'une chose	QUARTIER

Portion moyenne du gros intestin . . . . CÔLON
Portique ornemental des temples
  au Japon . . . . TORII
Portique . . . . COLONNADE
Portrait . . . . EFFIGIE • PEINTURE
Portune . . . . ETRILLE
Poser de nouveau . . . . REPOSER
Poser des questions . . . . QUESTIONNER
Poser une mèche dans une plaie
  pour drainer . . . . MECHER
Poser . . . . ATTERRIR • METTRE
Positif . . . . FORMEL
Positif, réel . . . . EXISTANT
Position . . . . DEGRÉ • LIEU • PLACE • POSE
                    POSTE • POSTURE • RANG
Position politique des unionistes . . . . UNIONISME
Posologie . . . . DOSE
Posséder . . . . AVOIR • DÉTENIR • ROULER • TENIR
Possesseur . . . . DÉTENTEUR • PROPRIÉTAIRE
Possessif . . . . LEUR • MON • NOTRE • SIEN
          SIENNE • SON • TIEN • TON • VOTRE
Possession . . . . PROPRIÉTÉ
Possibilité d'être partout à la fois . . . . UBIQUITÉ
Possibilité . . . . VIRTUALITÉ
Possible . . . . FACILE • POTENTIEL
                 POTENTIELLE •VIRTUEL
Posté . . . . CAMPÉ
Poste de pilotage d'un avion . . . . HABITACLE
Poste de surveillance . . . . MIRADOR
Poste de télévision . . . . TÉLÉ
Poste d'observation et de guet . . . . MIRADOR
Poste récepteur . . . . RADIO
Poste . . . . FONCTION
Postérieur . . . . BABA • CUL • DERRIÈRE • ULTÉRIEUR
Postérité . . . . DESCENDANCE
Post-scriptum . . . . P-S
Postulant . . . . CANDIDAT • PRÉTENDANT
Postuler . . . . SOLLICITER
Posture de yoga . . . . ASANA
Posture . . . . POSITION
Pot à bière . . . . BOCK

Pot de terre	TÊT
Pot destiné aux salaisons	SALOIR
Potable	BUVABLE • PASSABLE
Potache	COLLEGIEN
Potage	JULIENNE • SOUPE
Potage à l'ail	TOURIN
Potage d'origine espagnol	GASPACHO
Potage espagnol	GASPACHO
Potage provençal	PISTOU
Potager	CLOS • PLANTATION
Potasser	BACHOTER
Potassium	KALIUM
Pot-au-feu	BOUILLI
Pote	AMI • COPAIN
Poteau	COLONNE • PIEU
Poteau où étaient exposés certains délinquants	PILORI
Poteau où était exposé le condamné	PILORI
Poteau servant à porter quelque chose	MÂT
Potée de viandes et de légumes	OILLE
Potée	BOUILLI
Potelé	CHARNU • DODU • RONDELET
Potelée	RONDELETTE
Potence	GIBET
Potentialité	POSSIBILITÉ • VIRTUALITÉ
Potentiel	VIRTUEL
Potentielle	VIRTUELLE
Poterie de terre	FAÏENCE
Potier	CERAMISTE
Potion	BREUVAGE
Pot-pourri	CENTON
Pou	TOTO
Pouah	FI
Pouah!	BERK
Pouding	PUDDING
Poudre de toilette	VELOUTINE
Poudre fine	POUSSIÈRE
Poudre produite par les étamines des plantes à fleurs	POLLEN
Poudre	TALC

Poudré	TALQUE
Poudrer	ENNEIGER
Pouffiasse	GRELUCHE • GROGNASSE • PÉTASSE
Pouilleux	VERMINEUX
Poule d'une race américaine	WYANDOTTE
Poule	GALLINACE
Poule, dans le langage enfantin	COCOTTE
Poulette	COCOTTE
Poulie dont le pourtour présente une gorge	RÉA
Pouliot	FARIGOULE
Poulpe commun	PIEUVRE
Pouls	PULSATION
Poupée de celluloïd figurant un bébé	BAIGNEUR
Poupée de celluloïd représentant un bébé	POUPARD
Poupée	PÉPÉE
Poupon	BÉBÉ • POUPARD
Pouponnière	CRÈCHE
Pour encourager dans les corridas	OLÉ
Pour injecter des liquides	SERINGUE
Pour la quatrième fois	QUATER
Pour la troisième fois	TER
Pour le moment	ACTUELLEMENT
Pourcentage	TAUX
Pourlécher	LÉCHER
Pourpre	CARMIN
Pourpré	PURPURIN
Pourri	AVARIÉ
Pourrir	CROUPIR • DÉCOMPOSER PUTREFIER • RANCIR
Poursuite	ACCUSATION • CHASSE CONTINUATION
Poursuivi	SUIVI
Poursuivre	CONTINUER • POUSSER PROLONGER • SUIVRE
Poursuivre à coups de pierres	LAPIDER
Poursuivre à la course	COURSER
Poursuivre avec acharnement	POURCHASSER
Poursuivre de près	TALONNER

Poursuivre en justice	ACTIONNER • ESTER
Poursuivre, harceler	TRAQUER
Pourtour	BORD • CIRCUIT
Pourvoir	ALIMENTER • DOUER • FOURNIR NANTIR • PROCURER • SUBVENIR
Pourvoir de créneaux	CRÉNELER
Pourvoir d'un brevet	BREVETER
Pourvoir d'un suffixe	SUFFIXER
Pourvu d'ailes	AILÉ • ALIFÈRE
Pourvu d'albumen	ALBUMINÉ
Pourvu de crénelures	CRÉNELÉ
Pourvu de dents	DENTÉ
Pourvu d'ergots	ERGOTÉ
Poussah	BILBOQUET
Poussé	FOUILLÉ
Pousse caractéristique des graminées	TALLE
Pousse des taillis au printemps	BROUT
Poussée	BOURRADE • CROISSANCE ÉLAN • IMPULSION
Pousser à bout	OUTRER
Pousser à faire le mal	PERVERTIR
Pousser de petits cris	COUINER
Pousser de petits cris brefs et aigus	PÉPIER
Pousser des cris en secouant le jabot	JABOTER
Pousser des cris terribles	RUGIR
Pousser des drageons, en parlant d'une plante	BOUTURER
Pousser des sanglots	SANGLOTER
Pousser des soupirs	SOUPIRER
Pousser en avant	AVANCER
Pousser son cri, en parlant de la caille	MARGOTER
Pousser son cri, en parlant de la cigogne	CLAQUETER
Pousser son cri, en parlant de l'âne	BRAIRE
Pousser son cri, en parlant de l'éléphant	BARRIR
Pousser son cri, en parlant du canard	NASILLER
Pousser son cri, en parlant du chameau	BLATÉRER
Pousser son cri, en parlant du hibou	ULULER
Pousser son cri, en parlant du rhinocéros	BARRIR
Pousser un barrissement	BARRIR
Pousser un cri rauque	RUGIR
Pousser un navire sur un danger	DROSSER

Pousser . . . . ACCULER • BOUTER
CROÎTRE • INSTIGUER
Poussière détrempée dans les rues . . . . BOUE
Poussière d'une matière qu'on scie . . . . SCIURE
Poussière résineuse jaunâtre . . . . LUPULIN
Poussière . . . . POUDRE
Poutre fixée le long d'un mur . . . . LAMBOURDE
Poutre mobile horizontale . . . . TANGON
Poutre transversale sur un navire . . . . BITTE
Poutre . . . . BAU • COLOMBAGE • MADRIER
Poutrelle transversale . . . . BARROT
Pouvoir . . . . ARMEMENT • MANDAT
POSSIBILITÉ • RÉGIME
Pouvoir absolu . . . . DICTATURE • RÈGNE
Pouvoir de commander . . . . AUTORITÉ
Pouvoir de séduire . . . . SÉDUCTION
Pouvoir des fées . . . . FÉERIE
Pouvoir exécutif . . . . EXÉCUTIF
Pouvoir qu'une personne donne
à une autre d'agir en son nom . . . . MANDAT
Pouvoir royal . . . . ROYAUTÉ
Pragmatisme . . . . REALISME
Prairie . . . . PRÉ • STEPPE
Prairie de la Suisse . . . . RUTLI
Praséodyme . . . . PR
Pratiquant . . . . DÉVOT
Pratique de la navigation de plaisance . . . . YACHTING
Pratique du coït anal . . . . SODOMIE
Pratique . . . . COMMODE • UTILITAIRE
Pratiquer l'ablation d'un organe
reproducteur . . . . CASTRER
Pratiquer un curetage . . . . CURETER
Pratiquer une engravure . . . . ENGRAVER
Pratiquer une feuillure . . . . FEUILLER
Préalablement . . . . AVANT
Préambule . . . . EXORDE • PRÉFACE
Préau . . . . PROMENOIR
Précautionneux . . . . CIRCONSPECT
Précédent . . . . ANTÉCÉDENT • ANTÉRIEUR
Précéder . . . . DEVANCER
Précepte sanskrit . . . . SOUTRA

Précepte	PRESCRIPTION
Prêche	PRÉDICATION • SERMON
Prêcher	EXHORTER • MORALISER
Précieux	CHER • RARE
Précipité et imprévu	BRUSQUE
Précipité	HÂTIF
Précipiter	ACCÉLÉRER
Précis	DÉFINI • EXPLICITE • SONNANT
Précisement, par coïncidence	JUSTEMENT
Préciser	SPÉCIFIER • STIPULER
Précision	CONCISION • JUSTESSE • MENTION
	MINUTIE • NETTETÉ
Précoce	PRÉMATURÉ
Précocement	TÔT
Précompte	RETENUE
Préconiser	PRÔNER
Précurseur	ANCÊTRE • DEVANCIER
Prédécesseur	DEVANCIER
Prédestiner	DESTINER
Prédicateur	APÔTRE • ORATEUR • PRÊCHEUR
Prédicatrice	ORATRICE
Prédiction de l'avenir	HOROSCOPE
Prédiction	PROPHÉTIE
Prédilection	PRÉFÉRENCE
Prédisposer	PRÉDESTINER
Prédisposition	PENCHANT
Prédominer	PRÉVALOIR • RÉGNER
Prééminence	AVANTAGE • PRIMAUTÉ
Préf. du Gard	NÎMES
Préface	PRÉSENTATION • PROLOGUE
Préférable	MIEUX
Préféré	CHÉRI • FAVORI
Préférée	FAVORITE
Préférence complaisante	TENDRESSE
Préférence injuste	PARTIALITÉ
Préférer	ADOPTER • CHÉRIR
Préfixe qui multiplie par un million	MÉGA
Préfixe	AFFIXE
Préhistorien français né en 1877	BREUIL
Préjudice	ATTEINTE • DOMMAGE
	MAL • TORT

Préjudice, châtiment . . . . DAM
Préjudice, tort. . . . . DÉTRIMENT
Préjudicier . . . . NUIRE
Préjugé . . . . PRÉVENTION
Prélasser . . . . CARRER
Prélat chargé de représenter le pape. . . . . NONCE
Prélat et homme d'état français. . . . . RICHELIEU
Prélèvement d'un tissu . . . . BIOPSIE
Prélèvement pour extraire un liquide
    du corps . . . . PONCTION
Prélèvement . . . . BIOPSIE
Prélever des impôts à l'excès . . . . PRESSURER
Prélever . . . . RETENIR
Prématuré . . . . HÂTIF • PRÉCOCE
Premier . . . . INITIAL • ORIGINEL • PRIMITIF
Premier contact . . . . BAPTÊME
Premier estomac des ruminants . . . . PANSE
Premier jour de la semaine . . . . LUNDI
Premier lait d'une accouchée . . . . COLOSTRUM
Premier magistrat municipal . . . . MAIRE
Premier ministre du Québec
    de 1960 à 1966 . . . . LESAGE
Premier morceau coupé. . . . . ENTAME
Premier point qu'on peut marquer
    au tennis . . . . QUINZE
Premier rang de pierres dans un mur . . . . ASSISE
Premier roi des hébreux . . . . SAÜL
Premier segment du gros intestin . . . . CAECUM
Premier sillon ouvert par la charrue . . . . ENRAYURE
Premier travail avant correction . . . . BROUILLON
Première capitale de l'Assyrie . . . . ASSOUR
Première épouse de Jacob . . . . LÉA • LIA
Première femme . . . . ÈVE
Première journée d'école . . . . RENTRÉE
Première lettre de l'alphabet grec . . . . ALPHA
Première lettre de l'alphabet hébraïque . . . . . . ALEPH
Première page d'un feuillet . . . . RECTO
Première page . . . . UNE
Première partie d'un discours . . . . EXORDE
Première phase de l'articulation
    d'une occlusive . . . . IMPLOSION

Première vertèbre cervicale . . . . ATLAS
Première . . . . ORIGINELLE • PRIMITIVE
Premièrement . . . . PRIMO
Premiers principes d'un art . . . . ABC
Prémisse . . . . AXIOME
Prémonitoire . . . . INTUITIF
Prenant . . . . ATTIRANT
Prendre à son compte . . . . ASSUMER
Prendre au piège . . . . PIÉGER
Prendre connaissance d'un texte . . . . LIRE
Prendre contact avec . . . . CONTACTER
Prendre dans une masse liquide . . . . PUISER
Prendre de l'âge . . . . VIEILLIR
Prendre des manières affectées
  pour plaire . . . . MINAUDER
Prendre en film . . . . FILMER
Prendre en pitié . . . . PLAINDRE
Prendre la défense de quelqu'un . . . . PLAIDER
Prendre le repas du soir . . . . SOUPER
Prendre légalement . . . . ADOPTER
Prendre part à un banquet . . . . BANQUETER
Prendre part à une bagarre . . . . BAGARRER
Prendre part à . . . . PARTICIPER
Prendre son dîner . . . . DÎNER
Prendre son temps . . . . LAMBINER
Prendre un oiseau à la glu . . . . ENGLUER
Prendre une autre orientation . . . . BIFURQUER
Prendre une cuite, s'enivrer . . . . CUITER
Prendre une teinte jaune . . . . JAUNIR
Prendre une teinte rougeâtre . . . . ROUGEOYER
Prendre vivement . . . . AGRIPPER
Prendre . . . . ACQUÉRIR • ATTRAPER • BOIRE
                   EMPRUNTER • OCCUPER • SAISIR • TENIR
Prendre, arrêter . . . . GAULER
Preneur . . . . ACHETEUR
Prénom féminin russe . . . . OLGA
Prénom féminin . . . . ADÈLE • ANNE • ANNIE • ÉLISE • ÉVA
                   ÈVE • IRMA • JULIE • LÉA • LINE • RITA
Prénom masculin . . . . ALAIN • ÉRIC • JEAN • LÉO •
                   LÉON • OVIDE • PAUL • RÉMI
Préoccupation . . . . SOIN • SOUCI

Préoccupé	SONGEUR
Préoccupée	SONGEUSE
Préoccuper	INQUIETER
Préparation à base d'amandes	PRALIN
Préparation à base de farine délayée	PÂTE
Préparation culinaire	PURÉE • RISOTTO • TIMBALE
Préparation culinaire à base d'œufs de poisson	TARAMA
Préparation de charcuterie	BOUDIN
Préparation de morue à la provençale	BRANDADE
Préparation de viande	SAUCISSE
Préparation donnée au cuir	CORROI
Préparation faite d'une pâte	TARTE
Préparation intensive et superficielle d'un examen	BACHOTER
Préparation liquide	SAUCE
Préparation médicamenteuse liquide	SOLUTÉ
Préparation médicamenteuse	POTION
Préparation médicinale	CATAPLASME
Préparation mystérieuse, réservée aux adeptes	ARCANE
Préparation onctueuse	SAUCE
Préparation pharmaceutique	SUPPOSITOIRE
Préparé à la façon du damas	DAMASSÉ
Préparé avec soin	ETUDIE
Préparer à la manière des pralines	PRALINER
Préparer avec soin	FOURBIR
Préparer minutieusement	PEAUFINER
Préparer par chamoisage	CHAMOISER
Préparer par un complot	COMPLOTER
Préparer secrètement	COMPLOTER
Préparer	APPRÊTER • FAÇONNER MÉNAGER • PRÉDISPOSER
Préparer, mettre en état	APPRÊTER
Prépondérance d'un État	HÉGÉMONIE
Prépondérant	SUPÉRIEUR
Préposé à l'ascenseur	LIFTIER
Préposition de lieu	DELÀ
Préposition signifiant à côté de	LEZ
Préposition	AVEC • CHEZ • DANS • DE • EN • ÈS PAR • SANS • SOUS • VOICI • VOILÀ

Prérogative . . . . PRIVILEGE
Près . . . . AUPRÈS
Présage . . . . ANNONCE • AUGURE • SYMPTÔME
Présager . . . . AUGURER
Prescription d'ordre moral . . . . IMPÉRATIF
Prescription légale . . . . RÈGLEMENT
Prescription . . . . ORDONNANCE
Prescrire d'une manière absolue . . . . ÉDICTER
Prescrire . . . . DICTER • ENJOINDRE • ORDONNER
Présélection . . . . TRI
Présence continuelle . . . . ASSIDUITÉ
Présence de glucose dans le sang . . . . GLYCÉMIE
Présence de pus dans les urines . . . . PYURIE
Présence d'une maladie dans
    une région déterminée . . . . ENDÉMIE
Présence en l'homme de sa finalité . . . . IMMANENCE
Présence . . . . COMPAGNIE
Présent à l'occasion du premier
    jour de l'année . . . . ÉTRENNE
Présent . . . . ACTUEL • CADEAU
Présentateur de nouvelles . . . . SPEAKER
Présente . . . . ACTUELLE
Présentement . . . . ACTUELLEMENT
Présenter . . . . ADRESSER • EXHIBER • MONTRER
                        OFFRIR • PROPOSER • SERVIR
Présenter par une préface . . . . PREFACER
Préservatif . . . . CAPOTE • CONDOM
Préservatif mécanique pour la femme . . . . PESSAIRE
Préserver . . . . PROTÉGER
Président des États-Unis de 1977 à 1981 . . . . CARTER
Président des États-Unis de 1989 à 1993 . . . . BUSH
Presque . . . . PRÈS • QUASI
Presqu'île du Mexique . . . . YUCATAN
Presqu'île . . . . PENINSULE
Pressant . . . . INSISTANT • URGENT
Presse dont la forme imprimante
    est cylindrique . . . . ROTATIF
Pressé . . . . HÂTIF • URGENT
Pressenti . . . . AUGURÉ • PRÉVU
Pressentiment . . . . INTUITION
Pressentir . . . . AUGURER • FLAIRER • PRÉVOIR • SENTIR

Presser fortement	PINCER
Presser	ACCÉLÉRER • ACTIVER • BOUSCULER
	COMPRIMER • ENCAQUER
	PRESSURER • URGER
Pression	CONTRAINTE • STRESS
Pressoir	FOULOIR
Prestation d'un homme politique	SHOW
Preste	ALLÈGRE
Prestement	VITE • VIVEMENT
Prestidigitateur	MAGICIEN
Prestidigitatrice	MAGICIENNE
Prestige	AURÉOLE
Presto	VITE
Présumé	CENSÉ • PRÉTENDU • SUPPOSÉ
Présumer	CROIRE • PREJUGER • SUPPOSER
Prêt	DISPOSÉ • TOURNAGE
Prêt à agir	PARE
Prêt à manger	MÛR
Prétendant	ÉPOUSEUR • POSTULANT
Prétendre (Se)	VANTER
Prétendre	ALLÉGUER
Prétendu	SUPPOSÉ
Prétentieuse	CHOCHOTTE • PRINCESSE
Prétentieux	AMPOULÉ • CRANEUR • FAT
	FENDANT • FRELUQUET • PÉDANT
	POMPIER • POSEUR • SUFFISANT
Prétention	FATUITÉ
Prétention de celui qui est exigeant	EXIGENCE
Prêter son attention	ÉCOUTER
Prêteur	USURIER
Prétexte	OCCASION
Prétexter	ALLÉGUER • OBJECTER
Prétoire	TRIBUNAL
Prêtre adjoint au ccuré	VICAIRE
Prêtre attaché au service d'une divinité	FLAMINE
Prêtre catholique	CURÉ
Prêtre chargé de la discipline	PREFET
Prêtre d'Alexandrie	ARIUS
Prêtre de la religion bouddhique	BONZE
Prêtre de l'Église orthodoxe	POPE
Prêtre français né en 1608	OLIER

Prêtre gaulois . . . . OVATE
Prêtre gaulois ou celtique . . . . DRUIDE
Prêtre qui dirige un diocèse . . . . ÉVÊQUE
Prêtre romain qui préparait
   les banquets sacrés . . . . ÉPULON
Prêtre . . . . PASTEUR • VICAIRE
Prêtre, curé . . . . CURETON
Prêtresse de Vesta . . . . VESTALE
Prêtresse du culte de Bacchus . . . . BACCHANTE
Prêtrise . . . . SACERDOCE
Preuve . . . . ARGUMENT
Prévaloir . . . . PRÉDOMINER
Prévenance . . . . ATTENTION
Prévenant, attentif . . . . EMPRESSÉ
Prévenir . . . . ALERTER • AVERTIR • ÉVITER • OBVIER
Prévention . . . . PRÉCAUTION
Préventorium . . . . AÉRIUM • SANA
Prévision . . . . CALCUL • PRONOSTIC
Prévoir . . . . FLAIRER • PRESSENTIR • PROGRAMMER
Prévoyance . . . . PRUDENCE
Prévoyant . . . . PRUDENT
Prie-dieu . . . . AGENOUILLOIR
Prier avec insistance . . . . SOLLICITER
Prier . . . . CONVIER • DEMANDER • INVOQUER
Prière à la Sainte Vierge . . . . AVE
Prière catholique commençant
   par ce mot . . . . CONFITEOR
Prière de dévotion . . . . ANGELUS
Prière de la liturgie catholique . . . . CONFITEOR
Prière liturgique . . . . LITANIE
Prière mise en musique . . . . REQUIEM
Prière musulmane . . . . SALAT
Prière pour les morts . . . . REQUIEM
Prière qui suit la consécration . . . . ANAMNÈSE
Prière . . . . ANGÉLUS • OBSÉCRATION • ORAISON •
               ORÉMUS • PATENOTRE • PATER • REQUÊTE
Prières . . . . GRACES • NEUVAINE
Primaire . . . . PREMIER • SIMPLISTE
Primate de l'Inde . . . . LORIS
Primate nocturne d'Asie du Sud . . . . LORIS
Prime . . . . BONUS

Primer . . . . PRÉDOMINER
Primeur . . . . NOUVEAUTÉ
Primitif . . . . BARBARE • INITIAL • PREMIER
Primordial . . . . MAJEUR • PRINCIPAL
Prince danois légendaire . . . . HAMLET
Prince de certains pays musulmans . . . . SULTAN
Prince de la maison d'Autriche . . . . ARCHIDUC
Prince des démons . . . . SATAN
Prince légendaire troyen . . . . ÉNÉE
Prince musulman . . . . ÉMIR
Prince troyen . . . . ÉNÉE
Prince . . . . CHEIKH
Princesse athénienne . . . . ARICIE
Princesse juive, fille d'Hérodiade . . . . SALOMÉ
Principal personnage féminin . . . . HÉROÏNE
Principal . . . . CAPITAL • CARDINAL • CENTRAL
DIRECTEUR
Principalement . . . . SURTOUT
Principauté du golfe Persique . . . . ÉMIRAT
Principauté . . . . DUCHÉ • PRINCIPAT
Principe actif des graines de persil . . . . APIOL
Principe de mouvement . . . . MOTEUR
Principe de vie . . . . ÂME
Principe fondamental
de la philosophie taoïste . . . . YIN
Principe moral de contagion . . . . VIRUS
Principe . . . . AUTEUR • NORME • PRÉCEPTE
Principes . . . . MŒURS
Priorité d'âge entre enfants
d'une même famille . . . . AÎNESSE
Priorité d'âge entre frères et sœurs . . . . AÎNESSE
Pris . . . . OCCUPÉ
Prise . . . . BUTIN • CAPTURE • PROIE
Prise de sang . . . . PONCTION
Prisé . . . . POPULAIRE
Priser du tabac . . . . PETUNER
Priser un stupéfiant . . . . SNIFFER
Priser . . . . APPRÉCIER
Prison . . . . PÉNITENCIER • TAULE • TÔLE • TROU
Prisonnier . . . . . . CAPTIF • DÉTENU • TAULARD • TOLARD
Prisonnière . . . . CAPTIVE

Privation	ABSTINENCE • ASCESE • PERTE
Privation volontaire	SACRIFICE
Privé	PERSONNEL • RÉSERVÉ
Privé de ses rameaux	ÉCOTÉ
Privé de	DÉPOURVU
Privée	PERSONNELLE
Priver d'air	ÉTOUFFER
Priver d'ampleur	ÉTRIQUER
Priver de lumière	OBSCURCIR
Priver de nourriture	AFFAMER
Priver de saveur	AFFADIR
Priver de ses cornes	DÉCORNER
Priver d'héritage	DÉSHÉRITER
Priver quelqu'un d'un bien	FRUSTRER
Priver	SEVRER
Privilège	AVANTAGE • FACULTÉ • HONNEUR IMMUNITÉ • PRÉROGATIVE
Privilégier	FAVORISER
Prix du louage des choses	LOYER
Prix du transport d'une lettre	PORT
Prix élevé	CHERTÉ
Prix fixé d'une manière autoritaire	TAXE
Prix fixé par une convention	TAUX
Prix usuel d'un service	TARIF
Prix	COÛT • RANÇON • VALEUR
Pro	PROFESSIONNEL
Probabilité	CONJECTURE
Probable	APPARENT
Probité	HONNÊTETÉ • INTÉGRITÉ
Problème	COLLE • HIC • OS
Problème difficile à résoudre	ÉNIGME
Procédé de gravure en nielles	NIELLURE
Procédé de peinture murale	FRESQUE
Procédé d'écriture	STÉNO
Procédé habile destiné à tromper	ARTIFICE
Procédé permettant de colorer les microbes	GRAM
Procédé qui tient du dessin et de la peinture	LAVIS
Procédé thérapeutique consistant à verser de l'eau sur une partie du corps	AFFUSION

Procédé	FAÇON • FORMULE • MÉTHODE
Procéder	OPÉRER
Procéder à l'appairage	APPAIRER
Procéder au clonage	CLONER
Procéder au cylindrage	CYLINDRER
Procéder au dégazage	DÉGAZER
Procéder au mixage	MIXER
Procéder sans méthode	TÂTONNER
Procédure	FORMALITÉ • POURSUITE
Procédure de contrôle de la comptabilité	AUDIT
Procédurier	ERGOTEUR
Procession	DÉFILÉ • PARADE
Processus	PROCÈS
Procès-verbal de conventions entre deux puissances	RECÈS
Procès-verbal	CONSTAT
Prochain	AUTRUI • FUTUR
Prochainement	BIENTÔT
Proche	ADJACENT • PARENT • PRÈS • VOISIN
Proclamation officielle	BAN
Proclamation solennelle d'un futur mariage	BANS
Proclamation	DÉCLARATION • MANIFESTE
Proclamer	AFFIRMER • DÉCLARER • PROCLAMER PROFESSER • PUBLIER
Procuration	MANDAT
Procurer le salut éternel	SAUVER
Procurer réparation d'une offense	VENGER
Procurer un nouveau logement à	RELOGER
Procureur	ATTORNEY
Prodige	PROUESSE
Prodigieux	SURNATUREL
Prodiguer	DISTRIBUER
Producteur de céréales	CEREALIER
Productif	FERTILE
Production colorée de certains végétaux	FLEUR
Production d'une substance par une glande	SÉCRÉTION
Production d'une vigne	CUVÉE

Production filiforme de l'épiderme . . . . POIL
Production pathologique liquide . . . . PUS
Produire . . . . ACCOUCHER • APPORTER • CAUSER
ENTRAÎNER • EXHIBER
Produire de la graine . . . . GRAINER
Produire de la mousse . . . . MOUSSER
Produire de la salive . . . . SALIVER
Produire des bénéfices . . . . FRUCTIFIER
Produire des rots . . . . ÉRUCTER
Produire du pus . . . . SUPPURER
Produire du sel . . . . SAUNER
Produire généreusement . . . . ÉPANCHER
Produire un bruit aigu, grinçant . . . . CRISSER
Produire un bruit sec . . . . CRAQUER
Produire un bruit sourd, continu . . . . RONFLER
Produire un cliquetis . . . . CLIQUETER
Produire un murmure confus . . . . BRUIRE
Produire un ronflement vibrant . . . . VROMBIR
Produire un son analogue à celui
de la flûte . . . . FLÛTER
Produire un vrombissement . . . . VROMBIR
Produire une polarisation . . . . POLARISER
Produire une stridulation . . . . STRIDULER
Produire, créer . . . . ENFANTER
Produit à base d'amidon . . . . EMPOIS
Produit alimentaire de forme aplatie . . . . TABLETTE
Produit alimentaire qui en remplace
un autre . . . . ERSATZ
Produit collant et visqueux . . . . RÉSINE
Produit comestible de la ponte
de certains animaux . . . . ŒUF
Produit congelé . . . . CONGELÉ
Produit cosmétique pour les cils . . . . MASCARA
Produit de charcuterie traité au sel . . . . SALAISON
Produit de dégradation des acides
aminés de l'organisme . . . . URÉE
Produit de la conception . . . . FŒTUS
Produit de l'abeille . . . . MIEL
Produit des femelles ovipares . . . . ŒUF
Produit destiné à détruire les larves
des insectes . . . . LARVICIDE

Produit du cotonnier	COTON
Produit d'une distillation	DISTILLAT
Produit d'une ruche	RUCHEE
Produit métallurgique de grande longueur	PROFILE
Produit par des alluvions	ALLUVIAL
Produit par la magie	MAGIQUE
Produit qui détruit les rats	RATICIDE
Produit qui fait lever le pain	LEVAIN
Produit servant au décapage	DÉCAPANT
Produit utilisé pour alimenter un moteur	CARBURANT
Produit utilisé pour le lavage	SAVON
Produit	FRUIT • RENDEMENT
Proéminence	RELIEF
Proéminent	SAILLANT
Prof	PROFESSEUR
Profanateur	VIOLATEUR
Profanation su sacré	SACRILÈGE
Profanation	BLASPHEME • VIOL • VIOLATION
Profane	MONDAIN
Profaner	VIOLER
Professer	ENSEIGNER
Professeur	ENSEIGNANT • MAÎTRE • PROF
Professeur de la religion de Mahomet	MAHOMETAN
Professeur de lettres français né en 1857	LANSON
Profession	CARRIÈRE • MÉTIER
Profession de médecin	MÉDECINE
Profession de styliste	STYLISME
Professionnel	PRO • SEXOLOGUE
Professionnel chargé de l'affinage	AFFINEUR
Professionnel de la gymnastique	GYMNASTE
Professionnel de l'actuariat	ACTUAIRE
Professionnel des industries graphiques	GRAPHISTE
Professionnel qui opère en bourse	BOURSIER
Professionnel qui perce les trous de mine	FOREUR
Profil	LIGNE
Profiler	GALBER

Prolifique	FÉCOND
Prolixe	VERBEUX
Prologue	PRÉLUDE
Prolongateur électrique	RALLONGE
Prolongation	CONTINUATION • DÉLAI
Prolongement constant de la cellule nerveuse	AXONE
Prolongement de l'existence au-delà de la mort	SURVIE
Prolonger	ALLONGER • PROROGER RALLONGER • RECONDUIRE
Promenade publique	MAIL
Promenade rapide	VIRÉE
Promenade	BALADE • MARCHE • RANDONNÉE SORTIE
Promener sans but précis	BALADER
Promeneur	BADAUD • FLÂNEUR • PASSANT
Promesse solennelle	SERMENT
Promettre	DESTINER
Promis	FIANCÉ
Promontoire	CAP
Promontoire d'une île des côtes de la Norvège	NORD
Promontoire rocheux d'Israël	CARMEL
Promoteur	ACTIVEUR
Promotion	AVANCEMENT
Prompt	DILIGENT
Prompt à se mettre en colère	IRRITABLE
Prompt et agile	PRESTE
Promptement	VITE
Promptitude	CÉLÉRITÉ • PRESTESSE
Promulgation	PUBLICATION
Promulguer	ÉDICTER
Prôner	PRÊCHER • PRÉCONISER
Pronom démonstratif	ÇA • CE • CECI • CELA • CELLE CELUI • CEUX • CI
Pronom indéfini	ON • TOUS • TOUT • TOUTES UN • UNE • UNES
Pronom interrogatif	QUI
Pronom personnel	ELLE • EUX • IL • JE • LEUR • LUI ME • MOI • NOUS • SE • SOI • TE TEZIGUE • TOI • TU • VOUS

Pronom possessif . . . . LEUR • MIEN • NÔTRE • SIEN
TIEN • VÔTRE
Pronom relatif . . . . DONT • LEQUEL • QUE • QUI • QUOI
Pronom . . . . TOUT
Prononcé . . . . ÉMIS • MARQUÉ
Prononcer . . . . DIRE
Prononcer à voix basse . . . . CHUCHOTER
Prononcer avec violence . . . . PROFÉRER
Prononciation . . . . ARTICULATION
Pronostic . . . . PRÉVISION
Pronostiquer . . . . PRÉVOIR
Propagandiste. . . . . RABATTEUR • ZÉLATEUR
Propagateur . . . . RABATTEUR • ZÉLATEUR
Propagation . . . . CONTAGION
Propagé . . . . TRANSMIS
Propager . . . . COLPORTER • DIFFUSER
Propension aux rapprochements sexuels . . . . SALACITÉ
Prophète biblique avant Jésus-Christ . . . . AMOS
Prophète hébreu . . . . ISAÏE • NABI
Prophète inspiré par Dieu . . . . NABI
Prophète juif . . . . ISAÏE • NAHUM
Prophète . . . . DEVIN • ÉLIE
Prophétie . . . . ORACLE • PRÉDICTION
Prophétiser . . . . PRÉDIRE
Proportion de sel d'un liquide . . . . SALINITÉ
Proportion . . . . SYMÉTRIE
Proportionnel . . . . RELATIF
Proportionnelle . . . . RELATIVE
Proportionner . . . . CALIBRER • DOSER
Propos du hâbleur . . . . HÂBLERIE
Propos frivole . . . . FARIBOLE
Propos méchant . . . . BAVE
Propos médisant de commère. . . . . COMMERAGE
Propos mensonger. . . . . BOBARD
Propos rapporté par quelqu'un . . . . ÉCHO
Propos . . . . THÈME
Propos, action qui amuse. JOYEUSETÉ
Proposer . . . . AVANCER • SUGGÉRER
Proposer au choix . . . . SOUMETTRE
Proposition . . . . AFFIRMATION • CONSEIL • OFFRE
SUGGESTION

Proposition impérative	ULTIMATUM
Proposition mathématique	LEMME
Propre	FRAIS • NET • NETTE
Propre à faire rire	RISIBLE
Propre à guérir	CURATIF
Propre à inspirer	INSPIRANT
Propre à la banque	BANCAIRE
Propre à la guérison	CURATIF
Propre à la jeunesse	JUVÉNILE
Propre à la langue anglaise	ANGLAIS
Propre à la langue française	FRANÇAIS
Propre à la pensée, aux œuvres de Racine	RACINIEN
Propre à la vieillesse	SÉNILE
Propre à l'ablation	ABLATIF
Propre à l'enfant	ENFANTIN
Propre à l'homme	HUMAIN • VIRIL
Propre à l'idéalisme	IDÉALISTE
Propre au lion	LÉONIN
Propre au matin	MATINAL
Propre au miel	MIELLÉ
Propre au racisme	RACISTE
Propre aux Alpes	ALPESTRE
Propre aux écoles	SCOLAIRE
Propre aux esclaves	SERVILE
Propre aux glaciers	GLACIAIRE
Propre aux larves	LARVAIRE
Propre aux tropiques	TROPICAL
Propre, spécifique	EXCLUSIF
Propriétaire	DÉTENTEUR • LOCATEUR
	POSSESSEUR • PROPRIO
Propriétaire d'un immeuble loué	PROPRIO
Propriétaire d'un manoir, en Écosse	LAIRD
Propriété	ATTRIBUT • DOMAINE • POSSESSION
Propriété de ce à quoi on peut faire confiance	FIABILITE
Propriété de réfléchir le son	RÉSONANCE
Propriété de reprendre sa position première	RESSORT
Propriété des muscles qui ont du tonus	TONICITE
Propriété foncière	DOMAINE

Proprio	PROPRIÉTAIRE
Propulseur à réaction	RÉACTEUR
Proroger	AJOURNER • RALLONGER
Proscrire	BANNIR • EXCLURE • INTERDIRE
Proscrit	BANNI • EXILÉ
Proscrit, exilé de sa patrie	BANNI
Prospecter	EXPLORER
Prospecteur	CHERCHEUR
Prospection	SONDAGE
Prospectus	DÉPLIANT • IMPRIME
Prospère	FLORISSANT
Prospérité	OPULENCE • RICHESSE
Prosternation	PROSTRATION
Prostituée	CATIN • PÉTASSE • PUTAIN
	PUTE • RACOLEUSE • ROULURE
Prostration	ABATTEMENT
Prostré	ABATTU
Protecteur du citoyen	OMBUDSMAN
Protecteur du foyer	LARE
Protecteur	AVOCAT • BIENFAITEUR • MÉCÈNE
	PROVIDENCE
Protection	ARMURE • BOUCLIER • ÉGIDE
	PARAPLUIE • PRÉCAUTION
Protection d'un saint	PATRONAGE
Protection vigilante	TUTELLE
Protège le matelas	ALAISE
Protégé	DÉFENDU
Protéger comme par une cuirasse	CUIRASSER
Protéger contre quelqu'un	PRÉMUNIR
Protéger par un blindage	BLINDER
Protéger par un brevet	BREVETER
Protéger	CONSERVER • IMMUNISER
	PATRONNER • PRÉSERVER • SECOURIR
Protéine ayant l'aspect d'une gelée	GÉLATINE
Protéine présente dans les organismes animaux	ALBUMINE
Protestation collective	PÉTITION • TOLLÉ
Proteste	BRONCHE
Protester avec mauvaise humeur	RENAUDER
Protester	MOUFTER • PIAILLER
	RÉCRIMINER • REGIMBER

Prothèse amovible . . . . DENTIER
Protocole . . . . DECORUM • ÉTIQUETTE
Prototype . . . . ÉCHANTILLON
Protozoaire d'eau douce . . . . STENTOR
Protozoaire flagellé
    des eaux douces . . . . EUGLENE
Protozoaire pourvu d'un noyau . . . . AMIBE
Protubérance arrondie . . . . MAMELON
Protubérance . . . . ASPERITÉ
Prouesse . . . . EXPLOIT
Prouvé . . . . AUTHENTIQUE
Prouver . . . . DÉMONTRER • ÉTABLIR
Provenir . . . . ÉMANER • RÉSULTER
Proverbe . . . . MAXIME
Providence . . . . PROTECTEUR
Province . . . . RÉGION
Province basque d'Espagne . . . . ALAVA
Province de France . . . . ANJOU
Province de l'ancienne Irlande . . . . ULSTER
Province de l'empire Perse gouvernée
    par un satrape . . . . SATRAPIE
Province de l'Éthiopie . . . . CHOA
Province de Logrono . . . . RIOJA
Province du Canada . . . . ALBERTA • MANITOBA • ONTARIO
                                       QUÉBEC • SASKATCHEWAN
Province du Sud de la Belgique . . . . NAMUR
Province, en Autriche . . . . LAND • LANÇON
Provision . . . . ACOMPTE • RÉSERVE
Provisoire . . . . PASSAGER • TEMPORAIRE • TRANSITOIRE
Provocant . . . . AGRESSIF • AGUICHANT • OSÉ
Provocante . . . . AGRESSIVE
Provocateur . . . . FAUTEUR
Provocation . . . . BRAVADE • DÉFI
Provoqué par le soleil . . . . SOLAIRE
Provoquer la gangrène d'un tissu . . . . GANGRENER
Provoquer la sclérose . . . . SCLÉROSER
Provoquer une réaction
    par sa seule présence . . . . CATALYSER
Provoquer . . . . AGRESSER • AGUICHER • BARBER
                        BRAVER • DÉCHAÎNER • DÉCLENCHER
                        DÉFIER • NARGUER • SUSCITER

Pudibond	CHASTE • PRUDE
Pudibonderie	PRUDERIE
Pudique	CHASTE
Puer	EMPESTER
Puer, empester	CHLINGUER • COCOTER
Puéril	ENFANTIN • INFANTILE
Puérilité	BALIVERNE
Pugiliste	BOXEUR
Puîné	JUNIOR
Puis	ENSUITE
Puiser	POMPER
Puisque	COMME
Puissance	FORCE • INTENSITÉ • POUVOIR
Puissance d'action	DYNAMISME
Puissance des fées	FÉERIE
Puissance sexuelle chez l'homme	VIRILITÉ
Puissances éternelles émanées de l'être duprême	ÉON
Puissant	EFFICACE • FORT • HERCULEEN INFLUENT
Puissant appareil sonore	SIRÈNE
Puissant explosif	TNT
Puits destiné à recevoir les eaux résidentielles	PUISARD
Puits	ARTESIEN
Pull-over	PULL
Pulluler	ABONDER • FOISONNER • PLEUVOIR
Pulsion de mort, chez Freud	THANATOS
Pulvériser	ATOMISER • EGRUGER • FRACASSER
Puma	COUGUAR
Punaise vivant sur l'eau	VÉLIE
Punch	PEP • TONUS
Punir	CHÂTIER • CONSIGNER • SANCTIONNER SÉVIR
Punir sévèrement	SACQUER • SALER
Punissable	COUPABLE
Punition identique à l'offense	TALION
Punition	CHÂTIMENT • PENSUM
Pupitre	LUTRIN
Pur	CHASTE • MARIAL • NATUREL • VIRGINAL
Pure	NATURELLE

Quadrilatère . . . . CARRÉ

Quadrupède ruminant à une
ou deux bosses dorsales . . . . CHAMEAU

Qualificatif . . . . ADJECTIF

Qualifié . . . . CAPABLE • COMPÉTENT • PROFESSIONNEL

Qualifier . . . . AUTORISER • SURNOMMER

Qualité d'auteur . . . . PATERNITE

Qualité de ce qui est clair, transparent . . . . CLARTÉ

Qualité de ce qui est commode, utile . . . . COMMODITE

Qualité de ce qui est génial . . . . GENIALITE

Qualité de ce qui est idéal . . . . IDEALITE

Qualité de ce qui glisse sur la neige . . . . GLISSE

Qualité de ce qui n'est pas réel . . . . IRRÉALITÉ

Qualité de ce qui s'exprime
en peu de mots . . . . CONCISION

Qualité de père . . . . PATERNITE

Qualité de voyant . . . . VOYANCE

Qualité des sons agréables à entendre . . . . EUPHONIE

Qualité du papier . . . . ÉPAIR

Qualité d'un boxeur dynamique . . . . PUNCH

Qualité d'une viande tendre . . . . TENDRETÉ

Quantième . . . . DATE

Quantité approximative de vingt . . . . VINGTAINE

Quantité chiffrée . . . . NOMBRE

Quantité d'aliments mise en bouche
en une fois . . . . BOUCHEE

Quantité de bois . . . . STÈRE

Quantité de boisson servie à ras bords . . . . RASADE

Quantité de nourriture dans le bec
d'un oiseau . . . . BECQUEE

Quantité de vin qui se fait dans
une cuve . . . . CUVÉE

Quantité déterminée . . . . QUANTUM

Quantité d'or . . . . CARAT

Quantité immense . . . . MYRIADE

Quantité infime . . . . BRIN

Quantité qui dépasse un nombre fixé . . . . SURNOMBRE

Quantité qui excède un nombre déterminé . . . . SURNOMBRE

Quartier arabe autour d'une citadelle . . . . CASBAH
Quartier du centre de Londres . . . . SOHO
Quartz jaune . . . . CITRIN • CITRINE
Quasi . . . . PRESQUE
Quasiment . . . . QUASI
Quatre fois dix . . . . QUARANTE
Quatre plus un . . . . CINQ
Quatre-vingt-dix . . . . NONANTE
Quatre-vingts . . . . OCTANTE
Quatrième jour de la semaine . . . . JEUDI
Quatrième lettre de l'alphabet grec . . . . DELTA
Quatrième mois du calendrier républicain . . . . NIVOSE
Quatrième partie du jour . . . . NONE
Quatrième partie d'un tout . . . . QUART
Quatrièmement . . . . QUARTO • QUATER
Que l'on a obtenu . . . . ACQUIS
Que l'on cache . . . . FURTIF
Que l'on n'a pas encore exploré . . . . INEXPLORE
Que l'on n'a pas mérité . . . . IMMÉRITÉ
Que l'on peut boire . . . . BUVABLE
Que l'on peut joindre . . . . JOIGNABLE
Que l'on peut manger . . . . MANGEABLE
Que l'on peut traiter . . . . TRAITABLE
Quelque . . . . ENVIRON
Quelquefois . . . . PARFOIS
Quelques . . . . PLUSIEURS
Quelqu'un . . . . ON • UNTEL
Quémander . . . . QUÊTER
Quémandeur . . . . TAPEUR
Quenelle . . . . GODIVEAU
Querelle . . . . ALGARADE • CHAMAILLE • COMBAT
                    CONFLIT • DISCUSSION • DISPUTE
                    ESCLANDRE • GUEGUERRE • NOISE
Querelleur . . . . AGRESSIF • PROVOCANT
Question à résoudre . . . . PROBLÈME
Question dont il faut deviner
    la réponse . . . . DEVINETTE
Question . . . . AFFAIRE • COLLE • SUJET
Questionner . . . . CONSULTER • INTERROGER
Quête . . . . COLLECTE
Queue . . . . FILE • TRAÎNE

Qui a abandonné l'ordre ecclésiastique	DÉFROQUÉ
Qui a atteint l'âge de la puberté	PUBÈRE
Qui a beaucoup de branches	BRANCHU
Qui a beaucoup de nœuds	NOUEUSE • NOUEUX
Qui a cessé d'être en usage	SURANNÉ
Qui a conscience de ce qu'il fait ou éprouve	CONSCIENT
Qui a de belles fesses	CALLIPYGE
Qui a de gros os	OSSU
Qui a de grosses fesses	FESSU
Qui a de grosses joues	MAFFLU
Qui a de grosses lèvres	LIPPU
Qui a de grosses pattes	PATTU
Qui a de la barbe	BARBU
Qui a de la chance	VERNI
Qui a de la laitance	LAITÉ
Qui a de l'argent	FRIQUE
Qui a de l'entrain	ALLANT
Qui a des cornes	CORNU • ENCORNÉ
Qui a des formes lourdes	MASTOC
Qui a des galons d'ancienneté	CHEVRONNÉ
Qui a des nodules	NODULAIRE
Qui a des rayures	RAYE
Qui a des reflets changeants	CHATOYANT
Qui a des sentiments de loyalisme	LOYALISTE
Qui a des valeurs conservatrices	BOURGEOIS
Qui a deux côtés	BILATÉRAL
Qui a deux mains à pouces opposables	BIMANE
Qui a deux moteurs	BIMOTEUR
Qui a deux pieds	BIPÈDE
Qui a deux places	BIPLACE
Qui a deux pôles	BIPOLAIRE
Qui a deux têtes	BICEPHALE
Qui a du courage	COURAGEUX
Qui a du duvet	DUVETEUX
Qui a du sex-appeal	SEXY
Qui a été dépoli	MAT
Qui a été mené à bien	ABOUTI
Qui a la blancheur de l'ivoire	ÉBURNÉ
Qui a la blancheur du lis	LILIAL
Qui a la consistance de l'huile	OLÉIFORME

Qui a la couleur d'un brun de châtaigne	CHATAIN
Qui a la faculté de penser	PENSANT
Qui a La forme d'un crochet	UNCIFORME
Qui a la forme d'un melon	MELONNÉ
Qui a la forme d'un œuf	OVALE • OVOÏDE
Qui a la forme d'une courbe	SPIRAL
Qui a la forme d'une pyramide	PYRAMIDAL
Qui a la forme d'une roue	ROTACÉ
Qui a la nature de l'ulcère	ULCÉREUX
Qui a la passion du jeu	JOUEUR
Qui a la pureté du lis	LILIAL
Qui a la teigne	TEIGNEUX
Qui a la vertu de créer	CRÉATIF
Qui a l'accent de la plainte	PLAINTIF
Qui a l'apparence de l'ivoire	ÉBURNÉEN
Qui a l'apparence du duvet	DUVETEUX
Qui a l'aspect de la soie de porc	SÉTACÉ
Qui a l'aspect du verre	VITREUX
Qui a l'aspect d'une feuille	FOLIACÉ
Qui a le caractère de la facétie	FACETIEUX
Qui a le don, le goût d'inventer	INVENTIF
Qui a le nez court et plat	CAMUS
Qui a le nez plat et comme écrasé	CAMARD
Qui a le nez plat, écrasé	CAMARDE
Qui a le pouvoir de persuader	PERSUASIF
Qui a l'éducation pour but	ÉDUCATIF
Qui a les cheveux et le teint noirs	NOIRAUD
Qui a les jambes croches et la démarche irrégulière	BANCROCHE
Qui a les jambes tordues	BANCAL
Qui a les qualités nécessaires	APTE
Qui a les traits d'une poupée	POUPIN
Qui a l'habitude de gronder	GRONDEUR
Qui a l'habitude de japper	JAPPEUR
Qui a l'habitude de se moquer	MOQUEUR
Qui a lieu la nuit	NOCTURNE
Qui a lieu le jour	DIURNE
Qui a lieu pendant l'hiver	HIBERNAL
Qui a lieu tous les mois	MENSUEL
Qui a lieu tous les trois ans	TRIENNAL
Qui a l'odeur du musc	MUSQUÉ

Qui a l'odeur et le goût du vin	VINEUX
Qui a mauvaise réputation	MALFAME
Qui a perdu la raison	SONNÉ
Qui a perdu les qualités de sa race	DÉGÉNÉRÉ
Qui a perdu sa couleur originale	DÉLAVÉ
Qui a perdu sa destination première	DÉSAFFECTÉ
Qui a perdu sa fraîcheur, sa jeunesse	DECATI
Qui a perdu ses dents	ÉDENTÉ
Qui a perdu ses poils	PELÉ
Qui a perdu son éclat	ÉTEINT
Qui a plus de largeur que d'épaisseur	MÉPLAT
Qui a plusieurs branches	BRANCHU
Qui a pour base le nombre huit	OCTAL
Qui a pour but de prévenir	PRÉVENTIF
Qui a prêté serment	JURÉ
Qui a pris l'aspect du cuir	TANNÉ
Qui a pris l'odeur du vin	ENVINÉ
Qui a rapport à Bacchus	BACHIQUE
Qui a rapport à la base de quelque chose	BASAL
Qui a rapport à la bile	BILIAIRE
Qui a rapport à la cuisine	CULINAIRE
Qui a rapport à la cuisse	FÉMORAL
Qui a rapport à la joue	MALAIRE
Qui a rapport à la luette	UVULAIRE
Qui a rapport à la menstruation	MENSTRUEL
Qui a rapport à l'Orient	ORIENTAL
Qui a rapport à l'urètre	URÉTRAL
Qui a rapport à l'urine	URINAIRE
Qui a rapport à l'usine	USINIER
Qui a rapport au beurre	BEURRIER
Qui a rapport au labourage	ARATOIRE
Qui a rapport au lait	LACTÉ
Qui a rapport aux astres	SIDÉRAL
Qui a rapport aux fleuves	FLUVIAL
Qui a rapport aux lignes	LINÉAL
Qui a rapport aux marchés	FORAIN
Qui a reçu la bénédiction du prêtre	BÉNIT
Qui a subi une impaludation	IMPALUDÉ
Qui a trait à la digestion	PEPTIQUE
Qui a trait au cubitus	ULNAIRE

Qui a trop bu de vin	AVINÉ
Qui a un air propre	CLEAN
Qui a un maintien raide, forcé	GUINDEE
Qui a un nez écrasé	CAMARD
Qui a un ongle à chaque doigt	ONGUICULÉ
Qui a un rythme alterné	OSCILLANT
Qui a un sexe	SEXUÉ
Qui a un squelette	VERTÉBRÉ
Qui a une action sur les nerfs	NERVIN
Qui a une certaine laideur morale	TURPIDE
Qui a une mauvaise réputation (Mal ...)	FAMÉ
Qui a une nuance bleue	BLEUTE
Qui a une réalité	EXISTANT
Qui a valeur d'indice	INDICIEL
Qui aboie	ABOYEUR
Qui abonde en gibier	GIBOYEUX
Qui abuse des formalités judiciaires	CHICANEUR
Qui accouche pour la première fois	PRIMIPARE
Qui adore les idoles	IDOLÂTRE
Qui affecte une pureté excessive du langage	PURISTE
Qui agit malgré le danger ou la peur	COURAGEUX
Qui aide à la digestion	DIGESTIF
Qui aime à jacasser	JACASSEUR
Qui aime à plaisanter	FOLÂTRE
Qui aime à rire	BADIN
Qui aime blaguer	BLAGUEUR
Qui aime caresser ou être caressé	CARESSANT
Qui aime discuter	DISCUTEUR
Qui aime la magnificence et qui en montre	FASTUEUX
Qui aime l'autorité	AUTORITAIRE
Qui aime les étrangers	XÉNOPHILE
Qui aime sa patrie	PATRIOTE
Qui alarme	ALARMANT
Qui amène quelque chose de nouveau	INNOVANT
Qui annonce un rapport de cause à effet	CAUSAL
Qui annule	ANNULANT
Qui appartient à la bourgeoisie	BOURGEOIS

Qui appartient à la cuisse . . . . CRURAL
Qui appartient à la face . . . . FACIAL
Qui appartient à la fièvre jaune . . . . AMARIL
Qui appartient à la gorge . . . . JUGULAIRE
Qui appartient à la même espèce . . . . CONGÉNÈRE
Qui appartient à la peau . . . . CUTANÉ
Qui appartient à la vessie . . . . VÉSICAL
Qui appartient à l'Armée du Salut . . . . SALUTISTE
Qui appartient à l'Élysée . . . . ÉLYSÉEN
Qui appartient à l'expérience de la vie . . . . VÉCU
Qui appartient à l'Occident . . . . OCCIDENTAL
Qui appartient à un empereur . . . . IMPÉRIAL
Qui appartient à un ensemble
   de peuples du Proche-Orient . . . . SÉMITE
Qui appartient à un fief . . . . FÉODAL
Qui appartient à un port . . . . PORTUAIRE
Qui appartient au centre, en politique . . . . CENTRISTE
Qui appartient au dos . . . . DORSAL
Qui appartient au faîte . . . . FAÎTIÈRE
Qui appartient au fascisme . . . . FASCISTE
Qui appartient au gosier . . . . GUTTURAL
Qui appartient au mari . . . . MARITAL
Qui appartient au pape . . . . PAPAL
Qui appartient au sommet . . . . APICAL
Qui appartient aux artères . . . . ARTÉRIEL
Qui appartient aux côtes . . . . COSTAL
Qui appartient aux doigts . . . . DIGITAL
Qui apporte le calme et la sérénité . . . . APAISANT
Qui apprécie la musique . . . . MÉLOMANE
Qui arrive à propos . . . . BIENVENU
Qui arrive souvent . . . . FREQUENT
Qui aspire . . . . ASPIRANT
Qui assure un déplacement rapide . . . . EXPRESS
Qui attaque les tissus organiques . . . . CAUSTIQUE
Qui atteint sa plus grande hauteur . . . . . . CULMINANT
Qui atteint une grande hauteur . . . . ÉLEVÉ
Qui bave . . . . BAVEUX
Qui bégaie . . . . BÈGUE
Qui bêle . . . . BÊLANT
Qui bénificie d'une pension . . . . PENSIONNE
Qui bénit . . . . BÉNISSEUR

Qui boude fréquemment	BOUDEUR
Qui braille	BRAILLARD
Qui brille d'un vif éclat	CORUSCANT
Qui brise de fatigue	ÉREINTANT
Qui captive	CAPTIVANT
Qui caractérise un type	TYPIQUE
Qui casse par maladresse	CASSEUR
Qui cause du dépit	ENRAGEANT
Qui cause la mort	LÉTAL
Qui cause la ruine	FOSSOYEUR
Qui cesse son mandat	SORTANT
Qui cherche à attendrir	LARMOYANT
Qui cherche à épater	EPATEUR
Qui cherche à plaire	COMPLAISANT
Qui chipote	CHIPOTEUR
Qui combat la fièvre	FÉBRIFUGE
Qui combat	MILITANT
Qui commande d'une façon absolue	IMPERIEUX
Qui comporte des risques mortels	SUICIDE
Qui comporte des risques	HASARDEUX
Qui comporte deux axes optiques	BIAXE
Qui comporte deux couleurs	BICOLORE
Qui comporte deux sons	BITONAL
Qui comporte deux unités	DUAL
Qui concerne la reproduction	GÉNITAL
Qui concerne la sexualité	SEXUEL
Qui concerne l'agriculture	AGRICOLE
Qui concerne le cosmos	UNIVERSEL
Qui concerne le foyer d'un instrument d'optique	FOCAL
Qui concerne le père	PATERNEL • PATERNELLE
Qui concerne le sens des réalités	PRATIQUE
Qui concerne le travail de la terre	ARATOIRE
Qui concerne le vin	VINAIRE
Qui concerne l'enregistrement des sons	AUDIO
Qui concerne les brebis	OVIN
Qui concerne les deux sexes	BISEXUEL
Qui concerne les gestes	GESTUEL
Qui concerne les navires	NAVAL
Qui concerne l'État	ÉTATIQUE
Qui concerne l'univers	UNIVERSEL

Qui concerne une inauguration	INAUGURAL
Qui concerne une nation en particulier	NATIONAL
Qui concilie des intérêts opposés	AMIABLE
Qui connaît trois langues	TRILINGUE
Qui constitue la base de quelque chose	BASAL
Qui consume, détruit	DÉVORANT
Qui contient de la craie	CRÉTACÉ
Qui contient de la soude	SODÉ
Qui contient de l'eau	AQUEUX
Qui contient de l'opium	OPIACÉ
Qui contient de l'or	AURIFERE
Qui contient des flèches	SAGITTAL
Qui contient des vitamines	VITAMINÉ
Qui contient du cacao	CACAOTÉ
Qui contient du carbone	CARBURE
Qui contient du chlore	CHLORE
Qui contient du fer	FERREUX
Qui contient du miel	MIELLÉ
Qui contient du pus	PURULENT
Qui contient du sodium	SODÉ • SODIQUE
Qui contient du venin	VENIMEUX
Qui contient peu d'eau	CONCENTRE
Qui contient un albumen	ALBUMINÉ
Qui contient une allusion	ALLUSIF
Qui contient une base	ALCALIN
Qui contient une éloge	LAUDATIF
Qui contraste violemment	HEURTÉ
Qui convient indifféremment aux deux sexes	UNISEXE
Qui convient	CONFORME
Qui coule ou tend à couler	LIQUIDE
Qui coule	FLUENT
Qui coûte cher	CHEROT
Qui croît dans les ruisseaux	RIVULAIRE
Qui croît sur les murs	MURAL
Qui date de longtemps	ANCIEN
Qui débute	DÉBUTANT
Qui déchire le cœur	DÉCHIRANT
Qui demeure caché	LATENT
Qui dénote la mauvaise humeur	RAGEUR
Qui dénote la richesse	COSSU

Qui dépeint les aspects vulgaires du réel	RÉALISTE
Qui dépose des sédiments	FÉCULENT
Qui dépose une lie	FÉCULENT
Qui dérobe	VOLEUR
Qui désigne un nombre	NUMÉRAL
Qui désire	DESIREUX
Qui détourne facilement	ÉLUSIF
Qui détourne habilement	ÉLUSIF
Qui détourne par persuasion	DISSUASIF
Qui détruit les mauvaises herbes	HERBICIDE
Qui détruit l'ordre établi	SUBVERSIF
Qui devient acide	ACESCENT
Qui dévore	VORACE
Qui diminue le sens d'un mot	DIMINUTIF
Qui doit servir de règle de conduite	GOUVERNE
Qui donne facilement	LIBÉRAL
Qui donne lieu à un choix	OPTIONNEL
Qui donne une série	SÉRIEL
Qui dure autant que la vie	VIAGER
Qui dure deux ans	BIENNAL
Qui dure longtemps	LONG
Qui dure peu de temps	ÉPHÉMÈRE
Qui dure trente ans	TRICENNAL
Qui dure trois ans	TRIENNAL
Qui dure trois mois	TRIMESTRIEL
Qui dure un an	ANNAL • ANNUEL • ANNUELLE
Qui émet la lumière	LUMINEUX
Qui empêche la transmission des sons	INSONORE
Qui encourt une peine	PASSIBLE
Qui endommage par une pression violente	FROISSANT
Qui engage les deux parties	BILATÉRAL
Qui engendre le mouvement	MOTRICE
Qui enivre	ENIVRANT
Qui ennuie	ENNUYANT
Qui entoure le milieu dans lequel on vit	AMBIANT
Qui entoure	AMBIANT
Qui éprouve de la contrariété	CONTRARIÉ
Qui est à la droite de l'écu	DEXTRE

Qui est à l'état naturel	ÉCRU
Qui est à l'ouest	OCCIDENTAL
Qui est à ras de terre	RASANT
Qui est atteint d'hémophilie	HEMOPHILE
Qui est au bord de la mer	MARITIME
Qui est au nord	BORÉAL
Qui est au sud du globe terrestre	AUSTRAL
Qui est bien pourvu	NANTI
Qui est bordé de petites dents arrondies	ENGRELÉ
Qui est consacré à Bacchus	BACHIQUE
Qui est constitué par deux fils	BIFILAIRE
Qui est couvert de neige	NEIGEUX
Qui est dans la lune	LUNATIQUE
Qui est dans un état de très forte excitation	SUREXCITE
Qui est de la nature de l'eau	AQUEUX
Qui est de la nature du duvet	DUVETEUX
Qui est de la nature du fait	FACTUEL
Qui est de même nature ou apparence	SEMBLABLE
Qui est de trop en parlant des paroles	REDONDANT
Qui est dépourvu d'ailes	APTÈRE
Qui est devenu blanc de vieillesse	CHENU
Qui est disposée à vendre	VENDEUSE
Qui est doué d'un bon équilibre psychique	SAIN
Qui est doux et calme	PLACIDE
Qui est dû à un sérum	SÉRIQUE
Qui est du côté est	ORIENTAL
Qui est du domaine du temps	TEMPOREL
Qui est d'une acidité désagréable	AIGRE
Qui est d'une audace extrême	TÉMÉRAIRE
Qui est d'une nuance sombre	FONCÉ
Qui est d'une seule couleur	UNICOLORE
Qui est en âge d'être marié	NUBILE
Qui est en flammes	ENFLAMME
Qui est en fonds	ARGENTÉ
Qui est étranger au domaine de la moralité	AMORAL
Qui est fendu en deux parties	BIFIDE
Qui est heureux en Dieu	BÉAT
Qui est imposé	PRESCRIT

Qui est le résultat de l'intuition . . . . INTUITIF

Qui est mal à l'aise, peu naturel . . . . CONTRAINT

Qui est miné par les vers . . . . VERMOULU

Qui est mû par le vent . . . . ÉOLIEN

Qui est nommé par élection . . . . ÉLECTIF

Qui est passionné pour qqch. . . . . ACCRO

Qui est plein de difficultés . . . . ÉPINEUX

Qui est plus habile de la main gauche . . . . GAUCHER

Qui est plus long que large . . . . OBLONG

Qui est porté à tout critiquer . . . . NÉGATEUR

Qui est propre à la musique . . . . MUSICAL

Qui est propre à l'homme . . . . MASCULIN

Qui est propre au père . . . . PATERNELLE

Qui est propre aux os . . . . OSSEUX

Qui est relatif à la civilisation
dans ses aspects intellectuels . . . . CULTUREL

Qui est relatif aux dents . . . . DENTAL

Qui est sans barbe . . . . IMBERBE

Qui est sujet à incertitude . . . . DOUTEUX

Qui est sujet à la rancune . . . . RANCUNIER

Qui est sujet à tomber . . . . LABILE

Qui est systématiquement hostile
à tout ce qu'on lui propose . . . . ANTITOUT

Qui est toujours prêt à boire . . . . SOIFFARD

Qui est très amaigri . . . . ÉMACIÉ

Qui est très arriéré . . . . FOSSILE

Qui est très courte, en parlant
d'une jupe . . . . MINI

Qui est venu de l'étranger . . . . IMMIGRE

Qui est visible . . . . APPARENT

Qui éveille les soupçons . . . . SUSPECT

Qui évolue lentement et se prolonge . . . . CHRONIQUE

Qui évoque la sensualité . . . . LASCIF

Qui évoque le bêlement . . . . BÊLANT

Qui évoque le lion . . . . LÉONIN

Qui évoque une ligne droite . . . . LINÉAIRE

Qui excite le désir . . . . SEXY

Qui excite . . . . FERMENT

Qui exclut toute affectation . . . . NATUREL

Qui exerce un attrait . . . . ATTIRANT

Qui exerce une domination excessive . . . . DESPOTE

Qui exige beaucoup	EXIGEANT
Qui expire	EXPIRANT
Qui expose les choses en trop de paroles	VERBEUX
Qui exprime le doute	DUBITATIF
Qui exprime les choses avec crudité et réalisme	TRUCULENT
Qui fait avorter	ABORTIF
Qui fait chier, ennuie	CHIANT
Qui fait crier d'indignation	CRIANT
Qui fait des dépenses excessives	PRODIGUE
Qui fait des fugues, en général un enfant	FUGUEUR
Qui fait fondre la glace	DEGLAÇANT
Qui fait le fier	FIEROT
Qui fait naître un désir	TENTANT
Qui fait peur	ÉPEURANT
Qui fait preuve de fermeté	CONSTANT
Qui fait preuve de snobisme	SNOB
Qui fait preuve d'urbanité	URBAIN
Qui fait rire	HILARANT
Qui fait trop de cérémonies	FAÇONNIER
Qui fait, rapporte des cancans	CANCANIER
Qui fatigue beaucoup	ÉPUISANT
Qui fatigue en ennuyant	LASSANT
Qui fleurit dans la neige	NIVÉAL
Qui forme un axe	AXILE
Qui forme un reste	RÉSIDUEL
Qui forme une unité	UNITAIRE
Qui forme	FORMATEUR
Qui fournit la nourriture	NOURRICIER
Qui frotte	FROLEUR
Qui galope	GALOPEUR
Qui gâte les enfants	GÂTEAU
Qui glace	GLAÇANT
Qui glisse en traîneau	LUGEUR
Qui grimpe	GRIMPANT
Qui grise en exaltant	GRISANT
Qui habite au bord d'un cours d'eau	RIVERAIN
Qui heurte la pudeur	IMPUDIQUE
Qui ignore les règles de la morale	AMORAL

Qui imite	IMITATEUR
Qui inquiète à tort	ALARMISTE
Qui insiste	INSISTANT
Qui inspire la pitié	PITOYABLE
Qui inspire la répulsion	REPULSIF
Qui insulte	INSULTANT
Qui intéresse l'ensemble d'un pays	NATIONAL
Qui jase	JASANT
Qui joint sans laisser d'intervalle	JOINTIF
Qui laisse apparaître le cou, la gorge	DECOLLETE
Qui limite	LIMITATIF
Qui louche	BIGLE
Qui lutte contre les tentations	MILITANT
Qui mange de tout	OMNIVORE
Qui manifeste de l'orgueil	ALTIER
Qui manifeste un patriotisme excessif	CHAUVIN
Qui manifeste une extrême délicatesse	EXQUIS
Qui manifeste une pudibonderie exagérée	BÉGUEULE
Qui manque à sa parole	PERFIDE
Qui manque d'aisance	EMPRUNTE
Qui manque d'ardeur	NONCHALANT
Qui manque de certitude	INCERTAIN
Qui manque de civisme	INCIVIQUE
Qui manque de délicatesse	INDELICAT
Qui manque de finesse	OBTUS
Qui manque de liaison	DÉCOUSU
Qui manque de perspicacité	MYOPE
Qui manque de pudeur	IMMODESTE
Qui manque de rigueur, d'équilibre	BANCAL
Qui manque de stabilité	BRANLANT
Qui manque d'élégance, de classe	INELEGANT
Qui manque d'énergie	MOLLASSE
Qui manque d'habileté	INEXPERT
Qui manque gravement à l'équité	INIQUE
Qui marche sur deux pieds	BIPÈDE
Qui marque la bouderie	BOUDEUR
Qui mène une vie exemplaire	SAINT
Qui mérite d'être pendu	PENDARD
Qui mérite une réprobation	DAMNABLE
Qui met sur la défensive	HERISSANT
Qui migre	MIGRATEUR

Qui montre sa prétention de façon déplaisante	FAT
Qui n'a pas de corolle	APÉTALE
Qui n'a pas de queue	ANOURE
Qui n'a pas de sexe	ASEXUÉ
Qui n'a pas encore de barbe	IMBERBE
Qui n'a pas été expié	INEXPIÉ
Qui n'a pas servi	NEUF
Qui n'a pas subi de transformations	BRUT
Qui n'a peur de rien	DUR
Qui n'a plus de voix	APHONE
Qui n'a plus ou presque plus de cheveux	CHAUVE
Qui n'a qu'une étamine	MONANDRE
Qui n'a qu'une feuille	UNIFOLIÉ
Qui n'appartient pas au clergé	LAÏC
Qui nasille	NASILLARD
Qui ne cesse de voyager	ERRANT
Qui ne communique guère ses impressions	RENFERME
Qui ne dure qu'un an	ANNAL
Qui ne fait aucun progrès	STAGNANT
Qui ne fait pas partie du clergé	LAÏQUE
Qui ne peut être contenu	EXPANSIF
Qui ne peut être guéri	INCURABLE
Qui ne peut être vu	INVISIBLE
Qui ne peut plus couler	TARI
Qui ne peut s'exprimer que dans une seule langue	UNILINGUE
Qui ne possède pas de dents	ANODONTE
Qui ne possède qu'un ovule	UNIOVULÉ
Qui ne provoque pas de douleur	INDOLORE
Qui ne répond pas aux attentes	DECEVANT
Qui ne s'accorde pas	DIVERGENT
Qui ne sert à rien, vain	OISEUX
Qui ne s'intéresse plus à rien	BLASÉ
Qui ne s'organise pas selon le système tonal	ATONAL
Qui ne varie pas	UNIFORME
Qui n'en fait qu'à sa tête	CABOCHARD
Qui n'engage qu'une seule partie	UNILATÉRAL

Qui n'est pas adapté à la vie sociale	ASOCIAL
Qui n'est pas de race pure	BÂTARD
Qui n'est pas digne d'un citoyen	INCIVIQUE
Qui n'est pas droit	COURBE
Qui n'est pas égalé	INÉGALÉ
Qui n'est pas encombré	DEGAGE
Qui n'est pas exercé	INEXERCÉ
Qui n'est pas franchement bleu	BLEUÂTRE
Qui n'est pas né noble	ROTURIER
Qui n'est pas rassasié	INASSOUVI
Qui n'est pas sain	VÉREUX
Qui n'est pas terminé	INACHEVE
Qui n'est plus frais	RASSIS
Qui n'est plus visible	DISPARU
Qui nettoie en dissolvant les impuretés	DÉTERSIF
Qui n'offre pas d'aspérités	LISSE
Qui nuit à la réputation	DIFFAMANT
Qui obsède	OBSÉDANT
Qui ôte le lustre du papier	DÉGLAÇANT
Qui parle beaucoup	LOQUACE
Qui parle par allusions	ALLUSIF
Qui parle volontiers, communicatif	CAUSANT
Qui participe à une coalition	COALISÉ
Qui pend	TOMBANT
Qui permet beaucoup de choses	PERMISSIF
Qui peut être coupé	SECABLE
Qui peut être daté	DATABLE
Qui peut être déplacé	AMOVIBLE
Qui peut être égalé	EGALABLE
Qui peut être élu	ÉLIGIBLE
Qui peut être joué	JOUABLE
Qui peut être opéré	OPÉRABLE
Qui peut être résolu	RESOLUBLE
Qui peut être séparé	SEPARABLE
Qui peut être utilisé sur terre et dans l'eau	AMPHIBIE
Qui peut faire encourir la damnation	DAMNABLE
Qui peut prendre deux formes différentes	DIMORPHE
Qui peut se tromper	FAILLIBLE
Qui peut s'effacer	DÉLÉBILE
Qui plonge dans une stupeur mêlée d'effroi	EFFARANT
Qui porte à la vertu	ÉDIFIANT

Qui porte des bandes
transversales colorées . . . . ZONAL

Qui porte des jupons . . . . JUPONNE

Qui porte des ornements . . . . PARE

Qui porte la barbe . . . . BARBU

Qui porte les couleurs
nationales françaises . . . . TRICOLORE

Qui porte les mamelles . . . . MAMMIFERE

Qui porte un germe . . . . PROLIGÈRE

Qui possède naturellement . . . . DOUÉ

Qui possède un sexe . . . . SEXUÉ

Qui pratique la bisexualité . . . . BISEXUEL

Qui précède la naissance . . . . PRENATAL

Qui précède, dans le temps . . . . ANTÉRIEUR

Qui prend plaisir à contrarier . . . . TAQUIN

Qui prend plaisir à faire souffrir . . . . SADIQUE

Qui présente de larges ondulations . . . . ONDULEUX

Qui présente des aspérités . . . . ÂPRE

Qui présente des cals . . . . CALLEUX

Qui présente des cannelures . . . . CANNELÉ

Qui présente des fleurs . . . . FLORAL

Qui présente des lacunes . . . . LACUNAIRE

Qui présente des nodosités . . . . NOUEUSE • NOUEUX

Qui présente des varices . . . . VARIQUEUX

Qui présente des veines bleues . . . . VEINÉ

Qui présente des zones d'aspects différents . . . . ZONÉ

Qui présente deux couleurs . . . . BICOLORE

Qui présente trois dents . . . . TRIDENTÉ

Qui présente une courbure convexe . . . . BUSQUE

Qui présente une fêlure . . . . FÊLÉ

Qui présente une surface en creux . . . . CONCAVE

Qui prête attention . . . . ATTENTIF

Qui prête volontiers ce qu'elle possède . . . . PRÊTEUSE

Qui prête volontiers ce qu'il possède . . . . PRÊTEUR

Qui prévoit avec perspicacité . . . . PREVOYANT

Qui procède par huit . . . . OCTAL

Qui procède par induction . . . . INDUCTIF

Qui prodigue des approbations . . . . BÉNISSEUR

Qui prodigue des soins . . . . SOIGNANT

Qui produit des fruits . . . . FRUITIER

Qui produit des perles . . . . PERLIER

Qui produit du sel	SALANT
Qui produit du sucre	SUCRIER
Qui produit la voix	VOCAL
Qui produit l'érosion	ÉROSIF
Qui produit l'infection	SEPTIQUE
Qui produit un goût désagréable	AMER
Qui produit un sifflement	SIBILANT
Qui produit une percussion	PERCUTANT
Qui protège du soleil	SOLAIRE
Qui provient de la laine	LANICE
Qui provient de l'action du vent	ÉOLIEN
Qui provient d'une carence	CARENTIEL
Qui provoque des envies de vomir	NAUSÉEUX
Qui provoque des nausées	NAUSÉEUSE
Qui provoque la mort	LÉTAL
Qui provoque le sommeil	DORMITIF
Qui provoque un avortement	ABORTIF
Qui que ce soit	QUICONQUE
Qui raffole des cancans	CANCANIER
Qui ramasse	RAMASSEUR
Qui rappelle les vacances	VACANCIER
Qui rappelle un paysage naturel	PAYSAGER
Qui reçoit une tension trop élevée	SURVOLTE
Qui reçoit	RÉCEPTEUR
Qui recourt à l'intrigue	INTRIGANT
Qui refuse d'entendre	SOURD
Qui regarde à la dépense	REGARDANT
Qui relaxe	RELAXANT
Qui relève des sentiments en général	AFFECTIF
Qui relève du mari	MARITAL
Qui relève du sujet défini comme être pensant	SUBJECTIF
Qui relève	RELEVEUR
Qui remonte vers son origine	RECURRENT
Qui remplit les conditions pour être élu	ÉLIGIBLE
Qui rend service	UTILE
Qui renferme des perles	PERLIER
Qui renferme du tanin	TANNIQUE
Qui renferme les cendres d'un mort	CINÉRAIRE
Qui renferme quelque chose en soi	INCLUSIF
Qui répand de la fumée	FUMEUX
Qui répand une odeur agréable	PARFUME

Qui repose de ses fatigues . . . . DELASSANT
Qui représente un état primitif . . . . BRUT
Qui représente un nombre arithmétique . . . . NUMÉRAL
Qui répugne à l'effort . . . . FLEMMARD
Qui respire la gaîté . . . . RIANT
Qui ressemble à la poudre . . . . POUDREUX
Qui ressemble à une rose . . . . ROSACÉ
Qui ressemble au chat . . . . FÉLIN
Qui ressent une grande fureur . . . . FURIBOND
Qui reste sans résultat . . . . NUL
Qui résulte d'un excès de bile . . . . BILIEUX
Qui retient les substances grasses . . . . LIPOPHILE
Qui réunit en collant . . . . AGGLUTINANT
Qui réunit trois partis . . . . TRIPARTI
Qui revient chaque année . . . . ANNUEL • ANNUELLE
Qui revient quatre fois par année . . . . TRIMESTRIEL
Qui revient tous les deux ans . . . . BISANNUEL
Qui révolte . . . . REVOLTANT
Qui ricane . . . . RICANEUR • RICANEUSE
Qui rit à demi, de façon sarcastique . . . . RICANEUR
Qui s'accomplit en un jour . . . . DIURNE
Qui saigne . . . . SAIGNANT
Qui s'aigrit, devient acide . . . . ACESCENT
Qui s'applique à plusieurs personnes . . . . COMMUN
Qui se consacre à un travail . . . . OCCUPÉ
Qui se déplace sur le sol . . . . TERRESTRE
Qui se développe dans un milieu stérile . . . . AXÈNE
Qui se fâche facilement . . . . QUINTEUX
Qui se fait avec les mains . . . . MANUEL
Qui se fait dans l'esprit seulement . . . . MENTAL
Qui se fait de vive voix . . . . VERBAL
Qui se fait difficilement . . . . LABORIEUX
Qui se fait par mer . . . . MARITIME
Qui se laisse façonner . . . . MALLÉABLE
Qui se lamente à tout propos . . . . GEIGNARD
Qui se lève . . . . LEVANT
Qui se lie facilement avec autrui . . . . LIANT
Qui se manifeste par des effets tangibles . . . . AGISSANT
Qui se montre le jour . . . . DIURNE
Qui se nourrit de bois . . . . XYLOPHAGE
Qui se nourrit de peu . . . . FRUGAL

Qui se nourrit de poissons	PISCIVORE
Qui se nourrit d'herbe	HERBIVORE
Qui se perd en détails inutiles	PROLIXE
Qui se plaît à rire	RIGOLARD
Qui se produit à l'intérieur d'une chose	INTESTIN
Qui se produit en même temps	SIMULTANE
Qui se produit par devant, de face	FRONTAL
Qui se rapporte à l'impôt	FISCAL
Qui se rapporte à l'oreille	AURICULAIRE
Qui se rapporte à un virus	VIRAL
Qui se rapporte au bœuf	BOVIN
Qui se rapporte au chanvre	CHANVRIER
Qui se rapporte au fisc	FISCAL
Qui se rapporte au sapin	ABIÉTIN
Qui se rapporte au ventre	ALVIN
Qui se signale par son luxe	LUXUEUX
Qui se transmet par la parole	ORAL
Qui se trouve dans l'air	AÉRIEN
Qui sécrète	SECRETEUR
Qui séduit	FASCINANT
Qui s'éloigne rapidement	FUYANT
Qui semble venir des profondeurs d'une caverne	CAVERNEUX
Qui s'enroule vers la gauche	SENESTRE
Qui sent le bois	BOISÉ
Qui s'érode facilement	ÉROSIF
Qui sert au rinçage	RINCEUR
Qui sert de base	BASILAIRE
Qui s'est repenti	REPENTI
Qui s'évapore facilement	VOLATIL
Qui s'exprime avec humour	HUMORISTE
Qui s'exprime en peu de mots	LACONISME
Qui sied, qui va bien	SEYANT
Qui s'impose à l'esprit	CRIANT
Qui s'inspire des idées de droite	DROITISTE
Qui s'oppose à l'action des blindés	ANTICHAR
Qui s'oppose à tout	ANTITOUT
Qui s'oppose aux gangs	ANTIGANG
Qui sort beaucoup	MONDAIN
Qui souffle du nord, en Méditerranée orientale	ÉTÉSIEN

Qui souffre de malnutrition	DÉNUTRI
Qui souffre de nausées	NAUSÉEUSE • NAUSÉEUX
Qui soutient une hérésie	HÉRÉTIQUE
Qui stimule l'appétit	APERITIF
Qui stimule l'organisme	EXCITANT
Qui stresse	STRESSANT
Qui suit une cure	CURISTE
Qui supplée quelqu'un dans ses fonctions	SUPPLEANT
Qui supporte avec patience	ENDURANT
Qui supprime le halo	ANTIHALO
Qui supprime les vieilles habitudes	DÉCAPANT
Qui survit à d'autres	SURVIVANT
Qui suscite la dérision	DÉRISOIRE
Qui t'appartient	TIEN
Qui témoigne d'une pruderie excessive	BÉGUEULE
Qui tend à opprimer	OPPRESSIF
Qui tient de la fable	FABULEUX
Qui tient de la féerie	FÉERIQUE
Qui tient du chat	FÉLIN
Qui tient du poison	VIREUX
Qui tient quelque chose en fief	FIEFFE
Qui tient une teinturerie	TEINTURIER
Qui tire sur le bleu	BLEUÂTRE
Qui tire sur le brun	BRUNATRE
Qui tire sur le gris	GRISATRE
Qui tire sur le jaune	JAUNÂTRE
Qui tire sur le noir	NOIRÂTRE
Qui tire sur le rouge	ROUGEATRE
Qui tire sur le roux	ROUSSÂTRE
Qui tire sur le vert olive	OLIVÂTRE
Qui touche à un autre	CONTIGU
Qui traite quelqu'un de haut	SNOB
Qui travaille beaucoup	LABORIEUX
Qui tue les germes microbiens	GERMICIDE
Qui utilise des combines	COMBINARD
Qui va en s'élargissant	ÉVASÉ
Qui vaut sept fois autant	SEPTUPLE
Qui vaut sept fois la quantité désignée	SEPTUPLE
Qui vaut six fois autant	SEXTUPLE
Qui vient de débarquer	DEBARQUE

Qui vient de la tonture du drap	TONTISSE
Qui vient du nez	NASILLARD
Qui vient en premier	UNIÈME
Qui vise à développer la culture	CULTUREL
Qui vit dans la vase	LIMICOLE
Qui vit dans le bois en parlant des insectes	LIGNICOLE
Qui vit dans le célibat	CÉLIBATAIRE
Qui vit dans les montagnes	MONTICOLE
Qui vit du vol	VOLEUR
Qui vit isolé du monde	RECLUS
Qui vit sur terre et dans l'eau	AMPHIBIE
Qui voltige sur un cheval, une corde	VOLTIGEUR
Quiétisme	PASSIVITE
Quignon	CROÛTON
Qu'il convient de faire, de dire	BIENSEANT
Quiproquo	MÉPRISE
Quittance	ACQUIT • REÇU
Quitté	DÉLAISSÉ
Quitter	DÉLAISSER • DÉSERTER • ÉVACUER LAISSER
Quitter la ruche en essaim	ESSAIMER
Quitter le port	APPAREILLER
Quitter l'état religieux	DÉFROQUER
Quitter son pays	ÉMIGRER
Quitter soudainement	PLAQUER
Quitter un lieu	SORTIR
Qu'on à fait bouillir	BOUILLI
Qu'on à renvoyé dans sa patrie	RAPATRIE
Qu'on ne peut résoudre	INSOLUBLE
Qu'on peut enlever ou remettre à volonté	AMOVIBLE
Qu'on peut régler	RÉGLABLE
Qu'on peut réparer	REPARABLE
Quote-part de chacun dans un repas	ÉCOT
Quote-part	CONTRIBUTION • COTISATION
Quotidien de demi-format	TABLOÏDE
Quotidien	JOURNALIER
Quotient intellectuel	QI

R

Rab	RABIOT
Rabâchage	RADOTAGE • RÉPÉTITION
Rabâcher	REDIRE • RÉPÉTER
Rabais	DIMINUTION • RÉDUCTION • REMISE RISTOURNE • SOLDE
Rabaisser dans sa réputation	DÉCRIER
Rabaisser	DIMINUER • HUMILIER • RAPETISSER
Rabane	RAPHIA
Rabattage	RABAT
Rabattre	APLATIR • BAISSER • PLIER
Rabiot	RAB
Rabot de menuiserie	BOUVET
Rabougri	RATATINÉ
Rabougrir	ÉTIOLER
Rabougrissement	CHETIVITE
Rabrouer	REMETTRE
Racaille	LIE • VERMINE
Raccommoder	COUDRE • RAPIÉCER • RÉCONCILIER REPRISER
Raccommoder à l'aiguille	RAVAUDER
Raccommodeur de souliers	SAVETIER
Raccommodeur	RAVAUDEUR
Raccompagner	RAMENER • RECONDUIRE
Raccorder avec du plâtre	RUILER
Raccorder	BRANCHER
Raccourci	ABRÉGÉ • COURT
Raccourcir	ABRÉGER • ÉCOURTER • RAPETISSER SABRER
Raccourcir en coupant le bout	ÉBOUTER
Raccrocher	RESSAISIR
Race anglaise de chiens de chasse	SPRINGER
Race de chats	ANGORA • PERSAN
Race de lapins	ANGORA
Race pure des doctrines d'inspiration nazies	ARYEN
Race	ESPÈCE • GENT
Racheter, sauver	RÉDIMER
Racine d'une plante du genre panax	GINSENG

Racine	BASE
Raclée	ROULEE • VOLÉE
Racler le fond de la mer avec une drague	DRAGUER
Râcler	GRATTER
Raclette	CURETTE
Raclette plate	GRATTE
Racloir pour frictionner le corps	STRIGILE
Racloir	CURETTE • GRATTOIR • RACLE
Racolage	PROSTITUTION • TAPIN
Racommodage	RADOUB
Raconter	DIRE • NARRER • RELATER
Raconter des boniments	BARATINER
Rad	RD
Radeau servant à la réparation d'un bâtiment	RAS
Radian	RAD
Radié	EXCLU
Radier	ANNIHILER
Radiesthésiste	SOURCIER
Radieux	ÉPANOUI
Radin	RAPIAT • REGARDANT
Radinerie	AVARICE • LÉSINERIE
Radio portative	TRANSISTOR
Radiodiffusion	RADIO
Radio-source	QUASAR
Radis sauvage	RAVENELLE
Radium	RA
Radjah	RAJAH
Radon	RN
Radotage	RABÂCHAGE
Radoter	RABACHER
Radoub	RÉPARATION
Rafale	RISÉE
Raffermir dans une opinion	CONFORTER
Raffermir	CIMENTER • CONSOLIDER • TONIFIER
Raffiné	DÉLICAT • RECHERCHE • SUBTIL
Raffinement	DÉLICATESSE • SUBTILITÉ
Raffiner	AFFINER
Raffinerie de sucre	SUCRERIE
Raffut	RAMDAM

Rafiot	BATEAU
Rafistolage	RAPIEÇAGE • RÉPARATION
Rafistoler	RABIBOCHER
Rafraîchi dans la glace	FRAPPÉ
Rafraîchir	DÉSALTÉRER • ÉVENTER • FRAÎCHIR
	RAJEUNIR
Rafting	RAFT
Ragaillardir	RÉCONFORTER
Rage	COLÈRE • FUREUR • FURIE • IRE
Rageant	RÂLANT
Rager	ENRAGER
Rager, râler	BISQUER
Ragot	CANCAN • COMMERAGE
Ragoût cuit avec du vin	CIVET
Ragoût de bœuf à la manière hongroise	GOULACHE
Ragoût de lièvre	CIVET
Ragoût de mouton	NAVARIN • TAJINE
Ragoût	CASSOULET • FRICASSÉE • FRICOT
Rai	FAISCEAU
Raid	ATTAQUE • DESCENTE • RAZZIA
Raide	ABRUPT • ARDU • DROIT • EMPESÉ
	RIGIDE • ROIDE
Raideur	RIGIDITÉ
Raidir	ROIDIR • TENDRE • TIRER
Raie formée par les cheveux	PLI
Raie sur une surface	ZÉBRURE
Raie	HACHURE
Railler par des brocards	BROCARDER
Railler quelqu'un	BROCARDER
Railler	BLAGUER • BLASONER • CHINER
	DAUBERN • IRONISER • MOQUER
	SATIRISER
Railler, faire des brocards	BROCARDER
Raillerie	BROCARD • DÉRISION • IRONIE
	MALICE
Raillerie insultante	SARCASME
Raillerie malveillante	QUOLIBET
Railleur	FRONDEUR • GOUAILLEUR • IRONISTE
Rainure à la surface d'un os	GOUTTIÈRE
Rainure	CANNELURE

Rainurer	RAINER
Raire	BRAMER • RALLER • RÉER
Raison	ARGUMENT • CAUSE • EXCUSE MOTIF • SAGESSE
Raisonnable	PONDÉRÉ • RATIONNEL • SENSÉ
Raisonnablement	DECEMMENT • SAINEMENT
Raisonnement	PENSÉE
Raisonnement de mauvaise foi	SOPHISME
Raisonnement faux	SOPHISME
Raisonnement pointilleux	ARGUTIE
Raisonner	PENSER
Rajah	RADJAH
Rajeunir	RAFRAÎCHIR • RÉNOVER
Ralentir	DÉCÉLÉRER • FREINER
Ralentissement de la circulation d'un liquide organique	STASE
Ralentissement important de la digestion	APEPSIE
Râler	ENRAGER
Raller	RAIRE • RÂLER • RÉER
Ralliement	ATTROUPEMENT
Rallier	CONVERTIR • RASSEMBLER • REJOINDRE
Rallumer	RANIMER
Ramage	BABIL • CHANT
Ramassage	COLLECTE
Ramasser	CUEILLIR • RÉCOLTER
Ramasser au hasard	GRAPPILLER
Ramasser avec un râteau	RÂTELER
Ramasser dans les champs	GLANER
Ramasser les sarments après la taille de la vigne	SARMENTER
Ramasseur	RATELEUR
Ramassis	AMAS • RAMAS • TAS
Ramdam	CHAHUT
Rame	AVIRON • PAGAIE
Rameau imparfaitement élagué	ÉCOT
Rameau	SARMENT
Ramener à la raison	RAISONNER
Ramener à la règle	CORRIGER
Ramener en arrière	REPLIER
Ramener	RECONDUIRE

Ramer	CANOTER • NAGER
Rameur du dernier rang d'une galère	ESPALIER
Ramification de la racine principale	RADICELLE
Ramification de l'arbre	BRANCHE
Ramollir	AVACHIR
Ramollo	FLAGADA
Rampant	SERVILE
Rampe métallique	RAMBARDE
Rampement	REPTATION
Rancard	RENCARD
Rancho	RANCH
Rancœur	ANIMOSITÉ • RANCUNE • RESSENTIMENT
Rançon	PRIX
Rancune	RANCŒUR
Randonnée	BALADE
Rang	DEGRÉ • NIVEAU • POSITION • RANGÉE
Rang dans une hiérarchie	PLACE
Rang de colonnes	PÉRISTYLE
Rang de pieux fichés en terre pour former une digue	PALÉE
Rangée de bancs	TRAVÉE
Rangée	ENFILADE
Ranger la cargaison dans la cale d'un navire	ARRIMER
Ranger sur une ligne droite	ALIGNER
Ranger	ALIGNER • ARRANGER • CASER GARER • REPLACER
Ranimer	RALLUMER •RAVIGOTER • RAVIVER RÉACTIVER • RÉANIMER
Rapace de grande taille	VAUTOUR
Rapace diurne	AIGLE
Rapace nocturne	EFFRAIE • HIBOU
Rapace	CUPIDE
Rapacité	CUPIDITÉ
Râpé	ÉLIMÉ • LIMÉ • PELÉ • USÉ
Râper	RACLER • USER
Rapetissé et déformé	RATATINÉ
Rapetisser	DÉCROÎTRE • RÉTRÉCIR
Rapide comme l'éclair	FULGURANT
Rapide	VITE
Rapidement	VIVEMENT

Rapidité	AGILITÉ • VITESSE
Rapière	ÉPÉE
Rapin	PEINTRE
Rapine	MARAUDAGE
Raplapla	FLAGADA
Rappel	BIS • ÉVOCATION • RELANCE
Rappeler à la mémoire	ÉVOQUER
Rappeler à l'ordre	CHAPITRER
Rappeler au souvenir	RETRACER
Rappeler	ACCLAMER • BISSER • RESSEMBLER
Rapport	ANALOGIE • EXPOSÉ • LIEN
	PROPORTION • QUOTIENT • RELATION
Rapport de deux grandeurs	RATIO
Rapporté	POSTICHE
Rapporter	CAFTER • COLPORTER • FRUCTIFIER
	REMETTRE
Rapporter ce qu'on sait	TÉMOIGNER
Rapports sexuels dénués de sentiments	COUCHERIE
Rapproché	VOISIN
Rapprochement	ASSOCIATION • MARIAGE
	PARALLÈLE • RELATION
Rapprocher	ASSIMILER • ASSOCIER • COMPARER
	GROUPER • RESSERRER
Rare	CLAIRSEMÉ • INUSITÉ • INUSUEL
Rarement	GUÈRE
Rareté	CURIOSITÉ • PÉNURIE
Ras	COURT
Rasant	BARBANT
Rasé	TONDU
Raser	DÉMOLIR • DÉTRUIRE • FRÔLER • TONDRE
Raseur	IMPORTUN
Rasoir	RASEUR
Rassasié	REPU • SOÛL
Rassasié, repu	SAOUL
Rassasier	ASSOUVIR • BLASER • SAOULER • SOÛLER
Rassemblement	ASSEMBLÉE • ATTROUPEMENT • MEETING
Rassembler	ACCUMULER • CENTRALISER • MASSER
	• RALLIER • RAMASSER • RÉUNIR
Rassembler	REGROUPER
Rassurant	APAISANT
Rassurer	RASSÉRÉNER • SÉCURISER

Rastafari	RASTA
Rat	RADIN
Ratatiné	RABOUGRI
Ratatiner	RACORNIR
Râteau droit ou oblique	FAUCHET
Râtelier	DENTIER
Rater	ÉCHOUER • FOIRER • LOUPER • MANQUER
Ratification	CONFIRMATION • SANCTION
Ratifier	APPROUVER • ENTÉRINER • SANCTIONNER VALIDER
Ratio	QUOTIENT
Rationaliser	NORMALISER
Rationnel	CARTESIEN • RAISONNÉ • SENSÉ
Rationnement	RATION
Ratisser	RÂTELER
Ratisseur	RATELEUR
Rattachement	RACCORD
Rattacher à l'aide d'une corde	RECORDER
Rattacher à une société mère	AFFILIER
Rattacher	ANNEXER
Rattraper	DÉPISTER • RACHETER • REJOINDRE • RESSAISIR
Rature	BIFFURE • RAYURE
Raturer	BIFFER • RAYER
Rauque	ÂPRE • ENROUÉ • ÉRAILLÉ
Rauquement	FEULEMENT
Rauquer	FEULER
Ravage	DÉGÂT • SACCAGE
Ravager	DÉVASTER • PILLER
Ravageur	VANDALE
Ravaler	RENGAINER
Ravaudage	RAPIÉÇAGE
Ravauder	REPRISER
Ravin	PRÉCIPICE
Ravir	ARRACHER • EMBALLER • KIDNAPPER
Ravissant	ADORABLE • BEAU • JOLI
Ravissement	ADMIRATION • BÉATITUDE • BONHEUR EXTASE • JOIE
Ravitailler	ALIMENTER • NOURRIR
Raviver	RAFRAÎCHIR
Raya	RAÏA
Rayé	STRIÉ • VERGETÉ • ZÉBRÉ

Rayer	BARRER • BIFFER • ÉRAILLER • LIGNER RADIER • RATURER • STRIER
Rayon	CERCLE • RAI
Rayon des fruits d'un supermarché	FRUITERIE
Rayonnant de bonheur	RADIEUX
Rayonnant	FLORISSANT
Rayonnante de bonheur	RADIEUSE
Rayonner	IRRADIER
Rayure	HACHURE • RATURE
Rayure du pelage d'un animal	ZÉBRURE
Razzia	INCURSION • PILLAGE • RAFLE
Réaborder	REPARLER
Réaction affective intense	ÉMOTION
Réaction d'un organisme à un agent pathogène	ALLERGIE
Réaction	RÉFLEXE • RÉTROACTION
Réactionnaire extrémiste	ULTRA
Réactionnaire	RÉAC • RÉTROGRADE
Réactiver	RÉGÉNÉRER
Réagir	INTERAGIR
Réajuster	RECENTRER
Réalisable	POSSIBLE
Réalisateur de films en vidéo	VIDÉASTE
Réalisation	CONFECTION • TOURNAGE
Réaliser	ACCOMPLIR • EFFECTUER • EXÉCUTER FAIRE • OPÉRER
Réaliser l'assolement	ASSOLER
Réaliser quelque chose	FABRIQUER
Réaliser un duplexage	DUPLEXER
Réalisme	RÉALITÉ
Réalité	ÉVIDENCE • VÉRITÉ
Réaménager	RÉORGANISER
Réanimer	RANIMER
Réapparaître	RENAÎTRE • RESURGIR • REVIVRE
Réapparition d'une maladie après sa guérison	RECIDIVE
Réapprendre	READAPTER
Réappris	RAPPRIS
Réastiquer	REPOLIR
Rebaigner	RETREMPER
Rébarbatif	REVÊCHE

Rebâtir	RÉÉDIFIER
Rebelle	DISSIDENT • INDOCILE • INSURGÉ • MUTIN REGIMBEUR • RÉTIF • SUBVERSIF
Rébellion	MUTINERIE
Rebloquer	REGELER
Rebond	BOND • RICOCHET
Rebondi	POTELÉ
Rebondi, rond	POUPIN
Rebondir	RICOCHER
Rebondissement	REBOND
Rebuffade	REFUS • VEXATION
Rebut	DÉTRITUS • RÉSIDU
Rebutant	DEGOÛTANT • DISSUASIF • GLAÇANT
Recadrer	RECENTRER
Récalcitrant	RÉTIF
Récalcitrant	REGIMBEUR
Récapituler	RÉSUMER
Recaser	REPLACER
Receleur	DÉTENTEUR
Récemment diplômé	ÉMOULU
Récemment	NAGUÈRE
Recenser	ÉNUMÉRER
Récent	FRAIS • MODERNE • NOUVEAU
Récépissé	REÇU • REÇU • QUITTANCE
Réceptacle en forme de pyramide renversée	TRÉMIE
Récepteur de modulation de fréquence	TUNER
Récepteur	RECEVEUR
Réceptif	SENSITIF
Réception	ADMISSION • CÉRÉMONIE • GALA
Réception du sacrement de l'eucharistie	COMMUNION
Récession	CRISE • DÉPRESSION
Recette	PRODUIT
Recevable	ACCEPTABLE • VALABLE
Recevoir	ENCAISSER • HÉRITER
Recevoir bien ou mal	ACCUEILLIR
Recevoir chez soi	HÉBERGER
Recevoir le sacrement de l'eucharistie	COMMUNIER

Recevoir par voie de succession . . . . HÉRITER
Recevoir un coup . . . . ÉCOPER
Réchappé . . . . RESCAPÉ
Réchapper . . . . SURVIVRE
Réchaud . . . . FOURNEAU
Réchauffement . . . . REDOUX
Réchauffer légèrement . . . . TIÉDIR
Recherché . . . . COURU • RAFFINÉ
Recherche d'aventures galantes . . . . DRAGUE
Recherche du plaisir . . . . LIBIDO
Recherche excessive de la pureté
   du langage . . . . PURISME
Recherche incessante . . . . POURSUITE
Recherche . . . . AMBITION • QUÊTE
Recherché, distingué . . . . CHOISI
Recherché, prétentieux . . . . POMPEUX
Rechercher avec ardeur . . . . BRIGUER
Rechercher des profits dérisoires . . . . MÉGOTER
Rechigné . . . . HARGNEUX
Rechigner . . . . RENÂCLER
Rechute . . . . RECIDIVE
Rechuter . . . . RETOMBER
Récidiviste . . . . RELAPS
Récif . . . . BRISANT • ÉCUEIL
Récipient à bec . . . . SAUCIÈRE
Récipient à boire . . . . GOBELET
Récipient à col étroit . . . . CORNUE
Récipient à deux poignées et à couvercle . . . . FAITOUT
Récipient à large ouverture . . . . BOCAL
Récipient à long col . . . . MATRAS
Récipient conique . . . . BATÉE
Récipient cylindrique . . . . CHOPE • SEAU
Récipient dans lequel on sert les sauces . . . . SAUCIÈRE
Récipient de bois pour le vin . . . . FUTAILLE
Récipient de fonte . . . . BRAISIÈRE
Récipient de terre cuite . . . . TIAN
Récipient de terre . . . . TERRINE
Récipient de verre . . . . CARAFE
Récipient destiné aux liquides . . . . BOUTEILLE
Récipient destiné aux ordures ménagères . . . . POUBELLE
Récipient en bois . . . . TONNEAU

Récipient en grès	TOURIE
Récipient en matière dure et résistante	MORTIER
Récipient en terre réfractaire	TÊT
Récipient formé d'une double timbale	SHAKER
Récipient formé par une calebasse vidée et séchée	CALEBASSE
Récipient hémisphérique	BOL
Récipient isolant	THERMOS
Récipient large et peu profond	CUVETTE
Récipient métallique pour chauffer en plein air	BRASERO
Récipient métallique	GAMELLE
Récipient muni d'une anse	CHOPE
Récipient où l'on dépose le beurre	BEURRIER
Récipient où l'on met le sucre	SUCRIER
Récipient où l'on sert la salade	SALADIER
Récipient peu profond	BATÉE
Récipient portatif pour les liquides	BIDON
Récipient portatif servant à l'arrosage des plantes	ARROSOIR
Récipient pour égoutter le fromage	FAISSELLE
Récipient pour faire bouillir de l'eau	BOUILLOIRE
Récipient pour la boisson	PICHET
Récipient pour l'infusion du thé	THÉIÈRE
Récipient pour servir la soupe	SOUPIÈRE
Récipient profond	BROC
Récipient renfermant du sel de table	SALIÈRE
Récipient rond	JATTE
Récipient servant à faire infuser la tisane	TISANIERE
Récipient servant à fondre des métaux	CREUSET
Récipient souvent de forme rectangulaire	BAC
Récipient	BARQUETTE • BOCAL • CONTENANT CRUCHE • GOURDE • MARMITE PANIER • PINTE • POT • RESERVOIR SEAU • THÉIÈRE • VASE
Réciprocité	ÉCHANGE
Réciproque	MUTUEL • MUTUELLE
Récit allégorique des livres saints	PARABOLE
Récit détaillé	NARRATION
Récit d'un fait curieux	ANECDOTE
Récit fabuleux	MYTHE

Reconnaître solennellement
par un acte officiel . . . . PROCLAMER
Reconnu . . . . NOTOIRE • OFFICIEL
Reconnu vrai . . . . AVÉRÉ
Reconnue . . . . OFFICIELLE
Reconsidérer . . . . REVOIR
Reconstituant . . . . REMONTANT
Reconstituer . . . . REFORMER • RÉTABLIR
Reconstituer ses forces armées . . . . RÉARMER
Reconstitution artificielle
des bruits naturels . . . . BRUITAGE
Reconstruire . . . . REBÂTIR • RÉÉDIFIER • RELEVER
Reconvier . . . . REINVITER
Record . . . . EXPLOIT
Recoudre . . . . SUTURER
Recourbé . . . . AQUILIN • CROCHU
Recourbé du dehors en dedans . . . . INFLÉCHI
Recourber . . . . PLIER
Recourir à . . . . RÉFÉRER
Recours . . . . POURVOI • RESSOURCE
Recouvert de cendre . . . . CENDRÉ
Recouvert de mousse . . . . MOUSSU
Recouvert de neige . . . . ENNEIGÉ
Recouvert d'un blindage . . . . BLINDÉ
Recouvert d'une mince couche d'or . . . . DORÉ
Recouvert . . . . VÊTU
Recouverte de gélatine . . . . GELATINEE
Recouvrement . . . . PERCEPTION
Recouvrer . . . . PERCEVOIR • REGAGNER • REPRENDRE
RETROUVER
Recouvrir . . . . COUVRIR • RECOIFFER • REVÊTIR
Recouvrir d'aluminium . . . . ALUMINER
Recouvrir de beurre . . . . BEURRER
Recouvrir de gazon . . . . GAZONNER
Recouvrir de gravier . . . . ENGRAVER
Recouvrir de peinture . . . . PEINDRE
Recouvrir de soufre . . . . SULFURER
Recouvrir de tain . . . . ÉTAMER
Recouvrir de tenture . . . . TAPISSER
Recouvrir de vernis . . . . VERNIR
Recouvrir de zinc . . . . ZINGUER

Recouvrir d'un cachet . . . . OBLITÉRER
Recouvrir d'un enduit terreux
    pour décorer . . . . ENGOBER
Recouvrir d'une couche de sauce . . . . NAPPER
Recouvrir d'une couche d'étain . . . . ÉTAMER
Recouvrir d'une couche . . . . ENROBER
Recouvrir d'une mince
    couche d'aluminium . . . . ALUMINER
Recouvrir d'une sauce . . . . NAPPER
Recouvrir une surface . . . . ENDUIRE
Récréatif . . . . LUDIQUE
Récréation . . . . AMUSEMENT • REPOS
Recréer l'unité d'un groupe . . . . RÉUNIFIER
Récréer . . . . DIVERTIR
Récrimination . . . . DOLÉANCE
Recroquevillé . . . . RAMASSÉ
Recrudescence . . . . ACCROISSEMENT
Recruter . . . . ENRÔLER • MOBILISER
Recruteur peu scrupuleux . . . . RACOLEUR
Rectification . . . . CORRECTION
Rectifier . . . . RAMENDER • RETOUCHER
Rectifieuse . . . . ALESEUSE
Rectiligne . . . . DIRECT
Reçu . . . . QUITTANCE
Recueil d'archéologie . . . . THÉSAURUS
Recueil de bons mots . . . . ANA
Recueil de cartes géographiques . . . . ATLAS
Recueil de documents variés . . . . SPICILEGE
Recueil de fables sur les animaux . . . . BESTIAIRE
Recueil de fables . . . . FABLIER
Recueil de livres sacrés . . . . BIBLE
Recueil de moralités sur les bêtes . . . . BESTIAIRE
Recueil de pensées . . . . ANA
Recueil de poèmes épiques espagnols . . . . ROMANCERO
Recueil de psaumes . . . . PSAUTIER
Recueil de règles . . . . PROTOCOLE
Recueil de renseignements . . . . ANNUAIRE
Recueil de sottises . . . . SOTTISIER
Recueil de textes sacrés . . . . BIBLE
Recueil des lois . . . . CODE
Recueil d'illustrations . . . . ALBUM

Recueil d'œuvres variées......................................VARIA
Recueilli..PERÇU
Recueillir............ASSEMBLER • BUTINER • COLLECTER
GRAPPILLER • HÉRITER • RAMASSER
RÉCOLTER
Recueillir des extraits de livres....................COLLIGER
Recueillir une énergie...............................CAPTER
Recul..................RÉGRESSION • REPLI • RETRAITE
Reculé....................DISTANT • ISOLÉ • LOINTAIN
Reculer devant le danger...............................CANER
Reculer........CULER • DÉCALER • REPLIER • SURSEOIR
Récupéré...RAPATRIE
Récupérer quelque chose
en supplément................................RABIOTER
Récupérer...........RATTRAPER • REGAGNER • RÉTABLIR
RETROUVER
Récurer.......CURER • DECAPER • LAVER • NETTOYER
Récurer avec du sablon.........................SABLONNER
Récurrent..REDONDANT
Récuser..DEBOUTER
Rédacteur en chef...............................GAZETIER
Rédacteur payé à la pige.........................PIGISTE
Rédaction....................................COMPOSITION
Redan...RESSAUT
Reddition....................................CAPITULATION
Redébourser....................................RECRACHER
Redemander......................................REVOULOIR
Redémarrage....................................REMONTEE
Rédempteur..SAUVEUR
Rédemption..RACHAT
Redescendre............REBAISSER • RETOMBER
Redésirer..REVOULOIR
Redevable de......................................PASSIBLE
Redevable..IMPOSABLE
Redevance équivalant à une année
de revenu..ANNATE
Redevance qui se payait par foyer.................FOUAGE
Redevance..CENS
Redévelopper....................................REPEUPLER
Redevenir jeune...................................RAJEUNIR
Rediffusion..REPRISE

Rédige des actes notariés . . . . NOTAIRE
Rédiger de nouveau . . . . RÉÉCRIRE
Rédiger . . . . LIBELLER
Rediminuer . . . . REBAISSER
Redire . . . . RÉPÉTER
Rediriger. . . . . RECOIFFER
Rediscuter. . . . . REPARLER
Redistribution . . . . TRANSFERT
Redite . . . . RADOTAGE
Rediviser . . . . REFENDRE
Redondance . . . . PLÉONASME • RÉPÉTITION
Redondant . . . . RECURRENT
Redoutable. . . . . MENAÇANT • TERRIBLE
Redouter . . . . APPRÉHENDER • CRAINDRE
Redresser ce qui à été corné . . . . DÉCORNER
Redresser et lisser le poil
   d'une étoffe . . . . LAINER
Redresser . . . . CORRIGER • DRESSER • RECTIFIER
Redresseur de torts. . . . . JUSTICIER
Redresseur . . . . VALVE
Réduction . . . . DIMINUTION • DISCOUNT • RABAIS
                                                                REMISE
Réduction d'un compte . . . . DÉCOMPTE
Réduction en grains . . . . GRAINAGE
Réduire de volume en compressant . . . . COMPACTER
Réduire en grains . . . . GRAINER • GRUGER
Réduire en granules . . . . GRANULER
Réduire en menus morceaux . . . . HACHER
Réduire en petits grains . . . . GRENER
Réduire en poudre grossière . . . . RÂPER
Réduire en poudre . . . . PILER • TRITURER
Réduire en poussière . . . . EFFRITER
Réduire la taille en déformant. . . . . RATATINER
Réduire la taxe sur . . . . DÉTAXER
Réduire les dimensions . . . . ÉLÉGIR
Réduire peu à peu en fragments . . . . EFFRITER
Réduire sa vitesse. . . . . DÉCÉLÉRER
Réduire . . . . ACCULER • AMOINDRIR • ATTÉNUER
                           DIMINUER • LAMINER • RALENTIR
                                                            RAPETISSER
Réduit aménagé sous un escalier . . . . SOUPENTE

Réduit	CAMBUSE
Réduit, placard	CAGIBI
Réédifier	REBÂTIR
Rééduquer	READAPTER
Réel et de fait	EFFECTIF
Réel	FACTUEL • VÉCU • VRAI
Réélire	RENOMMER
Réelle	FACTUELLE • POSITIVE
Réempaqueter	REMBALLER
Réencadrer	REBORDER
Réenjoindre	REINVITER
Réenvelopper	REBORDER
Réer	RAIRE
Réessayer	RESSAYER
Réévaluer	REVOIR
Réexpliquer	REDEFINIR
Refaire	RÉÉDITER • REFONDRE • RÉPARER
Refêler	REFENDRE
Référence	CRITÈRE • MODÈLE • REPÈRE
Refiler	REPASSER
Refiler	FOURGUER
Réfléchi	AVISÉ • PHILOSOPHE • PONDÉRÉ PRUDENT • RAISONNÉ • SAGE
Réfléchir	CALCULER • COGITER • MÉDITER MÛRIR • PENSER • RAISONNER REFLÉTER
Réfléchir sur une question	SPÉCULER
Refléter	MIRER • RÉFLÉCHIR
Réflexe	RÉACTION
Réflexion	GESTATION • RÉPERCUSSION
Réflexion critique	REMARQUE
Réformer	AMENDER • REFONDRE
Refouler	BOUTER • RÉPRIMER
Réfractaire au feu	APYRE
Refréner	ENDIGUER • REFOULER
Réfrigérant	GLACIAL
Réfrigérateur	FRIGO
Réfrigérer	GELER • REFROIDIR
Refroidir	GLACER
Refroidissement de la peau	ALGIDITE
Refuge sûr et tranquille	HAVRE

Refuge	ABRI • ASILE • CACHETTE • HOSPICE OASIS • REPAIRE
Réfugié	IMMIGRE
Refus de parler	MUTISME
Refus formel	VETO
Refus	NON • REBUFFADE • REJET
Refusé	EXCLU
Refuser	DÉCLINER • ÉCONDUIRE • RÉCUSER
Refuser à un examen	RECALER
Refuser de reconnaître qqch.	DÉNIER
Refuser d'obéir	REGIMBER
Réfuter	CONTREDIRE
Regagner	RÉINTÉGRER
Regaillardir	REVIGORER
Regain subit	SURSAUT
Regain	REPOUSSE • REVIF
Régaler	DÉLECTER • NIVELER
Regard de connivence	ŒILLADE
Regard	ŒIL • VUE
Regarder à la dérobée	GUIGNER
Regarder avec attention	MIRER
Regarder avec curiosité, avec envie	RELUQUER
Regarder avec défi	TOISER
Regarder de côté	LORGNER
Regarder du coin de l'œil	BIGLER
Regarder d'un œil	BORNOYER
Regarder	ZYEUTER
Regarnir	RECHARGER
Régate	YACHTING
Régénérer	RÉACTIVER
Régenter	COMMANDER • GOUVERNER
Régie	GESTION
Regimber	RUER
Régime	DIÈTE
Régime autocratique des tsars	TSARISME
Régime monarchique	ROYAUTÉ
Régime politique dirigé par un empereur	EMPIRE
Régime totalitaire	FASCISME
Région à l'est de Montréal	ESTRIE

Région autonome de l'ouest
de la chine . . . . TIBET

Région aux confins de la Grèce
et de l'Albanie . . . . ÉPIRE

Région centrale du Viêt Nam . . . . ANNAM

Région comprise entre les deux sourcils . . . . GLABELLE

Région d'Angleterre, au sud de Londres . . . . SUSSEX

Région de Belgique sur
le plateau ardennais . . . . FAMENNE

Région de la Champagne . . . . DER

Région de la Grèce, au nord du golfe
de Corinthe . . . . ÉTOLIE

Région de l'Allemagne reconnue
pour sa porcelaine . . . . SAXE

Région de l'est de la France . . . . ALSACE

Région de l'Italie centrale . . . . LATIUM

Région de l'ouest de la France . . . . RETZ

Région de Normandie . . . . AUGE

Région de Roumanie . . . . OLTÉNIE

Région d'Italie . . . . ABRUZZES

Région d'Italie, au sud du Pô . . . . ÉMILIE

Région du Japon . . . . KANTO

Région du Québec . . . . LANAUDIÈRE • LAURENTIDES
MONTÉRÉGIE • OUTAOUAIS

Région du Sahara nigérien . . . . TÉNÉRÉ

Région du Sahara . . . . ERG

Région du sud-est de la France . . . . SAVOIE

Région du thorax . . . . MÉDIA • MÉDIASTIN

Région entourée par la mer
de tous côtés sauf un . . . . PENINSULE

Région habitée jadis par les Édomites . . . . ÉDOM

Région lombaire du bœuf . . . . ALOYAU

Région orientale d'un pays . . . . EST

Région rurale . . . . TERROIR

Région viticole du Bordelais . . . . MÉDOC

Région . . . . CONTRÉE • DISTRICT • ZONE

Régional . . . . LOCAL

Régir . . . . GÉRER

Registre comptable . . . . CHIFFRIER

Registre d'une Voix . . . . MÉDIUM

Registre . . . . CLAVIER • DIAPASON • LIVRE • RÉPERTOIRE

Règle	DIRECTIVE • EXEMPLE • NORME RÈGLEMENT
Réglé comme par un rite	RITUEL
Règle de conduite	MAXIME
Règle de dessinateur	TÉ
Règle graduée en millimètres et mesurant deux décimètres	DÉCIMÈTRE
Règle verticale graduée	TOISE
Réglée comme par un rite	RITUELLE
Règlement fait par un magistrat	ÉDIT
Règlement	CODE • CONSIGNE • DÉCISION LOI • STATUT • VERSEMENT
Réglementaire	LÉGAL • RÉGULIER • VALIDE
Réglementer	LÉGIFÉRER
Régler selon un plan	PLANIFIER
Régler	AJUSTER • CONCLURE • DÉCIDER LIQUIDER • PAYER
Règles de la femme	MENSTRUES
Règne d'un empereur romain	PRINCIPAT
Régner	DOMINER • TRÔNER
Régresser	RECULER
Regret	CONTRITION • REMORDS
Regretter	DÉPLORER
Regretter (Se)	REPENTIR
Regretter vivement quelque chose	DÉPLORER
Regrouper	RAMASSER
Régularité	CONSTANCE • LÉGALITÉ • PONCTUALITÉ
Régulier	ASSIDU • PONCTUEL • UNIFORME
Régulier, correct	RÉGLO
Régulière	PONCTUELLE
Régurgiter	VOMIR
Rehausser avec des touches de gouache	GOUACHER
Rehausser	ASSAISONNER • ILLUSTRER
Rein de certains animaux	ROGNON
Rein d'un animal, destiné à la cuisine	ROGNON
Réincarnation	RENAISSANCE
Reine des Belges morte en 1935	ASTRID
Réinscrire	RECRIRE
Réinsérer	REMBOITER

Réintégrer . . . . REGAGNER • RENTRER
Réintroduire . . . . RÉINSÉRER
Réitérer . . . . RÉPÉTER
Reître . . . . SOUDARD
Rejaillir . . . . RESURGIR
Rejeter . . . . DEBOUTER • DÉCLINER • DÉDAIGNER
ÉVACUER • RÉCUSER • RENDRE
REPOUSSER • RÉPUDIER
Rejeter en crachant . . . . RECRACHER
Rejeter par jugement la demande
de quelqu'un . . . . DEBOUTER
Rejeton produit par les racines . . . . ACCRU
Rejeton . . . . BROCOLI
Rejoindre . . . . RATTRAPER
Réjoui . . . . EBAUDI
Réjouir . . . . DÉLECTER • DÉRIDER • ÉGAYER
Réjouissance . . . . ALLÉGRESSE • FÊTE • JUBILATION
Réjouissance . . . . FANTASIA
Relâché . . . . MITIGÉ
Relâche . . . . DÉTENTE • ESCALE • FÊTE • RÉPIT
REPOS • TRÊVE
Relâcher ce qui est tendu . . . . DÉTENDRE
Relâcher ce qui était serré . . . . DESSERRER
Relâcher . . . . DECRISPER • LIBÉRER • RELAXER
Relance . . . . RENOUVEAU
Relater . . . . CONTER • NARRER • RETRACER
Relatif à Bacchus, à son culte . . . . BACHIQUE
Relatif à Icare . . . . ICARIEN
Relatif à Junon, épouse de Jupiter . . . . JUNONIEN
Relatif à la banque . . . . BANCAIRE
Relatif à la bile . . . . BILIAIRE
Relatif à la bourse . . . . BOURSIER
Relatif à la brebis . . . . OVIN
Relatif à la chaleur . . . . THERMIQUE
Relatif à la chèvre . . . . CAPRIN
Relatif à la colonne vertébrale . . . . SPINAL
Relatif à la comédie . . . . COMIQUE
Relatif à la comptabilité . . . . COMPTABLE
Relatif à la cuisine . . . . CULINAIRE
Relatif à la culture des jardins . . . . HORTICOLE
Relatif à la culture des légumes . . . . MARAICHER

Relatif à la doctrine de Descartes	CARTESIEN
Relatif à la doride	DORIEN
Relatif à la dualité	DUEL
Relatif à la fièvre jaune	AMARIL
Relatif à la fixation	FIXATIF
Relatif à la force, au mouvement	DYNAMIQUE
Relatif à la gale	SCABIEUX
Relatif à la Germanie	GERMAIN
Relatif à la glie	GLIAL
Relatif à la Grèce antique	HELLENE
Relatif à la guerre	MARTIAL
Relatif à la gymnastique	GYMNIQUE
Relatif à la houille	HOUILLER
Relatif à la joue	JUGAL • MALAIRE
Relatif à la larve	LARVAIRE
Relatif à la libido	LIBIDINAL
Relatif à la Lune	LUNAIRE
Relatif à la marine militaire	NAVAL
Relatif à la médecine	MÉDICAL
Relatif à la membrane transparente de l'œil	CORNEEN
Relatif à la mise en œuvre des lois	EXÉCUTIF
Relatif à la mitrale	MITRAL
Relatif à la mœlle épinière	SPINAL
Relatif à la morale	ETHIQUE
Relatif à la naissance	NATAL
Relatif à la nature	PHYSIQUE
Relatif à la neige	NIVAL
Relatif à la nuque	NUCAL
Relatif à la nutrition	NUTRITIF
Relatif à la planète Mars	MARTIEN
Relatif à la poésie	PŒTIQUE
Relatif à la poste	POSTAL
Relatif à la première enfance	INFANTILE
Relatif à la première portion de l'intestin grêle	DUODENAL
Relatif à la queue	CAUDAL
Relatif à la race	RACIAL
Relatif à la reine des dieux	JUNONIEN
Relatif à la reine Victoria, à son époque	VICTORIEN
Relatif à la religion de Mahomet	MAHOMETAN

Relatif à la résine	RÉSINIER
Relatif à la rotule	ROTULIEN
Relatif à la santé	SANITAIRE
Relatif à la scène	SCENIQUE
Relatif à la semence	SEMINAL
Relatif à la soude	SODIQUE • SOUDIER
Relatif à la sueur	SUDORAL
Relatif à la sylviculture	SYLVICOLE
Relatif à la technique de la navigation	NAUTIQUE
Relatif à la tragédie	TRAGIQUE
Relatif à la tribu	TRIBAL
Relatif à la vessie	VÉSICAL
Relatif à la vie des bergers	BUCOLIQUE
Relatif à la vie mondaine	SOCIAL
Relatif à la vierge Marie	MARIAL
Relatif à la vipère	VIPERIN
Relatif à la voix	VOCAL
Relatif à la volonté	VOLITIF
Relatif à la vue	VISUEL
Relatif à l'action	PRATIQUE
Relatif à l'aine	INGUINAL
Relatif à l'anémie	ANÉMIQUE
Relatif à l'anhydride tio2	TITANIQUE
Relatif à l'animiste	ANIMISTE
Relatif à l'anus	ANAL
Relatif à l'aorte	AORTIQUE
Relatif à l'apex	APICAL
Relatif à l'argent	FINANCIER
Relatif à l'attitude	POSTURAL
Relatif à l'automne	AUTOMNAL
Relatif à l'aviation	AÉRIEN
Relatif à l'aviculture	AVICOLE
Relatif à l'éducation	ÉDUCATIF
Relatif à l'engourdissement d'hiver	HIBERNAL
Relatif à l'ensemble des citoyens	CIVIL
Relatif à l'espace	SPATIAL
Relatif à l'estomac	GASTRIQUE
Relatif à l'État	ÉTATIQUE
Relatif à l'hiver	HIÉMAL
Relatif à l'homosexualité	GAY
Relatif à l'horlogerie	HORLOGER

Relatif à l'horticulture . . . . HORTICOLE
Relatif à l'hygiène . . . . SANITAIRE
Relatif à l'Ibérie . . . . IBÈRE
Relatif à l'Icarie . . . . ICARIEN
Relatif à l'ictère . . . . ICTERIQUE
Relatif à l'iléon . . . . ILÉAL
Relatif à l'image . . . . ICONIQUE
Relatif à l'indice d'écoute . . . . INDICIEL
Relatif à l'intestin . . . . INTESTINAL
Relatif à l'océan . . . . OCEANIQUE
Relatif à l'odorat . . . . OLFACTIF
Relatif à l'œil . . . . OCULAIRE
Relatif à l'ongle . . . . UNGUÉAL
Relatif à l'ovule . . . . OVULAIRE
Relatif à l'urètre . . . . URÉTRAL
Relatif à l'urine . . . . URINAIRE
Relatif à l'utérus . . . . UTÉRIN
Relatif à satan . . . . SATANIQUE
Relatif à un collège . . . . COLLÉGIAL
Relatif à un disque . . . . DISCAL
Relatif à un peuple noir d'Afrique
    du sud . . . . ZOULOU
Relatif à un secteur . . . . SECTORIEL
Relatif à un segment . . . . SEGMENTAL
Relatif à un syndicat . . . . SYNDICAL
Relatif à un ton . . . . TONAL
Relatif à une abbaye . . . . ABBATIAL
Relatif à une carence . . . . CARENTIEL
Relatif à une fédération d'États . . . . FEDERAL
Relatif à une île . . . . INSULAIRE
Relatif à une période
    de l'histoire égyptienne . . . . SAÏTE
Relatif à une série . . . . SÉRIEL
Relatif à une solennité
    publique chez les juifs . . . . JUBILAIRE
Relatif à une suture . . . . SUTURAL
Relatif à une tumeur . . . . TUMORAL
Relatif au baptême . . . . BAPTISMAL
Relatif au bassin . . . . PELVIEN
Relatif au bas-ventre . . . . ALVIN
Relatif au bœuf . . . . BOVIN

Relatif au bord de la mer	BALNÉAIRE
Relatif au bouc	HIRCIN
Relatif au castrisme	CASTRISTE
Relatif au cens	CENSUEL
Relatif au chérif	CHÉRIFIEN
Relatif au cheval	ÉQUIN
Relatif au ciel	CÉLESTE
Relatif au cloître	CLAUSTRAL
Relatif au Danemark	DANOIS
Relatif au décès	OBITUAIRE
Relatif au désordre général	CHAOTIQUE
Relatif au doctorat	DOCTORAL
Relatif au fils ou à la fille	FILIAL
Relatif au firmament	CÉLESTE
Relatif au fœtus	FŒTAL
Relatif au fromage	FROMAGER
Relatif au front	FRONTAL
Relatif au gaz	GAZEUX • GAZIER
Relatif au germe	GERMINAL
Relatif au geste	GESTUEL
Relatif au goût	GUSTATIF
Relatif au gouvernement d'un État	POLITIQUE
Relatif au jeu	LUDIQUE
Relatif au judaïsme	JUDAÏQUE
Relatif au kyste	KYSTIQUE
Relatif au lait	LACTÉ • LAITIER
Relatif au lesbianisme	LESBIEN
Relatif au lin	LINIER
Relatif au manichéisme	MANICHÉEN
Relatif au matin	MATUTINAL
Relatif au mouton	OVIN
Relatif au Moyen Âge	MÉDIÉVAL
Relatif au nerf vague	VAGAL
Relatif au nombril	OMBILICAL
Relatif au nouveau-né	NÉONATAL
Relatif au noyau de la cellule	NUCLÉAIRE
Relatif au noyau de l'atome	NUCLÉAIRE
Relatif au pape Grégoire Ier	GRÉGORIEN
Relatif au paradoxe	PARADOXAL
Relatif au patronat	PATRONAL
Relatif au Pays Basque	BASQUE

Relatif au pétrole . . . . PÉTROLIER
Relatif au peuple celtique d'Irlande
    et d'Écosse . . . . GAELIQUE
Relatif au porc . . . . PORCIN
Relatif au Portugal et à l'Espagne . . . . IBÉRIQUE
Relatif au quiétisme . . . . QUIÉTISTE
Relatif au rachis . . . . RACHIDIEN
Relatif au raisin . . . . UVAL
Relatif au rectum . . . . RECTAL
Relatif au rein . . . . RÉNAL
Relatif au Rhin . . . . RHÉNAN
Relatif au salaire . . . . SALARIAL
Relatif au sang . . . . HÉMATIQUE • SANGUIN
Relatif au savon . . . . SAVONNIER
Relatif au serpent . . . . OPHIDIEN
Relatif au sérum . . . . SÉRIQUE
Relatif au sexe . . . . SEXUEL
Relatif au singe . . . . SIMIEN
Relatif au sperme . . . . SEMINAL
Relatif au système de Newton . . . . NEWTONIEN
Relatif au système nerveux . . . . NEURAL
Relatif au tachisme . . . . TACHISTE
Relatif au tanin . . . . TANNIQUE
Relatif au taoïsme . . . . TAOÏSTE
Relatif au tarif . . . . TARIFAIRE
Relatif au tarse . . . . TARSIEN
Relatif au taureau . . . . TAURIN
Relatif au terrain fluviatile
    du quaternaire . . . . DILUVIAL
Relatif au tétanos ou à la tétanie . . . . TETANIQUE
Relatif au théisme . . . . THEISTE
Relatif au tibia . . . . TIBIAL
Relatif au toucher . . . . TACTILE
Relatif au triomphe . . . . TRIOMPHAL
Relatif au tsarisme . . . . TSARISTE
Relatif au vaudou . . . . VAUDOU
Relatif au ventre . . . . VENTRAL
Relatif au virus . . . . VIRAL
Relatif au zodiaque . . . . ZODIACAL
Relatif aux alcalis . . . . ALCALIN
Relatif aux Alpes . . . . ALPIN

Relatif aux Aztèques et à leur civilisation	AZTEQUE
Relatif aux bactéries	BACTERIEN
Relatif aux bains de mer	BALNÉAIRE
Relatif aux berbères d'Afrique du nord	BERBERE
Relatif aux céréales	CEREALIER
Relatif aux chevaux	HIPPIQUE
Relatif aux côtes	COSTAL
Relatif aux côtes, au bord de la mer	COTIER
Relatif aux écoles	SCOLAIRE
Relatif aux facteurs	FACTORIEL
Relatif aux femmes	FEMININ
Relatif aux fesses	FESSIER
Relatif aux flancs	ILIAQUE
Relatif aux fleurs	FLORAL
Relatif aux funérailles	FUNERAIRE
Relatif aux gencives	GINGIVAL
Relatif aux habitants du Vietnam central	ANNAMITE
Relatif aux Hébreux	HEBRAÏQUE • HÉBREU
Relatif aux huîtres	HUÎTRIER
Relatif aux Incas	INCA
Relatif aux infractions	PÉNAL
Relatif aux ions	IONIQUE
Relatif aux jeux olympiques	OLYMPIQUE
Relatif aux Khmers	KHMER
Relatif aux lignes	LINÉAIRE
Relatif aux marais	PALUDÉEN
Relatif aux modes des verbes	MODAL
Relatif aux moines	MONACAL
Relatif aux Noirs	NÉGRO
Relatif aux oasis	OASIEN
Relatif aux oreillons	OURLIEN
Relatif aux pays du nord de l'Europe	NORDIQUE
Relatif aux peines	PÉNAL
Relatif aux pôles terrestres	POLAIRE
Relatif aux populations polynésiennes de la Nouvelle-Zélande	MAORI
Relatif aux ports	PORTUAIRE
Relatif aux récifs	RÉCIFAL
Relatif aux régimes politiques de dictature militaire	CÉSARIEN

Relatif aux relations positives
entre personnes . . . . CONVIVIAL
Relatif aux rivières . . . . FLUVIAL
Relatif aux sens, à la sensibilité . . . . SENSITIF
Relatif aux sibylles . . . . SIBYLLIN
Relatif aux sœurs . . . . SORORAL
Relatif aux suffixes . . . . SUFFIXAL
Relatif aux théories de Freud . . . . FREUDIEN
Relatif aux totems . . . . TOTEMIQUE
Relatif aux travaux de Galilée . . . . GALILÉEN
Relatif aux trompes de Fallope
ou d'Eustache . . . . TUBAIRE
Relatif aux uretères . . . . URÉTÉRAL
Relatif aux varices . . . . VARIQUEUX
Relatif aux zones du globe terrestre . . . . ZONAL
Relatif . . . . SUBJECTIF
Relation . . . . CONNAISSANCE • CONTACT • LIAISON
LIEN • RAPPORT

Relation conditionnelle entre
deux quantités . . . . ÉQUATION
Relation entre deux mots synonymes . . . . SYNONYMIE
Relation sexuelle entre trois personnes . . . . TRIOLISME
Relation sexuelle interdite entre
gens de parenté . . . . INCESTE
Relations entre copains . . . . COPINERIE
Relative à l'utérus . . . . UTÉRINE
Relative au tarse . . . . TARSIENNE
Relative au temps . . . . TEMPORELLE
Relative aux oasis . . . . OASIENNE
Relax . . . . COOL
Relaxant . . . . DELASSANT
Relaxer (Se) . . . . REPOSER
Relaxer . . . . DECRISPER • RELÂCHER
Reléguer . . . . INTERNER
Relevé . . . . ÉPICÉ • PIMENTÉ
Relevé d'identité bancaire . . . . RIB
Relevé, épicé . . . . CORSÉ
Relever . . . . ÉPICER • PIMENTER • REDRESSER
REHAUSSER • REMARQUER • REMONTER
Relever de . . . . APPARTENIR • RESSORTIR
Relever le goût . . . . ASSAISONNER

Relever un vêtement qui pend . . . . TROUSSER
Relever vers le haut . . . . RETROUSSER
Relever, épicer . . . . CORSER
Relief naturel du crâne humain . . . . BOSSE
Relief sur une pièce d'argenterie . . . . BOSSELURE
Relief . . . . ACCIDENT
Relier en vue d'une synthèse . . . . COLLIGER
Relier entre eux . . . . COUPLER
Relier un livre . . . . BROCHER
Relier . . . . ASSEMBLER • JOINDRE • RATTACHER
                                              REMBOITER • RÉUNIR
Religieuse de Belgique soumise
   à la vie conventuelle . . . . BÉGUINE
Religieuse de l'ordre de Ste-Ursule . . . . URSULINE
Religieuse de l'ordre du Carmel . . . . CARMÉLITE
Religieuse de l'ordre du Mont-Carmel . . . . CARMÉLITE
Religieuse indienne gagnante
   d'un Prix Nobel . . . . TERESA
Religieuse qui vit en clôture . . . . MONIALE
Religieuse . . . . NONNE • PIEUSE • RITUELLE • SŒUR
Religieux . . . . CROYANT • FRÈRE • MOINE • OBLAT
                                       PIEUX • RITUEL • SPIRITUEL
Religieux bouddhiste . . . . BONZE
Religieux de certaines congrégations . . . . OBLAT
Religieux de l'ordre de Saint François . . . . CAPUCIN
Religieux de l'ordre de Saint-Bruno . . . . CHARTREUX
Religieux de l'ordre de Saint-Dominique . . . . JACOBIN
Religieux de l'ordre des cisterciens . . . . TRAPPISTE
Religieux employé aux travaux
   manuels d'un couvent . . . . CONVERS
Religieux marchant pieds nus dans
   des sandales . . . . DÉCHAUX
Religieux non prêtre . . . . LAI
Religieux qui vivait en communauté . . . . CÉNOBITE
Religieux réformé de l'ordre
   de Saint-François . . . . RECOLLET
Religion . . . . CULTE • ÉGLISE
Religion de l'Iran ancien . . . . MAZDÉISME
Religion des druides . . . . DRUIDISME
Religion des Juifs . . . . JUDAÏSME
Religion d'Extrême-Orient . . . . TAOÏSME

Religion fondée sur le Coran	ISLAM
Religion hindoue	JAÏNISME
Religion japonaise	SHINTO
Religion musulmane	ISLAMISME
Religion païenne	PAGANISME
Religion populaire de la Chine	TAOÏSME
Religion prêchée par Mahomet	ISLAM
Religion zoroastre	MAZDÉISME
Religion zoroastrienne des Parsis	PARSISME
Reliquat	RESTE
Reliure volante	GRÉBICHE
Reloger	RECASER
Reluquer	LORGNER • ZIEUTER
Remâcher	RUMINER
Remâcher, ruminer	RESSASSER
Remanier profondément en dénaturant	CHARCUTER
Remanier	MODIFIER • REFONDRE • RETOUCHER
Remarquable	BRILLANT • ÉCLATANT • INSIGNE MAGISTRAL • NOTABLE
Remarquable dans son genre	RÉUSSI
Remarquable, insigne	SIGNALÉ
Remarque désobligeante	VANNE
Remarque	COMMENTAIRE • NOTATION
Remarquer	CONSTATER
Rembarde	BALCON
Remblayer	COMBLER
Rembourrage	CAPITON
Rembourré avec du capiton	CAPITONNE
Rembourré	MATELASSE
Rembourrer	BOURRER
Remboursement	PAIEMENT
Rembourser	AMORTIR • PAYER • RENDRE
Remède	ANTIDOTE
Remède analgésique	ASPIRINE
Remède oral	MÉDECINE
Remède qui calme	CALMANT
Remède spécifique du paludisme	QUININE
Remède universel	PANACEE
Remédiable	RÉPARABLE
Remédier	OBVIER • GUÉRIR

Remémorer	ÉVOQUER • RAPPELER • REPASSER
Remerciement	GRÂCE
Remerciements	GRACES
Remercier	LICENCIER
Remettre	DÉCERNER • DÉLIVRER • RECHARGER
	REMBOURSER • REPLACER
Remettre à plus tard	DIFFÉRER • REPORTER
Remettre aux soins d'un tiers	CONFIER
Remettre d'accord	RÉCONCILIER
Remettre dans le fourreau	RENGAINER
Remettre dans sa poche	REMPOCHER
Remettre dans son emballage	REMBALLER
Remettre de la matière sur une pièce usée	RECHARGER
Remettre de nouvelles cordes	RECORDER
Remettre debout	RELEVER
Remettre en état	RÉHABILITER
Remettre en liberté	DELIVRER
Remettre en place ce qui a été déboîté	REMBOITER
Remettre en place	REPOSER
Remettre la peine	GRACIER
Remettre une couche de caoutchouc sur un pneu usé	RECHAPER
Remettre une somme en dépôt, en garantie	CONSIGNER
Réminiscence	SOUVENIR
Remise à zéro	ANNULANT
Remise au fond du jardin	CABANON
Remise de peine	AMNISTIE
Remise en état de fonctionnement	RECHARGE
Remise	DÉPÔT • GARAGE • HANGAR
	RABAIS • RESSERRE • RISTOURNE
	SURSIS
Remiser	SERRER
Rémission	ABSOLUTION • PARDON
Remontant	CORDIAL • STIMULANT • TONIQUE
Remontée mécanique	TÉLÉSIÈGE
Remonte-pente	TELESKI
Remonter	RETAPER • RETROUSSER
Remontrance	RÉPRIMANDE • SERMON

Remords	CONTRITION • REPENTIR • REGRET
Remorquage d'un navire	TOUAGE
Remorque	ROULOTTE
Remorquer	HALER • TOUER • TRACTER
Remorqueur	TOUEUR
Remouiller	RETREMPER
Rempailleur	CANNEUR
Rempart	BASTION • BOUCLIER • ENCEINTE MUR • MURAILLE
Remplaçant	SUBSTITUT • SUPPLEANT
Remplacement	INTÉRIM • SUBSTITUTION • SUCCÉDANÉ
Remplacer	CHANGER • DÉTRÔNER • REPRÉSENTER SUCCÉDER • SUPPLÉER
Rempli	IMBU • PLEIN • SATURÉ
Rempli complètement	COMBLE
Rempli de frayeur	EFFRAYE
Rempli de louanges	ÉLOGIEUX
Remplir à l'excès	SATURER
Remplir avec du plâtre	RUILER
Remplir de bonheur	ENSOLEILLER
Remplir de fumée	ENFUMER
Remplir de nouveau grain	RENGRENER
Remplir de sable	ENSABLER
Remplir de tristesse	ENDEUILLER
Remplir d'effroi	HORRIFIER
Remplir d'une garniture	FOURRER
Remplir jusqu'à gonfler	GORGER
Remplir un tonneau de vin à mesure que le niveau baisse	OUILLER
Remplir une fonction	OCCUPER
Remplir	CHARGER • EMPLIR • GARNIR • TRUFFER
Remporter la victoire	TRIOMPHER
Remporter	OBTENIR
Remué fortement	PÉTRI
Remue-ménage	DÉRANGEMENT
Remuer à la pelle	PELLETER
Remuer en mêlant	BRASSER
Remuer ensemble	MALAXER
Remuer la braise	TISONNER
Remuer la terre avec une serfouette	SERFOUIR

Remuer	ATTENDRIR • BOUGER • BRANDIR BRASSER • GROUILLER • LUCRATIF • PAYANT
Rémunération	PAIE • PAYE • SALAIRE
Rémunération perçue par une banque	AGIO
Rémunératrice	LUCRATIVE
Rémunérer	PAYER • RÉTRIBUER • SUBSIDIER
Renaissance	RENOUVEAU
Renard bleu	ISATIS
Renard polaire	ISATIS
Renard	GOUPIL
Renchérir	AMPLIFIER
Rencontre de deux voyelles	HIATUS
Rencontre sportive entre équipes voisines	DERBY
Rencontre	COMBAT • CONFLUENT CONJONCTION • ENTREVUE • VISITE
Rencontrer	AFFRONTER • CROISER
Rendez-vous	RENCARD
Rendre acharné	ACHARNER
Rendre bête	ABÊTIR
Rendre bleu	BLEUIR
Rendre borgne	ÉBORGNER
Rendre brillant par le frottement	LUSTRER
Rendre calme	PACIFIER
Rendre certain	CONFIRMER
Rendre chatoyant	MOIRER
Rendre coriace	RACORNIR
Rendre courbe	INCURVER • RECOURBER
Rendre craintif	APEURER
Rendre cultivable une terre inculte	DEFRICHER
Rendre doux en diminuant l'acidité	DULCIFIER
Rendre du jus	JUTER
Rendre dur	DURCIR • INDURER
Rendre édenté	ÉDENTER
Rendre évident	MANIFESTER
Rendre facile	FACILITER
Rendre familier	HABITUER
Rendre flexible	ASSOUPLIR
Rendre gauche, déformer	GAUCHIR
Rendre glissant	LUBRIFIER

Rendre habile . . . . HABILITER
Rendre heureux . . . . RÉJOUIR
Rendre hommage . . . . SALUER
Rendre humide . . . . HUMECTER
Rendre indépendant de l'Église
    et la religion . . . . LAÏCISER
Rendre ininflammable . . . . IGNIFUGER
Rendre insipide . . . . AFFADIR
Rendre la vigueur . . . . REVIGORER
Rendre laïque . . . . LAÏCISER
Rendre languissant . . . . ALANGUIR
Rendre légitime juridiquement . . . . LÉGITIMER
Rendre libre d'un engagement . . . . DELIER
Rendre lisse . . . . LISSER • POLIR
Rendre maigre . . . . AMAIGRIR • ÉMACIER
Rendre mat . . . . AMATIR • MATIR
Rendre mauvais . . . . CORROMPRE
Rendre mécanique . . . . MÉCANISER
Rendre meilleur . . . . ABONNIR • BONIFIER
Rendre meilleur, d'un meilleur produit . . . . BONIFIER
Rendre méprisable . . . . AVILIR
Rendre mœlleux . . . . LAINER
Rendre moins beau . . . . DÉPARER
Rendre moins bruyant . . . . ASSOURDIR
Rendre moins coupant . . . . ÉMOUSSER
Rendre moins dense . . . . AÉRER • RARÉFIER
Rendre moins difficile . . . . FACILITER
Rendre moins épais . . . . AMINCIR
Rendre moins lourd . . . . ALLÉGER
Rendre moins massif . . . . AÉRER
Rendre moins net . . . . ESTOMPER
Rendre moins niais . . . . DÉNIAISER
Rendre moins rude . . . . ADOUCIR
Rendre moins salé . . . . DESSALER
Rendre moins sauvage . . . . APPRIVOISER
Rendre moins sévère . . . . ASSOUPLIR
Rendre moins tendu . . . . DECRISPER • LÂCHER
Rendre moins touffu . . . . AÉRER
Rendre moins vif . . . . ÉMOUSSER
Rendre moite . . . . MOITIR
Rendre mou . . . . ALANGUIR • AMOLLIR • AVACHIR

Rendre navigable	CANALISER
Rendre opaque	OPACIFIER
Rendre païen	PAGANISER
Rendre plat	APLANIR • APLATIR
Rendre plus compact	COMPACTER
Rendre plus faible	RAMOLLIR
Rendre plus fin	AFFINER
Rendre plus fort	MUSCLER
Rendre plus grand	AGRANDIR
Rendre plus long	RALLONGER
Rendre plus malléable	ASSOUPLIR
Rendre plus mince	AMENUISER
Rendre plus pénible	AGGRAVER
Rendre plus sociable	APPRIVOISER
Rendre plus spacieux en augmentant les dimensions	AGRANDIR
Rendre plus vif	RAVIVER
Rendre public	ÉBRUITER
Rendre quelqu'un créancier d'une certaine somme	CRÉDITER
Rendre rauque	ÉRAILLER
Rendre réfractaire à une maladie	IMMUNISER
Rendre rond	ARRONDIR
Rendre rose	ROSER • ROSIR
Rendre rouge	ROUGIR
Rendre roux	ROUSSIR
Rendre russe	RUSSIFIER
Rendre sage	ASSAGIR
Rendre sain	ASSAINIR
Rendre semblable à une chose	CHOSIFIER
Rendre solide, inattaquable	BÉTONNER
Rendre son humidité	RESSUER
Rendre tabou	TABOUISER
Rendre terne	TERNIR
Rendre triste	CHAGRINER
Rendre trop étroit	ÉTRIQUER
Rendre un peu ivre	GRISER
Rendre une surface inégale par des bosses	BOSSUER
Rendre uniforme	UNIFORMISER
Rendre vertical	DRESSER

Rendre veule, sans volonté . . . . AVEULIR
Rendre vigoureux . . . . FORTIFIER
Rendre vil . . . . AVILIR
Rendre violacé . . . . VIOLACER
Rendre violet . . . . VIOLACER
Rendre visite . . . . VISITER
Rendre . . . . RAPPORTER • REDONNER
Rendu bleu . . . . BLEUI
Rendu douloureux . . . . ENDOLORI
Rendu frais . . . . RAFRAÎCHI
Rendu maigre . . . . AMAIGRI
Rendu plus pur . . . . ÉPURÉ
Rendu serein . . . . RASSERENE
Rendu stupide . . . . HÉBÉTÉ
Renfermé et isolé . . . . RECLUS
Renfermer . . . . CONTENIR
Renfermer, contenir . . . . RECELER
Renflé . . . . BOMBÉ • PANSU
Renflement . . . . BOURRELET
Renforcé de métal . . . . ARMÉ
Renforcement corné du sabot,
    chez les équidés . . . . GLOME
Renforcement momentané
    du vent . . . . RISÉE
Renforcer . . . . ACCENTUER • AFFERMIR • ARMER
                CORROBORER • EMPATTER • MUSCLER
                        RAFFERMIR • RESSERRER
Renforcer en fixant sur une toile . . . . ENTOILER
Renforcer, raffermir . . . . CONFORTER
Renfrogné . . . . MOROSE
Rengaine . . . . REFRAIN • SÉRÉNADE
Reniement . . . . APOSTASIE
Renier . . . . ABJURER • RÉPUDIER
Renifler . . . . SNIFFER
Renifler bruyamment . . . . RENÂCLER
Reniflette . . . . CHNOUF
Renom . . . . CÉLÉBRITÉ • NOTORIÉTÉ • RÉPUTATION
Renommé . . . . FAMEUX • RÉPUTÉ
Renommée . . . . CÉLÉBRITÉ • NOTORIÉTÉ • RENOM
Renoncement . . . . ABNÉGATION • CONCESSION
Renoncer à un droit (Se) . . . . DÉSISTER

Renoncer à une fonction	ABDIQUER
Renoncer	ABDIQUER • ABJURER • REGRESSER
	SACRIFIER
Renonciation	ABDICATION • DÉMISSION
Renoter	RECRIRE
Renouer	RATTACHER
Renouveau	REGAIN • RENAISSANCE
Renouveler	RÉGÉNÉRER • RÉITÉRER
Renouveler l'air	VENTILER
Renouveler une obligation	NOVER
Renouvellement	RENOUVEAU
Renseigné	AVERTI
Renseignement confidentiel	TUYAU
Renseignement	INDICATION • RENCARD
Renseigner	AVERTIR • ÉCLAIRER • RENCARDER
	TUYAUTER
Renseigner secrètement	RANCARDER
Rentable	LUCRATIF • LUCRATIVE • PAYANT
	PRODUCTIF
Rentrée d'argent	RECETTE
Rentrer dans le bois	REMBUCHER
Renvelopper	REMBALLER
Renversant	STUPÉFIANT
Renverser de cheval	DÉSARÇONNER
Renverser quelqu'un	TERRASSER
Renverser symétriquement	INVERTIR
Renverser	ABATTRE • COUCHER • CULBUTER
	DÉMONTER • INVERSER
Renvider	ENVIDER
Renvoi	CASSATION • CONGÉ • DÉPART • RÉFÉRENCE
	REPORT • RETOUR • RESCISION
Renvoyer	CONGÉDIER • LICENCIER • REJETER
	RETOURNER
Renvoyer à une date ultérieure	PROROGER
Réorienter au centre	RECENTRER
Repaire	NID • TANIÈRE
Répandage	EPANDAGE
Répandre	DÉVERSER • DIFFUSER • DISPERSER
	DISTILLER • EXHALER • PARSEMER
	PROPAGER • VERSER
Répandre à l'étranger	EXPORTER

Répandre la civilisation chinoise . . . . SINISER
Répandre une bonne odeur . . . . FLEURER
Répandu . . . . POPULAIRE
Reparaître . . . . RESSURGIR
Réparateur . . . . DÉPANNEUR • RAVALEUR
Réparation faite à la coque
    d'un navire . . . . RADOUB
Réparation provisoire . . . . BRICOLAGE
Réparer d'une manière provisoire . . . . RABIBOCHER
Réparer en subissant
    une peine imposée . . . . EXPIER
Réparer la boiserie d'un bateau . . . . PARQUETER
Réparer sommairement . . . . BRICOLER • PATENTER
Réparer un péché
    par la pénitence . . . . EXPIER
Réparer . . . . REFAIRE • RAMENDER
Reparler . . . . RECAUSER
Repartie . . . . BOUTADE
Répartir . . . . DISTRIBUER • ÉCHELONNER • PONDERER
Répartir en lots . . . . ALLOTIR
Répartir par lots . . . . LOTIR
Répartir selon des critères . . . . TRIER
Répartiteur . . . . LOTISSEUR
Répartition des heures . . . . HORAIRE
Répartition d'un territoire
    en zones . . . . ZONAGE
Répartition en zones . . . . ZONAGE
Répartition . . . . PARTAGE
Repas . . . . AGAPE • BOUFFE • DÉJEUNER • DÎNER
Repas de fête . . . . FESTIN
Repas du nourrisson au sein . . . . TÉTÉE
Repas du soir . . . . SOUPER
Repas en commun . . . . AGAPE
Repas entre amis . . . . AGAPES
Repas excellent et abondant . . . . GUEULETON
Repas léger . . . . DÎNETTE • ENCAS • LUNCH
Repas pris tard dans la nuit . . . . REVEILLON
Repas, nourriture . . . . LIPPÉE
Repasser . . . . REVENIR
Repasser dans son esprit . . . . RUMINER
Repentance . . . . REPENTIR

Repentir	CONTRITION • PÉNITENCE • REGRET
	REMORDS
Répercussion	CONTRECOUP • INCIDENCE
Repère	RÉFÉRENCE
Répertoire de tarifs	BARÈME
Répertoire	CATALOGUE • REGISTRE
Répertorier	LISTER
Répété	REPRODUIT
Répétée	REPRODUITE
Répéter	BISSER • RECORDER • REDIRE
Répéter à la demande du public	BISSER
Répéter continuellement	SERINER
Répéter souvent et inutilement la même chose	RABACHER
Répétitif	ITÉRATIF • RECURRENT
Répétition constante	REFRAIN
Répétition d'un morceau	REPRISE
Répétition d'un son	ÉCHO
Répétition d'un sujet déjà traité	RESUCÉE
Répétition fréquente d'une chose	FRÉQUENCE
Répétition inutile de mots qui ont le même sens	PLÉONASME
Répétition involontaire de un ou plusieurs mots	PALILALIE
Répétition	ITERATION • REDITE • REEDITION
Répétitions lassantes	RABÂCHAGE
Repiquer	REPLANTER
Répit	DÉLAI • DÉTENTE • RÉMISSION • TRÊVE
Replacer	RECASER • REMETTRE
Replacer verticalement	REDRESSER
Replet	DODU • GRAS
Réplétion	SATIÉTÉ
Repli d'étoffe	OURLET
Repli du péritoine	EPIPLOON
Repli pathologique sur soi	AUTISME
Repli sur soi-même	RETRAIT
Repli	RECUL
Replier	REPLOYER
Réplique	OBJECTION • REPARTIE • RÉPONSE
	RETORSION • RIPOSTE
Réplique d'une personne, pareil	JUMEAU

Répliquer promptement . . . . REPARTIR
Répliquer . . . . RÉPONDRE • RÉTORQUER
Reponcer . . . . REPOLIR
Répondant . . . . CAUTION • OTAGE
Répondre avec vivacité . . . . REPLIQUER
Répondre vivement . . . . RÉTORQUER
Répondre . . . . CAUTIONNER • RÉAGIR
Réponse juste et rapide . . . . REPARTIE
Réponse négative . . . . NON
Réponse positive . . . . OUI
Réponse vive . . . . RÉPLIQUE • RIPOSTE
Reporter . . . . AJOURNER • REVERSER
Reporter au pouvoir . . . . RÉÉLIRE
Repos . . . . DÉLASSEMENT • DÉTENTE
Repos hebdomadaire des Juifs . . . . SABBAT
Repos pris après le dîner . . . . SIESTE
Repos total des orientaux
   au milieu du jour . . . . KIEF
Reposant . . . . APAISANT • RELAXANT
Reposer . . . . BASER
Repoussant . . . . AFFREUX • REBUTANT • REPULSIF
Repousser . . . . CHASSER • ÉCONDUIRE • ÉLOIGNER
                                       RÉCUSER • REFOULER • REFUSER
                                       RÉFUTER • RETARDER
Repousser quelqu'un . . . . CHASSER
Repréciser . . . . REDEFINIR
Répréhensible . . . . BLÂMABLE
Reprendre . . . . CORRIGER • RÉCAPITULER • REMPORTER
                                       • RESSAISIR • RETIRER
Reprendre du poids . . . . REGROSSIR
Représailles . . . . RETORSION • VENGEANCE
Représentant en justice . . . . AVOUE
Représentant . . . . ABLEGAT • AGENT • COURTIER
                                       DÉLÉGUÉ • DÉPUTÉ
Représentation affaiblie . . . . REFLET
Représentation de choses obscènes . . . . PORNOGRAPHIE
Représentation du Christ enfant . . . . JÉSUS
Représentation du serpent naja dressé . . . . URAEUS
Représentation d'une chose . . . . TABLEAU
Représentation d'une divinité . . . . IDOLE
Représentation d'une personne . . . . EFFIGIE

Représentation graphique
d'une marque commerciale . . . . LOGO
Représentation graphique . . . . DIAGRAMME
Représentation imprimée
d'un sujet quelconque . . . . IMAGE
Représentation . . . . CONCEPT • PORTRAIT • SPECTACLE
Représenter dans son ensemble . . . . DÉCRIRE
Représenter . . . . FIGURER • PEINDRE
Réprimande . . . . BLÂME • GRONDERIE • MORALE
REPROCHE • SEMONCE

Réprimande faite
de façon bienveillante . . . . GRONDERIE
Réprimander sévèrement . . . . CHAPITRER
Réprimander . . . . ADMONESTER • DOUCHER • HOUSPILLER
MORALISER • SAVONNER • SEMONCER
TANCER
Réprimer . . . . CHÂTIER • REFOULER
Reprise de l'activité économique . . . . DÉGEL
Reprise d'un combat de boxe . . . . ROUND
Reprise . . . . REFONTE • REMONTEE • RÉPÉTITION
Repriser . . . . RAPIÉCER • RAVAUDER
Réprobation . . . . CONDAMNATION
Reproche . . . . ACCUSATION • BLÂME • CRITIQUE
Reprocher . . . . BLÂMER
Reproches . . . . POUILLES
Reproducteur . . . . GÉNITEUR
Reproduction . . . . COPIE • IMITATION • IMPRESSION
MOULAGE • RÉPLIQUE
Reproduction asexuée . . . . AGAMIE
Reproduction d'un individu à partir
d'une de ses cellules . . . . CLONAGE
Reproduction photographique . . . . PHOTO
Reproduire inexactement . . . . DÉFORMER
Reproduire le comportement
de quelqu'un . . . . IMITER
Reproduire par boutures . . . . BOUTURER
Reproduire sans payer de droits . . . . PIRATER
Reproduire un dessin sur
un papier calque . . . . CALQUER
Reproduire . . . . CALQUER • INSEMINER • RÉÉDITER
Réprouvé . . . . DAMNÉ • MAUDIT

Réprouver . . . . CENSURER • CONDAMNER • DÉSAPPROUVER
DÉSAVOUER • DÉTESTER • MAUDIRE
Reptation . . . . RAMPEMENT
Reptile . . . . SERPENT
Reptile à marche lente . . . . TORTUE
Reptile à quatre pattes courtes . . . . TORTUE
Reptile aquatique . . . . EUNECTE
Reptile aquatique à museau large
et court . . . . CAÏMAN
Reptile au corps allongé . . . . LÉZARD
Reptile ayant l'aspect du lézard . . . . IGUANE
Reptile crocodilien . . . . GAVIAL
Reptile dinosaurien bipède . . . . IGUANODON
Reptile fossile préhistorique . . . . DINOSAURE
Reptile piscivore au long museau . . . . GAVIAL
Reptile saurien . . . . IGUANE • ORVET • VARAN
République de l'Atlantique Nord . . . . ISLANDE
République fédérale d'Allemagne . . . . RFA
République française . . . . RF
Répudier . . . . REJETER
Répugnance . . . . ANTIPATHIE • DÉGOÛT
Répugnant . . . . HIDEUX • IMMONDE • INFECT
LAID • SORDIDE
Répugnante . . . . HIDEUSE
Répugné . . . . DÉGOÛTÉ
Répugner . . . . DÉGOÛTER • RÉVULSER
Répulsion . . . . ABOMINATION • DÉGOÛT • HAINE
Réputation . . . . GLOIRE
Réputé . . . . RENOMMÉ
Requérant . . . . EXPOSANT
Requérir . . . . NÉCESSITER • SOLLICITER
Requête . . . . MÉMOIRE • POURVOI • PRIÈRE
Requin de grande taille . . . . LAMIE
Requin de la Méditerranée . . . . PERLON
Requin des côtes de France . . . . ROCHIER
Requin gris aux flancs blancs . . . . GRISET
Requin . . . . SQUALE
Requis par les circonstances . . . . VOULU
Réquisitoire . . . . DIATRIBE
Rescapé . . . . SAUF • SAUVÉ • SURVIVANT
Rescousse . . . . DÉFENSE

Réseau de conduites	CANALISATION
Réseau de fils entrelacés	LACIS
Réseau de télévision américain	NBC
Réseau des sports	RDS
Réseau téléphonique	TÉLÉPHONE
Réseau	FILIÈRE
Réservé aux piétons	PIÉTON
Réserve de gibier	GARENNE
Réservé	DÉCENT • DÉVOLU • DISCRET • DISTANT MODESTE • RETENU • RÉTICENT • SOBRE
Réserve	ÉCONOMIE • ÉCONOMIES • GISEMENT MODESTIE • PROVISION • PONDÉRATION RÉTICENCE • STOCK • VIVIER
Réservoir	CITERNE
Réservoir de plongée d'un sous-marin	BALLAST
Réservoir où l'on filtre l'eau	PURGEOIR
Résidant	HABITANT
Résidence	FOYER • MAISON • SÉJOUR
Résidence des rois maures à Grenade	ALHAMBRA
Résidence du souverain	COUR
Résidence d'un vicaire	VICARIAT
Résider	HABITER
Résidu	DÉCHET • LIE • MARC
Résidu de la distillation du pétrole	MAZOUT
Résidu des matières brûlées	CENDRE
Résidu des tiges de canne à sucre	BAGASSE
Résidu du chanvre	ÉTOUPE
Résidu éteint	BRAISE
Résidu liquide de la fabrication du beurre	BABEURRE
Résidu pâteux de la houille	BRAI
Résidu sirupeux de la cristallisation du sucre	MÉLASSE
Résiliation d'un bail	RENON
Résine aromatique	ENCENS • MYRRHE
Résine aromatique extraite du styrax	BENJOIN
Résine extraite de la férule	ASE
Résine fossile provenant de conifères	AMBRE

Résine fournie par des arbres tropicaux	COPAL
Résine jaunâtre	MASTIC
Résine malodorante	ASE
Résine provenant de la distillation de la térébenthine	ARCANSON
Résine synthétique employée comme succédané de l'ambre	BAKÉLITE
Résine synthétique	BAKÉLITE
Résine	SILICONE
Résistance	BLOCAGE • REFUS • SOLIDITÉ
Résistant d'un maquis	MAQUISARD
Résistant palestinien	FEDAYIN
Résistant	CORIACE • DUR • ENDURANT • ROBUSTE
Résister	LUTTER • RÉAGIR
Résolu	DÉCIDÉ
Résoluble	SOLUBLE
Résolution	PROPOS • VOLONTÉ
Résonance	SONORITÉ
Résonnement par récurrence	INDUCTION
Résonner	CARILLONNER • RETENTIR • TINTER
Résoudre	CONCLURE • DÉCIDER • DÉNOUER
Respect de soi-même	DIGNITÉ
Respect profond	RÉVÉRENCE
Respect que l'on rend aux anges	DULIE
Respect strict de la loi	LEGALISME
Respect	DÉFÉRENCE • ÉGARD
Respectable	AUGUSTE • HONORABLE • VÉNÉRABLE
Respecter	OBSERVER
Respecter profondément	RÉVÉRER
Respectif	RELATIF
Respective	RELATIVE
Respectueusement	POLIMENT
Respiration bruyante	SOUPIR
Respiration	HALEINE
Respire à un rythme précipité	HALETE
Respirer avec gêne	HALETER
Respirer avec peine	PANTELER
Respirer péniblement	ANHÉLER
Responsabilité	DEVOIR
Responsable ecclésiastique	DOYEN
Responsable	GARANT • PRÉPOSÉ • SOLIDAIRE

Resquillage	RESQUILLE
Resquiller	FRAUDER
Ressasser	RABACHER
Ressemblance avec les ancêtres	ATAVISME
Ressemblance	ANALOGIE • SOSIE
Ressemblant	ANALOGUE
Ressentiment tenace	RANCŒUR
Ressentiment	AIGREUR • ANIMOSITÉ • ANTIPATHIE DÉPIT • RANCUNE
Ressentir	ÉPROUVER
Resserrement pathologique d'un organe	STRICTION
Resserrer	ÉTRÉCIR • RAPPROCHER • RÉTRÉCIR
Resservir	REVERSER
Ressortir	DÉTONNER • RESSURGIR • RÉSULTER
Ressource	RECOURS
Ressources pécuniaires	MOYENS
Ressusciter	DÉTERRER • RANIMER • RÉVEILLER
Restaurant à bon marché	GARGOTE
Restaurant modeste	BISTRO • BISTROT
Restaurant où l'on sert un repas léger	MÂCHON
Restaurant spécialisé dans les grillades	GRILL
Restaurant	AUBERGE • RESTO
Restaurateur qui se fait une spécialité des huîtres et des fruits de mer	ÉCAILLER
Restaurateur	RAVALEUR • TAVERNIER
Restauration	RÉFECTION
Restaurer	AMÉLIORER • RÉPARER
Reste de bûches	TISON
Reste d'une pièce d'étoffe	COUPON
Reste	COMPLÉMENT • VESTIGE
Rester	DEMEURER
Rester à jeun	JEUNER
Rester à la même place	STATIONNER
Rester à la surface	SURNAGER
Rester absent une nuit entière	DÉCOUCHER
Rester la bouche ouverte	BAYER
Rester oisif	BULLER
Rester sur ses gardes (Se)	MÉFIER

Restes	OS • POUSSIÈRE
Restituer	RAPPORTER • REDONNER • RENDRE
	RÉTABLIR
Restreindre	LIMITER
Restreint	ÉTROIT • EXIGU • LIMITÉ
Restrictif	LIMITATIF
Restriction	LIMITATION
Restructuration	REFONTE
Restructurer	RÉORGANISER
Résultat d'une division	QUOTIENT
Résultat global	BILAN
Résultat heureux	SUCCÈS
Résultat optimal	PERFORMANCE
Résultat supérieur	RECORD
Résultat	EFFET • FRUIT • ISSUE • SCORE
	SOLUTION
Résumé écrit	RELEVÉ
Résumé par écrit	NOTICE
Résumé	ABRÉGÉ • SOMMAIRE
Résumer	ABRÉGER • RÉCAPITULER
Resurgir	REPARAÎTRE
Résurrection	RÉVEIL
Rétabli d'un mal physique	GUÉRI
Rétablir des liens brisés	RENOUER
Rétablir	REFAIRE • RÉINTÉGRER • RESTAURER
Rétablissement	GUÉRISON
Retaper	RAFISTOLER • RÉPARER
Retardataire	ATTARDÉ
Retarder	RALENTIR
Retarder	LANTERNER
Reteindre une étoffe	BISER
Retenir	ACCROCHER • ADSORBER • ARRÊTER
	CLOUER • ENCHAÎNER • FREINER
	PRÉLEVER • RÉSERVER
Retenir au moyen d'une digue	ENDIGUER
Retenir, réprimer	ENDIGUER
Retentir	RÉSONNER
Retentissant	ÉCLATANT • RÉSONNANT • TONNANT
Retenu	DISCRET
Retenue salariale	PRÉCOMPTE
Retenue	PUDICITE

Rétif	RÊCHE
Retiré	ISOLÉ
Retirer de la bourbe	DÉBOURBER
Retirer d'une broche	DÉBROCHER
Retirer la bonde d'un tonneau	DÉBONDER
Retirer la queue d'un fruit	ÉQUEUTER
Retirer sa candidature (Se)	DÉSISTER
Retirer	EXTRAIRE • ÔTER
Retirer, enlever ce qui gêne	DÉBLAYER
Retombé dans l'hérésie	RELAPS
Retombée	INCIDENCE
Retomber sur quelqu'un	INCOMBER
Rétorquer	OBJECTER • RIPOSTER
Retors	MADRÉ • TORTU • TORTUEUX
Retoucher	RECOUPER • REMANIER
Retoucheur de cliché	SIMILISTE
Retour du même son	RIME
Retour violent des vagues	RESSAC
Retour	RÉVEIL
Retournement	REVULSION
Retourner la terre avec la charrue	LABOURER
Retourner la terre avec une bêche	BECHER
Retourner	RENDRE • REVENIR
Retracer	RACONTER
Rétractation	DÉDIT
Rétracter	ABJURER
Rétraction	DÉSAVEU • RETRAIT
Retrait dans un texte	ALINÉA
Retraite	CACHETTE • RECUL • REFUGE
Retraité	PENSIONNE
Retrancher	DÉCOMPTER • DÉDUIRE • ENLEVER
	ÔTER • ROGNER • SUPPRIMER
Retransmetteur	RELAIS
Rétrécir	ÉTRÉCIR
Rétrécissement	STRICTION
Rétribuer par un salaire	SALARIER
Rétribuer	RÉCOMPENSER • RÉMUNÉRER
Rétribution	GAIN • HONORAIRES • SEMAINE
Retriever	LABRADOR
Rétrograde	ATTARDÉ
Rétrograder	DÉCHOIR • LIMOGER

Retrousser	RELEVER • REPLIER
Rétroviseur	RÉTRO
Rets	TENDERIE
Réuni en collège	COLLÉGIAL
Réunion d'animaux dans un même repaire	LITÉE
Réunion d'animaux domestiques	TROUPEAU
Réunion de brins	CORDE
Réunion de chanteurs	CHŒUR
Réunion de deux choses	PAIRE
Réunion de deux principes qui se complètent	DYADE
Réunion de fils tordus ensemble	TORON
Réunion de gens méprisables	RAMAS
Réunion de gens qu'on invite à boire	RASTEL
Réunion de neuf choses semblables	ENNÉADE
Réunion de personnes	COMITÉ
Réunion de personnes soutenant ensemble leurs intérêts	COTERIE
Réunion de tentes abritant la famille	SMALA
Réunion de trois cartes de valeur identique	BRELAN
Réunion de trois pieds métriques	TRIPODIE
Réunion d'évêques	SYNODE
Réunion d'hommes	COLONIE
Réunion diplomatique	CONGRÈS
Réunion mondaine	RAOUT • RÉCEPTION
Réunion où l'on danse	BAL
Réunion où l'on débat un sujet	FORUM
Réunion où l'on sert du thé, des gâteaux	THÉ
Réunion plénière d'une assemblée	PLÉNUM
Réunion	ASSEMBLÉE • CONJONCTION FUSION • JONCTION
Réunion, à l'aide de fils	SUTURE
Réunir bout à bout	RABOUTER
Réunir en recueil	COLLIGER
Réunir en syndicat	SYNDIQUER
Réunir en un tout	AGRÉGER • ENGLOBER
Réunir par une collecte	COLLECTER
Réunir plusieurs cordages avec un filin	BRIDER

Réunir	ACCUMULER • ASSEMBLER • CENTRALISER CENTRER • CON • ENGLOBER • FUSIONNER GROUPER • JOINDRE • JUMELER • RALLIER RASSEMBLER • REGROUPER • RELIER • UNIR
Réussi	ABOUTI
Réussir	ABOUTIR • CARTONNER • OBTENIR PARVENIR • PROSPÉRER
Réussite	PATIENCE • RÉSULTAT • SUCCÈS
Rêvasser	BAYER
Rêve	ASPIRATION • SONGE
Revêche	BOURRU
Réveil	ÉVEIL • PENDULE
Réveiller	ÉVEILLER • RALLUMER
Révélation	AVEU • DÉCOUVERTE
Révéler	AVOUER • DÉCELER • INITIER TÉMOIGNER
Revenant	SPECTRE
Revendeur de drogues	DEALER
Revendication	DOLÉANCE
Revendication	EXIGENCE
Revendiquer	PRÉTENDRE
Revenir à la vie	REVIVRE
Revenir dans un lieu	RÉINTÉGRER
Revenir sur	RESSASSER
Revenir	REPASSER • RETOURNER
Revenu d'un ecclésiastique	PREBENDE
Revenu ecclésiastique	MENSE
Revenu périodique d'un bien	RENTE
Revenu	BÉNÉFICE • RAPATRIE
Rêver, rêvasser	BÉER
Réverbération	ÉCHO
Réverbère	LAMPADAIRE • LANTERNE
Révérence	RESPECT
Révérences exagérées	SALAMALECS
Révérend père	RP
Révérer	HONORER • VÉNÉRER
Rêverie	SONGERIE • UTOPIE
Revers	ACCIDENT • DÉFAITE
Revers d'un vêtement	PAREMENT
Revêtement	DALLAGE • ENDUIT
Revêtement de menuiserie	LAMBRIS

Revêtement de sol imperméable	LINO
Revêtement de sol	LINOLÉUM • PARQUET • PRÉLART
Revêtement de très faible épaisseur	FEUIL
Revêtement des voies de circulation	ASPHALTE
Revêtement en pierres sèches	PERRÉ
Revêtement extérieur du corps de l'homme	PEAU
Revêtement fait avec des pavés ou de la mosaïque	PAVAGE
Revêtement qui recouvre l'ivoire de la racine des dents	CÉMENT
Revêtement	VETURE
Revêtir	ENDOSSER
Revêtir de dalles	DALLER
Revêtir de maçonnerie	MAÇONNER
Revêtir de vêtements	HABILLER
Revêtir d'or	DORER
Revêtir d'un caractère païen	PAGANISER
Revêtir d'un caractère viril	VIRILISER
Revêtir d'une chose	COUVRIR
Revêtir d'une cuirasse	CUIRASSER
Revêtir un mot d'une forme latine	LATINISER
Revêtir une forme française	FRANCISER
Revêtu d'un déguisement	TRAVESTI
Rêveur	DISTRAIT • PENSIF • SONGEUR UTOPISTE
Rêveuse	PENSIVE • SONGEUSE
Revigorant	REMONTANT
Revigorer	RAGAILLARDIR • RAVIGOTER
Revirement	CONVERSION
Réviser	AMENDER • REPENSER • REVOIR
Révision	AMENDEMENT
Revivifier	REVIGORER
Revivre	RENAÎTRE
Révocation	ABROGATION • ANNULATION • DÉDIT
Revoilà	REVOICI
Révolté	DISSIDENT • OUTRÉ
Révolte	ÉMEUTE • JACQUERIE • MUTINERIE RÉBELLION • SÉDITION
Révolter	CABRER
Révolutionnaire argentin	GUEVARA

Révolutionnaire canadien	RIEL
Révolutionnaire	JACOBIN
Revolver	COLT
Revomir	RECRACHER
Révoquer	ANNULER
Revue	JOURNAL
Rhénium	RE
Rhésus	RH
Rhéteur	SOPHISTE
Rhinite	RHUME
Rhodium	RH
Rhumatisme	ARTHRITE • LOMBAGO
Rhume de cerveau	RHINITE
Ribambelle	KYRIELLE
Ricaner	GLOUSSER • RIRE
Ricaneur	RIEUR
Ricaneuse	RIEUSE
Riche	ARGENTÉ • COSSU • FERTILE • FRIQUE
	NANTI • OPULENT • RUPIN
Riche en grains	GRENU
Riche industriel	MAGNAT
Riche maison	VILLA
Riche paysan propriétaire, en Russie	KOULAK
Richesse	ABONDANCE • ARGENT
	FORTUNE • OPULENCE • OR
Ricochet	CONTRECOUP
Ride	PLI
Rideau léger	VOILAGE
Rideau qui s'enroule ou se replie	STORE
Rideau	DRAPERIE • STORE
	TABLIER • VOILE
Ridelle d'une charrette	BER
Rider en contractant	FRONCER
Rider	FRIPER
Ridicule	DÉRISOIRE • RISIBLE • UBUESQUE
Ridiculiser	BAFOUER • GAUSSER • MOQUER
	RAILLER • SATIRISER
Ridule	RIDE
Rien	BAGATELLE • NÉANT
	NIB • VÉTILLE
Rieur	RIANT • RIGOLEUR

Rif	RIFFE
Riffe	RIF
Riflard	PEBROC
Rigaudon	RIGODON
Rigide	DUR • RAIDE
Rigidité	DURETÉ • FERMETÉ • RAIDEUR
Rigolard	HILARE • RIGOLEUR
Rigole d'irrigation, au Sahara	SEGUIA
Rigoler	RIRE
Rigolo	MARRANT • RIGOLEUR
Rigorisme	AUSTÉRITÉ • LEGALISME
Rigoriste	RIGOUREUX
Rigoureux	AUSTÈRE • PRÉCIS • RUDE
Rigueur morale	RIGORISME
Rigueur	DURETÉ • RAIDEUR RECTITUDE • SÉVÉRITÉ
Rimailler	RIMER
Rime se terminant par un "E" muet	FEMININ
Rime	VERS
Rimes	SEPTAIN
Rinçure	LAVURE
Ripaille	BANQUET • ORGIE
Ripailler	FESTOYER
Ripaton	PANARD
Riposte	REPARTIE • RÉPONSE
Riposter	REPLIQUER • RÉPONDRE
Ripou	POURRI
Rire de façon sarcastique	RICANER
Rire un peu	RIOTER
Rire	RICANER • RIGOLADE • RIGOLER POUFFER • SOURIRE
Risée	DÉRISION • RAFALE
Risible	GROTESQUE • TORDANT
Risque	DANGER • PÉRIL
Risque d'entraîner la mort	LÉTALITÉ
Risqué	GLISSANT
Risquer	HASARDER • JOUER • OSER
Rissolé dans du sucre	PRALINÉ
Rissolé	FRIT
Rissoler	DORER
Ristourne	REMISE

Rital	ITALIEN
Rite qui consiste à baiser ce qui est sacré	BAISEMENT
Rite qui consiste à oindre une personne	ONCTION
Ritournelle	REFRAIN • RENGAINE
Rituel	ROUTINIER
Rivage	BERGE • GRÈVE • LITTORAL PLAGE • RIVE
Rival	ANTAGONISTE • COMPÉTITEUR ENNEMI
Rivalité	CONCURRENCE
Rive	BERGE • LITTORAL
River	RIVETER • SOUDER
Riveter	RIVER
Riveteuse	RIVOIR
Rivière alpestre de l'Europe centrale	INN
Rivière creusée par l'homme	CANAL
Rivière d'Afrique du Nord	OUED
Rivière d'Afrique	VAAL
Rivière d'Allemagne et d'Autriche	LECH
Rivière d'Allemagne	LEINE • MAIN • RUHR SAALE • SPREE
Rivière d'Alsace	ILL
Rivière d'Aquitaine	SAVE
Rivière d'Argentine	SALADO
Rivière d'Auvergne	CÈRE • DORE • SIOULE
Rivière de Belgique	DYLE • RUPEL • SENNE
Rivière de Bolivie	BENI
Rivière de Bourgogne	CURE
Rivière de Bretagne, affluent de la Vilaine	OUST
Rivière de Bulgarie	ISKAR
Rivière de Champagne	VESLE
Rivière de Colombie	CAUCA
Rivière de France	AA • AIN • AISNE SARRE • VERDON
Rivière de France, affluent de la Sarthe	LOIR
Rivière de France, affluent du Doubs	LOUE
Rivière de France, affluent du Rhône	DRÔME
Rivière de France, affluent du Tarn	AGOUT

Robe de cérémonie	TOGE
Robe de chambre	PEIGNOIR
Robe de magistrat	TOGE
Robe très ajustée	FOURREAU
Robe	CHITON
Robinet mélangeur à une seule manette	MITIGEUR
Robot	AUTOMATE • MACHINE
Robre	ROB
Robuste	COSTAUD • RÉSISTANT SOLIDE • VIGOUREUX
Robustesse	VIGUEUR
Roc	ROCHE
Rocade	BOULEVARD
Rocailleux	PIERREUX
Rochassier	VARAPPEUR
Roche abrasive	ÉMERI
Roche aux faces cristallines	SPATH
Roche calcaire	MARBRE
Roche calcaire	TRAVERTIN
Roche constituée de coridon	ÉMERI
Roche constituée de silice	SILEX
Roche éruptive	BASALTE
Roche magnétique poreuse	PONCE
Roche magnétique	GRANIT
Roche métamorphique	GNEISS
Roche plutonique grenue	SYÉNITE
Roche poreuse légère	TUF
Roche sédimentaire	FALUN • GRÈS • GYPSE
Roche sédimentaire argileuse	MARNE
Roche sédimentaire formée de quartz	JASPE
Roche sédimentaire silicatée de couleur rougeâtre	BAUXITE
Roche silicieuse compacte	QUARTZITE
Roche silicieuse	AGATE • JASPE • SILEX
Roche terreuse	ARGILE
Roche volcanique basique	BASALTE
Roche volcanique	ANDÉSITE
Roche	CAILLOU • ROCHER
Rocher sur lequel la mer se brise et déferle	BRISANT

Rocher	ÉCUEIL • ROC • ROCHE
Rocheux	PÉTRÉ
Rococo	BAROQUE
Rœsti	RÖSTI
Rogne	COLÈRE • IRE
Rogner	GRUGER
Rognure	EBARBAGE
Rogué	ŒUVÉ
Roi d'Arabie saoudite né en 1923	FAHD
Roi de Bavière né en 1848	OTTON
Roi de Hongrie	ABA
Roi de Juda	ASA
Roi de Suède de 994 à 1022	OLOF
Roi des Bretons	ARTUS
Roi des Lapithes	IXION
Roi d'Israël	ACHAB • JEROBOAM
Roi d'un petit pays	ROITELET
Roi hébreu, il succéda à Saül	DAVID
Roi légendaire d'Athènes	THÉSÉE
Roi légendaire de Mycènes	ÉGISTHE
Roi légendaire de Pylos	NESTOR
Roi	KAISER • PRINCE
Roi, dans les pays hindous	RADJAH • RAJAH
Rôle de vieillard ridicule	GRIME
Rôle	MANDAT
Roll on-roll off	ROULIER
Romain	LATIN
Roman policier	POLAR
Romance chantée	LIED
Romance	CHANSON • COMPLAINTE
Romancier danois 1869-1954	ANDERSEN
Romancière britannique	AUSTEN
Romancière canadienne	MAILLET
Romanichel	ROMANO • TSIGANE • TZIGANE
Romantique	PŒTIQUE
Romantisme	ROMANCE
Rompre	BRISER • CASSER FORCER • DIVORCER
Rompu	AGUERRI • BRISÉ • DISSOUS ÉREINTÉ • EXTENUE
Ronce	BARBELE

Ronchon . . . . GRINCHEUX
Ronchonner . . . . BOUGONNER • MAUGRÉÉR
ROGNONNER
Rond . . . . BEURRÉ
Rondelet . . . . CHARNU • REPLET
Rondelle de cuir garnissant
la queue de billard . . . . PROCEDE
Rondeur . . . . ROTONDITÉ
Rondeur, courbure saillante
d'un corps . . . . CONVEXITÉ
Rondier . . . . RÔNIER
Rondouillard . . . . RONDELET
Rond-point . . . . ABSIDE
Ronflement sourd du chat . . . . RONRON
Ronfler . . . . RONRONNER
Ronger . . . . CORRODER • ÉRODER • MINER
TRACASSER
Rongeur au pelage fourni . . . . MARMOTTE
Rongeur des forêts humides . . . . AGOUTI
Rongeur voisin de l'écureuil . . . . XÉRUS
Rongeur . . . . RAT • TAMIA
Röntgen Equivalent Man . . . . REM
Rosé . . . . ROSI
Rose trémière . . . . PRIMEROSE
Roseau des bords du Nil utilisé
pour écrire . . . . PAPYRUS
Roseau taillé dont les anciens
se servaient pour écrire . . . . CALAME
Roseau taillé utilisé dans l'Antiquité
pour écrire . . . . CALAME
Rosée sur les feuilles . . . . AIGUAIL
Rosée . . . . AIGUAIL
Roser . . . . ROSIR
Rosier sauvage . . . . ÉGLANTIER
Rosir . . . . ROSER
Rossée . . . . CORRECTION • RACLÉE • VOLÉE
Rosser . . . . BATTRE
Rotatif . . . . GIRATOIRE • ROTATOIRE
Rotation du personnel . . . . TURNOVER
Rotation . . . . ALTERNANCE • ALTERNAT • GIRATION
Roter . . . . ÉRUCTER

Rôti	CUIT • RÔT
Rôtie	TOAST
Rôtir	CUIRE • RISSOLER
Rôtir, griller	ROUSTIR
Rôtissoire	TOURNEBROCHE
Rotondité	RONDEUR
Roturier assujetti à la justice seigneuriale	MANANT
Rouage	MECANISME
Roublard	MACHIAVEL
Roue à gorge	RÉA
Roue dont le pourtour présente une gorge	RÉA
Roue	PIGNON
Roué	ROUBLARD
Rouelle	RONDELLE
Rouer	RUSER
Rouer de coups	ROSSER • TABASSER
Rouerie	ASTUCE
Rouflaquettes	FAVORIS
Rouge éclatant tirant sur le violet	CARMIN
Rouge foncé tirant sur le violet	BORDEAUX
Rouge tirant sur le violet	POURPRE
Rouge vif	ÉCARLATE
Rouge	HOMARD • SANGUIN
Rougeaud	RUBICOND • SANGUIN
Rougeur	ENGELURE
Rougir	ENLUMINER • ROUGEOYER
Rouille	CORROSION
Rouleau de feuilles de tabac à fumer	CIGARE
Rouleau lourd servant à plomber la terre	PLOMBEUR
Roulé-boulé	ROULADE
Roulement de tambour	BAN • RA
Roulement	ROTATION • ROULAGE
Rouler à bicyclette	PÉDALER
Rouler comme une boule	DÉBOULER
Rouler sa bosse	VOYAGER
Rouler sur soi-même	BOULER
Rouler un cordage en cercles superposés	LOVER

Rouler . . . . ENTUBER
Roulette . . . . TOURNETTE
Roulier . . . . VOITURIER
Roupiller . . . . DORMIR
Roupillon . . . . SOMMEIL
Rouquin . . . . ROUSSEAU • ROUX
Rouquine . . . . ROUSSE
Rouspéter . . . . PROTESTER • RÂLER • RENAUDER
Rouspéteur . . . . RÂLEUR
Roussette . . . . SQUALE
Roussir . . . . CRAMER
Route rurale . . . . RR
Route . . . . RTE • VOIE
Roux clair . . . . CARAMEL
Royal . . . . RÉAL
Royaume de l'Asie Mineure . . . . LYDIE
Royaume Uni . . . . ALBION
Ru . . . . RUISSELET
Ruban adhésif transparent . . . . SCOTCH
Ruban dont on borde un vêtement . . . . LISÉRÉ
Ruban gradué . . . . MÈTRE
Ruban s'insérant entre les pages . . . . SIGNET
Ruban . . . . GALON
Rubicond . . . . ROUGE
Rubidium . . . . RB
Rubrique offerte au public par un média . . . . TRIBUNE
Rubrique . . . . CHRONIQUE
Ruche . . . . COLONIE
Rude au toucher . . . . RÊCHE
Rude et violent . . . . BRUSQUE
Rude . . . . ÂPRE • ARDU • BOURRU • FRUSTE
GROSSIER
Rudement . . . . CRÛMENT
Rudération . . . . PAVAGE
Rudesse de la voix . . . . RAUCITÉ
Rudesse désagréable . . . . ÂPRETÉ
Rudesse . . . . BARBARIE • RUGOSITÉ
Rudiment . . . . NOTION
Rudimentaire . . . . BRUT • SOMMAIRE
Rudoyer . . . . MALTRAITER • MOLESTER
Rue large et plantée d'arbres . . . . BOULEVARD

Rue . . . . ARTÈRE
Ruelle . . . . VENELLE
Ruer . . . . CABRIOLER
Rugir . . . . RAUQUER
Rugueux . . . . RÊCHE
Ruiné . . . . LAVE
Ruine . . . . SABOTAGE
Ruine-babines . . . . HARMONICA
Ruiner . . . . DÉVASTER • RAVAGER
Ruiner . . . . RETAMER
Ruisselet . . . . RU
Ruisselet . . . . CASSIS
Ruissellement . . . . COULEE
Rumeur . . . . CHUCHOTIS • RACONTAR
Ruminant à longue toison qui
   vit au Tibet . . . . YAK • YACK
Ruminant voisin du Lama . . . . ALPAGA
Ruminer . . . . RÉFLÉCHIR
Rupture d'un engagement . . . . DÉNONCIATION
Rupture . . . . BROUILLE • CASSURE • CESSATION
   CLASH • CREVAISON • FRACTURE
Rural . . . . AGRICOLE • TERRIEN
Rurale . . . . PAYSANNE • TERRIENNE
Ruse . . . . ASTUCE • FINESSE • ROUERIE
Rusé . . . . ADROIT • FINAUD • FUTÉ
   MALIN • RETORS • ROUÉ
Ruse, attrape . . . . FEINTE
Rusé, finaud . . . . MATOIS
Rusée . . . . MALIGNE • TORTUEUSE
Ruser . . . . FINASSER
Rustaud . . . . BALOURD • LOURD
Rustique . . . . AGRESTE
Rustiquer . . . . CREPIR
Rustre . . . . BUTOR • GOUJAT • LOURDAUD
   MALOTRU • MANANT • PALTOQUET
Ruthénium . . . . RU
Rutilant . . . . ÉCLATANT
Rutilement . . . . RUTILANCE
Rythme du travail . . . . CADENCE
Rythme . . . . CADENCE • SWING
Rythmer . . . . CADENCER

S

Sa capitale est La Havane	CUBA
Sa capitale est Lima	PÉROU
Sa Sainteté	SS
S'abaisser	RAMPER
S'abandonner à des fantasmes	FANTASMER
S'abandonner à la rêverie	RÊVASSER
S'abîmer	SOMBRER
Sable	SABLON
Sable à grains fins	SABLON
Sable calcaire des rivages	MAERL • MERL
Sable calcaire qu'on retrouve en Bretagne	MERL
Sable de bord de mer	LISE
Sable d'origine fluviale	JARD • JAR
Sable mouvant	LISE
Sable très fin	SILT
Sablonneux	ARÉNACÉ
Sablonnière	SABLIÈRE
Sabot à dessus de cuir	GALOCHE
Sabot	SOCQUE
Saboter	BOUSILLER • GÂCHER
Sabre à lame courbe	BANCAL
Sac à provisions souple	CABAS
Sac de cuir	SACOCHE
Sac de toile	MUSETTE • SACOCHE
Sac en peau pour conserver les liquides	OUTRE
Sac long à deux poches	BESACE
Sac que l'on porte en bandoulière	GIBECIERE
Sac	BALLUCHON • POCHON
Sac, contenant	POCHE
Saccade répétée à un rythme rapide	VIBRATION
Saccager	PILLER
Saccageur	PILLARD
Saccharose	SUCRE
S'accoupler	COÏTER • COPULER
S'accrocher à	AGRIPPER
Sacerdoce	PRETRISE
S'acharner	PERSÉVÉRER
Sachet	SAC

Sacoche	GIBECIERE
Sacraliser	SANCTIFIER
Sacre	JURON
Sacré	BÉNI • RELIGIEUX • SAINT
Sacre mâle	SACRET
Sacrée	RELIGIEUSE
Sacrement qui rend chrétien celui qui le reçoit	BAPTÊME
Sacrement	CONFIRMATION
Sacrer	BÉNIR • COURONNER
Sacrifice	ABNÉGATION • BRADAGE • EFFORT
Sacrifier	IMMOLER
Sacrilège	IMPIÉTÉ
S'adapter exactement à une forme	ÉPOUSER
Sadique	CRUEL
Sadisme	CRUAUTÉ
S'adresser à quelqu'un en employant le pronom vous	VOUSSOYER
S'adresser à quelqu'un en utilisant le pronom vous	VOUVOYER
S'affaiblir	DÉPÉRIR
S'affaisser	CROULER
Safran des Indes	CURCUMA
Safran des prés	COLCHIQUE
Sagace	PERSPICACE • SUBTIL
Sage	AVERTI • DOCILE • ÉCLAIRÉ • PENSEUR PHILOSOPHE • PRUDENT • SENSÉ
Sage, sensé	JUDICIEUX
Sage-femme	MATRONE
Sagesse	RAISON • SAPIENCE • SENS
S'agiter pour se débarrasser de l'eau (S')	ÉBROUER
S'agiter	BOUGER
Sagum	SAIE
Saie	SAGUM
Saignant	SANGLANT
Saigner	ÉGORGER
Saillant	PROÉMINENT
Saillie charnue	LUETTE
Saillie du pubis	PÉNIL

Saillie d'une corniche . . . . LARMIER
Saillie en façade d'un bâtiment . . . . BALCON
Saillie osseuse de la cheville . . . . MALLÉOLE
Saillie ou renforcement
   dans le plan d'un bâtiment . . . . RESSAUT
Saillie placée à la partie
   antérieure du cou . . . . POMME
Saillie qui limite un mouvement
   dans un mécanisme . . . . ARRETOIR
Saillie . . . . ASPÉRITÉ • BOUTADE • PAPILLE • RELIEF
Saïmiri . . . . SAJOU
Sain et sauf . . . . INDEMNE
Sain . . . . SALUBRE
Saine . . . . BUVABLE
Saint . . . . SACRÉ • ST
Sainte . . . . STE
Saint-pierre . . . . ZÉE
Saisi . . . . SURPRIS
Saisi par l'esprit . . . . COMPRIS
Saisie . . . . CAPTURE • MAINMISE
Saisir avidement . . . . GRIPPER
Saisir brutalement . . . . HARPONNER
Saisir par les sens . . . . PERCEVOIR
Saisir . . . . AGRIPPER • COMPRENDRE
                  HAPPER • PIGER • TRANSIR
Saisissant . . . . FRAPPANT • PALPITANT • PERCUTANT
Saison de la ponte des oiseaux . . . . PONDAISON
Saison où l'on coupe les foins . . . . FENAISON
Saison pendant laquelle
   le sanglier est le plus gras . . . . PORCHAISON
Saison . . . . AUTOMNE • ÉTÉ • HIVER • PRINTEMPS
Saisonnier . . . . AUTOMNAL
Sajou . . . . SAPAJOU
S'ajuster . . . . MOULER
Salaire du bâtelier . . . . BATELAGE
Salaire . . . . PAIE • PAYE • GAGES
Salamalecs . . . . COURBETTE
Salarié . . . . EMPLOYÉ
Salarier . . . . RÉTRIBUER
Salaud . . . . ENFOIRÉ • ORDURE
       SALIGAUD • SALOP • SALOPARD

Sale	IMMONDE • MALPROPRE
Salé	CORSÉ • GRIVOIS
Saleron	SALIÈRE
Saleté	CRASSE • IMPURETÉ • ORDURE SALOPERIE • VILENIE
Saleté, tache	SOUILLURE
Salir avec une matière collante	POISSER
Salir de noir	MÂCHURER
Salir	ENTACHER • MACULER • SALOPER TACHER
Salissure	TACHE
Salive	BAVE • CRACHAT
Salle	HALL
Salle aménagée en demi-cercle	HÉMICYCLE
Salle centrale du temple	NAOS
Salle commune où dorment les membres d'une communauté	DORTOIR
Salle de conversation	EXÈDRE
Salle où les officiers prennent leurs repas	MESS
Salon	VIVOIR
Salopard	SALAUD
Saloper	BÂCLER • GÂCHER • SALIR
Saloperie	SALETÉ • VACHERIE
Salpêtre	NITRE
Saltimbanque	BATELEUR
Salubre	SAIN
Saluer	ACCLAMER
Salut cérémonieux	RÉVÉRENCE
Salut solennel	SALUTATION
Salut	BONJOUR • COURBETTE • TCHAO
Salutaire	BÉNÉFIQUE • PROFITABLE • UTILE
Salutation angélique	AVE
Salutation	BONJOUR • BONSOIR • BYE
Salutations excessives	SALAMALECS
Salve	CANONNADE • FUSILLADE
Samarium	SM
Samit	BROCART
Samouraï	SAMURAI
S'amuser	BADINER • JOUER • PLAISANTER
Sanatorium	SANA

Sanction monétaire . . . . AMENDE
Sanction . . . . ADOPTION • CHÂTIMENT
CONDAMNATION • PÉNALITÉ
Sanctionner . . . . ADOPTER • CONSACRER • ENTÉRINER
LÉGALISER
Sanctuaire . . . . MOSQUEE
Sandale de plage . . . . TONG
S'anémier . . . . DÉPÉRIR
Sang purulent . . . . ICHOR
Sangle que l'on passe
   sous le ventre d'un animal . . . . VENTRIÈRE
Sangle servant à amarrer . . . . RABAN
Sangloter . . . . PLEURER
Sanglots . . . . PLEURS
Sanguinolent . . . . SANGLANT
Sans ailes . . . . APTÈRE
Sans arrêt . . . . CONSTAMMENT
Sans aucune énergie . . . . AVACHI
Sans cesse . . . . ASSIDÛMENT • CONSTAMMENT
TOUJOURS
Sans charpente, sans rigidité . . . . DÉSOSSÉ
Sans connaissance . . . . ÉVANOUI
Sans couleur . . . . INCOLORE
Sans crochets . . . . INERME
Sans déguisement . . . . NÛMENT
Sans détour . . . . CARRÉMENT
Sans difficulté (Sans coup ...) . . . . FÉRIR
Sans difficulté . . . . AISÉMENT
Sans dommage . . . . INDEMNE
Sans éclat, morne . . . . GRIS
Sans éducation . . . . MALPOLI
Sans égal . . . . UNIQUE
Sans égard à . . . . NONOBSTANT
Sans énergie . . . . AMORPHE
Sans engrais ni pesticides . . . . BIO
Sans feuilles en hiver . . . . CHAUVE
Sans fondement . . . . INFONDE
Sans force, fatigué . . . . FLAGADA
Sans frais de transport . . . . FRANCO
Sans gêne . . . . CAVALIER
Sans gravité . . . . VÉNIEL

Sans importance	ANODIN
Sans inégalités	UNI
Sans instruction	IGNARE
Sans mal	INDOLORE
Sans mélange	PUR
Sans mouvement	ÉTALE
Sans nom	INNOMMÉ
Sans pareil	INÉGALÉ
Sans poils, sans duvet	GLABRE
Sans réaction	INERTE
Sans relâche	ASSIDÛMENT
Sans ressort, sans force	ANÉMIQUE
Sans retenue	DÉBRIDÉ
Sans se faire connaître	INCOGNITO
Sans tête	ACÉPHALE
Sans tête, sans chef	ACÉPHALE
Sans tige apparente	ACAULE
Sans tonicité	ATONE
Sans une tache	IMMACULÉ
Sans valeur	INSIPIDE
Sans variété	UNI
Sans végétation, dénudé	CHAUVE
Sans-emploi	CHOMEUR
Sans-gêne	DÉSINVOLTURE
Sanskrit	SANSCRIT
Santon	FIGURINE
Sanve	SÉNEVÉ
Sapajou	SAÏMIRI • SAJOU
Saper	MINER
S'apitoyer	COMPATIR
Sapote	SAPOTILLE
S'appliquer à une activité	ADONNER
S'appliquer	ADONNER
S'approcher	ACCOSTER
S'approprier indûment	USURPER
S'approprier par ruse	USURPER
S'approprier	RABIOTER
S'appuyer (S')	ACCOTER
Sarcasme	IRONIE • RAILLERIE
Sarcastique	IRONIQUE • RAILLEUR
Sarcelle	CANARD

Sarcler	BINER • SERFOUIR
Sarcloir	GRATTE
Sarcophage	CERCUEIL
Sarment de vigne que l'on courbe pour le faire fructifier	ARÇON
Sarment de vigne	ARÇON • PROVIN
Sarong	PAREO
S'arranger	TRANSIGER
S'arrêter, en parlant d'un moteur	CALER
Sas	TAMIS
Sasser	TAMISER
S'associer	PACTISER
S'assurer l'aide de quelqu'un à prix d'argent	SOUDOYER
Satané	DAMNÉ • MAUDIT
Satellite de la Terre	LUNE
Satiété	BLASEMENT
Satirique	CAUSTIQUE
Satisfaction	CONTENTEMENT • JOIE • PLAISIR
Satisfaire	ASSOUVIR • CONTENTER • EXAUCER RASSASIER
Satisfaisant	BON • HONNÊTE • PASSABLE • SUFFISANT
Satisfait	CONTENT
Sauce à base de jus de viande	FUMET
Sauce à base de tomates	KETCHUP
Sauce au poivre	POIVRADE
Sauce au vin accompagnant le poisson	MEURETTE
Sauce brune additionnée de madère	MADERE
Sauce chaude pour accompagner le gibier	POIVRADE
Sauce épaisse à base d'oeufs et de beurre fondu	BEARNAISE
Sauce vinaigrette à l'ail	AILLADE
Saucée	AVERSE
Saucisson	SALAMI
Saucisson espagnol assaisonné au piment rouge	CHORIZO
Sauf	EXCEPTÉ • HORMIS • INTACT RESCAPÉ • SAUVÉ • SINON

Sauf-conduit	PASSEPORT • PERMIS
Sauge	ORVALE
Saugrenu	ABRACADABRANT
Saule à rameaux flexibles	OSIER
Saule de petite taille	OSIER
Saule qui pousse au bord des marais	MARSAULT
Saumon au museau allongé	BÉCARD
Saumure de harengs	SAURIS
Saupoudrer de farine	FARINER
Saupoudrer d'une substance imitant le givre	GIVRER
Saupoudrer	PARSEMER • TALQUER
Saur	SAURET
Saurer	FUMER
Saussaie	SAULAIE
Saut fait par soi-même	CULBUTE
Saut lancé par une seule jambe	JETÉ
Saut	BOND
Sauter	BONDIR • ÉCLATER EXPLOSER • SURSAUTER
Sauter sur soi-même en se retournant	CABRIOLER
Sauterelle verte	LOCUSTE
Sauteur à la perche	PERCHISTE
Sautillement	SAUT
Sautiller	GAMBADER • SAUTER
Sauvage	BARBARE • BESTIAL
Sauvagerie	FÉROCITÉ
Sauvé	SAUF
Sauvegarde	DÉFENSE • SALUT
Sauvegarder	PROTÉGER • SAUVER
Sauve-qui-peut	DÉBANDADE
Sauver	CONSERVER • REPÊCHER
Sauveur	BIENFAITEUR
S'avachir (Se)	VAUTRER
Savant	CLERC • DOCTE • ÉRUDIT
Savant spécialiste de la Chine	SINOLOGUE
Saveur	GOÛT
Saveur acide	ACIDITÉ
Savoir approfondi	ÉRUDITION

Savoir	APPRIS • COGNITION • CONNAÎTRE CONNAISSANCE • SCIENCE
Savoir-faire	ART • ENTREGENT • URBANITÉ
Savoir-faire, habileté	DOIGTÉ
Savoir-vivre	BIENSÉANCE •CONVENANCES ÉDUCATION • POLITESSE
Savonnage	NETTOYAGE
Savonneux	GLISSANT
Savourer	DÉGUSTER • GOÛTER • JOUIR
Savoureux	SUCCULENT
Sax	SAXOPHONE
Saxo	SAXOPHONE
Saxophone	SAXO • SAX
Saxophoniste	SAXO
Saynète	SKETCH
Sbire	TUEUR
Scabreux	HASARDEUX
Scandale	ESCLANDRE
Scandaleux	ÉHONTÉ • INDÉCENT • REVOLTANT
Scandalisé	CHOQUÉ
Scandaliser	HORRIFIER
Scander	DÉCLAMER • MARTELER • RYTHMER
Scandium	SC
Scanographe	SCANNER
Scaphandrier	PLONGEUR
Scarabée coprophage	BOUSIER
Scarifier	LABOURER
Sceau accompagné d'une signature	VISA
Sceau	CACHET
Scellé avec des plombs	PLOMBÉ
Sceller	CIMENTER
Scénario d'un film	SCRIPT
Scène rapide d'un film	FLASH
Scène	ALGARADE • TABLEAU
Scénique	THÉÂTRAL
Sceptique	INCRÉDULE • DUBITATIF
Schéma	CANEVAS • DESSIN • PATTERN
Scie	ÉGOÏNE
Scie à lame rigide	ÉGOÏNE
Scie à lame très étroite	SAUTEUSE

Scie à main des tailleurs de pierre . . . . SCIOTTE
Scie à main . . . . SCIOTTE
Scie mécanique . . . . SCIEUSE
Science de la fabrication des vins . . . . OENOLOGIE
Science de la forme et des
    dimensions de la Terre . . . . GÉODÉSIE
Science de l'éducation des enfants . . . . PEDAGOGIE
Science des causes naturelles . . . . PHYSIQUE
Science des exercices du corps . . . . GYMNIQUE
Science des figures de
    l'espace physique . . . . GÉOMÉTRIE
Science des médicaments . . . . PHARMACIE
Science des nombres . . . . ARITHMÉTIQUE
Science des vins . . . . OENOLOGIE
Science mathématique . . . . GÉOMÉTRIE
Science qui a pour objet
    l'étude des idées . . . . IDEOLOGIE
Science secrète du Moyen Âge . . . . ALCHIMIE
Scientifique . . . . SAVANT
Scier . . . . COUPER
Scinder . . . . DIVISER
Scintillement . . . . ÉCLAT
Scintiller . . . . BRILLER • ÉTINCELER • MIROITER
Scion . . . . GREFFE • GREFFON
Sciotte . . . . SCIE
Scission . . . . SÉPARATION • SCHISME
Scolarité . . . . ÉTUDE
Scoop . . . . NOUVELLE
Scories résultant de
    la combustion du charbon . . . . MÂCHEFER
Scrapeur . . . . SCRAPER
Scribe . . . . COPISTE
Scrofulariacée . . . . VERONIQUE
Scrupuleux . . . . EXACT
Scruter . . . . FOUILLER • SONDER
Scruter . . . . EXAMINER
Scrutin . . . . SUFFRAGE
Sculpter . . . . CISELER
Sculpteur britannique né en 1924 . . . . CARO
Sculpteur de statues . . . . STATUAIRE
Sculpteur et graveur britannique
    mort en 1986 . . . . MOORE

Sculpteur néerlandais	SLUTER
Sculpteur	ARTISTE • STUCATEUR
Sculpture représentant une personne	STATUE
Se bagarrer	BATAILLER
Se balancer doucement	DODELINER
Se balancer gauchement (Se)	DANDINER
Se battre contre	COMBATTRE
Se battre	BATAILLER
Se blottir (Se)	RÉFUGIER
Se bomber sous l'effet de l'humidité	GONDOLER
Se boursoufler	CLOQUER
Se charger de	ENDOSSER
Se communiquer	ÉCHANGER
Se complaire (Se)	VAUTRER
Se consacrer entièrement à (Se)	DÉVOUER
Se consacrer	ADONNER
Se courber	GONDOLER
Se courber, en parlant d'une pièce de métal (S')	ENVOILER
Se couvrir de rouille	ROUILLER
Se décider	OPTER
Se décourager	DÉCROCHER
Se dédire (Se)	RAVISER
Se dégager	ÉMERGER
Se dégrader	EMPIRER
Se délasser (Se)	REPOSER
Se délecter (Se)	REPAÎTRE
Se délecter	GOÛTER
Se demander	DOUTER • HÉSITER
Se dépêcher (Se)	GROUILLER
Se déplacer	COULER
Se déplacer dans l'eau	NAGER
Se déployer avec force	DÉFERLER
Se dépouilller (Se)	DÉNUER
Se dérider (S')	ÉPANOUIR
Se dérober (S')	ÉCHAPPER
Se détendre	RELAXER
Se détendre (Se)	REPOSER
Se détériorer	DÉPÉRIR • EMPIRER
Se développer	FRUCTIFIER • GRANDIR • PROSPÉRER
Se déverser (S')	ÉCOULER

Se diffuser	IRRADIER
Se diffuser par rayonnement	RAYONNER
Se disperser	ESSAIMER
Se dissiper	DISPARAÎTRE
Se distinguer	ÉMERGER
Se distraire (S')	ÉVADER
Se dit de certaines plantes épiphytes	AERICOLE
Se dit de cheveux naturellement frisés	CRÉPU
Se dit de couleurs fluorescentes	FLUO
Se dit de langues de l'Asie du Sud-Est	THAÏ
Se dit de mots presque homonymes	PARONYME
Se dit de préparations où il entre des roses	ROSAT
Se dit de prolongements	PROCESSUS
Se dit de verres de lunettes à deux foyers	BIFOCAL
Se dit des animaux qui ont peur de leur ombre	OMBRAGEUX
Se dit des êtres dont l'organisme a besoin d'air	AEROBIE
Se dit des régimes politiques non démocratiques	TOTALITAIRE
Se dit du groupe le plus ancien des terrains tertiaires	ÉOCÈNE
Se dit du hareng quand il est vide de laitance et d'oeufs	GUAI
Se dit du jazz joué avec force	HOT
Se dit du poisson prêt à frayer	MATURE
Se dit du ver à soie atteint de la flacherie	FLAT
Se dit d'un animal qui évite la lumière	LUCIFUGE
Se dit d'un animal qui se reproduit par des oeufs	OVIPARE
Se dit d'un cheval dont la robe n'a aucun poil blanc	ZAIN
Se dit d'un cheval dont le dos se creuse	ENSELLÉ
Se dit d'un ecclésiastique qui a été suspendu de ses fonctions	SUSPENS
Se dit d'un insecte qui subit une métamorphose	MÉTABOLE
Se dit d'un lieu qui a mauvaise réputation (Mal ...)	FAMÉ

Se dit d'un mouvement circulaire . . . . GIRATOIRE
Se dit d'un mur sans fenêtre, ni porte . . . . ORBE
Se dit d'un pays qui dépend d'un autre . . . . VASSAL
Se dit d'un phénomène qui
consomme de l'oxygène . . . . AEROBIE
Se dit d'un poisson femelle
contenant des oeufs . . . . OEUVÉ
Se dit d'un produit susceptible
de polir par frottement . . . . ABRASIF
Se dit d'un propos grossier . . . . ORDURIER
Se dit d'un regard oblique
et menaçant . . . . TORVE
Se dit d'un spectacle
enregistré en public . . . . LIVE
Se dit d'un vin riche en alcool . . . . VINEUX
Se dit d'une coupe de cheveux . . . . AFRO
Se dit d'une écriture
composée de lettres capitales . . . . ONCIAL
Se dit d'une foule manifestant
une joie débordante . . . . LIESSE
Se dit d'une langue bantoue . . . . SWAHILI
Se dit d'une médaille sans revers . . . . INCUSE
Se dit d'une peau dont le côté chair
est à l'extérieur . . . . SUÉDÉ
Se dit d'une personne qui subit
une frustration . . . . FRUSTRE
Se dit pour avertir de faire silence . . . . CHUT
Se donner la mort (Se) . . . . SUICIDER
Se dresser contre (Se) . . . . CABRER
Se dresser sur les pattes
de derrière (Se) . . . . CABRER
Se dresser . . . . REBIQUER
Se faire attendre . . . . TARDER
Se faire des illusions . . . . BERLUE
Se faire remarquer . . . . CABOTINER
Se faire une idée de . . . . CONNAÎTRE
Se faufiler . . . . ENTRER
Se fendiller en surface . . . . CRAQUELER
Se flatter (Se) . . . . TARGUER
Se former . . . . GERMER
Se garantir (Se) . . . . PRÉMUNIR

Se garnir de feuilles	FEUILLER
Se gonfler	BOUFFER
Se laisser aller à des fantasmes	FANTASMER
Se laisser séduire	FAUTER
Se lamenter	DÉPLORER • GÉMIR
Se lamenter (Se)	PLAINDRE
Se livrer à	PRATIQUER
Se maintenir	SURNAGER
Se manifester avec exubérance	DÉBORDER
Se marier	CONVOLER
Se méfier	DOUTER
Se met entre parenthèses à la suite d'une expression	SIC
Se mettre à l'abri (Se)	TERRER
Se mettre à présenter des cloques	CLOQUER
Se montrer (S')	AVÉRER
Se moquer	DAUBER • IRONISER • GAUSSER
Se mouvoir d'une manière rythmée	DANSER
Se mouvoir	BOUGER
Se multiplier en abondance	PROLIFÉRER
Se nourrir (Se)	SUSTENTER
Se nourrir	BOUFFER
Se pavaner	PARADER
Se percher (Se)	JUCHER
Se perdre en discussions	GLOSER
Se permettre	OSER
Se perpétuer	PERDURER
Se plaindre	GEINDRE
Se plaindre entre les dents	GROMMELER
Se plaindre sur un ton niais	BÊLER
Se plaindre, maugréer	CHIALER
Se poser à la surface de l'eau	AMERRIR
Se poser sur la Lune	ALUNIR
Se poser sur la mer	AMERRIR
Se précipiter (S')	ÉLANCER
Se précipiter (Se)	RUER
Se précipiter	BONDIR
Se préparer soudainement	FERMENTER
Se priver (Se)	DÉNUER
Se priver volontairement	JEÛNER
Se procurer	ACQUÉRIR

Se produire en même temps . . . . COÏNCIDER
Se prolonger . . . . DURER
Se promener (Se) . . . . BALADER
Se promener dans Internet . . . . SURFER
Se promener en canot . . . . CANOTER
Se promener lentement çà et là . . . . DÉAMBULER
Se promener sans hâte . . . . FLÂNER
Se prononcer en faveur de quelque chose . . . . CONSENTIR
Se propager . . . . IRRADIER
Se prostituer en racolant
    sur le trottoir : faire le ... . TAPIN
Se racler la gorge . . . . TOUSSER
Se raidir sur ses pieds . . . . PIETER
Se rapporter à . . . . RÉFÉRER
Se rebeller . . . . DÉSOBÉIR
Se rebiffer . . . . REGIMBER
Se réconcilier . . . . RENOUER
Se redresser . . . . BOMBER
Se réfugier (Se) . . . . TERRER
Se réjouir . . . . BICHER • EXULTER • JUBILER • PAVOISER
Se réjouir de . . . . APPLAUDIR
Se remettre . . . . GUÉRIR
Se remplacer . . . . ALTERNER
Se rendre coupable de braconnage . . . . BRACONNER
Se rendre . . . . ALLER • VENIR
Se renouveler . . . . REVIVRE
Se renverser . . . . BASCULER
Se répandre (S') . . . . ÉCOULER
Se répandre en fondant . . . . FUSER
Se répandre par-dessus bord . . . . DÉBORDER
Se répandre, en parlant de l'eau . . . . FLUER
Se répercuter . . . . RETENTIR
Se répéter (Se) . . . . REPRODUIRE
Se replier sur soi-même (Se) . . . . REFERMER
Se reproduire en parlant des poissons . . . . FRAYER
Se reproduire par spores . . . . SPORULER
Se rétablir . . . . GUÉRIR
Se retirer définitivement . . . . ABANDONNER
Se retrousser . . . . REBIQUER
Se réunir . . . . FUSIONNER
Se révéler (S') . . . . AVÉRER

Se ruer (S')	ÉLANCER
Se sentir bien (S')	ÉPANOUIR
Se séparer en parlant des époux	DIVORCER
Se soumettre	INFEODER
Se soustraire à (Se)	DÉROBER
Se succéder	ALTERNER
Se supprimer (Se)	SUICIDER
Se tordre	RIRE
Se transformer en abcès	ABCÉDER
Se trouver	RÉSIDER
Se vanter (Se)	TARGUER
Séance au cours de laquelle le tribunal interroge les parties	AUDIENCE
Séance de musique	CONCERT
Séance publique donnée par un artiste	RECITAL
Séances tenues pour juger les crimes	ASSISES
Séant	CONVENABLE
Seau en bois ou en toile	SEILLE
Seau servant aux vendangeurs	JALE
S'ébattre	JOUER
Sec	ARIDE
Sec, en parlant du champagne	DRY
Sécateur	CISEAU
Sécessionniste	SÉRARATISTE
S'échapper (S')	ÉVADER
Sèche-cheveux	SECHOIR
Sèche-linge	SÉCHEUSE
Sécher	ESSUYER • FLÉTRIR
Sécheresse	ARIDITÉ
Second calife des musulmans	UMAR
Second ordre du peuple romain	PLÈBE
Second	DEUXIÈME
Secondaire	ACCESSOIRE • ANNEXE
Seconde lecture	RELECTURE
Seconder	AIDER
Secondes noces	REMARIAGE
Secondo	DEUZIO
Secouer	AGITER • BOULEVERSER • BRANLER BRASSER • CAHOTER • ÉBRANLER SABOULER
Secouer de droite à gauche	BRIMBALER

Secouer la tête de
  gauche à droite . . . . HOCHER
Secourable . . . . CHARITABLE
Secourant . . . . AIDANT
Secourir . . . . AIDER • DÉFENDRE • PROTÉGER
Secours de dernière minute . . . . BOUÉE
Secours divin . . . . PROVIDENCE
Secours . . . . AIDE • ASSISTANCE • DÉFENSE
                          ENTRAIDE • PROTECTION • RECOURS
                                    SOUTIEN • UTILITÉ
Secousse . . . . CAHOT
Secousse brusque . . . . SACCADE
Secousse musculaire brève
  et involontaire . . . . CLONIE
Secousse violente . . . . COMMOTION
Secret . . . . CONFIDENCE • INTIME • LATENT
                                    OCCULTE • MYSTÈRE
Secrétaire . . . . BUREAU
Secrétariat de rédaction . . . . DESK
Sécréter . . . . DISTILLER
Sécrétion des muqueuses du nez . . . . MORVE
Sécrétion d'une muqueuse . . . . GLAIRE
Sécrétion et excrétion du lait
  chez la femme . . . . LACTATION
Sécrétion excessive de sébum . . . . SÉBORRHÉE
Sécrétion grasse produite par
  les glandes sébacées . . . . SÉBUM
Sécrétion visqueuse . . . . MUCUS
S'écrire . . . . CORRESPONDRE
S'écrouler . . . . AFFALER • CHOIR • CROULER
Secte bouddhique du Japon . . . . ZEN
Secteur . . . . LIEU • ZONE
Section chirurgicale d'un tendon . . . . TENOTOMIE
Séculariser . . . . LAÏCISER
Séculier . . . . LAÏQUE
Sécurisant . . . . RASSURANT
Sécuriser . . . . RASSURER
Sécurité . . . . CONFIANCE • FIABILITE
Sédiment organique . . . . MAERL • MERL
Sédimentaire . . . . ALLUVIAL • TARTREUX
Sédition . . . . SUBVERSION

Séducteur	GALANT • SUBORNEUR
Séducteur pervers et cynique	LOVELACE
Séduction	ATTRAIT • PRESTIGE • TENTATION
Séduire	ALLÉCHER • CAPTIVER • CHARMER
	ENJÔLER • FASCINER • PLAIRE
Séduisant	AFFRIOLANT • ATTIRANT
	ENGAGEANT • TENTANT
Séduisant, agréable	EXCITANT
Sédum	ORPIN
S'effondrer	AGONISER • CROULER
Segment supérieur de l'os iliaque	ILION
Segment	FRACTION
Segmenter	SECTIONNER
Ségrégation à l'encontre des personnes du fait de leur âge	ÂGISME
Seiche	PIEUVRE
Seigneur	CHRIST • DIEU • MAÎTRE
Seigneurie	DUCHÉ
Seigneurs qui suivaient Charlemagne à la guerre	PALADIN
Sein de femme	ROBERT
Sein	LOLO • MAMELLE • NÉNÉ • TÉTON
Seine	SENNE
Seins de femme	POITRINE
Séismicité	SISMICITE
Séjour des âmes des justes	LIMBES
Séjour obligatoire dans un lieu	RÉSIDENCE
Séjour plein de charme	ÉDEN
Sel cristallin blanc	BORAX
Sel de l'acide acétique	ACETATE
Sel de l'acide borique	BORATE
Sel de l'acide carbonique	CARBONATE
Sel de l'acide citrique	CITRATE
Sel de l'acide glutamique	GLUTAMATE
Sel de l'acide iodhydrique	IODURE
Sel de l'acide nitreux	NITRITE
Sel de l'acide nitrique	NITRATE
Sel de l'acide picrique	PICRATE
Sel de l'acide sélénieux	SELENITE
Sel de l'acide sélénique	SÉLÉNIATE
Sel de l'acide sulfurique	SULFATE

Sel de l'acide uranique	URANATE
Sel de l'acide urique	URATE
Sel ou ester de l'acide stéarique	STÉARATE
Sel ou ester	OLÉATE
Sel	PIQUANT
S'élancer	BONDIR • COURIR
Sélectif	ÉLECTIF
Sélection	TRIAGE
Sélectionner	CHOISIR • TRIER
Sélénite	LUNAIRE
Sélénium	SE
S'élever au-dessus du sol	LÉVITER
S'élever en fine poussière	POUDROYER
Self-service	SELF
Selle	FÈCES
Selon les formes prescrites	DUMENT
Selon	SUIVANT
Semailles	EPANDAGE • SEMIS
S'emballer	GALOPER
Semblable	ANALOGUE • ÉGAL • IDENTIQUE MÊME • TEL
Semblant, apparence trompeuse	FRIME
S'embourber	BARBOTER
Semence	GERME • SPERME
Semer à nouveau	SURSEMER
Semer de nouveau	RESSEMER
Semer	PLANTER • REBOISER
Semi-étoile	QUASAR
Sémillant	ALLÈGRE
Séminaire	SYMPOSIUM
Sémitique	SÉMITE
Semonce	RÉPRIMANDE
Semoule de sarrasin	KACHA • KACHE
S'emparer	USURPER
S'empâter	ÉPAISSIR
S'empêtrer	BARBOTER • PATOUILLER
Sempiternel	CONTINUEL
Sempiternelle	CONTINUELLE
S'emploie pour exprimer l'allégresse	YOUP
S'emporter	BOUILLIR • FULMINER
S'empourprer	ROUGEOYER

S'en aller	DÉCOLLER
S'en aller rapidement	TRISSER
S'encroûter	VÉGÉTER
Séneçon au feuillage cendré	CINÉRAIRE
Sénevé	SANVE
S'enfuir du milieu familial	FUGUER
S'enfuir rapidement, courir	DROPER
S'engager à faire quelque chose	PROMETTRE
S'engager par contrat	CONTRACTER
Senior	SR
Senne	SEINE • TRAÎNE
S'ennuyer (Se)	MORFONDRE
S'enrouler sur soi-même (Se)	LOVER
Sens	ACCEPTION • ODORAT
Sens civique	CIVISME
Sens contraire	REBOURS
Sens inverse	CONTRESENS
Sens qui permet de percevoir les sons	OUÏE
Sensa	SENSAS
Sensas	SENSA • SENSASS
Sensation	PERCEPTION • SOIF
Sensation de chaleur intense	BRÛLURE
Sensation de forte chaleur, d'irritation	BRÛLURE
Sensation provoquée conjointement par le goût et l'odeur d'un aliment	FLAVEUR
Sensationnel	GÉNIAL • ÉPATANT • ÉTOURDISSANT EXTRA • SENSA • SENSAS SENSASS • SUPER
Sensé	RAISONNABLE • ÉCLAIRÉ
Sensée	RATIONNELLE
Senseur	CAPTEUR
Sensibilité politique en faveur de la paix	PACIFISME
Sensibilité	ESTHÉSIE
Sensualité	ÉROTISME
Sensuel	CHARNEL • LASCIF • SALACE
Sensuelle	CHARNELLE
Sente	SENTIER
Sentence populaire	ADAGE

Sentence	DICTON • JUGEMENT • MAXIME • VERDICT
Sentencieuse	SOLENNELLE
Senteur	ARÔME • ODEUR
Sentier	CHEMIN • SENTE
Sentiment	ÉMOTION • PASSION
Sentiment d'appartenance à la race noire	NEGRITUDE
Sentiment d'appartenance	SOLIDARITÉ
Sentiment de bien-être intense	EUPHORIE
Sentiment de tendresse	AMOUR
Sentiment d'éloignement et de répugnance	AVERSION
Sentiment d'être en mauvaise santé	DYSPHORIE
Sentiment diffus de l'individu	SELF
Sentiment durable d'hostilité	INIMITIÉ
Sentiment très intense	AMOUR
Sentimental	TENDRE
Sentimentalisme	ROMANCE
Sentinelle	VEILLEUR
Sentir mauvais	COCOTER • CHLINGUER • PUER
Sentir	PERCEVOIR • PRESSENTIR BLAIRER • FLAIRER • RESSENTIR
Sentir, supporter	PIFFER
S'entretenir familièrement	DEVISER
S'envoler	DÉCOLLER
Seoir	CONVENIR
S'épanouir	FLEURIR
Séparable	SECABLE
Séparation chirurgicale de tissus sans perte de substance	DIÉRÈSE
Séparation de deux éléments d'un mot	TMÈSE
Séparation de parties contiguës	DIÉRÈSE
Séparation	CLOISON • DIVORCE • SCISSION
Séparer les parties d'un tout	DISLOQUER
Séparer un minéral par couches	CLIVER
Séparer	DÉSUNIR • DISSOCIER • DIVISER • ÉCARTER • ISOLER
Sept	VII
Septentrional	ARCTIQUE • NORDIQUE
Septième art	CINÉMA
Septième jour de la semaine	DIMANCHE

Septième lettre de l'alphabet grec . . . . ÊTA

Septième mois du
    calendrier républicain . . . . GERMINAL

Septique . . . . BACTERIEN

Sépulcral . . . . CAVERNEUX

Sépulture . . . . TOMBE

Séquestrée . . . . CAPTIVE

Séquestrer . . . . RENFERMER

Sérail . . . . ZENANA

Serein . . . . DÉTENDU

Sérénité . . . . PLACIDITÉ

Serge de laine . . . . ESCOT

Sergent de ville . . . . CONSTABLE

Serial . . . . CINEROMAN

Série . . . . ÉCHELLE • SUCCESSION • SUITE

Série de coups de baguettes . . . . RA

Série de divisions sur
    un instrument de mesure . . . . ÉCHELLE

Série de quatre cartes de
    la même couleur . . . . QUARTE

Série de zigzags . . . . LACET

Sérieusement . . . . VRAIMENT

Sérieux . . . . GRAVE

Serin . . . . CANARI

Serin de couleur jaune verdâtre . . . . CANARI

Seriner . . . . SIFFLOTER

Serment . . . . PAROLE • PROMESSE

Serment fait en justice de
    se représenter . . . . JURATOIRE

Sermon . . . . HOMÉLIE • PRÉDICATION • PRÔNE

Sermonner . . . . ADMONESTER • HARANGUER
    MORALISER • PRÊCHER

Serpe pour élaguer . . . . ÉLAGUEUR

Serpe pour tailler des arbustes . . . . FAUCHETTE

Serpe . . . . FAUCILLE

Serpent constricteur . . . . PYTHON

Serpent du genre couleuvre . . . . CORONELLE

Serpent inoffensif, voisin de
    la couleuvre . . . . CORONELLE

Serpent venimeux . . . . CÉRASTE • VIPÈRE

Serpenter . . . . SINUER

Serpolet	FARIGOULE
Serre chaude pour le forçage	FORCERIE
Serré	COMPACT • DENSE • DRU • ÉTROIT • NOUÉ
Serrer	COINCER • COMPRIMER • PRESSER
Serrer avec une ligature	LIGATURER
Serrer avec une sangle	SANGLER
Serrer contre soi	ENLACER
Serrer de près	TALONNER • TRAQUER
Serrer en tournant	VISSER
Serrer entre ses doigts	PINCER
Serrer fortement la taille	SANGLER
Serre-tête	BANDEAU
Serrure portative	CADENAS
Serrure	VERROU
Sert à appeler	HOLÀ
Sert à attacher	LIEN
Sert à éclairer	LAMPE
Sert à écrire sur un tableau	CRAIE
Sert à lier	ET
Sert à ouvrir une serrure	CLÉ
Sert à tenir enfermés des animaux	CAGE
Serti	SERTE
Sertissage des diamants et des pierres fines	SERTE
Serveur	GARÇON
Serveur dans un restaurant	GARÇON
Serveur d'un bar qui sert au comptoir les boissons qu'il prépare	BARMAN
Serveur d'un bar	BARMAN
Serveuse d'un bar	BARMAID
Serviable	DÉVOUÉ • OBLIGEANT
Service assurant la liaison entre les navires	BATELAGE
Service du Travail Obligatoire	STO
Service militaire	MILICE
Service religieux	OBIT
Service télégraphique	TÉLEX
Service	DESSERTE • VAISSELLE
Servile, soumis	RAMPANT
Servilement	VILEMENT
Servir d'aide à quelqu'un	SECONDER

Servir de guide à quelqu'un	CORNAQUER
Servir de lien	RACCORDER
Servir	FOURNIR
Serviteur	SUPPÔT
Servitude	CAPTIVITÉ
S'esclaffer	POUFFER
Session	SÉANCE
S'éteindre	AGONISER
S'éterniser	DURER
Seul	ISOLÉ • SEULET • SOLO • UNIQUE
Seul, unique	MONO
Sève	SUC
Sévère	AUSTÈRE • STRICT
Sévère à l'excès	PURITAIN
Sévère, inflexible	RIGOUREUX
Sévèrement	VERTEMENT
Sévérité	AUSTÉRITÉ • RIGIDITÉ • RIGUEUR
Sevrer	PRIVER
Sex-appeal	APPAS
Sexe de l'homme	PÉNIS
Sexe	VULVE
Sexe, dans le langage enfantin	ZIZI
S'expatrier	ÉMIGRER
S'exposer à	ENCOURIR
S'exprimer d'une voix retentissante	TONITRUER
S'extasier (Se)	PÂMER
Sexualité	SEXE
Sexuel	GÉNITAL
Si	TELLEMENT
Sibyllin	FUMEUX
Sidatique	SIDÉEN
Sidéral	ASTRAL • STELLAIRE
Sidéré	CONSTERNE
Sidérer	ABASOURDIR • EBERLUER
Siège	BANC • SELLE
Siège à dossier	CHAISE
Siège à dossier et à bras	FAUTEUIL
Siège à dossier sans bras	CHAISE
Siège à pieds	CHAISE
Siège bas d'une voiture de sport	BAQUET
Siège bas	POUF

Siège de cérémonie	TRÔNE
Siège de la conception	SEIN
Siège de la pensée	CERVEAU
Siège de la voix	GOSIER
Siège de souverains	TRÔNE
Siège d'ivoire réservé au premier magistrat de Rome	CURULE
Siège du président à l'Assemblée nationale	PERCHOIR
Siège d'une voiture de course	BAQUET
Sieste	ROUPILLON • SOMME
Sifflant	STRIDENT
Sifflement	SIFFLET
Siffler négligemment	SIFFLOTER
Siffler	HUER • SIFFLOTER
Sigle d'une ancienne formation politique québécoise	RIN
Sigle prononcé comme un mot ordinaire	ACRONYME
Signal bref et répété émis par un appareil	BIP
Signal fixe	MIRE
Signal indiquant que la partie est interrompue	TILT
Signal sonore	TOP
Signal	ALARME • TOCSIN
Signaler	DÉSIGNER • INDIQUER • MARQUER SOULIGNER
Signature abrégée	PARAFE • PARAPHE
Signature authentifiant qqch.	GRIFFE
Signature	NOM • SEING
Signe astrologique	BALANCE • BÉLIER • CANCER CAPRICORNE • GÉMEAUX • LION POISSONS • SAGITTAIRE • SCORPION TAUREAU • VERSEAU • VIERGE
Signe d'altération qui baisse d'un demi-ton	BÉMOL
Signe d'autorité suprême	SCEPTRE
Signe distinctif des grades dans l'armée	GALON
Signe formé de deux points que l'on met sur les voyelles	TRÉMA
Signe graphique	LETTRE
Signe graphique placé sur les voyelles	ACCENT
Signe graphique sous le c	CÉDILLE

Signe qui permet de distinguer une chose	CRITÈRE
Signe typographique	GUILLEMET
Signe utilisé en transcription phonétique	TILDE
Signe	ANNONCE • PRÉSAGE • SYMPTÔME
Signer de ses initiales	PARAFER • PARAPHER
Signer d'un parafe	PARAFER
Signification	ACCEPTION • SENS
Signifier	SOMMER
Signifier légalement	INTIMER
Silence	CHUT
Silence d'un instrument	TACET
Silence d'une voix	TACET
Silence, en musique	SOUPIR
Silencieuse	COITE
Silencieux	COI • RÉTICENT • MUET
Silhouette	OMBRE • PROFIL
Silicate naturel d'aluminium à l'éclat laiteux	JADE
Silicate naturel de fer	PÉRIDOT
Silicate naturel de magnésium	TALC
Silicate naturel de thorium	THORITE
Silice cristallisée	QUARTZ
Silicium	SI
Sillon peu profond	RAYON
Sillon	RAINURE • STRIE
Sillon, trait gravé	GRAVURE
Simagrée	CHICHI • GRIMACE
Similaire	ÉGAL • PAREIL • SEMBLABLE
Similicuir	SKAÏ
Similitude	ANALOGIE •COMPARAISON CONCORDANCE • IDENTITÉ
S'impatienter	BOUILLIR
Simple flair	PIFOMETRE
Simple soldat	BIDASSE • GRIVETON • TROUFION
Simple	FACILE • FAMILIER • FRUGAL • INGÉNU NAÏF • UNITAIRE
Simplement	PUREMENT • SEULEMENT
Simplicité	BONHOMIE • FACILITÉ • MODESTIE
Simplification excessive	SIMPLISME
Simpliste	PRIMAIRE

Simulacre	CARICATURE • SEMBLANT
Simulé	ARTIFICIEL • FEINT
Simuler	FEINDRE
Sincère	CANDIDE • FRANC • VÉRACE
	VÉRITABLE • SPONTANÉ • SENTI
Sincérité	AUTHENTICITÉ • CANDEUR • DROITURE
	FRANCHISE • VÉRITÉ
S'indigner	PROTESTER
Singe	ATÈLE • GORILLE • OUISTITI
Singe à épaisse fourrure	SAKI
Singe appelé aussi saï	CAPUCIN
Singe d'Afrique	BABOUIN • DRILL
Singe d'Amérique à longue barbe	CAPUCIN
Singe d'Amérique	ATÈLE
Singe d'Asie à museau proéminent	MACAQUE
Singe d'Asie, sans queue et à longs bras	GIBBON
Singe de grande taille	BABOUIN
Singe de petite taille	SAÏMIRI • TAMARIN
Singe des forêts d'Afrique tropicale	MANDRILL
Singe dont les cris s'entendent très loin	HURLEUR
Singe du genre macaque	MAGOT • RHÉSUS
Singe du genre sajou	SAÏ
Singe hurleur d'Amérique centrale	ALOUATE
Singe sans queue	GIBBON
Singe voisin du ouistiti	TAMARIN
Singe-araignée	ATÈLE
Singer	IMITER • MIMER • PARODIER
Singerie	GRIMACE • SIMAGRÉE
Singularité	CHINOISERIE • ORIGINALITÉ
Singulier	ÉTRANGE • PARTICULIER
	RARISSIME• SPÉCIAL
Sinistré	INONDÉ
Sinistre	MACABRE
Sinon	OU
Sinuer	SERPENTER
Sinueuse	TORTUEUSE
Sinueux	ONDULEUX • TORTUEUX
Sinuosité d'un cours d'eau	MÉANDRE
Sinuosité d'un fleuve	MÉANDRE

Sinuosité . . . . DÉTOUR
Sioux . . . . INDIEN
Siphon . . . . POMPE
Siphonné . . . . BARJO
Sirène . . . . ALERTE
Sirénien . . . . LAMANTIN
Sirop de couleur rouge . . . . GRENADINE
Sirop fait de jus de grenade . . . . GRENADINE
Sirop préparé avec une émulsion
   d'amandes douces et amères . . . . ORGEAT
Sirop . . . . ORGEAT
Sirupeux . . . . SUCRÉ
Sis . . . . SITUÉ
Sisymbre . . . . ROQUETTE
Site archéologique du Mexique . . . . ELTAJIN
Site archéologique du sud du Viêt Nam . . . . OC-ÈO
Site souterrain de lancement des
   missiles stratégiques . . . . SILO
Situation compliquée . . . . INTRIGUE
Situation confuse . . . . GÂCHIS
Situation d'attente angoissée . . . . SUSPENSE
Situation de fait . . . . STATUT
Situation de tout repos . . . . SINÉCURE
Situation d'un organe hors
   de sa place habituelle . . . . ECTOPIE
Situation d'une personne . . . . POSTURE
Situation embarrassante . . . . PÉTRIN
Situation embrouillée . . . . IMBROGLIO
Situation engendrant un effet comique . . . . GAG
Situation obscure . . . . NÉANT
Situation sans issue . . . . IMPASSE
Situation sociale . . . . CONDITION
Situation stagnante et mauvaise . . . . MARASME
Situation suspecte et embrouillée . . . . MICMAC
Situation . . . . ÉTAT • ORIENTATION
Situé au centre . . . . CENTRAL
Situé au-dessus du rein . . . . SURRÉNAL
Situé dans le temps . . . . TEMPOREL
Situé plus bas . . . . INFÉRIEUR
Situé près d'un pôle . . . . POLAIRE
Situé . . . . SIS

Située dans le temps	TEMPORELLE
Située	SISE
Six	VI
Sixième jour de la semaine	SAMEDI
Sizain	SIXAIN
Sketch	SAYNÈTE
Skieur	SLALOMEUR
Skif	SKIFF
Skiff	SKIF
Slalomer	ZIGZAGUER
Slavon	ESCLAVON
Slip très petit	STRING
Sloughi	LEVRIER
Snif	SNIFF
Snifer	PRISER
Sniff	SNIF
Snob	POSEUR
Sobre	CLASSIQUE • DISCRET FRUGAL • TEMPÉRANT
Sobriquet	SURNOM
S'obstiner (S')	ENTÊTER
S'occuper assidûment d'un bébé	POUPONNER
Sociable	AFFABLE • SOCIAL
Social	CIVIL
Socialisme	ETATISME
Sociétaire	MEMBRE
Société	COMPAGNIE • CONFRERIE• PEUPLE
Société américaine de réseau téléphonique	ATT
Société américaine d'équipements téléphoniques	ITT
Société de transport de Laval	STL
Société française d'études et de conseil	IPSOS
Société Protectrice des Animaux	SPA
Sociologue allemand mort en 1990	ELIAS
Sociologue américain né en 1866	ROSS
Sociologue italien né en 1848	PARETO
Socle	PIÉDESTAL
Sodium	NA
Sodomite	PEDOPHILE
Sofa	CANAPE • DIVAN

Soi-disant	PRÉTENDU
Soie grossière qui entoure le cocon	BOURRETTE
Soif de connaître	CURIOSITÉ
Soignable	CURABLE
Soigné	ÉLÉGANT • LITTÉRAI • RETENU
Soigner à l'excès	PEIGNER
Soigner	CULTIVER • TRAITER
Soigneux	VIGILANT
Soin	ATTENTION • SERVICE
Soins pour enfants en difficultés	GUIDANCE
Soins	MÉDICATION
Soir	SOIRÉE
Soirée	SOIR • VEILLÉE
Soixante-dix	SEPTANTE
Sol apte à la culture d'un vin	TERROIR
Sol caillouteux	GROIE
Sol cultivé par les serfs	GLÈBE
Sol pavé	PAVEMENT
Sol	TERRAIN
Soldat allemand	FRITZ
Soldat américain	GI
Soldat anglais	TOMMY
Soldat appartenant à certains corps	ZOUAVE
Soldat armé de l'arc	ARCHER
Soldat armé d'une pique	PIQUIER
Soldat chargé du service d'une pièce de canon	CANONNIER
Soldat courageux et brutal	SABREUR
Soldat de cavalerie légère	CARABIN
Soldat de la vieille garde de Napoléon	GROGNARD
Soldat de l'armée américaine	GI
Soldat de l'armée du génie	SAPEUR
Soldat de service auprès d'un officier	PLANTON
Soldat d'infanterie légèrement armé	VÉLITE
Soldat d'une unité de tanks, de blindés	TANKISTE
Soldat muni d'un fusil	FUSILIER
Soldat qui assure la garde	SENTINELLE
Soldat romain armé d'un javelot	HASTAIRE
Soldat vagabond	DRILLE
Soldatesque	MILITAIRE
Solde	DETTE • RESTE

Solder à bas prix	SACRIFIER
Solder	BAZARDER • RÉGLER • VENDRE
Soleil ardent	CAGNARD
Soleil brûlant	CAGNARD
Soleil	HELIANTHE
Solennel	AUGUSTE • GRANDIOSE
Solenniser	FÊTER
Solennité	APPARAT • DIGNITÉ
Solennité, réjouissance	FESTIVAL
Solfatare	SOUFRIERE
Solidarité	COHÉSION • ENTRAIDE • FRATERNITÉ
Solide	DURABLE • FERME INCASSABLE • ROBUSTE
Solide à base circulaire	CÔNE
Solide à peu près sphérique	SPHEROÏDE
Solide à sept faces	HEPTAEDRE
Solide à six faces	CUBE • HEXAEDRE
Solide ceinture de l'uniforme militaire	CEINTURON
Solide dont la forme approche celle la sphère	SPHEROÏDE
Solidifier	CONGELER
Solidité	FERMETÉ • FORCE
Solitaire	ERMITE • SEUL
Solitude	ISOLEMENT
Solive	POUTRE
Sollicitation	COLLECTE • DEMANDE • INSTANCE
Solliciter de nouveau	RELANCER
Solliciter humblement	MENDIER
Solliciter	BRIGUER • CONVIER • DEMANDER POSTULER • PRIER • RACOLER RÉCLAMER • REQUÉRIR •QUEMANDER
Solution	CLÉ • CLEF • CONCLUSION FORMULE • ISSUE • REMÈDE
Solution alcaline destinée au nettoyage du linge	LESSIVE
Solution ammoniacale	ALCALI
Solution aqueuse de sel	SAUMURE
Solution de sucre dans de l'eau	SIROP
Solution désagréable	GALÈRE
Solution d'une substance médicamenteuse	SOLUTÉ

Solution huileuse d'essences végétales . . . . OLÉOLAT
Solution résineuse . . . . VERNIS
Solution type d'un exercice . . . . CORRIGÉ
Solutionnable . . . . RESOLUBLE
Sombre . . . . FONCÉ • MORNE • MOROSE
NOIRÂTRE • OBSCUR
TACITURNE • TRISTE
Sommaire . . . . ABRÉGÉ • EPITOME
SIMPLISTE • SUCCINCT
Sommation . . . . CITATION • ULTIMATUM
Somme d'argent allouée à
titre d'encouragement . . . . PRIME
Somme d'argent amassée . . . . MAGOT
Somme d'argent exigée
pour la délivrance de quelqu'un . . . . RANÇON
Somme d'argent risquée au jeu . . . . ENJEU
Somme déterminée . . . . QUANTUM
Somme économisée . . . . PÉCULE
Somme empruntée . . . . EMPRUNT
Somme immédiatement disponible . . . . LIQUIDITE
Somme payée aux prêteurs de titres . . . . DÉPORT
Somme payée en plus . . . . SUPPLÉMENT
Somme payée . . . . PAIEMENT
Somme . . . . MONTANT • TOTAL
Sommeil provoqué par suggestion . . . . HYPNOSE
Sommeil . . . . DODO
Sommeiller . . . . DORMIR • SOMNOLER
Sommer . . . . ADDITIONNER • ENJOINDRE
Sommet arrondi d'une colline . . . . MAMELON
Sommet de la tête . . . . SINCIPUT
Sommet des Alpes bernoises . . . . EIGER
Sommet des Alpes suisses . . . . TODI
Sommet frangé . . . . CRÊTE
Sommet le plus élevé des Alpes . . . . BLANC
Sommet volcanique de
la Martinique . . . . PELÉE
Sommet . . . . APOGÉE • CIME • FAÎTE • PINACLE
Sommet, point culminant . . . . ACMÉ
Somnifère . . . . ENNUYANT
Somnoler . . . . DORMIR
Somptueux . . . . LUXUEUX • SPLENDIDE • SUPERBE

Somptuosité	SPLENDEUR
Son de fréquence très élevée	ULTRASON
Son d'une langue	PHONÈME
Son émis accidentellement par un tuyau d'orgue mal obturé	CORNEMENT
Son émis par un téléphone	TONALITÉ
Son faux et discordant	COUAC
Son musical	NOTE
Son perçant	CRI
Son	BRUIT
Sonar	ASDIC
Sondage	ENQUÊTE
Sonde	TREPAN
Sonder	APPROFONDIR • EXAMINER • SCRUTER
Songe	RÊVE
Songer	MÉDITER
Songerie	RÊVERIE
Songeur	PENSIF • RÊVEUR
Songeuse	PENSIVE • RÊVEUSE
Sonnaille pour le bétail	CAMPANE
Sonnaille	CLOCHETTE
Sonner du cor pour rappeler les chiens	GRAILLER
Sonner	CARILLONNER • RÉSONNER • TINTER
Sonnerie annonçant la sortie de la bête	DEBUCHE
Sonnerie de chasse annonçant un cerf aux abois	HALLALI
Sonnerie de clairon	DIANE
Sonnerie de cloches	GLAS
Sonnerie d'une clochette d'alarme	TOCSIN
Sonnerie	SONNETTE
Sonnette	CARILLON • GRELOT • TIMBRE
Sonore	RÉSONNANT
Sonorisation	SONO
Sonorité	RÉSONANCE
Soporifique	DORMITIF • SOMNIFÈRE
S'opposer à l'action de quelqu'un	CONTRER
S'opposer à	RÉFUTER
Sorbet au champagne	SOYER
Sorbier cultivé	CORMIER

Sorbier domestique . . . . CORMIER
Sorcellerie . . . . MAGIE
Sorcier . . . . CAPTIVANT • DEVIN • REBOUTEUX
Sordide . . . . ABJECT • IGNOBLE • MESQUIN
Sorgho d'Extrême-Orient . . . . KAOLIANG
Sornette . . . . CONTE • BALIVERNE
Sort jeté . . . . SORTILÈGE
Sorte d'algue brune . . . . VARECH
Sorte d'assiette large et creuse . . . . ÉCUELLE
Sorte de cabriolet où le cocher
   est placé derrière . . . . CAB
Sorte de cabriolet . . . . CAB
Sorte de conifère . . . . CÈDRE
Sorte de couverture . . . . HOUSSE
Sorte de flan compact . . . . FAR
Sorte de guitare ronde . . . . BANJO
Sorte de halo . . . . AURA
Sorte de javelot à pointe barbelée . . . . ANGON
Sorte de loquet . . . . TAQUET
Sorte de luth à deux manches . . . . THÉORBE
Sorte de luth . . . . BANJO
Sorte de rabot pour racler les os . . . . RUGINE
Sorte de table creusée en bassin . . . . ÉVIER
Sorte de tissu . . . . RATINE
Sorte d'étendard employé
   comme ornement . . . . BANDEROLE
Sorte d'oie sauvage . . . . BERNACHE
Sorte d'orchidée sans chlorophylle . . . . NÉOTTIE
Sorte d'ortie . . . . RAMIE
Sorte d'outil à foret . . . . DRILLE
Sorte . . . . ACABIT • GENRE • GUISE • VARIÉTÉ
Sorti depuis peu d'une école . . . . ÉMOULU
Sorti du droit chemin . . . . DÉVOYÉ
Sorti . . . . ISSU
Sortie . . . . EMERSION • ÉQUIPÉE • EXIT • ISSUE
                              PARUTION • PUBLICATION
Sortie d'un organe hors
   de sa cavité . . . . HERNIE
Sortie d'un personnage . . . . EXIT
Sortilège . . . . DIABLERIE • ÉVOCATION • MALÉFICE
Sortir comme la sueur . . . . EXSUDER

Sortir de la jante	DÉJANTER
Sortir de l'oeuf	ÉCLORE
Sortir de sa colère	DÉRAGER
Sortir en un jet subit et puissant	JAILLIR
Sortir et étaler	DÉBALLER
Sortir	DÉPÊTRER • ÉMERGER • POINDRE
Sot	BENÊT • BÊTA • BÊTE
	DADAIS • IDIOT • INEPTE
	NIAIS • NIAISEUX • NIGAUD • STUPIDE
Sotte	BÊTASSE • NIAISEUSE
Sottise	BÊTISE • FADAISE • INSANITÉ • NIAISERIE
Sou	CENT
Soubresaut	GAMBADE • SACCADE
Souche	ORIGINE
Souci de conformité totale à un type idéal	PURISME
Souci	ARIA • ENNUI • SOIN
Soucieux	INQUIET
Soudain	SUBIT
Soudain, imprévu	BRUSQUE
Soudard	SABREUR
Souder de nouveau	RESSOUDER
Souder	ADHÉRER • UNIR
Soudoyer	CORROMPRE
Soudure	ADHÉRENCE
Soue	PORCHERIE
Souffle	HALEINE
Souffle d'air	BOUFFÉE
Souffler	ÉTEINDRE • EXPIRER • GONFLER
	HALETER • RESPIRER
Souffler bruyamment en secouant la tête (S')	ÉBROUER
Soufflet	GIFLE
Souffleter	GIFLER
Souffrance	PEINE
Souffrance physique ou morale	DOULEUR • TOURMENT
Souffrant	INDISPOSÉ • MALADE
Souffreteux	MALADIF
Souffrir	ENDURER • GÉMIR • PÂTIR • RÉSISTER
Soufrer	MECHER
Souhait	ASPIRATION • DEMANDE • DÉSIR • VOEU

Souhaitable, tentant . . . . ENVIABLE
Souhaiter . . . . ESPÉRER • RÊVER
Souillé . . . . MALPROPRE • SALE
Souillé de terre . . . . TERREUX
Souillée de terre . . . . TERREUSE
Souiller à nouveau . . . . RESALIR
Souiller par d'indignes paroles . . . . BAVER
Souiller . . . . BARBOUILLER • CONTAMINER • CROTTER
ENTACHER • INFECTER • MACULER
PROFANER • SALIR • TACHER
Souillure . . . . CORRUPTION • IMPURETÉ • SALISSURE
Soûl . . . . IVRE • ROND
Soulagé . . . . RASSERENE
Soulagement . . . . DECHARGE • SEDATION
Soulager . . . . CALMER • ÔTER • REMÉDIER
Soûlard . . . . SOÛLOT
Soûlaud . . . . SOÛLOT
Soûler . . . . ENIVRER • GRISER • SATURER
Soulevé . . . . LEVÉ
Soulèvement inflammatoire
   de l'épiderme . . . . PUSTULE
Soulèvement populaire . . . . ÉMEUTE
Soulèvement . . . . PUTSCH
Soulever . . . . DÉCHAÎNER • LEVER
Soulier élégant . . . . ESCARPIN
Soulier . . . . GODASSE • TATANE
Souligner . . . . ACCENTUER • INSISTER • PRÉCISER
SIGNALER
Soumettre à l'établissement
   du cadastre . . . . CADASTRER
Soumettre à un apprêt . . . . APPRÊTER
Soumettre à un compactage . . . . COMPACTER
Soumettre à un recyclage . . . . RECYCLER
Soumettre à un test . . . . TESTER
Soumettre à une analyse . . . . ANALYSER
Soumettre à une lotion . . . . LOTIONNER
Soumettre . . . . ASSERVIR • PROPOSER
Soumis à une température
   très élevée . . . . CALCINÉ
Soumis . . . . APPRIVOISÉ • CONQUIS
OBÉISSANT • RÉSIGNÉ

Soumis, comme un vassal . . . . INFÉODÉ
Soumission . . . . DOCILITÉ • HUMILITÉ
OBEDIENCE • SUIVISME
Soupape à clapet . . . . VALVE
Soupape de chaudière à vapeur . . . . RENIFLARD
Soupape en forme de
couvercle à charnière . . . . CLAPET
Soupçon . . . . POINTE
Soupçonner . . . . SUSPECTER
Soupçonneux . . . . FLAIREUR • INCRÉDULE • MÉFIANT
OMBRAGEUX
Soupe . . . . JULIENNE • POTAGE
Soupe à l'oignon . . . . TOURIN
Soupe au lait . . . . EMPORTE
Soupe fade parce que trop
étendue d'eau . . . . LAVASSE
Soupe faite de pain . . . . PANADE
Soupe grossière . . . . PÂTÉE
Soupeur . . . . DINEUR
Soupirant délicat et passionné . . . . CELADON
Soupirant . . . . AMANT • PRÉTENDANT
Souple . . . . AISÉ • AGILE • LESTE
MANIABLE • MALLÉABLE
Souplesse . . . . AGILITÉ
Source de lumière électrique . . . . LAMPE
Source de lumière . . . . LAMPE
Source de profits . . . . FILON
Source de richesse . . . . PACTOLE
Source d'eau chaude jaillissant
par intermittence . . . . GEYSER
Source d'eaux thermales . . . . EAUX
Source d'ondes hertziennes . . . . QUASAR
Source . . . . FONTAINE • PRINCIPE
Sourire . . . . RIRE • RISETTE
Sourire de commande . . . . RISETTE
Sourire grimaçant . . . . RICTUS
Sournois . . . . FOURBE • INSIDIEUX
Sous . . . . DESSOUS
Sous-classe d'amphibiens . . . . URODÈLES
Sous-classe des rhizopodes . . . . AMIBIEN
Sous-classe d'oiseaux coureurs . . . . RATITES

Souverain de la Perse	SCHAH
Souverain de l'Égypte ancienne	PHARAON
Souverain de l'empire ottoman	SULTAN
Souverain de l'Iran	SCHAH
Souverain du royaume d'Israël	OMRI
Souverain musulman	CALIFE
Souverain serbe	TSAR
Souverain vassal du sultan	BEY
Souverain	DUC • POTENTAT • PRINCE ROI • ROYAL • TSAR • TZAR
Souveraine	REINE
Souveraine d'un État	PRINCESSE
Spacieux	GRAND • VASTE
Sparadrap	DIACHYLON
Sparte	SPART
Spatule pour servir le poisson	TRUELLE
Spécialement	SURTOUT
Spécialiste dans le traitement des aliénés	ALIÉNISTE
Spécialiste de droit romain	ROMANISTE
Spécialiste de la botanique	BOTANISTE
Spécialiste de la coiffure	COIFFEUSE
Spécialiste de la confection de chaussures	BOTTIER
Spécialiste de la géographie	GEOGRAPHE
Spécialiste de la gestion des finances	FINANCIER
Spécialiste de la gymnastique	GYMNASTE
Spécialiste de la physique	PHYSICIEN
Spécialiste de la science des vins	OENOLOGUE
Spécialiste de la sinologie	SINOLOGUE
Spécialiste de la soudure	SOUDEUR
Spécialiste de la virologie	VIROLOGUE
Spécialiste de la volée au tennis	VOLLEYEUR
Spécialiste de l'actuariat	ACTUAIRE
Spécialiste de l'agronomie	AGRONOME
Spécialiste de l'aménagement des territoires	URBANISTE
Spécialiste de l'étude des sols	PÉDOLOGUE
Spécialiste de l'exploration sous-marine	OCÉANAUTE
Spécialiste de l'histoire du Moyen Âge	MEDIÉVISTE
Spécialiste de sexologie	SEXOLOGUE

Spécialiste des arts graphistes	GRAPHISTE
Spécialiste des courses de vitesse	SPRINTER
Spécialiste des cultures en serres	SERRISTE
Spécialiste des langues romanes	ROMANISTE
Spécialiste des lois	LÉGISTE
Spécialiste des maladies infantiles	PÉDIATRE
Spécialiste des prises de vues	CAMERAMAN
Spécialiste des troubles de la vision	OCULISTE
Spécialiste des vins	OENOLOGUE
Spécialiste du droit canon	CANONISTE
Spécialiste du droit civil	CIVILISTE
Spécialiste du droit féodal	FEUDISTE
Spécialiste du slalom	SLALOMEUR
Spécialiste éminent	SOMMITÉ
Spécialiste en création de modèles	STYLISTE
Spécialiste en linguistique	LINGUISTE
Spécialiste en similigravure	SIMILISTE
Spécialiste envoyé à l'étranger	COOPERANT
Spécialiste extrêmement adroit, virtuose	ACROBATE
Spécialiste	PODOLOGUE
Spécialité hongroise	GOULACHE
Spécialité médicale qui étudie les affections du sein	SÉNOLOGIE
Spécialité médicale qui traite des virus	VIROLOGIE
Spécialité médicale	PEDIATRIE
Spécialité	BRANCHE • TURBIN
Spécifier	PRÉCISER • STIPULER
Spectacle chorégraphique	BALLET
Spectacle qui a lieu l'après-midi	MATINÉE
Spectacle tauromachique	CORRIDA
Spectacle	SHOW • PRÉSENTATION RECITAL • THÉÂTRE
Spectaculaire	THÉÂTRAL
Spectateur	TÉMOIN
Spectre d'un mort	LÉMURE
Spectre	FANTÔME
Spéculation frauduleuse sur les fonds publics	AGIOTAGE
Spéculation	AGIOTAGE
Spermatique	SEMINAL

Sperme de poisson	LAITE
Sphère	BOULE
Sphéroïdal	SPHÉRIQUE
Sphinx à buste de femme	SPHINGE
Sphinx femelle	SPHINGE
Spinal	RACHIDIEN
Spinmaker	SPI
Spirale	VOLUTE
Spirée	ULMAIRE
Spirituel	FACETIEUX • MORAL
Spiritueux	APERITIF • LIQUEUR
Spleen	CAFARD • ENNUI
Splendeur	BEAUTÉ • FASTE
Splendide	ADMIRABLE • SUPERBE
Spongieuse	POREUSE
Spongieux	POREUX
Sporadique	INTERMITTENT
Spore à un seul noyau de certains champignons	SPERMATIE
Sport collectif	POLO
Sport de combat	BOXE • JUDO
Sport de combat japonais	KARATÉ
Sport de combat nippon	AÏKIDO
Sport de combat voisin du karaté	TAEKWONDO
Sport de glisse	SKI
Sport d'équipe de vingt-deux joueurs et un ballon	FOOTBALL
Sport d'équipe	HOCKEY • SOCCER
Sport dérivé du cricket	BASEBALL
Sport d'origine japonaise	JUDO
Sport nautique	SURF
Sport opposant deux équipes, un ballon et un filet	VOLLEY
Sport où le ballon est manipulé que par les mains	HANDBALL
Sport où l'on fait glisser un palet sur la glace	CURLING
Sport	FOOT • KARATÉ • GOLF • POLO • RUGBY SKI • SPORTIF • SQUASH • TENNIS
Sportif de la classe des 20 à 45 ans	SENIOR
Sportif pratiquant le yachting	YACHTSMAN

Sportif qui tire au but	TIREUR
Sportif	HOCKEYEUR • SLALOMEUR • SPORT
Sprinkler	GICLEUR
Sprint	RUSH
Squame	ÉCAILLE
Square	CARRÉ
Squelette de la corne de certains ruminants	CORNILLON
Squelette d'un être vivant	CHARPENTE
Squelette	OS
Squelettique	ÉMACIÉ • MAIGRE
Stabiliser	CONSOLIDER
Stabilité	APLOMB
Stable	DURABLE • ÉTABLI • PERMANENT • SOLIDE
Stade	PHASE
Stagiaire	APPRENTI
Stagnation	CALME
Stagner	PIÉTINER • SÉJOURNER
Stalle	ÉCURIE
Stalle d'écurie	BOX
Stance	SIXAIN
Standard	NORMALITE
Standardiser	NORMALISER
Star	ÉTOILE • VEDETTE
Station balnéaire de la Rome antique	OSTIE
Station balnéaire d'Israël	EILAT
Station de métro	GARE
Station de sports d'hiver d'Autriche	IGLS
Station	ATTENTE
Stationnaire	IMMOBILE
Stationnement	PARCAGE
Stationner	GARER
Station-service	GARAGE
Statuaire	SCULPTEUR
Statue antique recouverte d'écrits satiriques	PASQUIN
Statue de jeune fille, typique de l'art grec archaïque	KORÊ
Statue de l'art grec	CORÉ
Statue de Mercure	HERMES
Statue d'homme soutenant une corniche	ATLANTE
Statue	SCULPTURE

Statuer	JUGER • ORDONNER
Statuette	FIGURINE
Stature	CARRURE
Statut	LOI
Stèle	CIPPE
Stellaire	ASTRAL
Stem	STEMM • VIRAGE
Stemm	STEM
Sténographie	STÉNO
Steppe de la zone arctique	TOUNDRA
Steppe de l'Afrique du Sud	VELD
Steppe	LANDE
Stéréophonie	STÉRÉO
Stéréophonique	STÉRÉO
Stéréotype	CLICHE
Stéréotypie	ITERATION
Stérile	ARIDE • INCULTE • SEC
Stériliser	ASEPTISER
Stérilité	ARIDITÉ • INUTILITÉ
Sternutation	ÉTERNUEMENT
Stibium	SB
Stigmate	CICATRICE
Stigmatiser	FUSTIGER
Stimulant	ACTIVANT • ADJUVANT • CAFEINE • DOPANT
Stimulation des ventes	PROMOTION
Stimuler	ACTIVER • ANIMER • DOPER • ENHARDIR
	ÉROTISER • ÉVEILLER • RÉCONFORTER
Stipendier	SOUDOYER
Stipulation	DISPOSITION
Stoïque	IMPASSIBLE
Stolon	BOURGEON
Stomacal	GASTRIQUE
Stopper	CESSER • JUGULER
Stoupa	STUPA
Strabisme	LOUCHERIE
Stratagème	TRUC
Stratège	TACTICIEN
Stratégie	TACTIQUE
Stressé	TENDU
Strict	SÉVÈRE
Strident	AIGU • PERÇANT • SURAIGU

Strie . . . . CANNELURE
Strié . . . . RAYE
String . . . . SLIP
Strip-teaseuse . . . . DANSEUSE
Strontium . . . . SR
Strophe de huit vers . . . . HUITAIN
Strophe de sept vers . . . . SEPTAIN
Strophe de six vers . . . . SIXAIN
Strophe de trois vers . . . . TERCET
Strophe . . . . COUPLET • STANCE
Structuré . . . . ORGANISÉ
Structure allongée reliant
    deux organes . . . . PÉDONCULE
Structure du corps humain . . . . CHARPENTE
Structure du vers moderne . . . . MÈTRE
Structure d'un réseau . . . . TRAME
Structure . . . . CONSTITUTION • SCHÈME
Structurer . . . . ORGANISER
Studieux . . . . APPLIQUÉ
Studio, petit appartement . . . . FLAT
Stupéfaction . . . . STUPEUR • SURPRISE
Stupéfait . . . . BABA • ÉBAUBI • ÉBERLUÉ
    ÉTONNÉ • PANTOIS • SURPRIS
Stupéfiant extrait d'un pavot . . . . OPIUM
Stupéfiant très toxique . . . . HÉROÏNE
Stupéfiant . . . . AHURISSANT • COCAÏNE
    DROGUE • ÉTONNANT
Stupéfié . . . . ÉBAHI • STUPÉFAIT
Stupéfier . . . . ABASOURDIR • CONFONDRE • ÉBAHIR
    EBERLUER • ÉPATER • MÉDUSER • SIDÉRER
Stupeur . . . . SURPRISE
Stupide . . . . BÊTE • CRÉTIN • IDIOT • SOT
Stupidité . . . . BÊTISE • IDIOTIE • SOTTISE
Style de jazz . . . . BE-BOP
Style de jazz, né à New York . . . . BOP
Style de musique disco . . . . RAP
Style d'improvisation vocale . . . . SCAT
Style élevé et hardi de l'auteur inspiré . . . . LYRISME
Style vocal propre au jazz . . . . SCAT
Stylet . . . . POIGNARD
Stylicien . . . . STYLISTE

Stylo à bille	BIC
Stylo à encre grasse	FEUTRE
Suaire	LINCEUL
Suave	AGRÉABLE • DOUCE • ODORANT
Subalterne	INFÉRIEUR • MOINDRE • SUBORDONNÉ
Subalterne qui endosse les fautes d'un supérieur	LAMPISTE
Subdivisé	RAMIFIE
Subdivision de la police	BRIGADE
Subdivision d'un ensemble	SECTION
Subdivision d'un lobe	LOBULE
Subdivision d'une compagnie de soldats	PELOTON
Subir	ACCEPTER • ENDURER ÉPROUVER • ESSUYER
Subir le rouissage	ROUIR
Subir les inégalités de la route	TRESSAUTER
Subir une nouvelle cuisson	RECUIRE
Subir une punition	MORFLER
Subir une régression	REGRESSER
Subit	SOUDAIN
Sublime	ADORABLE • DIVIN
Submerger	INONDER • NOYER
Subordonné	SUBALTERNE
Suborner	CORROMPRE
Subséquemment	ENSUITE
Subside	SUBVENTION
Subsidiaire	ACCESSOIRE
Subsister	DURER • PERSISTER SURNAGER • SURVIVRE
Substance	CHOSE • DENRÉE • ESSENCE • MATIÈRE
Substance accélérant le transit intestinal	LAXATIF
Substance alimentaire grasse	BEURRE
Substance brune très odorante	MUSC
Substance chimique ajoutée qui augmente l'activité	ACTIVEUR
Substance chimique propre à doper	DOPANT
Substance colorante de l'organisme	PIGMENT
Substance destinée à relever le goût des aliments	CONDIMENT

Substance dont l'injection provoque
la synthèse d'anticorps spécifiques . . . . ANTIGÈNE

Substance dont on enduit
la semelle des skis . . . . FART

Substance employée dans
la préparation des cuirs . . . . TANNIN

Substance étalée sur une surface . . . . COUCHE

Substance étrangère à l'organisme
capable d'entraîner
la production d'anticorps . . . . ANTIGÈNE

Substance explosive . . . . DYNAMITE

Substance extraite d'algues marines . . . . GÉLOSE

Substance extraite de l'opium . . . . CODÉINE

Substance farineuse composée d'amidon . . . . FÉCULE

Substance filiforme . . . . SOIE

Substance friable dans l'eau . . . . SEL

Substance gluante accumulée
en bordure des paupières . . . . CHASSIE

Substance grasse comestible . . . . MARGARINE

Substance grasse de couleur jaune . . . . CIRE

Substance indispensable à l'organisme . . . . VITAMINE

Substance ligneuse odorante . . . . SANTAL

Substance liquide qui dissout
d'autres substances . . . . SOLVANT

Substance métallique sulfureuse . . . . MATTE

Substance minérale à l'épreuve du feu . . . . AMIANTE

Substance minérale fibreuse . . . . ASBESTE

Substance moelleuse renfermée
dans la cavité du crâne . . . . CERVEAU

Substance molle . . . . MOELLE

Substance molle du corps de l'homme . . . . CHAIR

Substance mucilagineuse transparente . . . . GOMME

Substance noire . . . . SUIE

Substance odorante extraite
de la fève tonka . . . . COUMARINE

Substance odoriférante . . . . AROMATE

Substance onctueuse liquide . . . . HUILE

Substance organique d'origine végétale . . . . TANIN

Substance organique soluble . . . . ENZYME

Substance poreuse . . . . ÉPONGE

Substance propre à teindre . . . . TEINTURE

Substance protéinique . . . . ENZYME
Substance qui constitue le cerveau . . . . CERVELLE
Substance qui constitue
   les défenses d'éléphant . . . . IVOIRE
Substance qui endort . . . . SOMNIFÈRE
Substance riche en calcaire . . . . NACRE
Substance sirupeuse et sucrée . . . . MIEL
Substance soluble dans l'eau . . . . SEL
Substance stérile qui entoure un minerai . . . . . . GANGUE
Substance toxique des piquants
   de certaines plantes . . . . VENIN
Substance utilisée comme
   succédané du sucre . . . . SACCHARINE
Substance végétale odoriférante . . . . AROMATE
Substance vitreuse dont
   on fait des vases . . . . OPALINE
Substance vitreuse fondue à chaud . . . . ÉMAIL
Substance, teneur . . . . CONTENU
Substantif verbal . . . . SUPIN
Substituer . . . . REMPLACER • TROQUER
Substitut . . . . ERSATZ • SUCCÉDANÉ • SUPPLEANT
Subterfuge . . . . ARTIFICE
Subtil . . . . FIN • RAFFINÉ
Subtiliser . . . . DÉROBER • ESCAMOTER
Subtilité . . . . ARGUTIE • FINESSE
                    PERSPICACITÉ • TENUITE
Subvenir . . . . POURVOIR
Subvention . . . . ALLOCATION • PRIME
Subventionner . . . . . FINANCER • SUBSIDIER • SUBVENIR
Suc de certains fruits . . . . EAU
Suc des capsules d'un pavot . . . . OPIUM
Succédané de crabe . . . . SURIMI
Succédané du sucre . . . . SACCHARINE
Succédané . . . . ERSATZ • SUBSTITUT
Succéder à . . . . REMPLACER
Succès . . . . . . GAIN • PERFORMANCE • PROSPÉRITÉ
                    RÉUSSITE • VICTOIRE
Successeur . . . . HÉRITIER
Successeur, imitateur . . . . ÉPIGONE
Succession de contractions
   rythmées d'un muscle . . . . CLONUS

Succession de souverains de
  la même famille . . . . DYNASTIE
Succession rapide . . . . CARROUSEL
Succession . . . . ALTERNANCE • LEGS • RELÈVE • SÉRIE
Succinct . . . . SOMMAIRE
Succomber . . . . CLAMSER
Succulent . . . . DÉLECTABLE
Succulente . . . . BONNE
Succursale . . . . ANNEXE
Sucer avec délectation . . . . TÉTER
Sucer . . . . POMPER
Suceur de sang . . . . VAMPIRE
Suçon . . . . SUCETTE
Suçoter . . . . TÉTER
Sucre qui n'a été raffiné qu'une fois . . . . CASSONADE
Sucre roux . . . . CASSONADE
Sucrée . . . . DOUCE
Sucrer . . . . ÉDULCORER
Sucrerie . . . . BONBON • FRIANDISE
Sudation . . . . SUEUR
Sud-est . . . . SUET
Sudorifère . . . . SUDORAL
Sudoripare . . . . SUDORAL
Suée . . . . SUEUR
Suer . . . . BESOGNER • SUINTER • TRANSPIRER
Suer à nouveau . . . . RESSUER
Sueur . . . . SUÉE
Suffisamment . . . . ASSEZ
Suffisance . . . . FATUITÉ
Suffisant . . . . ASSEZ • FIER • PÉDANT
Suffixe . . . . AFFIXE
Suffoquer . . . . ÉTOUFFER
Suffrage . . . . SCRUTIN
Suffrage, dans une élection . . . . VOTE
Suffragette . . . . FEMINISTE
Suggérer . . . . CONSEILLER • INSINUER
                                          INSPIRER • PROPOSER
Suggestif . . . . INSPIRANT
Suicide par incision du ventre . . . . SEPPUKU
Suicide rituel, au Japon . . . . SEPPUKU
Suif . . . . GRAISSE

Suinter de nouveau	RESSUER
Suinter	EXSUDER • PERLER
	RUISSELER • SUER
Suisse	TAMIA
Suite complexe de transformations	ALCHIMIE
Suite d'anneaux entrelacés	CHAÎNE
Suite d'arbres fruitiers	ESPALIER
Suite d'aventures	ÉPOPÉE
Suite de bruits violents	PÉTARADE
Suite de cinq cartes de même couleur	QUINTE
Suite de détonations	PÉTARADE
Suite de détours d'un cours d'eau	MÉANDRE
Suite de mots	LISTE
Suite de personnes	CORTÈGE • ÉQUIPAGE
Suite de sons modulés émis par la voix	CHANT
Suite de souverains d'une même lignée	DYNASTIE
Suite d'éléments	TISSU
Suite interminable	KYRIELLE
Suite musicale accompagnant un ballet	BALLET
Suite ordonnée d'éléments	SÉQUENCE
Suite	CONTRECOUP • ENFILADE
	ÉQUIPAGE • SÉRIE • TRAIN
Suivant	SELON
Suivre	FILER • OBÉIR • PISTER
	SUCCÉDER
Sujet à des accès de mauvaise humeur	QUINTEUX
Sujet à oublier	OUBLIEUX
Sujet à pécher	PECCABLE
Sujet de contrariété	DÉSAGRÉMENT
Sujet d'étude	QUESTION
Sujet non musulman de l'Empire ottoman	RAÏA
Sujet	THÈME
Sujétion	CAPTIVITÉ
Sujette à des changements imprévus	CAPRICIEUSE
Sulfate double de potassium et d'aluminium	ALUN
Sulfate double	ALUN
Sulfate naturel de zinc	BLENDE
Sulfate	VITRIOL

Sulfure jaune d'arsenic utilisé
en peinture . . . . ORPIMENT
Sulfure naturel de plomb . . . . GALÈNE
Summum . . . . APOGÉE • COMBLE
MAXIMUM • PERFECTION
Super . . . . GÉNIAL
Superbe . . . . ADMIRABLE • RAVISSANT
Supercherie . . . . DUPERIE
Superficie . . . . AIRE • SURFACE
Superficiel . . . . FUTILE
Superfin . . . . SURFIN
Superflu . . . . INUTILE • REDONDANT
Supérieur . . . . CULMINANT • ÉLEVÉ • MEILLEUR
PRIEUR • RECTEUR

Supérieur de certaines
communautés religieuses . . . . PRIEUR
Supérieur d'une abbaye . . . . ABBÉ
Supérieur par le rang . . . . MAJOR
Supérieure d'un couvent . . . . ABBESSE
Supérieure d'une abbaye . . . . ABBESSE
Supérieure d'une
communauté religieuse . . . . MÈRE
Supériorité . . . . SUPRÉMATIE
Superlatif . . . . SUPRÊME
Superposer par lits . . . . LITER
Superposer . . . . ÉTAGER
Superposition . . . . EMPILAGE
Supplanter . . . . DÉTRÔNER • ÉLIMINER
Supplément dans une distribution . . . . RABIOT
Supplément de torsion
qu'on fait subir au fil . . . . SURFILAGE
Supplément . . . . COMPLÉMENT • EXTRA • PLUS • RAB
RALLONGE • SURCROÎT • SURPLUS
Supplication . . . . OBSÉCRATION • PRIÈRE
Supplice du feu . . . . AUTODAFÉ
Supplice . . . . TORTURE
Supplice, grande souffrance . . . . MARTYRE
Supplicier . . . . TORTURER
Supplier . . . . ADJURER • CONJURER
DEMANDER • PRIER
Supplique . . . . REQUÊTE

Support à trois pieds	TRÉPIED
Support allongé et grêle	PÉDICULE
Support d'information	DISQUE
Support d'une ampoule électrique	DOUILLE
Support d'une dent artificielle	PIVOT
Support formé d'une barre horizontale	TRÉTEAU
Support où perchent les oiseaux	PERCHOIR
Support	APPUI • PILIER • SOUTIEN
Supportable	TENABLE
Supporte la tête	COU
Supporté	ENTOURE
Supporter	ACCEPTER • ASSUMER • RÉSISTER
	SOUTENIR • SUBIR • TOLÉRER
Supposé	CENSÉ • PRÉSUMÉ • PRÉTENDU
Supposer	ADMETTRE • PRÉSUMER
Supposer, parier	GAGER
Supposition	CONJECTURE • HYPOTHÈSE
	PRÉSOMPTION
Suppôt	FAUTEUR
Suppression de toutes marques distinctives	BANALISATION
Suppression	ABOLITION • RADIATION • RATURE
Supprimer la taxe	DÉTAXER
Supprimer	ABOLIR • ABROGER • ANNIHILER
	ÔTER • TUER
Supputer	CALCULER
Suprématie de fait	PRIMAUTÉ
Suprématie d'un peuple	HÉGÉMONIE
Suprême	EXTRÊME
Sûr	AVÉRÉ • CERTAIN • CONFIANT
	EFFICACE • OFFICIEL • POSITIF • VRAI
Sur la Drôme	CREST
Sur la Marne	AY
Sur la Vesle, en Champagne	REIMS
Sur ses gardes (Aux ...)	AGUETS
Sur ses pieds	DEBOUT
Sur	DESSUS • SURI
Surabondance	PLETHORE
Surabondant	SUPERFLU
Suranné	ANTIQUE • ARRIÉRÉ • VIEILLOT
Surchargé	AFFAIRÉ

Surcharge	FARDEAU
Surcharger	GREVER
Surchauffé	SURVOLTE
Surclasser	SURPASSER
Sûre	OFFICIELLE
Surélever	HAUSSER • REHAUSSER
Surenchérir	RELANCER
Surestimé	SURFAIT
Surestimer	EXAGÉRER • SURFAIRE
Suret	ACIDULÉ
Sûreté du Québec	SQ
Surévalué	SURFAIT
Surexcité	EXALTÉ • DECHAINE • SURVOLTE
Surface	AIRE • ÉTENDUE
Surface convexe et extérieure d'une voûte	EXTRADOS
Surface couverte de gazon	PELOUSE
Surface couverte de plantes herbacées	PRAIRIE
Surface de terre	SOL
Surface décorative pyramidée	GABLE
Surface d'érosion, en pente	GLACIS
Surface divisée et graduée de certains appareils	CADRAN
Surface extérieure d'un volume	PÉRIPHÉRIE
Surface latérale d'un piston	JUPE
Surface très glissante	PATINOIRE
Surfilage	SURFIL
Surfilé	COUSU
Surfin	SUPERFIN
Surgeler	GELER
Surgir	APPARAÎTRE • JAILLIR • SOURDRE
Surgir de nouveau	RESSURGIR • RESURGIR
Surimposer	SURTAXER
Surin	COUTEAU • POIGNARD
Sur-le-champ	ILLICO
Surmonter	VAINCRE
Surnager	FLOTTER
Surnom des Normands	BIGOT
Surnom familier	SOBRIQUET
Surnom	NOM • SOBRIQUET
Surnommé	DIT

Surnommer	BAPTISER
Surpasser	ÉCLIPSER
Surplomber	CULMINER
Surplus de marchandises	DEBORD
Surplus	SUPPLÉMENT
Surprenant	DÉCONCERTANT
Surprendre	ATTRAPER • ÉTONNER • PINCER
Surprendre, déranger	DÉCOIFFER
Surprise-partie	BOUM • SAUTERIE
Surprotéger	COUVER
Surseoir	AJOURNER • SUSPENDRE
Sursis	DÉLAI • RÉPIT • REPORT
Surveillance	GUET
Surveillance attentive	VIGILANCE
Surveillance collective de jeunes enfants	GARDERIE
Surveillance exercée de nuit par la police	GUET
Surveillant vigilant, espion	ARGUS
Surveillant	GEÔLIER • VIGILE
Surveiller quelqu'un	VEILLER
Surveiller	GARDER • GUETTER • ÉPIER ESPIONNER • INSPECTER
Survenir	ADVENIR • APPARAÎTRE • ARRIVER
Survenu	ADVENU
Survêtement à larges manches	CASAQUE
Survivant	RESCAPÉ
Survivre	SUBSISTER
Survoler	PLANER
Susceptible de fondre	FUSIBLE
Susceptible de provoquer une excitation sexuelle	ÉROGÈNE
Susceptible de recevoir impressions, influences...	RECEPTIF
Susceptible de subir l'ablation	ABLATIF
Susceptible d'érection	ÉRECTILE
Susciter l'indignation	SCANDALISER
Susciter un sentiment néfaste	FOMENTER
Susciter	ÉVEILLER
Susmentionné	SUSDIT
Suspect	◊DOUTEUX • LOUCHE
Suspendre	ACCROCHER • APPENDRE CESSER • PENDRE

Suspendre son travail	CHÔMER
Suspendu	IRRÉSOLU • PENDU
Suspens	SUSPENSE
Suspense	SUSPENS
Suspension	MORATOIRE • PAUSE
Suspension de la respiration	APNEE
Suspicion	DOUTE • SOUPÇON
Sustenter	ALIMENTER
Svelte	MINCE
Sveltesse	TENUITE
Sylphe	SYLPHIDE
Symbole des apôtres	CREDO
Symbole du désir	ÉROS
Symbole formé d'un ensemble de signes graphiques	LOGO
Symbole graphique	ICÔNE
Symbole graphique représentant un nombre entier	DIGIT
Symbole	ATTRIBUT • EMBLÈME
Symbolique	FIGURATIF
Symétrie	RÉGULARITÉ
Sympathie pour les étrangers	XÉNOPHILIE
Sympathie	CORDIALITÉ
Sympathique	AMICAL • CORDIAL
Symposium	SÉMINAIRE
Symptomatique du rhume	ENRHUMÉ
Symptôme	INDICE
Synagogue	TEMPLE
Synchrone	SIMULTANE
Synode	CONCILE
Syntaxticien	PURISTE
Système	MÉTHODE • RÉGIME
Système de détection	RADAR
Système de fermeture	VERROU
Système de fossés d'effondrement	RIFT
Système de glisseurs	TORSEUR
Système de représentation	NOTATION
Système de télécopie	FAX
Système de télévision en couleurs	SECAM
Système des lois relatives aux impôts	FISCALITE
Système informatique à accès facile	CONVIVIAL

T

Tabac à fumer	CAPORAL
Tabac à mâcher	CHIQUE
Tabasser	BATTRE • ROUER
Tablard	TABLAR
Table creusée en bassin	ÉVIER
Table de pressoir	MAIE
Table de toilette	LAVABO
Table de travail de boucher	ÉTAL
Table de travail des menuisiers	ÉTABLI
Table des tarifs	BARÈME
Table d'opération	BILLARD
Table où l'on célèbre la messe	AUTEL
Table où sont servis les mets dans une réception	BUFFET
Table ronde munie d'un seul pied central	GUÉRIDON
Table	BUREAU
Tableau	DESCRIPTION • TABLE • TOILE
Tabletier	ÉBÉNISTE
Tablette	ÉTAGÈRE
Tablette à calculer	ABAQUE
Tablette de métaldéhyde	MÉTA
Tablette de rangement	RAYON
Tablette ou jeton	TESSÈRE
Tablette sur laquelle on écrit ou dessine	ARDOISE
Tablier	EPIPLOON
Tabou	INTERDIT
Tabouer	TABOUISER
Tache (angl.)	SPOT
Tache blanchâtre sur la cornée	LEUCOME
Tache blanche de la cornée	ALBUGO
Tache blanche située à la base de l'ongle	LUNULE
Tache congénitale sur la peau	NAEVUS
Tache dans le bois	MAILLURE
Tache de ce qui est tavelé	TAVELURE
Taché de graisse	GRAISSEUX
Tache d'encre, pâté	POCHON
Tache d'humidité sur du papier	PIQÛRE

Tâche ennuyeuse	PENSUM
Tache lumineuse	SPOT
Tache opaque de la cornée	TAIE
Taché par endroits	TAPÉ
Tache qui se forme sur la prunelle de l'oeil	MAILLE
Tache ronde sur l'aile d'un insecte	OCELLE
Tache rouge sur la peau	ROUGEUR
Tache roussâtre	ROUSSEUR
Tache violacée de la peau	VIBICE
Tâche	BESOGNE • DEVOIR
Tache	TALURE
Taché, en parlant d'un fruit	TALÉ
Tacher	BARBOUILLER • MACULER • SALIR
Taches congénitales sur la peau	NAEVI
Tacheté	MOUCHETÉ • ZÉBRÉ
Tacheter	MARBRER
Taciturne	MORNE • MUET RENFERME • SOMBRE
Tact	DÉLICATESSE
Tactique	STRATÉGIE
Taffetas léger de soie	PONGE
Taillable	CORVEABLE
Taillade	PLAIE
Taillader	BALAFRER
Taillanderie	GROSSERIE
Taillé comme un écot	ÉCOTÉ
Taille	CALIBRE • GROSSEUR POINTURE • STATURE
Tailler à l'aide de ciseaux	CISELER
Tailler de nouveau	RETAILLER
Tailler en biseau	BISEAUTER • ÉBISELER
Tailler un arbre près du sol	RECÉPER
Tailler	ÉLAGUER • DÉCOUPER • TRANCHER
Tailleur	GILETIER
Taillis	FOURRÉ
Taire	CELER • OMETTRE
Talc	POUDRE
Talé	TAPÉ
Talent brillant	BRIO
Taler	MEURTRIR

Talisman	AMULETTE • FÉTICHE
Talisman porte-bonheur	GRIGRI
Talonné	SUIVI
Talonner	SUIVRE
Talus de terre au-dessus du fossé	ESCARPE
Talus destiné à protéger les plantes	ADOS
Tambour allongé	CONGA
Tambour	BASQUE • TAMTAM
Tambourinage	PIANOTAGE
Tamis	CRIBLE • SAS
Tamis grossier	TAMISEUR
Tamiser	FILTRER • SASSER
Tamiser de la farine pour la séparer du son	BLUTER
Tamiseur	SASSEUR
Tampon	TAPON
Tamponnement	COUP
Tamponner	PERCUTER • TÉLESCOPER
Tan	ÉCORCE
Tanagra	STATUETTE
Tangage	HOULE
Tangible	EFFECTIF • PALPABLE • SENSIBLE
Tanière	REPAIRE • TERRIER
Tank	CHAR
Tanné	BASANÉ
Tanner une peau à l'alun	MÉGIR
Tanner	BOUCANER
Tant	AUTANT • TELLEMENT
Tantale	TA
Tante	TANTINE • TATA
Tantine	TANTE
Tantôt	BIENTÔT
Tapage nocturne	RAMDAM
Tapage	PET • TINTAMARRE • VACARME
Tapant	SONNANT
Tape	TALOCHE
Tape-à-l'oeil	TAPAGEUR
Taper contre quelque chose	TOSSER
Taper sur une caisse enregistreuse	TIPER
Taper	COGNER • FRAPPER
Tapis couvrant le sol de certains locaux	TATAMI

Tapis dont la trame est constituée de lanières de tissu usagé	LIRETTE
Tapis d'Orient tissé	KILIM
Tapis roulant servant au chargement	CONVOYEUR
Tapisser	COLLER
Tapisserie	TENTURE
Tapocher sur quelque chose	PIANOTER
Tapoter	TAPER
Taquin	MALICIEUX
Taquiner	CHINER • LUTINER
Taquinerie plutôt agréable	AGACERIE
Tarabiscoté	CONTOURNÉ
Tarabuster	HARCELER
Tarder	TRAÎNER
Taré	DÉGÉNÉRÉ
Tarentule	LYCOSE
Targui	TOUAREG
Tarif	PRIX
Tarification	TAXATION
Tarin	BLAIR • BLASE
Tarte italienne de pâte à pain garnie au goût	PIZZA
Tartelette au fromage	DARIOLE
Tartine de beurre	BEURRÉE
Tartufe	BIGOT
Tas	AMAS MONCEAU • MONTICULE • PILE
Tas de sel	MULON
Tas non attaché	LIASSE
Tassé	SERRÉ
Tasser	COMPRIMER • PRESSER
Tasser le sol	DAMER
Tâter	TOUCHER
Tâte-vin	PIPETTE
Tatie	TATA
Taudis	BICOQUE • BOUIBOUI CAMBUSE • GOURBI
Taulier	TOLIER
Taure	GÉNISSE
Taureau	BOEUF
Taux d'acide urique dans le sang	URICEMIE
Taux de glucose dans le sang	GLYCÉMIE

Taux de potassium dans le sang . . . . KALIÉMIE
Taux . . . . TARIF
Taxable . . . . IMPOSABLE
Taxe . . . . IMPÔT
Taxe Provinciale . . . . TP
Taxe supplémentaire . . . . SURTAXE
Taxe sur certains produits de
    consommation . . . . EXCISE
Taxe sur Produits et Services . . . . TPS
Taxer . . . . IMPOSER
Taxer trop haut . . . . SURTAXER
Tchao . . . . CIAO
Tchin-tchin . . . . SANTÉ
Té . . . . ÉQUERRE
Technétium . . . . TC
Technique artisanale de décoration
    de la soie . . . . BATIK
Technique de descente à skis . . . . GODILLE
Technique d'obtention d'images
    par rayonnement . . . . IMAGERIE
Technique hindoue . . . . YOGA
Teenager . . . . ADO
Teigne . . . . PELADE
Teigne du cuir chevelu . . . . FAVUS
Teigne qui ronge les étoffes . . . . GERCE
Teiller . . . . TILLER
Teindre . . . . COLORER • SAFRANER
Teindre de nouveau . . . . RETEINDRE
Teindre en ocre . . . . OCRER
Teint de nouveau . . . . RETEINT
Teinte plate appliquée de façon uniforme . . . . APLAT
Teinte . . . . COULEUR • TON
Teinter . . . . COLORER • TEINDRE
Teinture d'un rouge vif . . . . GARANCE
Teinture tirée de la garance . . . . GARANCE
Télamon . . . . ATLANTE
Télé . . . . TÉLÉVISION
Télécopie . . . . FAX
Télégraphie Sans Fil . . . . TSF
Téléphone à haut-parleur . . . . INTERPHONE
Téléphonie . . . . PHONIE

Téléscope double	BINOCLE
Télescoper	PERCUTER
Téléviseur	TÉLÉVISION
Télévision	TÉLÉ
Tellement	AUTANT • SI • TANT
Tellure	TE
Témérité	PRÉSOMPTION
Témoignage d'estime	HOMMAGE
Témoignage d'opposition	PROTESTATION
Témoignage d'un triomphe	TROPHÉE
Témoignage	CITATION • PREUVE
Témoigner	ATTESTER • PROUVER
Témoin	PRÉSENT
Témoin d'un huissier	RECORS
Témoin lumineux	VOYANT
Témoin oculaire	SPECTATEUR
Tempe du cheval	LARMIER
Tempérament	CARACTÈRE
Tempérance	ABSTINENCE • SOBRIÉTÉ
Tempérant	SOBRE
Température élevée	CHALEUR
Tempéré	OCEANIQUE
Tempérer	ASSAGIR • MITIGER • MODÉRER
Tempête violente et courte	TOURMENTE
Tempête	CYCLONE
Temple	ÉGLISE • SANCTUAIRE
Temple consacré à tous les dieux	PANTHÉON
Temple d'Égypte creusé dans le roc	SPÉOS
Temple des Muses	MUSÉE
Temple des pays d'Extrême-Orient	PAGODE
Temple du culte musulman	MOSQUEE
Tempo	RYTHME
Temporaire	PASSAGER
Temporel	MORTEL • SÉCULIER
Temps consacré par les gens de loi à une affaire	VACATION
Temps de la vie	JEUNESSE
Temps de repos	RÉCRÉATION • VACANCES
Temps de révolution de la Terre autour du Soleil	ANNÉE
Temps de sommeil	SIESTE

Temps du noviciat	PROBATION
Temps libre	LOISIR
Temps pendant lequel un oiseau couve ses oeufs	COUVAISON
Temps que l'on passe sans travailler	CHÔMAGE
Temps	DURÉE
Tenace	CORIACE • PERSÉVÉRANT PERSISTANT • VIVACE
Tenacement	MORDICUS
Ténacité	OBSTINATION
Tenaille	ÉTAU • PINCE
Tenaille utilisée par le vétérinaire	MORAILLE
Tenailler	ÉTREINDRE • TORTURER TRACASSER
Tenancière	PATRONNE
Tenant	AVOCAT
Tendance à faire, à penser, à dire du mal	MALIGNITE
Tendance à suivre ce qui se fait ou se dit	SUIVISME
Tendance innée et puissante	INSTINCT
Tendance naturelle	PROPENSION
Tendance politique de l'extrême-gauche	GAUCHISME
Tendance	APPÉTIT • ORIENTATION
Tendeur	TENSEUR
Tendon	NERF
Tendre au même résultat	CONVERGER
Tendre avec effort	BANDER
Tendre des pièges aux oiseaux	OISELER
Tendre un piège	PIÉGER
Tendre vers un point	GRAVITER
Tendre vers un seul et même point	CONVERGER
Tendre	BANDER • CÂLIN MOL • MOU • RAIDIR
Tendre, tirer	DISTENDRE
Ténébreux	NOIR
Teneur du sang en glucose	GLYCÉMIE
Teneur en boues d'un cours d'eau	TURBIDITÉ
Teneur en sel d'un milieu	SALINITÉ
Tenir bon	PERSÉVÉRER
Tenir caché, secret	RECELER
Tenir pour suspect	SUSPECTER

Tenir séance	SIÉGER
Tenir secret	CELER
Tenir seul l'enjeu contre le banquier	BANCO
Tenir	APPUYER
Ténor très léger	TENORINO
Ténor	TENORINO
Tension	PRESSION
Tentant	SÉDUISANT
Tentation	INCITATION
Tente de peau des nomades de l'Asie centrale	IOURTE
Tente des Améridiens	WIGWAM
Tente des Indiens d'Amérique du Nord	TIPI
Tente en feutre, chez les Mongols	YOURTE
Tenter de nouveau	RESSAYER • RETENTER
Tenter de séduire	DRAGUER
Tenter	ALLÉCHER • OSER • TÂCHER
Tenture	DRAPERIE
Tenue obligatoire	UNIFORME
Tenue ridicule	ACCOUTREMENT
Tenue	TOILETTE
Terbium	TB
Tercer	TIERCER
Tergiversation	ATERMOIEMENT
Tergiverser	ERGOTER
Terme	BORNE • BOUT • BUT • ÉCHÉANCE FIN • HERMES • VOCABLE
Terme affectueux donné à un père	PAPA
Terme d'affection concernant un enfant	TROGNON
Terme de bridge	ROB • ROBRE
Terme de cuisine japonaise	SUSHI
Terme de photographie	ISO
Terme de ping-pong	LET
Terme de poker	FULL • FLUSH
Terme de tennis	ACE • LET • OUT
Terme de tennis de table	LET
Terme désigant les énarques	ENARCHIE
Terme grossier	JURON
Terme injurieux désignant un homme de rien	BÉLÎTRE

Terme péjoratif désigant
  un habitant de la campagne . . . . PEQUENAUD
Terme utilisé principalement
  par les taoïstes . . . . TAO
Terme, au football . . . . TACLE
Terme, aux échecs . . . . MAT
Terminaison . . . . EXTRÉMITÉ
Terminal . . . . AÉROPORT • FINAL
Terminé en tête arrondie . . . . CAPITÉ
Terminer . . . . ACHEVER • ACCOMPLIR • COMPLÉTER
                               • CONSOMMER • FINIR
Terne . . . . EFFACÉ • FADE • FALOT • MAT • TERNI
Terrain . . . . CHAMP • TERRE
Terrain à végétation broussailleuse . . . . GARRIGUE
Terrain cultivé entouré d'une clôture . . . . CLOS
Terrain de golf . . . . LINKS
Terrain en pente . . . . TALUS
Terrain marécageux . . . . SAVANE
Terrain non cultivé et abandonné . . . . FRICHE
Terrain où l'on cultive des végétaux . . . . JARDIN
Terrain où se disputent les courses
  de chevaux . . . . TURF
Terrain planté d'arbres fruitiers . . . . OUCHE • VERGER
Terrain planté d'arbres . . . . PLANTATION
Terrain planté d'orangers . . . . ORANGERAIE
Terrain pour élever et étudier
  les batraciens, etc. . . . . TERRARIUM
Terrain qui n'est pas encore essouché . . . . ABATIS
Terrains que la mer laisse à découvert . . . . LAIS
Terrasse . . . . BELVÉDÈRE • ESPLANADE
Terrassé . . . . VAINCU
Terrasser . . . . ACCABLER • FOUDROYER
Terre ammoniacale . . . . TERRAMARE
Terre d'alluvions au fond des vallées . . . . PALUS
Terre desséchée et pulvérisée . . . . POUDRE
Terre détrempée . . . . BOUE • GADOUE
Terre entourée d'eau . . . . ÎLE
Terre imperméable et stérile . . . . GÂTINE
Terre inculte où l'on fait paître le bétail . . . . PÂTIS
Terre labourée et non ensemencée . . . . GUÉRET
Terre labourée . . . . LABOUR

Terre légère .... ERBUE
Terre libre exempte de toute redevance .... ALLEU
Terre maigre .... ERBUE
Terre marécageuse .... GÂTINE
Terre non cultivée .... FRICHE
Terre non ensemencée qu'on
    laisse reposer .... JACHERE
Terre plantée de seigle .... SEGALA
Terre tenue d'un seigneur .... TÈNEMENT
Terre très argileuse .... GLAISE
Terre .... ARGILE • UNIVERS
Terré .... TAPI
Terreau .... HUMUS
Terrestre .... TEMPOREL
Terreur .... AFFOLEMENT • EFFROI
Terrien .... AGRICULTEUR
Terrier .... TANIÈRE
Terrifier .... AFFOLER • TERRORISER
Terrine .... PÂTÉ
Territoire .... CHEFFERIE • PAROISSE
                                              POSSESSION • SOL
Territoire d'un vicaire .... VICARIAT
Territoire enfermé dans un autre .... ENCLAVE
Territoire placé sous
    la juridiction d'un évêque .... DIOCESE
Territoire portugais sur la côte
    de la Chine .... MACAO
Terroriser .... INTIMIDER • TERRIFIER
Terser .... TIERCER
Tertre .... ÉMINENCE
Test .... ESSAI
Tester .... ESSAYER
Testicule .... COUILLE • GONADE
Tête d'ail .... GOUSSE
Tête de rocher .... ÉTOC
Tête du cochon .... HURE
Tête du lit .... CHEVET
Tête du sanglier .... HURE
Tête d'une bague .... CHATON
Tête ou buste d'un dieu
    surmontant une gaine .... HERMES

Tête	BINETTE • BILLE • BOUILLE • CABOCHE CRÂNE • CIGARE • NÉNETTE • TRONCHE
Tête-à-tête	ENTRETIEN
Téter	FAYOTER • SUCER
Tétine	TÉTIN
Tétraédrique	PYRAMIDAL
Tétrapode	MAMMIFERE
Têtu	BUTÉ • ENTÊTÉ • INSISTANT OBSTINÉ • TENACE
Têtue	BUTEE
Texte en prose	POÈME
Texte entouré d'un filet qui le met en valeur	ENCADRÉ
Texte introductif	PROLOGUE
Texte lyrique et épique relativement bref	CANTILÈNE
Texte mis en valeur par un filet	ENCADRÉ
Texte préliminaire	PRÉAMBULE
Textile artificiel à fibres courtes	FIBRANNE
Textuel	LITTÉRAL
Tézig	TEZIGUE
Thaïlandais	SIAMOIS
Thallium	TL
Thé noir de Chine	SOUCHONG
Théatral	SCENIQUE
Théâtre du Nouveau Monde	TNM
Théâtre National Populaire	TNP
Théâtre	DRAME
Théiste	DÉISTE
Thème	SUJET
Théologien et écrivain espagnol	LULLE
Théologien musulman	ULÉMA
Théoricien de la tactique	TACTICIEN
Théorie de la pensée	NOÉTIQUE
Théorie particulière	THÈSE
Thérapeute	MÉDECIN
Thérapeutique	CURATIF • THÉRAPIE
Thermie	TH
Thermogène	THERMIQUE
Thèse	THÉORIE
Thiamine	ANEURINE

Thon blanc	GERMON
Thon de la Méditerranée	BONITE
Thorium	TH
Thromboembolie	THROMBOSE
Thrombose	EMBOLIE
Thulium	TM
Thune	TUNE
Thymus du veau	RIS
Ticket	BILLET
Tiède	TEMPÉRÉ
Tiédeur	DOUCEUR
Tiercer	TERCER • TERSER
Tif	CHEVEU
Tige au collet d'une plante	TALLE
Tige cylindrique	VIS
Tige d'acier ou de métal	AIGUILLE
Tige de fer pour soutenir des ouvrages de plâtre	FENTON
Tige de graminée	PAILLE
Tige de la vigne	SARMENT
Tige de métal pointue	POINÇON
Tige de roseau	GLUI
Tige des céréales	CHAUME • PAILLE
Tige droite de certaines plantes	CANNE
Tige droite	FLÈCHE
Tige fixée dans le plat-bord d'une barque	TOLET
Tige fixée dans le sol pour soutenir des plantes	TUTEUR
Tige ligneuse de plantes arborescentes	STIPE
Tige métallique	CLOU • GOUJON
Tige métallique servant de support	TRINGLE
Tige mobile servant à fermer une porte	LOQUET
Tige pour attiser le feu	TISONNIER
Tige provenant d'un bourgeon axillaire	STOLON
Tige rigide articulée à ses extrémités	BIELLE
Tige terminée en pointe	AIGUILLE
Tigré	MOUCHETÉ • TACHETÉ
Tilbury	TAPECUL
Timbré	TOQUÉ
Timbrer	AFFRANCHIR

Timide	PUDIBOND • TIMORÉ
Timoré	FRILEUX
Timorée	PEUREUSE
Tintamarre	CACOPHONIE • TINTOUIN • VACARME
Tintement d'une cloche d'église	GLAS
Tinter	CARILLONNER • SONNER
Tipi	TENTE
Tique	IXODE
Tir soutenu d'un ou plusieurs canons	CANONNADE
Tirailler	BALLOTTER • ÉCARTELER
Tirailleur algérien	TURCO
Tirant sur le bleu	BLEUÂTRE
Tire-au-flanc	COSSARD • FEIGNANT • PARESSEUX
Tire-fesses	TELESKI
Tirelire	BANQUE
Tirer au moyen d'un véhicule ou procédé mécanique	TRACTER
Tirer comme conséquence d'un fait	INFÉRER
Tirer de l'ivresse	DESSOÛLER
Tirer de son fourreau	DÉGAINER
Tirer de son portefeuille	DÉBOURSER
Tirer d'erreur	DETROMPER
Tirer d'un mauvais pas	DÉBOURBER
Tirer le lait du pis	TRAIRE
Tirer le meilleur parti possible de quelque chose	OPTIMISER
Tirer plaisir	JOUIR
Tirer sur une cigarette sans vraiment fumer	CRAPOTER
Tirer une flèche d'un arc	DECOCHER
Tirer	CANARDER • PUISER • TRAÎNER
Tireur à l'arc	ARCHER
Tireur	FUSILIER
Tisane	INFUSION
Tissage artisanal	LIRETTE
Tissé comme le damas	DAMASSÉ
Tisser	ENTRELACER
Tisser de nouveau	RETISSER
Tisserand	TISSEUR
Tissu à armure façonnée	PELUCHE
Tissu à chaîne de soie	POPELINE

Tissu à mailles lâches	CELLULAR
Tissu à mailles rondes	TULLE
Tissu à mailles	JERSEY
Tissu à poils longs	PELUCHE
Tissu adipeux sous-cutané du porc	LARD
Tissu composé de fibres d'amiante	AMIANTE
Tissu couvrant la tête et la gorge des religieuses	GUIMPE
Tissu couvrant le corps d'un animal	TÉGUMENT
Tissu damassé	BASIN
Tissu d'armure croisée	COUTIL
Tissu d'armure sergé en laine	SERGE
Tissu de coton gratté pour avoir un aspect velouté	VELOUTINE
Tissu de coton pelucheux	PILOU
Tissu de coton	DENIM
Tissu de coton, fin et serré	PERCALE
Tissu de crêpe épais	CRÊPON
Tissu de joncs entrelacés	NATTE
Tissu de laine	DRAP • FLANELLE
Tissu de laine à côtes très fines	GABARDINE
Tissu de laine cardée	TWEED
Tissu de laine épais	RATINE
Tissu de laine imperméable	LODEN
Tissu de laine ou de coton	MOLLETON
Tissu de soie ou de laine	DAMAS
Tissu de soie	SOIERIE • TAFFETAS
Tissu écossais de laine ou de coton	TARTAN
Tissu en armure toile	LINON
Tissu en fibres de raphia	RABANE
Tissu en laine feutré caractérisé par sa légèreté	FEUTRINE
Tissu fait de fils de lin, de coton, etc.	TOILE
Tissu formé avec des aiguilles	TRICOT
Tissu léger de laine	SERGE
Tissu léger en coton	FLANELLE
Tissu léger et transparent	GAZE
Tissu léger	TULLE
Tissu peu serré de crin	ÉTAMINE
Tissu pour emmailloter un bébé	LANGE
Tissu qui produit une sécrétion sucrée	NECTAIRE

Tissu sergé	DENIM
Tissu serré de soie	CRÊPE
Tissu souple de coton	CELLULAR
Tissu spongieux	DIPLOÉ
Tissu synthétique	LYCRA
Tissu très ajouré	DENTELLE
Tissu végétal	LIBER
Tissu végétal épais	LIÈGE
Tissu	CACHEMIRE • ÉTOFFE • GABARDINE POPELINE • TEXTILE
Titan	GÉANT
Titane	TI
Titanesque	SURHUMAIN
Titi	GAVROCHE
Titiller	CHATOUILLER
Titre	COMTE • CEDULE • GRADE IMAM • SIRE
Titre de certains ouvrages de liturgie	RATIONAL
Titre de courtoisie espagnol	DON
Titre de noblesse	BARON • COMTE • LORD MARQUIS • PARCHEMIN
Titre des princes de l'ancienne maison d'Autriche	ARCHIDUC
Titre des princes et des princesses	ALTESSE
Titre d'honneur anglais	SIR
Titre d'honneur chez les Anglais	SIR
Titre d'honneur	ALTESSE
Titre donné à certains religieux	DOM
Titre donné à un prêtre séculier	ABBÉ
Titre donné aux bourgeoises	MADAME
Titre donné aux nobles espagnols	DOM
Titre donné aux princesses indiennes	BÉGUM
Titre d'un alliage	ALOI
Titre d'un article	RUBRIQUE
Titre d'un magazine	GÉO
Titre et dignité de pair	PAIRIE
Titre féodal donné à certains seigneurs	SIRE
Titre héréditaire d'un ordre de chevalerie	BARONNET
Titre honorifique dans l'Empire ottoman	PACHA
Titre honorifique de religieux et religieuses	REVEREND

Titre indiquant la matière d'un article . . . . RUBRIQUE
Titre légal d'une monnaie . . . . ALOI
Titre porté par des souverains
   du Moyen-Orient . . . . CHAH • SHAH
Titre porté par les souverains éthiopiens . . . . NÉGUS
Titre pris par Mussolini . . . . DUCE
Titre seigneurial . . . . MARQUIS
Titrer . . . . INTITULER
Tituber dans sa marche . . . . TANGUER
Titulaire d'un abonnement . . . . ABONNE
Titulaire d'un baccalauréat . . . . BACHELIER
Titulaire d'une charge militaire . . . . OFFICIER
Toast . . . . RÔTIE
Toboggan . . . . TRAINEAU
Toc . . . . CAMELOTE • PACOTILLE • STRASS
Tocade . . . . LUBIE • PASSADE
Toge de pourpre . . . . TRABÉE
Toge . . . . ROBE
Tohu-bohu . . . . CHAOS • DÉSORDRE
Toi . . . . TU • TEZIGUE
Toile croisée et serrée . . . . COUTIL
Toile de chanvre très résistante . . . . TREILLIS
Toile de coton à carreaux . . . . VICHY
Toile de coton lustrée . . . . PERCALINE
Toile de lin fine . . . . LINON
Toile d'un parachute . . . . VOILURE
Toilette purificatrice rituelle . . . . ABLUTION
Toilette . . . . ATOUR • BAIN • PARURE
Toilettes . . . . VÉCÉS • WC
Toison . . . . AGNELIN • FOURRURE • PELAGE
Toit . . . . DOMICILE
Toiture . . . . FAÎTAGE
Tolérable . . . . ADMISSIBLE • TENABLE
Tolérance . . . . LARGEUR
Tolérant . . . . ENDURANT • LIBÉRAL • PERMISSIF
Tolérer . . . . SOUFFRIR • SUPPORTER
Tollé . . . . CRI • HUÉE
Tombe . . . . TOMBEAU
Tombeau . . . . TOMBE • KOUBBA • SÉPULCRE
Tombeau vide élevé à la mémoire
   d'un mort . . . . CÉNOTAPHE

Tombée de la nuit	BRUNANTE • BRUNE
Tombée du jour	BRUNANTE
Tomber dans les pommes (S')	ÉVANOUIR
Tomber en ruine	PÉRIR
Tomber malade de nouveau	RECHUTER
Tomber par morceaux	ÉBOULER
Tomber sur	RENCONTRER
Tomber	AFFALER • CHOIR • CHUTER DÉVALER • DEVISSER • PLEUVOIR
Tomber, en parlant de la neige	NEIGER
Tomber, en parlant du crachin	CRACHINER
Tombeur	SÉDUCTEUR
Tomette	BRIQUETTE
Ton pathétique excessif	PATHOS
Ton	COULEUR • TEINTE • TONALITÉ
Tonalité	NUANCE • SONORITÉ
Tondaison	TONTE
Tondeuse	FAUCHEUSE
Tondre	RASER
Tondu	RAS
Tong	SANDALE
Tonifier	VIVIFIER
Tonique	RÉCONFORTANT • SAINS • ALUBRE
Tonique, cordial	REMONTANT
Tonitruant	TONNANT
Tonitruer	TONNER
Tonnant	TONITRUANT
Tonneau pour mettre le vin	FÛT
Tonneau	BARIL • CAQUE
Tonnelle couverte d'une vigne grimpante	PAMPRE
Tonnelle	PERGOLA
Tonnerre	FOUDRE
Tonton	ONCLE
Tonus	PEP
Toque ronde et plate	BÉRET
Toqué	MORDU
Tordant	BIDONNANT • HILARANT
Tordre à plusieurs tours	TORTILLER
Tordre plusieurs fils pour former un câble	CÂBLER

Tordre	CORDER • COURBER • MAILLER
Tordu	BUSQUE • RETORS • TORS • TORTU
Torero chargé de la mise à mort	ESPADA • MATADOR
Torero	MATADOR • TORÉADOR
Torgnole	TOURNIOLE
Tornade	CYCLONE • OURAGAN
Torpeur	ABATTEMENT • APATHIE
Torrent	BORDEE • DÉLUGE
Torrent des Alpes du Sud	UBAYE
Torrent des Pyrénées françaises	GAVE
Torride	BRÛLANT • TROPICAL
Tors	TORDU
Torse	THORAX
Torsion	CONTORSION
Tort	MAL • PRÉJUDICE
Tortiller	CORDER
Tortiller en cordon	CORDONNER
Tortue d'eau douce vivant surtout dans la vase	CISTUDE
Tortueuse	SINUEUSE
Tortueux	SINUEUX • TORTU
Torture	AFFRES • ATROCITÉ
Torture, supplice	MARTYRE
Torturer	DECHIRER • INFLIGER • TENAILLER
Tôt	MATINAL
Total	ABSOLU • ENTIER • MONTANT PLÉNIER • RÉSULTAT
Total des sommes d'argent reçues	RECETTE
Total, quantité	SOMME
Totalement déraisonnable	DÉLIRANT
Totaliser	ADDITIONNER
Totalitaire	ABSOLU
Totalitarisme	FASCISME
Totalité	ENTIÈRETÉ • PLÉNITUDE • TOUT
Touage	HALAGE
Touarègue	TOUAREG
Toubib	DOCTEUR • MÉDECIN
Touchant	AFFECTIF • ÉMOUVANT
Touché	ÉMU
Toucher la rive	ARRIVER
Toucher légèrement	FRÔLER

Toucher terre	ATTERRIR
Toucher une somme d'argent	EMPOCHER
Toucher	ABORDER • ACCOSTER • ATTENDRIR ATTOUCHEMENT • CONCERNER • TÂTER
Touer	HALER • TIRER • TRACTER • REMORQUER
Touffe d'arbrisseaux	BUISSON
Touffe de cheveux	HOUPPE • MÈCHE
Touffe de crins derrière le boulet du cheval	FANON
Touffe de jeunes tiges de bois	CÉPÉE
Touffe de plumes que portent certains oiseaux	HUPPE
Touffe de poils	BARBE
Touffe de rejets de bois	CÉPÉE
Touffe de ronces	RONCIER
Touffu	DENSE • DRU • FEUILLU • FOURNI
Toujours divisible par deux	PAIR
Toujours	CONSTAMMENT
Toundra	STEPPE
Toupet	CULOT
Tour célèbre	EIFFEL
Tour complet d'une spirale	SPIRE
Tour complet	BOUCLE
Tour complet, pirouette	VOLTE
Tour d'adresse et de passe-passe	JONGLERIE
Tour de reins	LUMBAGO
Tour d'une ville	BEFFROI
Tour malicieux	NICHE
Tour municipale d'où l'on faisait le guet	BEFFROI
Tour ou clocher érigé près d'une église	CAMPANILE
Tour principale d'un château fort	DONJON
Tour sur soi-même	PIROUETTE
Tour	BELVÉDÈRE • TR • TRUC
Tourbe de qualité inférieure	BOUSIN
Tourbillonner	TOURNER
Tourelle	BELVÉDÈRE
Tourillon	PIVOT
Touriste	VISITEUR
Tourlourou	BIDASSE
Tourment	AFFRES • ANGOISSE • ANXIÉTÉ CAUCHEMAR • SOUCI • SUPPLICE

Tourmente	OURAGAN • TEMPÊTE
Tourmenté	AGITÉ • BILIEUX • SOUCIEUX • TRAVAILLE
Tourmentée	SOUCIEUSE
Tourmenter moralement	TARAUDER
Tourmenter	DAMNER • GÊNER • PRÉOCCUPER
	PERSÉCUTER • RONGER
	TENAILLER • TORTURER
Tournant	DÉTOUR • GIRATOIRE • VIRAGE
Tournée	CIRCUIT • VISITE
Tourner comme une toupie	TOUPINER
Tourner en dérision	BAFOUER
Tourner en faisant plusieurs tours	TOURNOYER
Tourner en ridicule	MOQUER
Tourner en sens contraire	DÉVIRER
Tourner en spirale	TOURNOYER
Tourner le dos à	DÉDAIGNER
Tourner mal	DEGENERER
Tourner sur soi	TOURNOYER
Tourner sur soi-même	PIVOTER
Tourner sur un pivot	PIVOTER
Tourner	FILMER • GRAVITER
	ROUER • VIRER • VOLTER
Tournesol	HELIANTHE
Tournoi	CONCOURS • MATCH
Tournoyer	TOUPILLER
Toussailler	TOUSSER
Tousser d'une petite toux peu bruyante	TOUSSOTER
Tousser légèrement et souvent	TOUSSOTER
Toussotement	TOUX
Toussoter	TOUSSER
Tout à coup	SOUDAIN
Tout aliment apprêté	METS
Tout appareil de navigation aérienne qui n'est pas un aérostat	AÉRODYNE
Tout appareil volant plus lourd que l'air	AÉRODYNE
Tout autour	ALENTOUR
Tout ce qui entre dans la composition d'un lit	LITERIE
Tout ce qui sert à transmettre	VÉHICULE
Tout composé organique dérivant de l'ammoniac	AMIDE

Tout élément filamenteux	FIBRE
Tout gonflement pathologique	TUMEUR
Tout le temps	CONSTAMMENT
Tout liquide organique	HUMEUR
Tout moyen de transport	VÉHICULE
Tout petit	INFIME • PETIOT
Tout seul	SEULET
Tout son soûl (À)	SATIÉTÉ
Toute cérémonie du culte	OFFICE
Toute chose exquise	NANAN
Toute personne ou chose	CHACUN
Toute structure en forme d'amande	AMYGDALE
Toutefois	CEPENDANT • NÉANMOINS POURTANT
Toutou	CHIEN
Tout-petit	BÉBÉ
Toxicité	NOCIVITÉ
Toxicomane	INTOXIQUÉ
Toxicomanie de ceux qui abusent de tabac	TABAGISME
Toxicomanie due à l'usage de l'opium	OPIOMANIE
Traçage	TRACEMENT
Tracas	ARIA • CASSEMENT DÉSAGRÉMENT • ENNUI
Tracasser	OBSÉDER • PRÉOCCUPER TOURMENTER • TURLUPINER
Tracassin	BOUGEOTTE
Trace creusée dans le sol	ORNIÈRE
Trace de coup à l'oeil	COQUARD • COQUART
Trace de lumière	RAYON
Trace d'encre	BAVURE
Trace d'une bête	FOULÉE
Tracé géométrique sommaire	DIAGRAMME
Tracé par une main tremblante	TREMBLÉ
Trace	CICATRICE • PISTE SILLAGE • TACHE • VESTIGE
Tracé	POINTILLE • TRAJET
Trace, reste	RELENT
Tracer une laie	LAYER
Tracer	DESSINER
Traceret	TRAÇOIR

Traçoir . . . . TRACERET
Tract . . . . PAMPHLET
Traction . . . . TIRAGE
Tradition . . . . COUTUME
Traditionnel . . . . CLASSIQUE
Traditions . . . . US
Traducteur . . . . INTERPRÈTE
Traduction littérale . . . . CALQUE
Traduction . . . . VERSION
Traduction, transcription . . . . DÉCODAGE
Traduire une grande joie . . . . RAYONNER
Traduire . . . . TRANSPOSER
Trafic malhonnête . . . . FRICOTAGE
Trafiquant . . . . FRICOTEUR
Trafiquer . . . . FALSIFIER • BRICOLER
Tragédien . . . . ACTEUR
Tragédienne . . . . COMÉDIENNE
Tragicomédie de Corneille . . . . CID
Trahir . . . . DÉNONCER
Trahison d'un vassal envers
    son seigneur . . . . FELONIE
Trahison . . . . DÉLATION • DÉSERTION
                                  PERFIDIE • TRAÎTRISE
Trahison, hypocrisie . . . . FOURBERIE
Train . . . . RAME
Traînard . . . . LAMBIN • TRAÎNEUR
Traînasse . . . . TRAÎNEUR
Traînasser . . . . FLÂNER • PARESSER
Traîneau à patins . . . . LUGE
Traîne-misère . . . . TAPEUR
Traîner partout avec soi . . . . TRIMBALER
Traîner . . . . MUSER
Train-train . . . . ROUTINE
Trait d'esprit brillant . . . . SAILLIE
Trait d'esprit . . . . BOUTADE
Trait discontinu fait de points . . . . POINTILLE
Trait d'union . . . . TIRET
Trait essentiel . . . . CARACTÈRE
Trait par lequel on biffe . . . . BIFFURE
Trait qui divise . . . . DIVISION
Trait . . . . LIGNE • RAIE • TIRET

Traitable	ACCOMMODANT • CONCILIANT SOCIABLE
Traité de botanique	HERBIER
Traite d'un animal domestique femelle	MULSION
Traitement de mépris de haut	SNOBISME
Traitement des cuirs, des étoffes	APPRÊT
Traitement médical	THÉRAPIE
Traitement	ACCUEIL • CURE • REMÈDE REVENU • SALAIRE
Traiter à l'ozone pour purifier	OZONISER
Traiter au soufre	SOUFRER
Traiter avec de la chaux	CHAULER
Traiter avec le plus grand mépris	FOULER
Traiter avec mépris	VILIPENDER
Traiter avec rudesse	RABROUER
Traiter comme une chose	CHOSIFIER
Traiter de haut	SNOBER
Traiter de manière rude	BRUSQUER
Traiter ensemble d'une affaire	CONFÉRER
Traiter gentiment	MIGNOTER
Traiter quelqu'un avec mépris	SNOBER
Traiter une plante de manière à l'empêcher de grandir	NANISER
Traiter	SOIGNER
Traître	DÉLATEUR • FÉLON • INFIDÈLE • JUDAS PERFIDE • RENÉGAT • TRANSFUGE • VENDU
Traîtrise	TRAHISON
Trajectoire d'un corps céleste	ORBITE
Trajet	ITINÉRAIRE • PARCOURS
Tramer	CONSPIRER • MACHINER • OURDIR • TISSER
Traminot	WATTMAN
Trampoline	TREMPLIN
Tramway	TRAM
Tranchant	ACÉRÉ • CASSANT • COUPANT • INCISIF
Tranchante	INCISIVE
Tranché	COUPÉ • NET
Tranche de gros poisson	DARNE
Tranche de pain de mie grillée au four	BISCOTTE
Tranche de pain grillée	RÔTIE • TOAST
Tranche de pain recouverte de confiture	TARTINE
Tranche de pain séchée au four	BISCOTTE

Tranche de viande mince et ronde . . . . MEDAILLON

Tranche de viande roulée et farcie . . . . PAUPIETTE

Tranche mince de poisson . . . . ESCALOPE

Tranche mince de viande . . . . ESCALOPE

Tranche ronde de filet de boeuf . . . . TOURNEDOS

Tranche . . . . MORCEAU • RONDELLE

Tranchée . . . . FOSSE • JAUGE

Tranchefile de relieur . . . . COMÈTE

Trancher . . . . ARBITRER • DÉCIDER

Tranchoir . . . . COUPOIR

Tranquille . . . . PAISIBLE • QUIET • SAGE

Tranquille, sans risques . . . . PEINARD

Tranquillement . . . . POSEMENT

Tranquillisant . . . . SÉDATIF

Tranquillisé . . . . RASSURE

Tranquilliser . . . . RASSÉRÉNER • RASSURER

Tranquillité . . . . PAIX • QUIETUDE

Tranquillité d'esprit . . . . SÉRÉNITÉ

Transaction malhonnête . . . . TRIPOTAGE

Transatlantique . . . . PAQUEBOT

Transcrire . . . . COPIER • RECOPIER

Transcrire un message sous
  forme codée . . . . ENCODER

Transféré . . . . TRANSMIS

Transfert de fonds d'un compte à
  un autre . . . . VIREMENT

Transformation du fer en acier . . . . ACIÉRAGE

Transformation d'une surface lisse
  en plus grenue . . . . GRAINAGE

Transformation profonde et durable . . . . MUTATION

Transformation radicale . . . . MÉTAMORPHOSE

Transformé en carbonate . . . . CARBONATE

Transformer dans le but d'adapter . . . . REMODELER

Transformer en chose . . . . RÉIFIER

Transformer en ions . . . . IONISER

Transformer en ozone . . . . OZONISER

Transformer en peroxyde . . . . . . PEROXYDER • SUROXYDER

Transformer en robot . . . . ROBOTISER

Transformer en satellite . . . . SATELLISER

Transformer en savon . . . . SAPONIFIER

Transformer en star . . . . STARISER

Transformer en vedette	STARISER
Transformer	ALTÉRER • COMMUER CONVERTIR • RÉNOVER
Transfuser	INFUSER
Transgresser	DÉROGER • VIOLER
Transgression	VIOLATION
Transi	GELÉ
Transiger	PACTISER
Transistor à effet de champ	MOS
Transitoire	PROVISOIRE
Translucide	LUCIDE
Transmettre	CÉDER • ENVOYER LÉGUER • VÉHICULER
Transmettre en duplex	DUPLEXER
Transmettre par câble	CÂBLER
Transmettre par télévision	TÉLÉVISER
Transmettre une maladie contagieuse	CONTAMINER
Transmis	ÉMIS
Transmission de coutumes	TRADITION
Transmission d'un message sur écran	TÉLEX
Transmission d'une maladie	CONTAGION
Transmission	CESSION • ÉMISSION • DIFFUSION
Transparence	LIMPIDITÉ
Transparent	LIMPIDE
Transpercer à plusieurs reprises	LARDER
Transpercer d'un pieu	EMPALER
Transpercer	ENCORNER • CRIBLER • TRAVERSER
Transpiration	MOITEUR • SUDATION • SUÉE • SUEUR
Transpirer	SUER • SUINTER
Transplantation	GREFFE
Transplanter	DÉPOTER • GREFFER • REPLANTER
Transport de marchandises par des camions	ROULAGE
Transport en voiture	VOITURAGE
Transport par voiture attelée	VOITURAGE
Transport	LOCOMOTION
Transportation	EXIL
Transporter au loin	EMMENER
Transporter dans un camion	CAMIONNER
Transporter du bois hors du lieu de la coupe	DÉBARDER

Transporter la pierre hors de la carrière	DÉBARDER
Transporter le bois par flottage	DRAVER
Transporter sur des chariots	CHARROYER
Transporter	CHARRIER • EMMENER • TRIMBALER VÉHICULER • VOITURER
Transporteur nautique	CLIPPER
Transporteur	ROULIER
Transvaser à l'aide d'un siphon	SIPHONNER
Transvaser	DÉPOTER • VERSER
Transvider	VIDER
Trappe	PIÈGE • RATIERE
Trappeur	TRAQUEUR
Traquenard	EMBÛCHE • PIÈGE
Travail à jour exécuté en fils tressés et noués	MACRAMÉ
Travail à la muleta, dans une corrida	FAENA
Travail à la pioche	PIOCHAGE
Travail acharné	PIOCHAGE
Travail d'amateur, peu soigné	BRICOLAGE
Travail de labourage	LABOUR
Travail de l'esprit	ÉTUDE
Travail de menuiserie	BOISERIE
Travail des plongeurs dans un restaurant	PLONGE
Travail du fer forgé	SERRURERIE
Travail du fileur	FILAGE
Travail d'une semaine	SEMAINE
Travail facile et bien rémunéré	SINÉCURE
Travail fourni	RENDEMENT
Travail pénible	CORVÉE
Travail rémunéré	JOB • TURBIN
Travail sollicité	CORVÉE
Travail	BESOGNE • BOULOT EFFORT • OUVRAGE • LABEUR
Travaillé	OUVRAGÉ
Travailler	BOULOTTER • BOSSER • OEUVRER
Travailler à la molette	MOLETER
Travailler à l'aide de la toupie	TOUPILLER
Travailler au jardin en amateur	JARDINER
Travailler avec acharnement	PIOCHER
Travailler avec effort	TRIMER

Travailler beaucoup ou durement . . . . BOULONNER
Travailler dur . . . . MARNER
Travailler en surface un terrain
    après la moisson . . . . DÉCHAUMER
Travailler fort . . . . BÛCHER • GRATTER
Travailler la terre . . . . CULTIVER
Travailler un métal . . . . FORGER
Travailler une peau de manière
    à la rendre grenue . . . . CHAGRINER
Travailleur manuel . . . . OUVRIER
Travailleur . . . . ABATTEUR • OUVRIER
Travailleur, porteur chinois ou hindou . . . . COOLIE
Travailleuse . . . . STUDIEUSE
Travelo . . . . TRAVESTI
Traverse . . . . PASSE
Traverser . . . . CROISER • PASSER • PÉNÉTRER
                        SILLONNER • TRANSPERCER
Traversier . . . . FERRY
Traversin . . . . POLOCHON
Travesti . . . . TRAVELO
Travestir . . . . MASQUER
Travestisme . . . . ÉONISME
Trébuchement . . . . CHUTE
Trébucher . . . . ACHOPPER • BRONCHER • BUTER
Tréfiler . . . . ÉTIRER
Treillage en bois ou en fer . . . . CLAIE
Treillage . . . . GRILLAGE
Treillis couvert de verdure . . . . TONNELLE
Treillis d'osier . . . . CLAIE
Treillis métallique . . . . GRILLAGE
Tremblant . . . . VACILLANT
Tremblement de froid, de fièvre
    ou de peur . . . . TREMBLOTE
Tremblement de terre . . . . SÉISME
Tremblement . . . . FRISSON • SECOUSSE • TRILLE
Trembler de fatigue . . . . FLAGEOLER
Trembler . . . . TRÉMULER • VIBRER • VACILLER
Trembleur . . . . VIBREUR
Trembloter . . . . GRELOTTER
Trempe . . . . CARACTÈRE
Trempé . . . . MOUILLÉ

Tremper	ASPERGER • BAIGNER • IMBIBER MOUILLER • PLONGER • SAUCER
Tremper de nouveau	RETREMPER
Tremplin très flexible, en usage dans les cirques	BATOUDE
Trépas	DÉCÈS
Trépassé	DÉCÉDÉ • MACCHABEE
Trépasser	MOURIR
Trépidant	SUREXCITE
Trépider	VIBRER
Trépigner	PIÉTINER • SAUTILLER
Très abattu, accablé	PROSTRÉ
Très abondant, copieux	PLANTUREUX
Très agréable	DÉLICIEUX
Très aïgu	SURAIGU
Très amaigri	ÉMACIÉ
Très amusant	BIDONNANT
Très aplati	ÉCRASÉ
Très beau, très agréable	BATH
Très chaud	BOUILLANT
Très content, ravi	ENCHANTÉ
Très court	RAS
Très difficile à supporter	INVIVABLE
Très drôle	BIDONNANT • IMPAYABLE
Très émouvant	BOULEVERSANT
Très en colère	FURIBARD
Très étonné	ÉBERLUÉ
Très exactement	RECTA
Très fade	FADASSE
Très fatigué	RENDU
Très fin	TÉNU
Très fluctuant	VOLATIL
Très grand courage	HÉROÏSME
Très grand nombre	MULTITUDE • MYRIADE
Très grand	GÉANT
Très grande quantité	FOISON • INFINITE
Très Grande Vitesse	TGV
Très grave maladie	SIDA
Très gros	ÉNORME
Très gros repas	BOMBANCE
Très important	CRUCIAL

Très inquiétant, effrayant . . . . AFFOLANT
Très jeune fille . . . . TENDRON
Très libre . . . . DÉBRIDÉ
Très médiocre . . . . PIÈTRE
Très mince . . . . TÉNU
Très nourrissant . . . . BOURRATIF
Très orné . . . . FLEURI
Très petit . . . . MINIME
Très petit chien originaire du Mexique . . . . CHIHUAHUA
Très petit corps de forme sphérique . . . . GLOBULE
Très petite île . . . . ÎLOT
Très petite quantité . . . . LARME • ZESTE
Très petite racine . . . . RADICELLE
Très peuplé . . . . POPULEUX
Très rare . . . . RARISSIME
Très rigoureux . . . . SIBÉRIEN
Très rouge . . . . RUBICOND
Très sale . . . . CRADO
Très . . . . ASSAI • ÉNORMÉMENT • MOULT
SALEMENT • VACHEMENT • TELLEMENT
Trésor public . . . . FISC
Trésor . . . . FORTUNE • PACTOLE
Tressaillement . . . . FRISSON
Tressauter . . . . SURSAUTER
Tresse . . . . NATTE
Tresse de fils de coton . . . . MÈCHE
Tresse servant à fixer . . . . RABAN
Tresser . . . . CORDONNER • ENTRELACER • NATTER
Treuil . . . . CRIC
Treuil à axe horizontal . . . . GUINDEAU
Treuil pour enrouler un câble . . . . DÉVIDOIR
Treuil vertical . . . . VINDAS
Trêve . . . . ARMISTICE • CESSATION
RELÂCHE • SUSPENSION
Tri . . . . TRIAGE
Triage . . . . TRI
Tribu errante . . . . HORDE
Tribu israélite établie en haute Galilée . . . . ASER
Tribu . . . . PEUPLADE
Tribulations . . . . ADVERSITÉ
Tribunal . . . . ASSISES • COUR

Tribunal ordinaire du Saint-Siège	ROTE
Tribune	AMBON • FORUM • JUBÉ
Tribune de certaines basiliques	AMBON
Tribut	IMPÔT
Tricher	FRAUDER
Tricherie	TROMPERIE
Tricheur	FILOU • PIPEUR • TRUQUEUR
Tricot à manches longues	GILET
Tricot avec ou sans manches	PULL
Tricot fin en poil de chèvre	CACHEMIRE
Tricot orné de dessins géométriques	JACQUARD
Tricot	JERSEY
Trier	SÉLECTIONNER
Trimarder	CHEMINER
Trimardeur, vagabond	CHEMINEAU
Trimbaler	CHARROYER • TRAÎNER • TRANSPORTER
Trimer	BESOGNER • TRAVAILLER
Tringle de bois fixée à un mur	LITEAU
Tringle	BROCHETTE • BARRE • TIGE
Trinité	TRIADE
Trinitrotoluène	TNT
Triol	TRIALCOOL
Triomphateur	VAINQUEUR
Triomphe	RÉUSSITE • VICTOIRE
Triompher	GAGNER
Triompher de	SURMONTER
Tripatouiller	TRIPOTER
Triplet de nucléotides	CODON
Tripotage	FRICOTAGE
Tripoter	PATOUILLER • PELOTER
Tripoteur	FROLEUR
Triqueballe	FARDIER
Trirème	TRIÈRE
Tristan et ...	ISEUT
Triste	AMER • CHAGRIN • ÉPLORÉ MAUSSADE • MORNE • MOROSE
Tristesse	AMERTUME • CAFARD CHAGRIN • DEUIL • PEINE
Tristesse mélancolique	NOSTALGIE
Tristesse vague	MÉLANCOLIE
Triturer	MALAXER

Triturer avec les dents .... MASTIQUER
Trivial .... VULGAIRE
Trivialité .... VULGARITÉ
Troc .... ÉCHANGE
Trois fois .... TER
Troisième âge .... VIEILLESSE
Troisième couplet d'un choeur lyrique .... ÉPODE
Troisième doigt de la main .... MÉDIUS
Troisième estomac des ruminants .... FEUILLET
Troisième fils de Jacob .... LÉVI
Troisième glaciation de l'ère quaternaire .... RISS
Troisième jour de la décade .... TRIDI
Troisième jour de la semaine .... MERCREDI
Troisième lettre de l'alphabet grec .... GAMMA
Troisième ordre majeur .... PRETRISE
Troisième partie de l'intestin grêle .... ILÉON
Troisième personne .... TIERS
Troisième poche digestive des oiseaux .... GÉSIER
Troisième roi des Hébreux .... SALOMON
Troisièmement .... TERTIO
Trolleybus .... TROLLEY
Trompe d'un insecte suceur .... SUÇOIR
Trompé .... COCU
Trompe-l'oeil .... FAÇADE
Tromper .... ABUSER • ACCROIRE • BLUFFER
                                    DÉJOUER • DUPER • ÉLUDER
                              ENCORNER • ENTUBER • FEINDRE
                                    FOURVOYER • LEURRER
Tromper par de fausses apparences .... MENTIR
Tromper, berner .... JOBARDER
Tromperie d'un imposteur .... IMPOSTURE
Tromperie hypocrite .... FOURBERIE
Tromperie .... ATTRAPE • BLUFF • DOL
                                  DUPERIE • FEINTE • LEURRE
                                  MENSONGE • TRICHE
Trompeur .... BLUFFEUR • DÉCEVANT
                                  INSIDIEUX • PIPEUR
Trompeuse .... MENTEUSE
Tronc d'arbre .... ÉCOT • FÛT • RONDIN
Tronc d'arbre abattu .... GRUME
Tronc .... BUSTE

Trouble du sujet qui ne peut
  se tenir debout . . . . ASTASIE
Troublé mentalement . . . . ATTEINT
Trouble . . . . ANARCHIE • DÉSARROI • VITREUX
Troubler la tranquillité . . . . INQUIETER
Troubler . . . . AFFOLER • AVEUGLER • BOULEVERSER
                                       DÉRÉGLER • ENIVRER • PERTURBER
Troué par les mites . . . . MITÉ
Trouée . . . . BRÈCHE • CLAIRIERE
Trouer . . . . PERCER • PERFORER
Troufion . . . . BIDASSE • PIOUPIOU
Trouillard . . . . PÉTEUX • POLTRON
Trouille . . . . FROUSSE • PEUR • PETOCHE
Troupe à cheval . . . . CAVALERIE
Troupe de cavaliers dans un carrousel . . . . QUADRILLE
Troupe de chiens . . . . MEUTE
Troupe de soldats au combat . . . . BATAILLON
Troupe passive de personnes . . . . TROUPEAU
Troupe . . . . ARMÉE • BANDE
                                       FOULE • COHORTE • HARPAIL
Troupeau de bêtes sauvages . . . . HARDE
Troupeau de ruminants sauvages . . . . HARDE
Troupeau . . . . BÉTAIL
Trousse . . . . ÉTUI • PHARMACIE
Trousseau à l'usage d'un nouveau-né . . . . LAYETTE
Trouvaille . . . . DÉCOUVERTE
Trouver . . . . DÉGOTER • DÉGOTTER
Truand . . . . BRIGAND • CRAPULE • MALFRAT
Truander . . . . TRICHER
Truc . . . . BIDULE • MACHIN • RUSE • TOUR
Truc, machin . . . . TRUCMUCHE
Truchement . . . . ENTREMISE
Truculent . . . . IMPAYABLE
Truffé . . . . BOURRÉ
Truqué . . . . FAUX
Truquer . . . . PIPER
Truquiste . . . . TRUQUEUR
Tsar . . . . TZAR
Tsigane . . . . TZIGANE • ZINGARO
Tuant . . . . PÉNIBLE
Tuant, usant . . . . ÉPUISANT

Tuba contrebasse	HÉLICON
Tube à deux électrodes	DIODE
Tube à trois électrodes	TRIODE
Tube contenant la poudre d'une cartouche	DOUILLE
Tube creux servant à lancer de petits projectiles	SARBACANE
Tube destiné à favoriser l'écoulement	DRAIN
Tube fluorescent	NÉON
Tube gradué	BURETTE
Tube pour enrouler du fil à coudre	FUSETTE
Tube recourbé	SIPHON
Tube respiratoire des nageurs sous-marins	TUBA
Tube	SONDE • TUYAU
Tubercule	NODULE
Tue-chien	COLCHIQUE
Tuer	ABATTRE • ÉGORGER IMMOLER • OCCIRE
Tuer à coups de pierre	LAPIDER
Tuer avec une arme à feu	BUTER
Tuer en sacrifice	IMMOLER
Tuer par asphyxie dans un liquide	NOYER
Tuer subitement	FOUDROYER
Tuer un animal par égorgement	SAIGNER
Tuerie	BOUCHERIE • CARNAGE
Tueur	ASSASSIN • NERVI
Tueur à gages	SICAIRE • SPADASSIN
Tuf calcaire	TRAVERTIN
Tuile, ennui	PÉPIN
Tuméfaction de l'oeil	COQUARD
Tuméfié	ENFLÉ
Tumeur à l'aspect d'un champignon	FONGUS
Tumeur au coude du cheval	ÉPONGE
Tumeur au jarret du cheval	JARDE • JARDON
Tumeur avec perforation, sur la peau des bovins	VARON
Tumeur bénigne de l'os	OSTÉOME
Tumeur bénigne qui se développe dans une glande	ADÉNOME
Tumeur bénigne	LIPOME
Tumeur conjonctive bénigne	FIBROME
Tumeur de la gencive	ÉPULIS

Tumeur du tissu musculaire . . . . MYOME
Tumeur d'une glande . . . . ADÉNOME
Tumeur formée par des tissus fibreux . . . . FIBROME
Tumeur inflammatoire de la gencive . . . . EPULIDE
Tumeur osseuse du canon du cheval . . . . SUROS
Tumeur qui se développe aux
   dépens d'une glande . . . . ADÉNOME
Tumeur sur la peau des bovins . . . . VARON
Tumeur . . . . BOUTON • CANCER
Tumulte . . . . CLAMEUR
Tumultueuse . . . . ORAGEUSE
Tumultueux . . . . ORAGEUX • TURBULENT
Tune . . . . THUNE
Tunique . . . . COTTE • ROBE
Tunique de l'oeil . . . . CORNÉE • RÉTINE
Tunique grecque dans l'Antiquité . . . . CHITON
Tunique moyenne de l'oeil . . . . UVÉE
Tunique sans manches . . . . GANDOURA
Tunnel . . . . SOUTERRAIN
Tuquon . . . . TUQUE
Turban . . . . BANDEAU
Turbulence . . . . AGITATION • REMOUS
Turbulent . . . . ESPIÈGLE • PÉTULANT • REMUANT
Turf . . . . HIPPISME
Turfiste . . . . PARIEUR
Turlupinant . . . . HERISSANT
Turlupiner . . . . EMMERDER • TRACASSER
Turpitude . . . . INDIGNITÉ
Turquoise . . . . TURQUIN
Tuteurer . . . . RAMER
Tuthie . . . . TUTIE
Tuyau . . . . BOISSEAU • PIPE
Tuyau en caoutchouc . . . . DURIT
Tuyau pour diriger la flamme
   sur les objets qu'on veut souder . . . . CHALUMEAU
Tuyau pour le transport à
   grande distance de fluides . . . . PIPELINE
Tuyauter . . . . RENSEIGNER • RANCARDER
                            RENCARDER
Tuyauterie . . . . CANALISATION
Type . . . . ÊTRE • GARS • GENRE • MEC

U

Uhlan	HASTAIRE • LANCIER
Ulcération superficielle	APHTE
Ulcération vénérienne	CHANCRE
Ulcération	CARIE
Ulcère qui ronge les chairs	CHANCRE
Ultérieur	FUTUR • POSTÉRIEUR
Ultérieurement	APRÈS
Ultime	DERNIER • EXTRÊME • FINAL
Ultra	MIEUX
Ultraviolets	UV
Ululer	HULULER
Un centième de florin	KREUTZER
Un certain nombre	PLUSIEURS
Un des cantons suisses de langue française	VAUD
Un des douze apôtres	JUDAS
Un des États unis d'Amérique	IDAHO • OHIO • OREGON LOUISIANE • MISSOURI • MONTANA TENNESSEE • TEXAS • UTAH VERMONT • VIRGINIE
Un des fils de Sem	ARAM
Un des jeux de l'orgue	RÉGALE
Un homme à la voix forte	STENTOR
Un litre de vin rouge	KIL
Un milliard de milliards	TRILLION
Un millier de milliards	BILLION
Un million de billions	TRILLION
Un million de hertz	MÉGAHERTZ
Un million de millions	BILLION
Un peu acide	SURET
Un peu bizarre	FARFELU • TOQUÉ
Un peu faible	FAIBLARD
Un peu folle	FOFOLLE
Un peu fou	ALLUME • FADA • FÊLÉ FOLLET • FOUFOU
Un peu fou, givré	FONDU
Un peu ivre	ÉMÉCHÉ • POMPETTE
Un peu jaune	JAUNET

Un peu maigre . . . . MAIGRIOT
Un peu niais . . . . BÉBÊTE
Un peu pâle . . . . PÂLICHON • PÂLOT
Un peu ridicule . . . . CUCUL
Un peu simple d'esprit . . . . SIMPLET
Un peu sur . . . . SURET
Un peu sure . . . . SURETTE
Un peu trop jeune . . . . JEUNET
Un peu trop long . . . . LONGUET
Un peu trop simple . . . . SIMPLET
Un quart de pinte . . . . DEMIARD
Un signe de moquerie . . . . NIQUE
Un temps fort long . . . . ÉTERNITÉ
Un . . . . CHACUN
Unau . . . . BRADYPE
Une année en contient quatre . . . . SAISON
Une des cyclades . . . . NIO
Une des langues officielles en Afghanistan . . . . DARI
Une des trois parties égales . . . . TIERS
Uni par traité . . . . ALLIÉ
Uni . . . . CONNEXE • UNICOLORE
Unifier . . . . FUSIONNER
Uniforme . . . . HOMOGÈNE
Uniformiser . . . . UNIFIER
Uniformité ennuyeuse . . . . MONOTONIE
Uniformité . . . . RÉGULARITÉ • UNITÉ • UNIVOCITE
Union des Démocrates
    pour la République . . . . UDR
Union des Républiques
    Socialistes Soviétiques . . . . URSS
Union d'une mortaise et
    d'un tenon par des chevilles . . . . ENLAÇURE
Union entre proches parents . . . . INCESTE
Union étroite des divers éléments
    d'un corps . . . . COHÉRENCE
Union légitime . . . . MARIAGE
Union pour la Démocratie Française . . . . UDF
Union . . . . ADHÉRENCE • ADHÉSION
                    ASSOCIATION • CONJONCTION
                    FUSION • LIGUE • SYNDICAT
Unique . . . . SINGULIER

Uniquement	SEULEMENT
Unir par syncope	SYNCOPER
Unir	ACCOLER • ACCOUPLER ADJOINDRE • ASSORTIR CIMENTER • CONJUGUER • LIER MARIER • MÊLER
Unité administrative	PAROISSE
Unité de finesse d'une fibre textile	TEX
Unité de force électromotrice	VOLT
Unité de fréquence des ondes	KILOHERTZ
Unité de longueur	MÈTRE
Unité de masse	GRAMME
Unité de mesure agraire	ARE
Unité de mesure calorifique	BTU
Unité de mesure d'angle plan	RADIAN
Unité de mesure de capacité	LITRE
Unité de mesure de capacité électrique	FARAD
Unité de mesure de densité de flux magnétique	TESLA
Unité de mesure de dose	GRAY
Unité de mesure de flux d'induction magnétique	WEBER
Unité de mesure de flux lumineux	LUMEN
Unité de mesure de fréquence	HERTZ
Unité de mesure de masse	GRAMME • KILO • TONNE
Unité de mesure de pression	TORR
Unité de mesure de puissance	WATT
Unité de mesure de résistance électrique	OHM
Unité de mesure de superficie	HECTARE
Unité de mesure de travail	JOULE • ERG
Unité de mesure de vitesse angulaire	RADIAN
Unité de mesure d'éclairement	LUX
Unité de mesure d'énergie	JOULE
Unité de mesure d'intensité	AMPÈRE
Unité de mesure en joaillerie	CARAT
Unité de mesure pour les bois de charpente	STÈRE
Unité de mesure thermique	TEC
Unité de mesure thermométrique	CELSIUS
Unité de mesure	GON • VERGE
Unité de puissance de mille watts	KILOWATT

Unité de puissance réactive . . . . VAR
Unité de quantité de chaleur . . . . THERMIE
Unité de quantité de matière . . . . MOLE
Unité de temps . . . . HEURE
Unité de viscosité dynamique . . . . POISE
Unité d'enseigment dans
    un programme éducatif . . . . MODULE
Unité d'équivalent de dose . . . . REM
Unité d'intensité des courants électriques . . . . AMPÈRE
Unité d'intensité du son . . . . DÉCIBEL
Unité d'intensité lumineuse . . . . CANDELA
Unité du discours . . . . PHRASE
Unité du lexique . . . . LEXIE
Unité égale au dixième du bel . . . . DÉCIBEL
Unité employée pour évaluer
    la quantité de chaleur . . . . CALORIE
Unité mécanique de contrainte . . . . PASCAL
Unité militaire de plusieurs compagnies . . . . BATAILLON
Unité monétaire . . . . DOLLAR
Unité monétaire allemande . . . . MARK
Unité monétaire bulgare . . . . LEV
Unité monétaire de la C.É.I. . . . . ROUBLE
Unité monétaire de la Corée . . . . WON
Unité monétaire de la Hongrie . . . . FILLER
Unité monétaire de la Jordanie . . . . DINAR
Unité monétaire de la Namibie . . . . RAND
Unité monétaire de la Pologne . . . . ZLOTY
Unité monétaire de la Suède . . . . ORE
Unité monétaire de l'Afrique du Sud . . . . RAND
Unité monétaire de l'Algérie . . . . DINAR
Unité monétaire de l'Autriche . . . . SCHILLING
Unité monétaire de l'Inde . . . . ROUPIE
Unité monétaire de l'Iran . . . . RIAL
Unité monétaire des Pays-Bas . . . . FLORIN
Unité monétaire du Cambodge . . . . RIEL
Unité monétaire du Danemark . . . . ORE
Unité monétaire du Japon . . . . YEN
Unité monétaire du Maroc . . . . DIRHAM
Unité monétaire du Pérou . . . . SOL
Unité monétaire du Venezuela . . . . BOLIVAR
Unité monétaire espagnole . . . . PESETA

Unité monétaire hongroise	FORINT
Unité monétaire israélienne	SHEKEL
Unité monétaire italienne	LIRE
Unité monétaire japonaise	SEN
Unité monétaire portugaise	ESCUDO
Unité monétaire principale de la Hongrie	FORINT
Unité monétaire principale de l'Albanie	LEK
Unité monétaire principale de l'Éthiopie	BIRR
Unité monétaire principale du Ghana	CÉDI
Unité monétaire principale du Portugal	ESCUDO
Unité monétaire roumaine (pl.)	LEI
Unité monétaire roumaine	LEU
Unité	COHÉSION • ÉLÉMENT • ITEM
Univers	MONDE
Universal Tranverse Mercator	UTM
Universalité	TOTALITÉ
Universel	MONDIAL
Université de Montréal	UM
Université	FAC
Urbain	CITADIN
Urbanité	AFFABILITÉ
Ure	URUS
Urgent	PRESSÉ
Urine	PIPI
Uriner	PISSER
Urne	VASE
Urus	BISON • URE
Usage	EMPLOI • HABITUDE • RÈGLE
Usage excessif	ABUS
Usager	UTILISATEUR
Usages	US
Usant	TUANT
Usé	AFFAIBLI • DECATI •DÉCRÉPIT DÉTÉRIORÉ • ÉCULÉ • ÉLIMÉ
User de ruse	FINASSER
User de	CONSOMMER • UTILISER
User jusqu'à la corde	RÂPER
User par abrasion	ABRASER
User par abrasion, par frottement	ABRASER
User par frottement	ABRASER • ÉRODER
User par le frottement	ÉLIMER

User un relief jusqu'à disparition . . . . ARASER
Usine où est fabriqué le fil . . . . FILATURE
Usine où le bois est débité en sciages . . . . SCIERIE
Usine où l'on fabrique de l'acier . . . . ACIÉRIE
Usine où l'on produit le coke . . . . COKERIE
Usine où l'on traite le riz . . . . RIZERIE
Usine qui produit du courant électrique . . . . CENTRALE
Usine, atelier de torréfaction . . . . BRÛLERIE
Ustensible de cuisine . . . . FRITEUSE
Ustensile à deux branches pour
   attiser le feu . . . . PINCETTE
Ustensile à long manche . . . . BALAI
Ustensile creux . . . . RÉCIPIENT
Ustensile de cuisine . . . . ÉCUMOIRE • GRIL • POÊLE
Ustensile de cuisine pour délayer . . . . MOUSSOIR
Ustensile de ménage . . . . PLUMEAU
Ustensile de nettoyage . . . . BROSSE
Ustensile destiné à arroser les plantes . . . . ARROSOIR
Ustensile électrique pour
   griller les toasts . . . . TOASTEUR
Ustensile pour dénoyauter les fruits . . . . VIDELLE
Ustensile servant à faire cuire
   sur le charbon . . . . GRIL
Ustensile servant à garder
   les plats chauds . . . . RÉCHAUD
Ustensile servant à la cuisson
   de tourtes . . . . TOURTIERE
Ustensile . . . . CUILLER
Usuel . . . . COUTUMIER • HABITUEL • USITÉ
Usuelle . . . . HABITUELLE
Usure des monnaies en circulation . . . . FRAI
Usure . . . . ABRASION • CADUCITÉ • RODAGE
Usurier . . . . PRÊTEUR
Usurpateur . . . . INTRUS
Usurpation et exercice du pouvoir
   par un tyran . . . . TYRANNIE
Usurpation . . . . ACCAPAREMENT
Usurper . . . . ACCAPARER • ENVAHIR
Ut . . . . DO
Utérus . . . . MATRICE
Utile au tannage . . . . TANNANT

V

Vacancier qui va dans un lieu de
  villégiature l'été . . . . ESTIVANT
Vacancier . . . . CAMPEUR
Vacant . . . . INHABITÉ • VIDE
Vacarme . . . . BOUCAN • CLAMEUR • FRACAS
                       SARABANDE • TAPAGE • TUMULTE
Vaccin contre la typhoïde . . . . TAB
Vaccin contre le venin de serpent . . . . ANAVENIN
Vachement . . . . RUDEMENT
Vacherie . . . . ÉTABLE • ROSSERIE
Vacillant . . . . BRANLANT
Vaciller sur ses jambes . . . . TITUBER
Vaciller . . . . TANGUER • CLIMAX
Vadrouiller . . . . ERRER
Va-et-vient . . . . BALANCEMENT • BERCEMENT
Vagabond qui parcourt les chemins . . . . CHEMINEAU
Vagabond . . . . ERRANT • NOMADE • ROUTARD
Vagabondage . . . . ERRANCE
Vagabonder . . . . ERRER • VAGUER • TRIMARDER
Vague à l'âme . . . . MÉLANCOLIE
Vague . . . . OBSCURITÉ • ÉVASIF • FLOU
Vaillance . . . . HARDIESSE • BRAVOURE
Vaillant . . . . BRAVE • PREUX • VALEUREUX
Vaincre . . . . BATTRE • ÉLIMINER
                         GAGNER • SURMONTER
Vaine gloire . . . . GLORIOLE
Vaine imagination . . . . CHIMÈRE
Vaine . . . . CREUSE • OISEUSE
Vainqueur . . . . GAGNANT • LAURÉAT
Vaisseau qui porte le sang
  du coeur aux organes . . . . ARTÈRE
Vaisseau spatial . . . . ASTRONEF • SPATIONEF
Vaisseau . . . . VEINE
Vaisselle d'argent . . . . GROSSERIE
Vaisselle . . . . PLONGE
Val . . . . VALLÉE
Valable . . . . VALIDE • ACCEPTABLE
Valet . . . . ESCLAVE

Valet de comédie . . . . PASQUIN
Valet de pied . . . . LAQUAIS
Valétudinaire . . . . CACOCHYME
Valeur . . . . ACCEPTION • CAPITAL • MÉRITE
PORTÉE • PRIX • QUALITÉ
Valeur en caisse . . . . ENCAISSE
Valeur énergétique . . . . CALORIE
Valeur la plus petite . . . . MINIMUM
Valeur morale . . . . MORALITÉ
Valeureux . . . . VAILLANT
Valide . . . . VALABLE
Valider . . . . COMPOSTER
Valise . . . . MALLE
Valise ou effets qu'on emporte
avec soi en voyage . . . . BAGAGES
Vallée de l'Argolide . . . . NÉMÉE
Vallée des Pyrénées centrales . . . . AURE
Vallée des Pyrénées espagnoles . . . . ARAN
Vallée des Pyrénées-Atlantiques . . . . ASPE
Vallée étroite et profonde
aux parois verticales . . . . CANYON
Vallée fluviale noyée par la mer . . . . RIA
Vallée sauvage . . . . RAVIN
Vallée très large . . . . VAL
Vallée . . . . VAL • VALLON
Vallon . . . . VALLÉE
Valoir . . . . COÛTER • MÉRITER
Valse lente . . . . BOSTON
Valser . . . . BOSTONNER
Valve . . . . DIODE
Vampire, sangsue . . . . SUCEUR
Vandaliser . . . . SACCAGER
Vandalisme . . . . BARBARIE
Vanesse . . . . VULCAIN
Vanité . . . . FATUITÉ • FIERTÉ • FUTILITÉ
INANITÉ • PRÉTENTION
OSTENTATION
Vanité tirée de petites choses . . . . GLORIOLE
Vaniteux . . . . INFATUÉ
Vanne . . . . DEVERSOIR
Vanné . . . . EXTENUE

Vannerie simple en paille	LACERIE
Vantail	BATTANT
Vantard	RODOMONT • TARTARIN
Vantardise	BLUFF
Vanter exagérément	SURFAIRE
Vanter	GLORIFIER • MOUSSER • PRÔNER
Vapeur d'eau	BUÉE • ROSÉE
Vapeur exhalée par un liquide chaud	FUMÉE
Vapeur invisible	GAZ
Vapeur qui se condense	ROSÉE
Vapeur	BUÉE • BRUME
Vaporeux	FLOU • TRANSPARENT
Vaporisateur	ATOMISEUR • SPRAY
Vaporiser	ARROSER • ATOMISER • PULVÉRISER
Varech	GOÉMON
Vareuse	CABAN
Variable	CHANGEANT • INSTABLE
Variante d'un film	VERSION
Variation	ALTERNANCE
Varié	BARIOLÉ • DIVERS
Varier	ALTERNER • CHANGER • FLUCTUER
Variété d'ail bisannuelle	POIREAU
Variété d'armoise	ABSINTHE
Variété de bananier	PLANTAIN
Variété de bruant commune en France	ZIZI
Variété de café	MOKA • ROBUSTA
Variété de calcédoine	AGATE
Variété de cerisiers qui produit les guignes	GUIGNIER
Variété de citronnier à fruit doux	LIMETTIER
Variété de corindon	RUBIS
Variété de coton produit en Égypte	JUMEL
Variété de courge consommée à l'état jeune	COURGETTE
Variété de daphné	GAROU
Variété de feldspath	ANDÉSITE
Variété de fève à petit grain	FÉVEROLE
Variété de groseillier à fruits noirs	CASSIS
Variété de haricot africain	NIÉBÉ
Variété de hibou	DUC

Variété de jade . . . . NÉPHRITE
Variété de laitue . . . . BATAVIA • ROMAINE
Variété de laitue, à feuilles ondulées
  et croquantes . . . . BATAVIA
Variété de lignite d'un noir luisant . . . . JAIS
Variété de luzerne à fleurs jaunes . . . . LUPULINE
Variété de mandarine à peau rouge . . . . TANGERINE
Variété de mésange . . . . NONNETTE
Variété de navet fourrager . . . . TURNEPS
Variété de parmesan . . . . GRANA
Variété de pâtes . . . . GNOCCHI
Variété de pêche . . . . PAVIE
Variété de perche . . . . ACHIGAN
Variété de petite olive . . . . PICHOLINE
Variété de peuplier . . . . LIARD
Variété de piment . . . . PAPRIKA
Variété de poivrier grimpant . . . . BÉTEL
Variété de pomme . . . . REINETTE
Variété de prune de couleur
  violet foncé . . . . QUETSCHE
Variété de réséda . . . . GAUDE
Variété de roche volcanique . . . . PONCE
Variété de sauge . . . . ORVALE
Variété de sorbier . . . . ALISIER
Variété de thon . . . . BONITE
Variété de thym . . . . SERPOLET
Variété de verre limpide . . . . CRISTAL
Variété de vignes à raisins oblongs . . . . OLIVETTE
Variété de vignes . . . . CÉPAGE
Variété d'euphorbe . . . . ÉPURGE
Variété d'opale employée
  en joaillerie . . . . GIRASOL
Variété d'orge commune . . . . PAUMELLE
Variété petite du lévrier d'Italie . . . . LEVRETTE
Variété régionale d'une langue . . . . DIALECTE
Variété transparente d'opale . . . . HYALITE
Variété . . . . ASSORTIMENT
Variole . . . . VÉROLE
Varlope . . . . RABOT
Varloper . . . . RABOTER
Vase à boire . . . . CALICE

Vase à boire en métal	HANAP
Vase à deux anses symétriques	AMPHORE
Vase à eau bénite	BÉNITIER
Vase à flancs arrondis	URNE
Vase à long col	MATRAS
Vase antique à deux anses	AMPHORE
Vase antique	CRATÈRE
Vase en forme de cruche	BUIRE
Vase grec à anse	LÉCYTHE
Vase permettant de faire uriner les hommes alités	URINAL
Vase sacré	CALICE • CIBOIRE • PATÈNE
Vase sacré, à couvercle	CIBOIRE
Vase	BOURBE • POT • URNE
Vaseux	VASARD
Vasouiller	MERDOYER
Vassal n'ayant pas reçu de fief	BACHELIER
Vaste	AMPLE • GRAND • IMMENSE SPACIEUSE • SPACIEUX
Vaste bassin de l'Amérique du Sud	AMAZONIE
Vaste bassin	GOLFE
Vaste étendue couverte de dunes dans les déserts de sable	ERG
Vaste étendue d'eau salée	MER • OCÉAN
Vaste étendue plane	NAPPE
Vaste étendue	MER
Vaste local	SALLE
Vaste pâturage	PRAIRIE
Vaste paysage	PANORAMA
Vaste peinture murale	FRESQUE
Vaste péninsule de l'extrémité S.-O. De l'Asie	ARABIE
Vaste plaine d'Amérique du Sud	PAMPA
Vaste résidence d'un chef d'État	PALAIS
Vaudois du Piedmont puis calviniste des Cévennes	BARBET
Vaurien	CANAILLE • GOUAPE • PENDARD SACRIPANT • VOYOU
Vaut 1/100 d'un forint	FILLER
Vautour de petite taille	URUBU
Vautour fauve	GRIFFON

Veau mort-né	VELOT
Vécés	W-C
Vedette	ÉTOILE • STAR
Vedette admirée du public	IDOLE
Végétal aquatique	ALGUE
Végétal ligneux	ARBRE
Végétal sans racines	ALGUE
Végétal	PLANTE
Végétalien	HERBIVORE
Végétation arctique de mousses et de lichens	TOUNDRA
Végétation d'arbrisseaux	BROUSSE
Végétation	VERDURE
Végéter	VIVOTER • VIVRE
Véhémence	VIRULENCE
Véhicule à deux roues de diamètres différents	BICYCLE
Véhicule à deux roues	MOTO
Véhicule à moteur à deux roues	SCOOTER
Véhicule à patins que l'on traîne sur la neige	TRAINEAU
Véhicule à une ou deux roues	BROUETTE
Véhicule aménagé en bibliothèque	BIBLIOBUS
Véhicule automobile de transport en commun	AUTOBUS
Véhicule automoteur pour le transport sur rail	AUTORAIL
Véhicule d'entraînement	MULET
Véhicule ferroviaire	FOURGON
Véhicule qui tient lieu de bibliothèque	BIBLIOBUS
Véhicule rapide	BOLIDE
Véhicule sans moteur destiné à être tiré	REMORQUE
Véhicule servant aux travaux agricoles	TRACTEUR
Véhicule spatial	ASTRONEF • NAVETTE
Véhicule sur rails	WAGON
Véhiculer	CAMIONNER • VOITURER
Veille	HIER
Veille de certaines fêtes religieuses	VIGILE
Veille du 1er novembre	HALLOWEEN
Veillée	SOIRÉE
Veilleur de nuit	VIGILE
Veinard	HEUREUX • VERNI

Veine	CHANCE • FILON • VAISSEAU
Veiner	JASPER
Vélar	VIOLIER
Vêlement	VELAGE
Vélo	BÉCANE
Vélo à trois roues	TRICYCLE
Vélo tout terrain	BICROSS
Vélocipède à deux roues de taille inégale	BICYCLE
Vélocité	CÉLÉRITÉ • RAPIDITÉ • VITESSE
Velours de coton	VELVET
Velouté	DOUX • ONCTUEUX
Veloutée	ONCTUEUSE
Velu	POILU
Venant	ISSANT
Vendangeur	VIGNERON
Vendeur	COMMIS
Vendeur de drogues	DEALER
Vendre au détail	DÉBITER • REVENDRE
Vendre ce qu'on a acheté	REVENDRE
Vendre hors d'un pays	EXPORTER
Vendre par licitation	LICITER
Vendre rapidement à bas prix	BAZARDER
Vendre	TRAHIR
Venelle	RUELLE
Vénéneux	VENIMEUX
Vénérable	AUGUSTE • SACRÉ • SAINT
Vénération	ADORATION • RÉVÉRENCE
Vénérer	HONORER • IDOLATRER RESPECTER • RÉVÉRER
Vengeance	REVANCHE
Vengeur	RANCUNIER
Venimeuse	HAINEUSE
Venimeux	HAINEUX • VIPERIN
Venin	POISON
Venir au monde	NAÎTRE
Venir avec	ACCOMPAGNER
Venir en abondance	PLEUVOIR
Venir en courant	ACCOURIR
Venir en hâte	ACCOURIR
Venir en se pressant	ACCOURIR

Vent	ALIZÉ • BRISE • PET
Vent chaud des Alpes	FOEHN • FÖHN
Vent chaud et sec des montagnes Rocheuses	CHINOOK
Vent des Rocheuses	CHINOOK
Vent d'est originaire du Sahara	HARMATTAN
Vent d'ouest dans le bas Languedoc	CERS
Vent doux et agréable	ZÉPHYR
Vent du nord-est	BORA • NORDET
Vent du nord-ouest	NOROÎT
Vent du sud, en Suisse	FÖHN
Vent du sud-ouest	SUROÎT
Vent entre le nord et l'ouest	GALERNE
Vent saisonnier	MOUSSON
Vent sec	BISE
Vent tropical	MOUSSON
Vent violent	MISTRAL
Vente aux enchères	ENCAN
Vente de seconde main de menues denrées	REGRAT
Vente publique aux enchères	CRIÉE
Vente publique de soldes	BRADERIE
Vente rapide	DÉBIT
Venté	VENTEUX
Venteux	VENTÉ
Ventilateur	AÉRATEUR
Ventilation	AÉRAGE
Ventiler	AÉRER
Ventouse ambulacraire des échinodermes	PODION
Ventre rebondi	BEDAINE • BRIOCHE
Ventre	ABDOMEN • BEDON • BIDE • BRIOCHE
Ventripotent	VENTRU
Ventru	CORPULENT • PANSU • VENTRIPOTENT
Venu	ISSU
Venu à l'état liquide	FONDU
Venu en courant	ACCOURU
Venu en hâte	ACCOURU
Venu très rapidement à un lieu donné	ACCOURU
Venue à l'état liquide	FONDUE

Venue au monde	NAISSANCE
Venue inopinée	SURVENUE
Venue	ACCESSION • APPARITION APPROCHE • AVÈNEMENT
Ver blanc	MAN
Ver de terre	LOMBRIC
Ver long et fin	FILAIRE
Ver luisant	CICINDÈLE
Ver marin vivant dans la vase	NÉRÉIDE
Ver marin	NÉRÉIS • SERPULE
Ver parasite de l'intestin des mammifères	TÉNIA
Ver parasite	FILAIRE
Ver plat d'eau douce carnivore	PLANAIRE
Ver plat et segmenté	TÉNIA
Ver plat parasite	DOUVE
Ver qui suce le sang des vertébrés	SANGSUE
Véracité	AUTHENTICITÉ
Véranda	GALERIE • TERRASSE
Verbal	ORAL
Verbiage	BAVARDAGE • PAPOTAGE
Verdâtre	GLAUQUE • OLIVÂTRE
Verdeur	VIGUEUR
Verdict	RÉPONSE • SENTENCE
Verdure	HERBE
Verge	PÉNIS • PHALLUS
Verger d'orangers	ORANGERAIE
Verger	PLANTATION
Vergeture	VIBICE
Vergetures	VIBICES
Verglas	FRIMAS
Vergue longue et mince des voiles latines	ANTENNE
Véridicité	VÉRACITÉ
Véridique	VÉRACE
Vérificateur	MIREUR • VERIFIEUR
Vérification d'un texte d'après les manuscrits	RECENSION
Vérification	CONTRÔLE • TEST • RÉVISION
Vérifier	CONTRÔLER • ESSAYER • TESTER
Vérisme	REALISME

Véritable	RÉEL • SINCÈRE • VRAI
Vérité	AUTHENTICITÉ • RÉALITÉ
Vermiforme	CAECUM
Vermouth	MARTINI
Vernir la poterie	VERNISSER
Vernis à ongles non transparent	LAQUE
Vernis	ÉMAIL • ENDUIT
Verrat	PORC
Verre à bière	BOCK
Verre à pied, haut et étroit	FLÛTE
Verre coloré en bleu par l'oxyde de cobalt	AZUR
Verre de bière	DEMI
Verre de sécurité	PLEXIGLAS
Verre d'une boisson	GLASS
Verre épais d'un blanc laiteux	OPALINE
Verre fabriqué en Bohême	BOHÈME
Verre feuilleté de sécurité	TRIPLEX
Verre optique	MONOCLE
Verre poli	MIROIR
Verre très résistant	PYREX
Verre	COUPE • LENTILLE
Verrière	VITRAGE
Verrue des bovins	FIC
Versant d'une montagne exposé au nord	UBAC
Versant exposé au soleil	ADRET
Versatile	CAPRICIEUX
Versé	CAPABLE • CONNAISSEUR
Versement	DÉPÔT
Verser de l'argent, dépenser	DÉBOURSER
Verser	DÉVERSER • ÉPANDRE • SERVIR
Verser, répandre	ÉPANCHER
Verset chanté avant et après un psaume	ANTIENNE
Verset chanté avant un psaume	ANTIENNE
Version	TRADUCTION
Verso	ENVERS
Verso d'une lettre	DOS
Versus	CONTRE • VS
Vert pâle	CELADON
Vert-de-gris utilisé en teinture	VERDET

Verte réprimande . . . . SAVON
Vertébral . . . . RACHIDIEN
Vertébré couvert de plumes et
  muni d'ailes . . . . OISEAU
Vertébré inférieur, vivant dans l'eau . . . . POISSON
Vertébré ovipare . . . . OISEAU
Vertébré rampant . . . . REPTILE
Verticalement . . . . DEBOUT
Vertu . . . . MÉRITE • QUALITÉ
Vespasienne . . . . URINOIR
Vesse . . . . PET
Vessie de caoutchouc gonflée d'air . . . . BALLON
Veste . . . . REDINGOTE • VESTON
Veste chaude à capuchon . . . . ANORAK
Veste courte à capuche, chaude
  et imperméable . . . . PARKA
Veste courte et ample, serrée à la taille . . . . . BLOUSON
Veste de jockey . . . . CASAQUE
Veste de sport en flanelle . . . . BLAZER
Veste de sport . . . . ANORAK • VAREUSE
Veste d'un complet masculin . . . . VESTON
Veste en peau de mouton . . . . TOULOUPE
Veste en tissu bleu marine . . . . BLAZER
Veste rayée aux couleurs
  d'un collège anglais . . . . BLAZER
Veste resserrée aux hanches . . . . BLOUSON
Vestibule . . . . ENTRÉE • HALL
Vestige . . . . ÉPAVE • RUINE • SILLAGE
Vêtement à capuchon . . . . COULE
Vêtement ample . . . . SIMARRE
Vêtement court . . . . CAMISOLE
Vêtement court sans manches . . . . GILET
Vêtement d'apparat des Romains . . . . TOGE
Vêtement de bain . . . . MAILLOT
Vêtement de bébé fermé dans le dos . . . . . . BRASSIÈRE
Vêtement de certaines
  peuplades d'Afrique . . . . PAGNE
Vêtement de choeur . . . . CAPPA
Vêtement de dessus . . . . CAPE
Vêtement de nuit ou d'intérieur . . . . PYJAMA
Vêtement de nuit . . . . PYJAMA

Vêtement de travail	BLOUSE • SALOPETTE • SARRAU
Vêtement d'homme	REDINGOTE
Vêtement ecclésiastique	AUBE
Vêtement en laine	LAINAGE
Vêtement en lambeaux	GUENILLE
Vêtement féminin	CORSAGE
Vêtement féminin très collant	BODY
Vêtement imperméable	CIRÉ
Vêtement japonais	KIMONO
Vêtement liturgique	CAPPA • ÉTOLE • SURPLIS
Vêtement long	SOUTANE
Vêtement masculin	PARDESSUS
Vêtement oriental ample et long	CAFTAN
Vêtement oriental très ample	CAFTAN
Vêtement porté sur la toge	ÉPITOGE
Vêtement qui couvre le torse	CHEMISE
Vêtement souple qui moule le corps	MAILLOT
Vêtement traditionnel des Tahitiens	PAREO
Vêtement	COSTUME • CULOTTE • FRINGUE
	HABIT • NIPPE • PALETOT • ROBE
	SAPE • VESTE
Vêtements très abîmés	LOQUES
Vêtements très usés	HARDES
Vêtements usagés	NIPPES
Vêtements	EFFETS
Vétille	BAGATELLE • BROUTILLE • RIEN
Vétilleux	CHICANEUR
Vêtir	COSTUMER • HABILLER • NIPPER
Veto	REFUS
Vêtu de loques	LOQUETEUX
Vêtu	HABILLÉ• MIS
Veule	CHIFFE
Veuvage	VIDUITÉ
Veuve qui s'immolait sur le bûcher funéraire de son mari, en Inde	SATI
Vexant	FROISSANT
Vexation	AVANIE • BRIMADE
Vexer	FROISSER • HUMILIER
Via	PAR
Viaduc	PONT
Viande bouillie	BOUILLI

Viande cuite longuement
  dans sa graisse . . . . RILLETTES
Viande de mauvaise qualité . . . . CARNE
Viande du gibier . . . . GIBIER
Viande dure . . . . CARNE
Viande fricassée . . . . FRICASSÉE
Viande frigorifiée . . . . FRIGO
Viande fumée . . . . BOUCAN
Viande grillée . . . . GRILLADE
Viande que l'on mange crue . . . . TARTARE
Viande vendue en boucherie . . . . VEAU
Vibrateur . . . . VIBREUR
Vibration sonore . . . . ULTRASON
Vibrer . . . . FRÉMIR • PALPITER • TREMBLER
Vibreur . . . . RONFLEUR
Vice . . . . CORRUPTION
Vicié . . . . IMPUR
Vicier . . . . DÉNATURER • POURRIR
Vicieux . . . . DÉPRAVÉ • PERVERS • VIOC
Victime . . . . PROIE
Victoire de Napoléon . . . . IÉNA
Victoire . . . . GAIN • RÉUSSITE
Victorieux . . . . VAINQUEUR
Victuailles . . . . VIVRES
Vidanger . . . . PURGER • VIDER
Vide de sens . . . . CREUX
Vide ou incomplètement chargé . . . . LÈGE
Vide . . . . CAVITÉ • CREUX • DÉSERT
                               VAIN • VACUUM
Vide-bouteille . . . . IVROGNE
Vider l'eau d'un bateau . . . . ÉCOPER
Vider . . . . DÉGARNIR • ÉPUISER
                               ÉTRIPER • HARASSER
Vie en commun d'un couple . . . . MÉNAGE
Vie humaine dans sa durée . . . . ÂGE
Vieillard crédule . . . . GÉRONTE
Vieillard . . . . BIRBE • VIEUX
Vieille chaussure . . . . SAVATE
Vieille femme méchante . . . . SORCIÈRE
Vieille voiture automobile . . . . TACOT
Vieille voiture . . . . GUIMBARDE

Vieille	ANCIENNE
Vieillesse extrême	DÉCRÉPITUDE
Vieillesse	CADUCITÉ • DÉCLIN
Vieilli	VIEIL
Vieillissement très précoce	SÉNILISME
Vieillissement	SCLÉROSE
Vieillot	DÉMODÉ
Vient après l'aîné	CADET
Vierge	INEXPLORE • MADONE • ROSIERE
Vietnamien	ANNAMITE
Vieux bateau	RAFIOT
Vieux bouc	BOUQUIN
Vieux cheval	CARNE
Vieux lambeau d'étoffe	HAILLON
Vieux livre	BOUQUIN
Vieux registre du Parlement de Paris	OLIM
Vieux vêtement	FRIPE
Vieux	ÂGÉ • ANCIEN • ANTIQUE
	VIEIL • VIOQUE
Vieux, affaibli par l'âge	DÉCRÉPIT
Vif et enjoué	SÉMILLANT
Vif et pénétrant	PERÇANT
Vif plaisir des sens	VOLUPTÉ
Vif	AGILE • ANIMÉ • CUISANT • ÉVEILLÉ
	PÉTILLANT • PÉTULANT
	RECEPTIF • VIVANT
Vifs reproches	FOUDRES
Vigie	SENTINELLE
Vigne blanche	CLEMATITE
Vigne cultivée en hauteur	HAUTIN
Vigoureusement	FORT
Vigoureux malgré son âge avancé	VERT
Vigoureux	FORT
Vigueur nouvelle	REGAIN
Vigueur	ARDEUR • FORCE • NERF
	VERDEUR • VIE • VITALITÉ
Vigueur, ressort	TONUS
Vil flatteur	LECHEUR
Vilain	DÉTESTABLE • MÉCHANT
Vilebrequin	MANIVELLE
Vilenie	BASSESSE • INDIGNITÉ

Vilipender	BASSESSE • VITUPÉRER
Village	BOURG • LOCALITÉ
Village chez les Hottentots	KRAAL
Village éloigné	BLED
Village fortifié de l'Afrique du Nord	KSAR
Village fortifié	BASTIDE
Ville à l'est du lac Saint-Jean	ALMA
Ville à l'ouest de Montréal	LACHINE
Ville au sud-ouest de Montréal	DORVAL
Ville au sud-ouest de Québec	SILLERY
Ville d'Afghanistan	HARAT • HERAT
Ville d'Algérie orientale	STIF
Ville d'Algérie	ALGER • BATNA • ORAN • SAIDA • SÉTIF
Ville d'Allemagne	AACHEN • BONN • BRÊME • CELLE
	ESSEN • FULDA • GERA • HAGEN
	HALLE • HANAU • HERNE • HOF
	IÉNA • LINDAU • LUNEN • MARL
	NEUSS • SIEGEN • SPIRE • ULM
Ville d'Angleterre	HOVE
Ville d'Arabie saoudite	MÉDINE
Ville d'Argentine	SALTA
Ville d'Australie, sur l'océan Indien	ADÉLAÏDE
Ville d'Autriche	LINZ • VIENNE • WELS
Ville de Belgique	AALST • ANVERS • ATH • BRUGES
	DIEST • DINANT • EEKLO • GAND
	HUY • IEPER • LÉAU • LIÈGE • MENEN
	MONS • NAMUR • NINOVE • THUIN
	TIELT • WAVRE
Ville de Birmanie	PEGU • PROME
Ville de Bolivie	ORURO
Ville de Bulgarie	RUSE • SOFIA
Ville de Californie	ANAHEIM
Ville de Colombie méridionale	PASTO
Ville de Colombie	ARMENIA • CALI • NEIVA
Ville de Croatie	PULA
Ville de Finlande	ESBO • ESPOO • LAHTI • VANTAA
Ville de Floride	MIAMI
Ville de France	ELNE • PARIS • ROUEN
Ville de Galilée	CANA
Ville de Grande-Bretagne	BATH • BOLTON • ELY • EPSOM
	ETON • LUTON • RUGBY • WELLS
Ville de Grèce	ARGOS • ARTA • LAMIA • LARISSA

Ville de Guinée .... FRIA • LABÉ
Ville de Haute-Égypte .... EDFOU
Ville de Hongrie .... EGER • PECS
Ville de la banlieue de Montréal ... LASALLE • OUTREMONT • VERDUN
Ville de la C.É.I. .... EREVAN • ERIVAN • OREL
Ville de la Corée du Sud .... TAEGU
Ville de la Côte d'Azur .... NICE
Ville de la Côte d'Ivoire .... ABIDJAN • MAN
Ville de la Floride .... TAMPA
Ville de la Jordanie .... IRBID
Ville de la Montérégie .... LONGUEUIL • PINCOURT
TRACY • VARENNES
Ville de la Palestine .... GAZA
Ville de la région de l'Outaouais .... HULL
Ville de la République tchèque .... BRNO • MOST • OPAVA
Ville de la Suède méridionale .... LUND
Ville de la Tunisie méridionale .... GAFSA
Ville de Lanaudière .... LACHENAIE • MASCOUCHE
TERREBONNE
Ville de l'Écosse .... NAIRN
Ville de l'Égypte ancienne .... TANIS
Ville de l'Égypte méridionale .... ASSOUAN
Ville de l'île de Taïwan .... ILAN
Ville de l'Inde .... AGRA • AKOLA • DELHI • ELLORE
ELURU • GAYA • INDORE • MEERUT
PATNA • PUNE • SALEM • SIMLA
Ville de l'Iran .... ARAK • QOM • QUM
Ville de l'Italie méridionale .... OTRANTE
Ville de l'Ohio .... TOLEDO
Ville de l'Ontario .... TORONTO
Ville de l'ouest de la Roumanie .... RESITA
Ville de l'Outaouais .... VANIER
Ville de Malaisie .... IPOH
Ville de Mésopotamie .... ÉDESSE
Ville de Moldavie .... BALTI
Ville de Norvège .... OSLO
Ville de Pologne .... OPOLE • SOPOT • TORUN
Ville de Roumanie .... BACAU • BRAILA • BRASOV
IASI • SIBIU
Ville de Russie .... MOSCOU • OUFA • PENZA • TOULA
Ville de Slovaquie .... NITRA
Ville de Suède .... BORAS • MOTALA • STOCKHOLM

Ville de Suisse	AARAU • AIGLE • ARBON • AROSA BADEN • BÂLE • BERNE • LUCERNE LUGANO • MORAT • OLTEN • SION
Ville de Syrie	ÉMÈSE • HOMS
Ville de Tunisie	NABEUL • TUNIS
Ville de Turquie	NICÉE • URFA
Ville de Yougoslavie	BOR • NIS
Ville d'Écosse	PERTH
Ville des basses Laurentides	ROSEMÈRE
Ville des Cantons-de-l'Est	MAGOG
Ville des États-Unis	ATLANTA
Ville des Laurentides	LACHUTE • MIRABEL
Ville des Pays-Bas	ASSEN • BREDA • EDAM • EDE EMMEN • VENLO • ZEIST
Ville d'Espagne	ALCOY • AVILA • CADIX • CUENCA ELCHE • IRUN • JAEN • LEON • LÉRIDA LORCA • LUGO • MADRID • MÉRIDA ORENSE • OVIEDO • REUS • SORIA TARRASA • TOLÈDE • VALENCE
Ville d'Espagne, capitale de la Catalogne	BARCELONE
Ville d'Éthiopie	ASMARA • HARAR
Ville d'Indonésie	BOGOR
Ville d'Irak	ARBIL • ERBIL • HILLA
Ville d'Israël	LOD
Ville d'Italie	ANDRIA • AOSTE • ASTI • BAIES BOLOGNE • BRESCIA • CESENA• CÔME CUNEO • ÉLÉE • ENNA • ERICE • ESTE FLORENCE • FORLI • GÊNES • IMOLA IVRÉE • LATINA • LECCE • LECCO • LODI MASSA • MENTANA • MILAN • MOLA MONZA • NAPOLI • ORVIETO • PARME • PAVIE
Ville d'Oklahoma	TULSA
Ville du Bas-Saint-Laurent	RIMOUSKI • MATANE
Ville du Brésil	CAMPOS
Ville du Cameroun	ÉDÉA
Ville du Chili central	TALCA
Ville du Chili méridional	OSORNO
Ville du Chili	SANTIAGO • TALCA
Ville du Ghana	ACCRA • TAMALE

Ville du Japon . . . . AKITA • FUJI • ITAMI • KOFU • MITO
NAGANO • NARA • OITA • OMIYA • OMUTA
OSAKA • OTSU • SAGA • SAKAI • SUITA
TOYAMA • TOYOTA • TSU • UJI • YAO
Ville du Liban . . . . SAIDA
Ville du Luxembourg méridional . . . . SANEM
Ville du Mali . . . . GAO • MOPTI • SÉGOU
Ville du Maroc septentrional . . . . NADOR
Ville du Maroc . . . . FÈS • TAZA
Ville du Mexique . . . . MÉRIDA • MEXICO
Ville du Mexique central . . . . LEON
Ville du Mexique occidental . . . . TEPIC
Ville du Michigan . . . . DETROIT
Ville du Népal . . . . PATAN
Ville du Nevada . . . . RENO
Ville du Nigeria oriental . . . . ENUGU
Ville du Nigeria . . . . ILA • ILESHA • ILORIN
JOS • KANO • ZARIA
Ville du nord de la Syrie . . . . HAMA
Ville du nord de la Tunisie . . . . BÉJA
Ville du nord de l'Angleterre . . . . LEEDS
Ville du nord du Pérou . . . . PIURA
Ville du nord-est de la Bulgarie . . . . SUMEN
Ville du nord-est du Brésil . . . . OLINDA
Ville du nord-ouest de la Bulgarie . . . . VRACA
Ville du nord-ouest de la Syrie . . . . ALEP
Ville du Pakistan . . . . LAHORE
Ville du Pérou . . . . ICA • LIMA
Ville du Portugal . . . . BRAGA • ÉVORA • FATIMA • LISBONNE
Ville du Québec . . . . ALMA • AMOS • ANJOU • ARVIDA
LACHINE • LACHENAIE • LACHUTE
LASALLE • LONGUEUIL • MAGOG
MASCOUCHE • MATANE • MIRABEL
MONTRÉAL • OUTREMONT • PINCOURT
RIMOUSKI • ROBERVAL • ROSEMRE
SILLERY • TERREBONNE • TOMAR
TRACY • VANIER • VARENNES • VERDUN
Ville du Québec, dans l'Estrie . . . . MAGOG
Ville du Québec, sur le Saint-Laurent . . . . SOREL
Ville du Saguenay-Lac-Saint-Jean . . . . ARVIDA • ROBERVAL
Ville du Sénégal . . . . THIÈS

Ville du Soudan . . . . MÉROÉ
Ville du sud de l'Inde . . . . ERODE • MAHE
Ville du sud-est du Nigeria . . . . ABA
Ville du sud-ouest du Nigeria . . . . EDE • IFE • OYO
Ville du Tchad méridional . . . . SARH
Ville du Texas . . . . AUSTIN • DALLAS
Ville du Venezuela . . . . VALENCIA
Ville du Viêt Nam . . . . HUÊ
Ville d'Ukraine . . . . ROVNO • TOREZ • YALTA
Ville en Estrie . . . . EASTMAN
Ville ensevelie par le Vésuve . . . . POMPÉI
Ville éternelle . . . . ROME
Ville importante . . . . CITÉ
Ville principale . . . . MÉTROPOLE
Villégiateur . . . . ESTIVANT
Vin apéritif et tonique . . . . QUINQUINA
Vin blanc de Chablis . . . . CHABLIS
Vin blanc de Chablis, en Bourgogne . . . . CHABLIS
Vin blanc liquoreux de Sauternes . . . . SAUTERNES
Vin blanc mousseux du Midi . . . . CLAIRETTE
Vin blanc récolté dans le Sancerrois . . . . SANCERRE
Vin blanc sec récolté à Chablis . . . . CHABLIS
Vin blanc sec . . . . XÉRÈS
Vin blanc très fruité . . . . SAUTERNES
Vin blanc . . . . ASTI
Vin de Bordeaux . . . . BORDEAUX
Vin de l'île de Madère, sec et doux . . . . MADERE
Vin de liqueur charentais . . . . PINEAU
Vin de liqueur . . . . MUSCAT • PORTO
Vin de qualité ordinaire . . . . PINARD
Vin doux et sucré . . . . MUSCAT
Vin du Mâconnais . . . . MÂCON
Vin d'un cru renommé du Beaujolais . . . . JULIENAS
Vin liquoreux . . . . MALAGA
Vin médiocre . . . . PIQUETTE • VINASSE
Vin produit en Sicile . . . . MARSALA
Vin récolté aux environs de Tavel . . . . TAVEL
Vin renommé de Bourgogne . . . . CORTON
Vin rosé . . . . TAVEL
Vin rouge clairet . . . . PAILLET
Vin rouge de Bourgogne . . . . POMMARD

Vin rouge ordinaire . . . . PINARD
Vin rouge suisse du Valais . . . . DÔLE
Vin rouge . . . . MÉDOC
Vin . . . . ALIGOTE • PICCOLO • PICRATE
RIESLING • XÉRÈS
Vinaigrette . . . . POIVRADE
Vinasse . . . . PICRATE
Vindicatif . . . . RANCUNIER
Vingt-cinq . . . . QUARTERON
Vingtième lettre de l'alphabet grec . . . . UPSILON
Violacé . . . . VIOLET
Violation . . . . INFRACTION
Violation de la loi . . . . CRIME
Violation de serment . . . . PARJURE
Violence impétueuse . . . . FURIE • VOLCAN
Violence . . . . ÂPRETÉ • VIRULENCE
Violent . . . . AGRESSIF • ÂPRE • IMPULSIF • OFFENSIF
TORRENTIEL • TORTIONNAIRE

Violente dispute accompagnée
de coups . . . . BAGARRE
Violente douleur abdominale . . . . COLIQUE
Violente perturbation atmosphérique . . . . TEMPÊTE
Violente . . . . AGRESSIVE
Violer son serment (Se) . . . . PARJURER
Violer une chose sacrée . . . . PROFANER
Violer . . . . DÉROGER
Violon d'Ingres . . . . HOBBY
Violoniste de village . . . . MÉNÉTRIER • VIOLONEUX
Violoniste populaire . . . . VIOLONEUX
Violoniste russe naturalisé
américain né en 1920 . . . . STERN
Viorne . . . . CLEMATITE
Vipère d'Afrique . . . . CÉRASTE
Vipère des montagnes,
vivant en Europe . . . . ASPIC
Vipère . . . . OPHIDIEN
Virage, en ski . . . . STEM • STEMM
Virée . . . . RANDONNÉE • TOURNÉE
Virginal . . . . MARIAL
Virginité . . . . PUCELAGE
Viril . . . . MÂLE

Virologiste	VIROLOGUE
Virtuel	POSSIBLE • POTENTIEL
Virtuelle	POTENTIELLE
Virtuosité	BRIO
Virulence	VIOLENCE
Virulent	ACERBE
Virulicide	VIROCIDE
Virus du sida	LAV
Vis	PITON • SPIRALE
Visage	BINETTE • FACE • FIGURE GUEULE • MUSEAU
Visage d'enfant	FRIMOUSSE
Visage rougeaud	TROGNE
Vis-à-vis	DEVANT
Viscère pair qui sécrète l'urine	REIN
Viscères	ABATS
Visé plus haut	SUSVISÉ
Viser avec une arme à feu	MIRER
Visible	APPARENT • DISTINCT
Vision globale	SYNTHÈSE
Vision objective et sans illusion de la réalité	REALISME
Vision	APPARITION • FANTÔME REVENANT • VUE
Visionnaire	DEVIN • HALLUCINÉ • ILLUMINÉ
Visité par des fantômes	HANTÉ
Visiter	VOISINER
Visqueux	GLUANT • SIRUPEUX
Visuel	OCULAIRE
Vital	ESSENTIEL • PRIMORDIAL
Vitalité	ARDEUR • JOUVENCE • VIE
Vitamine B1	THIAMINE
Vite	RAPIDE
Vitesse acquise d'un navire	ERRE
Vitesse acquise	LANCEE
Vitesse d'exécution d'une oeuvre	TEMPO
Vitesse	VÉLOCITÉ
Viticulteur	VIGNERON
Vitrail de grande dimension	VERRIÈRE
Vitrail	VITRAGE
Vitre arrière d'une automobile	LUNETTE

Vitre	GLACE • VERRE
Vitrerie	VERRERIE
Vitrine	ÉTALAGE • MONTRE • VITRE
Vitriol	SULFATE
Vitupérer	CRITIQUER
Vivacité gaie, entraînante	ALACRITÉ
Vivacité turbulente	PÉTULANCE
Vivacité	ALACRITÉ • MORDANT TONICITE • VERVE
Vivant	ANIMÉ • VIF
Vivat	ACCLAMATION
Vive agitation	FIÈVRE
Vive compétition, lutte	BAGARRE
Vive démangeaison	PRURIT
Vive discussion	ALTERCATION
Vive inquiétude	ALARME
Vive	SPIRITUELLE
Vivoter	VÉGÉTER • VIVRE
Vivre au ralenti	VIVOTER
Vivre en nomade	NOMADISER
Vivre	EXISTER • MUNITION
Vivres	MUNITIONS
Vocabulaire populaire	ARGOT
Vocabulaire	LEXIQUE
Vocaliser	CHANTER
Vocation	DESTINÉE • RÔLE • SACERDOCE
Vociférer	GUEULER • HURLER • TONITRUER
Voeu	DÉSIR • SOUHAIT
Vogue	POPULARITÉ
Voici de nouveau	REVOICI
Voici	VOILÀ
Voie	CHEMIN • PISTE • ROUTE
Voie aérienne	VIADUC
Voie bordée d'arbres	ALLÉE
Voie d'accès	AVENUE
Voie urbaine	RUE
Voies de fait	SÉVICES
Voilage	RIDEAU
Voile basse du mât de l'avant	MISAINE
Voile d'avant sur les voiliers modernes	SPI
Voile noir des femmes musulmanes	TCHADOR

Voilé par des vapeurs . . . . VAPOREUX
Voile porté par les musulmanes chiites . . . . TCHADOR
Voile transparent . . . . GAZE
Voile triangulaire d'un navire . . . . FOC
Voilé . . . . ENROUÉ • INVISIBLE
Voile . . . . DIABLOTIN • PERROQUET
YACHTING
Voiler . . . . AVEUGLER • ÉCLIPSER • EMBUER
ENROUER • ESTOMPER
Voilier à balancier utilisé en Malaisie . . . . PRAO
Voilier à deux mâts . . . . KETCH
Voilier à trois coques . . . . TRIMARAN
Voilier à un seul mât . . . . COTRE
Voilier d'Extrême-Orient . . . . JONQUE
Voilier fin de carène . . . . CLIPPER
Voilier marchand gréé en brick . . . . SENAU
Voilure . . . . VOILEMENT
Voisin . . . . CONNEXE • PRÈS
Voisin de l'ail . . . . OIGNON
Voisin, contigu . . . . PROCHE
Voisin, pareil . . . . AFFIN
Voisinage désagréable . . . . PROMISCUITÉ
Voisinage . . . . ALENTOURS • PARAGES
Voiturage . . . . CHARRIAGE
Voiture à cheval . . . . FIACRE
Voiture à cheval, découverte
et à quatre roues . . . . CALECHE
Voiture à deux roues . . . . CHARRETTE
Voiture à moteur . . . . MOTRICE
Voiture à quatre portes . . . . BERLINE
Voiture à quatre roues . . . . LANDAU
Voiture automobile . . . . TAXI
Voiture de charge . . . . TOMBEREAU
Voiture de dépannage . . . . DÉPANNEUSE
Voiture de location munie d'un taximètre . . . . TAXI
Voiture d'enfant . . . . LANDAU
Voiture en forme de fourgonnette . . . . BREAK
Voiture fermée de transport . . . . OMNIBUS
Voiture hippomobile . . . . FIACRE
Voiture inconfortable, mal suspendue . . . . TAPECUL
Voiture publique peu confortable . . . . PATACHE

Voiture publique transportant
des voyageurs dans une ville . . . . OMNIBUS

Voiture rapide . . . . BOLIDE

Voiture rurale . . . . CHAR

Voiture se déplaçant sur un seul rail . . . . MONORAIL

Voiture spacieuse à quatre portes
et six glaces latérales . . . . LIMOUSINE

Voiture très légère . . . . SULKY

Voiture . . . . AUTO

Voiture-lit dans un train . . . . SLEEPING

Voiturier qui transportait
des marchandises . . . . ROULIER

Voix au-dessus du baryton . . . . TÉNOR

Voix de femme . . . . ALTO

Voix d'homme . . . . BASSE • TÉNOR

Voix d'un chanteur . . . . ORGANE

Vol accompli avec circonstances
aggravantes . . . . QUALIFIE

Vol de produits de la terre
avant leur récolte . . . . MARAUDAGE

Vol . . . . ARNAQUE • FAUCHE
LARCIN • PILLAGE

Volage . . . . COUREUR • FRIVOLE • INFIDÈLE

Volaille . . . . VOLATILE

Volatiliser . . . . VAPORISER

Volcan actif de la Sicile . . . . ETNA

Volcan actif du Japon . . . . ASO

Volcan constitué par des émissions
de boue . . . . SALSE

Volcan de la Sicile . . . . ETNA

Volcan des Andes de Colombie . . . . RUIZ

Volcan des Philippines . . . . APO

Volcan du Japon . . . . ASO

Volcan du Pérou . . . . MISTI

Volcan sous-marin . . . . GUYOT

Volée de coups . . . . DÉGELÉE • PÂTÉE • RACLÉE • ROULEE

Volée de coups, bataille . . . . TABAC

Volée de coups, raclée . . . . TREMPE

Voler . . . . DÉPOUILLER • DÉROBER • DÉTOURNER
DÉTROUSSER • FAUCHER • FRAUDER
PLANER • RAFLER • SPOLIER

Voler au-dessus . . . . SURVOLER
Voler dans les jardins . . . . MARAUDER
Voler de nouveau . . . . REVOLER
Voler en battant des ailes . . . . VOLTIGER
Voler en trompant . . . . ENTÔLER
Voler un client, en parlant
  d'une prostituée . . . . ENTÔLER
Volet à lames en claire-voie . . . . PERSIENNE
Voleter . . . . VOLTIGER
Voleur adroit . . . . FRIPON
Voleur . . . . BANDIT • FILOU
                                         LARRON • PILLARD
Volière . . . . CAGE
Volontaire lors d'un attentat-suicide . . . . KAMIKAZE
Volontaire . . . . BÉNÉVOLE • DÉCIDÉ • VOULU
Volonté de commettre une
  infraction . . . . TENTATIVE
Volonté de Dieu . . . . ORACLE
Volonté faible . . . . VELLÉITÉ
Volonté . . . . INTENTION • DESSEIN • ÉNERGIE
                                      EXIGENCE • VOULOIR
Voltampère . . . . VA
Volt-Ampère-Réactif . . . . VAR
Volte-face . . . . CONVERSION • PIROUETTE • VIRAGE
Voltige . . . . CABRIOLE
Voltiger . . . . FLOTTER
Volubile . . . . JASANT • LOQUACE
Volubilité . . . . BAGOUT
Volume . . . . CAPACITÉ • LIVRE • TOME
Volupté . . . . JOUISSANCE
Voluptueux . . . . SENSUEL
Vomi . . . . VOMISSURE
Vomir . . . . DÉGUEULER • GERBER • RENVOYER
Vomissement . . . . VOMISSURE
Vorace . . . . AVIDE • GOINFRE
                                      GOURMAND • RAPACE
Voracement . . . . GOULUMENT
Votant . . . . ÉLECTEUR
Votation . . . . SCRUTIN
Vote au moyen de bulletins . . . . SCRUTIN
Vote . . . . CONSULTATION • ÉLECTION

Voter une nouvelle fois	REVOTER
Vouer au malheur	MAUDIRE
Vouer au mépris public	HONNIR
Vouloir	DÉSIRER
Vouloir à nouveau	REVOULOIR
Voulu	VOLONTAIRE
Vousoyer	VOUVOYER
Voussoyer	VOUVOYER
Voûte	DÔME
Voûte céleste	FIRMAMENT
Voûte en forme d'arc	ARCHE
Voûte sphérique	CALOTTE
Voûter	COURBER
Vouvoyer	VOUSSOYER
Voyage de tourisme par mer	CROISIÈRE
Voyage en plusieurs endroits	TOURNÉE
Voyage rapide	VIRÉE
Voyage	LOCOMOTION • PERIPLE
Voyager en transit	TRANSITER
Voyager	MIGRER
Voyageur de commerce	VENDEUR
Voyant et sans valeur	CLINQUANT
Voyant	DISEUR • TAPAGEUR
Voyante	DISEUSE
Voyeur	SATYRE
Voyou	ARSOUILLE • GOUAPE • LASCAR
Vrai	AUTHENTIQUE • RÉEL • VÉCU
Vraisemblable	PLAUSIBLE
Vrille	FORET • TARIÈRE
Vrillette	ANOBIE
Vrombir	VIBRER
Vue circulaire	PANORAMA
Vue d'ensemble d'un site	PAYSAGE
Vue d'ensemble, souvent sommaire	APERÇU
Vue étendue d'un paysage	PANORAMA
Vue	ASPECT • IDÉE
Vulgairement	VULGO

W

Wagonnet de mine . . . . BERLINE
Wallaby . . . . KANGOUROU
Weber . . . . WB
Western à l'italienne . . . . SPAGHETTI
Whisky à base de maïs,
    fabriqué aux États-Unis . . . . BOURBON
Whisky américain . . . . BOURBON
Whisky canadien . . . . RYE
Whisky de seigle . . . . RYE
Whisky écossais . . . . SCOTCH
Whisky irlandais . . . . WHISKEY
Wigwam . . . . HUTTE

X

Y

Z

Tableaux annexes

Index

Aliments dont le nom est tiré d'un nom de lieu

Bavarois (dessert)	Bavière (Allemagne)
Bordeaux (vin)	Bordeaux (France)
Bourbon (whisky)	Bourbon (États-Unis)
Bourgogne (vin)	Bourgogne (France)
Brie (fromage)	Brie (France)
Camembert (fromage)	Camembert (France)
Cantaloup	Cantalupe (Italie)
Champagne	Champagne (France)
Chartreuse (liqueur)	Chartreuse (France)
Cheddar (fromage)	Cheddar (Angleterre)
Chianti (vin)	Chianti (Italie)
Crème chantilly	Chantilly (France)
Génoise (gâteau)	Gênes (Italie)
Hamburger	Hambourg (Allemagne)
Macédoine (salade)	Macédoine (Balkans)
Madère (vin)	Madère (Portugal)
Mayonnaise	Port-Mahon (Espagne)
Moka (café)	Moka (Yémen)
Oka (fromage)	Oka (Québec)
Parmesan (fromage)	Parme (Italie)
Pêche	Perse (Iran)
Poivre de Cayenne	Cayenne (Guyane française)
Porto (vin)	Porto (Portugal)
Raisin de Corinthe	Corinthe (Grèce)
Roquefort (fromage)	Roquefort (France)
Salade niçoise	Nice (France)
Salade romaine	Rome (Italie)
Saint-paulin (fromage)	Saint-Paulin (France)
Sardine	Sardaigne (Italie)
Sauce Worcestershire	Worcestershire (Angleterre)
Saucisse de Francfort	Francfort (Allemagne)
Spaghetti à la bolonaise	Bologne (Italie)
Tabasco (piment)	Tabasco (Mexique)

Allemagne •
Divisions administratives

ÉTAT (LAND)	CAPITALE
Bade-Wurtemberg	Stuttgart
Bavière	Munich
Berlin	Berlin
Brandebourg	Potsdam
Brême	Brême
Hambourg	Hambourg
Hesse	Wiesbaden
Mecklembourg-Poméranie-Occidentale	Schwerin
Rhénanie-du-Nord-Westphalie	Düsseldorf
Rhénanie-Palatinat	Mayence
Sarre	Sarrebruck
Saxe	Dresde
Saxe (Basse-)	Hanovre
Saxe-Anhalt	Magdeburg
Schleswig-Holstein	Kiel
Thuringe	Erfurt

Alphabet grec

Alpha	Iota	Rhô
Bêta	Kappa	Sigma
Gamma	Lambda	Tau
Delta	Mu	Upsilon
Epsilon	Nu	Phi
Dzêta ou zêta	Ksi ou xi	Khi
Êta	Omicron	Psi
Thêta	Pi	Oméga

Anniversaires de mariage

	TRADITIONNEL	MODERNE
1 an	Papier	Horloges
2 ans	Coton	Porcelaine
3 ans	Cuir	Cristal, verrerie
4 ans	Fruits, fleurs	Accessoires ménagers
5 ans	Bois	Argenterie
6 ans	Fer	Bois
7 ans	Laine, cuivre	Parures de bureau
8 ans	Bronze, poterie	Toile, dentelle
9 ans	Poterie, osier	Cuir
10 ans	Fer-blanc, aluminium	Bijoux avec diamant
11 ans	Acier	Bijoux modernes
12 ans	Soie, toile	Perles
13 ans	Dentelle	Tissu, fourrures
14 ans	Ivoire	Bijoux en or
15 ans	Cristal	Montres
20 ans	Porcelaine	Platine
25 ans	Argent	Argent
30 ans	Perle	Diamant
35 ans	Corail	Jade
40 ans	Rubis	Rubis
45 ans	Saphir	Saphir
50 ans	Or	Or
55 ans	Émeraude	Émeraude
60 ans	Diamant	Diamant
75 ans	Diamant	Diamant

Apôtres de Jésus-Christ

André
Barnabé
Barthélemy dit Nathanaël
Jacques dit le Majeur
Jean l'Évangéliste
Judas Iscariote

Jude ou Thaddée
Matthias ou Mathias
Philippe
Pierre
Simon dit le Zélote
Thomas dit le Didyme

Astrologie chinoise

Rat	1912, 1924, 1936, 1948, 1960, 1972, 1984, 1996
Boeuf	1913, 1925, 1937, 1949, 1961, 1973, 1985, 1997
Tigre	1914, 1926, 1938, 1950, 1962, 1974, 1986, 1998
Chat	1915, 1927, 1939, 1951, 1963, 1975, 1987, 1999
Dragon	1916, 1928, 1940, 1952, 1964, 1976, 1988, 2000
Serpent	1917, 1929, 1941, 1953, 1965, 1977, 1989, 2001
Cheval	1918, 1930, 1942, 1954, 1966, 1978, 1990, 2002
Chèvre	1919, 1931, 1943, 1955, 1967, 1979, 1991, 2003
Singe	1920, 1932, 1944, 1956, 1968, 1980, 1992, 2004
Coq	1921, 1933, 1945, 1957, 1969, 1981, 1993, 2005
Chien	1922, 1934, 1946, 1958, 1970, 1982, 1994, 2006
Cochon	1923, 1935, 1947, 1959, 1971, 1983, 1995, 2007

Automobile • Constructeurs

Alfa Romeo	Honda	Opel
Aston-Martin	Hyundai	Peugeot
Audi	Isuzu	Porsche
Bentley	Jaguar	Renault
BMW	Jeep	Rolls-Royce
Bugati	Kia	Rover
Citroën	Lada	Saab
Daewoo	Lamborghini	Seat
Daihatsu	Lancia	Skoda
Daimler-Chrysler	Land Rover	Ssang Yong
De Tomaso	Lotus	Subaru
Donkerwoort	Maserati	Suzuki
Ferrari	Mazda	Toyota
Fiat	Mercedes-Benz	Vauxhall
Ford	Mitsubishi	Volkswagen
Fuji	Morgan	Volvo
General Motors	Nissan	

Bateaux

Allège
Aviso
Bac
Bachot
Balancelle
Baleinier
Baleinière
Bananier
Barge
Bateau-citerne
Bateau-feu
Bateau-mouche
Bateau-phare
Bateau-pilote
Birème
Boutre
Brick
Brigantin
Brise-glace
Butanier
Caboteur
Caïque
Canoë
Canonnière
Canot
Caravelle
Cargo
Catamaran
Céréalier
Chaland
Chaloupe
Chalutier
Charbonnier
Chasse-marée
Chébec
Clipper
Contre-torpilleur
Corsaire

Corvette
Cotre
Crevettier
Croiseur
Cuirassé
Dériveur
Destroyer
Dinghy
Doris
Dragueur
Drakkar
Dundee
Éclaireur
Escorteur
Felouque
Ferry-boat
Flûte
Frégate
Gabarre
Galéasse
Galère
Galion
Galiote
Garde-côte
Garde-pêche
Goélette
Hanrenguier
Hors-bord
Hourque
Hovercraft
Hydrofoil
Hydroglisseur
Jonque
Kayak
Ketch
Langoustier
Mahonne
Méthanier

Monocoque
Morutier
Nacelle
Naviplane
Navire-école
Navire-hôpital
Navire-usine
Paquebot
Patrouilleur
Péniche
Périssoire
Pétrolier
Pinardier
Pirate
Pirogue
Ponton
Porte-avions
Prame
Prao
Propanier
Quadrirème
Quatre-mâts
Raft
Ravitailleur
Remorqueur
Runabout
Sampan
Sardinier
Schooner
Skiff
Sloop
Sous-marin
Steamer
Submersible
Tanker
Tartane
Terre-neuvas
Terre-neuvier

Thonier
Torpilleur
Toueur
Transatlantique
Transbordeur
Traversier

Trimaran
Trirème
Trois-mâts
Trois-ponts
Vapeur
Vedette

Voilier
Vraquier
Yacht
Yole
Youyou
Zodiaque

Belgique •
Divisions administratives

PROVINCE	CHEF-LIEU	PROVINCE	CHEF-LIEU
Anvers	Anvers	Hainaut	Mons
Brabant	Bruxelles	Liège	Liège
Flandre-Occidentale	Bruges	Limbourg	Hasselt
Flandre-Orientale	Gand	Luxembourg	Arlon
		Namur	Namur

Bijoux

Aigrette
Alliance
Anneau
Bague
Boucle d'oreille
Bracelet
Breloque
Broche
Chaîne
Chevalière

Clip
Collier
Couronne
Croix
Diadème
Dormeuse
Épingle
Épinglette
Ferronnière

Fronteau
Gourmette
Jaseran
Jonc
Médaillon
Pendant
Pendeloque
Pendentif
Sautoir

Canada • Capitales

Charlottetown	Île-du-Prince-Édouard
Edmonton	Alberta
Fredericton	Nouveau-Brunswick
Halifax	Nouvelle-Écosse
Québec	Québec
Regina	Saskatchewan
Saint John's	Terre-Neuve
Toronto	Ontario
Victoria	Colombie-Britannique
Whitehorse	Yukon
Winnipeg	Manitoba
Yellowknife	Territoires du Nord-Ouest

Canada • Emblèmes floraux

Alberta	Rose aciculaire
Colombie-Britannique	Cornouiller du Pacifique
Île-du-Prince-Édouard	Sabot de la vierge
Manitoba	Pulsatile
Nouveau-Brunswick	Violette cuculée
Nouvelle-Écosse	Fleur de mai
Ontario	Trille grandiflore
Québec	Lis blanc de jardin
Saskatchewan	Lis de prairie
Terre-Neuve	Sarracénie pourpre
Territoires du Nord-Ouest	Dryade des montagnes
Yukon	Épilobe à feuille verte

Canada • Gouverneurs généraux

1861-1868	Le vicomte Monck
1868-1872	Lord Lisgar
1872-1878	Le comte de Dufferin
1878-1883	Le marquis de Lorne
1883-1888	Le marquis de Lansdowne
1888-1893	Lord Stanley
1893-1898	Le comte d'Aberdeen
1898-1904	Le comte de Minto
1904-1911	Le comte Grey
1911-1916	S.A.R. le duc de Connaught
1916-1921	Le duc de Devonshire
1921-1926	Lord Byng
1926-1931	Le vicomte Willingdon
1931-1935	Le comte de Bessborough
1935-1940	Lord Tweedsmuir
1940-1946	Le comte d'Athlone
1946-1952	Le vicomte Alexander
1952-1959	Vincent Massey
1959-1967	Georges-P. Vanier
1967-1974	Roland Michener
1974-1979	Jules Léger
1979-1984	Edward Schreyer
1984-1990	Jeanne Sauvé
1990-1995	Ramon John Hnatyshyn
1995-1999	Roméo LeBlanc
1999- 2005	Adrienne Clarkson
2005-	Michaëlle Jean

Canada • Premiers ministres

1867-1873	John A. Macdonald
1873-1878	Alexander Mackenzie
1878-1891	John A. Macdonald
1891-1892	John J. C. Abbott
1892-1894	John S. D. Thompson
1894-1896	Mackenzie Bowell
1896-1896	Charles Tupper
1896-1911	Wilfrid Laurier
1911-1920	Robert L. Borden
1920-1921	Arthur Meighen
1921-1926	W. L. Mackenzie King
1926-1926	Arthur Meighen
1926-1930	W. L. Mackenzie King
1930-1935	Richard B. Bennett
1935-1948	W. L. Mackenzie King
1948-1957	Louis S. Saint-Laurent
1957-1963	John G. Diefenbaker
1963-1968	Lester B. Pearson
1968-1979	Pierre Elliott Trudeau
1979-1980	C. Joseph Clark
1980-1984	Pierre Elliott Trudeau
1984-1984	John N. Turner
1984-1993	M. Brian Mulroney
1993-1993	Kim Campbell
1993-2004	Jean Chrétien
2004-	Paul Martin

Canada • Provinces et territoires

Alberta
Colombie-Britannique
Île-du-Prince-Édouard
Manitoba
Nouveau-Brunswick
Nouvelle-Écosse

Ontario
Québec
Saskatchewan
Terre-Neuve
Territoires du Nord-Ouest
Yukon (territoire)

Chats

Abyssin
Américain à poil court
Américain à poil dur
Angora
Balinais
Birman
Bleu anglais
Bleu russe
Bobtail japonais
Bombay

Burmese
Chartreux
Colorpoint
Européen
Exotic shorthair
Havana brown
Hymalayen
Korat
Lavender
Manx

Mau égyptien
Ocicat
Persan
Ragdoll
Rex
Scottish folds
Siamois
Somali
Sphinx
Tonkinois

Chiens

Affenpinscher
Airedale
Australian terrier
Barbet
Barzoï
Basset
Beagle
Bedlington terrier
Berger allemand
Berger belge
Berger de Beauce
Berger de Brie
Berger d'Écosse
Berger des Pyrénées
Bichon
Billy
Bobtail
Boston terrier
Bouledogue
Bouvier bernois
Bouvier des Flandres
Boxer
Braque
Briard
Briquet

Bull-mastiff
Bull-terrier
Cairn terrier
Caniche
Carlin
Chihuahua
Chow chow
Cocker
Colley
Dalmatien
Danois
Doberman
Dogue
Épagneul
Eurasier
Fox-terrier
Griffon
Hovawart
Kerry blue
King-charles
Labrador
Leonberg
Levrette
Lévrier
Lhassa apso

Limier
Loulou
Malinois
Pékinois
Pinscher moyen
Pinscher nain
Pitbull
Pointer
Rottweiller
Saint-bernard
Saint-hubert
Schipperke
Schnauzer
Scotch-terrier
Setter
Shar pei
Shih-tsu
Siberian husky
Spitz
Teckel
Terre-neuve
Toy-terrier
Welsh corgi
Whippet
Yorkshire-terrier

Chiffres romains

I	1	VI	6	L	50
II	2	VII	7	C	100
III	3	VIII	8	D	500
IV	4	IX	9	M	1000
V	5	X	10		

Cinéma • Césars de la meilleure actrice

2005	Yolande Moreau	1990	Carole Bouquet
2004	Sylvie Testud	1989	Isabelle Adjani
2003	Isabelle Carré	1988	Anémone
2002	Emmanuelle Devos	1987	Sabine Azéma
2001	Dominique Blanc	1986	Sandrine Bonnaire
2000	Karin Viard	1985	Sabine Azéma
1999	Élodie Bouchez	1984	Isabelle Adjani
1998	Ariane Ascaride	1983	Nathalie Baye
1997	Fanny Ardant	1982	Isabelle Adjani
1996	Isabelle Huppert	1981	Catherine Deneuve
1995	Isabelle Adjani	1980	Miou-Miou
1994	Juliette Binoche	1979	Romy Schneider
1993	Catherine Deneuve	1978	Simone Signoret
1992	Jeanne Moreau	1977	Annie Girardot
1991	Anne Parillaud	1976	Romy Schneider

Cinéma • Césars du meilleur acteur

2005	Mathieu Amalric	1990	Philippe Noiret
2004	Omar Sharif	1989	Jean-Paul Belmondo
2003	Adrien Brody	1988	Richard Bohringer
2002	Michel Bouquet	1987	Daniel Auteuil
2001	Sergi Lopez	1986	Christophe Lambert
2000	Daniel Auteuil	1985	Alain Delon
1999	Jacques Villeret	1984	Coluche
1998	André Dussolier	1983	Philippe Léotard
1997	Philippe Torreton	1982	Michel Serrault
1996	Michel Serrault	1981	Gérard Depardieu
1995	Gérard Lanvin	1980	Claude Brasseur
1994	Pierre Arditi	1979	Michel Serrault
1993	Claude Rich	1978	Jean Rochefort
1992	Jacques Dutronc	1977	Michel Galabru
1991	Gérard Depardieu	1976	Philippe Noiret

Cinéma • Césars du meilleur film

2005	L'esquive
2004	Les invasions barbares
2003	Le pianiste
2002	Le fabuleux destin d'Amélie Poulin
2001	Le goût des autres
2000	Vénus Beauté Institut
1999	La Vie rêvée des anges
1998	On connaît la chanson
1997	Ridicule
1996	La Haine
1995	Les Roseaux sauvages
1994	Smoking/No Smoking
1993	Les Nuits fauves
1992	Tous les matins du monde
1991	Cyrano de Bergerac
1990	Trop belle pour toi
1989	Camille Claudel
1988	Au revoir les enfants
1987	Thérèse
1986	Trois hommes et un couffin
1985	Les Ripoux
1984	À nos amours, Le Bal
1983	La Balance
1982	La Guerre du feu
1981	Le Dernier Métro
1980	Tess
1979	L'Argent des autres
1978	Providence
1977	Monsieur Klein
1976	Le Vieux Fusil

Cinéma • Césars
du meilleur film étranger

2005	Lost in translation
2004	Mystic River
2003	Bowling for Columbine
2002	Mulholland drive
2001	In the Mood for Love
2000	Tout sur ma mère
1999	La vie est belle
1998	Les Virtuoses
1997	Breaking the Waves
1996	Land and Freedom
1995	Quatre Mariages et un enterrement
1994	La Leçon de piano
1993	Talons aiguilles
1992	Toto le héros
1991	Le Cercle des poètes disparus
1990	Les Liaisons dangereuses
1989	Bagdad Café
1988	Le Dernier Empereur
1987	Le Nom de la rose
1986	La Rose pourpre du Caire
1985	Amadeus
1984	Fanny et Alexandre
1983	Victor Victoria
1982	Elephant Man
1981	Kagemusha
1980	Manhattan
1979	L'Arbre aux sabots
1978	Une journée particulière
1977	Nous nous sommes tant aimés
1976	Parfum de femme

Cinéma • Chefs-d'oeuvre

RÉALISATEUR	PAYS	TITRE
Aldrich, Robert	États-Unis	En quatrième vitesse (1955)
Allen, Woody	États-Unis	Manhattan (1979)
Altman, Robert	États-Unis	Nashville (1975)
Anderson, Lindsay	Grande-Bretagne	Le Prix d'un homme (1963)
Antonioni, Michelangelo	Italie	L'Avventura (1960)
Autant-Lara, Claude	France	Le Diable au corps (1947)
Bardem, Juan Antonio	Espagne	Mort d'un cycliste (1955)
Barnet, Boris	U.R.S.S.	Okraina (1933)
Becker, Jacques	France	Casque d'or (1952)
Bergman, Ingmar	Suède	Le Septième Sceau (1957)
		Cris et Chuchotements (1972)
Bertolucci, Bernardo	Italie	La Stratégie de l'araignée (1970)
Boorman, John	Grande-Bretagne	Délivrance (1972)
Borzage, Frank	États-Unis	Ceux de la zone (1933)
Bresson, Robert	France	Un condamné à mort s'est échappé (1956)
Bunuel, Luis	Mexique	L'Âge d'or (1930)
		Viridiana (1961)
Capra, Frank	États-Unis	New York-Miami (1934)
Carné, Marcel	France	Le jour se lève (1939)
		Les Enfants du paradis (1945)
Cassavetes, John	États-Unis	Une femme sous influence (1974)
Chabrol, Claude	France	Le Boucher (1970)
Chaplin, Charlie	États-Unis	La Ruée vers l'or (1925)
		Les Temps modernes (1936)
Clair, René	France	Un chapeau de paille d'Italie (1928)
		Le Million (1931)
Clément, René	France	La Bataille du rail (1946)
Clouzot, Henri Georges	France	Le Corbeau (1943)
Cocteau, Jean	France	La Belle et la Bête (1946)
		Orphée (1950)

Cooper, Merian C.	États-Unis	King Kong (1933)
Coppola, Francis Ford	États-Unis	Apocalypse Now (1979)
Cukor, George D.	États-Unis	Une étoile est née (1954)
Curtiz, Michael	États-Unis	Casablanca (1943)
De Mille, Cecil B.	États-Unis	Forfaiture (1915)
Demy, Jacques	France	Les Parapluies de Cherbourg (1964)
De Sica, Vittorio	Italie	Le Voleur de bicyclette (1948)
Disney, Walt	États-Unis	Blanche-Neige et les sept nains (1937)
Donen, Stanley	États-Unis	Chantons sous la pluie (1952)
Donskoï, Mark	U.R.S.S.	L'Enfance de Gorki (1938) En gagnant mon pain (1939) Mes universités (1940)
Dovjenko, Aleksandr	U.R.S.S.	La Terre (1930)
Dreyer, Carl Theodor	Danemark	La Passion de Jeanne d'Arc (1928)
Eisenstein, Sergueï	U.R.S.S.	Le Cuirassé Potemkine (1925) Alexandre Nevski (1938)
Eustache, Jean	France	La Maman et la Putain (1973)
Fassbinder, Rainer Werner	R.F.A.	Le Mariage de Maria Braun (1979)
Fellini, Federico	Italie	La Strada (1954) La Dolce Vita (1960 Huit et demi (1963)
Ferreri, Marco	Italie	Dillinger est mort (1969)
Feuillade, Louis	France	Fantômas (1913-14) Les Vampires (1915-16)
Feyder, Jacques	France	La Kermesse héroïque (1935)
Flaherty, Robert	États-Unis	Nanouk l'Esquimau (1922)
Fleming, Victor	États-Unis	Autant en emporte le vent (1939)
Ford, John	États-Unis	La Chevauchée fantastique (1939)

▶▶

Forman, Milos	États-Unis	L'As de pique (1963)
		Vol au-dessus d'un nid de coucou (1975)
Gance, Abel	France	Napoléon (1927)
Godard, Jean-Luc	France	À bout de souffle (1960)
		Le Mépris (1963)
Grémillon, Jean	France	Le ciel est à vous (1944)
Griffith, David W.	États-Unis	Naissance d'une nation (1915)
		Intolérance (1916)
Hathaway, Henry	États-Unis	Peter Ibbetson (1935)
Hawks, Howard	États-Unis	Scarface (1932)
		Rio Bravo (1959)
Herzog, Werner	R.F.A.	Aguirre, la Colère de Dieu (1972)
Hitchcock, Alfred	Grande-Bretagne	Une femme disparaît (1938)
		La mort aux trousses (1959)
Hopper, Dennis	États-Unis	Easy Rider (1969)
Huston, John	États-Unis	Le Faucon maltais (1941)
		Les Désaxés (1961)
Jancso, Miklos	Hongrie	Les Sans-Espoir (1966)
Kazan, Elia	États-Unis	America, America (1963)
Keaton, Buster	États-Unis	Le Mécano de la «General» (1926)
Kubrick, Stanley	États-Unis	2001 : l'Odyssée de l'espace (1968)
Kurosawa Akira	Japon	Les Sept Samouraïs (1959)
Laughton, Charles	États-Unis	La Nuit du chasseur (1955)
Lean, David	Grande-Bretagne	Le Pont de la rivière Kwai (1957)
Leone, Sergio	Italie	Il était une fois dans l'Ouest (1968)
Lewis, Jerry	États-Unis	Docteur Jerry et Mister Love (1963)
L'Herbier, Marcel	France	Eldorado (1921)
Losey, Joseph	États-Unis	The Servant (1963)
Lubitsch, Ernst	États-Unis	Jeux dangereux (1942)
Lumière, Louis	France	Le Jardinier (1895)
		L'Arrivée d'un train en gare de La Ciotat (1895)
McCarey, Leo	États-Unis	La Soupe au canard (1933)
Malle, Louis	France	Zazie dans le métro (1960)

Mankiewicz, Joseph L.	États-Unis	La Comtesse aux pieds nus (1954)
Méliès, Georges	France	Le Voyage dans la Lune (1902)
Melville, Jean-Pierre	France	Le Samouraï (1967)
Minnelli, Vincente	États-Unis	Tous en scène (1953)
Mizoguchi Kenji	Japon	Les Contes de la lune vague après la pluie (1953)
Murnau, Friedrich Wilhelm	Allemagne	Nosferatu le Vampire (1922)
Olmi, Ermanno	Italie	L'Arbre aux sabots (1978)
Ophuls, Marcel	France	Le Chagrin et la Pitié (1969)
Ophuls, Max	France	Lola Montes (1955)
Oshima Nagisa	Japon	L'Empire des sens (1976)
Ozu Yasujiro	Japon	Voyage à Tokyo (1953)
Pabst, Georg Wilhelm	Autriche	Loulou (1929)
Pagnol, Marcel	France	La Femme du boulanger (1938)
Paradjanov, Serguei	U.R.S.S.	Les Chevaux de feu (1965)
Passolini, Pier Paolo	Italie	Théorème (1968)
Pastrone, Giovanni	Italie	Cabiria (1914)
Penn, Arthur	États-Unis	Le Gaucher (1958)
Polanski, Roman	France	Rosemary's Baby (1968)
Pollack, Sydney	États-Unis	On achève bien les chevaux (1969)
Poudovkine, Vsevolod	U.R.S.S.	La Mère (1926)
Preminger, Otto	États-Unis	Laura (1944)
Ray, Nicholas	États-Unis	La Fureur de vivre (1955)
Ray, Satyajit	Inde	La Complainte du sentier (1955)
Reed, Carol	Grande-Bretagne	Le Troisième Homme (1949)
Reisz, Karel	Grande-Bretagne	Samedi soir, dimanche matin (1960)
Renoir, Jean	France	La Grande Illusion (1937) La Règle du jeu (1939)
Resnais, Alain	France	Hiroshima mon amour (1959)
Rocha, Glauber	Brésil	Le Dieu noir et le Diable blond (1964)
Rohmer, Éric	France	Ma nuit chez Maud (1969)
Rosi, Francesco	Italie	Salvatore Giuliano (1961)

▶ ▶

Rossellini, Roberto	Italie	Rome ville ouverte (1945)
		Voyage en Italie (1954)
Rouch, Jean	France	Moi, un Noir (1958)
Saura, Carlos	Espagne	Elisa mon amour (1977)
Schlöndorff, Volker	R.F.A.	Le Tambour (1979)
Scola, Ettore	Italie	Nous nous sommes tant aimés (1974)
Scorsese, Martin	États-Unis	Taxi Driver (1976)
Sembène, Ousmane	Sénégal	Le Mandat (1968)
Sjöström, Victor	Suède	Les Proscrits (1917)
Spielberg, Steven	États-Unis	Rencontres du troisième type (1977)
Sternberg, Josef von	États-Unis	L'Ange bleu (1930)
Stroheim, Erich von	États-Unis	Les Rapaces (1925)
Tanner, Alain	Suisse	La Salamandre (1971)
Tarkovski, Andreï	U.R.S.S.	Andreï Roublev (1966)
Tati, Jacques	France	Les Vacances de monsieur Hulot (1953)
Taviani, Vittorio et Paolo	Italie	Padre Padrone (1977)
Truffaut, François	France	Les Quatre Cents Coups (1959)
Varda, Agnès	France	Cléo de 5 à 7 (1962)
Vertov, Dziga	U.R.S.S.	L'Homme à la caméra (1929)
Vidor, King	États-Unis	La Foule (1928)
		Hallelujah! (1929)
Vigo, Jean	France	L'Atalante (1934)
Visconti, Luchino	Italie	La terre tremble (1948)
		Senso (1954)
Wajda, Andrzej	Pologne	Cendres et Diamant (1958)
Walsh, Raoul	États-Unis	La Grande Évasion (1941)
Wells, Orson	États-Unis	Citizen Kane (1941)
Wenders, Wim	R.F.A.	Alice dans les villes (1973)
Wiene, Robert	Allemagne	Le Cabinet du docteur Caligari (1919)
Wylder, Billy	États-Unis	Boulevard du Crépuscule (1950)
Wise, Robert	États-Unis	West Side Story (1961)
Wyler, William	États-Unis	L'Insoumise (1938)
Zinnemann, Fred	États-Unis	Le train sifflera trois fois (1952)

Cinéma • Oscars
de la meilleure actrice

2005	Hilary Swank	1969	Katharine Hepburn
2004	Charlize Theron	1968	Katharine Hepburn
2003	Nicole Kidman	1967	Elizabeth Taylor
2002	Halle Berry	1966	Julie Christie
2001	Julia Roberts	1965	Julie Andrews
2000	Hilary Swank	1964	Patricia Neal
1999	Gwyneth Paltrow	1963	Anne Bancroft
1998	Helen Hunt	1962	Sophia Loren
1997	Frances McDormand	1961	Elizabeth Taylor
1996	Susan Sarandon	1960	Simone Signoret
1995	Jessica Lange	1959	Susan Hayward
1994	Holly Hunter	1958	Joanne Woodward
1993	Emma Thompson	1957	Ingrid Bergman
1992	Jodie Foster	1956	Anna Magnani
1991	Kathy Bates	1955	Grace Kelly
1990	Jessica Tandy	1954	Audrey Hepburn
1989	Jodie Foster	1953	Shirley Booth
1988	Cher	1952	Vivien Leigh
1987	Marlee Matlin	1951	Judy Holliday
1986	Geraldine Page	1950	Olivia De Havilland
1985	Sally Field	1949	Jane Wyman
1984	Shirley MacLaine	1948	Loretta Young
1983	Meryl Streep	1947	Olivia De Havilland
1982	Katharine Hepburn	1946	Joan Crawford
1981	Sissy Spacek	1945	Ingrid Bergman
1980	Sally Field	1944	Jennifer Jones
1979	Jane Fonda	1943	Greer Garson
1978	Diane Keaton	1942	Joan Fontaine
1977	Faye Dunaway	1941	Ginger Rogers
1976	Louise Fletcher	1940	Vivien Leigh
1975	Ellen Burstyn	1939	Bette Davis
1974	Glenda Jackson	1938	Luise Rainer
1973	Liza Minnelli	1937	Luise Rainer
1972	Jane Fonda	1936	Bette Davis
1971	Glenda Jackson	1935	Claudette Colbert
1970	Maggie Smith	1934	Katharine Hepburn
1969	Barbra Streisand	1933	Helen Hayes

▶▶

1932	Marie Dressler	1930	Mary Pickford
1931	Norma Shearer	1929	Janet Gaynor

Cinéma • Oscars du meilleur acteur

2005	Jamie Foxx	1975	Art Carney
2004	Sean Penn	1974	Jack Lemmon
2003	Adrien Brody	1973	Marlon Brando
2002	Denzel Washington	1972	Gene Hackman
2001	Russell Crowe	1971	George C. Scott
2000	Kevin Spacey	1970	John Wayne
1999	Roberto Benigni	1969	Cliff Robertson
1998	Jack Nicholson	1968	Rod Steiger
1997	Geoffrey Rush	1967	Paul Scofield
1996	Nicolas Cage	1966	Lee Marvin
1995	Tom Hanks	1965	Rex Harrison
1994	Tom Hanks	1964	Sidney Poitier
1993	Al Pacino	1963	Gregory Peck
1992	Anthony Hopkins	1962	Maximilian Schell
1991	Jeremy Irons	1961	Burt Lancaster
1990	Daniel Day-Lewis	1960	Charlton Heston
1989	Dustin Hoffman	1959	David Niven
1988	Michael Douglas	1958	Alec Guinness
1987	Paul Newman	1957	Yul Brynner
1986	William Hurt	1956	Ernest Borgnine
1985	F. Murray Abraham	1955	Marlon Brando
1984	Robert Duvall	1954	William Holden
1983	Ben Kingsley	1953	Gary Cooper
1982	Henry Fonda	1952	Humphrey Bogart
1981	Robert De Niro	1951	José Ferrer
1980	Dustin Hoffman	1950	Broderick Crawford
1979	Jon Voight	1949	Laurence Olivier
1978	Richard Dreyfuss	1948	Ronald Colman
1977	Peter Finch	1947	Fredric March
1976	Jack Nicholson	1946	Ray Milland

1945	Bing Crosby	1936	Victor McLaglen
1944	Paul Lukas	1935	Clark Gable
1943	James Cagney	1934	Charles Laughton
1942	Gary Cooper	1933	Wallace Beery
1941	James Stewart		Fredric March
1940	Robert Donat	1932	Lionel Barrymore
1939	Spencer Tracy	1931	George Arliss
1938	Spencer Tracy	1930	Warner Baxter
1937	Paul Muni	1929	Emil Jannings

Cinéma • Oscars du meilleur film

2005	Million dollar baby
2004	Le seigneur des anneaux (Le retour du roi)
2003	Chicago
2002	Un homme d'exception
2001	Gladiateur
2000	Beauté américaine
1999	Shakespeare in Love
1998	Titanic
1997	Le Patient anglais
1996	Bravehart
1995	Forrest Gump
1994	La Liste de Schindler
1993	Impitoyable
1992	Le Silence des agneaux
1991	Il danse avec les loups
1990	Driving Miss Daisy
1989	Rain Man
1988	Le Dernier Empereur
1987	Platoon
1986	Out of Africa
1985	Amadeus
1984	Tendres Passions
1983	Gandhi
1982	Les Chariots de feu
1981	Des gens comme les autres
1980	Kramer contre Kramer

1979	Voyage au bout de l'enfer
1978	Annie Hall
1977	Rocky
1976	Vol au-dessus d'un nid de coucou
1975	Le Parrain II
1974	L'Arnaque
1973	Le Parrain
1972	French Connection
1971	Patton
1970	Macadam Cowboy
1969	Oliver
1968	Dans la chaleur de la nuit
1967	Un homme pour l'éternité
1966	La Mélodie du bonheur
1965	My Fair Lady
1964	Tom Jones
1963	Lawrence d'Arabie
1962	West Side Story
1961	La Garçonnière
1960	Ben Hur
1959	Gigi
1958	Le Pont de la rivière Kwai
1957	Le Tour du monde en 80 jours
1956	Marty
1955	Sur les quais
1954	Tant qu'il y aura des hommes
1953	Sous le plus grand chapiteau du monde
1952	Un Américain à Paris
1951	Ève
1950	Les Fous du roi
1949	Hamlet
1948	Le Mur invisible
1947	Les Plus Belles Années de notre vie
1946	Le Poison
1945	La Route semée d'étoiles
1944	Casablanca
1943	Mrs. Miniver
1942	Qu'elle était verte ma vallée
1941	Rebecca
1940	Autant en emporte le vent
1939	Vous ne l'emporterez pas avec vous

1938   La Vie d'Émile Zola
1937   The Great Ziegfeld
1936   Les Révoltés du Bounty
1935   New York-Miami
1934   Cavalcade
1933   Grand Hôtel
1932   Cimarron
1931   À l'ouest rien de nouveau
1930   The Broadway Melody
1929   Les Ailes, L'Aurore

Cinéma • Oscars du meilleur film étranger

2005   Mar adentro
2004   Les invasions barbares
2003   Nowhere in Africa
2002   No man's land
2001   Tigres et dragons
2000   Tout sur ma mère
1999   La vie est belle
1998   Character
1997   Kolya
1996   Antonia's Line
1995   Burnt by the Sun
1994   Belle Epoque
1993   Indochine
1992   Mediterranée
1991   Journey of Hope
1990   Cinema Paradiso
1989   Pelle le Conquerant
1988   Le festin de Babette
1987   The Assault
1986   The Official Story
1985   Dangerous Moves
1984   Fanny & Alexandre
1983   Volver a Empezar (To Begin Again)
1982   Mephisto

▶▶

1981	Moscow Does Not Believe in Tears
1980	The Tin Drum
1979	Get Out Your Hankerchiefs
1978	Madame Rosa
1977	Black and White in Color
1976	Dersu Uzala
1975	Amarcord
1974	Day for Night
1973	The Discreet Charm of the Bourgeoisie
1972	The Garden of the Finzi Continis
1971	Investigation of a Citizen Above Suspicion
1970	Z
1969	Guerre et paix
1968	Closely Watched Trains
1967	Un homme, une femme
1966	The Shop on Main Street
1965	Yesterday, Today and Tomorrow
1964	Federico Fellini's 8-1/2
1963	Sundays and Cybele
1962	Through a Glass Darkly
1961	The Virgen Spring
1960	Black Orpheus
1959	My Uncle
1958	The Nights of Cabiria
1957	La Strada
1956	Samurai, The Legend of Musashi
1955	Gate of Hell
1953	Forbidden Games
1952	Rashomon
1951	The Walls of Malapega
1950	The Bicycle Thief
1949	Monsieur Vincent

Cinéma • Palmes d'or au Festival de Cannes

2005	L'enfant
2004	Fahrenheit 9/11
2003	Elephant
2002	Le pianiste
2001	La Chambre du fils
2000	Dancer in the Dark
1999	Rosetta
1998	L'Éternité et un jour
1997	L'Anguille, Le Goût de la cerise
1996	Secrets et Mensonges
1995	Underground
1994	Pulp Fiction
1993	Adieu, ma concubine, La Leçon de piano
1992	Les Meilleures Intentions
1991	Barton Fink
1990	Sailor et Lula
1989	Sexe, mensonges et vidéo
1988	Pelle le Conquérant
1987	Sous le soleil de Satan
1986	Mission
1985	Papa est en voyage d'affaires
1984	Paris, Texas
1983	La Ballade de Narayama
1982	Missing, Yol
1981	L'Homme de fer
1980	All That Jazz, Kagemusha
1979	Apocalypse Now, Le Tambour
1978	L'Arbre aux sabots
1977	Padre Padrone
1976	Taxi Driver
1975	Chronique des années de braise
1974	La Conversation secrète
1973	La Méprise, L'Épouvantail
1972	L'Affaire Mattei, La classe ouvrière va au paradis
1971	Le Messager
1970	M.A.S.H.

1969	If
1968	Pas de prix (Festival interrompu)
1967	Blow Up
1966	Ces messieurs dames, Un homme et une femme
1965	Le Knack... et comment l'avoir
1964	Les Parapluies de Cherbourg
1963	Le Guépard
1962	La Parole donnée
1961	Une aussi longue absence, Viridiana
1960	La Dolce Vita
1959	Orfeu Negro
1958	Quand passent les cigognes
1957	La Loi du Seigneur
1956	Le Monde du silence
1955	Marty
1954	La Porte de l'enfer
1953	Le Salaire de la peur
1952	Deux sous d'espoir, Othello
1951	Mademoiselle Julie, Miracle à Milan
1950	Pas de festival
1949	Le Troisième Homme

Code phonétique international

Alfa	A		November	N
Bravo	B		Oscar	O
Charlie	C		Papa	P
Delta	D		Québec	Q
Echo	E		Romeo	R
Foxtrot	F		Sierra	S
Golf	G		Tango	T
Hotel	H		Uniform	U
India	I		Victor	V
Juliet	J		Whisky	W
Kilo	K		X-ray	X
Lima	L		Yankee	Y
Mike	M		Zulu	Z

Commonwealth • États membres

Afrique du Sud
Antigua-et-Barbuda
Australie
Bahamas
Bangladesh
Barbade
Belize
Botswana
Brunei
Cameroun
Canada
Chypre
Dominique
Gambie
Ghana
Grenade
Guyana
Inde
Jamaïque

Kenya
Kiribati
Lesotho
Malaisie
Malawi
Maldives (îles)
Malte
Maurice (île)
Mozambique
Namibie
Nauru
Nigeria
Nouvelle-Zélande
Ouganda
Pakistan
Papouasie-
   Nouvelle-Guinée
Royaume-Uni
   de G.-B.

Saint-Kitts-et-Nevis
Sainte-Lucie
Saint-Vincent-
   et-les Grenadines
Salomon (îles)
Samoa
Seychelles
Sierra Leone
Singapour
Sri Lanka
Swaziland
Tanzanie
Tonga
Trinité-et-Tobago
Tuvalu
Vanuatu
Zambie
Zimbabwe

Conjonctions

Ainsi
Aussi
Car
Cependant
Comme
Donc
Et
Lorsque

Mais
Néanmoins
Ni
Or
Ou
Partant
Pourquoi
Pourtant

Puisque
Quand
Que
Quoique
Si
Sinon
Soit
Toutefois

Constellations

HÉMISPHÈRE NORD

Aigle
Andromède
Baleine
Bélier
Bouvier
Cancer
Cassiopée
Céphée
Chevelure de
Bérénice
Chiens de chasse
Cocher
Couronne boréale
Cygne

Dauphin
Dragon
Flèche
Gémeaux
Girafe
Grande Ourse
Hercule
Hydre femelle
Lézard
Licorne
Lion
Lynx
Lyre
Orion

Pégase
Persée
Petit Cheval
Petit Chien
Petit Lion
Petit Renard
Petite Ourse
Poissons
Serpent
Serpentaire
Sextant
Taureau
Triangle
Vierge

HÉMISPHÈRE SUD

Aigle
Autel
Balance
Baleine
Boussole
Burin du graveur
Caméléon
Capricorne
Carène du navire
Centaure
Colombe
Compas
Corbeau
Coupe
Couronne australe
Croix du Sud
Dorade
Écu de Sobieski
Éridan

Fourneau
Grand Chien
Grue
Horloge
Hydre femelle
Hydre mâle
Indien
Licorne
Lièvre
Loup
Machine pneumatique
Miscroscope
Mouche
Octant
Oiseau de paradis
Orion
Paon
Peintre
Phénix

Poisson austral
Poisson volant
Poissons
Poupe du navire
Règle
Réticule
Sagittaire
Scorpion
Sculpteur
Serpentaire
Sextant
Table
Télescope
Toucan
Triangle austral
Verseau
Vierge
Voiles du navire

Devises de pays

Afrique du Sud	L'union fait la force
Algérie	La révolution par le peuple et pour le peuple
Belgique	L'union fait la force
Belize	Les fleurs éclosent à l'ombre
Bénin	Fraternité, justice, travail
Bolivie	Dieu, honneur, patrie
Brésil	Ordre et progrès
Burundi	Unité, travail, progrès
Cambodge	Liberté, égalité, fraternité, progrès, bonheur
Cameroun	Paix, travail, patrie
Canada	A mari usque ad mare
Chili	Convaincre ou faire céder
Colombie	Liberté et ordre
Côte d'Ivoire	Union, discipline, travail
Cuba	La patrie ou la mort, nous vaincrons
Équateur	Dieu, patrie et liberté
Espagne	Une, grande, libre
États-Unis	E pluribus unum
Fidji (îles)	Crains Dieu et honore la reine
France	Liberté, égalité, fraternité
Gabon	Union, travail, justice
Gambie	Progrès, paix, prospérité
Ghana	Liberté et justice
Grenade	La clarté suit les ténèbres
Guyane	Le travail crée la richesse
Honduras	Libre, souveraine, indépendante
Hongrie	Tout le pouvoir est au peuple
Inde	La vérité l'emportera
Indonésie	Unité dans la diversité
Iran	Dieu, roi, patrie
Islande	La nation est construite sur la loi
Israël	Résurrection
Jamaïque	Plusieurs races, un seul peuple
Kenya	En avant, tous ensemble
Laos	Patrie, religion, roi et constitution
Liban	Ma patrie a toujours raison
Libye	Liberté, socialisme, unité
Liechtenstein	Dieu, prince, patrie

Luxembourg	Nous voulons rester ce que nous sommes
Madagascar	Liberté, progrès, patrie
Malaisie	L'unité fait la force
Mali	Un peuple, un but, une foi
Malte	Par le courage et la constance
Maurice (île)	Étoile et clé de l'océan Indien
Mauritanie	Honneur, fraternité, justice
Mexique	Plus haut et plus loin
Monaco	Avec l'aide de Dieu
Nicaragua	Dieu, patrie et honneur
Niger	Fraternité, travail, progrès
Nigeria	Unité et loyauté
Norvège	Tout pour la Norvège
Nouvelle-Zélande	Toujours droit
Ouganda	Pour Dieu et mon pays
Pakistan	Foi, unité, discipline
Panama	Pour le plus grand bien du monde entier
Paraguay	Pays et justice
Pays-Bas	Je maintiendrai
Pérou	Stable et heureux grâce à l'union de tous
Portugal	Le bien de la nation
Québec	Je me souviens
République dominicaine	Dieu, patrie, liberté
Royaume-Uni	Dieu et mon droit
Russie	Prolétaires de tous les pays, unissez-vous
Rwanda	Liberté, coopération, progrès
Salvador	Dieu, union et liberté
Sénégal	Un peuple, un but, une foi
Sierra Leone	Unité, liberté, justice
Singapour	Puisse Singapour prospérer
Soudan	Dieu, peuple, patrie
Suède	Pour la Suède au rythme du temps
Suisse	Un pour tous, tous pour un
Suriname	Justice, piété, foi
Swaziland	Nous sommes une forteresse
Syrie	Unité, liberté, socialisme
Tanzanie	Liberté et unité
Tchad	Unité, travail, progrès
Thaïlande	Patrie, religion, roi
Togo	Travail, liberté, patrie
Trinité-et-Tobago	Même idéal, même ouvrage

Tunisie	Liberté, ordre, justice
Turquie	Paix dans le pays, paix hors des frontières
Uruguay	En liberté, je n'offense ni ne crains
Venezuela	Liberté, égalité, fraternité

Éclipses • Prochaines éclipses totales de Soleil

DATE	LIEU D'OBSERVATION	DURÉE
14 décembre 2002	Afrique du Sud, Australie	2 min 4 s
23 novembre 2003	Antarctique	1 min 57 s
29 mars 2006	Nigeria, Libye, Turquie, Russie	4 min 7 s
1er août 2008	Sibérie, Alaska, Groenland	2 min 28 s
22 juillet 2009	Sud de l'Asie, Népal	6 min 40 s

Éléments et symboles chimiques

1	Hydrogène	H	15	Phosphore	P
2	Hélium	He	16	Soufre	S
3	Lithium	Li	17	Chlore	Cl
4	Béryllium	Be	18	Argon	Ar
5	Bore	B	19	Potassium	K
6	Carbone	C	20	Calcium	Ca
7	Azote	N	21	Scandium	Sc
8	Oxygène	O	22	Titane	Ti
9	Fluor	F	23	Vanadium	V
10	Néon	Ne	24	Chromium	Cr
11	Sodium	Na	25	Manganèse	Mn
12	Magnésium	Mg	26	Fer	Fe
13	Aluminium	Al	27	Cobalt	Co
14	Silicium	Si	28	Nickel	Ni

▶▶ ▶

29	Cuivre	Cu		70	Ytterbium	Yb
30	Zinc	Zn		71	Lutécium	Lu
31	Gallium	Ga		72	Hafnium	Hf
32	Germanium	Ge		73	Tantale	Ta
33	Arsenic	As		74	Tungstène	W
34	Sélénium	Se		75	Rhénium	Re
35	Brome	Br		76	Osmium	Os
36	Krypton	Kr		77	Iridium	Ir
37	Rubidium	Rb		78	Platine	Pt
38	Strontium	Sr		79	Or	Au
39	Yttrium	Y		80	Mercure	Hg
40	Zirconium	Zr		81	Thallium	Tl
41	Niobium	Nb		82	Plomb	Pb
42	Molybdène	Mo		83	Bismuth	Bi
43	Technétium	Tc		84	Polonium	Po
44	Ruthénium	Ru		85	Astate	At
45	Rhodium	Rh		86	Radon	Rn
46	Palladium	Pd		87	Francium	Fr
47	Argent	Ag		88	Radium	Ra
48	Cadmium	Cd		89	Actinium	Ac
49	Indium	In		90	Thorium	Th
50	Étain	Sn		91	Protactinium	Pa
51	Antimoine	Sb		92	Uranium	U
52	Tellure	Te		93	Neptunium	Np
53	Iode	I		94	Plutonium	Pu
54	Xénon	Xe		95	Américium	Am
55	Césium	Cs		96	Curium	Cm
56	Baryum	Ba		97	Berkelium	Bk
57	Lanthane	La		98	Californium	Cf
58	Cérium	Ce		99	Einsteinium	Es
59	Praséodyme	Pr		100	Fermium	Fm
60	Néodyme	Nd		101	Mendélévium	Md
61	Prométhéum	Pm		102	Nobelium	No
62	Samarium	Sm		103	Lawrencium	Lr
63	Europium	Eu		104	Unnil-quadium	Unq
64	Gadolinium	Gd		105	Unnil-pentium	Unp
65	Terbium	Tb		106	Unnil-hexium	Unh
66	Dysprosium	Dy		107	Unnil-heptium	Uns
67	Holmium	Ho		108	Unnil-octium	Uno
68	Erbium	Er		109	Unnil-ennium	Une
69	Thulium	Tm				

Empereurs romains

21 av. J.-C.- 14 apr. J.-C.	Auguste	268-270	Claude II le Gothique
14-37	Tibère	270-275	Aurélien
37-41	Caligula	275-276	Tacite
41-54	Claude	276-282	Probus
54-68	Néron	282-283	Carus
68-69	Galba	283-284	Numérien
69	Othon	283-285	Carin
69	Vitellius	286-305	Dioclétien
69-79	Vespasien	286-305	Maximien
79-81	Titus	293-306	Constance Chlore
81-96	Domitien	293-310	Galère
96-98	Nerva	305-307	Sévère
98-117	Trajan	305-310	Maximin Daia
117-138	Hadrien	306-337	Constantin Ier
138-161	Antonin le Pieux	307-324	Licinius
161-180	Marc Aurèle	337-340	Constantin II
161-169	Lucius Verus	337-350	Constant
180-192	Commode	337-361	Constance II
193	Pertinax	361-363	Julien l'Apostat
193	Didus Julianus	363-364	Jovien
193-211	Septime Sévère	364-375	Valentinien Ier
211-217	Caracalla	364-378	Valens
211-212	Geta	375-383	Gratien
217-218	Macrin	375-392	Valentinien II
218-222	Elagabal	379-395	Théodose
222-235	Alexandre Sévère	395-423	Honorius
235-238	Maximin Ier	425-455	Valentinien III
238	Gordien Ier	455	Pétrone Maxime
238	Gordien II	455-456	Avitus
238	Balbin et Pupien	457-461	Majorien
238-244	Gordien III	461-465	Sévère
244-249	Philippe l'Arabe	467-472	Anthemius
249-251	Decius	472	Olybrius
251-253	Gallus	473-474	Glycerius
253-260	Valérien	474-475	Népos
260-268	Gallien	475-476	Romulus Augustule

Épices et aromates

Absinthe
Aneth
Angélique
Anis
Armoise
Basilic
Benjoin
Bergamote
Bétel
Camphre
Cannelle
Câpre
Cardamome
Carry
Carvi
Cary
Cayenne
Cerfeuil

Citronnelle
Clou de girofle
Coriandre
Cubèbe
Cumin
Curcuma
Curry
Estragon
Fenouil
Genièvre
Gingembre
Herbes de
    Provence
Hysope
Laurier
Macis
Maniguette
Marjolaine

Mélisse
Menthe
Moutarde
Muscade
Origan
Paprika
Piment
Poivre noir
Raifort
Romarin
Safran
Sarriette
Sauge
Serpolet
Sésame
Thym
Vanille
Verveine

Espagne •
Divisions administratives

COMMUNAUTÉ AUTONOME	CAPITALE
Andalousie	Séville
Aragon	Saragosse
Asturies	Oviedo
Baléares	Palma de Majorque
Basque (Pays)	Vitoria
Canaries	Las Palmas
Cantabrique	Santander
Castille-La Manche	Tolède
Castille-Leon	Valladolid
Catalogne	Barcelone
Estrémadure	Mérida
Galice	Saint-Jacques-de-Compostelle
Madrid	Madrid
Murcie	Murcie
Navarre	Pampelune
Rioja (La)	Logrono
Valence	Valence

États-Unis • États et capitales

Alabama	Montgomery	Minnesota	Saint Paul
Alaska	Juneau	Mississippi	Jackson
Arizona	Phoenix	Missouri	Jefferson
Arkansas	Little Rock	Montana	Helena
Californie	Sacramento	Nebraska	Lincoln
Caroline du Nord	Raleigh	Nevada	Carson
Caroline du Sud	Columbia	New Hampshire	Concord
Colorado	Denver	New Jersey	Trenton
Connecticut	Hartford	New York	Albany
Dakota du Nord	Bismarck	Nouveau-Mexique	Santa Fe
Dakota du Sud	Pierre	Ohio	Columbus
Delaware	Dover	Oklahama	Oklahoma City
Floride	Tallahassee	Oregon	Salem
Géorgie	Atlanta	Pennsylvanie	Harrisburg
Hawaii	Honolulu	Rhode Island	Providence
Idaho	Boise	Tennessee	Nashville
Illinois	Springfield	Texas	Austin
Indiana	Indianapolis	Utah	Salt Lake City
Iowa	Des Moines	Vermont	Montpelier
Kansas	Topeka	Virginie	Richmond
Kentucky	Frankfort	Virginie-	Charleston
Louisiane	Baton Rouge	Occidentale	
Maine	Augusta	Washington	Olympia
Maryland	Annapolis	Wisconsin	Madison
Massachusetts	Boston	Wyoming	Cheyenne
Michigan	Lansing		

États-Unis • Présidents

1789-1797	George Washington
1797-1801	John Adams
1801-1809	Thomas Jefferson
1809-1817	James Madison
1817-1825	James Monroe

1825-1829	John Quincy Adams
1829-1837	Andrew Jackson
1837-1841	Martin Van Buren
1841	William Henry Harrison
1841-1845	John Tyler
1845-1849	James Knox Polk
1849-1850	Zachary Taylor
1850-1853	Millard Fillmore
1853-1857	Franklin Pierce
1857-1861	James Buchanan
1861-1865	Abraham Lincoln
1865-1869	Andrew Johnson
1869-1877	Ulysses Grant
1877-1881	Rutherford Hayes
1881	James Garfield
1881-1885	Chester Arthur
1885-1889	Stephen Grover Cleveland
1889-1893	Benjamin Harrison
1893-1897	Stephen Grover Cleveland
1897-1901	William McKinley
1901-1909	Theodore Roosevelt
1909-1913	William Taft
1913-1921	Thomas Woodrow Wilson
1921-1923	Warren Harding
1923-1929	Calvin Coolidge
1929-1933	Herbert Hoover
1933-1945	Franklin D. Roosevelt
1945-1953	Harry Truman
1953-1961	Dwight Eisenhower
1961-1963	John F. Kennedy
1963-1969	Lyndon B. Johnson
1969-1974	Richard Nixon
1974-1977	Gerald Ford
1977-1981	Jimmy Carter
1981-1989	Ronald Reagan
1989-1993	George Bush
1993-2001	Bill Clinton
2001-	George W. Bush

Étoiles les plus brillantes

Achernar	Bellatrix	Mirfak
Acrux	Bételgeuse	Mirzam
Adhara	Canopus	Mizar
Agena	Capella	Peacock
Aldébaran	Castor	Polaris
Alhena	Deneb	Pollux
Alioth	Diphda	Procyon
Alkaïd	Dubhe	Regulus
Alnaïr	El Nath	Rigel
Alnitam	Fomalhaut	Rigil Kentaurus
Alphard	Gacrux	Saïph
Altaïr	Hadar	Sargas
Antarès	Hamal	Shaula
Arcturus	Kaus Australis	Sirius
Atria	Menkalinan	Spica
Aviar	Miaplacidus	Véga
Becrux	Mimosa	Wezen

Explorateurs

Albuquerque
Alexandre de Humboldt
Amundsen
Auguste de Saint-Hilaire
Bartolomeu Dias
Béring
Cabot
Cameron
Carvalho
Cavelier de La Salle
Christophe Colomb
Cook
Diaz de Solis
Drake
Erik le Rouge
Frobisher
Fuchs
Hillary
Ibn Batouta
Jacques Cartier
La Condamine
La Vérendrye

Livingstone
Mackenzie
Magellan
Marco Polo
Mungo Park
Nansen
Orellana
Pedro Alvarez Cabral
Pierre de Covilham
Ponce de Leon
Richard Burton
Scott
Shackleton
Speke
Stanley
Tasman
Valdivia
Vancouver
Vasco de Gama
Vasco Nunez
Vespucci

Fleurs de naissance

Janvier	Oeillet	Juillet	Pied-d'alouette
Février	Violette	Août	Glaïeul
Mars	Jonquille	Septembre	Reine-marguerite
Avril	Pois de senteur	Octobre	Souci
Mai	Muguet	Novembre	Chrysanthème
Juin	Rose	Décembre	Narcisse

France •
Divisions administratives

DÉPARTEMENTS	CHEF-LIEU	DÉPARTEMENTS	CHEF-LIEU
Ain	Bourg-en-Bresse	Gironde	Bordeaux
Aisne	Laon	Hauts-de-Seine	Nanterre
Allier	Moulins	Hérault	Montpellier
Alpes-de-Haute-Provence	Digne	Ille-et-Vilaine	Rennes
Alpes (Hautes-)	Gap	Indre	Châteauroux
Alpes-Maritimes	Nice	Indre-et-Loire	Tours
Ardèche	Privas	Isère	Grenoble
Ardennes	Charleville-Mézières	Jura	Lons-le-Saunier
Ariège	Foix	Landes	Mont-de-Marsan
Aube	Troyes	Loir-et-Cher	Blois
Aude	Carcassonne	Loire	Saint-Étienne
Aveyron	Rodez	Loire (Haute-)	Le Puy
Belfort	Belfort	Loire-Atlantique	Nantes
Bouches-du-Rhône	Marseille	Loiret	Orléans
Calvados	Caen	Lot	Cahors
Cantal	Auriac	Lot-et-Garonne	Agen
Charente	Angoulême	Lozère	Mende
Charente-Maritime	La Rochelle	Maine-et-Loire	Angers
Cher	Bourges	Manche	Saint-Lô
Corrèze	Tulle	Marne	Châlons-sur-Marne
Corse-du-Sud	Ajaccio	Marne (Haute-)	Chaumont
Corse (Haute-)	Bastia	Mayenne	Laval
Côte-d'Or	Dijon	Meurthe-et-Moselle	Nancy
Côtes-d'Armor	Saint-Brieuc	Meuse	Bar-le-Duc
Creuse	Guéret	Morbian	Vannes
Dordogne	Périgueux	Moselle	Metz
Doubs	Besançon	Nièvre	Nevers
Drôme	Valence	Nord	Lille
Essonne	Évry	Oise	Beauvais
Eure	Évreux	Orne	Alençon
Eure-et-Loir	Chartres	Paris	Paris
Finistère	Quimper	Pas-de-Calais	Arras
Gard	Nîmes	Puy-de-Dôme	Clermont-Ferrand
Garonne (Haute-)	Toulouse	Pyrénées-Atlantiques	Pau
Gers	Auch	Pyrénées (Hautes-)	Tarbes

DÉPARTEMENTS	CHEF-LIEU
Pyrénées-Orientales	Perpignan
Rhin (Bas-)	Strasbourg
Rhin (Haut-)	Colmar
Rhône	Lyon
Saône (Haute-)	Vesoul
Saône-et-Loire	Mâcon
Sarthe	Le Mans
Savoie	Chambéry
Savoie (Haute-)	Annecy
Seine-Maritime	Rouen
Seine-et-Marne	Melun
Seine-Saint-Denis	Bobigny
Sèvres (Deux-)	Niort
Somme	Amiens
Tarn	Albi
Tarn-et-Garonne	Montauban
Val-de-Marne	Créteil
Val-d'Oise	Pontoise
Var	Toulon
Vaucluse	Avignon
Vendée	La Roche-sur-Yon
Vienne	Poitiers
Vienne (Haute-)	Limoges
Vosges	Épinal
Yonne	Auxerre
Yvelines	Versailles

DÉPARTEMENTS DE L'OUTRE-MER

Guadeloupe	Basse-Terre
Martinique	Fort-de-France
Guyane	Cayenne
Réunion	Saint-Denis

TERRITOIRES

Nouvelle-Calédonie	Nouméa
Polynésie française	Papetee
Wallis-et-Futuna	Mata Utu
Terres australes et antarctiques françaises	

COLLECTIVITÉS TERRITORIALES

Mayotte	Dzaoudzi
Saint-Pierre-et-Miquelon	Saint-Pierre

France • Premiers ministres

1959-1962	Michel Debré
1962-1968	Georges Pompidou
1968-1969	Maurice Couve de Murville
1969-1972	Jacques Chaban-Delmas
1972-1974	Pierre Messmer
1974-1976	Jacques Chirac
1976-1981	Raymond Barre
1981-1984	Pierre Mauroy
1984-1986	Laurent Fabius
1986-1988	Jacques Chirac
1988-1991	Michel Rocard
1991-1992	Édith Cresson
1992-1993	Pierre Bérégovoy
1993-1995	Édouard Balladur
1995-1997	Alain Juppé
1997-2002	Lionel Jospin
2002-2005	Jean-Pierre Raffarin
2005-	Dominique de Villepin

France • Présidents

1871-1873	Adolphe Thiers
1873-1879	Edme Patrice de Mac-Mahon
1879-1887	Jules Grévy
1887-1894	Sadi Carnot
1894-1895	Jean Casimir-Perier
1895-1899	Félix Faure
1899-1906	Émile Loubert
1906-1913	Armand Fallières
1913-1920	Raymond Poincaré
1920	Paul Deschanel
1920-1924	Alexandre Millerand
1924-1931	Gaston Doumergue
1931-1932	Paul Doumer
1932-1940	Albert Lebrun
1947-1954	Vincent Auriol
1954-1958	René Coty
1958-1969	Charles de Gaulle
1969-1974	Georges Pompidou
1974-1981	Valéry Giscard d'Estaing
1981-1995	François Mitterrand
1995-	Jacques Chirac

France • Régions

RÉGION	CHEF-LIEU	RÉGION	CHEF-LIEU
Alsace	Strasbourg	Limousin	Limoges
Aquitaine	Bordeaux	Loire	Nantes
Auvergne	Clermont-Ferrand	Lorraine	Metz
Bourgogne	Dijon	Midi-Pyrénées	Toulouse
Bretagne	Rennes	Nord-Pas-de-Calais	Lille
Centre	Orléans	Normandie (Basse-)	Caen
Champagne-Ardenne	Châlons-sur-Marne	Normandie (Haute-)	Rouen
Corse	Ajaccio	Picardie	Amiens
Franche-Comté	Besançon	Poitou-Charentes	Poitiers
Île-de-France	Paris	Provence-Alpes-Côte d'Azur	Marseille
Languedoc-Roussillon	Montpellier	Rhône-Alpes	Lyon

Géographie • Grandes chutes du monde

Boyoma (Zaïre)
Churchill (Canada)
Cuquenan (Amérique du Sud)
Gavarnie (France)
George VI (Guyane)
Grande (Uruguay)
Iguaçu (Amérique du Sud)
Inga (Zaïre)
Kaieteur (Guyana)
Kaloba (Zaïre)
Khône (Laos)
Kile (Norvège)
Krimmel (Autriche)
Mongefossen (Norvège)
Niagara (Amérique du Nord)

Patos Maribando (Brésil)
Paulo Alfonso (Brésil)
Ribbon (États-Unis)
Rio Parana (Amérique du Sud)
Salto del Angel (Venezuela)
Staubbach (Suisse)
Takkakaw (Canada)
Trummelbach (Suisse)
Tugela (Afrique du Sud)
Tyssestrengane (Norvège)
Upper Yosemite (États-Unis)
Urubupunga (Brésil)
Utigard (Norvège)
Victoria (Afrique)
Yosemite (États-Unis)

Géographie •
Grandes îles du monde

ÎLE	SUPERFICIE (KM²)
Australie	7 630 000
Groenland	2 186 000
Nouvelle-Guinée	800 000
Bornéo	750 000
Madagascar	587 000
Sumatra	473 600
Terre de Baffin	470 000
Grande-Bretagne	230 000
Honshu	230 000
Île Victoria	212 000
Terre d'Ellesmere	196 000
Célèbes	189 000
Île du Sud (Nouv.-Zélande)	154 000
Java	130 000
Île du Nord (Nouv.-Zélande)	114 600

Géographie •
Grands fleuves du monde

FLEUVE	LONGUEUR (KM)
Amazone	7 000
Nil	6 700
Mississippi-Missouri	6 210
Yangzi Jiang	5 980
Huang He	4 845
Zaïre	4 700
Mackenzie	4 600
Amour	4 440
Ob	4 345
Lena	4 270
Mékong	4 200
Niger	4 200
Volga	3 690
Ienisseï	3 354
Gange	3 090
Rio Grande	3 060
Indus	3 040
Parana	3 000
Brahmapoutre	2 900
Danube	2 850
Rhin	1 320
Saint-Laurent	1200
Loire	1 020
Seine	776
Garonne	650

Géographie •
Lacs et mers intérieures

NOM	SUPERFICIE (KM²)
Caspienne	360 000
Lac Supérieur (Amér. du N.)	82 700
Lac Victoria (Afrique)	68 100
Lac Huron (Amér. du N.)	59 800
Michigan (É.-U.)	58 140
Mer d'Aral (Kazakhstan)	39 000
Lac Tanganyika (Afrique)	31 900
Lac Baïkal (Sibérie)	31 500
Grand lac de l'Ours (Canada)	30 000
Grand lac des Esclaves (Canada)	28 930
Lac Malawi (Afrique)	26 000
Lac Ladoga (Russie)	17 700
Lac Vanern (Suède)	5 585
Lac Balaton (Hongrie)	596
Lac Léman (Suisse)	582

Géographie •
Mers, océans et golfes

Golfe Arabo-Persique	Mer de Kara	Mer du Labrador
Golfe du Bengale	Mer de Laptev	Mer du Nord
Golfe du Mexique	Mer de Norvège	Mer Jaune
Mer Baltique	Mer de Ross	Mer Méditerranée
Mer de Baffin	Mer de Tasman	Mer Noire
Mer de Barents	Mer de Weddell	Mer Rouge
Mer de Beaufort	Mer des Antilles	Océan Atlantique
Mer de Bellingshausen	Mer des Philippines	Océan Austral
Mer de Béring	Mer des Tchouktches	Océan glacial Arctique
Mer de Chine méridionale	Mer d'Okhotsk	Océan Indien
	Mer d'Oman	Océan Pacifique
Mer de Corail	Mer du Groenland	
	Mer du Japon	

Grande-Bretagne • Premiers ministres

1830-1834	Charles Grey	1908-1916	Herbert Asquith
1834	William Melbourne	1916-1922	David Lloyd George
1834-1835	Robert Peel	1922-1923	Andrew Bonar Law
1835-1841	William Melbourne	1923	Stanley Baldwin
1841-1846	Robert Peel	1924	James MacDonald
1846-1852	John Russell	1924-1929	Stanley Baldwin
1852	Edward Derby	1929-1935	James MacDonald
1852-1855	George Aberdeen	1935-1937	Stanley Baldwin
1855-1858	Henry Palmerston	1937-1940	Neville Chamberlain
1858-1859	Edward Derby	1940-1945	Winston Churchill
1859-1865	Henry Palmerston	1945-1951	Clement Attlee
1865-1866	John Russell	1951-1955	Winston Churchill
1866-1868	Edward Derby	1955-1957	Anthony Eden
1868	Benjamin Disraeli	1957-1963	Harold Macmillan
1868-1874	William Gladstone	1963-1964	Alexander Douglas-Home
1874-1880	Benjamin Disraeli		
1880-1885	William Gladstone	1964-1970	Harold Wilson
1885-1886	Robert Salisbury	1970-1974	Edward Heath
1886	William Gladstone	1974-1976	Harold Wilson
1886-1892	Robert Salisbury	1976-1979	James Callaghan
1892-1894	William Gladstone	1979-1990	Margaret Thatcher
1894-1895	Archibald Rosebery	1990-1997	John Major
1895-1902	Robert Salisbury	1997-	Tony Blair
1902-1905	Arthur Balfour		
1905-1908	Henry Campbell-Bannerman		

Hockey •
Coupe Stanley

1927	Ottawa	1963	Toronto
1928	Rangers de N.Y.	1964	Toronto
1929	Boston	1965	Montréal
1930	Montréal	1966	Montréal
1931	Montréal	1967	Toronto
1932	Toronto	1968	Montréal
1933	Rangers de N.Y.	1969	Montréal
1934	Chicago	1970	Boston
1935	Maroons de Montréal	1971	Montréal
1936	Detroit	1972	Boston
1937	Detroit	1973	Montréal
1938	Chicago	1974	Philadelphie
1939	Boston	1975	Philadelphie
1940	Rangers de N.Y.	1976	Montréal
1941	Boston	1977	Montréal
1942	Toronto	1978	Montréal
1943	Detroit	1979	Montréal
1944	Montréal	1980	Islanders de N.Y.
1945	Toronto	1981	Islanders de N.Y.
1946	Montréal	1982	Islanders de N.Y.
1947	Toronto	1983	Islanders de N.Y.
1948	Toronto	1984	Edmonton
1949	Toronto	1985	Edmonton
1950	Detroit	1986	Montréal
1951	Toronto	1987	Edmonton
1952	Detroit	1988	Edmonton
1953	Montréal	1989	Calgary
1954	Detroit	1990	Edmonton
1955	Detroit	1991	Pittsburgh
1956	Montréal	1992	Pittsburgh
1957	Montréal	1993	Montréal
1958	Montréal	1994	Rangers de N.Y.
1959	Montréal	1995	New Jersey
1960	Montréal	1996	Colorado
1961	Chicago	1997	Detroit
1962	Toronto	1998	Detroit

1999	Dallas	2002	Detroit
2000	New Jersey	2003	New Jersey
2001	Colorado	2004	Tampa Bay

Inondations •
Grandes inondations

ANNÉE	PAYS	NOMBRE DE MORTS
1949	Guatemala	40 000
1953	Pakistan	10 000
1954	Iran	2 000
1959	Mexique	2 000
1964	Viêt Nam du Sud	7 000
1969	Chine	2 000 000
1974	Bangladesh	2 000
1974	Honduras	9 000
1979	Inde	15 000
2004	Asie du Sud (tsunami)	120 000

Interjections

Adieu
Admettons
Ah
Aïe
Allez
Allô
Areu
Arrière
Attention
Badaboum
Bah
Basta
Berk
Bernique

Beuh
Beurk
Bien
Bigre
Bis
Bof
Bon
Boum
Bravissimo
Bravo
Broum
Brrr
Bye
Çà

Caramba
Chic
Chiche
Chouette
Chut
Ciao
Ciel
Clac
Clic
Comment
Couic
Courage
Crac
Crénom

▶▶

Cric	Hou	Peste
Dame	Houp	Peuchère
Debout	Hourra	Peuh
Dia	Hue	Pff
Diable	Hum	Pfft
Diantre	Jamais	Pft
Dieu	Jarnibleu	Pfut
Dommage	Jarnicoton	Pif
Doucement	Là	Ploc
Eh	Lala	Pouah
Enfin	Las	Pouf
Entendu	Marche	Psitt
Euh	Mazette	Psst
Eurêka	Merci	Pst
Évoé	Merde	Rantanplan
Évohé	Miam	Rataplan
Fi	Mince	Sacrebleu
Fichtre	Minute	Sacredieu
Flac	Miracle	Sacristi
Floc	Miséricorde	Salut
Flûte	Morbleu	Saperlipopette
Foin	Motus	Saperlotte
Gare	Na	Sapristi
Grâce	Oh	Silence
Gué	Ohé	Snif
Ha	Olé	Sniff
Halte	Ollé	Stop
Hardi	Ouais	Suffit
Hé	Ouf	Sus
Hein	Ouïe	Taïaut
Hélas	Ouille	Taratata
Hello	Oup	Tchao
Hem	Oust	Tchin-tchin
Hep	Ouste	Tiens
Heu	Paf	Tonnerre
Hi	Parbleu	Tope
Hip	Pardi	Tudieu
Ho	Parfait	Turlututu
Holà	Patatras	Va
Hop	Patience	Ventrebleu
Hosanna	Pechère	Ventre-saint-gris

Vivat
Vive
Vlan
Voici
Voilà

Voyons
Vroum
Youp
Youpi
Youppie

Zest
Zou
Zut

Inventions • Grandes inventions

Accélérateur de particules	1930
Accumulateur électrique	1859
Acier inoxydable	1916
Acupuncture	2500 av. J.-C.
Additionneuse imprimante à commande par touches	1885
Aéroglisseur	1959
Aérosol	1926
Aérotrain	1965
Aiguille aimantée	1100
Air conditionné	1904
Allumette de sûreté	1852
Allumettes phosphoriques à friction	1831
Alternateur industriel	1882
Ampoule électrique à atmosphère gazeuse	1913
Antenne radioélectrique	1893
Appareil photographique à développement instantané	1948
Araire	3000 av. J.-C.
Ascenseur	1857
Aspirateur	1869
Aspirine	1853
Astrolabe impersonnel	1950
Autobus	1899
Autocommutateur téléphonique électromécanique	1889
Autocuiseur	1948

Autogire	1923
Automobile à moteur à essence	1891
Automobile actionnée par moteur à explosion	1883
Avion	1890
Avion à flèche variable	1965
Avion à réaction	1939
Bakélite	1906
Balai mécanique	1876
Balance à deux fléaux	1670
Balance à deux plateaux	2800 av. J.-C.
Balancier compensé à mercure	1719
Baromètre à cadran	1665
Baromètre anéroïde	1844
Bathyscaphe	1948
Bélinographe	1907
Béton précontraint	1926
Bicyclette	1869
Bloc automatique	1866
Bobine d'induction	1851
Bolomètre	1880
Bombe à hydrogène	1952
Bombe à neutrons	1977
Bombe atomique	1945
Bougie en cire	1300
Bouteille Thermos	1893
Brosse à dents	1492
Brouette	1300

▶▶

Bulldozer	1923
Cadran solaire	1500 av. J.-C.
Calculateur électronique	1946
Calculatrice scientifique de poche	1972
Caméra électronique	1936
Caméra portative	1924
Canon	1300
Caoutchouc synthétique Néoprène	1931
Carburateur	1893
Carburateur à injection	1940
Carte à mémoire	1974
Célérifère	1790
Cellule photoélectrique	1893
Centrale marémotrice	1966
Centrifugeuse	1878
Chadouf	2500 av. J.-C.
Chalumeau oxhydrique	1802
Chambre à bulles	1952
Chaudière tubulaire	1827
Chaux	6000 av. J.-C.
Chemin de fer à voie étroite	1876
Chemin de fer souterrain (métro)	1862
Chronomètre de marine	1736
Ciment Portland	1824
Cinématographe	1895
Clepsydre	1500 av. J.-C.
Cloche à plongeur	1721
Coin	5000 av. J.-C.
Collier d'épaule pour l'attelage	Xe s.
Compact Disc	1979
Compteur Geiger	1913
Condensateur électrique	1745
Cordeau Bickford	1831
Coronographe	1930
Couteaux en acier inoxydable	1921
Crayon à mine de graphite	1794
Cuisinière à gaz	1837
Cyclomoteur	1869
Cyclotron	1930
Daguerréotype	1838
Digue	1000
Diode tunnel	1957
Dirigeable à vapeur	1852
Dirigeable rigide	1900
Disque microsillon	1948
Duralumin	1910
Dynamo	1871
Dynamomètre	1734
Éclairage au gaz	1799
Éclairage au néon	1910
Écriture cunéiforme	3400 av. J.-C.
Écriture pour les aveugles	1835
Électroaimant	1825
Électroscope	1747
Élinvar	1920
Engrenage différentiel	IIIe s.
Épingle de sûreté	1849
Étrier	IIIe s. av. J.-C.
Fardier à vapeur	1770
Fer à friser	1959
Fer à repasser électrique	1917
Ferry-boat	1846
Fibre de carbone	1967
Fibre optique	1972
Fibre textile artificielle	1884
Film long métrage parlant	1927
Filtre à café	1908
Four à micro-ondes	1945
Four électrique	1892
Fourneau à soufflerie	1340
Frein à air comprimé	1868
Frein à disque	1953
Frein à disque pour automobile	1935
Frein dynamométrique	1821
Fusil automatique	1884

Grenade	XIIIe s.
Grille-pain	1910
Gyroscope	1852
Haut fourneau industriel à coke	1735
Hélice pour la propulsion des navires	1832
Hélicoptère à hélice anticouple	1938
Hiéroglyphes	3200 av. J.-C.
Horloge mécanique à poids	1320
Horloge parlante	1932
Hyconoscope	1934
Hydravion	1910
Hydroptère	1919
Jumelles à prisme	1850
Kaléidoscope	1817
Klystron	1839
Lampe à essence minérale	1880
Lampe à incandescence	1878
Lampe de sûreté pour mineurs	1816
Laser	1960
Lave-linge	1850
Lave-linge moderne	1952
Lave-vaisselle électrique	1913
Lentille à échelons pour les phares	1821
Lentille acromatique	1729
Levier	5000 av. J.-C.
Locomotive	1804
Locomotive électrique	1878
Lunettes correctrices	XIIIe s.
Macadam	1800
Machine à calculer	1642
Machine à coudre	1830
Machine à écrire à mémoire	1964
Machine à statistique à cartes perforées	1880
Machine à vapeur	1712
Machine à vapeur à double effet	1785
Machine électrique à induction	1832
Magnétophone à bandes magnétiques	1935
Magnétophone à fil	1898
Magnétron	1938
Manomètre	1705
Manomètre métallique	1849
Marégraphe	1850
Marteau pneumatique	1871
Maser	1954
Mémoire à bulles	1977
Métier à tisser	7000 av. J.-C.
Métier à tisser mécanique	1764
Métier Jacquard	1790
Métronome	1816
Micro-ordinateur	1973
Microphone à charbon	1878
Microprocesseur	1971
Microscope	1618
Microscope électronique	1933
Moissonneuse	1840
Montgolfière	1783
Montre	1458
Mors	IIIe s. av. J.-C.
Moteur à combustion interne à quatre temps	1876
Moteur à piston rotatif	1964
Moteur Diesel	1892
Moteur électrique à champ tournant	1883
Moteur thermique à explosion	1860
Navette spatiale	1981
Navette volante pour tissage mécanique	1733
Nitroglycérine	1846
Niveau à bulle	1666

▶▶

Numération décimale	3000 av. J.-C.
Nylon	1937
Objectif photographique double	1840
Ophtalmoscope	1851
Oscillographe	1893
Oscillographe cathodique	1897
Papier (fabrication du)	IIIe s. av. J.-C.
Papyrus comme support d'écriture	3200 av. J.-C.
Parachute	1785
Paratonnerre	1752
Parchemin	IIe s. av. J.-C.
Pellicule photographique	1884
Pendule balistique	1742
Périscope	1902
Phonographe	1877
Phonographe électrique	1896
Photocomposeuse à laser	1978
Photographie	1816
Photographie sur plaque de verre	1847
Photographie trichrome	1869
Pile atomique	1942
Pile électrique	1800
Pilule abortive	1987
Pilule anti-conceptionnelle orale	1955
Pistolet automatique	1858
Pneumatique	1888
Poêle Tefal	1956
Pompe à vide à mercure	1857
Pont métallique	1779
Pont suspendu	1824
Porcelaine	VIIe s.
Portulan	1311
Poteries	8000 av. J.-C.
Poudre noire	VIIe s.
Poulie	IXe s. av. J.-C.
Poumon d'acier	1928
Presse rotative	1845
Presse rotative recto verso	1865
Prisme Nicol	1828
Pyrex	1916
Radar	1935
Radiobalise	1928
Radiotélescope	1936
Rail à patin	1831
Rasoir électrique	1928
Réfrigérateur	1913
Régulateur à boules	1784
Rein artificiel	1944
Revolver	1835
Rhéostat	1841
Robot culinaire	1947
Roue	3500 av. J.-C.
Roulement à billes	1869
Satellite artificiel	1957
Scanographe	1973
Scaphandre autonome	1865
Selle	IIIe s. av. J.-C.
Seringue	1841
Serrure à barillet	1851
Serrure à pompe	1784
Servomoteur	1868
Sextant	1731
Silicones	1941
Sirène	1819
Sismographe enregistreur	1855
Soudage autogène	1905
Soupape de sûreté	1679
Sous-marin	1776
Sous-marin à propulsion nucléaire	1954
Spectroscope	1814
Stéréoscope	1838
Stimulateur cardiaque	1970
Stylo à bille	1939
Stylo à réservoir	1884
Synchrotron	1946

Système expert	1974	Tupperware	1945
Télégraphe électrique	1837	Turbine à vapeur à réaction	1884
Télégraphe optique	1793	Turbine hydraulique	
Télémètre	1795	à réaction	1849
Téléphone	1876	Turboréacteur	1941
Télescope	1671	Typographie	1440
Télévision en couleurs	1929	Vaccin antipoliomyélitique	1954
Thermomètre	1592	Vaccin antituberculeux	1921
Tour à fileter	1796	Vélocipède	1861
Tramway électrique	1881	Ventilateur électrique	1882
Transformateur	1884	Vidéocassette	1972
Transformateur électrique	1840	Vidéodisque	1972
Transistor	1948	Vitrail	1000
T.S.F.	1896	Xérographie	1938
Tube fluorescent	1937	Xylographie	VIIIe s.

Italie • Divisions administratives

RÉGION	CAPITALE	RÉGION	CAPITALE
Abruzzes	L'Aquila	Marches	Ancône
Aoste (Val d')	Aoste	Molise	Campobasso
Basilicate	Potenza	Ombrie	Pérouse
Calabre	Catanzaro	Piémont	Turin
Campani	Naples	Pouille	Bari
Émilie-Romagne	Bologne	Sardaigne	Cagliari
Frioul-Vénétie Julienne	Trieste	Sicile	Palerme
Latium	Rome	Toscane	Florence
Ligurie	Gênes	Trentin-Haut-Adige	Trente
Lombardie	Milan	Vénétie	Venise

Jeux de cartes

Baccara
Bataille
Belote
Bésigue
Black-jack
Bonneteau
Boston
Brelan
Bridge
Canasta
Casino
Chemin de fer
Chien rouge
Cinq-cents

Coeurs
Crapette
Cribbage
Écarté
Fan-tan
Gin-rami
Huit
Impérial
Lansquenet
Manille
Mistigri
Nain jaune
Neuf
Patience

Pharaon
Pinocle
Piquet
Poker
Rami
Réussite
Sept
Tarot
Trente-et-un
Vingt-et-un
Whist
Yass

Jeux olympiques • Disciplines olympiques d'été

Athlétisme
Aviron
Badminton
Baseball
Basket-ball
Boxe
Canoë-kayak
Cyclisme
Équitation
Escrime
Football
Gymnastique

Gymnastique
  rythmique sportive
Haltérophilie
Handball
Hockey sur gazon
Judo
Lutte
Natation
Natation synchronisée
Pentathlon moderne
Plongeon
Softball

Taekwondo
Tennis
Tennis de table
Tir
Tir à l'arc
Triathlon
Voile
Volley-ball
Volley-ball de plage
Water-polo

Jeux olympiques • Disciplines olympiques d'hiver

Biathlon
Bobsleigh
Combiné nordique
Curling
Hockey sur glace

Luge
Patinage artistique
Patinage de vitesse
Saut à ski
Short track

Ski acrobatique
Ski alpin
Ski de fond
Snowboard
Surf des neiges

Jeux olympiques • Villes organisatrices des Jeux d'été

1896	Athènes (Grèce)		1960	Rome (Italie)
1900	Paris (France)		1964	Tokyo (Japon)
1904	Saint Louis (É.-U.)		1968	Mexico (Mexique)
1908	Londres (G.-B.)		1972	Munich (R.F.A.)
1912	Stockholm (Suède)		1976	Montréal (Canada)
1920	Anvers (Belgique)		1980	Moscou (U.R.S.S.)
1924	Paris (France)		1984	Los Angeles (É.-U.)
1928	Amsterdam (Pays-Bas)		1988	Séoul (Corée du Sud)
			1992	Barcelone (Espagne)
1932	Los Angeles (É.-U.)		1996	Atlanta (É.-U.)
1936	Berlin (Allemagne)		2000	Sydney (Australie)
1948	Londres (G.-B.)		2004	Athènes (Grèce)
1952	Helsinki (Finlande)		2008	Pékin (Chine)
1956	Melbourne (Australie)		2012	Londres (G.-B.)

Jeux olympiques • Villes organisatrices des Jeux d'hiver

1924	Chamonix (France)		1972	Sapporo (Japon)
1928	Saint-Moritz (Suisse)		1976	Innsbruck (Autriche)
1932	Lake Placid (É.-U.)		1980	Lake Placid (É.-U.)
1936	Garmisch-Partenkirchen (Allemagne)		1984	Sarajevo (Yougoslavie)
1948	Saint-Moritz (France)		1988	Calgary (Canada)
1952	Oslo (Norvège)		1992	Albertville (France)
1956	Cortina d'Ampezzo (Italie)		1994	Lillehammer (Norvège)
			1998	Nagano (Japon)
1960	Squaw Valley (É.-U.)		2002	Salt Lake City (É.-U.)
1964	Innsbruck (Autriche)		2006	Turin (Italie)
1968	Grenoble (France)		2010	Vancouver (Canada)

Merveilles •
Les sept merveilles du monde

Les pyramides d'Égypte
Les jardins suspendus de Sémiramis, à Babylone
La statue chryséléphantine de Zeus Olympien par Phidias
Le temple d'Artémis à Éphèse
Le mausolée d'Halicarnasse
Le colosse de Rhodes
Le phare d'Alexandrie

Muses

Uranie	Astronomie
Clio	Histoire
Erato	Poésie lyrique
Euterpe	Musique
Polymnie	Hymnes sacrés
Melpomène	Tragédie
Terpsichore	Danse et Chant choral
Calliope	Poésie épique et Éloquence
Thalie	Comédie

Nymphes

Dryade	Forêt	Napée	Prairies
Écho	Sources	Néréide	Mer
Hamadryade	Bois	Océanide	Mer
Naïade	Eaux	Oréade	Montagnes

Onomatopées

Aïe
Atchoum
Badaboum
Berk
Beurk
Bip
Bip-bip
Blablabla
Boum
Broum
Brrr
Chut
Clac
Clic
Cocorico
Coin-coin
Couic
Crac
Cric
Ding
Dong
Drelin
Dring
Euh
Flac
Flic-flac
Floc
Flop
Glouglou
Gong
Han
Hem
Hep
Hum
Kss kss
Miam-miam

Miaou
Paf
Pan
Patatras
Pff
Pfft
Pft
Pfut
Pif
Pin-pon
Ploc
Plouf
Pouah
Pouf
Psitt
Psst
Pst
Rantanplan
Rataplan
Ronron
Snif
Sniff
Tac
Taratata
Teuf-teuf
Tic

Tic-tac
Toc
Toc-toc
Vlan
Vroom
Vroum

Papes

1417-1431	Martin V	1721-1724	Innocent XIII
1431-1447	Eugène IV	1724-1730	Benoît XIII
1447-1455	Nicolas V	1730-1740	Clément XII
1455-1458	Calixte III	1740-1758	Benoît XIV
1458-1464	Pie II	1758-1769	Clément XIII
1464-1471	Paul II	1769-1774	Clément XIV
1471-1484	Sixte IV	1775-1799	Pie VI
1484-1492	Innocent VIII	1800-1823	Pie VII
1492-1503	Alexandre VI	1823-1829	Léon XII
1503	Pie III	1829-1830	Pie VIII
1503-1513	Jules II	1831-1846	Grégoire XVI
1513-1521	Léon X	1846-1878	Pie IX
1522-1523	Adrien VI	1878-1903	Léon XIII
1523-1534	Clément VII	1903-1914	Pie X
1534-1549	Paul III	1914-1922	Benoît XV
1550-1555	Jules III	1922-1939	Pie XI
1555	Marcel II	1939-1958	Pie XII
1555-1559	Paul IV	1958-1963	Jean XXIII
1559-1565	Pie IV	1963-1978	Paul VI
1566-1572	Pie V	1978	Jean-Paul Ier
1572-1585	Grégoire XIII	1978-2005	Jean-Paul II
1585-1590	Sixte Quint	2005-	Benoît XVI
1590	Urbain VII		
1590-1591	Grégoire XIV		
1591	Innocent IX		
1592-1605	Clément VIII		
1605	Léon XI		
1605-1621	Paul V		
1621-1623	Grégoire XV		
1623-1644	Urbain VIII		
1644-1655	Innocent X		
1655-1667	Alexandre VII		
1667-1669	Clément IX		
1670-1676	Clément X		
1676-1689	Innocent XI		
1689-1691	Alexandre VIII		
1691-1700	Innocent XII		
1700-1721	Clément XI		

Pays et capitales

Afghanistan	Kaboul	Chypre	Nicosie
Afrique du Sud	Pretoria	Colombie	Bogota
Albanie	Tirana	Comores	Moroni
Algérie	Alger	Congo (-Brazza)	Brazzaville
Allemagne	Berlin	Congo (-Kinshasa)	Kinshasa
Andorre	Andorre-la-Vieille	Corée du Nord	Pyongyang
Angola	Luanda	Corée du Sud	Séoul
Antigua-et-Barbuda	Saint-Jean	Costa Rica	San José
Arabie saoudite	Riyad	Côte d'Ivoire	Yamoussoukro
Argentine	Buenos Aires	Croatie	Zagreb
Arménie	Erevan	Cuba	La Havane
Australie	Canberra	Danemark	Copenhague
Autriche	Vienne	Djibouti	Djibouti
Azerbaïdjan	Bakou	Dominique	Roseau
Bahamas	Nassau	Égypte	Le Caire
Bahreïn	Manama	Émirats arabes unis	Abu Dhabi
Bangladesh	Dacca	Équateur	Quito
Barbade	Bridgetown	Érythrée	Asmara
Belgique	Bruxelles	Espagne	Madrid
Belize	Belmopan	Estonie	Tallinn
Bénin	Porto-Novo	États-Unis	Washington
Bhoutan	Thimbu	Éthiopie	Addis-Abeba
Biélorussie	Minsk	Fidji (îles)	Suva
Bolivie	La Paz	Finlande	Helsinki
Bosnie-Herzégovine	Sarajevo	France	Paris
Botswana	Gaborone	Gabon	Libreville
Brésil	Brasilia	Gambie	Banjul
Brunei	Bandar Seri Begawan	Géorgie	Tbilissi
		Ghana	Accra
Bulgarie	Sofia	Grande-Bretagne	Londres
Burkina Faso	Ouagadougou	Grèce	Athènes
Burundi	Bujumbura	Grenade	Saint George's
Cambodge	Phnom Penh	Guatemala	Guatemala
Cameroun	Yaoundé	Guinée	Conakry
Canada	Ottawa	Guinée-Bissau	Bissau
Cap-Vert	Praia	Guinée équatoriale	Malabo
Chili	Santiago	Guyana	Georgetown
Chine	Pékin (Beijing)	Haïti	Port-au-Prince

Honduras	Tegucigalpa	Monaco	Monaco
Hongrie	Budapest	Mongolie	Oulan-Bator
Inde	New Delhi	Mozambique	Maputo
Indonésie	Jakarta	Myanmar	Rangoon
Irak	Bagdad	Namibie	Windhoek
Iran	Téhéran	Nauru	Yaren
Irlande	Dublin	Népal	Katmandou
Islande	Reykjavik	Nicaragua	Managua
Israël	Jérusalem	Niger	Niamey
Italie	Rome	Nigeria	Abuja
Jamaïque	Kingston	Norvège	Oslo
Japon	Tokyo	Nouvelle-Zélande	Wellington
Jordanie	Amman	Oman	Mascate
Kazakhstan	Alma-Ata	Ouganda	Kampala
Kenya	Nairobi	Ouzbékistan	Tachkent
Kirghizistan	Bichkek	Pakistan	Islamabad
Kiribati	Tarawa	Panama	Panama
Koweït	Koweït	Papouasie-	Port Moresby
Laos	Vientiane	Nouvelle-Guinée	
Lesotho	Maseru	Paraguay	Asuncion
Lettonie	Riga	Pays-Bas	Amsterdam
Liban	Beyrouth	Pérou	Lima
Liberia	Monrovia	Philippines	Manille
Libye	Tripoli	Pologne	Varsovie
Liechtenstein	Vaduz	Portugal	Lisbonne
Lituanie	Vilnius	Qatar	Doha
Luxembourg	Luxembourg	République	Bangui
Macédoine	Skopje	centrafricaine	
Madagascar	Antananarivo	République	Saint-Domingue
Malaisie	Kuala Lumpur	dominicaine	
Malawi	Lilongwe	République tchèque	Prague
Maldives (îles)	Malé	Roumanie	Bucarest
Mali	Bamako	Russie	Moscou
Malte	La Valette	Rwanda	Kigali
Maroc	Rabat	Saint-Kitts-et-Nevis	Basseterre
Marshall (îles)	Majuro	Saint-Marin	Saint-Marin
Maurice (île)	Port-Louis	Saint-Vincent-	Kingstown
Mauritanie	Nouakchott	et-les Grenadines	
Mexique	Mexico	Sainte-Lucie	Castries
Micronésie	Palékir	Salomon (îles)	Honiara
Moldavie	Chisinau	Salvador	San Salvador

▶▶

Samoa	Apia	Venezuela	Caracas
Sao Tomé et Principe	Sao Tomé	Viêt Nam	Hanoi
Sénégal	Dakar	Yémen	Sanaa
Seychelles	Victoria	Yougoslavie	Belgrade
Sierra Leone	Freetown	Zambie	Lusaka
Singapour	Singapour	Zimbabwe	Harare
Slovaquie	Bratislava		
Slovénie	Ljubljana		
Somalie	Muqdisho		
Soudan	Khartoum		
Sri Lanka	Colombo		
Suède	Stockholm		
Suisse	Berne		
Suriname	Paramaribo		
Swaziland	Mbabane		
Syrie	Damas		
Tadjikistan	Douchanbe		
Taïwan	Taipei		
Tanzanie	Dar es-Salaam		
Tchad	N'Djamena		
Thaïlande	Bangkok		
Togo	Lomé		
Tonga	Nukualofa		
Trinité-et-Tobago	Port of Spain		
Tunisie	Tunis		
Turkménistan	Achkhabad		
Turquie	Ankara		
Tuvalu	Funafuti		
Ukraine	Kiev		
Uruguay	Montevideo		
Vanuatu	Port-Vila		

Pays, monnaies et langues

PAYS	MONNAIES	LANGUES OFFICIELLES
Afghanistan	afghani	dari, pachto
Afrique du Sud	rand	afrikaans, anglais
Albanie	lek	albanais
Algérie	dinar	arabe
Allemagne	euro	allemand
Andorre	franc, peseta	catalan
Angola	kwanza	portugais
Antigua-et-Barbuda	dollar	anglais
Arabie saoudite	riyal	arabe
Argentine	peso	espagnol
Arménie	rouble	arménien
Australie	dollar	anglais
Autriche	euro	allemand
Azerbaïdjan	rouble	azéri
Bahamas	dollar	anglais
Bahreïn	dinar	arabe
Bangladesh	taka	bengali
Barbade	dollar	anglais
Belgique	euro	français, néerlandais, allemand
Belize	dollar	anglais
Bénin	franc C.F.A.	français
Bhoutan	ngultrum	dzongkha
Biélorussie	rouble	biélorusse
Bolivie	boliviano	espagnol
Bosnie-Herzégovine	mark	serbo-croate
Botswana	pula	anglais
Brésil	cruzeiro	portugais
Brunei	dollar	malais
Bulgarie	lev	bulgare
Burkina Faso	franc C.F.A.	français
Burundi	franc	français, kirundi
Cambodge	riel	khmer
Cameroun	franc C.F.A.	anglais, français
Canada	dollar	anglais, français
Cap-Vert	escudo	portugais
Chili	peso	espagnol

▶▶

Chine	yuan	chinois
Chypre	livre	grec, turc
Colombie	peso	espagnol
Comores	franc	arabe, français
Congo (-Brazza)	franc C.F.A.	français
Congo (-Kinshasa)	franc	français
Corée du Nord	won	coréen
Corée du Sud	won	coréen
Costa Rica	colon	espagnol
Côte d'Ivoire	franc C.F.A.	français
Croatie	dinar	croate
Cuba	peso	espagnol
Danemark	couronne	danois
Djibouti	franc	arabe, français
Dominique	dollar	anglais
Égypte	livre	arabe
Émirats arabes unis	dirham	arabe
Équateur	sucre	espagnol
Érythrée	birr	tigrignia
Espagne	euro	espagnol
Estonie	couronne	estonien
États-Unis	dollar	anglais
Éthiopie	birr	amharique
Fidji (îles)	dollar	anglais
Finlande	euro	finnois, suédois
France	euro	français
Gabon	franc C.F.A.	français
Gambie	dalasi	anglais
Géorgie	rouble	géorgien
Ghana	sedi	anglais
Grande-Bretagne	livre sterling	anglais
Grèce	euro	grec
Grenade	dollar	anglais
Guatemala	quetzal	espagnol
Guinée	franc	français
Guinée-Bissau	peso	portugais
Guinée équatoriale	franc C.F.A.	espagnol
Guyana	dollar	anglais
Haïti	gourde	français
Honduras	lempira	espagnol
Hongrie	forint	hongrois

Inde	roupie	anglais, hindi
Indonésie	rupiah	indonésien
Irak	dinar	arabe
Iran	rial	persan
Irlande	euro	anglais, gaélique
Islande	couronne	islandais
Israël	shekel	hébreu
Italie	euro	italien
Jamaïque	dollar	anglais
Japon	yen	japonais
Jordanie	dinar	arabe
Kazakhstan	rouble	kazakh
Kenya	shilling	anglais, swahili
Kirghizistan	rouble	kirghiz
Kiribati	dollar	anglais
Koweït	dinar	arabe
Laos	kip	lao
Lesotho	loti	anglais, sotho
Lettonie	lats	letton
Liban	livre	arabe
Liberia	dollar	anglais
Libye	dinar	arabe
Liechtenstein	franc suisse	allemand
Lituanie	litas	lituanien
Luxembourg	euro	luxembourgeois
Macédoine	denar	macédonien
Madagascar	franc	malgache
Malaisie	ringgit	malais
Malawi	kwacha	anglais
Maldives (îles)	roupie	divehi
Mali	franc C.F.A.	français
Malte	livre	anglais, maltais
Maroc	dirham	arabe
Marshall (îles)	dollar US	anglais
Maurice (île)	roupie	anglais
Mauritanie	ouguiya	arabe
Mexique	peso	espagnol
Micronésie	dollar US	anglais
Moldavie	leu	roumain
Monaco	franc	français
Mongolie	tugrik	khalkha

▶▶

Mozambique	metical	portugais
Myanmar	kyat	birman
Namibie	rand	afrikaans, anglais
Nauru	dollar	nauruan
Népal	roupie	népalais
Nicaragua	cordoba	espagnol
Niger	franc C.F.A	français
Nigeria	naira	anglais
Norvège	couronne	norvégien
Nouvelle-Zélande	dollar	anglais
Oman	riyal	arabe
Ouganda	shilling	anglais
Ouzbékistan	rouble	ouzbek
Pakistan	roupie	urdu
Panama	balboa	espagnol
Papouasie- Nouvelle-Guinée	kina	anglais
Paraguay	guarani	espagnol
Pays-Bas	euro	néerlandais
Pérou	sol	espagnol
Philippines	peso	tagalog
Pologne	zloty	polonais
Portugal	euro	portugais
Qatar	riyal	arabe
République centrafricaine	franc C.F.A.	français, sango
République dominicaine	peso	espagnol
République tchèque	couronne	tchèque
Roumanie	leu	roumain
Russie	rouble	russe
Rwanda	franc	français, rwanda
Saint-Kitts-et-Nevis	dollar	anglais
Saint-Marin	lire	italien
Saint-Vincent-et- les Grenadines	dollar	anglais
Sainte-Lucie	dollar	anglais
Salomon (îles)	dollar	anglais
Salvador	colon	espagnol
Samoa	tala	anglais, samoan
Sao Tomé et Principe	dobra	portugais

Sénégal	franc C.F.A.	français
Seychelles	roupie	anglais, créole, français
Sierra Leone	leone	anglais
Singapour	dollar	anglais, chinois, malais, tamoul
Slovaquie	couronne	slovaque
Slovénie	tolar	slovène
Somalie	shilling	somali
Soudan	livre	arabe
Sri Lanka	roupie	cinghalais
Suède	couronne	suédois
Suisse	franc	allemand, français, italien, romanche
Suriname	guinée	néerlandais
Swaziland	lilangeni	anglais
Syrie	livre	arabe
Tadjikistan	rouble	tadjik
Taïwan	dollar	chinois
Tanzanie	shilling	anglais, swahili
Tchad	franc C.F.A.	français
Thaïlande	baht	thaï
Togo	franc C.F.A.	français
Tonga	pa'anga	anglais, tongan
Trinité-et-Tobago	dollar	anglais
Tunisie	dinar	arabe
Turkménistan	rouble	turkmène
Turquie	livre	turc
Tuvalu	dollar	anglais
Ukraine	grivna	ukrainien
Uruguay	peso	espagnol
Vanuatu	vatu	anglais, français, bichlamar
Venezuela	bolivar	espagnol
Viêt Nam	dong	vietnamien
Yémen	rial, dinar	arabe
Yougoslavie	dinar	serbo-croate
Zambie	kwacha	anglais
Zimbabwe	dollar	anglais

Pays par continents • Afrique

AFRIQUE MÉDITERRANÉENNE
Algérie
Égypte
Libye
Maroc
Tunisie

AFRIQUE SAHÉLIENNE
Burkina Faso
Cap-Vert
Gambie
Mali
Mauritanie
Niger
Sénégal
Soudan
Tchad

AFRIQUE OCCIDENTALE
Bénin
Côte d'Ivoire
Ghana
Guinée
Guinée-Bissau
Liberia
Nigeria
Sierra Leone
Togo

AFRIQUE CENTRALE
Cameroun
Congo (-Brazza)
Congo (-Kinshasa)
Gabon
Guinée équatoriale
République centrafricaine
Sao Tomé et Principe

AFRIQUE ORIENTALE
Burundi
Djibouti
Érythrée
Éthiopie
Kenya
Ouganda
Rwanda
Somalie
Tanzanie

AFRIQUE AUSTRALE
Afrique du Sud
Angola
Botswana
Comores
Lesotho
Madagascar
Malawi
Maurice (île)
Mozambique
Namibie
Seychelles
Swaziland
Zambie
Zimbabwe

Pays par continents • Amérique

AMÉRIQUE DU NORD
Canada
États-Unis
Mexique

AMÉRIQUE CENTRALE
Belize
Costa Rica
Guatemala
Honduras
Nicaragua
Panama
Salvador

AMÉRIQUE DU SUD
Argentine
Bolivie
Brésil
Chili
Colombie
Équateur
Guyana
Paraguay
Pérou
Suriname
Uruguay
Venezuela

ANTILLES
Antigua-et-Barbuda
Bahamas
Barbade
Cuba
Dominique
Grenade
Haïti
Jamaïque
République dominicaine
Saint-Kitts-et-Nevis
Saint-Vincent-et-les Grenadines
Sainte-Lucie
Trinité-et-Tobago

Pays par continents • Asie

ASIE CENTRALE
Afghanistan
Kazakhstan
Kirghizistan
Ouzbékistan
Tadjikistan
Turkménistan

MOYEN-ORIENT
Arabie saoudite
Bahreïn
Chypre
Émirats arabes unis
Irak
Iran
Israël
Jordanie
Koweït
Liban
Oman
Qatar
Syrie
Turquie
Yémen

ASIE MÉRIDIONALE
Bangladesh
Bhoutan
Inde
Maldives
Népal
Pakistan
Sri Lanka

ASIE DU SUD-EST
Brunei
Cambodge
Indonésie
Laos
Malaisie
Myanmar
Philippines
Singapour
Thaïlande
Viêt Nam

EXTRÊME-ORIENT
Chine
Corée du Nord
Corée du Sud
Japon
Mongolie
Russie
Taïwan

Pays par continents • Europe

EUROPE DU NORD
Danemark
Finlande
Islande
Norvège
Suède

EUROPE DU NORD-OUEST
Belgique
France
Grande-Bretagne
Irlande
Luxembourg
Monaco
Pays-Bas

EUROPE MÉRIDIONALE
Andorre
Espagne
Italie
Malte
Portugal
Saint-Marin

EUROPE BALKANIQUE
Albanie
Bosnie-Herzégovine
Bulgarie
Croatie
Grèce
Macédoine
Yougoslavie

EUROPE CENTRALE
Allemagne
Autriche
Liechtenstein
République tchèque
Slovénie
Suisse

EUROPE ORIENTALE
Biélorussie
Estonie
Hongrie
Lettonie
Lituanie
Moldavie
Pologne
Roumanie
Russie
Slovaquie
Ukraine

CAUCASE
Arménie
Azerbaïdjan
Géorgie

Pays par continents • Océanie

Australie
Fidji
Kiribati
Marshall (îles)
Micronésie
Nauru
Nouvelle-Zélande

Papouasie-Nouvelle-Guinée
Salomon (îles)
Samoa
Tonga
Tuvalu
Vanuatu

Pierres de naissance

Janvier	Grenat	Juillet	Rubis
Février	Améthyste	Août	Péridot
Mars	Aigue-marine	Septembre	Saphir
Avril	Diamant	Octobre	Opale
Mai	Émeraude	Novembre	Topaze
Juin	Perle	Décembre	Turquoise

Pierres précieuses, fines et ornementales

Agate
Aigue-marine
Alabandite
Alexandrite
Amazonite
Améthyste
Aventurine
Béryl
Calcédoine
Célestine
Chrysolithe
Chrysoprase
Corindon
Cornaline
Cristal de roche
Diamant
Émeraude
Escarboucle

Girasol
Grenat
Héliodore
Hématite
Hyacinthe
Jade
Jargon
Jaspe
Labrador
Lapis-lazuli
Malachite
Morganite
Obsidienne
Oeil-de-chat
Onyx
Opale
Outremer
Péridot

Pierre de lune
Pierre de soleil
Quartz
Rhodonite
Rubis
Sanguine
Saphir
Sardoine
Serpentine
Sodalite
Spectrolite
Spinelle
Stéatite
Topaze
Tourmaline
Turquoise
Zircon

Planètes

À PARTIR DU SOLEIL

Mercure
Vénus
Terre
Mars

Jupiter
Saturne
Uranus
Neptune
Pluton

Population
des plus grandes villes

VILLE	POPULATION (EN MILLIONS)
Tokyo (Japon)	34,7
New York (É.-U.)	21,5
Séoul (Corée du Sud)	20,4
Mexico (Mexique)	19,4
Sao Paulo (Brésil)	18,6
Osaka (Japon)	17,9
Los Angeles (É.-U.)	16,7
Bombay (Inde)	16,6
Al-Qahirah (Égypte)	14,8
Le Caire (Égypte)	14,6
Jakarta (Indonésie)	13,5
Buenos Aires (Argentine)	13,4
Calcutta (Inde)	13,4
Moscou (Russie)	13,2
Delhi (Inde)	13,1
Manille (Philippines)	12,8
Shanghai (Chine)	12,0
Londres (Royaume-Uni)	11,8
Rio de Janiro (Brésil)	11,2
Karachi (Pakistan)	10,9
Istanbul (Turquie)	10,7
Téhéran (Iran)	10,7
Dacca (Bangladesh)	9,9
Paris (France)	9,7
Chicago (É.-U.)	9,3
Pékin (Chine)	8,5
Bogota (Colombie)	7,8
Washington	7,7
Lima (Pérou)	7,6
Taipeï (Taïwan)	7,3
Hongkong (Chine)	6,9
Bangkok (Thaïlande)	6,3

Ports • Grands ports du monde

Anvers	Belgique	Nagoya	Japon
Chiba	Japon	New York	États-Unis
Houston	États-Unis	Osaka	Japon
Kawasaki	Japon	Rotterdam	Pays-Bas
Kita-kyushu	Japon	Shanghai	Chine
Kobe	Japon	Singapour	Singapour
La Nouvelle-Orléans	États-Unis	Yokohama	Japon

Préfixes

Ab	As	Col
Abs	At	Com
Ac	Atto	Con
Ad	Auto	Contra
Aéro	Axa	Contre
Af	Bi	Dactylo
Amphi	Bio	Dé
An	Bis	Déca
Ana	Cata	Déci
Anté	Centi	Des
Anti	Chron	Deutér
Ap	Chrono	Deutéro
Apo	Circum	Di
Ar	Cis	Dia
Archi	Co	Dis

▶▶

Dys	Mes	Phil
Ec	Méso	Philo
Éco	Méta	Phon
Ef	Mi	Phono
Em	Micro	Photo
En	Milli	Pico
Entre	Mono	Poly
Épi	Moto	Post
Es	Mult	Pré
Eu	Multi	Pro
Ex	Myri	Pseudo
Extra	Myria	Ptéro
Femto	Myrio	Quadr
Ferro	Nano	Quadri
Géo	Nécro	Quadru
Giga	Néo	Ras
Hect	Neur	Re
Hecto	Neuro	Rétro
Hémi	Ob	Semi
Hérédo	Oc	Sesqui
Hydr	Oct	Simili
Hydro	Octa	Sous
Hyper	Octi	Sub
Hypo	Octo	Sulf
Il	Op	Sulfo
Im	Ortho	Super
In	Os	Supra
Infra	Paléo	Sus
Inter	Pan	Syn
Intra	Pant	Télé
Intro	Panto	Téra
Ir	Par	Tétra
Iso	Para	Théo
Juxta	Patho	Therm
Kilo	Péd	Thermo
Macr	Pédo	Trans
Macro	Pent	Tri
Mé	Penta	Ultra
Meg	Per	Vice
Méga	Péri	
Mélo	Peta	

Prépositions

Après
Avant
Avec
Chez
Contre
Dans
De
Deçà
Delà
Depuis
Derrière
Dès
Devant
Durant
En

Entre
Envers
Ès
Excepté
Fors
Hormis
Hors
Jusque
Malgré
Moins
Nonobstant
Outre
Par
Parmi
Pendant

Pour
Près
Sans
Sauf
Selon
Sous
Suivant
Sur
Sus
Vers
Versus
Via
Voici
Voilà
Vu

Pronoms

**PRONOMS
DÉMONSTRATIFS**
Ça
Ce
Ceci
Cela
Celle
Celle-ci
Celle-là
Celles
Celles-ci
Celles-là
Celui
Celui-ci
Celui-là
Ceux
Ceux-ci

Ceux-là
Ci
Icelle
Icelles
Icelui
Iceux

**PRONOMS
PERSONNELS**
Elle
Elles
En
Eux
Il
Ils
Je
La

Le
Les
Leur
Leurs
Lui
Me
Moi
Nous
On
Se
Soi
Te
Toi
Tu
Vous
Y

PRONOMS
POSSESSIFS
Leur
Leurs
Mien
Mienne
Miennes
Miens
Nôtre
Nôtres
Sien
Sienne
Siennes

Siens
Tien
Tienne
Tiennes
Tiens
Vôtre
Vôtres

PRONOMS
RELATIFS
Auquel
Auxquelles
Auxquels

Desquelles
Desquels
Dont
Duquel
Laquelle
Lequel
Lesquelles
Lesquels
Où
Que
Qui
Quiconque
Quoi

Québec • Circonscriptions électorales fédérales

Abitibi-Baie-James-Nunavik-Eeyou
Ahuntsic
Anjou-Rivière-des-Prairies
Argenteuil-Papineau-Mirable
Bas-Richelieu-Nicolet-Bécancour
Beauce
Beauharnois-Salaberry
Beauport-Montmorency-Côte-
 de-Beaupré-Île d'Orléans
Bellechasse-Etchemins-
 Montmagny-L'Islet
Berthier-Montcalm
Bonaventure-Gaspé-Îles-de-
 la-Madeleine-Pabok
Bourassa
Brome-Missisquoi
Brossard-La Prairie
Chambly
Champlain
Charlesbourg-Haute-Saint-Charles
Charlevoix
Châteauguay

Chicoutimi
Compton-Stanstead
Drummond
Frontenac-Mégantic
Gatineau
Haute-Gaspésie-La Mitis-Matane-
 Matapédia
Hochelaga-Maisonneuve
Hull-Aylmer
Joliette
Jonquière
Lac-Saint-Jean
Lac-Saint-Louis
LaSalle-Émard
Laurentides
Laurier-Sainte-Marie
Laval-Centre
Laval-Est
Laval-Ouest
Lévis-et-Chutes-de-la-Chaudière
Longueuil-Pierre-Boucher
Lotbinière

Louis-Hébert
Manicouagan
Mercier
Mont-Royal
Montmagny-L'Islet-Kamouraska-
  Rivière-du-Loup
Morency-Charlevoix-Hautes-
  Côte-Nord
Notre-Dame-de-Grâce-Lachine
Outremont
Papineau-Saint-Denis
Pierrefonds-Dollard
Pontiac-Gatineau-Labelle
Portneuf-Jacques-Cartier
Québec
Québec-Est
Repentigny
Richmond-Arthabaska
Rimouski-Neigette-Témiscouata-
  Les Basques

Rivière-des-Mille-Îles
Roberval-Lac-St-Jean
Rosemont
Saint-Bruno-Saint-Hubert
Saint-Hyacinthe-Bagot
Saint-Jean
Saint-Lambert
Saint-Laurent-Cartierville
Saint-Léonard-Saint-Michel
Saint-Maurice
Shefford
Sherbrooke
Témiscamingue
Terrebonne-Blainville
Trois-Rivières
Vaudreuil-Soulanges
Verchères-Les Patriotes
Verdun-Saint-Henri
Westmount-Ville-Marie

Québec • Circonscriptions électorales provinciales par régions administratives

BAS-SAINT-LAURENT (RÉGION 01)
Kamouraska-Témiscouata
Matane
Matapédia
Rimouski
Rivière-du-Loup

SAGUENAY-LAC-SAINT-JEAN (RÉGION 02)
Chicoutimi

Dubuc
Jonquière
Lac-Saint-Jean
Roberval

QUÉBEC (RÉGION 03)
Charlesbourg
Charlevoix
Chauveau
Dubuc
Jean-Talon

La Peltrie
Limoilou
Louis-Hébert
Montmorency
Portneuf
Taschereau
Vanier

MAURICIE (RÉGION 04)
Champlain
Laviolette
Maskinongé
Portneuf
Saint-Maurice
Trois-Rivières

ESTRIE (RÉGION 05)
Beauce
Brome-Missisquoi
Johnson
Mégantic-Compton
Orford
Richmond
Saint-François
Sherbrooke

MONTRÉAL (RÉGION 06)
Acadie
Anjou
Bourassa
Bourget
Crémazie
D'Arcy-McGee
Gouin
Hochelaga-Maisonneuve
Jacques-Cartier
Jeanne-Mance
LaFontaine
Laurier-Dorion
Marguerite-Bourgeoys
Marquette

Mercier
Mont-Royal
Nelligan
Notre-Dame-de-Grâce
Outremont
Pointe-aux-Trembles
Robert-Baldwin
Rosemont
Saint-Henri-Sainte-Anne
Saint-Laurent
Sainte-Marie-Saint-Jacques
Sauvé
Verdun
Viau
Viger
Westmount-Saint-Louis

OUTAOUAIS (RÉGION 07)
Chapleau
Gatineau
Hull
Papineau
Pontiac

ABITIBI-TÉMISCAMINGUE (RÉGION 08)
Abitibi-Est
Abitibi-Ouest
Gatineau
Rouyn-Noranda-Témiscamingue

CÔTE-NORD (RÉGION 09)
Duplessis
Saguenay
Ungava

NORD-DU-QUÉBEC (RÉGION 10)
Abitibi-Ouest
Duplessis
Ungava

GASPÉSIE-ÎLES-DE-LA-MADELEINE (RÉGION 11)
Bonaventure
Gaspé
Îles-de-la-Madeleine
Matane

CHAUDIÈRE-APPALACHES (RÉGION 12)
Beauce-Nord
Beauce-Sud
Bellechasse
Chutes-de-la-Chaudière
Frontenac
Kamouraska-Témiscouata
Lévis
Lotbinière
Montmagny-L'Islet
Richmond

LAVAL (RÉGION 13)
Chomedey
Fabre
Laval-des-Rapides
Mille-Îles
Vimont

LANAUDIÈRE (RÉGION 14)
Berthier
Bertrand
Joliette
L'Assomption
Masson
Rousseau
Terrebonne

LAURENTIDES (RÉGION 15)
Argenteuil
Bertrand
Blainville
Deux-Montagnes

Gatineau
Groulx
Labelle
Papineau
Prévost
Rousseau

MONTÉRÉGIE (RÉGION 16)
Beauharnois-Huntingdon
Borduas
Brome-Missisquoi
Chambly
Châteauguay
Iberville
Johnson
La Pinière
La Prairie
Laporte
Marguerite-D'Youville
Marie-Victorin
Nicolet-Yamaska
Richelieu
Saint-Hyacinthe
Saint-Jean
Salaberry-Soulanges
Shefford
Taillon
Vachon
Vaudreuil
Verchères

CENTRE-DU-QUÉBEC (RÉGION 17)
Arthabaska
Drummond
Frontenac
Johnson
Lotbinière
Nicolet-Yamaska
Richmond

Québec •
Lieutenants-gouverneurs

1867-1873	Belleau, Narcisse-Fortunat
1873-1876	Caron, René-Édouard
1876-1879	Letellier de Saint-Just, Luc
1879-1884	Robitaille, Théodore
1884-1887	Masson, Louis-François-Roderick
1887-1892	Angers, Auguste-Réal
1892-1998	Chapleau, Joseph-Adolphe
1898-1908	Jetté, Louis-Amable
1908-1911	Pelletier, Charles-Alphonse-Pantaléon
1911-1915	Langelier, François
1915-1918	Leblanc, Pierre-Évariste
1918-1923	Fitzpatrick, Charles
1923-1924	Brodeur, Louis-Philippe
1924-1929	Pérodeau, Narcisse
1929-1929	Gouin, Lomer
1929-1934	Carroll, Henry George
1934-1940	Patenaude, Ésioff-Léon
1940-1950	Fiset, Eugène
1950-1958	Fauteux, Gaspard
1958-1961	Gagnon, Onésime
1961-1966	Comtois, Paul
1966-1978	Lapointe, Hugues
1978-1984	Côté, Jean-Pierre
1984-1990	Lamontagne, Gilles
1990-1996	Asselin, Martial
1996-1996	Roux, Jean-Louis
1996-	Thibault, Lise

Québec • Parcs et lieux historiques nationaux du Canada

Centre d'interprétation du Vieux-Fort-de-Québec
Centre d'interprétation et d'observation de Pointe-Noire
Centre d'interprétation et d'observation du Cap-de-Bon-Désir
Lieu historique national Cartier-Brébeuf
Lieu historique national de Coteau-du-Lac
Lieu historique national de Grande-Grave
Lieu historique national de la Bataille-de-la-Châteauguay
Lieu historique national de la Bataille-de-la-Ristigouche
Lieu historique national de la Caserne-de-Carillon
Lieu historique national de la Grosse-Île-et-le-Mémorial-des-Irlandais
Lieu historique national de Louis-S.-St-Laurent
Lieu historique national de Sir-George-Étienne-Cartier
Lieu historique national de Sir-Wilfrid-Laurier
Lieu historique national des Forges-du-Saint-Maurice
Lieu historique national des Fortifications-de-Québec
Lieu historique national du Canal-de-Carillon
Lieu historique national du Canal-de-Chambly
Lieu historique national du Canal-de-Lachine
Lieu historique national du Canal-de-Saint-Ours
Lieu historique national du Canal-de-Sainte-Anne-de-Bellevue
Lieu historique national du Commerce-de-la-Fourrure-à-Lachine
Lieu historique national du Fort-Chambly
Lieu historique national du Fort-Lennox
Lieu historique national du Fort-Numéro-Un-de-la-Pointe-de-Lévy
Lieu historique national du Fort-Témiscamingue
Lieu historique national du Manoir-Papineau
Lieu historique national du Parc-de-l'Artillerie
Lieu historique national du Phare-de-Pointe-au-Père
Parc marin du Saguenay-Saint-Laurent
Parc national de la Mauricie
Parc national Forillon
Réserve de parc national de l'Archipel-de-Mingan

Québec • Premiers ministres

1867-1873	Pierre J.-O. Chauveau
1873-1874	Gédéon Ouimet
1874-1878	Charles-Eugène Boucher de Boucherville
1878-1879	Henri-Gustave Joly de Lotbinière
1879-1882	Joseph-Adolphe Chapleau
1882-1884	Joseph-Alfred Mousseau
1884-1887	John J. Ross
1887-1887	Louis-Olivier Taillon
1887-1891	Honoré Mercier
1891-1892	Charles-Eugène Boucher de Boucherville
1892-1896	Louis-Olivier Taillon
1896-1897	Edmund J. Flynn
1897-1900	Félix-Gabriel Marchand
1900-1905	Simon-Napoléon Parent
1905-1920	Lomer Gouin
1920-1936	Louis-Alexandre Taschereau
1936-1936	Adélard Godbout
1936-1939	Maurice Duplessis
1939-1944	Adélard Godbout
1944-1959	Maurice Duplessis
1959-1960	Paul Sauvé
1960-1960	Antonio Barrette
1960-1966	Jean Lesage
1966-1968	Daniel Johnson
1968-1970	Jean-Jacques Bertrand
1970-1976	Robert Bourassa
1976-1985	René Lévesque
1985-1985	Pierre Marc Johnson
1985-1994	Robert Bourassa
1994-1994	Daniel Johnson
1994-1996	Jacques Parizeau
1996-2001	Lucien Bouchard
2001-2003	Bernard Landry
2003-	Jean Charest

Quotidiens

PAYS	TITRE	PAYS	TITRE
Allemagne	Bild Zeitung	États-Unis	New York Times
Allemagne	Die Welt	États-Unis	USA Today
Allemagne	Frankfurter Allgemeine Zeitung	États-Unis	Wall Street Journal
		États-Unis	Washington Post
Allemagne	Suddeutsche Zeitung	France	France-Soir
Belgique	De Standaard	France	L'Humanité
Belgique	Het Laatste Nieuws	France	La Croix
Belgique	Le Soir	France	Le Figaro
Belgique	Vers l'Avenir	France	Le Monde
Canada	Calgary Herald	France	Le Parisien
Canada	Edmonton Journal	France	Libération
Canada	Financial Post	France	Ouest-France
Canada	Hamilton Spectator	Grande-Bretagne	Daily Mail
Canada	La Gazette	Grande-Bretagne	Daily Star
Canada	La Presse	Grande-Bretagne	Financial Times
Canada	La Tribune	Grande-Bretagne	The Daily Telegraph
Canada	La Voix de l'Est		
Canada	Le Devoir	Grande-Bretagne	The Express
Canada	Le Droit	Grande-Bretagne	The Guardian
Canada	Le Journal de Montréal	Grande-Bretagne	The Independent
Canada	Le Journal de Québec	Grande-Bretagne	The Mirror
Canada	Le Nouvelliste	Grande-Bretagne	The Sun
Canada	Le Quotidien	Grande-Bretagne	The Times
Canada	Le Soleil	Italie	Corriere della Serra
Canada	London Free Press	Italie	La Repubblica
Canada	Ottawa Citizen	Italie	La Stampa
Canada	The Globe and Mail	Japon	Asahi Shimbun
Canada	The Toronto Star	Japon	Mainichi Shimbun
Canada	Toronto Sun	Japon	Yoemiuri Shimbun
Canada	Vancouver Province	Russie	Izvestia
Canada	Vancouver Sun	Russie	Troud
Canada	Winnipeg Free Press	Suisse	Blick
Chine	Le Quotidien du peuple	Suisse	Neue Zurcher Zeitung
Espagne	ABC	Suisse	Tages Anzeiter
Espagne	El Mundo	Suisse	Tribune de Genève
Espagne	El Pais		
États-Unis	Los Angeles Times		

Rois d'Angleterre

1485-1509	Henri VII Tudor	1760-1820	George III
1509-1547	Henri VIII	1820-1830	George IV
1547-1553	Édouard VI	1830-1837	Guillaume IV
1553-1558	Marie Ire	1837-1901	Victoria
1558-1603	Élisabeth Ire	1901-1910	Édouard VII
1603-1625	Jacques Ier Stuart	1910-1936	George V
1625-1649	Charles Ier	1936	Édouard VIII
1660-1685	Charles II	1936-1952	George VI
1685-1688	Jacques II	1952-	Élisabeth II
1689-1694	Marie II Stuart		
1689-1702	Guillaume III d'Orange		
1702-1714	Anne Stuart		
1714-1727	George Ier		
1727-1760	George II		

Rois de France

Hugues Capet	987-996	Jean II le Bon	1350-1364
Robert II le Pieux	996-1031	Charles V le Sage	1364-1380
Henri Ier	1031-1060	Charles VI	1380-1422
Philippe Ier	1060-1108	Charles VII	1422-1461
Louis VI le Gros	1108-1137	Louis XI	1461-1483
Louis VII le Jeune	1137-1180	Charles VIII	1483-1498
Philippe II Auguste	1180-1223	Louis XII	1498-1515
Louis VIII	1223-1226	François Ier	1515-1547
Louis IX (Saint Louis)	1226-1270	Henri II	1547-1559
Philippe III le Hardi	1270-1285	Charles IX	1560-1574
Philippe IV le Bel	1285-1314	Henri III	1574-1589
Louis X le Hutin	1314-1316	Henri IV	1589-1610
Jean Ier le Posthume	1316	Louis XIII	1610-1643
Philippe V le Long	1316-1322	Louis XIV	1643-1715
Charles IV le Bel	1322-1328	Louis XV	1715-1774
Philippe VI	1328-1350	Louis XVI	1774-1792

Serpents

Anaconda
Aspic
Boa
Céraste
Cobra

Coronelle
Couleuvre
Crotale
Eunecte
Hamadryade

Nasique
Péliade
Python
Vipère

Soccer • Gagnants de la Coupe du Monde

1930	Uruguay	1974	R.F.A.
1934	Italie	1978	Argentine
1938	Italie	1982	Italie
1950	Uruguay	1986	Argentine
1954	R.F.A.	1990	R.F.A.
1958	Brésil	1994	Brésil
1962	Brésil	1998	France
1966	Angleterre	2002	Brésil
1970	Brésil		

Suisse •
Divisions administratives

CANTON	CHEF-LIEU	CANTON	CHEF-LIEU
Appenzell	Herisau/Appenzell	Schaffhouse	Schaffhouse
Argovie	Aarau	Schwyz	Schwyz
Bâle	Bâle/Liestal	Soleure	Soleure
Berne	Berne	Tessin	Bellinzona
Fribourg	Fribourg	Thurgovie	Frauenfeld
Genève	Genève	Unterwald	Sarnen/Stans
Glaris	Glaris	Uri	Altdorf
Grisons	Coire	Valais	Sion
Jura	Delémont	Vaud	Lausanne
Lucerne	Lucerne	Zoug	Zoug
Neuchâtel	Neuchâtel	Zurich	Zurich
Saint-Gall	Saint-Gall		

Travaux d'Hercule

1. Étouffe le lion de Némée
2. Décapite l'hydre de Lerne
3. Prend vivant le sanglier d'Érymanthe
4. Rejoint à la course la biche de Cérynie
5. Tue à l'arc les oiseaux du lac Stymphale
6. Dompte le taureau de la Crète
7. Tue Diomède
8. Vainc les Amazones
9. Nettoie les écuries d'Augias
10. Tue Géryon
11. Prend les pommes d'or des Hespérides
12. Délivre Thésée

Unités de mesure

Acre
Ampère
Are
Arpent
Aune
Bar
Becquerel
Boisseau
Brasse
Calorie
Carat
Chopine
Coudée
Demiard
Denier
Doigt
Drachme
Erg
Gallon

Grain
Gramme
Hectare
Hertz
Heure
Joule
Kilo
Lieue
Litre
Livre
Lux
Mètre
Mille
Mine
Minute
Muid
Newton
Noeud
Obole

Ohm
Once
Pas
Pascal
Perche
Pied
Pinte
Pouce
Radian
Seconde
Setier
Stère
Talent
Toise
Tonne
Tonneau
Volt
Watt

Zodiaque • Signes du zodiaque

Capricorne	23 décembre - 20 janvier
Verseau	21 janvier - 18 février
Poissons	19 février - 20 mars
Bélier	21 mars - 20 avril
Taureau	21 avril - 20 mai
Gémeaux	21 mai - 21 juin
Cancer	22 juin - 22 juillet
Lion	23 juillet - 23 août
Vierge	24 août - 23 septembre
Balance	24 septembre - 23 octobre
Scorpion	24 octobre - 22 novembre
Sagittaire	23 novembre - 22 décembre

Notes

Notes

IMPRIMÉ AU CANADA